韩国公司法

（韩）李哲松　著

吴日焕　译

（根据韩国博英社 1999 年 1 月版
"会社法讲义"第 7 版译出）。

中国政法大学出版社

作者简介

李哲松： 韩国著名的商法学者。1948 年出生于韩国，京畿高等学校及汉城大学法学院毕业，并在汉城大学研究生院取得法学博士学位。现任汉阳大学法学院教授，汉阳大学法学研究所所长，韩国证券法学会会长，韩国商事法学会理事，韩国税法学会及国际税收协会副会长，韩国国税审判所非常任审判官，韩国全国经济人联合会及上市公司协议会咨询委员。从 1989 年起至今，曾任美国哈佛大学法学院和夏威夷州立大学法学院，德国康斯坦次大学法学院，日本东京大学法学部客座教授。主要研究领域有：商法，证券法，反垄断法，税法，金融法等。著有"会社法讲义"，"商法总则·商行为"，"票据法"，"商法讲义"，"公司债发行制度研究"，"公司合并·分立的法理和税制"，"经济法令的违宪要素检索"等专著及论文上百篇。

中文版序

　　著者于 1992 年至 1995 年的每年夏天，受中国国务院法制局的邀请，作为外国咨询委员参加过中国经济改革立法研讨会。此后，又受中国国务院体制改革委员会和国家工商管理局之邀，在中国就经济立法作过几次演讲。通过这些机会，著者不仅向为经济改革立法受各个政府部门派遣的公务员们介绍了资本主义国家经济立法的现状，并且有可能了解到中国经济立法的现状，尤其是通过与经济管理部门年轻的公务员们的对话得到很多有关中国的知识，真是受益匪浅。当时著者已经感受到，中国以丰富的资源和优秀的人才为基础，早晚会成为主导世界经济的国家。虽然现在多少有点困难，但中国正在按部就班地构筑着市场经济的大厦，迈向经济现代化国家之路。

　　正如在数百年西欧资本主义发达过程中，公司因其营利性组织和功能的优秀性，主导了经济的发展，在中国的发展中起主导作用的经济主体同样只能是公司。因此，为促成中国的经济按照原定的计划得到发展，公司应该作为经济主体起主导作用。为做到这一点，应有解决有关公司组织一切问题的优秀的公司法。中国已于 1992 年参考欧美的公司法，制定了关于公司的国务院行政法规，紧接着于 1993 年制定了符合中国特色的优秀的公司法，我相信在不久的将来在中国造就出灿烂的公司文化。

　　由于公司是以营利为目的的团体，公司组织追求最大效率的营利。为适应这个要求，各国公司法制正在向将营利性效率极大化的方向发展。如今，公司法学只研究自国的公司法不能避免停

滞的命运，应不断地通过比较法研究，吸收其他国家不断改良的
公司法。相信中国的公司法学者会有同感。依著者的浅见，继受
欧美的公司法并结合东亚企业文化的日本和韩国的公司法，暂时
有可能成为中国公司法学有益的参考资料。基于这一点，著者一
直抱有将自己的《会社法讲义》介绍给中国公司法学者的想法。
正好，在汉阳大学学习研究的中国政法大学法律系的吴日焕先生
对本书发生兴趣，并进行了翻译。中国政法大学与汉阳大学法学
院早已建立友好关系，平时交流频繁，中国政法大学出版社便愉
快地答应了出版要求，本书得以在中国出版。本书不仅介绍了韩
国的公司法，并且就重要的论题也介绍了美国和日本以及德国等
西欧国家的公司法和学说，因此相信通过本书也容易接近当今世
界主要发达国家的公司法。

　　著者期望与中国的经济发展相适应，中国的公司法制及公司
法学的辉煌的发展，期望韩中两国之间除了经济交流以外，法学
交流，尤其是公司法学的交流得到加强，并希望本书的出版对此
做出一点贡献。

　　最后，对本书的译者和对本书的出版给于特别关照的中国政
法大学赵相林副校长，中国政法大学出版社的前任社长池源淳，现
任社长李传敢以及参与编辑、印刷工作的所有人表示衷心的感谢。
中国清华大学法学院院长王保树教授特意为本书作序，在此一并
表示由衷的谢意。

韩国汉阳大学法学院教授

李哲松博士

1999 年 8 月

序

　　公司是最适应市场经济发展的一种企业形态，因而规范它的公司法在商法中居重要地位。可以毫不夸张地说，公司法是最能体现商法精神和商法价值的法域。

　　无疑，学习、研究和运用公司法，应立足本国。但是，公司法的许多规则在世界上是相通的，公司法理论的共性之处是不容忽视的。尤其是在现代市场经济发展中，各国公司法都遇到了一些亟待解决的问题。诸如公司治理的模式，充分运用监督机制和提高公司效率的关系，职工持股与职工参与管理，公司的社会责任等，各国立法者和公司法学者无不给以极大的重视，或认真对其研究，或积极采取对策。同时，各国公司法产生的背景不同，它们必然有自己的特点和不同的经验。就比较法的观点而言，认真研究各国公司法律制度和公司法理论是十分必要的。正基于此，韩国著名商法学者李哲松教授所著《会社法讲义》经吴日焕先生翻译并以中文出版，是一件很有益的事情。

　　李哲松教授的《会社法讲义》不是一般的法学教科书，而是作者多年研究韩国公司法律制度，深入考察欧美公司法和东亚企业文化传统结合点的重要成果。这部著作，不仅告诉读者韩国公司法的制度框架和具体规则，还向人们揭示了一个发展中国家——韩国如何在保留东亚企业文化合理内核的条件下，使其公司法从不成熟走向成熟的。《会社法讲义》立论严谨，其每一个重要观点的提出，都是建立在对诸多学说、观点认真分析的基础上的。该书不仅注意对公司法内部构造的考察，而且重视与公司法相关法律部门结合部的研究。其对实务问题的分析也较透彻，具有很强的可读性。

　　总之，《会社法讲义》以其自己的学术价值展现在我国读者面前，它将大大加强人们对韩国公司法及其理论的了解，促进两国在公司法上的学术交流。为此，特作此序。

王保树

1999 年 8 月 3 日于清华园

目　录

法令略语表

(商)	现行商法
(84 修改前)	1984 年修改前商法
(95 修改前)	1995 年修改前商法
(98 修改前)	1998 年修改前商法
(公证)	公证人法
(旧商)	旧商法
〔国基(令)〕	国税基本法(同施行令)
〔垄规(令)〕	垄断规制及公平交易之法律(同施行令)
(民)	民法
(民诉)	民事诉讼法
〔法税(令)〕	法人税(同施行令)
(附)	商法附则
(不登)	不动产登记法
(非讼)	非讼事件程序法
(商施行规程)	关于一部分商法规定之施行的规程
〔所税(令)〕	所得税法(同施行令)
〔外监(令)〕	关于股份公司外部监查的法律(同施行令)
〔外资(令)〕	关于外国人投资及外资引进的法律(同施行令)
(印税)	印花税法
〔证交(令、规则)〕	证券交易法(同施行令、同施行规则)

（地税）	地方税法
（破）	破产法
（公整）	公司重整法
（会基）	企业会计基准
（日商）	日本商法
（日民）	日本民法
（AKtG）	德国 1965 年股份法
（Companies Act）	英国 1985 年公司法
（MBCA）	美国 1984 年修正标准商事公司法

第一章 序 论

第一节 现代社会与公司

如果没有公司制度，今日绚丽的资本主义产业文明是不可能实现的。牵引资本主义经济的企业活动，为了其规模的成长必然依存于共同的企业形态，而以股份公司[1]为中心的公司形态通过集中大众资本和提供合理的经营组织，保障企业无限成长的可能性。公司不仅确保适合现代企业经营的组织和规模，而且为上市公司的出资者们打开了通过证券市场自由处分股份而回收投入资本，投资到利润更丰厚企业之途径，从而带来了有效分配社会资源的宏观经济效果。由此，公司成为民间部门中最富有效率的经济主体，生产高附加价值，从而增加社会的财富，创造就业机会，并通过生产、提供财货及劳务，履行社会资源的分配功能。同时，公司基于众望，从企业应承担的社会责任出发，通过慈善、福利等活动，将积蓄的部分财富还给社会。如果说，所谓的尽善尽美的资本主义应是让最多数的出资者（股东）享有最大限度利润的状态，那么，实现其目的的最适合的工具则是公司。

但是，当公司成长至极限时，自然引发了诸多的问题。从公司自身的生理结构上看，它将公司的组织性放在首位，而将人性放在

---

〔1〕 即股份有限公司，韩国和日本称其为"株式会社"——译者。

其后。因此，公司的从业人员均化为"公司化人"，从而导致人性的丧失，甚至精神文明的危机。由于公司一开始就营利性为本，倾向于追求垄断与经济力量的集中，从而歪曲社会的分配结构。再有，随着公司规模的巨大化，形成连政府都不可左右的强有力的影响力，不仅寡占金融等社会的可用资源，甚至将税制或各种经济法制修改为对自己有利，引发全社会的不平等局面。所以，公司被比喻为现代的"利维坦"（Leviathan）。[1]

与此同时，公司内部产生的矛盾也非常深刻。尤其是在大型股份公司中，由于股份广泛分散的同时又部分集中，导致公司的所有与控制的偏离；又因公司权力的偏倒与滥用，产生大股东、经营者及少额股东之间的矛盾冲突。

如上所述，公司在为资本主义社会的发展做出贡献的同时，起着深刻的反作用。因此，既要最大限度地发挥其优点，又要从制度上排除其弊端，这是摆在当今公司法学面前的课题。

第二节　企业组织的形态与公司

营利事业的主体要选择何种形态的企业组织，是由种种动机与原因所决定的。而其选择对象，又可按多种标准来分类。法律上的最为简单的分类为：自然人商人单独经营的个人企业与多数人参与资本形成和经营的共同企业。

一、个人企业的局限性

个人企业是由特定的自然人单独筹集营业所需的资本并亲自经营的最为简单的企业形态，其所有、控制、经营全部归属于出资者个人。从而，企业的意思决定完全取决于企业主的单独裁量。个人企业虽然具有随机应变的优点，但也有如下缺点：第一，盈亏全部

---

〔1〕 P. I. Blumberg, The Megacorporation in American Society, Prentice Hall, 1975, P. 1.

归属于企业主自己，无法分散企业的风险；第二，企业未能得到法律上独立于家计的认定，因此，企业主对企业的盈亏承担无限责任；第三，个人所能筹集的资本有限，为克服这种缺陷，只能依赖于资本的借入，而借入资本后，不管企业的情况如何，必须还本付息，在资本及费用方面的负担很重，结果不能避免企业的微型化；第四，企业主自己单独经营，而个人的经营能力是有限的，经营不能形成组织化。

上述缺陷给个人企业设置宿命的局限性，如欲克服这些缺陷而保持竞争力，必须选择共同企业形态。

二、共同企业的法律形态

制定法上规定多种共同企业形态，供企业主根据其所希望的经营组织与资本集中的规模选择合适的形态。最为简单的共同企业形态有民法上的合伙（民 703 条～724 条）和商法上的隐名合伙（商 78 条～86 条）以及海上企业特有的船舶共有（商 753 条～960 条）。但是，这些共同企业只适合极其小规模的资本集中或劳动力的使用，并且不具备法人格，因此不能完全克服个人企业的缺陷。因而，如需要更加完备的共同企业时，应选择公司形态。

韩国的公司分为无限公司、两合公司、股份公司、有限公司四种类型。这些都是以营利为目的的复数人的结合体（商 169 条），享有法人格（商 171 条，1 款），具备如下个人企业和非公司共同企业所不具备的优点：（1）资本的结合或资本和劳力的结合；（2）经营的组织化；（3）企业风险的分散或限制；（4）事业的永续性经营；（5）确保从出资者的家计中的独立性；（6）投入资本的保全，参与资本利润的分配，回收投入资本等。

但是，因出资者对外承担的责任形式不同，各类公司的具体法律关系也不一样。并且，上述 6 项优点，也因公司种类的不同，其程度也不一样（详见第二章第四节）。

第三节　公司法的性质

一、公司法的意义

"公司法"一般分为实质意义上的公司法和形式意义上的公司法。

实质意义上的公司法，是指规范公司形态共同企业之组织与经营的一切法律。由多数人结合的企业经营组织从各个成员独立而具备企业交易上的主体性时，需要由特别的法律来调整。首先，个人之间的结合是以营利为目的的，不同于民法上的非营利法人，因此需要由不同于民法规定的特殊的法律来调整；其次，由于采用共同企业的经营方式，需要由作为企业法的商法中的特殊规定来调整之。实质意义上的公司法指的是适应这些需要的一切法律秩序。

反之，形式意义上的公司法，是指成文法典的形式或者从其名称上可认知为"公司法"的那一部分，并不过问该规定的实质是否为公司所固有的。韩国商法（1962.1.20法律1000号）中的第三编"公司"即为韩国的形式意义上的公司法。形式意义上的公司法主要由私法规范组成，其范畴大体上与实质意义上的公司法相同。但除此之外，还包含诸多非讼事件的规定、诉讼法性质的规定及罚则性质的规定。

根据通说，公司法的研究对象为以带有私法性质的实质意义上的公司法为中心，同时为方便起见，也包括存在于形式意义上的公司法内部的公法性质的规定。但是应该看到，许多公法性质的规定对私法性规制的实现起着不可缺少的作用，并且只有依那种公法性的保障，才能维持私法性质的关系。因此，两者有不可分割的关系。鉴于这一点，将公司法的领域理解为，除了私法规范，还包括公法性质的规范是妥当的。尤其是，随着大众资本参与的活跃，为了保护普通的投资者而制定证券法规；随着企业的经济功能扩大，正在陆续制定有效分配资源及实现经济正义的法律，尽管它们带有非常浓厚的公法性色彩，但同时也是公司法的重要研究对象。

二、公司法的特色

公司法是商法的一部分，但它又是以调整特殊的共同企业形态——公司为目的的法律，从这个意义上讲，它除了具有商法所带有的一般的特殊性之外，又具有如下特色。

(一) 团体法的性质

公司法，大部分由关于作为团体的公司组织及以此为中心的法律关系的规定构成。例如，公司的机关构成，社员与公司之间的关系，社员与社员之间的关系等。因此，与调整个人之间对等法律关系的个人法不同，受团体法原理的支配。这样一来，个人法上的契约自由的原则只能在修正的状态下适用，并根据多数表决原则、社员平等的原则等划一性、统一性原理形成法律关系。于是，在这一范围内，公司法大部分带有强行法的性质，有时伴随公法性的监督或罚则。

(二) 交易法的性质

公司法中也有像那些公司与第三人之间的交易、社员与公司债权人之间的关系等带有交易法性质的规定。这种法律关系如同个人法上的交易，受意思自治、保护交易安全等个人法上的法律原理的支配。

第四节 公司法的法源[1]

一、种类

公司法的法源有：制定法、习惯法、自治法规。

---

[1] 即法律渊源，在韩国和日本都简称为"法源"——译者。

（一）制定法

关于公司的制定法有：作为基本法源的"商法第三编公司"及其附属法令"商法施行法"（1962 年 12 月 12 日法律 1213 号公布，1965 年 3 月 19 日法律 1687 号修改），"关于商法一些规定的施行规定"（1984．8．6 总统令 11485 号），各种商事特别法令。

1．商法典。公司法的法源中占最重要地位的是商法典中的公司编。1962 年制定的现行商法典中的公司编是属于德意志公司法系的旧商法中添加英美法的因素而产生的，对韩国的股份公司制度带来了一大变革。后来，又通过 1984 年、1995 年、1998 年的三次修改，更加接近于英美公司法。

2．特别法令。特别法令非常多，大体上可分为以下三大类：

第一类：法令本身的全部内容为公司法的法源。例如，公司重整法[1]（1962．12．12，法律 1214 号），附担保公司债信托法（1962．1．20，法律 991 号），关于股份公司外部监查的法律（1980．12．31，法律 3297 号）。

第二类：法令中的一部分成为公司法的法源。主要有：政府投资机关管理基本法（1983．12．31，法律 3690 号），银行法（全文修改于 1998．1．13，法律 5499 号），保险业法（1977．12．31，法律 3043 号），信托业法（1961．12．31，法律 945 号），证券投资信托业法（1995．12．29，法律 5044 号），短期金融业法（1972．8．17，法律 2339 号），关于综合金融公司之法律（全文修改于 1995．12．29，法律 5045 号），相互信用金库法（1972．8．2，法律 2333 号），新村金库法（全文修改于 1989．12．30，法律 4152 号），专事信贷金融业法（1997．8．29，法律 5374 号），信用情报的利用及其保护的法律（1995．1．5，法律 4866 号），建设产业基本法（全文修改于 1996．12．30，法律 5230 号），资产再评估法（1965．3．31，法律 1961 号），证券交易法（全文修改于 1976．12．22，

---

[1] "公司重整法"，在韩国称之为"公司整理法"——译者。

法律 2920 号），公司债登录法（1970．1．1，法律 2164 号），外国人投资及外资引进之法律（1983．12．31 全文修改，法律 3691 号），垄断规制及公平交易之法律（全文修改于 1990．1．13，法律 3320 号），工业发展法（1986．1．8，法律 3806 号），关于新技术事业金融支援之法律（全文修改于 1988．12．31，法律 4068 号），出口保险法（1968．12．31，法律 2063 号）等。

第三类：特殊公司法。例如，韩国电力公社法（1980．12．31，法律 3304 号），公企业的经营结构改善及民营化的法律（1997．8．28，法律 5379 号），韩国煤气公社法（1986．5．12，法律 3836 号），韩国土地公社法（全文修改于 1989．3．25，法律 4093 号），韩国住宅公社法（全文修改于 1986．5．12，法律 3841 号），韩国石油开发公社法（1986．5．12，法律 3837 号），大韩煤炭公社法（1986．5．12，法律 3835 号），韩国道路公社法（1986．5．12，法律 3842 号），韩国水资源公社法（1989．12．4，法律 3997 号），韩国综合技术金融股份公司法（1991．12．31，法律 4491 号），韩国银行法（全文修改于 1997．12．31，法律 5491 号），韩国产业银行法（1953．12．30，法律 302 号），关于金融机关不良资产等的有效处理及设立成业公司之法律（1997．8．22，法律 5371 号），韩国进出口银行法（1969．7．28，法律 2122 号），长期信用银行法（1979．12．28，法律 3176 号），韩国放送公社法（全文修改于 1987．11．28，法律 3980 号），农水产品流通公社法（1986．12．31，法律 3887 号），中小企业银行法（1961．7．1，法律 641 号），信用保证基金法（1974．12．21，法律 2695 号），信用管理基金法（1982．12．31，法律 3633 号）等。

（二）习惯法

虽然习惯法作为商法的一般法源具有重要性，但公司制定法作为组织法，不仅具有强行法的属性，同时又是自足性的规定，因此，习惯作为公司法的法源，并不具有特别大的意义。习惯法的最为重要的例子有，商法上明文规定具有补充效力的企业会计惯例

（商29条，2款），却以"企业会计基准"（1981.12.23旧证券管理委员会制定，全面修订于1998.4.1）的形式已被成文化。除此之外，还有对结算期内发行的新股进行日割分派，依股款缴纳收据转让股票发行前股份等惯例，但是这些惯例均与成文法相冲突，应否定其效力。

（三）自治法规

章程是最有代表性的自治法规。公司章程对于制定章程的当事人及未来取得社员（股东）地位者，均产生约束力。因此，章程并非为制定人之间的契约，而是一个自治法规。根据章程的授权而制定的股份事务规则、董事会规则、股东大会的议事规则以及其他的业务规程，均作为自治法来起作用。

二、法源适用的顺序

根据"特别法优于一般法"的原则，公司的法律关系依有关公司的特别法令、商法典的顺序适用。又根据成文法优于习惯法的原则，习惯法的适用排在第三位。章程为自治法规，如果不违背强制性法规，应优先于商法与特别法令而适用。另外，由于商法第1条就商法与民法的关系规定："关于商事，如本法没有规定，就依据商习惯法，如没有商习惯法，就依据民法上的规定"，商习惯法便优先于民法而适用。

商法中关于公司的规定是自足性的，并且又明文规定：必要时可以准用民法上的规定（例如，商195条，254条，4款、382条，2款），因此，很少有公司特有的法律关系上无根据规定而补充适用民法上规定的情形。但是，民法中以一般私法人共同的属性为基础而设的规定，如果商法没有特别规定，可以将其类推适用于公司关系上。

但是，商法的"公司编"有不少是对民法已规定的法律关系进行了团体法性质的加工，或直接借用了民法上的概念。这种情形下，便适用民法上的概念本身。例如，论公司能力时，"能力"的意思与民法上的"能力"相同；论公司关系人之间的"连带责任"

时，其内容应理解为与民法上的规定相同。

第五节　公司法的历史

一、公司制度的产生与发展

具有卓越法学才能的罗马人，由于他们的个人主义法思想倾向，并没有认识到具有高度团体法性质的公司制度。况且，当时包括奴隶的大家族制度并不需要类似公司的团体。在中世纪封建社会中，又由于以庄园农业为中心的封闭型经济结构，同样也不具备产生公司的条件。而在城市国家中，尽管产生了基尔特（Guild）等商人团体，但那只是商人们的权益保护团体，它们本身并非经营事业。[1]

（一）共同企业的萌芽

当今商事公司的起源可追溯到 10 世纪以后的海上贸易发达的中世纪城市国家时代。当时，作为海运业的形态，经常利用船舶共有和康明达（Commenda）契约。船舶共有一方面因继承而自动产生，另一方面为筹措资本和分散风险数人签订特别契约而产生。而康明达则是由资本家向船主委托资本或者商品加以运营，并约定向资本家分配利润的契约。可见，以上两种均为时效性的契约关系，与当今以企业的独立性和永续性为前提的公司距离甚远。但是，康明达后来分化为 accommendita 及 participatio，分别成为两合公司及隐名合伙的起源，这是公司发展史上的重要事实。

（二）家族性永续企业的出现

在城市国家中，由于贸易的发展，商人的地位也逐渐稳固起来，自然要求企业的永续化。于是，到了 15、16 世纪，以德国的

---

[1] Gower, L. C. B., Principles of Modern Company Law, 5th ed., Sweet & Maxwell, 1992.

北部城市为中心，出现了可称为今日无限公司起源的以家族为中心的继续性的企业形态。

（三）股份公司的产生

股份公司是很晚才出现的。关于股份公司的起源至今尚无定说。1407 年在意大利热内亚设立的圣·格鲁济澳（S. Giorgio）银行与其后在米兰设立的圣·安布罗济澳（S. Ambrogio）银行的成员的出资被分割，并承担有限的出资义务，可以自由转让所持份额。这一点，较相似于如今的股份公司。但是，一般从 17 世纪初的西欧的殖民公司中寻找股份公司的起源。当时，为了经略殖民地，尼德兰最初设立了东印度公司（1602 年），接着法国（1604 年）和英国（1612 年）分别设立了东印度公司。这些公司都具备了股东的有限责任制度、机关、股份制度等。[1] 但是，这些公司均依国王或者议会的特许状而设立的，并对殖民地具有公法性的权力。所以与现在的纯粹的营利性法人，即由准则主义或者自由设立主义设立的股份公司，其性质是不同的。直至 1807 年，法国商法将股份公司规定为一般公司组织的一种，各国也追随其规定。随着资本主义的发展，股份公司制度作为纯粹的资本团体而飞速发展起来，成为当今利用率最高的共同企业形态。

有限公司是由德国学者人为地创制（1892 年），在西欧各国作为中小企业形态广泛利用。

经过上述过程，进入 20 世纪以后，资本团体发展到极端，通过形成卡特尔、托拉斯、康采恩等的企业结合、资本集中现象非常突出。又随着经济领域的世界化，出现了跨国公司（multinational corporation），提出了新的法律上的课题。

（四）资本团体的弊端和反省

股份公司作为最符合资本主义生理的企业形态，自产生之日起

---

[1] Reinhardt, Rudolf V. U. Dietrich Schultz, Gesellschaftsrecht, 2. Aufl., J.C.B Mohr (Tübingen), 1981, S. 175.

二者相互促进。但是，其结果，同时也导致了财富的偏倒及劳资的对立，日趋加速的企业集中现象又使在财货的供给与劳动的需要方面垄断控制现象非常突出。这些在现代福利国家中作为新的分配课题出现，各国纷纷强调公司的公共性，有关立法开始带有社会化的倾向。1917 年法国的"工人参加股份法"，1914 年美国的"反托拉斯法"，1948 年英国的"垄断及管制法"，1951 年德国的"共同决定法"等，都是这些倾向的体现，而 1937 年"德国股份法"，1975 年"欧洲公司法案"等则把部分吸收上述法的精神到公司法中的例子。因而，今后公司法中如何调整好以自由竞争体制为前提的营利性和可谓时代潮流的公共性、社会性是非常重要的课题。

二、各国公司法的现状

(一) 德意志法系

在德国，早在一般兰特法（Preu βische Allgemeine Landrecht；ALR）中散载着有关团体的规定，但是关于公司组织真正形成体系的 1861 年的一般德意志商法典（Allgemeines Deutschen Handelsgesetzbuch 1861；ADHGB）。它后来发展为 1870 年的股份法（Aktienrechts novelle von 1870）和 1884 年的股份法（Aktienrechts novelle von 1884），再扩展为 1892 年的有限公司法（GmbHG 1892）[1] 和 1897 年新商法（HGB 1897）。[2]

"有限公司法"至今仍在德国施行，1897 年"新商法"规定无限公司、两合公司、股份有限公司、股份两合公司等四种类型的公司，成为 1937 年股份法的母体，同时成为其他德意志法系商法典的母法。但是，到了 1937 年，在纳粹政权下，基于指导者原理（Führerprinzip），制定"关于股份有限公司和股份两合公司的法律"

---

〔1〕 Gesetz betreffend die Gesellschaften mit beschränkter Haftung Von 20，April 1892（RGBI. S. 477）、最近修改于 1994. 10. 28（BGB1. I. S. 1425）.

〔2〕 Wiedemann，Herbert，Gesellschaftsrecht，Bd. I，Verlag C. H. Beck（München），1980，S. 25～28.

（一般简称"1937年股份法"），废除了商法中股份有限公司和股份两合公司的规定。第二次世界大战以后，由于受对纳粹主义反醒的影响，需要修改股份法，在反复进行研究之后，终于于1960年向联邦议会提出了修正案，1965年9月6日，公布了新"股份法"（Aktiengesetz 1965）。其后的修改后述。

瑞士在1911年的"债务法第三编"中设有公司法规，没有单行的公司法。1936年修改后采用了新的有限责任公司制度，其内容大体上与德国的相似。

中国台湾地区有称做"公司法"的公司法典（1929年制定，1983年修改）。通过数次修改，引进很多像授权资本制等英美法，但仍属于德意志法系。而中华人民共和国则长期在社会主义体制下只许国营企业存在，但是1978年以后随着逐渐转向市场经济体制，需要欧美化的民间企业组织的存在。于是，到了1993年便制定了欧美化的公司法，现正在施行当中。

日本与韩国一样，在商法中设有"公司编"，但关于有限公司，则另外制定了"有限公司法"（1938年）。1899年废止旧商法，制定了纯粹德意志法系的新商法以来，到1997年为止，共进行20多次修改。尤其是第二次世界大战结束以后，由于受美占领军管制的影响，引进了授权资本制、无票面股份制度等英美法上的制度。在其后的修改中也受很多美国法的影响。第二次世界大战前的日本新商法和"有限公司法"就是韩国的旧商法、旧有限公司法。

（二）法兰西法系

法国在1807年制定的"商法"第一编第三章中，设置有关公司的规定以来，经数次大幅度的修改，1867年制定了作为单行法的"公司法"。接着，到1925年制定了关于有限公司的单行法，1940年和1943年将重要的公司法规作为数个单行法来制定。于是，公司法的法源变得很散乱，需要制定一部统一的公司法。再加上，随着1957年3月25日根据罗马条约创设欧洲经济共同体（EEC），要求加盟国之间公司法相互接近。通过反复地对欧洲各国公司法进行比较研究后，于 1966 年 7 月 24 日，制定了全文长达 509 条的公司法。此后根据企业环境的变化和欧共体指令，数次对公司法进行修正，1988 年修改的内容最多。

意大利在 1882 年商法中设置了有关公司的规定，到 1942 年吸收到民法典中，至今尚在施行当中。同时制定数个特别法，不断丰富其内容。刚开始以法国法为基础，现在则更多地受德国的影响。

此外，西班牙、比利时等也是拥有法兰西法系公司法的国家。

（三）英美法系

英国和美国同属一个普通法系国家，但在公司法方面差异很大，以至形成相互不同的法圈。英国在 17 世纪初，以殖民地开拓为契机，出现了像南海公司（The South Sea Company）那样徒有虚名的公司，恶用公司制度进行诈骗行为，带来了经济上的混乱。针对当时的有限责任制度的放任利用，甚至产生了所谓"有限责任乐园"（Utopia Limited）的讽刺诗。从此，制定了叫做泡沫法（Bubble Act 1720）的公司设立规制法，一段时间极端地管制了公司的设立。

到了 19 世纪中叶，随着自由放任主义（Laissezfaire）成为基本的经济理论，具备了公司制度复兴的契机。那时制定的公司法是 1844 年的"合作股份法"（Joint Stock Companies Act 1844）和几个单行法，这些法律合并为 1862 年的公司法（Companies Act 1862），后又与新的法令合为 1948 年的公司法（Companies Act 1948）。

1948 年公司法又经过数次修改，特别是英国加入欧洲经济共同体后，为与现有加盟国的公司法协调，1980 年和 1981 年大幅度进行了修改。于是，有必要重新整合公司法规，1985 年修订为由全文 747 条、25 个 schedule 组成的 1985 年公司法，（companies Act 1985）及三个附属法律。

而美国直到 19 世纪初，仍受英国的影响，管制公司设立，公司数量甚少。然而，刚刚兴起的产业革命大潮与西部开拓运动，促进了公司的设立，加上以丰富资源为基础的产业发展的需要，出现了无数的公司。如今，美国拥有世界上为数最多的公司及最为发达的公司法。美国的每个州均有公司法的立法权，除了几个保守的州以外，每一州为了在本州内引进更多的公司，展开赋予公司最大限度的自律性的竞争。各州争先恐后地缓解公司法上的规制，所以学者们批评为"朝底竞争"（race to the bottom）。最具代表性的是特拉华州公司法（General Corporation Act of Dalaware）（最近 1985 年修改），它被评为最为现代的、自由主义的立法。大规模公开公司中30％以上准据此法而设立。另外，分别有 10％以上的美国公司准据加利福尼亚公司法（California Corporation Code，1975 年修改）、纽约州公司法（New York Business Corporation Law）而设立。前者特别注意保护股东及公司债权人的利益。另外，美国律师协会起草的标准商事公司法（Model Business Corporation Act）（1984 年全面修改（Revised MBCA），1988 年部分修改）被以华盛顿 D．C 为中心的 16 个州采纳，35 个州的公司法受其影响。除此之外，有关公司的重要的联邦法有：证券法（Securities，Act of 1933）、证券交易法（Securities Exchange Act of 1934）、公共产业控股公司法（Public Utility Holdimg Company Act of 1935）、投资公司法（In Vestment Companies Act of 1940）、投资顾问法（In Vestment Advisers Act of 1940）等。

（四）欧洲公司法与欧洲联盟成员国的公司法修正

今日欧洲联盟（European Union；EU）的母体，同时现在也成为其重要组成部分的是欧洲经济共同体（European Economy Community；EEC）。1957 年 EEC 结成之际，在罗马（第一）条约中规定，为了欧洲共同市场的形成，对人员及物品自由交流产生障碍的成员国的相异的法制进行协调。在 1987 年公布的 EC 统一法中，对此再次约定。据此，在各个领域中，正在进行各成员国之间的法制协调工作，关于公司法也有很重要的立法动向。其中之一是欧洲公司法案的起草，另一个是按欧共体指令进行的公司法修正。

1．欧洲公司法案。欧洲公司法案（原名是关于欧洲公司法的评议会规定之提案：La proposition d'un reglement du conseil ptorant statut des sociétés anonymes européennes），是为规律不是准据欧洲联盟

各成员国的公司法，而是持有共同准据法的欧洲公司（Societas Europaea：SE）的设立和法律关系的法案。因而，欧洲公司并非是现在实际设立或已存在的公司。

此法案原本就是为了从美国的跨国企业的渗透中保护欧洲共同体的经济，实现欧洲可与美国相抗衡的超国家的大型的企业集中为构想而制定的。以尼德兰的 Pieter Sanders 教授为首起草此法案，1970 年 6 月 24 日通过第一稿，1975 年 5 月 13 日通过了修改的第二稿。

其内容由主文 284 条、4 个附则组成，大体上是折衷了法国公司法和德意志股份法的内容。

2. 欧洲联盟（EU）公司法指令与各成员国的公司法修正。EU成员国之间为了自由地进行人员及物品的交流，应使自国国民在他国可以自由地进行企业活动。为此，各成员国各自拥有的企业组织法必须进行协调才行。例如，在 A 国设立的公司，在 B 国不被承认，或依 A 国法律选任的公司代表，根据 B 国的法律其代表资格被否认，那么，A 国的企业在 B 国不能进行充分的企业活动。因此，EU 条约第 54 条第 3 款（g）中规定，欧洲联盟（EU）委员会和[1]和 EU 理事会[2]应努力设置对于各成员国的公司和企业活动的共同的保护装置，并据此经数次发布了旨在协调各成员国公司法的公司法指令（Company Law Directive）。[3]根据这一指令，欧洲联盟（EU）各成员国纷纷修改本国的公司法，各国的公司法趋向统一。所以，欧洲联盟（EU）的公司法指令是表明 12 个欧洲联盟（EU）成员国公司法变化内容的很重要的资料。下面简单介绍已发布指令的内容。

---

〔1〕　The Commission of Europeaan Union，EU 的执行机构。
〔2〕　The Council of European Union，EU 的表决机构。
〔3〕　EU 指令（Directive）：EU 指令是 EU 对全部成员国发布的命令，以 EU 各成员国应共同追求的政策事项为内容。EU 指令约束各成员国，各成员国依照该指令，应采取修改国内法等必要的措施。

第一指令：[1]规定公司能力和设立无效以及企业公开的内容。

第二指令：[2]规定公开公司的设立和资本维持及变动。特别是规定了最低资本，为资本维持，强化了盈余分派的要件以及自己股份取得的要件。

第三指令：[3]规定国内公司间的合并。将合并分为新设合并和吸收合并，规定合并的概念和程序，尤其强化了合并条件的公开与对股东、从业人员、债权人的保护。

第四指令：[4]规定资产负债表、损益计算书等财务报表的制作原则。

第五指令：[5]规定在公开公司中职工的经营参与问题。规定拥有 1 000 名以上职工的公司中，监事或者董事的 1/3 以上应由职工来充当。虽然德、法已具有职工参加经营的制度，但英国对此不太熟悉，表示反对，所以此内容还未采纳为指令。

第六指令：[6]主要是规定公开公司的分立（division of company, scission），同时设有补充第三指令（公司合并）的规定。

第七指令：[7]规定形成企业集团的各关联公司之间的连结财务报表（Consolidated accounts）及制作。规定企业集团的定义、连结资产负债表、连结损益计算书及监察、公示等。

第八指令：[8]规定监察人的资格。规定监察人的学历、必修的职业教育及监察人的独立性，还有国家对上述人员的管理方法等。

---

[1] 1968. 3. 9, Dir. 68/151 EEC, O. J. 1977, L 26/1.

[2] 1976. 12. 13, Dir. 77/91 EEC, O. J. 1978, L 295/36.

[3] 1978. 12. 9, Dir. 78/855 EEC, O. J. 1978, L1295/36.

[4] 1978. 6. 26, Dir. 78/660 EEC, O. J. 1978, L222/11.

[5] 1972. 10. 9, Dir. 72/887, O. J. 1972, C 131/49.

[6] 1972. 12. 17, Dir. 82/891 , O. J. 1982, L 378/47.

[7] 1983. 6. 13, Dir. 83/349 , O. J. 1983, L 193/1.

[8] 1984. 4. 10, Dir. 84/253 , O. J. 1984, L 126/20.

第九指令案：规定母子公司的法律关系及小额股东的保护，尚未向 EU 理事会提出。

第十指令：[1]规定不同国籍公开公司之间的合并，但尚未采纳为指令。

第十一指令：[2]目的是对本国内设立的外国公司的分支机构课以与外国子公司同等的公示义务。

第十二指令：[3]目的为允许非公开公司由一名股东（或社员）来设立，但尚未采纳为指令。

第十三指令：[4]规定公开收购（takeover bid）的程序、股东保护等，但尚未采纳为指令。

根据上述指令，EU 成员国纷纷修改本国的公司法。例如，德国接受第一指令，于 1969 年修改了有关企业公示之规定，1978 年又接受第二指令，修改了股份法的一部分内容，主要目的是为了充实资本。还有，1982 年德国根据第三指令，新设或修改了公司合并和营业财产转让中有关保护股东之规定，1985 年又接受第四、第五、第八指令，修改了相关内容，1994 年则新设了企业分立制度。

EU 的另一个重要国家英国也接受上述指令，于 1980 年、1981 年两次大幅度修改公司法，到 1985 年制定了新的公司法。

其他 EU 成员国也为了反映 EU 指令，正在陆续修改本国的公司法。

今后，EU 公司法指令将继续出台，EU 各成员国据此将继续修改公司法。由此，欧洲国家的公司法逐渐趋于统一。

---

〔1〕 1985. 1. 14, 85/C, 23/08. O. J. 1985, C 23/11.

〔2〕 1986. 7. 29, COM (86) 397, O. J. 1986, C 203/12.

〔3〕 1988. 5. 18, COM (88) 101.

〔4〕 1988. 12. 00, COM (88) 823.

三、韩国公司法的发展

(一) 近代商法的继受

旧韩末,[1]西欧的公司制度首次在韩国出现。当时, 随着开放港口, 为建立经营特殊事业的西欧式企业, 制定了几部特别法。即1905年 (光武九年) 12月8日以法律第6号公布的"私设铁路条例", 1906年 (光武十年) 3月21日以敕令第12号公布的"银行条例", 同日以敕令13号公布的"农工银行条例", 以及1908年 (隆熙二年) 8月26日以法律第22号公布的"东洋拓植股份有限公司"等。这些法令中设有有关公司的规定, 再加上法令中规定的公司都是指股份公司, 因此可以说公司制度中股份公司制度率先被引进到韩国来。依据上述的"农工银行条例"而设立的农工银行为最初的股份公司。

不过, 在此之前韩国也使用过"公司"[2]之词汇, 曾存在与公司相近的商工组织。1894年 (高宗三十一年) 7月24日"关于米商公司设立件"议案和1895年4月19日农商工部告示第1号"从公司还受官许章程和商业票据件"等法令中都可以找到"公司"之词汇。最近又发现了被估计为1905年以前出版的"李冕宇讲述公司法", 成为研究旧韩末接触西欧公司制度的珍贵的资料。该书按当时日本商法中"公司编"的顺序来记述, 并没有独创性的内容。但是, 在这本书里将"株式"称为"股本", 将"株式会社"称为"股本会社", 将"株主"称为"股主", 将"株券"称为"股券", 将"株金"称为"股金", 将"株式的认购"称为"股本的担受", 而董事和监事则各使用了"总务员"和"监督员"的称呼。这些与现在的用语相比较, 的确很有特色。可能这些用语是受了清

---

〔1〕 韩国历史上的旧韩指1897～1910年的"大韩帝国"时期——译者。

〔2〕 韩国语里"公司"称做"会社"——译者。

朝的影响（在中国，株式会社被称为"股份公司"）。[1]

"韩日合邦"以后，日本政府于1911年制定了"关于在朝鲜施行法令的法律"，宣布韩国的法律由朝鲜总督府令（即所谓"制令"）规定，以及通过此令从日本法律中指定在韩国施行的法律。据此，1912年3月，颁布了"朝鲜民事令"（制令第七号），根据该令第一号、第八号及第十号，日本的商法、票据法、支票法、有限公司法、商施行法等在韩国被"依用"。从此，"依用商法"在日帝统治期间作为韩国商法来适用。

（二）商法的制定

解放以后，[2]根据制宪宪法第100条之过渡规定，韩国依然施行"依用商法"。直至1962年1月20日，以法律第100号制定并公布商法，1963年1月1日起施行。与旧商法相比，新商法中改动最多的是公司法。

首先，将从前由单行的特别法规范的有限公司收入商法中，并废止了股份两合公司制度。其次，股份公司引进了授权资本制，并设置董事会制度而加强董事会的权限，同时缩减股东大会权限和监事的权限。这可以说是划时期的。再次，为充实资本，采取了股款的全额缴纳主义，同时为保证资金筹措的灵活性，新设了股份降价发行制度和偿还股份制度，并扩大了公司债发行的限度。最后，为保护股东大会权限削弱下的股东利益，新设了留止请求制度、代表诉讼制度以及股东的会计账簿阅览权。此外，还有很多规定被新设或者修改。不过，值得注意的是，此次修正大体上模仿了日本在第二次世界大战以后，从编入美国经济圈的必要性出发，并受占领军司令部的压力，引进美国公司法的各项制度而大幅度修改的日本商法（1950年）。

---

〔1〕　在韩国语中，"股份"称作"株式"，"股份公司"称作"株式会社"，"股东"称作"株主"，"股票"称作"株券"——译者。

〔2〕　解放以后，是指1945年8月15日日本无条件投降以后——译者。

（三）1984 年修正

韩国公司法制定后，引导公司组织和活动，逐渐地本土化。但公司法的制定一开始就不是以韩国经济的实情为基础的，再加上商法制定以后，随着经济的高速成长，现实对法的偏离越来越大，因此只好根据经济状况的变化，制定具有公司法性质的特别单行法规，作为应急措施。

于是，从 70 年代初开始，各界呼吁商法修改的必要性，至 1984 年 4 月，终于进行了修改公司法为主要内容的商法修正。但就商法修正的内容来看，除了几条以外，其余的是以 1962 年商法制定时未被引进的 1950 年日本修正商法的一部分规定和 1950 年至 1981 年为止日本商法的修改内容为基础的，并非全部包括韩国经济发展中所出现的问题。

下面，简要介绍 1984 年商法修正的主要内容。

1. 防止股份公司制度的滥用。规定股份公司最低资本额为 5 000 万韩元（商 329 条，1 款），设置解散长期存续的休眠公司之规定（商 520 条，之 2）。

2. 股份公司运营的效率化。

1）将董事的任期延长为 3 年（商 383 条，2 款）。为提高董事会运营的效率，缓解决议要件（商 391 条，1 款），规定有关会议记录制定的具体事项（商 391 条，之 3），并将分公司的设置等作为董事会的权限，明文规定董事会对董事的监督权。

2）延长监事任期（商 410 条）的同时，赋予监事业务监察权（商 412 条）。为充分发挥监事的职能，认定监事的董事会出席权、意见陈述权（商 391 条，之二、1 款）、对董事不正当行为的报告义务（商 391 条，之二、2 款）、公司和董事之间诉讼中的公司代表权（商 394 条）、留止请求权（商 402 条）、各种诉提起权（商 328 条，1 款、376 条，429 条，445 条，529 条）。

3）为股份业务之便利，将股东名册之封闭期间延长为 3 个月（商 354 条，2 款）。

4) 为预防股东大会"专业户"和公司之间不健全的往来，禁止对股东的利益提供（商467条，之3）。

3. 便于资金筹措。

1) 授权资本的范围从以前的2倍增额为4倍（商289条2款、437条），公司债发行的限度增加为从前的2倍（商470条，1款、2款），明文认可以前只在解释上允许的附新股认购权公司债的发行（商516条之2，516条之3）。

2) 将公积金转入资本作为董事会的权限（商416条，1款），并将可转换公司债及附新股认购权公司债的发行权也作为董事会的权限（商513条，之2、516条，之2），同时为保护股东利益，认定股东的可转换公司债及附新股认购权公司债之认购权（商513条之2、516条，之10）。

3) 为改善企业的财务结构，引进股份分派制度（商462条，之2），同时盈余公积金的储备额以现金分派为基准。

4. 股东的保护。

1) 为保障股东回收投入资本，规定经过一定期间（6个月）后，可以转让股票发行前股份（商335条，2款），并允许发行新股认购权证书，保障了新股认购权的流通（商416条，之5、6号、420条，之2、420条，之3、420条，之4）。

2) 明文规定分派金支付时期（商464条，之2）。

3) 根据股份的市场行情，明文规定端股[1]的处理方法（商443条）。

4) 明文认可表决权的不统一行使（商368条，之2）。

5. 股份制度的改善。

1) 为加强股份的流通性，对记名股份的股票占有也赋予权利推定力，从而做到单凭股票也可以转让（商336条）。

2) 将从前只限于上市法人认可的名义更换制度、股票不持有

---

〔1〕 端股即未满一股的股份，也叫做零数股——译者。

制度，扩大适用于一般的股份公司（商337条，2款、358条，之2）。

3）扩大了自己股份取得的范围（商341条）。

6．明文规定确认股东大会决议不存在之诉。根据从前的学说、判例，将确认股东大会决议不存在之诉明文规定为公司法上的诉讼，赋予判决对世性效力，限制溯及效力（商380条）。

7．财务报表制度的改善。

1）调整财务报表的种类（商447条），规定应制作营业报告书向股东大会报告（商447条，之2、449条，2款）。

2）为便于监事的监察业务，延长财务报表的监察期间（商447条，之3），将监察报告书的记载事项具体化（商447条，4款）。

3）延长财务报表的公示期间（商448条1款）。

8．其他非现实的、不合理规定的修改。

1）删除或变更章程的绝对记载事项中的一部分（商289条，1款、6、9、2、3款）。

2）考虑到现在的货币价值，将股份和公司债的票面价格各提高为5 000韩元和1万韩元（商329条，4款、472条，1款）。

3）废除了公司债的登记制度（商447条）。

4）扩大了资本公积金的财源（商459条）。

5）有限公司的最低资本规定为1 000万韩元（商546条，1款）。

（四）1995年修正

由于1984年修正商法并没有满足韩国经济发展的实际需要，不久就开始兴起再次修改的呼声。于是，1994年在法务部主持下准备了以修改“公司编”为中心内容的商法修正案。在国会审议过程中，经过一些修改，终于于1995年11月30日在国会通过，以法律第5053号（1995年12月29日公布）确定下来。修正商法自1996年10月1日起施行。由于准备修正案的时间很不充分，这次也停留于反映1984年修改时未被采用的日本商法上的一部分规定和此后修改的日本商法上的制度。这样一来，此次修正商法忽略了韩国的现实中急需的一些问题，反而新设与现行规定以及整个公司法体系不相协调的一些规定，对法律解释带来了相当的负担。尤其要指出的是，这次修正商法的致命的缺陷就是在以企业的控股股东为中心的经营者和少数股东的对立中，首先考虑到了经营者的利益，并没有将两者协调，有失公平。正因为如此，对于此次商法修正案，很多商法学者提出要慎重对待，但最终"业绩主义"占了优势，仓促地完成了修改。此次修正商法给我们的启示是立法需要中立的态度，应发扬民主，广泛吸收意见。下面摘要介绍1995年修正商法中与"公司编"相关的部分。

1. 采用各种文书的签名制度。修改以前，韩国商法上各种文书的制作者应在文书上记名捺印。但此次修正商法规定可以以签名代替。由此，章程、股东大会会议记录、董事会会议记录、股票、公司债券等有关公司的所有文书可以选择使用记名捺印或签名（商179条，289条，302条，349条，373条，413条，之2、474条，478条，515条，516条，之5、543条，589条）。

2. 简化股份公司的设立程序。修改以前，作为股份公司的设立方法，虽然认可发起设立和募集设立，但是发起设立时应接受法院选任的检查人的调查。于是，在公司设立实务中出现有意回避发起设立，选择募集设立的倾向。而修正商法则规定，发起设立也可以以董事和监事的调查来代替，使发起设立变为容易（商298条）。还有，在修改以前，即使是募集设立，如有现物出资等变态设立事项，也应接受由法院选任的检查人的调查，因此一般都回避现物出资。而修正商法则规定，可以由鉴定人的鉴定替代对现物出资和财产认购的调查（商299条，之2、313条，之2），使现物出资变得活跃。

3. 允许股份的转让限制。修改以前，为保障股份的自由转让，规定即使通过章程也不能限制股份的转让（修改前商335条，1

款）。但是，从韩国的实际来看，占国内股份公司绝大多数的非上市公司，有必要进行封闭性经营。因此，修正商法规定可以通过章程限制股份的转让。修正商法允许的限制转让的方法是，在章程上可以规定就股份的转让应得到董事会的承认（商335条，1款、但书）。董事会不予承认时，应允许股东回收资本，因此规定股东可以向公司请求指定股份的收买人或请求收买股份（商335条，之2、4款）。同时，未经董事会承认的转让，只要是当事人之间有效，受让人就可以向公司请求承认受让，如遭拒绝，可以向公司请求指定收买人或请求收买股份（商335条，之7、2款）。

4. 取得其他公司股份的通知。通过1984年修正商法，新设了对达到一定数额的相互股，限制其表决权的制度。例如，甲公司取得乙公司发行股份总数的1/10以上时，乙公司即使取得甲公司股份也不能行使表决权（商369条，2款）。为将该制度公正地适用于双方公司，甲公司取得乙公司1/10以上股份时，应使其通知乙公司，但1995年修改以前并没有设此项规定，从而对相互持股的规制不全面。鉴于这一点，1995年修正商法规定，当一个公司取得他公司股份超过其发行股份总数的1/10以上时，应通知对方公司（商342条，之3）。

5. 确定优先股的分派率。上市公司中经常出现以普通股的分派率加算票面价值1%的方式发行类似优先股，从而剥夺表决权的弊端。为纠正这种弊端，规定发行优先股时章程上明确规定最低分派率（商344条，2款）。

6. 可转换股份及其他新股的分派标准。修改前商法规定，可转换股份转换时，其效力与转换请求同时发生，而分派盈余时则视为转换发生于营业年度末，转换日所属营业年度的分派部分以旧股份的分派为标准。这实际上为公司方便，没有必要由法律强制。因此，修正商法规定，可以在章程上设规定视转换发生于前一营业年度末，以新股份的分派率为标准分派（商350条，3款）。另外，根据可转换公司债和附新股认购权公司债发行新股，或发行有偿新股（商 416 条），或将公积金转入资本，或分派股份时，也可以在章程上设规定视新股发生于前一营业年度末（商 423 条，1 款、461 条，6 款、462 条，之 2、4 款、516 条，2 款、516 条，之 9）。

7．申报不持有股票的处理。修改前，股票发行后只要申报不持有，就可将股票作为无效（修改前商 358 条，之 2、3 款）。而修正商法则规定，对申报不持有的股票公司可以作出选择，既可以将其作为无效，也可以寄托于名义更换代理人（商 358 条，之 2、3 款）。这是为了减少从前将股票作为无效后废弃股票及以后根据股东的发行请求再次发行股票所需要的费用。

8．股东大会决议要件的缓解。修改以前，股东大会决议要件是：普通决议以发行股份总数的过半数出席并过半数赞成就可通过，特别决议则需要过半数出席加上 2/3 以上赞成（修改前商 368 条，1、434 款）。但是，最近随着上市公司股东人数的增加，凑足股东大会的成立定足数（即过半数出席）非常困难，因此修正商法废止了成立定足数的要件。于是，普通决议只需要出席股份的过半数赞成，特别决议需要出席股份的 2/3 以上赞成，但是普通决议时赞成表决权数应达到发行股份总数的 1/4 以上，特别决议时赞成表决权数则应达到发行股份总数的 1/3 以上（商 368 条，1、434 款）。

另外，商法修改前董事的选任决议，只有发行股份总数的过半数出席并过半数赞成才可通过（普通决议），章程上不能另行规定（修改前商 384 条）。由于修正商法改变了普通决议要件，便删除了此规定。

9．反对股东的股份收买请求。新设了关于营业转让以及有关商法第 374 条列举的其他事项的股东大会特别决议或者合并承认决议通过时，反对股东可以请求公司收买股份（商 373 条 2 款，530 条）。修改以前在证券法中只限于上市公司认可了股份收买请求，而这次修改将其作为商法的内容。

10．股东大会决议取消、无效事由。修改前，如股东大会决议存在瑕疵，便可主张取消之诉以及确认无效、不存在之诉等，但取消之诉以纯粹的程序上的瑕疵为理由，内容上有瑕疵时则应提起无效之诉（修改前商380条）。但是，修正商法规定，即便内容上有瑕疵，只要其违反章程而不违反法令时，就应提起取消之诉（商376条，1款）。

11. 承认决议取消等判决的溯及效力。修改前，商法限制了股东大会决议取消、无效、不存在判决的溯及效力，这与判决的对世性效力一起成为决议瑕疵判决的最重要的特色。限制溯及效力的结果，将会导致即使在有关股东大会决议效力的诉讼中胜诉也无益的后果。因此，修正商法中删除了限制溯及效力的规定（商376条2款、380条→190条），但对对世性效力的规定没有改动。

12. 竞业的承认机关。修改前商法规定，董事欲要竞业时，应得到股东大会的承认，但修正商法将其作为董事会的承认事项（商397条，1款）。

13. 监事地位的强化。修正商法将监事的任期延长为3年（商410条），监事解任时，可以在股东大会陈述意见（商409条，之2）。还规定，董事如发现公司遭损失，应立即向监事报告（商412条，之2），并认可监事的临时股东大会的召集请求权（商412条，之3）以及监事对子公司的调查权（商412条，之4）。加强监事地位的同时，为确保其地位的中立性，在从前的禁止兼职规定中追加不得兼任子公司董事的内容（商411条）。

14. 授权资本制的修改。修改以前，公司设立时发行的股份总数应达到章程规定的预定股份发行总数（欲发行股份总数）之1/4以上（商289条，2款）即使设立后变更章程而增加预定发行股份数也不能超过已发行股份的4倍（商第437条）。这样一来，始终可以维持实际发行股份总数应为预定发行股份总数的1/4以上的比例关系。但修正商法删除了437条，从而废除了设立后变更章程时的4倍数限制，只是要求设立时发行股份对预定发行股份总数的比例关系。结果，公司设立后通过变更章程不受实际股份发行总数的限制可以无限制扩大授权资本。

15．按股份种类分派股份。修改以前，发行数种股份，尤其发行普通股和优先股的公司分派股份时，存在应按种类发行不同股份，还是一律发行普通股的意见分歧。修正商法规定，对此公司可以作出选择，可以按不同的股份种类进行分派（商462条，之2、2款）。

16．简易合并方法的新设。修改前商法规定，吸收合并必须经过全部合并当事公司的股东大会。但修正商法规定，经消灭公司全体股东同意或存续公司拥有消灭公司全部发行股份时，可以由董事会决议代替消灭公司的股东大会（商522条，1款、但书）。

（五）1998 年修正

1997 年韩国发生金融危机，进入 IMF（国际货币基金组织）管理的经济体制，国民经济陷入困境。政府作为解决经济困境的方法，试图进行多种经济法令的改革，政府主导下的商法（公司法）的修正即为其中的一环。此次商法修正包括一些给公司法的基本理念带来变化的内容，堪称公司法的一大变革。但是，由于立法准备期间短，再加上每次修改法律时都出现的立法过程中的非民主性在起作用，此次也未能避免仓促之嫌。以下主要列举此次商法修正中实质上对从前的公司法理带来重大变化的事项。

1．缩短债权人的异议期间。在公司合并、减少注册资本等时，债权人的异议提出期间从修改前的两个月缩短为 1 个月（商231条，1款）。

2．降低股份的最低票面价。修改前商法规定，股份公司股份的票面价为 5 000 韩元以上，这次改为 100 韩元以上（商329条，4款）。

3．新设股份分割制度。明文规定以前只作为解释理论的股份分割制度（商329条，之2）。

4．新股股东提案制度。将 1996 年证券交易法修改中引进的股东提案制度新设于商法上（商363条，之2）。

5．缓解少数股东权的行使要件。一方面将股东提案权和集中投票请求权[1]作为少数股东权新设的同时，另一方面将修改前以发行股份的5%划一化的少数股东权按不同的事案差别化，并缓解了少数股东的持股要件。

股东大会召集权——3%（商366条）

股东提案权——3%（商363条，之2）（新设）

集中投票请求权——3%（商382条，之2）（新设）

董事解任请求——3%（商385条）

留止请求权——1%（商403条）

会计账簿阅览权——3%（商466条）

业务财产状态检查权——3%（商467条）

6. 引进集中投票制度。股份公司的董事选任决议方法中引进了集中投票制度（商382条，之2）。

7. 新设董事的忠实义务。新设了股份公司董事的忠实义务（商382条，之3）。但是其意义不大，这一点在相关部分中说明。

8. 董事人数的自律化。修改前商法将股份公司的董事人数规定为至少三人以上，但这次修正商法对少额注册资本（5亿韩元以下）的公司解除了这种限制（商383条，1款、但书）。

9. 新设业务执行指示者的责任制度。新设了对虽不为股份公司的董事，但利用其控制力实质上参与业务执行者赋予与董事同等责任的制度（商401条，之2）。

10. 新股发行时的现物出资。修改前商法限于公司设立时，法院检查人对现物出资的调查可以以鉴定人的鉴定代替。经这次修改，新股发行时也可以适用（商422条，但书）。

11. 新设中间分派制度。以董事会决议可以进行中间分派（商462条，之3）。

12. 小规模合并程序。吸收合并中，存续公司发行的新股为存续公司发行股份总数的5%以下时，可以省略股东大会承认决议和

---

[1] 韩国商法上的集中投票请求权即为累积投票请求权——译者。

股份收买请求程序（商 527 条，之 3）。

13．新设合并的创立大会。新设合并时，可以以公告代替创立大会（商 527 条，之 3）。

14．新设公司分立制度。新设了股份公司的分立制度（商 530 条，之 2～530 条，之 11）。

第二章　通　则

第一节　公司的概念

商法第 169 条规定"公司是指以商行为及其他营利为目的而设立的社团";第 171 条第 1 款又规定"公司是法人"。由此,可把"营利性"、"社团性"、"法人性"作为公司的概念要素,将公司定义为"以营利为目的的社团法人"。

私法上的人分为自然人和法人。所谓法人即指赋予团体以法人格。团体一方面分为财团和社团,另一方面又分为以营利为目的的和以非营利为目的的团体。财团必须是非营利的,而社团则分为受民法调整的非营利社团和受商法调整的营利社团。公司的人格地位用图表示如下:

$$人\begin{cases} 自然人 \\ 法人\begin{cases} 财团……非营利 \\ 社团\begin{cases} 非营利社团(民法上的社团) \\ 营利社团(公司) \end{cases} \end{cases} \end{cases}$$

下面,按社团性、法人性、营利性的顺序,详细说明公司的概念要素。

一、社团性

所谓社团是指为一定的目的而结合的人的团体。通常认为,社团是对财团的相对概念,同时又是对合伙的相对概念。论公司的社团性时,应注意这一点。

（一）与财团的比较

社团为"人的结合体"，与作为"财产集合体"的财团相区别。商法上构成公司组织的实体限于人（资本家）的结合体，财团并不具有成为公司的资格。

"公司应是社团"，是指公司存立的基础是复数的人即社员。但由于公司需要实现营利的物质基础——资本，社员无例外地应通过出资参与物质基础的形成。因此，公司不仅仅是像非营利社团那样纯粹的人的结合体，同时也具有资本结合体的性质。

无限公司、两合公司、有限公司中须存在两人以上的社员，此即公司成立并存续的要件（商227条，269条，609条，1款），股份公司成立时虽然也需要三人以上复数的社员（商288条），但股份公司一旦成立后，即使股份全部集中在一个股东手中也不能成为解散理由（商517条）。

并且，由于股份有限公司具有资本团体的本质，随着公司的巨大化，所有和经营相分离的现象非常明显（股东的公司债权者化）。据此，有人认为，将股份公司同其他种类的公司一样视为社员的结合体并非符合实际，并以此为理由提出股份公司的财团化或者目的财产化（即股份有限公司财团说）。[1]制定法上确实存在像一人公司或无表决权股份等很难以"社团性法理"解释的部分。

不单是股份公司，所有公司的实体都是由资本和经营，劳务和设施的人、物两要素组成的社会构成体——"企业"。但商法考虑到，在这样一个企业的实体中有必要将资本家结合的一面作为由特别法律规范的出发点，进而将其规定为"社团"。基于这一理由，视股份公司为财团，不仅违背商法上将公司作为社团的规定，并且也没有正确把握公司的本质。

（二）与合伙的比较

为共同的目的而结合的人的团体有社团和合伙。因此，数人欲

---

〔1〕 八木弘："株式会社财团论"，有斐阁1963年版，第1页。

共同经营营利事业时，存在应如何界定其组织形态的问题，即面临作为社团，还是作为合伙的两大选择。一般来说，某一结合体的团体性突出，并可以认定其独立于各成员时，称其为社团；比起结合体的团体性各成员的个性更加显著时，称其为合伙。制定法对两者的规定也有差异，社团由团体法性质的组织原理调整，而合伙因其只是各成员之间的契约关系，基本上由各成员之间的协议和有关契约法[1]（民 703 条以下）调整。

商法规定所有公司为社团（商 169 条），只要是依据商法而设立的公司都应为社团，但因公司种类不同，也有具有合伙性质的公司。以下考察各类公司中社团性和合伙性是怎样体现的。

1. 无限公司和两合公司。无限公司和两合公司的社员原则上全部参与公司的业务执行，就重要事项共同进行意思决定，因此所有和经营不分离。关于对外债务，由全体（无限公司）或者部分（两合公司）社员承担无限责任，所以公司的固有财产并不具有多大的意义。由此看来，无限、两合公司为出资者们功能性的结合体，其实质毫无疑问就是合伙。正因为如此，商法规定，关于这些公司的内部关系，如商法或章程另无规定，则准用关于合伙的基本法律规范，即"民法上合伙"的规定（民 703 条～724 条）（商 195 条，269 条）。只是之所以规定"准用"民法上的合伙规定，而没说"适用"，是因为虽然人合公司和合伙的实质一样，但公司是法人，而民法上的合伙却没有法人格，两者的法律性质有差异。

在合伙性结合体中，因各成员的个性照旧维持，其法律关系分为四种：（1）各成员相互间的关系；（2）各成员和第三人间的关系；（3）各成员和结合体间的关系；（4）结合体和第三人之间的关系。上述关系在无限公司和两合公司中则体现为：（1）社员相互间的关系（商 197 条）；（2）社员和第三人之间的关系（商 212 条）；

---

[1] 韩国的契约即为我国的合同。为了与本书中提到的民法上的合同行为相区别，没有将其译为合同，而直接使用契约的用语——译者。

（3）社员和公司之间的关系（商 198 条）；（4）公司和第三人之间的关系（商 209 条）。前两种关系是考虑到人合公司的本质是合伙而法律特别认可的关系，而后两种则出自公司的法人性。

2. 股份公司和有限公司。股份公司本来就作为资本性企业，甚至作为"高度发展企业"的法律形态来设计的。在股份公司中，由于资本家结合的规模越来越大，社团性或团体性越来越显著，从而成立股东大会，将其作为公司的"总意性"意思决定机构，并成立独立于各成员即股东的经营机构。虽然这是作为社团的特性，但因股份公司具有资本结合体的性质，比起一般社团法人或无限公司、两合公司具有其他特点。一般来说，在非营利社团中，各成员作出社团的意思决定或者分享作为社团成员的利益时，原则上各成员应具有平等的地位。但股份公司中各股东的个性极度微弱，其法律地位也以均等的比例单位，即"股份"的形式定型。正因为如此，韩国公司法没有顾及股东相互间以及股东和第三人之间的关系。

与无限公司、两合公司相比，有限公司是更具社团性的结合体。但股东人数限于 50 人以下（商 545 条），且各社员的姓名、地址是章程上必要的记载事项（商 543 条，2 款、1 号），出资份额的转让也受限制（商 556 条）。因此，其合伙性也是不能完全忽视的。

二、法人性

韩国商法对所有公司赋予法人格（商 171 条），这可谓是韩国商法的一大特征。德国对类似韩国无限公司、两合公司形态的 offene Handelsgesellschaft，Kommanditgesellschaft 不承认法人格，英美只将资合公司 Campany、Corporation 作为法人，不承认人合公司 partnership、Limited partnership 的法人格。而法国、日本与韩国相同，承认所有公司的法人地位。

人格原本意指权利、义务的归属点。公司的法人格意味着公司具有权利能力，可以独立于社员而取得权利、义务，社员不能对公司财产持有直接的权利（即便股东一人持有全公司股份亦相同）。

判例认为，即使取得股份公司之全部股份，也不能以一人股东的资格请求返还公司财产（大法院 1959．5．7 判决，4290 民上 496）；不能以股东或无限公司社员的资格请求非法占有公司财产的人返还公司财产（大法院 1962．5．3 判决，4294 民上 1590）。

因此，由数人出于经营共同事业之目的而组成合伙时和设立公司时，两者的法律意义是根本不同的。例如，A 和 B 设立企业而进行对外交易时，如该企业属于合伙，交易行为就成为 A、B 的共同行为；如该企业为公司，则成为非 A、非 B 的法人即公司的行为。还有，因对外交易而取得的权利、义务，合伙时归属于 A 和 B，而公司时则归属于公司。因而，从交易对方的立场上看，合伙和公司时，A 和 B 作为自己的对方当事人所具有的法律意义是不同的。

"法人性"只是权利、义务归属方式上的问题，因此，是否赋予法人格是立法政策上的问题，与该团体的社会学性质的实体无关。于是，即使是"合伙性"结合体也可以成为法人。但是，不能因此而对民法上的"合伙"认定其法人格，因为"民法上的合伙"本身是作为权利、义务归属方式的一种来设计的，与法人性是相互对立的概念。要使同一社会学性质的实体同时具有作为权利、义务归属方式的两种形态，即"民法上的合伙"和"法人性"，可以采取两种方法：第一，通过法律规定特别认可之；第二，法律关系中将两者的支配领域相互区分。韩国商法采取第二种方法，关于无限公司、两合公司承认对外其受法人性支配（商 207 条），而在内部关系上补充适用关于"民法上合伙"的规定（商 195 条，269 条），从而使法人性不及于公司内部关系，只对公司对外活动和财产所有等方面发生作用（相对人格者）。

三、营利性

公司是"以商行为及其他营利为目的"的社团法人（商 169 条，民 32 条）。公司为商行为时是当然商人（商 4 条），即使不为商行为，因其营利性也将其视为商人（拟制商人）（商 5 条，2 款）。因此，商法总则和商行为编一般适用于公司。

公司为做到以营利为目的，不仅应将营利行为作为目的，还应把依营利行为而得的利益分配给其社员作为目的。利益分配，是指通过盈余分派、增加所持份额或剩余财产分配等方法，将公司所得的利益归于社员（股东）。像相互保险公社、中小企业协同组合、乡村金库、韩国证券交易所等，虽也是一种社团法人，但不以营利行为为目的，即使有剩余金的分配或分红也不是公司。相反，国家、公共团体、财团法人等有时也做商行为及其他营利行为，但不以利益的分配为其目的，因此，即使以商行为为业持有商人资格（商 4 条）也不是公司。

社员们设立公司和出资的目的在于实现营利，因此营利性成为公司存在及行动的最高价值理念，进而作为判断公司经营合乎目的性和董事责任事由（商 399 条）的价值标准来起作用。

第二节 公司概念的现代修正

一、一人公司

（一）概念

公司是社团，当然以数名成员的存在为其要件。因此，无限公司、两合公司、有限公司须有两人以上的社员才可成立（商 178 条，269 条，543 条，1 款），社员仅剩为一人时应解散（商 227 条，3 号、269 条，609 条，1 款）。在这类公司中两人以上社员的存在既是公司的成立要件，又是存续要件。

而股份公司只要求公司设立时须有三人以上的发起人（商 288 条），并没有把"社员仅剩为一人"作为解散理由（商 517 条）。因此，产生怎样对待公司设立后随着股份向一人股东集中而产生的一人公司（one man company：Einmannge sellschaft）之问题。一人公司，是指法律上由一人所有全部发行股份的公司，不包括形式上股份分散于数人手中，事实上却由一人掌握的实质意义上的一人公司。

（二）学说与判例

1．肯定说（通说）。目前，通说依如下理由承认一人公司的存在。

1）商法就除股份公司以外的其他公司规定"社员仅剩一人"为解散理由，但就股份公司未规定"股东仅剩一人"为解散理由（商 517 条）。反过来，这就等于可以承认一人（股份）公司的存在。

2）民法第 77 条第 2 款关于非营利社团法人只将无社员时作为解散理由，如另无其他明文规定，应将其类推适用于商法上的公司。

3）股份公司中股份的转让是自由的，因此，即使一时成为一人股东也潜在着分散的可能性，并不违背社团性。

4）发行无记名股份时，股份的转让时期（即向一人股东的集中时期）是不明确的，记名股份如不进行名义更换也一样。若将仅剩一人股东为解散理由，就会出现解散时期本身不明确的问题。

5）承认一人公司符合企业维持的理念。除了上述理由之外，少数学者以"企业自体"[1]（Unternehmen an sich）为理念，主张应承认一人公司的存在。

判例很早就采用通说，承认了一人公司的存在（大法院 1966.9.20 判决，1987.2.28 判决）。

2．否定说。否定说的理论根据如下。现在很难找出采取否定说的见解，但它有助于理解一人公司的问题。

1）关于无限公司、两合公司、有限公司，商法之所以将"社

---

〔1〕 20 世纪 20 年代在德国产生的学说。主张企业（公司）具有公共性质，是离开构成它的法律基础（社员）的独立性存在，应从国民经济的立场上给予保护、维持。这是具有全体主义色彩的理论。该理论首先在 Rathenau 的著作 "Vom Aktien-wesen, 1917, S. 41" 中体现，后来 Haussmann 介绍该理论时使用了"企业自体"的用语（Haussmann, Vom Aktienwesen und Vom Aktienrecht , 1928, S. 27f）。

员仅剩为一人"作为解散理由,是因为公司是社团法人。因此,股份公司也应适用该原则。

2)无记名股份在提存股票(商358条)时和记名股份在名义更换(商337条)时,可以把握股东的变化,因此不能说一人股东化而解散时,其解散时期不明确。

3)为防止个人欲享受有限责任制度和税制上的利益而设立公司,母公司欲取得会计处理上的便利而设立另一个公司等为不健全的目的而恶用公司制度,应该否定一人公司的存在。[1]此即否定一人公司的更为实际的理由。

3.私见。正如否定说所指出,把握股份的转移并非不可能,因此解散时期不明确不能成为承认一人公司的强有力的根据。还有,民法上的社团法人在"社员仅剩为一人"的情况下也不解散是考虑到法人公益性的政策性规定,援用于营利公司是不可取的。因此,承认一人公司与否应根据其实际必要性来决定。

如否定说所指出,的确一人公司在很多情况下是将个人企业伪装成法人的,存在不当享有有限责任之利益等弊端。但假如否定一人公司的存在,这些弊端就会消失吗?只要不能杜绝形式上分散股份而实际上仍为一人公司之现象,这些弊端就会继续存在。考察一人公司存在之实态,就会发现大体上是"转让公司"[2]时全部股份集中于一人。由此看来,问题是一人公司或实质上为一人公司的运营实态,而转变为一人公司的过程本身为应得到保护的交易现象。那么,即使一时成为一人公司,也不得视为其应解散。不少国家的立法都明文承认一人公司,韩国公司法也有必要将一人公司的存在明文化。

---

〔1〕田中诚二:"会社法详论"(下),劲草书房1982年版,第864页。
〔2〕在小规模的封闭公司中少量股份的让受经济上并没有大的意义。因此,在这些公司中,为了将公司企业本身转让、让受的经济目的,把股份交易作为其手段。于是,发行股份全部成为交易的目的。

（三）外国的立法例

1994 年以前，在德国，关于有限公司，从设立始就认可一人公司的存在（德有限公司法第 1 条）。而关于股份公司，则规定须有至少五人的发起人，但并没有把一人股东作为解散的理由。因此，一时间就一人公司曾有学说上的对立，但时至今日无人对认可一人公司提出异议。因为 1994 年德国股份法修改时，为小规模股份公司设立之便，取消了有关发起人人数的要件，因而自设立时一人公司变为可能（德股份法第 2 条）。

法国公司法规定，即使出资份额或股份全部集中于一人，法律上不会成为当然解散事由，从而不仅对股份公司，而且对一切商事公司认可了一人公司的存在（法公司法第 9 条）。但同时又规定，这并非公司的正常状态，如一人公司状态一年之内不补正过来，则利害关系人可以请求解散一人公司。到 1985 年修改公司法时，新设了可以由一人设立的两种公司。[1]

在美国，大部分的州设立公司时不要求有多数的发起人，因此一人公司的存在不成任何问题。

日本商法，过去与韩国一样要求公司设立时须有七人的发起人，因此人们就一人公司的存在可能性展开争论。但 1990 年修改时，删掉了法定发起人人数，设立一人公司变为可能（日商法第 165 条）。从此，在日本一人公司的存在可能性是毫无疑问的。

还有，欧洲联盟第 12 号公司法指令案规定，成员国应将一人公司的设立及存续明文化。

（四）一人公司的法律关系

如承认一人公司的存在，那么对其适用多数股东为前提的公司法规定时，不可避免地要修正部分规定。根据判例来看，主要是关

---

[1] 可以由一人设立的公司有"一人有限责任公司"（entreprise unipersonnelle responsabilité limité；EURL）和"农业开发有限责任公司"（exploitation agricole responsabilité；EARL）。

于股东大会召集和运营的问题。

1．股东大会的运营。判例认为：（1）关于召集股东大会的商法规定，其目的在于保护股东的利益，据此，即使由无召集权人召集或作出召集决定的董事会决议有瑕疵，只要一人股东参加并无异议地进行决议，则视其为合法的股东大会决议（大法院 1966．9．20 判决，1968．2．20 判决）；（2）即使实际上没有召开股东大会，由一人股东虚假制作股东大会议事录，其中记载已作出决议，但只要无特殊情况，也可以视为决议存在（大法院 1976．4．13 判决）；（3）转让营业时，只要有一人股东兼代表董事的同意，就可以代替有关营业转让法律所要求的股东大会特别决议（大法院 1976．5．11 判决）。

但是，即使一人公司也不允许完全忽略股东大会的组织规范。关于这一点在后面的相关部分中叙述。

2．一人公司和董事的自己交易。一些学说认为，一人公司中董事的自己交易，即便没有董事会的同意，只要有一人股东的同意，就应视为有效。但这种解释违背以机关的分化为本质的股份公司制度的理念，实难赞成。

3．一人公司与业务上的背任、贪污。过去判例认为，兼一人股东和代表董事的人以犯罪手段加害公司时，鉴于公司的损害即为一人股东的损害，不能认定其加害于公司的犯意，对公司的背任罪无法成立（大法院 1974．4．23 判决）。但现在则认定背任罪的成立，一人股东贪污公司财产时，也认定其贪污罪的成立（大法院 1983．12．13 判决，1989．5．23 判决）。

4．与法人格否认论之间的关系。一人公司时，法人格往往只不过是形骸而已。因此，一人公司时适用法人格否认论的可能性是很大的。

二、法人格否认论

（一）有限责任的滥用与规制

法人格否认（disregard of the corporate fiction; piercing the corpo-

rate veil），是指公司不具有独立于社员的实体时，限于公司和特定
的第三人之间有问题的法律关系中，不承认公司的法人格，将公司
和社员视为同一人，从而向社员追究公司的责任。例如，若 Y 公
司无资力清偿自己的债务，且具备所定要件时，债权者 Z 可以否认
Y 的存在，向控制股东 X 追究责任。法人格否认论主要是为解决股
份公司中股东恶用有限责任制度的弊端而发展的理论。在此，主要
针对股份公司进行说明，但同样的原理也可以适用于其他公司。

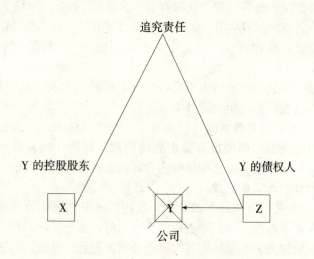

公司独立于社员而享有独立的人格，社员只要不是无限责任社
员，对公司的交易不承担责任。反过来，对于社员为当事人的法律
关系，公司也不得干预。但是，时至今日，为资本的集中、劳力的
补充、风险的分散而设立公司的古典性公司设立动机早已褪色，而
以少额资本和只为了享受有限责任的利益而设立公司（尤其是股份
公司）的现象司空见惯。在这种现状下，不能放任公司沦为他人为
规避责任而使用的工具。

只是为了减少事业风险而借助于公司形式，实际业务的运营却与某个股东之个人事业没有两样的情形下，会产生公司的法人格只是利用于规避对第三人责任的结果。这不仅违背公司制度的目的，并且从正义和公平的观点上也不应该默认。股东为法人时，即母子公司之间也会出现同样的现象。例如，公司从自己的事业中将风险度高的部分分离出来，成立另一个公司，让其经营该事业，从而达到减少损失的目的。大规模企业集团包括很多关联公司，[1]虽然也有按不同领域经营专门化的意图，但按不同的部门限制事业风险的用意更为明显。

在现行法的框架之内，作为控制这种现象的方法有：严格规制公司设立、监视公司的运营、广泛利用公司的解散命令制度等。不过，上述几种极端的方法反而有可能阻碍健全的企业发展。于是，作为对公司的存立本身不产生影响，只是对有问题之法律关系，离开法律形式而找出实际责任主体的方法，法人格否认论发展起来。

但是，该理论一方面并非以制定法为根据的，另一方面危害堪称股份公司基本秩序的有限责任制度的基础。因此，在实际适用中怎样确定适用要件和适用范围遇到很大的困难，并产生在现行法律框架下以什么为根据吸收该理论的问题。

（二）法人格否认论的发展

1. 美国的法人格否认论。法人格否认论自19世纪后期开始，依据美国的判例产生并发展起来。其基本主张是："为了侵害公共利益，违法正当化，庇护欺诈，拥护犯罪"而利用法人格时，法人格应该被否认。[2]在美国，该理论不仅适用于契约上的责任问题，并且也适用于侵权行为的责任问题以及欺诈债权人行为的效力等很广泛的范围；不但为向股东追究公司的责任而适用；而且反过来为向公司追究股东的责任而适用。

---

〔1〕　韩国企业集团内部的关联公司韩国语称"系列公司"——译者。
〔2〕　United States v. Milwaukee Refrigerator Transit co., 142F. 2d 247, 255.

　　关于法人格否认的理论根据，有很多主张：成问题的公司不过就是控股股东的代理人（agency rules），或者是股东的工具（instrumentality rules），或者是股东的分身（alter ego），或者是公司和股东实际上是同一体（indentity rules）等，说明不尽相同。[1]

　　但是，判例认定应适用法人格否认论的要件是大体相同的。即（1）由于股份的全部或者大部分由特定股东所有，公司的营业政策、财务、运营只是处于该控股股东的完全控制下，从而在有问题的交易中公司不具有自己独立的意思和存在（Complete domination）；（2）控股股东的这种控制力利用于欺诈、犯罪和其他法律上的义务违反或者侵害对方权利的不公正的行为（Wrongful or inequitable conduct）上；（3）控股股东的控制力的行使及违法、不公正的行为和对方的损害之间有因果关系（Causal relationship to the plaintiff's loss）时，应否认其法人格。[2]

　　2. 德国的透视理论。在德国，具有与美国的法人格否认论同一宗旨的透视理论（Durchgriffslehre）从本世纪 20 年代开始发展起来。[3] 随着股份公司在设立上采取准则主义，本世纪初前后出现一人公司，甚至一开始就以设立一人公司为目的设立公司的例子也不少。1920 年，德国帝国最高法院虽然承认公司法人格和一人社员人格的分离，但是先于法律构成而考虑"现实生活、经济上的必要、事实上的力量"（die wirklichkeiten des Lebens, die wirtschaftlichen Bedürfnisse und die Macht der Tatsachen），在具体的法律关系上，作出了应将股东和公司等同的判决，成为透视理论的开端。此后，利益

---

〔1〕　P. I. Blumberg, The Law of Corporate Groups, Little, Brown and Company, 1987, pp. 105~32.

〔2〕　Cary, William L. & Eisenberg, Melvin A., Corporations, Unabridged, 6th ed., The Foundation press, Inc. (New York) 1988. pp. 166~169.

〔3〕　德国学者 Serick 将本世纪 20 年代以后在德国的判例和学说中出现的有关法人格否认方面的理论统称为"透视理论"。在韩国通常将其翻译为"责任实体把握理论"。

法学派学者们支持该理论，判例也继续追随该理论，但在理论构成上一直较混乱，直到 1955 年西里克（Serick）在"法人的法律形式和实际"（Rechtsform Und Realität juristischer Personen）的论文中系统地整理了该理论。西里克从法人的"单一性概念"（Einheitsbegriff）出发，展开了法人的法律形式在被其背后的自然人客观上以及主观上滥用的极其例外（例如，法律规避，契约规避，欺诈等）的情形下，可以被忽略的所谓主观滥用论（Mißbrauchtheorie）。但该理论遭到很多批判。1956 年德国联邦法院的判例也作出透视理论的适用上无需有滥用法人格的意图，法人格的利用在合乎法秩序目的的范围内才被允许的判决，排斥了主观滥用论。因此，只有少数的学者们还信奉西里克学说。现在，在透视理论的适用上存在两种倾向：一种是否定设定统一公式，认为依透视理论追究（股东的）责任是每一具体问题上规范较量（Normabwägung）的结果，因此只不过是规范适用的问题，利益法学派持这种观点；另一种是从客观滥用论的立场上出发，将透视理论的适用理解为制度滥用的问题。[1]

德国的透视理论在其适用要件上大体与美国的相似，须有财产的混同（sphärenvermischung），他人（股东）的经营操纵（Fremds-teuerung），有限责任制度的滥用（Institutsmißbrauch）等。虽然资本的过少也被列为其要件之一，但像美国那样很难把资本适当的标准客观化，因此只限于客观上已证明为资本过少或有问题的控股股东因虚假缴纳等危害资本充实时，视其为法人格否认的对象。

3. 日本的形骸论。日本战后有不少学者介绍了法人格否认论，直到 1969 年最高裁判所的判决中采用该理论后才被吸收为公司法的解释原理。尽管在其适用要件、理论根据等问题上尚未得到确实的解决，但大体上在公司机关运营有名无实，股东和公司的业务、财产相混淆、资本过少的情形下，认为公司变为"形骸化"，将此作为法人格否认的客观要件。此外，多数说还认为，以违法、不当

〔1〕 江头宪治郎："会社法人格否认的法理"（东京大学出版会，1980），第 68 页以下。

之目的而利用法人格的主观意图具备时，可以否认其法人格。并且，作为该理论的制定法根据，举出禁止权利滥用（日民 1 条 3 款）的原则。

（三）韩国引进法人格否认论

韩国从 60 年代开始，不断有人介绍法人格否认论，多数商法学者主张应适用该理论。但是，主张全面适用美国判例法上的法人格否认论的见解很少，大部分人主张，能用从来的私法理论可以解决的尽量排除，只有不可避免时，才可以有限制地适用。

在韩国的判例中，首次出现适用该理论的是 1994 年汉城高等法院的判决。该判例在比起事业规模持有极其少的资本金，将股份向亲戚们适当地少量地分散，并在设立过程和公司运营中不经法定程序，只具备文件的形式，大股东将企业运营与私有财产不相区别，任意行事，公司发行本票后，到期未能支付的案件中，认为该公司系属法律形式的滥用，仅仅是形骸而已，据此向大股东追究了支付责任。但是，1977 年该案的上诉审中，大法院认为，该事件的事实关系不能成为法人格否认的适用对象，保留了引进法人格否认论与否的判断（大法院 1977．9．13 判决）。

直到 1988 年出现了值得注目的适用法人格否认论的判例（大法院 1988．11．22 判决）。香港两兄弟为了经营海运业设立了 A、B、C 三个公司。其中 A、B 公司为了船舶注册方便（flag of convenience），设立在对海运业行政管制宽容的利比里亚，C 公司设立在香港。然后以 A 的名义取得船舶（货船），A 委托 B 进行船舶管理，B 再委托 C，C 运营了船舶。后来，C 在韩国现代尾浦造船厂修理船舶，迟迟不付其费用，于是现代方面扣留了船舶。这样，由船的形式上的所有者 A 公司提出第三人异议之诉。但是事实上 A、B、C 都由香港人两兄弟代表，A、B 公司纯属无公司实体的空壳公司（Paper Compapy），对外使用的住址、电话号码等与 C 公司的相同。在此案件中，大法院认为，A、B 公司只不过是为了便于取得船籍而设立的公司，实际船舶的所有者是 C，A 公司主张其法人格和主张自己是船舶的所有者是为了达到债务逃脱的不法目的，是违背诚实信用原则，是不允许的。即大法院否认了 A、B 公司的法人格。

接着，1989 年在对同一原告（现代尾浦造船厂）因修理费用扣留在便于注册地置籍（在塞浦路斯设立船籍公司，由实际所有者意大利公司运营）的船舶，由作为法律上的所有者空壳公司提出第三人异议之诉的案件中，大法院以与上述 1988 年判例的相同宗旨作出了判决（大法院 1989. 9. 12 判决）。

上述两个判例，比起通常的法人格否认论，多少有点儿特殊的部分。一般来说，为了让控股股东对无资力公司的债务承担责任，否认该公司的法人格，但在上述案件中，并非在股东和公司的关系上，而是在具有共同控股股东的 A、C 公司之间的关系上判断了财产的实质所有关系。不管怎样，作为否定法律上的所有者 A 的所有，认定 C 所有的法逻辑根据，否认了 A 的法人格。

考察韩国股份公司的设立和运营的现状，就能看出，股东恶用有限责任制度的例子是非常多的，预防恶用的制度措施却很不完善。商法为了防止此现象，设定了最低资本（5 000 万韩元）制，但与目前的物价水平相比，很难成为股份公司的适当资本。况且，在盛行伪装缴纳现实中，能有多少实效还是个疑问。所以，可以说法人格否认论的引进是符合防止恶用有限责任的现实需要。关键在于如何做到与现存的法秩序（有限责任制度）不相冲突，而协调运营。

（四）法人格否认论的法理根据

在美国作为法人格否认的法理根据，虽然出现了工具说、同一体说等不少学说，但均不能成为定论。有人批判说，这些都是比喻性的表现，对法人格否认论的法理上的理解没有多少帮助。

在韩国，由于受德国的影响，有不少从禁止权利滥用规定（民 2 条，2 款）中寻找法人格否认论根据的见解。前面已举的判例指出："……主张具有另一法人格的公司是违背诚实信用的原则或滥用法人格的……。"可见，判例也是从诚实信用原则或者禁止滥用权利原则中寻找其根据的。也有一些人认为，法人格是以合法目的使用为条件而被认定的特权，法人格违反正义而被恶用时，就会丧失其存在的根据，因此应在商法第171条第1款中寻找法人格否认的根据。不过，这种见解实际上与禁止权利滥用原则并没有区别。

法人格否认论的法理根据问题与应在什么范围内承认法人格否认有关系。因为法人格否认论原本不是什么先验原理，而是从解决每一个具体的法律关系的积累中找出的共同原理。因此，我们在吸收该理论的时候，可以根据要适用法律关系的性质，说明不同的法理根据。如果以为保护与公司交易者的信赖，将公司在交易上的责任转嫁给股东为目的适用该理论，那么如同判例，从诚实信用原则中找其根据是合适的。

（五）适用范围

否认法人格，会导致否定股东有限责任的结果。股东有限责任是利用股份公司制度的重要动机，也是商法明文规定的基本原理之一。因此，适用法人格否认论意味着将成文法上的基本秩序用不成文的法学理论来否定，我们暂且不谈其现实妥当性，它会抹杀预测可能性，导致法律关系的不稳定。于是，普遍认为，在韩国这样的成文法国家中，适用该理论时，只能适用于不能用从前的法学理论解决的极其例外的法律关系上。

与此相关联，谈一下与法人格否认论的适用对象相关争议最多的几个问题。

1. 侵权行为责任的追究。将公司对第三人承担的交易上的债务归于股东，是符合法人格否认论本来的宗旨，前面说明的内容也以此为中心的。与此不同，将公司对第三人承担的侵权行为责任能否也依法人格否认论归结于股东身上？例如，公司的代表董事因业务关系对第三人做出侵权行为，或公司的使用人同样因业务关系向第三人做出侵权行为，从而使公司承担损害赔偿责任，但公司本身无资力，且公司具备法人格否认的其他要件（完全受控股股东控制等）时，能否否认其法人格，向股东追究损害赔偿责任呢？

在美国，关于侵权行为责任广泛适用法人格否认理论，认为侵权行为的被害人才是被动的债权人（involuntary creditor），作为法人格否认论的适用对象更为合适。但是，韩国的情况有所不同，需要理论上的进一步探讨。因为在韩国将法人格否认的法理根据取自诚实信用原则（民 2 条，1 款），而诚实信用原则中隐含着保护对方信赖的旨意，但侵权行为中不可能有对方的信赖，因此侵权行为并不是以诚实信用原则为根据的法人格否认论的适用对象之逻辑也是有说服力的。

但是，最近随着像汽车运输、海运、航空、建筑、汽车工业、电器工业等偶发性事故危险度高的产业正在增加，一般人接触这些事故而受损害的频度也正在提高。而很多企业主却为了减少因损害赔偿而产生的损失，以少额资本设立公司开展业务，这将使对被害人的补偿很不充分。尤其是大规模企业进行这些事业时，以少额资本设立子公司来承办该事业，不仅仍可以维持母公司的对外信用，并且也能最大限度地减少事业的风险。这种事例不胜枚举。[1]

由此可见，在追究侵权行为责任的问题上，也有必要适用法人格否认论。将危险度高的事业，以少额资本的公司来经营时，有必要要保护一般大众的信赖，所以即使适用法人格否认论，并不与法人格否认论将诚实信用原则作为根据产生矛盾。

2. 法人格否认论的反适用。在美国，为了让公司来履行股东的债务而适用法人格否认论的例子也是很多的。例如，债务人为了逃脱强制执行，设立公司，并对此出资的情形。但是，不能为了将股东个人的责任转嫁给公司而否认法人格，因为股东个人所有的股份本身为公司财产的间接表现，股东的债权人对股东所有的股份强制执行即可，没有必要进一步否认法人格来强制执行公司财产，其实际意义是不大的。

---

[1] 在美国，这种情况下有很多认定母公司的损害赔偿责任的事例。

3．既判力、执行力的扩张问题。在以公司为对象的诉讼中胜诉的公司债权人是否能使具备法人格否认要件的公司的控股股东受既判力、执行力等判决效力之约束？为了否认法人格，需要有其他事实认定和法律解释，因此当然不能视为对公司的胜诉判决之既判力当然及于控股股东（大法院 1995．5．12 判决）。问题是能否将控股股东视为准公司承继人（民诉 481 条，1 款），并由债权人举证法人格否认的要件，提起执行交付与之诉，从而得到对于股东的承继执行文呢？这同样违背明确、稳定的诉讼程序之要求，因此应该否定。这是一般性看法。

（六）适用要件

在外国，普遍认可的法人格否认要件为如下：（1）特定股东完全控制公司；（2）公司仅仅是形骸而已，公司事业实质上是股东个人的事业（在这一点上各国是一致的。虽然有一些人要求股东和公司的同一性，另一些人要求股东和公司的利害关系一致，还有一些人则要求公司财产和股东财产的混同，但这都是（①、②要件的具体表现）；（3）由于公司无资力，公司债权人承受得不到清偿的损失。

美国和德国的判例经常将资本相对于事业规模过少也作为法人格否认的要件。但是，虽然资本过少可以是公司无资力的重要因素，但如将此作为法人格否认的积极要件，会带来不当减少该理论适用对象的结果。即使资本在形式上很充足，但也有实际上不很充实的情形，也有由股东不当地抽资的情形，在这种情形下更应该否认法人格。

最后，有是否将股东的主观上的法人格滥用意思作为要件的问题。如何以滥用意思为要件，那么其举证的难度会使法人格否认论的实用性减半。如果特定股东完全控制公司，并将公司的事业像股东的个人事业那样运营，仅其事实本身就可看出，其不值得享有公司制度的利益（因法人格而产生的股东的有限责任），与股东的滥用意思无关；自然而然地产生保护公司债权人的必要性。因此，股东的滥用意思不应作为要件。

（七）否认效果

否认法人格并不是一般否认公司的法人格，而是限于成问题的特定事件，否定公司在法律上独立于控股股东。将公司的有问题的债务应归结于股东是其主要的效果，但依公平的原则，有问题的交易之附带效果也应视为发生于股东身上。因此，未履行的公司的权利应由股东取得，公司所拥有的各种抗辩权也可由股东来行使。

三、现代公司的社会性（企业的社会责任论）

（一）序述

公司因其合理的经营结构而积蓄了如今庞大的经济力量，超出一介商人的地位，成为重要的社会实体，因此可以让它承担部分带有公共性质的责任。又由于公司对利润的极端追求成为产生财富不均等种种病理现象的原因，所以应该让公司主动做出将积蓄的财富还返给社会等行为，为公益事业做出贡献。这就是社会责任论的主要宗旨。

但是，企业的社会责任作为法律命题提出来是最近的事情，不仅尚未明确概念，更不是立法上所表现出来的概念。于是，问题的焦点在于能否将其作为企业之新的责任形态反映于立法中，或者能否将其作为关于企业的法律责任进行解释的指导原理。

（二）相关概念的界定

企业的社会责任具有多种含义，因此首先为了便于公司法学上的研究，应适当地界定几个概念。

1. 企业：通常论及企业的社会责任时的企业，意指已积蓄相当多的财富，具有广泛影响力的营利性团体。因此，应该说它包括为数众多的个人企业，其企业形态如何不成为问题。但是，这样一来，责任的焦点不能够明确。作为法律课题，企业的社会责任问题中的企业，指的是"公司"，尤其是股份公司，它才是应谈论的中心议题。

2. 责任：企业的社会责任通常大部分是指伦理上、道义上的责任。即为将企业利益还原给社会而进行各种捐献、慈善活动以及为公众而节制利润追求等企业伦理。这种意义上的社会责任是应由社会舆论或者各种行政指导来规律的问题。因此，在此所论及的企业的社会责任仅限于法律上的责任。

不过，法律上的责任，因不同的法律部门，各自的表现也相异。物价、品质等的福利行政法领域、劳动法领域、环境法领域中，企业的社会责任也会成为问题。但是，这些并非公司法所关心的问题。在这里要谈论的是"公司法上"的企业要承担何种内容的社会责任的问题。

3. 责任的对象：企业应对谁承担社会责任？在企业的社会责任问题上，没有像一般的债权、债务关系上所可以看到的与责任相对应的特定的权利人。正是这一点，成为企业社会责任的特色，又成为很难揭示其责任实体的理由。只能漠然地讲一般公众、社会全体成为其责任的对象，稍不注意会成为很容易虚构化的内容。这些正是如后所述很难将社会责任视为制定法上概念的理由。

4. 责任的主体：谈到企业的社会责任时，责任的主体根据不同情形，有时候指企业（法人）本身，也有时候指控制该企业的大股东。由于企业的社会责任连其对象也无法特定，对企业或者大股东赋于有约束力的义务内容是不可能的。因此，论及公司法上企业的社会责任时，只能考虑除了向董事等经营者赋予公司运营中纯粹的营利追求的义务以外，是否还赋予其对社会公众承担公共性义务的问题，从而可以说，企业的社会责任的责任主体是"董事"。

（三）责任赋予的实际正当性

公司是纯粹的利益团体，仅仅是营利活动的一种手段而已。而且，参与设立的成员（社员）们的目的和动机也未能摆脱此范围。于是，在与他人的交易中，公司作为法人格的主体，只承担私法上的责任，参与业务执行者承担公司组织法上的责任即可。尽管如此，对于企业还要赋予个人所没有的特殊的社会责任的根据又是什么？笔者认为，大体上将根据放在如下现代公司的特点上面。

1. 企业财产的公共性：公司制度产生以来，因其具备适合于企业活动的优点，其财富日益积蓄，当今法人企业的所有财产在国家财富中占据相当大的比重。于是，甚至有人认为，公司是国民财产的管理者，这即为企业公共性的一种原因，由此被提起社会责任论。

2. 企业所有的公共性：社会责任论将焦点着重放在大规模企业上，而如今相当多的大企业是上市企业。上市企业将大众投资者的零散资金作为资金筹措的根源。结果，原有控股股东的持股率降低为 20% ~ 30%，其余由机构投资者和大众股东所有（现在韩国上市企业的保有股东为 500 万名以上）。那么，从企业的所有角度上看，尽管没有参与经营的力量，持有总股份数 70% ~ 80% 的一般公众的存在是不可忽视的。这种意义上也要提起（公开）企业的公共性及社会性。

3. 利害关系的社会性：当今的大企业将一般公众作为消费者或顾客，生产衣、食、住、行方面不可缺少的日常用品或提供交通、通信等服务。其中，相当多是处于垄断状态。还有，这些大企业雇用成千上万的员工。因此，大企业的意思决定和企业活动对社会一般公众全体的生活产生影响。他们的生产决定和销售活动形成大众的生活形态，其投资决定左右经济成长，工资和派息政策直接与个人所得相连结，他们的价格决定（尤其是巨大企业的商品价格脱离竞争的制约时）决定物价。总之，大企业的存在和活动创造集团性的利害关系。

这样，大企业对市场的垄断性支配已被确立的现代资本主义体制下，大企业所具有的顾客关系和雇佣关系已经丧失了利害关系的等质性及立场的相互交换可能性。因此，不能以当事人之间的利害的等质性及立场的相互交换可能性为前提，只从追求企业的营利性的私法观点上看待企业，由此就提起了企业的社会责任问题。

4. 企业利润的社会性：在任何一个国家里，大企业因其在国家经济中产生的影响而受到政府的保护。并且因企业财产所具有的影响力，与政治权力相结合，或成为对政治权力的压力集团，企业本身自然而然获得过分的保护。举一简单的例子，大企业可以获得个人或中小企业所不能享受的税制上的过多的优惠和金融支援。不仅如此，在商品价格的决定和利润决定等问题上也得到政策性的保护。

如上所述，保护和扶持、还有由此而获得利润正是以一般公众的忍耐及让步为前提的。因此，大企业所获得的利润，与其说是因企业本身的商业才能而获得的所得，还不如说是社会全体之生产性的总合的一面更为突出，这成为可以追求企业的社会责任的又一个根据。

（四）社会责任论的发展

1. 德国：企业的社会责任开始被公司法学者提出是在 1920 年的德国。当时，随着一部分学者主张所谓"企业自体（Unternehmen an Sich）思想"的理论，开始对公司赋予了公共性。"企业自体思想"的主要内容为：将企业（公司）从其法律根基的社员中分离出来，将其把握为独立的存在；离开社员每个人的利害关系，从国民经济的立场上保护并维持公司，并赋予与此相适应的责任。还有，将公司从国民经济的立场上加以认识，与作为集团的全体股东的利益是相一致的，因此即使与股东个人的利益相冲突，也应该将公司本身的利益为优先。[1] 以此思想为基础，1937 年旧德意志股份法第 70 条第 1 款规定："董事有责任根据企业和职工的福利和国家、国民的共同利益的要求运营公司。"此规定后来被指责为当时纳粹政权下风行一时的以全体国家的团体法思想为基础的指导者理念（Führerprinzip），在 1965 年的股份法中被删除。

但是，德国于 1951 年制定共同决定法，[2] 使经营矿山、钢铁

---

〔1〕 Wiedemann, Herbert, Gesellschaftsrecht, Bd. I, Verlag, C. H. Beck （München）
　　 1980. P. 33.
〔2〕 即为"关于矿业和钢铁业企业的监事会及董事会中劳动者的共同决定之法律"。

业的企业以劳动者和出资者为同数，组成监事会，并规定必须选任劳务董事（Arbeitsdiretor），再进一步，根据 1976 年的共同决定法，更加强化了劳动者的经营参与。就这一点上来看，可以说，公司法受到了社会性的影响。

2. 美国：在美国，与德国完全不同的背景下谈到了社会责任。1931 ~ 1932 年，伯利（Adolf A. Berle）教授和多德（E. Merrick Dodd）教授以"董事对谁承担义务"的主题展开的讨论成了社会责任论的出发点。在这次讨论中，伯利教授采取了董事的权限永远只能为全体股东的比例性利益而行使的传统立场，而多德教授则强调了"终究是舆论形成法律，而舆论持有公司为不仅具有追求利润的功能，同时也具有社会捐助功能的经济性机构的见解"。

接着，于 1932 年，伯利教授和米恩斯（MeanS）教授共著"现代社会和私有财产"（The Modern Corporotion and Private Property）一书，指出：现代大规模公开公司因股伤广泛分散，所有和经营相分离，越过私企业工具的阶段，已经社会机构化了。于是，在公司治理中被动的股东丧失了主张只为自身（股东）的利益运营公司的权利，因此"公司的管理者由平衡社会各集团的主张，不是从私人欲望，而是从公共政策的角度，向各集团分配所得流向的中立性的经营者国家来替代。"

在美国的社会责任论反映到公司法上，其重点放在对社会、国家的捐献行为，似乎与上面介绍的学者们的论争（当然这一论争也包含捐助行为）其观点完全不同。从 1919 年的德克萨斯（Texas）州公司法起，大部分的州公司法中都对此有规定。例如，标准商事公司法规定公司可以"为公共福利、慈善以及科学和教育进行捐助"（MBCA § 3. 02（13））；特拉华州公司法则进一步规定，公司"有为了支援战时及其他的国家紧急状态而捐助的能力"（Del. Gen. Corp. Law § 122（9））。这些规定意指，即使经营者进行这些捐助也并非违反对公司的忠实义务（fiduciary duty）。

3. 日本：在日本，并没有自生有关社会责任论的独立理论，其学说主要以德国的社会责任论和 1937 年德国股份法上的规定为经验展开，并且也是最近的事情。学者们大多对社会责任论反映于立法上，采取消极的态度，其理由如下：（1）董事有可能以共同利益的为由，损害股东的利益；（2）即使设有关社会责任的规定，也仅仅是训示性的、宣言性的规定，并不具有作为裁判规范的实效性；（3）社会向极右或极左倾斜时（像德国一样），有被恶用于政治性权力之虑。因此，战后至最近（1993）数次修改过商法，日本国会（众议院）两次作出考虑将企业的社会责任反映于立法上的附带决议（1973．7．3，1981．5．13），但至今尚未实施。[1]

（五）韩国的动向

在韩国，谈论该问题的学者并不多，而且多数学者在立法论上采取消极立场。其理由为"社会责任"概念的不明确性和一般规定在立法技术上的难度及从立法例上看，将社会责任作为法律规定的例子还是很少。因此，反对设关于社会责任的一般性规定，或者说明为，企业不能作出反社会行为的不作为义务之社会责任是没有实效的训示规定，可能毫无作用，所以公司法上没有必要设一般规定，而是应依据社会法和经济法来直接规制。

对此，也有人主张，鉴于现在韩国的社会背景或者企业环境，为了阻止企业只急于追求营利，有必要作出关于社会性、公共性的一般规定。同时，也有基于与多数说相同的理由，反对反映于立法上，但不妨作为公司法的解释原理，认定公司的社会责任的见解。

（六）对社会责任论的批判

关于公司社会责任的讨论日趋活跃，表明：正在出现对将公司视为纯粹营利集团的挑战，公司再也不能全力以赴只追求利己的利润，不管采取什么形式也得进行公益性表示。但是，对将企业的社会责任及社会义务视为法律上的概念，直至将其引进至公司法上的看法，并不能苟同，其理由如下：

----

〔1〕 中村一彦："现代企业法论"，商事法务研究会，1982 年版，第 135 页。

1. 公司的本质与社会责任：正如对社会责任论持消极立场的学者们所主张的那样，该理论违背公司的本质。公司是纯粹的利益团体，这是公司传统的、固有的本质。公司继续持有这个本质时，在资本主义产业社会中才能起作为企业手段的作用。若公司法引进公司的社会责任，很容易会使公司法的结构逐渐改变为公益性质，当政治权力迎合一般群众对企业积蓄财富的反感时，会成为制裁公司营利性的借口。自由主义经济学者 M. Friedman 指出"企业的社会责任就是不断增加利润"，这句话给我们不少启示。[1]

2. 义务内容的模糊性：社会责任并不能具体揭示其义务的内容。由于没有明确赋予任何作为义务，无法真正起到行为规范的作用。若将社会责任反映立法上，则有可能成为立法应极力避免的"空白规定"。当然，并非私法上没有像禁止权利滥用（民2条，2款）或诚实信用（民2条，1款）等一般性条款，但是这些都是具体法律关系的当事人在权利的行使和义务的履行中，根据社会通念很容易认识的规范，并不存在上述模糊性问题。

3. 义务对象的不存在：社会责任应向谁承担？谁可以作为其权利人请求履行之？至今为止的社会责任论笼统地以消费者、一般大众、公司所属的社会全体等来表现。但是，像这种笼统的集团不能作为现实性的权利人而存在。相比较之下，禁止权利滥用、诚实信用等规范是在具体的法律关系中，对特定的相对方所承担的义务。私法上究竟能否存在无权利人的义务？这是将社会责任引进至公司法上的实定规定之最大的难点。

4. 结语：归根到底，论及企业的社会义务时的"义务"并非指法律上的约束。如果被这非法律概念误导，与董事固有的的善管义务相同的水平上考虑它，则只能引起混乱。

1929 年，通用电机（General Electric）公司的 Owen D. young 总

---

[1] M. Friedman, "The Social Responsibility of Business is to Increase its Profits," New York Times Magazine, 1970. 9. 13.

裁主张："董事会，并非是只作为股东的受托者（trustee），同时作为职工、消费者与大众的受托者而行动。"据说，后来它成为美国企业的经营信条之一。但是，这种为政家的见解不可从公司法的范围内理解，它是对多元化社会中的利益相衡的承认，只不过是大企业为生存而为的政治妥协而已。

第三节　公司的能力

一、权利能力

公司是法人，一般具有成为权利、义务主体的能力，即一般的权利能力。但是，公司并非是自然人，其法人格不是与生俱来的，而是依法被认定的，而且公司与其目的相关而具有其存在的价值。于是，其个别的权利能力受如下限制。

（一）依性质的限制

公司不是自然人，因此当然不能享有自然人所固有的亲族权、生命权、身体上的自由权，继承权等。但是，由于受遗赠者的资格上没有限制，可以得到遗赠。

公司不能提供肉体上的劳务，不能成为经理人及其他商业使用人。但是，可以成为不以劳务为前提的代理人。像名誉权、商号权、社员权等人格权并非只限于自然人，因此公司也可以享有之。

有人认为：公司可以成为股份公司董事，这种观点是值得商榷的。如后所述，董事是代替公司作自然性意思决定的机关，所以只有自然人才能担任董事（参照第五章的有关部分）。不过，除了后述的例外情形之外，公司可以成为其他公司的社员，也可以成为股份公司的发起人。

（二）依法令的限制

既然公司的法人格是依法赋予的，那么其个别的权利能力依法令，从法律政策上可以受到限制（民34条）。

1．商法上规定，公司不能成为其他公司的无限责任社员（商173条）。一般认为，其宗旨在于，若公司成为其他公司的无限责任社员，会将自己的命运寄托于其他公司的命运之下，便与以各个公司独立运营为前提的公司的本质背道而驰。同时，由于无限责任社员原则上是公司的业务执行机关（商200条），不允许公司成为无限责任社员，终究也包含禁止公司成为其他公司机关的意思。

2．清算公司的权利能力限定在清算的目的范围内（商245条，269条，542条，1款、613条，1款），破产公司也在破产的目的范围内存续（破4条）。

3．特别法有时禁止特别公司的一定行为（例如，银行法27条，2号禁止金融机关取得非自用的不动产。参见银行法27条，保险业法8条，9条，相互信用金库法17条等）。有人认为，这是依特别法公司的权利能力受到限制。如果视其为对权利能力的限制，那么违反其限制的交易应视为无权利能力人的行为，应该认定其行为为无效。但是，这些规定属于为各个特别法上的行政规制目的而制定的管束法规，与权利能力无关，于是违反某一限制也并不影响私法上的效力。有意思的是，判例将限制相互信用金库债务负担范围的相互信用金库法第17条第1款及第2款的规定，视为效力规定（参见大法院1985．11．26判决）。即使这样，也不能将限制公司的一定行为的特别法上的规定视为对权利能力的限制。引人注目的是，限制短期金融公司资金运用范围的短期金融业法第11条虽是与相互信用金库第17条1款相同性质的规定，但判例将此视为管束规定（参见大法院1987．12．8判决）。

（三）依目的的限制

1．总述。公司章程中应记载目的，这又是登记事项（商179条，1号、180条，269条，289条，1款、1号、317条，2款、1号、543条，2款、1号、549条，2款、1号）。公司为此事业目的而设立，社员预想能完成目的项下的事业而出资，其目的事业的社会价值被登记机关认定而赋予法人格。因此，出现公司根据社员的出资和法人格赋予的宗旨，是否只在章程规定的目的范围内持有权利能力的问题。

民法第 34 条规定"法人根据法律的规定，在章程规定的目的范围内成为权利和义务的主体"，从而根据目的来限制法人的权利能力。但在商法上并没有设这种规定，也未明文规定准用民法第 34 条。因此，对此产生学说对立。

如果承认依目的的限制，公司目的之外的行为就等于无权利能力者，即非实存者的行为，因此绝对无效；如果否认其限制，那么即使是目的之外的行为及其效力并不受影响。这一问题是对公司和股东及交易对方全体来说，都是有重要利害关系的问题。

2. 学说、判例。

1）限制说（少数说）：该说认为，对公司也应类推适用民法第 34 条，从而认定限制。其根据在于：第一，民法第 34 条是共同适用于一般法人的一般原则；第二，公司的社员期望出资财产按设立目的而使用，如果使用于目的之外的用途，就与对社员的保护背道而驰；第三，公司是为了一定的目的而被赋予法人格的，当然在其范围内具有权利能力；第四，如果不加限制，那么就等于公司也可以进行非营利行为，这违反民法上关于非营利法人的设立采取许可主义的立法意图；第五，关于限制权利能力而产生的交易安全的问题，由于目的是根据章程和登记而公示的，不会对第三人产生不可预测的损害。

2）否定限制说（通说）：该说否定依目的的限制，其理由有：第一，只要商法上没有准用民法第 34 条的明文规定，就不受依目的的限制，这种看法在解释上是很自然的；第二，从比较法的角度来看，废止依目的的限制几乎是当前的趋势；第三，虽然公司的目的记载于章程上，并应登记，但是第三人不易确认，再说即使确认了也很难判断哪种行为在目的范围之内，很容易产生纷争。因此，为了保护交易安全，应否定依目的的限制。除了已经宣布解散的公司，均可以不受其目的的限制，可以作出任何行为。

3) 判例：判例很早以前开始就一直维持限制说的立场。但认为，"目的范围内"的行为并非局限于明示在章程上的目的本身，也包含为履行其目的直接、间接所必要的行为，从而扩大解释"目的范围"。判例还认为，在判断有问题之行为是否是履行目的所必要的行为时，并不考虑行为人的主观意思是否在目的范围之内以及在实际履行目的中是否需要，而应该按行为的客观性质抽象地进行判断。这是为了缩小有问题行为的无效可能性。因此，正如在判例（大法院判决 1987．9．8）中看到的，在短期金融公司的代表董事为亲戚作出票据保证的案件中，为保证他人债务的票据背书不包括在短期金融公司章程上的目的中，而且其背书的动机也不是为了履行公司的目的事业，但是鉴于章程上的目的为"票据的发行、买卖、承兑、保证、票据买卖的中介"，客观上判断为票据保证的背书也是履行目的所必要的行为。

3．比较法的研究。

1) 英、美：英国于 19 世纪后半期形成能力外理论（ultra vires doctrine）[1]，1862 年公司法上规定应将目的记载于基本章程上，禁止变更之。但是，在以后的数次修改中，认可变更目的，最近的判例又认为善意的对方可以主张公司的能力外行为有效，1985 年公司法中也设有同样宗旨的规定（Companies Act 1985，s. 35）。

在美国，自继受英国的能力外理论以来，一段时间否认超出章程上目的的行为的效力，但是已经很早以前开始能力外理论受排斥。本来能力外理论来自对广泛聚集社会资本而运营的公司经营者持不信任态度，依公司的目的来要限制公司规模和活动的初期的公司政策。但是，随着产业的发展要求企业活动多样化，其意义已逐渐丧失。现在，公司发展初期所要求的不可变更的单一目的再也很难见到，大多数公司设立之初制定章程时，便将发起人所提的全部

---

[1] Ultra Vires（beyond the power），意指超出章程或法律上能力的公司行为，这种能力范围外的行为不能被认定为公司行为是该理论的内容。

目的都记载于章程上，从而预防关于目的范围的是非。如果再有遗漏，则用简单程序变更章程来追加目的。特别是，近年来判例采用默示的权限原则（doctrine of implied powers）以扩大公司的活动范围。[1]

还有，现在大部分州的公司法明文规定，不能以公司目的为由主张交易无效，除了例外情形，均排斥能力外理论。

2）德国：在德国，就连对民法上的非营利法人，也不设依目的的限制规定。公司的董事虽然承担遵守依章程的限制义务（§82AbS. 2AKtG），但无法限制其对外代表权（§82 AbS. 1AktG），依目的的限制一开始就不成为问题。

3）EU：EG公司法第一指令（1968）规定，即使公司机关的行为不属于目的范围内，公司也应受其约束，并应将其反映于成员国的国内法中，同时作为成员国的自律，可以设公司如果举证对方的恶意或者过失，便可以否认其效力的规定。

4）日本：日本民法像韩国民法第34条那样，设有根据目的限制权利能力的规定（日民法43条），商法没设准用它的规定，这一点与韩国是一样的。因此，也会出现同样的问题。多数说与判例大体上承认权利能力的限制，但是基于与前面所介绍的韩国大法院的判例相同的逻辑，扩大解释权利能力的范围。

4. 现代公司的功能与目的。关于章程上记载目的的现实理由，过去认为下列说明是具有说服力的。

第一，满足出资者想知道自己的资金被投入的事业范围即风险承担界限的要求；第二，使董事等企业的管理者认识自己的权限所及的事业范围；第三，使与公司交易的第三人确认其交易是否属于公司事业的范围之内。

从沿革背景来看，这种说明的确是很妥当的。但是，如今公司

---

[1] 默示的权限原则，是指为履行作为目的记载的事业而附带进行的交易，即使没有明文允许，董事会对此有默示的权限，应视其为有效。

在不断地扩大其事业领域，并且从现代产业结构来看，由于产业间的关联性，确定目的事业的界限是很难做到的。而且，考虑到公司的营利活动频繁、迅速地进行，只将公司目的记载于章程并登记，就拟制为向全体外部利害关系人已公示，是不顾交易现实的解释。当今企业的营利环境不断地在变化，企业为了生存应追求多种营利的机会。在这样一个现实条件下，以公司的"目的"制约公司的行动并不符合出资者的期望。因此，否定依目的的限制对公司的利害关系人全部都是可取的。

那么，章程上的目的具有什么意义呢？它具有在公司内部规定董事、董事会及其他公司机关权限的大纲及欲推进之事业方向的意义。因此，违反章程上的目的时，在人合公司中成为业务执行（代表）社员的权限丧失宣告事由（商205条，1款、216条，269条）、除名事由（商220条，1款，4号、269条）；在资合公司中就会产生董事的损害赔偿责任（商399条，567条），少数股东对董事的解任请求（商385条，22款、567条）、留止请求（商402条，567条）等。

5．对方的恶意与效力。

公司机关进行目的以外的行为，对方明知而进行交易时，产生发生何种效力的问题。由于采取限制说时，目的外的行为不论其是善意还是恶意都成为无效，所以这一问题只能在采取否定限制说时产生。一般认为，将恶意的对方主张交易有效，视为权利滥用（民2条，2款），公司以此可以对抗恶意的对方（参照 EU 公司法第一指令9条，1款、但书）。

二、意思能力与行为能力

公司基于组成机关的自然人的意思，自己持有行为能力。代表机关的对外行为是代表，与代理相区别。代理是本人、代理人、对方三个独立人格之间的法律关系，而代表机关是对外起作用的公司组织的一部分，代表行为即公司的行为。于是，假如说甲股份公司的代表董事乙以甲公司的代表资格，与丙签订契约时，就拟制为甲自己签订契约，契约上的债权、债务直接归属于甲。

这样，由于"代表的行为＝公司行为"的等式成立，在代表的情形下，不会有以本人和代理人是不同人格者为前提，意思表示的瑕疵、过失等分离为本人的和代理人的现象（民116条）。只是有关代表的法律原理还很不充分，并且实际上独立人格者行为的效果归属于他人这一点上，与代理比较相似，所以类推适用有关代理的规定（民59条，2款）。同时，公司当然也可以通过代理人进行各种法律行为。事实上公司的代表机关不能处理全部的对外业务，大部分的对外行为由商业使用人那样的代理人来处理。

公司不存在无行为能力制度，即使机关组成者是无行为能力人，公司本身仍有行为能力。因此，公司的行为能力的范围始终与权利能力的范围是一致的。

三、侵权行为能力

如果说公司通过代表机关具有本身的行为能力，那么，应视为也具有行为能力的另一个方面即侵权行为能力。即代表机关的侵权行为成为公司本身的侵权行为，由公司承担损害赔偿责任。这样，既然认定公司本身的侵权行为能力，那么机关组成者个人的侵权行为在理论上是无从成立的。尽管如此，商法规定代表公司的社员或者代表董事在履行公司业务中对他人造成损害时，公司与其代表机关连带承担赔偿责任（商210条，269条，389条，3款、567条），因而机关组成者也直接对第三者承担责任。这与其视为侵权行为责任，还不如说是为保护被害人的商法上的特别责任。公司和代表机关的连带责任意指非真正连带责任。

代表机关以外的董事、监事或者使用人与公司的业务执行相关连实施侵权行为时，由公司承担使用者赔偿责任（民756条，1款）。

第四节　公司的种类

一、人合公司与资合公司

公司在学理上分为人合公司和资合公司。

人合公司的实质是个人商人的复合体，是只由人合信赖关系的成员所组成的企业形态。于是，作为公司的内部关系，不仅有公司和社员之间关系，而且社员相互间的法律关系也可成立。由于人合公司的实质是个人商人的复合体，每个社员关于公司经营如同个人商人，具有关于公司运营的意思决定及业务执行的权利，企业的所有、控制、经营权三者原则上属于各个社员。在对外信用方面，与公司财产一样，各社员的信用也是很重要的，社员直接对第三人承担无限责任。由于人合公司的这种性质，在出资中，除了财产出资以外还认可劳务出资、信用出资。

资合公司是各社员单纯以其出资为媒介而结合的资本集合企业的法律形态，公司的实质与其说是社员的结合体，还不如说是被提供的资本的集合体。因此，公司的内部关系除了公司和社员之间的关系以外，并不存在社员相互间关系成立的基础。出资者纯粹是以只参与资本利润为目的而结合，结果企业的所有和经营相分离，企业控制的形式也不像人合公司那样，采取人数主义的人合控制形式，而是采取依出资额的资合控制形式。社员对公司债权人的责任也是间接、有限的，从而公司财产成为对外信用的惟一基础。出资的种类限于有担保价值的财产出资，强调以公司财产的充实、维持为目的的所谓资本充实的原则。

从上述人合公司、资合公司的特征中可以看出，应该说无限公司是典型的人合公司，而股份公司则是典型的资合公司。两合公司和有限公司虽然同时具有两个特征，但是前者是在人合公司的基础上加上资合公司因素的，而后者在资合公司中加上人合公司因素的。

二、商法典上的分类

商法典规定无限公司、两合公司、股份公司、有限公司的四种公司形态（商170条）。这种分类主要是以公司的成员即社员的责任形态为标准的，可以说以制度的形式吸收了上述的人合公司和两合公司的区分。

（一）分类的标准（责任形态）

社员的责任，广义上是指社员以其社员资格为基础而承担的全部支付义务，其内容是：（1）对公司的出资义务；（2）清偿公司债务的义务；（3）社员相互间的损失分担义务；（4）向公司填补其他社员的现物出资的价值不足额或者出资未完毕额的义务等四项义务中的一部分或者全部。

狭义的责任指其中（2）项义务，根据此项狭义责任有无限制来区分无限责任和有限责任。无限公司是只由二人以上的无限责任社员所组成的公司（商212条），两合公司是由无限责任社员和有限责任社员各一人以上组成的公司（商268条）。相反，股份公司的社员，即股东的责任是所谓的有限责任（商331条）。有限公司的社员责任也是有限责任（商553条），但是社员对公司有资本填补责任，这一点上与股份公司是不同的（商550条，551条）。

如上所述，无限、两合、股份公司社员的责任，在其责任的结构方面具有本质的差异。而有限公司社员的责任除了资本填补责任以外，与股份公司的股东的责任并没有差异。不过，资本填补责任并不是因此而应改变公司种类的那种重大的差异。尽管如此，除了股份公司以外，还认定有限公司这一企业形态的理由在于：鉴于股份公司是以大规模性、公开性为前提的企业形态，为了提供仍然享有有限责任利益，并加上人合公司的特性，在少数的出资者之间可以封闭运营的公司形态。这一点与无限、两合、股份公司将区分根据放在社员的责任形态的分类动机是不同的。

（二）各类公司的特色

上述社员的责任结构上的差异是各类公司的本质性差异，以此为出发点各类公司在公司设立程序、社员地位转让的难易、业务执行机构的构成等方面有很多差异。

1. 公司设立程序：制定章程并进行设立登记是所有公司共同的设立程序。但是，股份公司和有限公司由于社员承担有限责任，为了保护公司债权人，有必要让公司在设立以前持有与公司资本相应的净资产。另外，由于社员资格和业务执行机关不一致，为使公司设立后立即活动，公司设立以前应该组成业务执行机关。

相反，由于无限公司中所有社员承担无限责任，两合公司中也存在无限责任社员，所以没有必要在设立之前特别确保公司的财产。另外，在无限公司中是社员本身，在两合公司中是无限责任社员成为业务执行机关，因此没有必要组成另外的业务执行机关。所以，无限、两合公司一经制定章程就直接进行设立登记，公司即告设立。

2. 社员的变动：无限公司中社员负连带的无限责任，至于谁是社员不仅对公社债权人，而且对社员相互之间也是具有重大利害关系的问题（例如，持有1亿韩元个人财产的A当社员时和分文没有的B当社员时，公司的对外信用就不同，如公司处于负债状态，其他社员的损失负担也不同）。因此，无限公司的社员应记载于章程上而特定，其变动并非是自由的，甚至连社员所持份额的继承也在原则上是不允许的。虽然退社，即脱离社员地位，回收出资是有限制地被允许的，但是应要保护公司债权人，退社员从退社时起在一定期间（2年）内对公司承担补充性的履行责任（商225条）。另外，由于社员相互之间的信赖很重要，所以作为营利团体特别规定可以通过除名来逐出社员（商220条）。

在两合公司中，无限责任社员具有与无限公司社员同样的性质，上述事项对两合公司的无限责任社员同样适用。由于有限责任社员的存在是两合公司成立的要件，同样应将其姓名记载于章程上，但是在对内外的信用中，有限责任社员的同一性并无特别重要的意思，其变动比无限责任社员容易。

而股份公司的社员，即股东对公司债务负有限责任，并在设立当时就履行全部出资义务，所以在公司存续中谁为股东对公司债权人和其他股东（在信用方面）并不具有特别的意义。因此，股东的姓名不是章程的记载事项，股东的变动（即股份的转让、继承）也是自由的，不可能有除名制度。但如允许通过退股而回收出资，那么就等于股东优先于公司债权人受偿，因此不能允许。如果股东愿意回收出资，他不是从公司得到解决，而是通过股份的换价即向第三人转让其股份而换取的代价来解决。另外，根据资本减少可以达成像退股那样的目的，不过这时须经保护公司债权人的程序。

有限公司的全体社员负有限责任，可以认为其在性质上与股份公司的股东相同。但是，有限公司是由少数的社员为了封闭运营而利用的公司组织，因此与股份公司的股东不同，社员的个性是很重要的。所以，应以章程将社员特定，出资份额的转让也可以限制。

3. 业务执行（经营）：社员承担无限责任，意指在公司经营失败时，社员应以个人财产清偿公司债务。结果，在无限公司中的业务执行引起与社员的个人财产管理等价的风险负担。因此，业务执行不能委托给第三人，应属社员自己亲自处理的问题。于是，在无限公司中每个社员具有业务执行的权利与义务（所谓自己机关），不具有另外的业务执行机构。但是，为了提高经营的效率，可以将业务的执行权集中于部分社员（业务执行社员）。

两合公司由像无限公司的社员那样对公司经营承担无限风险的无限责任社员和只承担有限风险的有限责任社员构成，因此当然应由无限责任社员持有业务的执行权。但是，有限责任社员同样也应具有对自己出资的财产的风险管理手段，所以应赋予其对无限责任社员业务执行的监视权。

股份公司均由承担有限责任的社员（即股东）构成，因此不存在像无限、两合公司那样，有理由应该直接参与经营的社员。相反，为了保护因股东的有限责任风险反而变大的公司债权人，有必要从股东的个人利害关系中区分开公司财产而独立地进行管理。因此，在股份公司中应选任与股东资格无关的有独立地位的董事，并由他们来组成董事会，决定业务执行（即他人机关）。为了保障董事们业务执行的适法性，作为常设监视机构设监事。在股份公司中，通过这种机关的分化，同时实现经营的专门化和管制。

有限公司均由承担有限责任的社员组成，关于公司经营机关构成的基本思路，与股份公司是相同的。但是，如上所述，有限公司是以小规模性、封闭性为前提的，因此监事不是必须设的，董事人数也是一人就足矣。

4．社员们的意思决定方法：公司由复数的社员组成，因此不管用何种方法也应形成其团体意思。那么，在其意思决定中，各社员所持份额（即表决权）的大小究竟依据何种标准来决定？社员之所以要参加意思决定，是为了在公司的意思决定中行使各社员的影响力，而应行使影响力的理由在于，为了管理社员对公司的事业承担的风险。因此，各社员的表决权应与各社员所承担的风险的大小成正比，这可以说最为合理的意思决定方法。

在股份公司中，股东以其出资额为限承担有限责任，其所承担的风险与出资额即持有的股份数成正比。因此，股东们依据一股一表决权的原则，按股份数拥有表决权（持份主义）。

有限公司虽然基本上与股份公司相同，但可以添加人合公司的因素，可以用章程树立与此不同的原则。

在无限公司中，尽管每个社员的出资额可以不相等，但是由于社员们承担无限责任，不能要求出资额与风险负担成正比。如果一定要谈风险负担的比例，则可以说应与每个人个人财产的大小成正比，但事实上无法将其与所持份额的大小相联系。无限公司的社员，应以各自的全部财产承担责任，从这个意义上，应拟制为社员对公司的事业所持有的风险负担是均等的，而且行使影响力的必要性也是相同的。从而，社员们每人各持有一个表决权（人数主义）。

在两合公司中，社员的意思决定主要是指持有业务执行权的无限责任社员的意思决定，其决定方法与无限公司相同。在两合公司中，有限责任社员也可以例外地参与意思决定，但是这种情形下须经全体社员的同意，因此仍没有机会取得与出资额成正比的表决权。

（三）利用实态

如考察韩国的公司利用实态，就可发现股份公司占压倒多数。这是因为企业家根据有限责任制度可以限制事业的损失，而且股份公司开放的资本结构和经营组织使多数人的出资变得容易，将来还可以通过股份的上市吸收大规模的大众资本。正因为如此，目前以上市公司为主的大规模公司无例外地均为股份公司。据统计，1995年1月1日止，韩国国税厅管理税籍的共129 748个国内公司中，股份公司占119 496个（92.1%），有限公司占5 031个（3.9%），两合公司占4 428个（3.4%），无限公司占793个（0.6%）。

三、法源上的分类

以商法典为依据而成立并存续的公司称为商法上的公司或者一般法上的公司。除了受商法规律以外，还受特别法规律的公司称为特别法上的公司。特别法上的公司又分为依据一般特别法的公司和特殊公司。一般特别法上的公司是受一般适用于以特定行业为目的的公司的特别法规制的公司，例如，银行（银行法）、保险公司（保险业法）、信托公司（信托业法）等。特殊公司是依据为特定的公司特别制定的特别法设立的公司，例如，韩国土地公社（韩国土地公社法）、韩国放送公社（韩国放送公社法）、韩国道路公社（韩国道路公社法）等。这些都是政府全额或一部分出资的企业，是通常所说的公企业。

四、民事公司与商事公司

韩国民法第39条规定，以营利为目的社团依照商事公司设立的条件，可以将其作为法人（该条1款），该法人准用有关商事公司的规定（该条2款）。由此，会产生做商行为的商事公司和不做商行为而只以营利为目的的民事公司，但是商法上的公司是以营利为目的即可，无论它是否做商行为都应视其为商人（商5条，2款），因此并不存在区别民事公司和商事公司的实际意义。

五、国内公司、外国公司、合作公司

依韩国的法律而设立的公司是国内公司；与韩国商法上的营利社团具有同一性质，依据外国法而设立的公司是外国公司。但是，即使是在外国成立的公司，在韩国设置总公司或在韩国营业为主要目的时，应与在韩国设立的公司适用同一的规定（商617条）。

两个以上的公司为了共同履行特定事业，投入资金或者技术而设立的公司称作合作公司。目前主要指内国人和外国人共同出资而设立的公司。

六、公开公司、封闭公司

这种区分并非制定法上的区分，是出自按公司的规模、运营实态应区别适用公司法上的部分规定的立法构想，大体上根据美国的 publicly held corporation, closely held corporation 及英国的 public comany, private company 的区分而区别。在美国近年来出现将 closely held corporation 与 public held corporation 相区别而下定义，对其认可一般公司法上几个特例的立法倾向。最先反映于立法上的是北卡罗拉纳州，特拉华州也于1967年修改公司法时，关于 closely held corporation 设了独立的一章。

即使在美国，公开公司和封闭公司的区别也不一致。根据特拉华州公司法规定，Closely held corporation 是指股东人数不超过30人，股份的转让受限制，不公开募集股份的公司。[1]

七、上市法人、非上市法人

上市法人是指其所发行的股份可以在证券交易所交易的公司；非上市法人为股份不能在证券交易所进行交易的法人。1998年1

---

〔1〕 Del. Gen corp. Law § 342 (a)，虽然在日本其标准不一样，但公开公司和封闭公司的区分也反映于立法中。

月 1 日为止，韩国的上市法人共 776 个。

关于上市股份的流通及上市法人的管理，除了商法以外，还适用证券交易法及其他特别法。

八、公共性法人

在实行 1987 年制订的"国营企业的民营化计划"时，为了解决公共性强的企业被民营化时所出现的各项问题，在修正证券交易法和"资本市场培育之法律"（1997. 4. 1 废止）中新引进的概念。

"公共性法人"是指属于经营国家支柱产业等国民经济重要产业，并由总统令规定的上市法人或者注册法人（证交 199 条，2款）。对公共性法人认定下列特例。

1. 为防止公共性法人被一部分特定人或外国资本所控制，该公共法人以外的他人不能向股东劝诱代理行使表决权（证交 199条，2 款）。公共性法人将每个人的股份所有限度规定为发行股份总数的 3%，并且根据章程可以将此比率再降低（证交 200 条，1款、2 号），还可以以章程限制外国人的股份取得（证交 203 条，2款）。对违反以上限制而取得的股份不能赋予表决权（证交 200 条，3 款、203 条，3 款）。

2. 公共性法人应基于所谓"国民股"概念，力图将股份扩大普及于劳动者及低收入阶层（证券 205 条，之 2），可以将政府持有股份的分派金转用于劳动者等低收入阶层股东的分派金（证券 191条，之 6），对长期保有股份者可以发行无偿股（将公积金转入资本而发行的股份）（证券 191 条之 6）。

第五节　公司设立的一般论

一、关于公司设立的立法主义

从公司发展的初期到现在，关于公司设立的国家的立法态度，随着当时的社会背景的变化而变化。以下对公司设立立法政策的变迁过程简单地进行说明。

1. 自由设立主义：意指公司的设立不受法律限制，欲设立公司的人们聚集在一起，只要形成社团的实体，公司即告成立。公司发展的初期基于自由设立主义，设立了像密西西比公司或南海公司那样以投机为目的公司，引起了广泛的社会问题，此后便产生了抑制公司设立的政策。

2. 特许主义：自从认识到自由设立主义的弊端以后，出现了公司只有君主或者国家的特别立法才能设立的所谓的特许主义。东印度时代以后至 18 世纪，滥设很多公司，各国纷纷以特许主义（oktroisystem）来规制。由于特许主义导致过分管制公司设立的结果，当今各国一般只对特殊公司的设立采取特许主义。

3. 许可主义：即指制定关于公司设立的成文法规，据此作出行政许可作为公司设立要件的主义（Kon zessionsystem）。1807 年法国商法首次采取许可主义，1861 年德国的一般商法典（ADHGB）也采取许可主义。在许可主义下，行政机关对公司设立进行实质性审查，这同样是对公司设立的限制。

4. 准则主义：特许主义和许可主义导致国家或行政机关选择少数集团并赋予特权的结果，这与近代自由主义宪法下的平等的原则、职业选择的自由是相矛盾的。在这种情况下，随着 19 世纪资本主义思想的高潮和产业革命引起的经济上的需要，关于公司设立的立法主义过渡到准则主义（Normativbestimmung）。以成文法规规定公司设立的一般性要件，只要具备这一要件，当然就可以取得法人格，这就是准则主义。根据准则主义，国家对公司设立的干预只限于审查是否具备了法定的设立要件，不需要批准和许可等另外的处分。这在一方面大大放开了公司设立，另一方面又强制公司具备作为私法上责任主体的实体要件。1844 年英国的合作股份公司法（Joint stock companies Act 1844）首次采用准则主义，随后德国的1870 年股份法（Aktienrechts novelle von 1870）也采用了准则主义。如今大部分的国家采用准则主义，韩国也相同。

二、设立行为的概念和性质

公司的设立（incorporation；Gründung）是动态地、发展地把握为成立公司而进行的各种行为和程序的概念。在公司设立中使用所谓设立行为的概念，那么设立行为具体指什么呢？其法律性质究竟是什么？对此有争论。

（一）学说

通说认为，设立行为是指为了制定公司章程及设立公司而进行的即将成为"社员"者的法律行为。因此，设立行为在人合公司是指制定章程，在股份公司是指制定章程及认购股份。关于设立行为的性质，像民法上的社团法人设立行为的性质为合同行为[1]（多数说）一样，商法上的公司设立行为也是合同行为。可见，公司设立行为的性质论源于民法上的社团法人设立行为的性质论。民法学上多数说认为，社团法人的设立行为是合同行为（Gesamtakt）。

多数说之所以认为是合同行为，其根据在于：法律行为有契约、单方行为以及合同行为的三种，其中的合同行为为同一方向的数人的意思表示聚合，而社团法人的设立行为正是全体设立者齐心协力于设立法人这个共同的目的的行为，彼此之间不承担债权、债务。对此，有一些学说认为，设立行为是以团体性效果的发生为目的的特殊契约。

商法学者们受民法学多数说的影响，将公司设立行为视为合同行为。但是，对于股份公司设立行为的一部分——股份认购的性质则有分歧。对发起人的股份认购几乎无例外地都认为是合同行为，而关于募集股东的股份认购，有人认为是向设立中公司的入股契约，也有人认为是向将来要成立之公司的入股契约。

（二）批判

1. 设立行为的概念。通说认为，设立行为是即将成为社员者的"法律行为"，这一点是毫无疑问的。在人合公司的设立程序上

---

[1] 韩国民法上的合同行为并非指契约，而是多方行为的另一称谓——译者。

除了制定章程以外没有其他的法律行为，因此，设立行为即制定章程的等式成立，这里并不存在其他的问题。但是，在股份公司中除了制定章程以外，还存在发起人的认购股份、募集股东的认购股份等不可缺少的法律行为，因此通说将制定章程和认购股份称为设立行为。那么，就可以理解为设立行为这一法律行为由制定章程和认购股份两个法律行为构成，或者制定章程也是设立行为，认购股份也是设立行为。如果是前一种意思，那么以原有的法律行为理论是无法说明的，如果是后一种意思，那么设立行为应该是为设立而进行的各种法律行为的统称，其本身并不包含固有的内容和效力。还有，通说一方面认为，设立行为的性质是合同行为，另一方面将发起人的认购股份和募集股东的认购股份的性质相区别是自相矛盾的。当然，认购股份最终也是以公司设立为目的，从这一点上可以理解通说的主张，但要注意的是，章程制定除了公司设立的目的以外，不表示其他任何目的和动机，是纯粹的表示设立意思的行为，而认购股份者先以股东地位的取得为目的，这一点上与新股发行时的认购股份并没有差异。既然这样，视为股份公司的设立行为像人合公司的设立行为那样仅指制定章程，以图谋统一说明是否更为妥当？

认定设立行为概念的实际意义在于行为的团体性。因此，如果设立行为有缺陷，则直接与公司设立本身的无效、取消相连结。因此，设立行为的范围具有重要的意义。股份认购由每一股份认购人的行为来完成，从而不能认定其团体性，而且各个股份认购的缺陷法律上不直接成为股份公司设立的缺陷（商 321 条），这也是不能视其为设立行为的理由。

2. 设立行为的性质。关于设立行为（章程制定）或股份认购的法律性质，在德国很早就出现过争论。合同行为说很早以前由 Gierke 主张，韩国和日本的大多数学者也追随其主张。但是，如今德国关于公司设立行为没有学者采取此说。股份法将制定章程和公司契约（Gesellschaftsvertrag）作为同义语使用，从而将其视为契约的一种（§2AKTG），大部分的学者将章程制定或股份认购都解释为契约。只是为了说明其团体法性质的特殊性，认为它并非是债权法上的契约，而是社团法上的契约（Körperschaftsrechtlicher vertrag）或者组织法上的契约（organisationsvertrag）。

在韩国，如果再仔细地观察韩国商法学者们的观点，就能发现对于通说所主张的公司设立行为是合同行为，一部分学说则进一步认为，人合公司的设立行为是根据章程的制定而显示的意思表示的合致，因此是以社团创设为目的的合同行为，而股份公司的设立行为是通过章程的制定显示的意思表示和股份认购的契约并存，因此，可以说合同行为和契约的并存。但是，事实上这两个说明没有实质性的差异。因为通说认为，章程制定、发起人的股份认购是合同行为，募集股东的股份认购是向设立中公司的入股契约；而后者学说也认为章程制定、发起人的股份认购是合同行为，募集股东的股份认购是向将来成立之公司的入股契约。不管怎样，公司设立行为并非使当事人"相互间"持有权利、义务，所以应与契约相区别。鉴于此，尽管合同行为的概念并非完善，笔者还是加入通说。但是，正如上面所述，设立行为意指不分人合公司和资合公司均为制定章程，因此，关于其性质的说明也只限于制定章程上。

那么，将设立行为的性质视为合同行为，有何意义？第一，即使因部分设立者的意思表示有缺陷而无效、取消，也不溯及将整个法律行为作为无效。但是，商法关于人合公司和有限公司认定因社员的主观瑕疵引起的无效、取消，只是限制其效力（商184条、190条，269条，552条），而关于股份公司则不承认因社员的主观瑕疵引起的无效、取消等，通过立法加以解决，因此没有实际意义。第二，与合同行为中是否有"对方"的问题相关，存在能否适用有关对方知道的非真意表示（民107条，1款、但书）、串通虚伪表示（民108条，1款）、自己契约（民124条）规定的问题。对此，有因为合同行为中没有对方，所以不适用民法第107条第1款但书和第108条1项之说和不管是契约还是合同行为均要求当事人

之间意思一致，因此可以适用（即成为无效原因）之说。合同行为
当事人之间的利害是相同的而非对立的，这一点与契约不同，但在
数人为了同一目的而进行意思表示，需要当事人之间的意思一致，
这一点上与契约相同。因此，当其他社员知道某一社员的意思表示
为非真意时；还有社员们完全没有设立的意思，而是串通进行设立
行为时，不能将其视为有效，但即使是无效，公司设立的无效没有
溯及效力（商 190 条，但书），因此不会有侵害第三人的情形。这
样看来，后一说是正确的。还有，在设立行为中不会存在自己契
约，但以表见代理、无权代理加入设立行为时，应将其他社员视为
对方，适用有关的民法规定。依据表见代理进行设立行为时，只要
满足民法第 125 条本文、第 126 条、第 129 条本文之要件，则应视
为其有效。[1] 无权代理时，只要有本人追认，也应视为有效（民
130 条）。但是，在人合公司设立中，由于重视本人的个性，应视
为不能适用民法第 135 条第 1 款（无权代理人的履行责任）。

　　从此看来，即使将公司设立行为视为合同行为，也并非有多么
大的实际意义。只是为了说明意思形成样式不同于契约的特点而
已。

三、章程的性质和效力

（一）章程的意义和性质

　　实质意义上的章程，是依社员们的法律行为而成立，具有对成
文法的补充性、变更性效力，并以此对公司的团体法性质的法律关
系进行规律的规范的总称；形式意义上的章程，是指记载其规范的

---

[1] 韩国民法第 125 条，第 126 条，第 129 条之内容：

　　　第 125 条〔依代理权授予表示的表见代理〕：对第三人表示向他人授予代理权
者对在其代理权的范围内进行的他人和该第三人间的法律行为负有责任。

　　　第 126 条〔越权的表见代理〕：代理人进行其权限之外的法律行为时，如有第
三人可以认为其权限存在的正当的理由时，本人对该行为负有责任。

　　　第 129 条〔代理权消灭后的表见代理〕：代理权的消灭不能对抗善意的第三
人。但是，第三人因过失不知其事实时，不在此限。

书面文件。任何一个公司在设立时都应该制定章程，该章程持续约束公司的法律关系，其变更只依严格的法定程序才可以进行。

关于章程的法律性质，存在不同的学说。

多数说认为，章程不仅约束制定章程的设立者或者发起人，而且当然也约束公司机关及新加入公司组织者，因此，具有自治法规的性质（自治法说）。而少数说则认为，章程的约束力在于社员的自由意思，章程制定后，成为社员或机关者认可章程的内容，与公司建立关系，但如想脱离其约束，随时可以退出或转让出资份额（股份）即可，因此，章程具有契约性质（契约说）。关于章程的性质，在德国与日本也是有争议的问题，在日本自治法规说是通说。

将章程视为契约的实际意义在于，可以将民法中关于契约的规定适用于章程。但是，在德国主张契约说的学者们也不主张全面适用民法中有关契约的规定。由于章程有组织契约（organisations ver-trag）的特点，他们便主张限制或大幅修正适用民法上有关契约的规定。韩国的契约说也同样主张要斟酌民法上关于契约的每一条文所具有的意思之后再决定是否在章程上类推适用。

就这样，如果大幅度承认对一般契约的例外，那么章程的性质就很难视为契约，而且也没有视为契约的实际意义。契约说主张新入社员对现有章程的承认是基于其自由意思，因此视章程为契约，但是反对章程变更的社员仍受章程约束的道理是很难用契约来说明的。而且，想脱离章程的约束时，通过退社（股）或转让持份（股份）即可脱离，但这并不影响章程的法规性。这与那些不愿受韩国法适用的人，即便能离开韩国法域也并非使韩国法的法规性丧失的道理是一样的。

章程对已经成为其成员者，不管其意思如何都具有普遍的约束力；章程不管其成员的个别意思如何，都可根据成员的一般意思而变更；因制定章程或变更的社员退股或转让其股份而发生人员结构的变化时，仍不影响章程的效力等，这一切都是基于章程的法规性质，因此将章程视为自治法规是正确的。

（二）章程的效力

由于章程具有法规性，不论是制定章程的社员或发起人，还是后加入的社员、股东以及公司机关当然都受章程的约束。自治法只能在强行法规的范围内被认定其效力，违反强行法规的章程规定是不具有约束力的。

章程，能约束第三人吗？例如，由于章程中规定了共同代表制，因此与公司交易的第三人必须和全体代表交易时，似乎章程约束第三人。但是，这种情形下，只是因社员或机关受章程约束，第三人间接地受其效果的影响而已。因此，不能认为章程约束第三人。

公司的对内外行为违反章程时，就等于违反自治法规的行为，因此成为无效之原因。但有时，为了保护第三人限制无效主张（商209条，2款、389条，3款）。如果采取契约说，逻辑上应将违反章程视为债务不履行，但实际上契约说不采取这种主张。由于章程具有法规性质，其解释问题为法律的解释问题，成为上告理由。而契约说并不将章程解释视为契约解释，因此这只不过是事实认定上的问题，不能成为上告理由。

（三）章程的制定

章程的制定是要式的书面行为，必须记载法定的事项，制定者必须记名盖章（或署名）。因公司的种类不同，其具体的记载事项也不同，具体的记载事项在后面有关章节中叙述。

四、设立无效、取消之诉

（一）设立瑕疵的主张

在公司设立行为或者设立程序中有瑕疵时，社员等利害关系人可以主张公司设立的无效或者取消，其效力不仅对主张者个人发生，而且导致公司设立本身的无效或取消。由于在公司以其设立有效为前提进行活动期间，会产生很多利害关系人，公司设立的无效、取消会破坏多方面的法律关系。因此，公司设立瑕疵的主张与个人法上的法律行为有瑕疵的情形不同，不得不考虑各种团体法上的问题。这种考虑在法律上体现如下：（1）限制瑕疵主张者（商184条，269条，328条，1款、552条，1款）；（2）瑕疵主张只能以提诉的方式进行，并只依判决来决定设立的无效、取消（形成之诉，参照前揭条文）；（3）尤其在股份公司中不承认由社员个人的主观瑕疵引起的无效及取消，只承认由客观性瑕疵引起的设立无效；（4）限制提诉期间为短期（2年）；（5）关于管辖等诉讼程序方面规定特则（商186条~188条，192条，准用于其他公司）；（6）认定弥补瑕疵，以图谋企业的维持（商189条，准用于其他公司）；（7）对败诉原告课以从重责任，从而抑制滥诉（商191条，准用于其他公司）；（8）一方面认定设立无效、取消判决的对世性效力，另一方面又限制其溯及效力（商190条，准用于其他公司）；（9）在一定情形下，认定公司继续（商194条，准用于两合公司）。其中（1）、（3）因公司而异，在有关的章节中加以说明，在此只论述共同性的问题。

（二）诉的性质

公司设立的无效、取消之诉是形成之诉。所谓形成之诉是指以变更法律关系的判决（形成判决）为目的的诉讼。形成之诉的对象——法律关系不得依据当事人一方的意思表示而改变或不能以抗辩来主张，只能根据诉的提起和判决的确定而改变之。于是，公司设立的取消、无效通过诉讼才可以主张。

（三）诉的程序

1. 提诉期间：提起公司设立无效、取消之诉的期间，所有公司均限于自公司成立之日起两年之内（商184条，269条，328条，1款、552条，1款）。公司成立之日即指设立登记之日，两年不是时效期间，而是除斥期间，不可能有中断或中止。

2. 被告：法律上并没有规定以谁为被告。但是，判决的内容是与公司设立的无效、取消有关的，公司受其效力影响，因此毫无疑问将公司作为被告。

3. 管辖：公司设立的无效、取消之诉专属于被告（公司）总公司所在地地方法院的管辖（商 186 条，269 条，328 条，2 款、552 条，2 款）。于是，并不存在依据关于该诉的协议管辖和应诉管辖确定由其他法院管辖的可能性，并且除了违反管辖的情形之外不允许移送（民诉 31 条，32 条）。

4. 诉提起的公告：一旦提起设立无效或者取消之诉，公司应不得迟延地进行公告（商 187 条，269 条，328 条，2 款、552 条，2 款），这是为了防止产生更多的受害者而公示的。

5. 诉的合并：向同一个公司提起数个设立无效之诉或设立取消之诉时（例如，由某个公司的多名社员各自提起设立无效之诉时），法院应合并审理（商 188 条，269 条，328 条，2 款、552 条，2 款）。在这里，合并与否并不属于法院的裁量（民诉 230 条）。从诉的性质来看，不能因原告不同而作出相异的判决，因此必须合并审理。

（四）瑕疵的弥补和裁量驳回

在设立无效之诉或取消之诉的进行中，如果作为其原因的瑕疵已被弥补，而且根据公司现状和各种条件，认定设立无效或取消为不妥时，法院可以驳回其请求（商 189 条，269 条，328 条，2 款、552 条，2 款）。这是因为设立的无效、取消从保护利害关系人的公益角度上看并非是可取的，而且瑕疵被弥补后，从企业维持的观点出发，认定企业存续，应该是可取的。

（五）原告败诉判决的效力

1. 驳回原告的公司设立无效、取消请求的判决，只具有就该原告确定形成要件（即无效、取消要件）不存在的效力（这一点与胜诉判决不同）。因此，即使某一原告败诉，其他利害关系人可以重新提起设立无效、取消之诉。

2. 原告败诉时，如果该原告有恶意或重大过失时，原告应对公司承担连带赔偿损害责任（商 191 条，269 条，328 条，2 款、522 条，2 款）。这是为了追究随便提起诉讼而搞乱公司法律关系的责任的同时，事先防止滥诉而设置的规定。恶意或重大过失是指因恶意或重大过失不知道无效、取消事由不存在的情形。弥补瑕疵之后，以法院的裁量驳回时，不会发生这种责任。

（六）原告胜诉判决的效力

1．一旦设立无效或取消判决确定，就应在总公司和分公司所在地将其登记（商192条，269条，328条，2款、552条，2款）。

2．设立无效或取消判决确定后，公司应比照解散而进行清算。这是不承认设立无效、取消判决之溯及效力的结果。这时，法院根据利害关系人的请求，可以选任清算人（商193条，269条，328条，2款、552条，2款）。

3．在无限公司和两合公司中，即便设立无效、取消，如果该无效、取消事由只限于特定社员时，可以经其他全体社员的同意，继续运营公司。

4．依据设立无效、取消判决，产生公司设立无效或取消的形成力。无论是无效判决还是取消判决，在否定公司成立方面均没有差异。该判决的效力不但及于原告和公司，而且也及于第三人（商190条，269条，328条，2款、552条，2款）于是，判决确定后，没有必要由另外的利害关系人重新主张设立的无效或取消，同时，任何人也不能主张设立有效。

依照无效、取消的法理，只要设立无效、取消判决确定，原则上应按公司一开始就不存在来处理为宜。但是，如果那样做，判决确定之前为止，相信公司设立有效而进行的交易都变为无效，必然危害交易的安全，也会产生不当得利返还请求等非常复杂的问题。为了防止混乱，商法规定，设立无效、取消判决的效力对判决确定以前产生的公司和社员及第三人之间的权利、义务不产生影响，从而排除了判决的溯及效力（商190条，269条，328条，2款、552条，2款），使公司进入清算程序，从而将无效、取消的效果限制在将来的问题中。结果，产生判决确定前公司好像有效存在似的法律状态，这种状态通常称做"事实上的公司"（de facto Corporation；de facto Gesellschaft）。

第六节 公司法上的诉

一、意义

公司作为主体而产生的交易法性质的法律关系中出现纷争时，与自然人为主体的纷争一样，依照一般民事诉讼法上的诉讼程序进行争讼。但是，公司为当事人的法律关系中，围绕组织法性质的法律关系出现纷争时，对由多数的利害关系人构成的多面性法律关系带来变动，因此需要团体法性质的解决办法。于是，商法就对多数人产生影响的部分组织法性质的法律关系的诉讼设特别规定，规律诉讼程序、判决的效力等有关事项。对大部分的事项在前述的关于公司设立之诉中已进行过说明，在这里对公司法上的诉所共同具有的法理再次说明。

二、公司法上的诉的种类

商法就多种诉讼设有特则，一些诉讼虽然其具体内容多少有差异，但适用于所有公司，还有一些诉讼只适用于人合公司或者资合公司。公司法上的诉讼主要集中于股份公司。

（一）对所有公司共同适用的诉讼

1. 关于设立瑕疵的诉讼：作为无限公司、两合公司、有限公司设立瑕疵的主张方法，商法认定设立取消之诉和设立无效之诉（商184条，269条，552条）。关于股份公司的设立瑕疵，只认可设立无效之诉（商328条）。

2. 关于公司解散的诉讼：即存在很难维持公司团体关系的情形时，社员请求公司解散判决的诉讼。该诉讼对所有公司都认可（商241条，1款、269条，520条，613条，1款）。

3. 合并无效之诉：即公司合并有瑕疵时，请求合并无效判决的诉讼。同样适用于所有公司（商236条，269条，529条，603条）。

（二）人合公司特有的诉讼

1．关于业务执行社员的权限丧失宣告诉讼：即在无限公司或两合公司社员中有显著不胜任者时，请求判决宣告其业务执行权限丧失的诉讼（商 205 条，269 条）。

股份公司和有限公司中，由于社员资格和业务执行机关资格相分离，不可能有社员业务执行的概念，于是也就没有该诉讼。但设有可与该诉讼相应的停止业务执行机关——董事职务的假处分制度（商 407 条）。

2．关于除名社员的诉讼：即欲将无限公司和两合公司的部分社员除名时，请求除名判决的诉讼（商 220 条，269 条）。不重视社员个性的资合公司中是不可能有的诉讼。

（三）资合公司特有的诉讼

1．关于股东大会意思决定瑕疵的诉讼：股份公司中股东大会决议有瑕疵时，作为争其决议效力的方法认定决议取消之诉（商 376 条）、确认决议无效之诉（商 380 条）、确认决议不存在之诉（商 380 条），不当决议取消变更之诉（商 381 条）。有限公司中为争社员大会效力同样也认定上述四种诉讼（商 578 条）。

2．董事解任之诉：股份公司的董事或监事进行不正当行为，而股东大会决议没有将其解任时，少数股东可向法院请求解任判决（商 385 条，2 款、415 条）。有限公司中对董事同样认定该诉讼（商 567 条，570 条）。但人合公司中由于没有非股东业务执行者，便没有这种诉讼。

3．代表诉讼：股份公司的董事或监事以及有限公司的董事给公司带来损害，公司却懈怠于损害赔偿时，股东或社员便代表公司向董事或监事请求损害赔偿的诉讼（商 403 条，565 条）。

股份公司中除了追究董事、监事的责任以外，在追究发起人责任时；向从公司以不公平的价格认购新股者请求返还与公正价额之间的差额时；鉴于公司向他人提供与股东权行使相关的利益，要求返还该利益时，也认可代表诉讼（商 324 条，424 条，之 2、2 款、

467 条，之 2、4 款）。

4．新股发行无效之诉：即股份公司的新股发行（商 416 条）违法或不公正时，请求新股发行无效判决的诉讼（商 429 条）。有限公司中也认定增资无效之诉（商 595 条）。

5．减资无效之诉：即股份公司或者有限公司的资本减少违法、不公正时，请求资本减少无效判决的诉讼（商 445 条，597 条）。

6．违法派息返还请求之诉：即股份公司或有限公司在无分派可能盈余的情况下派息时，公司债权人请求将所分派盈余返还于公司的诉讼（商 462 条，2 款、583 条）。

三、诉的特色

如上所述，关于公司的组织法性质的法律关系的诉讼，由于存在与其组织相关的多数利害关系人，因此需要诉的程序和判决方面的统一的规律。商法虽然对一部分诉讼仅设有专属管辖程序的特则，但对大部分的诉讼规定了程序和判决方面的详细的特则。以下对公司法上的诉的特色进行说明。

（一）诉的性质

公司法上的诉大部分都是形成之诉。所谓形成之诉是指改变法律关系的判决，即以形成判决为目的的诉讼。因此，有问题之法律关系的效力只能靠诉讼才能争执，原告的请求被受理时只依法院的判决才产生法律关系无效、取消等的效力。将公司法上的诉作为形成之诉的理由在于，关于组织法性质的法律关系的诉讼对已形成的团体法律关系带来变动，如允许自由主张方法，就会给团体法律关系带来不稳定。

在公司法上的诉中像代表诉讼和违法分派返还请求一样的履行之诉也存在，关于确认决议无效之诉和确认不存在之诉（商 380 条，578 条）的性质，有形成之诉和确认之诉的争论。

（二）提诉权人的限制

关于决议无效确认之诉和不存在确认之诉没有关于提诉权人的限制，但对此以外其他的诉讼则法律特别规定提诉权人。其目的是防止由无特别利害关系的人提起诉讼搅乱已形成的公司法律关系。

（三）诉的程序

1. 提诉期间：有关公司的诉讼，其法定提诉期间大多是短期的。例如，决议取消之诉在决议后 2 个月内提起（商 374 条），新股发行无效之诉在新股发行后 6 个月内提起，关于设立无效、取消之诉在设立后 2 年内提起。将提诉期间作为短期的理由在于，以诉讼所涉及的法律事实为基础，继续形成团体法律关系，有必要迅速终结纷争。

2. 被告：尽管存在像关于除名的诉讼或代表诉讼或请求分派盈余返还诉讼那样将特定的股东作为被告的例子，但大部分的公司法上的诉将公司作为被告。关于这一点虽然没有明文规定，但通说和判例认为，应将公司作为被告。其理由在于：由于诉的对象是公司的组织法性质的法律关系，判决的效力当然应该及于公司，而且通过将公司作为被告，可以对与公司相关的利害关系人都产生效果。

3. 管辖：公司法上的诉讼无例外地专属于总公司所在地的地方法院的管辖。这是因为有关公司的诉讼中公司成为被告，同时为防止一个案件在多所法院进行诉讼而产生不同的判决。于是，关于公司法上的诉不允许有协议管辖或任意管辖或应诉管辖。

4. 诉提起的公告：一般来说，只要诉被提起，法院就要公告该事实。通过将诉被提起的事实向利害关系人公告，使他们对判决所带来的损害有所准备。

5. 诉的合并：公司法律关系存在多数利害关系人，因此就同一个公司的同一个事案会被提起数个诉讼。这时候，法院应合并为一个诉讼。为的是防止同一个事案出现相异的判决。

（四）裁量驳回

关于设立无效、取消之诉以及决议取消、无效之诉等一部分诉讼，即使原告的主张有理由，法院考虑各种情况，可以裁量驳回起诉。因此，按原告的请求判决和尊重已形成的法律关系的利益衡量中，可以将团体法律关系的稳定优先。

（五）原告败诉判决的效力

原告败诉时，像在一般的民事诉讼中一样，只不过确认关于该原告形成要件的不存在，因此判决的效力不及于第三人，其他利害关系人可以重新提起诉讼。但是，公司法上的诉讼大多提诉期间短，实际上往往原告败诉时其他利害关系人已经放弃提诉的机会。在大部分的公司法上的诉讼中，为了防止滥诉，向败诉原告课以损害赔偿责任。

（六）原告胜诉判决的效力

原告胜诉时与一般民事诉讼的原告胜诉判决不同，产生下列特殊的效果。

1．对世性效力：民事诉讼中判决的既判力原则上及于当事人之间（民诉 204 条）。由于公司法律关系存在多数的利害关系人，并非只有提诉者对判决持有利害关系。因此，如果将该原则适用于公司法上的诉，就会产生关于同一法律关系的判决对提诉者和没有提诉者的效力不同的矛盾。例如，对提起公司设立之诉的社员无效，而对其他社员有效。因此，公司法上的诉对大部分第三人也发生效力（对世性效力）。

2．溯及效力的限制：在一般民事诉讼中，宣告某一法律行为无效、取消的判决一经确定，该法律行为就从开始实施起丧失效力。但如果对象公司的设立、合并、新股发行、资本减少等，一旦实施以此为基础产生很多后续法律关系的行为之取消、无效判决适用关于一般民事诉讼判决的效果，那么该行为就从发生之日起被溯及无效，以该行为为基础而形成的后续的很多法律关系顷刻间便瓦解。因此，商法为图谋公司法律关系的稳定，在这些诉讼中否认判决的溯及效力，只对将来发生无效、取消之效力。

第七节　合　并

一、意义

(一) 概念和种类

合并 (amalgamation; Verschmelzung od. Fusion)，是指两个以上的公司依照商法的程序，一个公司以外其他公司消灭或者全部消灭，但不经清算程序，将消灭公司的所有权利、义务由存续公司或新设的公司全部承继并接收社员的公司法上的法律事实。合并有吸收合并和新设合并两种方法。

吸收合并 (merger; Verschmelzung durch Aufnahme)，是在数个合并当事公司中，只存续一个公司，其余公司全部消灭，由存续公司全部继承消灭公司的权利和义务，并接收社员的合并方法。

而新设合并 (Consolidation; Verschmelzung durch Neubildung)，是当事公司全部消灭，由其新设的公司全部继承消灭公司的权利、义务并接收社员的合并方法。无论是哪一种方法，都接收消灭公司的权利、义务和社员，在这点上是相同的。

韩国主要采用的是吸收合并，新设合并的例子是很少的。这是因为，从合并的实态来看，大部分是当事公司之间有优劣之分，优势一方希望存续，即使是经济上对等的公司之间的合并，新设合并须经再设一个公司，存在程序上、经济上的负担，再加上会丧失当事公司所具有的营业上的批准、许可等无形的权利，税制上也大大不利。

(二) 经济上的意义

合并与其他企业结合一样，是为了实现规模经济 (economies of scale) 而为的。在工业资本主义下的大量生产体制中，企业数量上的膨胀正是节省成本，提高生产和管理的效率，进而保障最多利润，加强企业的社会、政治地位的途径。因此，对规模的追求是现代企业本能的欲望。

现代企业的经营者们在扩张企业规模的过程中，比起扩大自己企业的设备或市场，更喜欢收购其他企业，即企业的结合。因为企业结合可以避免竞争，接收既存的企业组织和活动，从而更加经济，成长速度也更快。

企业结合除了合并以外，还有企业间的支配契约（§291 AKTG），董事兼任，通过取得股份形成母子公司关系以及企业系列化等多种方法，这些方法是在维持各企业的法律上的独立性的条件下，图谋企业行动统一的方法，而合并则剥夺各企业法律上的独立性，使之成为单一体。因此，合并是最完整的企业结合方法。

合并从公司经营的角度上看，通过统一整顿组织，可以减少因组织的多元化引起的磨擦和非效率，节省业务经费，并使生产、销售管理的统一运营变为可能等很多优点。因此，作为加强企业竞争力的产业政策的一环，时而出现法律上鼓励合并的情况。例如，随着最近国际上金融机关大型化的趋势，韩国在"关于改善金融机关结构的法律"中鼓励金融机关之间的合并，在"工业发展法"中作为"夕阳行业"企业回生合理化计划的一种规定了合并。

但是，合并会带来社会财富的集中，从而成为经济力集中的原因以及成为垄断的手段，具有社会正义观点上应否定的一面。于是，在"垄断规制及公平交易之法律"中抑制有可能导致垄断的一定规模公司之间的合并（垄规7条以下）。

（三）具有类似经济效果的行为

1. 事实上的合并（de facto merger）：事实上的合并是美国判例法中产生的概念。美国大部分的公司法在合并时，要求当事公司有表决权股份总数的过半数或2/3以上股东的同意，并承认反对股东的股份收买请求权（appraisal right）。但是，单纯的财产转让时，即使是实质性的全部财产的转让（sale of substantially all assets），也只要求取得转让公司股东的同意（Model Bus. corp. Act §§12. 01, 12. 02；Del. Gen. corp. law §271）。因此，公司实际上进行合并，但为了避免合并时所要求的双方公司股东的同意和反对股东的股份收买请求，有时就采取财产转让的形式。其形态大体上是 A 公司以受让 B 公司财产为代价，发行 A 公司股份（stock—for—assets），或者作为 A 公司受让 B 公司全部股份为代价，发行 A 公司股份（stock—for—stock）。这种情形，视为事实上的合并（de facto merger），承认股东的股份收买请求权。

2. 营业转让：营业转让在企业的财产全部转移至其他企业这一点上与合并，特别是吸收合并类似，但有如下区别：第一，合并是团体法上的法律事实，因合并而转移所有的权利、义务，但是营业转让则为个人法上的交易，为了营业财产的转移，要求对各个财产进行物权上的处分；第二，合并当事人只限于公司，但是营业转让并没有这种限制；第三，在（吸收）合并中除了当事公司中的一个以外，其他公司均解散，被消灭公司的社员被吸收为存续公司的社员，而转让营业并非等于解散，社员也没有变动；第四，合并中，作为被消灭公司的财产向存续公司转移的代价，被消灭公司的社员直接取得存续公司社员的地位，而公司转让营业时，其代价并非是受让公司的社员权，也并非由转让公司的社员取得，而是由转让公司取得；第五，合并时，全部继承权利、义务，而在营业转让时，所继承的财产的范围取决于当事人之间在转让契约中如何规定，只要不害及营业的同一性，就可以将一部分财产从转让财产中排除；第六，合并时须经债权人保护程序，而转让或受让营业时不须经债权人保护程序等。

二、合并的本质论

合并的本质是什么？就这一问题，德国 HGB 时代的论争在日本再现以后，成为几十年来在日本和韩国的法学界持续论争的问题。基本上是人格合一说和现物出资说[1]的对立，此外还派生了名称和内容稍微不同的其他学说。

（一）人格合一说和现物出资说

1. 两说的内容：人格合一说认为，两个以上的公司化为一个公司，是合并的本质。两个以上的公司合在一起成为一个公司，不单是说明合并的经济现象，而是指因合并而被消灭公司全部吸收于存续公司或新设公司的人格合一化或者人格合并。据此说，因合并而化一的是公司本身，公司财产的转移、社员的接收等都是人格合一的结果。人格合一说为通说。

对此，现物出资说则认为，合并的本质是通过以解散公司的全部营业向存续公司或新设公司现物出资而形成的资本增加（吸收合并时）或公司设立（新设合并时）。因合并引起的财产的转移和股东的接收之间有内在联系。消灭公司的股东因取得存续或者新设公司的股份而成为股东，只不过是消灭公司的股东作为公司财产的实际所有者得到将消灭公司财产转移给存续或者新设公司的代价而已。

2. 两说的相互批判。

1）现物出资说对人格合一说的批判。

第一，法律上应如何说明合并引起的财产转移和社员的接收是合并本质论的中心问题。将两个以上公司的人格合一称为合并，只不过从表面上体现了合并的效果，从法律上是无任何内容的说明。

第二，如果说因合并引起的财产和股东的统一是人格合一的结果，那么就会出现合并引起的股份发行或者新设公司设立实质上并不是新股发行或者公司设立，但形式上仍要求履行该程序的结果。

第三，通说认为，因吸收合并而增加的资本额或新设合并引起

---

[1] 韩国、日本商法中的"现物出资"与我国公司法中的"实物出资"并不完全一致，其范围很广，包括除了现金以外的任何形式的出资，因此译者照搬"现物出资"的用语——译者。

的设立资本额及消灭公司的股东随之取得的地位受存续公司或新设公司承继的消灭公司的净资产额的制约，但依人格合一说时，保留这样的制约是出现矛盾的，因为如果是人格的合一，即使处于亏损状态的公司也可以在亏损状态下合并。

2）人格合一说对现物出资说的批判。

第一，现物出资说完全舍弃合并的社团法性契机，对将公司作为社团法人的商法上的解释带来了困难。

第二，合并的本质是法律上全部承继消灭公司的财产，而现物出资说所指出的"现物出资"、"资本增加"及"设立"等，都未从逻辑上体现出包含全部承继的观念。

第三，在合并中资本增加不是必然的，无资本增加的合并也是可能的，也有吸收合并纯负债公司的例子，如根据现物出资说，这一点，在解释上是行不通的。

第四，现物出资说无法说明解散公司的职工吸收为存续公司职工的现象。

第五，如将合并的本质视为现物出资，那么，现物出资者是消灭公司，而由此取得存续公司或新设公司的社员地位的是消灭公司的社员，结果会出现出资者和取得社员地位者不一致的矛盾。

第六，现物出资说只看到了公司的资本增加或设立程序上的一面，而忽视了消灭公司消灭的过程。但是，合并的本质在于以这两个方面为基础，形成公司的结合。

（二）其他学说

现物出资说的最大的弱点在于：现物出资者为消灭公司，而取得社员地位的则是消灭公司的社员。为了克服这一矛盾，有人主张合并的本质在于解散公司的全体股东（社员）将其股份（出资份额）向存续公司或新设公司现物出资的所谓社员现物出资说，但持这一主张的是极少数学者。根据此说，无法说明以 A 公司的股份向 B 公司现物出资，但为什么 A 公司的全部财产被 B 公司全部承继的问题，此外还拥有现物出资说中存在的所有问题。

还有一种少数说认为，合并有作为社团法性契机的股东（社员）的合一和作为财产法性契机的财产的合一的两个方面。像无资本增加的合并或追加支付交付金的合并那样，也有消灭公司的一部分或全部的股东没有被接收的情况，可见社团性契机可以舍弃一部分。相反，消灭公司的财产不管它是积极财产还是消极财产，都必须全部承继，从此可以看到财产法上的契机终究还是不能被舍弃。所以，从相对的观点上可以视合并的本质在于"财产的合一"（财产合一说）。

(三) 私见

现物出资说、财产合一说认为合并的本质在于财产的转移、合一，这是符合合并的经济性动机与目的。但是，因此而将其说明为合并的"法律本质"是不够充分的。因为如果这样解释，像合并那样导致财产的转移、合一的现物出资者或营业转让等其他的法律现象和合并之间的法律上的区分变得比较模糊。

合并与其他的法律现象相区别的显著的特征是，正如诸学说所指出的被合并公司的消灭和权利、义务的全部承继以及社员（股东）的接收。对此，财产合一说认为，社员的接收这一社团法性契机可以舍弃一部分，但财产合一的财产法上的契机一点也不能被舍弃，因此后者是更具本质性的。但是，财产的合一不能被舍弃并非因为它是本质性的才不能舍弃，而是因为人格的承继是本质性的，不能舍弃，财产的合一也随之不能舍弃。换句话说，这里的"财产"并不是作为独立的实体而转移，而是因被合并法人的消灭，其权利、义务由存续法人或新设法人全部承继，从而其权利的客体——财产随之自动地转移、合一（商 234 条）。即转移、合一的财产不得不与其主体的身份变动结合起来考虑。

合并是消灭当事公司的一部分或者全部，将以从前的人格为基础的所有的外部法律关系承继到存续公司或者新设公司中的制度。于是，可以说它是在剥掉消灭法人的人格形式，继承其人格的实体。所谓存续公司或新设公司的财产和社员增加的数量上的膨胀或许从经济上看是合并的主要目的，但在法律上只不过是如上所述的人格继承的效果。

总之，合并的本质是人格（实体）的继承，这在广义上属于人格合一说的范畴。

三、合并与合并契约

公司在合并过程中，由当事公司为代表机关来签订合并契约，以此为基础，并依照商法的规定履行各项程序。这一点虽然在商法上并没有明文规定，但在商法第522条中规定合并契约要经股东大会的承认，可以说这是以代表机关签订合并契约为前提的。从逻辑上说，其他种类的公司当然也应该先行这种合并契约。

在此产生"合并"与"合并契约"的关系问题。

（一）学说

虽然也有人不区别合并和代表机关之间的合并契约，主张合并契约即合并，但大部分人将两者相区别，认为合并是契约，代表机关之间的合并契约也是为了合并而为的契约。关于两者的关系，主张合并是社团法上特别的契约或者是具有物权效力的契约或者是准物权契约；而代表机关之间的合并契约大部分是以社员大会或者股东大会的合并决议为停止条件的合并的预约（或者假契约）或者是本契约，还因为根据该契约承担进行合并程序的义务，所以其性质是债权契约。

还有一些人虽然视代表机关之间的合并契约的性质与通说主张的相同，但认为合并是"由多种行为形成的法律要件"，而合并契约则是"只能在团体法之上产生的特别的债权契约"。

（二）批判

1．合并的性质。如果将合并视为契约，会产生何时形成当事人之间合意的问题。但是通说只认为合并是契约，而对此并没有作出仔细的说明。纵观合并的过程，只是通过代表机关之间的合并契约，相互交换意思表示，除此之外没有更多的意思表示的交换。由于没有与代表机关的合并契约相区别的、其他的、可视为契约的意思表示的交换，契约说是不符合合并实际程序的主张。

另外，如果将合并视为契约，那么权利义务的全部继承应该是因契约的效力而形成的。但是，法人格的消灭以及由此产生的权利、义务的全部继承果真能视其为由当事人的合意而形成的吗？人格的形成和消灭应视为意思自治的范围之外的事情。如同明文规定，法人格的消灭是将合并作为解散事由的法律规定的效果（商227条，4号、269条，517条，1号、609条，1款、1号）权利、义务的继承也是规定合并效果的法律规定的效果（商235条，269条，530条，2款、603条）。

由此可见，合并是团体法上的特殊法律事实，以此为要件发生法律所定的效果。

2．合并契约的性质。根据合并当事公司的代表机关之间的合并契约，当事公司负担进行契约签订后程序的义务，从这一点上，可将合并契约视为债权契约。但是，它是团体法上的契约，应与个人法上的一般性债权契约相区别。这是因为，第一，关于合并契约内容的决定，受很多团体法上的制约，意思自治极度地受限制；第二，根据合并契约，虽然达成关于合并的诸多事项，但是事后须经社员（股东）大会的决议，还应履行债权者保护程序等，存在很多可变的因素，不能说当事公司受履行合并契约内容的约束；第三，合并契约是合并的不可缺少的必需要件（并非基于当事人的意思），产生基于团体法律规范的法律效果。

由于合并契约在社员（股东）大会中被否决时，不能强制履行之，鉴于此，多数学者认为，合并契约是以合并决议为停止条件的契约。但是由于合并契约的签订，当事公司召集社员（股东）大会进行决议本身就是合并契约的履行，这并不符合"停止"条件的概念。

主张合并契约即预约也并非正确。为了能将其作为预约，应视为以后如由一方当事公司进行合并本契约的要约，对方就承担承诺的义务（单务预约或双务预约），或者如当事人一方或双方行使预约完结权，合并本契约就成立（一方预约或者双方预约）。但是，不仅法律上不要求有像要约、承诺、预约完结权的行使等意思表示，而且在合并的实际中也无需进行上述的程序。还有，合并契约签订以后，无需有能够视为本契约的新的意思表示的交换，实际上也不存在的。

有一种见解认为，先有社员大会中的合并决议，其后可以达成合并契约。这样，如果合并契约和合并决议的先后顺序可以相换的话，问题是社员（股东）大会中应根据什么来进行合并决议呢？在股份公司和有限公司的情形下，由公司制作合并契约书，并须经股东（社员）大会的承认（商 522 条，1 款、603 条），合并契约先行是很明白的事情。没有这种规定的无限公司或两合公司的情形下，没有合并契约而形成合并决议，只具有合并当事公司偶然进行同样内容的合并决议的概率性的可能性。

四、合并的限制

公司可以合并（商 174 条，1 款），对可以合并的公司的种类并没有限制，目的不同的公司之间也可以合并。但是，商法及特别法上有下列限制。

（一）商法上的限制

1. 虽然种类不同的公司之间也可以合并，但是合并当事公司中一方或者双方为股份公司或有限公司时，合并后存续的公司或者新设的公司应该是股份公司或有限公司（商 174 条，2 款）。这意思是说，无限、两合、股份、有限公司中的一个公司和股份、两合公司中的一个公司合并时，合并后存续公司或新设公司应该是股份公司或有限公司。这是因为如果无限、两合公司成为存续公司或者新设公司会产生资合公司的社员负无限责任的问题。

2. 有限公司与股份公司合并时，如果股份公司未偿还完毕公司债，则有限公司不能成为存续公司或新设公司（商 600 条，2 款）。不然，作为存续公司或新设公司的有限公司要负担公司债偿还义务，这与有限公司不得发行公司债的限制是相矛盾的。

3. 有限公司与股份公司合并后股份公司成为存续或者新设公司时，如果不经法院的认可，就没有合并的效力（商 600 条，1 款）。由于股份公司与有限公司不同，社员对未完毕出资不负责任，为防止有限公司社员利用合并解除对未完毕出资的填补责任，设了此规定（商 551 条，593 条）。

4. 解散后处于清算中的公司，如将存立中的公司作为存续公司时，也可以合并（商 174 条，3 款）。德国股份法要求，在这种情形下，解散公司中应有公司继续的决议（§339Abs 2AKtG）。由于解散公司的合并意味着公司的存续，这在理论上是正确的。但是，商法上的合并决议和公司继续的决议其要件是相同的（全体社员的同意或者特别决议），因此没有必要另行公司继续的决议（商 229 条，230 条，519 条，522 条，3 款、598 条，610 条，1 款）。

（二）反垄断法上的限制

公平交易法（垄断规制及公平交易的法律）为了抑制企业的垄断，促进自由竞争，对有可能限制竞争的一定交易领域内的企业间的结合加以限制。

在一定的交易领域内带来实质性限制竞争效果的企业之间的合并应予以禁止（垄规 7 条，1 款、3 号）。这些企业之间的合并事先应向公证交易委员会申报，并未逾 30 天（等待时间）就不得进行合并登记（垄规 12 条，1 款、4、5 号）。

五、合并的程序

（一）合并契约

合并当事公司的代表机关应就合并条件、合并方式等合并必需之事项达成一致。合并契约不要求采取特别的方式，但股份公司或有限公司合并时，应该制作记载法定事项的合并契约书（对此在股份公司的合并部分中说）。

（二）合并资产负债表的公示

股份公司与有限公司应制作合并资产负债表，自召开进行合并决议的股东（社员）大会的两周之前起合并后 6 个月为止公示（商

522 条，之 2、603 条）。

（三）合并决议

合并会带来公司结构上的变化，是牵涉到社员们重大利害关系的问题。在任何种类的公司中，合并须经社员的合并决议，其决议要件与章程变更是相同的。无限公司或两合公司要求有全体社员的同意（商 230 条，269 条），股份公司须有以出席股份数的 1/3 以上的多数以及发行股份总数的 1/3 以上的同意（商 522 条，3 款），有限公司则以全体社员的半数以上或以表决权的 3/4 以上的同意为要件（商 598 条）。合并决议是合并的不可或缺的要件，任何一方公司如果不通过合并决议就不能合并。

在股份公司中，因合并对某一类的股东带来损害时，须另行种类股东大会的决议（商 436 条），反对股东则持有股份收买请求权（商 522 条，之 3）。

（四）债权人保护程序

关于合并，对公司债权人也产生不次于股东的重大利害关系。因合并，当事公司的财产都合而为一，变为当事公司，对全体债权人的担保财产，因而不能视为照旧维持合并之前的信用。因此，不仅在消灭公司中，而且在存续公司中也应履行保护债权人的程序。

1．提出异议的公告、通知：公司在合并决议之日起两周之内，应向公司债权人发出公告，如对合并有异议，应于一定期间（1 个月以上）内提出。对已知的债权人则应个别通知（商 232 条，1 款、269 条，530 条，1 款、603 条）。

2．不提出异议的效果：债权人如在上述期间内不提出异议，应视为承认合并（商 232 条，2 款、269 条，530 条，2 款、603 条）。

3．提出异议的效果：如有提出异议的债权人，公司应向该债权者清偿或提供相当的担保或应以此为目的向信托公司信托相当的财产。

在股份公司中，公司债债权人提出异议时，应有公司债债权人集会的决议，在这种情形下，法院根据利害关系人的请求可以延长异议期间。这个延长期间只对公司债债权人有效力（商530条，2款、439条，3款）。

（五）选任新设合并时的设立委员

新设合并时，以与合并决议相同的方法，应在当事公司中选任设立委员（商175条2款）。制定章程以及其他有关设立的行为应由设立委员共同进行（商175条，1款）。所谓"共同"进行是指要求全体达成一致，并以全体的名义进行之。

（六）特别法上的程序

特别法上关于合并的程序往往规定很多特则。公司整理法上设有当整顿公司作为整顿计划的一环而进行合并时，在整顿计划中应规定的事项（公整224条，225条）。

证券交易法规定，上市法人合并时，应向证券管理委员会申报合并要件、程序等所定事项。特别是上市法人和非上市法人的合并时，上市法人的股东大会的承认决议，待非上市法人在金融监督委员会作为有价证券发行人注册完毕后经过3个月（金融机关合并时是2个月，"关于金融产业结构改善的法律"5条，2款）后才发生效力（证交190条）。这是为了使上市法人的股东在作出合并决议之前有机会了解关于非上市法人企业内容的信息。

另外，受一定特别法适用的法人之间的合并常常是须经政府主管部门的许可（信托业法8条2号、保险业法116条、建设产业基本法17条，1款、2号等）。

（七）合并登记

上述合并程序结束后应进行合并登记。在总公司所在地应于两周之内；在分公司所在地应于三周之内进行登记，按公司种类其起算点不同（商233条，269条，528条，1款、602条）。

登记的内容为存续公司的变更登记、消灭公司的解散登记、新设公司的设立登记。

（八）合并的效力发生时期

合并自在存续公司的总公司所在地进行变更登记时起，或者在新设公司的总公司所在地进行设立登记时起发生效力（商234条，269条，530条，2款、603条）。

六、合并的效果

（一）公司的消灭与新设

由于进行合并，在吸收合并的情形下，除了存续公司之外的其他当事公司被消灭；在新设合并的情形下，所有当事公司被消灭。因为商法将合并规定为解散事由之一（商227条，4号、269条，517条，1号、609条，1款、1号）。即使因合并而解散，其目的只在于消灭其法人格，而存续公司或新设公司应继承其法人格的实体，因此不经清算程序。

在新设合并的情形下，新的公司被设立。

（二）权利、义务的概括继承

存续公司或新设公司概括继承消灭公司的所有权利和义务（商235条，269条，530条，2款、603条），被继承的权利、义务也包含公法上的权利、义务。

由于是概括继承，无需对每一财产另行转移行为，也无需另行债务收购程序。只是为了处分所继承的权利，有时候应采取登记、注册等公示方法（民187条，但书）。根据权利的种类，为了对抗第三人，有时候要具备对抗要件（例如，合并财产上有其他公司发行的记名股份时，为了对抗它应进行名义变更）。

（三）社员的接收

合并后消灭公司的社员成为存续公司或新设公司的社员。社员地位的大小（出资份额，股份）根据合并契约来决定。详细的说明与股份公司的合并相联系后述。

（四）诉讼法上的效果

作为诉讼当事人的法人因合并而被消灭时，诉讼程序被中止，由存续法人或者新设法人继承该诉讼程序（民诉212条，1款）。

七、合并无效之诉

（一）总述

因合并而发生各种团体法上的效果，产生众多的利害关系人。若因合并有瑕疵而允许个别的利害关系人主张无效，那么会导致团体法律关系的不稳定。因此，为了统一确定包括全体利害关系人的团体法律关系，合并的无效只能根据诉讼来主张。于是，合并无效之诉为形成之诉。

（二）无效的原因

合并无效的典型例子有：（1）违反限制合并的法律规定时（例如，无限公司吸收合并股份公司时，商174条，2款）；（2）合并契约书缺少法定要件时（商523条，524条）；（3）合并决议有瑕疵时；（4）违反债权者保护程序等。还有，在合并中对社员产生最重要的利害关系的问题是合并的比率，因此，如合并比率不公正，则应视其为无效。

代表机构之间的合并契约中，有无权代理、过错、欺诈等无效、取消的原因时，它是否导致合并的无效呢？合并契约的无效、取消原因与合并决议相连结时，相当于上述（3）的合并决议中有瑕疵的情况，成为合并无效的原因。

（三）提诉权人

被告应是存续公司或新设公司，但是提诉权者各类公司都不同（商236条，1款、269条，529条，1款、603条）。违反"垄断规制及公正交易法律"而合并时，公正交易委员会可以提起合并无效之诉（垄断规制16条，2款）。

（四）诉讼程序

合并无效之诉应于合并登记后6个月内提起（商236条，2款、269条，529条，2款、603条）。管辖，提诉的公告，诉的合并审理，瑕疵已被弥补后的裁量驳回判决，败诉原告的责任等，与公司设立无效之诉的情形相同（商240条，186条～191条，530条，2款、603条）。还有，公司举证原告的恶意，请求其提供担保时，可以命令其提供担保（商 237 条，176 条，3、4 款、530 条，2 款、603 条）。

（五）无效判决的效果

1. 合并无效的登记：合并无效的判决确定后，在总公司和分公司的所在地存续公司应进行变更登记，消灭公司应进行恢复登记，新设公司应进行解散登记（商 238 条，269 条，530 条，2 款、603 条）。

2. 对世效力和溯及效力限制：应统一确定合并当事公司及利害关系人之间的法律关系，因此与其他的公司法上的诉讼一样，合并无效判决不仅对原、被告，而且对第三者也产生效力（商 240→190 条，269 条，530 条，2 款、603 条）。于是，无效判决被确定后，任何人也不能否认其效力。但是，原告败诉时就没有这种效力。

与通常的判决一样，如果对合并无效判决也认定溯及效力，从合并开始时起无效，就会给以合并有效为前提进行的法律关系带来一大混乱。因此，合并无效的判决和其他的关于公司设立的诉讼一样，限制溯及效力，只对将来有效力（商 240 条→190 条，但书，269 条，530 条，2 款、630 条）。于是，合并后，由存续公司或新设公司所作的组织法上的行为（股东大会的决议，董事的责任，新股发行，公司债发行等）或对外交易行为均有效，该公司股份的转让也有效。因此，与公司设立无效的判决确定时一样，合并后至判决确定时止，存续公司或者新设公司仍以"事实上的公司"存在。

3. 公司的分立：由于合并无效判决的确定，当事公司还原于合并前的状态，即吸收合并时，被消灭的公司复活，并从存续公司中分立；新设合并时，被消灭的当事公司均复活而分立。因此，产生因合并承继的权利、义务及合并后取得的财产和所承担债务的处理问题。

1）因合并而承继的权利、义务：存续公司或者新设公司从消灭公司承继的权利、义务当然复归于复活的消灭公司。但是，因合并无效判决没有溯及效力，合并后的存续公司或新设公司已处分权利或履行义务时，应将其价额换算为现存价值进行清算。

2）合并后取得的财产及债务：合并后存续公司或新设公司所承担的债务，由被分立的公司承担连带责任（商239条，1款、269条，530条，2款、603条）。另外，合并后存续公司或新设公司取得的财产由被分立公司共有（商239条，2款、269条、530条，2款、603条）。

这种情形下，可以根据各公司的协议来确定对连带债务中的各自所承担的部分及共有财产中的各自所持的份额。但依协议无法确定时，法院根据其请求，斟酌合并当时的各公司的财产状态及其他的情况而决定（商239条，3款、269条、530条，2款、603条）。这是非讼事件，专属于关于合并无效之诉的第一审受诉法院的管辖（非讼98条→99条）。

八、合并与税制

（一）纳税义务的承继

消灭法人的纳税义务由存续法人或者新设法人来承继（国基23条）。即使没有此规定，纳税义务的承继是合并的当然效果。

（二）对存续法人的课税

1. 消灭法人的各种公积金、公益金不得算入存续法人或者新设法人的所得金额计算中的利益金项下（法税12条，3、4款、2号、但书、12条，4款、3号、但书，13条，4款、14条，5款、14条，3、4款、2号、14条，4款、2号）。

2. 合并差益不得算入利益金（法税15条，3款）。

（三）对消灭法人的课税

虽然商法上消灭法人不进行清算，但是法人税法上与清算的情形一样，计算清算所得课以法人税。清算所得是指消灭法人的股东从存续公司所得到的股份和合并交付金的合计额上扣除合并当时消灭法人的自有资本（资本和公积金）之后的余额（法税43条，3款）。

（四）对消灭法人的股东的课税

消灭法人的社员取得的存续法人或者新设法人的份额（股份）超过原来的出资价额时，将此拟制为接受分派或者分配（法税 19条，4 号、所税 26 条，4 号）。

（五）注册税和取得税

对存续法人的资本增加及新设法人的资本课以 4‰的注册税（地税 137 条，1 款、1 号）。

对存续法人或新设法人因合并而取得的消灭法人的财产不课取得税（地税 110 条，4 号）。

第八节　组织变更

一、意义

组织变更（transformation formwechselnde，Umwandlung），是指公司在维持其人格的同一性的同时，转化为其他种类的公司。由于组织变更前后公司的同一性仍然维持，应与某一公司整体性继承其他公司权利、义务的公司合并及公司宣布解散后履行清算程序，以其社员和其财产新设其他种类公司的"事实上的组织变更"（Übertragende Umwandlung）加以区别。组织变更时，由于变更前的公司和变更后的公司是同一个，权利、义务不是被继承，而是在同一个公司内照旧存续，所以变更前公司所有的不动产不应向变更后的公司转移登记，而是进行表示名义人的变更登记（不登 48 条）就可以。

由于法律规定四种公司形态，欲设立公司者可以根据欲经营之事业的性质，自由选择公司种类。但公司设立后，由于随着事业的开展，从前的公司形态有可能不适合，为了给随着经营状况的变化可转变为更适合公司形态的机会，商法特设了组织变更制度。当然，从经济上考虑，通过"事实上的组织变更"，也可以取得与组织变更同样的效果，但是如果这样做，应考虑解散并新设公司时的各种费用的支出和复杂的清算程序，而且从法律上继承同一人格是不可能的。因此，很难维持从前的事业关系。

二、组织变更的类型

人合公司和资合公司由于社员的责任和内部组织完全不同，如果承认他们相互之间的组织变更，那么很难维持其同一性。因此，商法只承认人合公司相互间，资合公司相互间的组织变更（商242条，286条，604条，1款、607条，1款）。于是，组织变更有：（1）无限公司→两合公司；（2）两合公司→无限公司；（3）股份公司→有限公司；（4）有限公司→股份公司等四种类型。

三、各类公司的组织变更

（一）无限公司变更为两合公司

1. 方法：无限公司经全体社员的同意可以变更为两合公司。其方法是将一部分社员变为有限责任社员或者让新的有限责任社员加入（商242条，1款）。另外，由于社员仅剩为一人，便让新的社员加入而继续公司时，可以同时进行组织变更（商242条，2款、229条，2款）。

2. 责任变更社员的责任：由于组织变更，原来的无限责任社员变为有限责任社员时，对总公司变更登记以前产生的公司债务，在登记后两年内，承担作为无限责任社员的责任（商244条）。这与退股的无限责任社员的责任（商225条）相同，是为了保护从前的债权者。

（二）两合公司变更为无限公司

两合公司经包括有限责任社员的全体社员的同意，可以变更为无限公司（商286条，1款），从而有限责任社员变为无限责任社员。或者，全体有限责任社员退股时，经剩下的全体无限责任社员的同意可以变更为无限公司（商286条，2款）。在这种情形下，如果无限责任社员仅剩为一人，就不得允许组织变更。但这时，可以让新的社员加入而继续公司，同时可以进行组织变更（商269

条，242条，2款）。

两合公司变更为无限公司时，与变更之前相比，社员的责任扩大（有限责任社员的无限责任社员化），因此无需考虑保护债权者的问题。

（三）股份公司变更为有限公司

1. 程序：股份公司依全体股东一致通过的股东大会决议，可以变更为有限公司（商604条，1款）。在该决议中，应规定变更章程及其他组织变更所需要的事项（商604条，3款）。

但是，股份公司在偿还公司债之前，不能变更为有限公司（商604条，1款、但书）。这是因为有限公司不能发行公司债。

2. 资本的限制：不得将高于变更前公司净资产额的金额作为变更后公司（有限公司）的资本总额（商604条，2款）。违反该规定，净资产额低于资本总额时，组织变更决议当时的董事和股东应向公司承担连带支付不足额的责任（商605条，1款）。董事的责任虽然以全体股东的同意可以免除（商605条，2款、551条，3款），但股东的责任则不能免除（商605条，2款、550条2款、551条，2款）。

3. 债权人的保护：股份公司变更为有限公司应履行债权者保护程序（商608条，232条），对从前股份设定的质权，对组织变更后的所持份额产生物上代位的效力（商604条，4款、601条，1款）。

（四）有限公司变更为股份公司

1. 程序：有限公司经全体社员一致通过的社员大会的决议可以变更为股份公司（商607条，1款）。决议时，应规定章程变更以及组织变更所需的其他事项，这与股份公司变更为有限公司时亦同（商607条，5款、604条，3款）。有限公司变更为股份公司的组织变更，若不经法院的认可，就不能发生效力（商670条，3款）。这是为了防止作为规避较严格的股份公司设立程序的一种方法来利用组织变更。

2．资本的限制：组织变更时所发行的股份的发行价额的总额，不得超过公司现存的净资产额（商607条，2款）。违反此规定，股份的发行价额超过净资产时，组织变更决议当时的董事、监事和社员承担填补责任（商607条，4款）。董事、监事的责任可依全体股东的同意免除，而股东的责任则不能免除（商607条，4款、550条，2款、551条，2、3款）。

3．债权人的保护：组织变更时，如同由股份公司变更为有限公司，应履行债权者保护程序（商608条，232条）。对从前所持份额设定的质权，对新发行的股份产生物上代位的效力，所持份额的质权登记者可以请求公司交付股票（商607条，5款、601条，1款、340条，3款）。

四、组织变更的效力发生

进行组织变更时，在总公司所在地于两周之内，在分公司所在地于三周之内，应由变更前的公司进行解散登记，变更后的公司则应进行设立登记（商243条，286条，3款、606条，607条）。但是，这并不是实际履行清算程序和设立程序的意思，与维持人格的同一性无关。

组织变更的效力何时发生？对此存在登记时说和实际变更组织时说的两种主张。商法第244条将责任变更社员承担无限责任期间的起算点定为登记时，可以认为这是以登记时发生组织变更的效力为前提的。因为实际变更组织的时期很难明确，所以登记时说更为妥当。

五、组织变更的无效

关于组织变更的无效没有任何规定，但是要求利害关系人之间统一确定，因此，应准用公司设立的无效、取消之诉。但是，一经组织变更的无效判决确定，就与公司设立无效不同，不能准于解散而清算，而是复归为变更前的公司。

第九节　解散命令与解散判决

公司的解散，是指引起法人格消灭的法律事实，各种公司解散的事由各不相同。关于各类公司独特的解散事由在后面有关的部分中说明，在这里只说明可以共同适用于所有公司的根据法院裁判的解散事由，即解散命令和解散判决。

一、解散命令

(一) 意义

商法在公司通则部分，作为对所有公司共同适用的解散事由，设有法院的解散命令制度。解散命令制度主要是以公益性为理由（公司的存在或其行为危害公益的时候）不能允许公司存续时，法院可以命令其解散的制度。它具有不仅根据利害关系人的请求，而且根据检察官的请求或依法院的职权也可以进行的特点。这是为事后纠正公司设立的准则主义引起的滥设公司的弊端而建立的制度。

(二) 事由

1. 公司设立目的为非法时（商 176 条，1 款、1 号）：既包括章程所记载的目的本身非法的情形，也包括设立背后的企图为非法的情形（例如，虽然在章程上记载以旅馆业为目的，但实际上以赌博业为目的的情形）。章程记载的目的本身非法时，虽然相当于设立无效的事由，但没有被提诉时，或者与该诉的提起无关，可以命令其解散。

2. 公司无正当理由设立后一年之内未开业或一年以上歇业时（商 176 条，1 款、2 号）：这是指所谓的"休眠公司"，对取得法人格后长期不进行营业的公司，没有使其继续维持其法人格的意义，而且如果长期放置，法人格有可能为本来的目的以外的不健全的目的而滥用，所以剥夺其法人格。但只有没有正当的事由而不进行营业时，才能解散之，因此；判断有无"正当事由"是一个很重要的问题。在营业用基本财产的问题上，产生纷争而1年以上没有能营业时，判例在公司胜诉而开始营业的事件中认为有"正当事由"（大法院1978. 7. 26判决），在公司败诉的事件中则视为没有"正当事由"（大法院1978. 1. 31判决），这一点值得注目。另外，像营业资金的不足，营业业绩的不振等，受公司内部的条件所限未能进行营业时，则不能认为有正当的事由。相反，进行开业准备花费1年以上的时间，根据其营业的性质不可避免地进行长期准备时，则应视其为有正当的事由（例如：以油田开发为目的的公司进行钻井作业需要1年以上时）。即使不因其营业的性质或者外部的障碍而不进行营业，只要客观地表现出"欲营业的意志和能力"时，应视为有正当的事由。

3．董事或者执行公司业务的社员违反法令或者章程，做出不能允许公司存续的行为时（商176条，3款、3号）：董事或者社员以机关资格做出违反法令或章程的行为及滥用其地位做出违反法令或者章程的行为都相当于此情形（例如，理事贪污公司资产或与公司业务相关欺诈第三者）。但是，将有关的董事或业务执行社员改换而能够纠正时，则不能视为相当于"不能允许公司存续"的情形。如果从董事和股东、社员的构成上看，是属于从组织法上不能牵制违反行为的状态的话，就可以命令其解散。

（三）程序

1．法院可以根据利害关系人或者检察官的请求或者依"职权"命令解散（商176条，1款）。由于规定了"利害关系人"可以请求，不仅是社员、董事、监事，而且公司债权者也能请求，因董事等的违法行为而受害的人也可以请求。但是，"利害关系人"仅指对公司的存立具有直接的法律上的利害关系者。例如，要使用某种商号（例如，"电子广场"商号），但此商号已被休眠公司使用，这种情形下只根据商号使用受妨碍的事实而提起请求者不属于可以提起解散请求的利害关系人（大法院1995. 9. 12判决）。

2．根据利害关系人的请求，开始进行解散程序时，法院根据公司的请求，可以命令解散请求人即利害关系人提供相当的担保（商176条，3款）。这是为了预防不当的解散请求而设的规定。这时，公司应疏明利害关系人的请求是恶意（商176条，4款）。"恶意"指除了明知不具备解散请求之要件以外，还知道根据请求公司受害。

3．解散命令请求案件属非讼案件。于是，裁判程序依非讼案件程序法。由总公司所在地所属的地方法院合议部管辖（非讼90条，1款、75条，1款），裁判以附理由的决定来作出（非讼90条，1款、75条，1款）。法院在作出裁定以前，应听取利害关系人的陈述，听取检察官的意见（非讼90条，2款）。但是在抗告审程序上并非必须经过辩论，不给抗告人以辩论的机会也是无妨的（大法院1987．3．6判决）。

公司、利害关系人、检察官对于解散决定可以立即抗告（非讼91条），该抗告具有停止执行的效力。

4．解散命令是为了公益而进行的，所以即便根据其他法令，公司的解散须经行政部门的基本认可，法院也可以不顾此规定命令解散（大法院1980．3．11判决）。

5．有解散命令的请求时，法院在命令解散之前也可以根据利害关系人或者检察官的请求或者依职权选任管理人以及进行其他公司财产的保全所必要的处分（商176条，2款）。

（四）效果

根据解散命令判决的确定，公司解散（商227条，6号、269条、517条，1号、609条，1款、1号）。此后的程序与依其他解散事由解散的情形是一样的。

二、解散判决

（一）意义

解散判决制度与前面所述的解散命令制度是不同的，这是为了保护社员利益而制定的制度。公司终究是为社员利益而存在的，如因公司存续的团体性约束反而害及社员利益时，应通过剥夺法人格来防止社员的损失。

（二）请求事由

1. 人合公司：无限公司和两合公司的社员如有"不得已的事由"时，可以请求法院解散公司（商241条，1款、269条）。在这里判断"不得已的事由"时，应考虑人合公司的特点。例如，虽然社员之间极度不和，在业务执行或代表公司上互相无法信任，但以退股、除名、转让所持份额等消极方法或经全体社员同意很难解散公司，不得已继续维持没有必要的人的结合的情形。

2. 资合公司：在股份公司和有限公司中只限于：（1）公司业务继续处于显著的停顿状态而产生无法恢复的损害时或者有产生损害可能性时（例如，因董事之间的深刻矛盾而公司业务停滞时）；（2）因公司财产的管理或者处分显著失策，危及公司存立时（例如，董事不当挪用处分公司财产时），如有"不得已的事由"，持有发行股份总数的10%以上股份的股东或者资本的10%以上份额的社员（有限公司的情形），可请求法院解散公司（商520条，613条1款）。可见，上述两种情形比人合公司中的请求事由狭小得多，都是因公司经营者的原因经营停滞深刻的时候。即使是这种时候，如没有"不得已的事由"，就不能进行解散请求。最典型的"不得已的事由"是虽然有上述情形，但因股东或社员们相互急剧对立，或者控股股东（社员）自己负责经营而不可能改换董事、解散的情形。

（三）请求权人

从公益角度上认定的解散命令，只要是利害关系人都可以请求，但是解散判决是为保护社员利益的制度，因此请求权人员限于社员（或者股东）。

解散判决，是以公司的存续不能为社员们团体结合的目的做出贡献为其事由的，即使对上述解散请求事由有责任的社员也可以请求解散判决。

（四）程序

解散判决请求案件与解散命令请求案件不同，它作为诉讼案件其诉相当于形成之诉，裁判依判决。该诉专属于管辖总公司所在地的地方法院。只要确定解散判决，公司即告解散，进入清算程序。原告败诉时，如有恶意或重大过失，对公司承担连带损害赔偿责任（商 241 条，2 款、269 条，520 条，2 款、613 条，191 条）。

第十节　公司的继续

一、意义

公司的继续（Fortsetzung einer aufgelösten Geseuschaft），是指已经解散的公司根据社员们的自发努力，恢复到解散前的状态，维持与解散前公司同样的同一性而作为存立中的公司存续。就像公司被命令解散时那样，存在不能认定公司设立的客观瑕疵时，即使社员们愿意维持公司存续，也应该强制进行解散后的程序，剥夺其法人格。但是，像存立期满的情形那样，不存在必然阻止存立的事由而公司解散时，只要社员们愿意公司存续，与其仍强求清算后又设立新的公司，还不如尊重社员们的意思，允许公司继续，这符合企业维持的理念。所以，商法在解散原因中选择，因一定原因解散时、按照社员们的意思，允许继续经营公司。

二、可以继续的解散事由

（一）无限公司

无限公司因下列理由解散时，可以继续公司。

1. 公司因存立期间届满以及发生章程所定的事由而解散（商 229 条，1 款、227 条，1 号），或以全体社员的同意解散时（商 229 条，1 款、227 条，2 号）；可以以全体或者部分社员的同意继续公司（商 229 条，1 款）。以部分社员的同意继续时，意指至少有两个以上社员的同意，没有同意的社员视为已退股（商 229 条，1

款)。

2．社员仅剩为一人而解散时，加入新的社员可以继续公司（商229条，2款）。这时让有限责任社员加入，可以将无限公司变更为两合公司（商242条，2款）。

3．公司设立的无效或者取消判决已确定，但无效、取消原因仅限于部分特定的社员时，以其他全体社员的同意可以继续公司（商194条，1款），将有无效、取消原因的社员视为退股（商194条，2款）。这时，如剩余社员为1人时，以上述2的方法可以继续公司（商194条，3款）。

4．依破产宣告而解散时（商227条，5号），如有强制和解的决定，可根据章程变更的规定继续公司（破283条），或者根据废止破产决定，可以继续公司（破320条）。

（二）两合公司

两合公司解散时，在无限公司中说明1、3、4的继续事由，照旧适用于两合公司（商269条）。还有，由于两合公司是由无限责任社员和有限责任社员组成的公司，任何一种社员全部退股则该公司就解散（商285条，1款），这时残存的社员以全员的同意，重新让异种社员加入或变更部分社员的责任，可以继续公司（商285条，2款）。

（三）股份公司

1．股份公司存立期间届满以及发生章程规定的其他事由或者依股东大会决议解散时，可以依股东大会的特别决议继续公司（商519条）。另外，由于没有5年以上登记的事实而被视为解散的休眠公司，在3年之内可依股东大会的特别决议继续公司（商520条，2、3款）。

2．像无限公司那样，在破产程序中有强制和解的决定，或者有破产废止决定时，可以继续。这时，公司继续依据强制和解的决定或者破产废止的决定而发生效力。

（四）有限公司

有限公司因存立期间届满以及其他章程规定的事由的发生或者依社员大会的决议而解散时，以社员大会的特别决议可以继续公司（商610条，1款），社员仅剩为1人而解散时，让新的社员加入而可以继续公司（商610条，2款）。因破产而解散时的继续和其他种类的公司相同。

三、公司继续可能的时期

剩余财产的分配开始以后，是否也可以继续公司？对此，有剩余财产分配开始后就不能进行继续决议说与清算终了之前可以进行继续决议之说相对立。事实上在剩余财产分配后公司很难继续，而且这时继续公司不一定比新设公司实益大。于是，剩余财产分配开始时，不能允许公司继续。

四、继续登记

已经进行解散登记，并依据社员或者股东的决议继续公司时，不论是哪一种情形，均应在总公司所在地于两周之内，在分公司所在地于三周之内进行继续登记。

五、继续的效果

由于公司继续，公司回归解散之前的状态而存在，但它并不溯及而排除解散的效果。于是，即使公司继续，也不影响解散后清算人所为的清算事务的效力。如公司继续，清算人的活动终了，由存续中的公司机构来代替之。

第三章　无限公司

第一节　总　　述

一、沿革

　　无限公司（Partnership，offene Handelsgesellschaft），是从中世纪意大利和德国的城市中曾出现的，以共同继承为基础的家族共同体中发展而来的。当时，由数名儿子共同继承父亲的事业时，各继承人要承担无限责任。这就是当今无限公司的起源。意大利早在 13 世纪就出现了被称为 compagnia 的这种团体，德国的十五六世纪的城市法中也可以找到有关这种团体的规定，当时的德国称这种团体为 kumpanie。"合名公司"[1] 的名称来源于 1807 年法国商法典上的société en nom couectif。之所以称 société en mon couecif，是因为根据商号真实主义原则，规定全体社员的名字作为公司的商号。而韩国商法并没有与此相同的约束（参见商 18 条、19 条），所谓"合名公司"，只不是继受外国法时，为方便而起的名称。

二、特色

　　无限公司是由对公司的债务负有直接、连带、无限责任的社员组成的公司。由于各个社员承担连带的无限责任，社员个人的信用对公司债权人以及社员相互之间产生重大的影响。因此，在无限公

---

〔1〕 韩国商法称"无限公司"为"合名公司"——译者。

司中，少数社员以高度的信赖关系为基础而结合，从而社员的变动并不容易。并且，鉴于社员责任的重大，将经营的安全性放在经营的专门性、合理性之前，由此形成社员亲自担任业务执行的经营结构（即自己机关）。另外，由于社员责任是无限的，各社员的出资的大小只能成为损益分配的标准，在公司的意思决定或控制中并不具有比例性意义。正因为如此，在无限公司中形成社员的"总意"时，不是依照份额主义，而是依照人数主义进行。

从以上特点看，无限公司在形式上虽然是社团法人，但其实质而言，具有浓厚的合伙性质。

三、法律关系的构造

商法在有关"无限公司"一章的第二节、第三节中，将无限公司的法律关系划分为内部关系和外部关系，这与商法上的股份公司、有限公司法律关系的体系是有很大区别的。这是因为股份公司的法律关系是以资本（及股份）和公司机关为中心展开的，而无限公司因具有合伙的性质，其法律关系分为内部运营和对外交易及责任的两个方面，规律两者的法律原理的性质不一样。在此，为了忠于法典上的划分，且反映人合公司和资合公司的法理性差异，将无限公司的法律关系分为内部关系和外部关系来论述。

无限公司的法律关系中，将公司和社员之间的关系及社员相互间的关系称之为内部关系（或对内关系）；将公司和第三者之间的关系及社员和第三者间的关系称为外部关系（或对外关系）。出资、损益的分配、业务的执行、章程的变更、竞业的禁止、所持份额的变化等属于内部关系，公司的代表、社员的责任等则属于外部关系。关于内部关系的商法规定中，相当一部分是补充性、任意性的，因此，可以用章程作出不同的规定（例如、在内部可以一定限度地减少特定社员的责任）。因而，在内部关系上，首先适用章程，然后适用商法的规定。如果章程、商法上没有可适用的规定，则适用关于合伙的民法上的规定（商95条）。与此相反，关于外部关系的商法规定是与债权者保护、交易安全以及其他社会性利益有关，大部分属于强制性规定。

第二节　公司的设立

一、设立上的特点

无限公司的设立，一般先订立设立者（即将来的社员）之间以公司设立为目的的合伙契约，然后为履行该契约而进行设立程序。但是，社员和出资是根据章程确定，因此合伙并不是具有公司法上约束力的法律关系。

无限公司是典型的人合公司，社员承担无限责任，因此在设立程序上，与资合公司，尤其是股份公司相比，有很大的不同。

首先，由于社员的人员构成本身对内外具有重要的意义。（1）社员由章程特定；（2）社员的个性被重视，认定以社员个人的主观瑕疵为理由的设立无效、取消之诉。

其次，由于社员承担无限责任，公司债务以社员个人的财产来担保。（1）公司设立（登记）之前，没有必要缴纳资本；（2）不需要像股份公司那样的资本充实的原则，信用出资或劳务出资也是可以的；（3）不需要法院的检查程序。

再次，由于社员自己执行业务，设立以前没有必要组成业务执行机关。

总之，无限公司的设立通过制定章程和设立登记，简便设立。

二、设立程序

（一）制定章程

应由二人以上的社员共同制定章程（商 178 条），全体社员签章或署名（商 179 条）。与股份公司不同，不需要公证人的认证（商 292 条）。

1. 绝对记载事项：即商法规定的最低限度的记载事项。其内容有：（1）目的；（2）商号；（3）社员的姓名、居民身份证号和住所；(4) 社员的出资目的和其价格或评估标准；(5) 总公司所在地；(6) 章程制定年月日（商 179 条，1~6 号）。以上缺少任何一款，章程都是无效的，成为设立无效的原因。

由于公司不能成为其他公司的无限责任社员（商 173 条），社员应都是自然人。

2. 相对记载事项：记载与否，并不影响章程之效力，但如未在章程中记载，该事项本身不具有效力，这种事项称为相对记载事项。例如，业务执行社员制度（商 201 条，1 款），公司代表制度（商 207 条），共同代表制度（商 208 条 1 号），退股原因（商 218 条，1 号），解散事由（商 227 条，1 款）等是相对记载事项（此外还有 200 条，217 条，1 款、247 条）。

3. 任意记载事项：如果是不违反强制性法规或社会秩序或无限公司本质的事项，可作为自律性规范而记载于章程中。

（二）设立登记

公司依设立登记而设立（商 172 条）。设立登记由全体社员共同申请，应登记目的、商号、社员的姓名、居民身份证号和住所、总公司和分公司的所在地以及其他规定事项（商 180 条）。但没有代表社员时，其他社员的住所没有必要登记（商 180 条，1 号）。不仅在总公司所在地登记，分公司所在地也要登记（商 181 条）。登记事项变更时，在总公司所在地于两周之内，在分公司所在地于三周之内，应当进行变更登记（商 183 条）。

三、设立的取消和无效

章程记载事项不齐全等客观性要件的欠缺当然成为公司设立的瑕疵（客观性瑕疵）。由于无限公司重视社员的个性，社员个人的设立行为中存在的瑕疵也成为公司设立的瑕疵（主观性瑕疵）。客观性瑕疵成为公司设立的无效原因，而主观性瑕疵则根据其内容，有成为设立无效原因的瑕疵，也有成为设立取消原因的瑕疵。因此，就无限公司的设立，商法根据瑕疵的类型，认定设立取消之诉和设立无效之诉。

（一）设立的取消

1．取消原因：适用关于意思表示取消的一般理论。无行为能力者未经法定代理人同意就以社员身份作出有关设立的意思表示（民5条）；因过错（民109条，1款）、欺诈、强迫作出设立的意思表示（民法110条，1款）；社员明知侵害自己的债权人而作出有关设立的意思表示（商185条）时便成为取消的原因。

设立取消判决的溯及效力被限制，即使设立被取消，在保护第三者方面应该不会有问题的。因而为保护善意的第三者，不适用限制行使取消权的规定（民109条，2款、110条，3款）。

2．主张方法：公司设立的瑕疵与个人法上的瑕疵不同，涉及到多数人的利害关系，因此只能以诉（形成之诉）来主张取消。这是对所有公司设立取消或无效主张的共同的原则。

3．当事人：提诉权人（原告）是有取消权的人。即无行为能力人，因过错、欺诈、强迫作出意思表示者，欺诈行为之社员的债权人（商184条，185条）。一般将公司作为被告，但因欺诈行为而设立被取消时，公司和作出欺诈行为的社员成为共同被告（商185条）。

4．程序：可以提起诉讼的期间，限于公司成立后两年之内（商184条，1款）。由总公司所在地的地方法院管辖（商186条）。一经起诉，公司应不得迟延地进行公告（商187条）。提起数个无效、取消之诉时应合并审理（商188条）。

5．判决：判决虽然认定对世性效力，但其效力不可溯及（商90条）。判决确定时，应当按照解散的情形，进行清算（商193条）。原告败诉时，其如有恶意或重大过失，应对公司承担连带的损害赔偿责任（商191条）。

（二）设立的无效

无限公司中，不仅依章程的无效或者设立登记的无效等与设立有关的客观瑕疵来主张设立无效，而且依作出设立行为的各社员的无意思能力、对方知道的非真意表示（民107条，1款，但书），虚伪表示（民108条，1款）等主观瑕疵，也可以主张设立无效。设立无效时也不适用有关保护善意的第三者的规定（民法107条，2款、108条，2款），其理由与取消时相同。也有以设立行为即合同行为为理由，不适用关于非真意表示、虚伪表示的规定的看法，但对此实难赞成。设立无效之诉的特点在于提诉权人只限于社员，除此之外，在程序和判决的效力上均与取消之诉相同（商184条~193条）。

第三节　内部关系

一、法律关系的性质和法律规范

无限公司是以社员之间的信赖关系为基础的典型的人合公司，一般允许当事人的自治。因此，商法中关于其内部关系的规定大部分是任意性规定，如章程中另有规定，则优先适用章程（商195条）。另外，由于无限公司的对内法律关系的本质可以说是合伙，在对内关系上，关于章程和商法没有规定的事项则准用民法上的合伙规定作为补充（民195条）。

二、出资

（一）意义

社员承担依章程确定的出资额的履行义务（商179条，4号）。出资，指的是社员提供经营公司的目的事业所需要的、将构成固有财产的金钱及其他财产、劳务或信用。出资义务依设立行为，即章程的制定而发生。对公司设立后入股社员，关于其出资应章程作出新的规定，变更已入股社员的出资额时，也要履行章程变更程序。

（二）出资的种类

在无限公司中，社员的无限责任是对外信用的基础，法律并不干涉公司财产的充实和维持。因此，除了财产出资以外也认可劳务、信用出资（商222条）。劳务出资不限于脑力劳动或体力劳动，也不管它是临时性，还是持续性的。不过，如对其劳务给予额外报酬，则不能算作是出资。信用出资，指的是社员让公司利用自己的信用，如保证公司债务，对票据作担保背书，将该社员的名字用于公司的商号上等，都属于信用出资。这些只有在有必要提高公司信用的特别的情形时才能做到。财产出资的种类或内容与股份公司的出资相同，参见股份公司部分。

（三）出资义务的履行

出资义务应依章程的规定履行，至于其履行时期和方法，章程上如有规定就随其规定，如无规定就以业务执行的方法自由决定（商195条，民706条，1款）。出资的履行要遵守社员平等的原则，不得违背该原则而提出履行请求。公司清算时，如公司现存的财产不足以清偿公司债务，清算人即使在履行期届满之前也可以让社员出资（商258条）。

履行出资的方法按出资的种类而不同。在实物出资中财产权应向公司转移，准用关于追夺担保、瑕疵担保规定（商195条，民567条，570条以下）。债权出资中，所出资的债权在清偿期内，无法得到清偿时，出资的社员要承担清偿责任，除支付利息以外还要赔偿由此产生的损害（商196条）。这是伴随出资义务的担保责任，因此是无过失责任。

不履行出资义务，会发生不履行一般债务的效果，同时也成为该社员被除名，或丧失业务执行权以及代表权的原因（商220条，1款、1号、205条，1款、216条）。

三、业务执行

业务执行是指为维持公司组织和执行公司目的事业而进行的活动。不管是法律行为，还是事实行为；不管是对内行为，还是对外行为，均可成为业务执行。但是，业务执行意指以营业的存在为前提，执行营业上的事务的行为，因此像章程变更、营业转让、解散、组织变更等影响公司存续基础的行为被排除在外。

（一）业务执行机关

1. 各自机关：在无限公司中，所有和经营是不分开的，只要不是章程上另有规定（商 201 条），或被剥夺业务执行权（商 205 条），各个社员均有执行业务的权利和义务（商 200 条，1 款）。由于无限公司的每个社员都承担无限责任，如果委托他人经营，那么社员承担的风险就要增大。因此，在无限公司中对安全性的要求比起对经营的专门性、效率性要求更强，各个社员无需经特别的选任行为，就当然成为公司的业务执行机关（即所谓的自己机关）。即使有章程上的规定和全体社员的同意，也不能将业务执行交由非社员者负责。

对各社员的业务执行，其他社员有异议时，应立即中止该行为，通过全体社员的过半数决议决定执行方法（商 200 条，2 款）。

2. 业务执行社员：有多数社员时，若社员各自执行业务，则不可避免相互冲突。每次都用多数表决来解决其影响效率。在这种情形下向一人或少数社员集中业务执行权，其他社员监督其业务执行是更富有效率的。因此，可在章程上作出规定，将社员中的一部分作为业务执行社员（商 201 条，1 款）。选任二人以上业务执行社员时，业务执行社员各自可以执行业务（商 201 条，1 款），如其他业务执行社员提出异议时，应中止该行为，根据业务执行社员的过半数决议来决定（商 201 条，2 款）之。这一点和全体社员执行业务时是一样的。社员或业务执行社员执行业务时，应尽到善良管理者的注意义务（商 195 条→民 707 条→民 681 条）。

3. 选任经理人的例外：虽然选任经理人也是业务执行的一种，但由于经理人代替营业主（即公司）持有与营业有关的一切代理权，事实上处于代替社员经营公司的重要的地位。因而，这并不是由各社员单独选任的事宜，也不是部分社员专断的事宜。因此，经理人的选任和解任，如果章程上无另行规定，选任业务执行社员时，应以全体社员的过半数决议来决定（商 203 条）。

（二）业务执行权的限制和丧失

1．各社员虽然持有业务执行权，但在特殊情况下也会产生无业务执行权的社员。例如，章程上特别规定某些社员为业务执行社员，或者规定某些社员为无业务执行权的社员的情形（商 200 条，1 款）。这种限制也可以通过规定业务执行范围来作出。即使是没有业务执行权的社员，如果章程中无特别规定，就可以参加经理人的选任和解任决议（商 203 条）。

2．共同业务执行社员制度是限制业务执行社员权限的一种方法。用章程规定数名社员为共同业务执行社员时，如无全体共同业务执行社员的同意，不能做出业务执行行为（商 202 条）。但是，有被耽误之虑时除外（商 202 条，但书）。

3．社员在执行业务时，有显著不适任或有重大的违反义务之行为时，法院可根据社员的请求，宣告其丧失业务执行权（商 205 条，1 款）。这时，如果判决已确定，应在总公司和分公司所在地进行登记（商 205 条，2 款）。

（三）业务监视权

没有执行权的社员也要承担执行业务而引起的风险，因此享有随时检查公司的业务或财产状况的权限（商 195 条→民 710 条）。关于监视权的规定虽然属于内部关系的规定，但是这种监视权属于强制性规定，即使用章程上的规定也不能加以限制。

四、意思决定

1．意思决定方法：公司的团体意思通过社员们的决议形成。日常的业务执行可由各社员或各业务执行社员单独进行，但是如有其他社员的异议时，则需要如前所述之社员们决议。

社员的决议，原则上要求有全体社员的过半数同意（商 195 条→民 706 条，2 款），而改变公司的基本结构或对全体社员产生重大利害关系的事情则要求全体社员一致的决议（商 197 条，204 条，227 条，2 号等）。

2．社员大会：商法上关于无限公司的规定是针对无限公司会由少数的社员组成而设置的，因此不要求有社员大会。于是，社员们在意思决定时，只要通过能够了解各社员意思的方法来决定就可以，没有必要另行召开全体社员会议（汉城高法 1971、11. 30 判决）当然也可以通过章程设置社员大会并运营之。

3．表决权：即便各社员的出资额不同，但所有社员都要承担无限责任，因此可以说对公司的经营结果每个社员都要承担均等的风险。于是，表决权与社员所持份额的大小不成正比，而根据一人一表决权主义来行使（即人数主义）。

4．表决权的行使方法：由于无社员大会，至于如何行使表决权，没有定型的方法。因此，社员的意思可用自由的方法来搜集，但也可以在章程上另外设置方法而照办。

无限公司，强调社员的个性，意思决定中本人的意思是很重要的，原则上不允许代理行使表决权。

5．决议的瑕疵：与股份公司不同，在无限公司中，没有专门规定社员大会决议瑕疵之诉。因此，社员大会决议如有瑕疵，就得根据民事诉讼法上的一般无效确认诉讼（民诉 228 条）来解决该决议的效力问题。此诉应以公司为对象提出。

五、公司和社员之间利益冲突的防止

（一）竞业禁止义务

社员除了以社员的资格以外，还可以以第三者的身份活动。这种活动有滥用公司中的地位给公司带来损失之虞。因此，商法规定一定范围内的社员的竞业禁止义务（商 198 条）。竞业禁止义务适用于全体社员，不管它是否有代表权或业务执行权。无限公司社员的竞业禁止义务比起商业使用人少（商 17 条），与代理商（商 89 条）及股份公司董事的竞业禁止义务（商 397 条，1 款）相同。其内容如下：

社员如果不经其他社员同意，不能为自己或第三者进行属于公司营业范围的交易，不能成为以同种营业为目的的其他公司的无限责任社员或董事（商 198 条，1 款），可以用章程缩小其范围或者取消限制。做出违反竞业禁止义务的行为时，公司可以行使介入权（商198条，2、3、4款）或公司以其他社员的过半数决议，请求法院宣告除名做出违反行为的社员，以及宣告其丧失业务执行权或者代表权（商220条，12号、205条，216条）。

竞业禁止义务的宗旨和内容，大体上与股份公司董事的相同，因此在股份公司部分中详细说明。

（二）限制自己交易

无限公司的社员原则上持有业务执行权，即使没有业务执行权，也持有监视权，因此社员作为公司的交易对方与公司进行交易时，有可能对公司利益造成损害。所以，只有经其他社员过半数的决议时，才可以为自己或第三者同公司进行交易（商199条）。违反该限制的社员除了承担损害赔偿的责任以外，成为被请求宣告除名、宣告丧失业务执行权或代表权的对象。这一点与违反竞业禁止义务时是相同的。其他详细的说明放在股份公司部分。

六、损益分配

（一）损益的概念

资产负债表上的净资产总额（从积极财产中扣除消极财产的数额）超过资本额，即超过社员的财产出资额时，其超额部分就是利益，不足时，其不足额就是损失。为保护债权人的利益，公司的净资产额应限于有担保价值的财产，不应将信用出资和劳务出资包括在内。根据同样的理由，计算资本时也应把信用出资和劳务出资排除在外。

（二）损益的分配

无限公司社员的责任就是连带的、无限的责任，公司信用的基础归根到底在于社员个人身上，因此与股份公司不同，不强制要求维持资本。于是，无限公司未设法定公积金制度（商458条以下），即使没有利益也可以分派。即使无利可分，债权人也不能让社员将分派金返还给公司（商462条，2款）。

关于损益分配的时期，如章程上有规定，就依章程上的规定，如章程上无规定，由于公司应在每一决算期制作资产负债表（商30条，2款），应于这一时期即决算期进行分配。

由于社员要承担无限责任，可以拟制各社员所承担的风险应该是对等的。从而，损益的分配比率，不一定与出资额或持份额的大小成正比。可以用章程自由规定分配比率，章程上如无规定，就依据民法上关于合伙的规定进行，所以，未依章程或全体社员的同意规定损益分配比例时，要根据各社员的出资比例（民711条，1款）来分配，如果只对利益或者损失中的一项规定比例时，可以推定为该比率均适用于两者（民711条，2款）。

利益的分配，如果章程中无特别规定，就以现金来计算。损失的分担实际上没有必要履行，只不过减少各社员所持份额的评估值，但退股时应缴纳损失分担额。

七、章程的变更

只要不违背公司的本质或者强制性规定，章程可以自由变更。但是，不管是必要的记载事项，还是任意的记载事项，章程变更时均需要全体社员的同意（商204条）。本来，社团法人的章程变更应依社员们的"总意"，从社团的性质上看，该……总意"原则上像股份公司那样，应由多数决来确定。但是，考虑到无限公司是合伙性实体，在形成社员"总意"时，要求有全体社员的同意。因此，章程变更，要求全体社员同意的商法第204条，可以说是关于公司内部关系的任意规定，于是可以以章程的规定缓和其要件。

章程的记载事项不依社员的意思而变更时（住所地名、地域番号的变更等）或法律上当然发生记载事项的变动时（社员的退股、除名等），则不需要社员的同意。如前所述，无限公司中因为没有像社员大会那样的机关，可以不采取会议形式而取得个别同意，同意又不是要式行为，也可以口头进行。

变更事项为登记事项时，需要进行变更登记（商183条）。章程变更的效力在通过决议时发生，未经登记就不得对抗善意的第三者（商37条）。

八、持份〔1〕及社员的变动

（一）概述

持份包含两种意思。第一，与"股份"一样，是指社员的地位或社员权（商 197 条）；第二，社员退社或公司解散时，基于社员资格，从公司得到退还（积极持份）或向公司支付（消极持份）的财产上的数额（通说）。

人合公司的持份，各社员只能有一个（持份单一主义），只是其大小根据各社员的出资是不同的（商 195 条→民 711 条）。这一点与股份公司及有限公司社员的地位由均等的比例单位构成（持份复数主义，商 329 条，2、554 款）明显不同，有其特点。

社员资格，基本上因公司的设立而产生，因公司的解散而消灭。此外，因入社、持份的受让、公司的合并、继承等事由而取得社员资格，因全部持份的转让、退社等原因丧失社员资格。

社员是章程的绝对记载事项（商 179 条，3 号），又是登记事项（商 180 条，1 号），因此社员变动意指章程的变更，要求进行变更登记（商 183 条）。

（二）入社〔2〕

入社，指的是公司成立后，因出资而取得社员资格即原始取得持份，这是依据欲入社者和作为社团法人的公司之间的入社契约来完成。入社带来章程上绝对记载事项的变更，须经章程变更程序，即全体社员的同意。关于入社，如有全体社员的同意，则应认为由此而章程变更，入社者即可取得社员的地位（大法院 1996．10．26 判决）。新社员的入社，从公司债权者的立场上看，意指责任财产的增加，无须另行保护公司债权者的程序。新入社员对于其入社以

---

〔1〕 持份即社员所持的份数，在日韩公司法中经常使用的用语，而中国公司法学者通常都以股份代替之——译者。

〔2〕 "入社"是公司成立后取得社员地位的总称（广义），但在这里只是指社员地位的原始取得（狭义，商 213 条），不包括持份受让人或者继承人等取得社员地位。

前产生的公司债务负有与原有社员同样的责任，即承担直接、连带、无限责任（商213条）。

（三）持份的转让

持份的转让，指的是将上述第一种意义上的持份，即社员权依契约转移。转让全部持份时，转让人丧失其社员资格，受让人为社员时该社员的持份变大，非社员时则以社员的资格入社。商法也允许部分持份的转让（商197条）。对此，有人从持份单一主义角度出发对于部分转让的可能性及部分转让时，受让人是否取得完整的共益权提出质疑。但是，如果将持份的本质把握为共同权利者的地位，那么随着转让人的持份以它的资本持份为基础被分割，对于被分割的各个股份都成立完全的社员地位，即社员权。因此，社员之间转让部分持份时，只是有持份的份量上的增减，而非社员身份者为受让人时，受让人可以以社员的资格入社。

持份的转让，尽管依据当事人之间个人法上的契约来完成，但须经转让当事人之外的其他全体社员的同意。因为在无限公司中，关于公司经营和责任承担，重视以社员的个性为基础的人的构成，社员的变动对所有的社员来说是涉及到本质性利害关系的问题。社员之间转让部分持份时，不引起入社、退社，并没有人员构成的变动，但将来其中一部分人退社时，持份退还范围可能就不同，而且章程上可以作出规定使持份的大小影响内部运营，因此持份的转让当然成为其他社员应关心的问题。由于社员的姓名是章程上的记载事项，因持份的转让导致入社退社时，当然要变更章程。但是，基于对入社时所说明的同一理由，对转让持份的同意应视为包含章程变更决议。

（四）持份的继承

由于无限公司重视社员的人合同一性，原则上不承认持份的继承。社员的死亡成为退社的原因（商218条，3号），继承人只能继承死亡社员持份的退还请求权。但是，章程规定持份可以继承时，继承人可以继承该社员的地位。这种情形下，继承人应于继承开始之日起 3 个月之内，向公司发出继承或者放弃的通知（商 219 条，1 款）。未发出通知并经过 3 个月时，视为放弃继承（商 219 条，2 款）。

但是，在清算过程中社员死亡时，当然继承持份（商 246 条）。因为在清算过程中，社员的个性不成问题，而且公司财产根据债务清偿等清算程序来处分，无法给继承人退还持份。

（五）退社

1. 意义。退社，指在公司存续期间绝对丧失其社员地位。因此，由于公司的消灭而结束其社员地位或转让全部持份而丧失其社员地位，并不是商法上讲的"退社"。退社是股份公司和有限公司中所没有的制度，法律对无限公司的社员规定退社制度，出于以下几个原因：（1）社员原则上承担业务执行的义务和无限责任，因此违背本人意思而恒久地拴住社员是拘束个人自由的行为；（2）由于转让持份是受限制，因此，回收资本的方法除了退社以外没有别的方法；（3）以社员相互间的信赖为基础运营的无限公司中，有必要排除动摇相互间信赖基础的社员；（4）应允许因私人原因退出。另外，退社制度也包含即使部分社员身上出现不能继续公司的事由，也不至于解散，而仍可能维持企业的意思。

2. 退社原因。退社，有依社员的自由意思而为的情形（任意退社），也有与社员的意思无关，因发生法定的事由而当然退社的情形（当然退社），也有其他公司债权者使其退社和与公司继续相关连被视为退社的情形。

1）任意退社：章程中未规定公司的存续期间或规定某一社员的终身为止存续时，为了不束缚社员的自由，规定依社员的自由意思可以退社（商 217 条，1 款），因此，不需要其他社员的同意。原则上限于营业年度末退社，6 个月以前应向公司预告（商 217 条，1 款、但书），但有"不得已事由"时，可以随时退社（商 217 条，1 款、但书）。"不得已事由"是指作为社员难以继续参与公司事务的个人情况（例如，突发疾病），不包括公司业务不振等通常应考虑到的事情。

2）当然退社：如发生下列事由，与（退社）社员的意思无关，应退社。（1）发生章程上规定的事由时（商218条，1号）：章程中规定条件、期限（例：退休）、资格丧失事由等时，应据此退社。（2）有全体社员同意时（商218条，2号）：如某某社员要退社时，只要有全体社员的同意，即使没有迫不得已的事由也可以退社，但并非违背本人的意思而退社。（3）社员死亡的时（商218条，3号）：能以章程规定可以继承（已述）。（4）社员被宣告为无行为能力时（商218条，4号）。（5）社员被宣告破产时（商218条，5号）。（6）社员被除名时（商218条，6号）。

3）除名。

（1）宗旨：除名意指将与本人的意思相反，强制剥夺其社员资格的其他社员的自治性意思决定。无限公司是以社员间的高度的信赖关系为基础的公司，对于无法信赖的社员，甚至通过团结其他社员驱逐出去，也应维护公司的存续，从而实现企业维持的理念。因此，这在纯粹的资本团体——资合公司中是根本无法存在的制度。

如上所述，除名以公司的存续为前提，除名之后，就不得发生公司的解散事由。例如，在只有两名社员的公司中，驱逐一名是不可以的，因为这里既无法存在后述的“过半数”的决议，又会成为公司的解散事由（社员成为1人时），因此不得除名。

（2）事由、程序：除名从某种意义上说，是由私人剥夺他人的财产权，因此为了防止少数因多数而不当牺牲的情形，商法限制除名事由，并且严格规定除名退社的程序。

除名事由为：第一，社员未履行出资义务时（商220条，1款、1号）；第二，违反竞业禁止义务时（商220条，1款、2号）；第三，关于公司的业务执行或者代表行为有不正当行为时，无权执行业务或代表公司时；第四，有其他重要的事由时（商220条，1款、4号）。其他重要的事由应解释为相当于上述第一～第四的程度，破坏信赖关系的情形。

如有以上事由，根据其他社员的过半数决议可以请求法院宣告除名（商220条，1款）。除名数名社员时，对于被除名的每个人均须有其他社员过半数的决议。此诉专属于总公司所在地地方法院的管辖（商220条，2款→206条～186条）。

（3）除名的效果：依据法院的判决，发生除名的效果，并退社。但是，被除名的社员和公司之间退还持股份的计算，按提起除名之诉时的公司财产的状况进行，并从提出除名之诉起计算法定利息（商221条）。这是为了保护被除名社员而作出的规定。判决一经确定，应在总公司和分公司的所在地进行登记（商220条，之2→205条，2款）。

4）依债权人的退社：扣押社员持份的债权人（社员的债权人）可以于6个月之前向公司及作为债务人的社员预告，使该社员于营业年度未退社（商224条，1款）。这是因为尽管社员的债权人通过扣押社员的持份，从其盈余分派中得到清偿，但是仅靠这些难以满足债权全额时，可以让该社员退社，公司退还其持份，从而得到债务清偿。但是，债务人——社员清偿债务或已提供相当的担保时，该预告则失去效力（商224条，2款）。因为只要确实能清偿债务时，没有必要以一定要让该社员退社来影响企业的维持。这里所说的提供担保，是指除了设定债务所需的充分的担保物权以外，也包括在债权人的承诺下，由第三人接收债务或提供保证。

5）其他退社原因：因特定社员的设立行为中有无效、取消的原因，设立的无效、取消判决确定时，依据其他全体社员的同意可以继续公司（商194条，1款）。这时，视有无效、取消原因的社员已退社（商194条，2款）。虽然公司已解散，但根据部分社员的同意继续公司时，将不同意的社员视为已退社（商229条，1款）。

3．退社的效果。因退社而社员的地位绝对消灭。由此，退社社员对公司债权人的关系及对公司的关系中，产生如下效果。

1）对公司债权人的关系：退社社员对于在总公司所在地进行

退社登记以前所产生的公司债务，在登记后 2 年以内，仍承担与其他社员相同的责任（商 225 条，1 款）。这是为了防止恶用退社来免除社员的无限责任或优先于公司债务人回收出资。因转让全部持份而丧失社员资格者也对公司债权者承担与退社社员相同的责任（商 225 条，2 款）。

2）对公司的关系。（1）商号变更请求权：公司商号中使用了该退社社员的姓名时，该社员可以请求公司废止使用（商 226 条）。（2）持份的计算：持份的计算属于公司的内部关系，详细的可以在章程上规定，但如在商法及章程上没有特别的规定，则依民法上有关合伙的规定（商 195 条→民 719 条）。于是，持份的计算要根据退社日当时公司的财产状况来进行。但是，除名时，应根据提出除名之诉当日的财产状况来计算，并从当日起算法定利息（商 221 条）。（3）持份退还请求权：退社社员对公司持有持份退还请求权，只要在章程上没有特殊规定，那么以劳务、信用出资的社员，也持有相同的权利（商 222 条）。持股的退还，不管出资的种类如何，均用现金来退还（商 195 条→民 719 条）。持份计算后，如果该资本持份为积极持份时，就可以请求退还，但是消极持份时根据损失分担义务应对公司缴纳其全额。持份退还请求权与对公司的一般债权人的权利不应相区别，对此，残存社员当然要付连带、无限责任。

3）持份的扣押：社员的债权人根据强制执行扣押社员的持份是可以的，但是其变卖或转付，须经其他全体社员的同意，所以不能取得实效。因此，商法为保护扣押债权人，采取如下方法：第一，规定持份的扣押对社员持有的将来的盈余分派请求权、持份退还请求权也产生效力（商 223 条），每当行使这种请求权的时期到来时，债权人可以获得转付命令或追偿命令而行使债权；第二，规定任意清算时须经扣押债权人的同意（商 247 条，4 款）；第三，扣押债权人可以于 6 个月之前向公司及社员（债务者）预告，在营业年度末让该社员退社（商 224 条，1 款）通过取得因退社产生的持份退还请求权的转付命令或追偿命令，使该扣押债权人得到债权的满足。

4）持份的设质：根据民法上的一般规定，视为持份也能成为权利质的标的。由于行使质权（拍卖）会产生社员交替的结果，部分学说主张，持份的设质应准于持份的转让，须经全体社员的同意。但是，与其强制要求全体社员的同意来抑制设质的可能性，还不如一方面允许自由设质，另一方面鉴于无限公司的持份的性质，规定质权的效力只限于盈余分派和持份退还请求权及剩余财产分配请求，而无拍卖权。如此解释在保护社员的权利方面，更为合理。

第四节 外部关系

一、公司的种类

（一）概述

公司的代表，是指作为公司代表机关的自然人对外表示公司意思或接受对公司的意思表示，其行为被认为公司自身的行为，其效力当然归属于公司。公司的代表，对内即指业务执行，关于代表公司的内容，方法的意思决定即为业务执行的意思决定。在无限公司中，各社员都可以代表公司，但是章程上规定设业务执行社员时，即使没有有关代表权的规定，当然由业务执行社员代表公司（商207条）。因为业务执行及代表处于表里关系。业务执行社员为数人时，业务执行社员各自单独持有公司代表权（商207条），但以章程或全体社员的同意，可以规定业务执行社员中可以代表公司的人（商207条，但书）。这时代表社员的姓名应登记（商180条，4号）。

（二）代表社员的权限

公司的代表社员有权行使有关公司营业的审判上、审判外的一切行为（商209条，1款）。以章程或全体社员的同意对上述代表权所加的限制，不能对抗善意的第三者（商 209 条，2 款）。公司向社员或者社员向公司提起诉讼时，该社员就失去代表权，因此应以其他社员过半数决议选定代表公司者（商 211 条）。

（三）共同代表

作为牵制代表权的方法，公司根据章程或全体社员的同意，可以规定数名社员共同代表公司（商 208 条，1 款）。这时，单独进行的行为就成为没有代表权限的行为。但是，对方对公司的意思表示（被动代表），即使该意思表示只对代表社员中的一人作出，也对公司具有效力（商 208 条，2 款）。共同代表也是登记事项（商 180 条，5 号）。由于无限公司的共同代表与股份公司的共同代表的原理一样，详细说明放在股份公司部分。

（四）代表社员的侵权行为

代表社员在执行其业务过程中给他人带来损害时，公司与该社员承担连带赔偿责任（商 201 条）。代表行为也涉及侵权行为，因此公司承担责任是理所当然的，但应与代表社员共同承担连带责任则是为了保护与公司交易的第三者的政策性规定（民 35 条，1 款）。

（五）代表权的丧失

无业务执行权的社员，或者被宣告丧失代表权的社员，没有代表权（商 216 条→205 条）。

二、社员的责任

（一）意义

社员向公司债权者承担直接、连带清偿公司债务的责任即对外责任（商 212 条）。

无限公司也是法人，所以与其不同人格的社员对公司债务承担责任是特殊的法律现象。但是，无限公司就其实质来说是由少数的社员和少额的资本组成的合伙性的企业，因此为保护公司债权者，有必要将公司信用的基础置于社员个人的信用上。而且，公司债务实质上也是社员的共同债务，有必要从法律政策上认定社员的对外责任。社员承担无限责任是无限公司的法律关系所持有的本质属性。社员的姓名、住所因登记而被公示，决定重要事项时，形式上要求有全体社员的同意，各社员以此来享有否决权，多数决上采取人数主义，排除与资合公司那样的资本维持的原则等，都是源于社员的无限责任的制度。因此，社员的无限责任是关于公司外部关系的强制性规定，即使以章程的规定或者全体社员的同意也不能限制或免除。

（二）责任的性质

社员的责任，在以公司的财产不能完全清偿公司债务或者对公司财产的强制执行不奏效时产生（商212条，1、2款）。即社员的对外责任是以公司的债务为主债务，与此内容相同的补充性责任。所以，社员能够证明公司有清偿的资力，且执行容易时，不承担责任（补充性，商212条，3款）。

而且，社员可以以公司持有的抗辩（权利不存在、消灭，同行履行等）对抗公司债权人（附从性，商214条，1款）。如社员行使公司的抵消权、取消权、解除权，有时给公司带来不利。因此，此类抗辩权社员不能直接行使，只是以此为理由可以向侵权人拒绝履行（商214条，2款）。

社员的责任是直接、连带、无限责任。这里的"直接"，并非指社员向公司捐资，然后债权再从公司得到清偿，而是债权人不经过公司可向社员求偿。"连带"，指社员之间的连带（不是社员和公司之间的连带）。"无限"，不限于出资义务额，对公司全部债务所承担的责任。

（三）责任的范围

成为社员责任对象的公司债务，是应以积极财产清偿的全部债务。不管是属于契约上的债务，还是像侵权行为所引起的损害赔偿责任那样的法定债务，或者税收等公法上的债务，不问其发生的原因为如何，均包括在里面。但从其性质上看，应该是有可代替性的债务。不过，即使是无代替性的债务，如已化为损害赔偿债务时，当然社员要承担责任。

通说认为，对于公司向社员承担的债务，其他社员不承担责任。但是，与其社员地位无关，公司对社员负担的债务，包括作为债权人的社员，全体社员根据各自损失分担的比例来承担责任是公平的。

（四）责任人

作为社员应承担的责任，不管是否有业务执行权、代表权，所有社员均要承担责任。此外，商法关于新入社员（商213条）、退社社员（商225条，1款）设有特别规定（已述），转让持份的社员准于退社社员承担责任。

虽然不是社员，但作出使别人误认自己为社员之行为者（自称社员），对其误认与公司交易者，就公司债务承担与社员同样的责任（商215条）。这是基于外观主义的表见责任。

（五）清偿者的地位

社员的清偿属第三人清偿，根据民法的一般规定，对公司持有求偿权（民441条，1款、类推），而且社员是持有应清偿的正当利益者，因此代位于公司债权人（民481条）。已清偿的社员，对其他社员就该社员所承担的债务持有求偿权（民425条）。承担债务应根据损失分担的比例进行，被求偿的社员以公司有资力为由，可以拒绝履行。

（六）责任的消灭

社员的责任，在公司解散时，自登记之日起经过5年；退社或持份转让时，自登记之日起经过2年，便消灭（商267条，225条）。此期间为除斥期间。

三、组织变更

（参见通则的组织变更部分）

四、合并

（参见通则的合并部分）

第五节 公司的解散和清算

一、解散

解散的原因有：（1）存立期间届满及其他章程上规定的解散事由的出现；（2）全体社员的同意；（3）社员仅剩为一人时；（4）合并；（5）破产；（6）法院的解散命令（商 176 条）或者判决（商 241 条，227 条）。

在资合公司中，如果公司债务超过公司财产时，成为破产原因，但在人合公司中由于社员承担无限责任，即使债务超过公司财产，在公司存立中不能成为破产原因，只有在不能支付时，才可以破产（破产法 116 条，117 条）。但是在清算过程中，如债务超过就破产。

公司解散时，除了合并和破产的情形之外，应自解散事由出现之日起，在总公司所在地于二周内，在分公司所在地于三周内，进行解散登记（商 228 条）。另外，因上述（1）、（2）、（3）的理由解散时，经社员的决议可以继续公司（参见通则的公司的继续部分）。

除了合并和破产的情形之外，因解散而进入清算程序，直到清算程序终结为止公司在清算的目的范围内仍存续（商 245 条），但由于与解散前的公司是同一公司，从前的法律关系不因解散而变更，而且解散前的有关公司的法律规定，只要不违反清算的目的，照旧继续适用。

社员对公司债权人所承担的责任，从在总公司所在地进行解散登记时起，经 5 年即行消灭（商 267 条，1 款）。虽已过 5 年，但有未分配之剩余财产时，公司债权人可以请求清偿（商 267 条，2 款）。这时，社员的责任以未分配的剩余财产为限。

二、清算

（一）意义

公司解散后，为最终解决存立中所发生的一切对内、对外法律关系，应进行清算。但是，以合并为解散原因时，其权利义务由新设或存续公司来整体性继承，所以不需要进行清算；破产时，则由破产财产管理人依破产法的规定来处理，因此无须按照商法上的清算来进行清算。

无限公司的清算分任意清算和法定清算两种。任意清算，是依章程规定或以全体社员的同意决定的方法处分公司财产的清算方法（商247条以下）；法定清算，是根据法律规定的程序处分公司财产的清算方法（商250条以下）。

（二）任意清算

1. 原则。原则上将任意清算作为清算方法。即解散公司的财产处分方法可以以章程或者全体社员的同意来规定（商247条，1款）。但是，社员仅剩为一人而解散时和因法院的解散命令或解散判决而解散时，鉴于任意清算很难期待财产处分的公正性，不允许任意清算（商247条，3款）。于是，任意清算只限于出现章程上规定的事由而解散（商227条，1号）时和因全体社员的同意而解散（商227条，2号）时。

2. 债权人保护。任意清算时，存在不公正地进行财产处分之虑，因此，商法要求应履行债权者保护程序。

1）对一般债权人的保护：公司自出现解散事由之日起二周之内，要制作财产目录和资产负债表（商247条，1款），并在此期间内向债权者公告：若在一定期间（1个月以内）内有异议，可以提出异议，对公司已知的债权人应分别催告（商247条，3款→232条1款）。如债权人在此期间内未提出异议，视为已承认任意清算（商247条，3款→232条，2款）。如有提出异议的债权人，公司应对该债权人清偿或提供相当的担保，或者债权人接受清偿为目的的将相当的财产信托给信托公司（商247条，3款→232条，3款）。

因公司违反上述程序处分财产而损害公司债权人时，公司债权人自知道违反之日起1年内，财产处分之日起5年之内（商248条，2款→民406条，2款），可以请求法院取消该财产处分（商248条，1款）。但是，因财产处分而取得利益的人或转得人在处分或转得当时没有认识到要侵害公司债权人时，不得取消（商248条，2款→民406条，1款、但书）。此取消之诉专属于总公司所在地地方法院的管辖（商248条，2款→186条）。

2）对扣押持份债权人的保护：有扣押社员持份的债权人时，任意清算须经该扣押债权人的同意（商247条，4款）。公司未经扣押债权人的同意处分财产时，扣押债权人可以请求公司支付相当于持份的金额（商249条前）。不仅如此，可以在公司债权人的地位上，行使取消请求权（商249条）。

（三）法定清算

1．事由。不能进行任意清算时，应根据法定清算程序进行清算。即未以公司章程或全体社员之同意规定财产处分之方法时，则依法定清算（商250条）。还有，因社员仅剩为一人而解散时和根据解散命令、解散判决而解散时，必须按法定清算进行。

2．清算人。

1）概念：清算人，指在法定清算程序中执行清算事务并根据情况代表清算中的公司的人。由此可见，清算人与解散前公司中的业务执行社员是相对应的。关于公司与清算人之间的关系，准用有关委任的规定（商265条→382条，2款）。虽然清算人的自己交易受限制（商265条→199条），但不承担竞业禁止义务。

2）选任：清算人以全体社员过半数的决议来选任（商251条，1款）。但社员们未选任清算人时，业务执行社员成为清算人（商251条，2款）。清算人有时也由法院来选任，如公司因社员仅剩为一人而解散时和因解散命令或解散判决而解散时，必须由法院来选任清算人。在这种情况下，法院根据社员及其他利害关系人或者检察官的请求，或者依法选任清算人（商252条）。判例认为，在两个清算人中一人死亡，清算人仅剩为一人时或者即使有清算人但无法行使职务时，类推适用上述规定，法院可以选任清算人（汉城地方法院1971．7．9判决）。

3）资格：以社员的过半数决议选任清算人时，该清算人即便是非社员也无妨，而且是与公司没有任何利害关系者也可以。

4）清算人的权限：清算人执行清算事务（商254条，1款），如清算人为数人时，以过半数决议来决定（商254条，2款）。代表公司的清算人可以作出有关清算事务的审判上或者审判外的一切行为（商254条，3款）。清算人为数人时，应各自代表公司，但可根据全体社员的同意指定代表清算人，又可规定共同代表清算人（商265条→207条→208条）。业务执行社员成为清算人时，可根据从前的规定代表公司（商255条，1款），法院选任数名清算人时，可以指定代表公司者或指定数人共同代表公司（商255条，2款）对代表清算人权限的限制，不能对抗善意的第三者（商265条→209条，2款）。

5）解任：清算人执行其职务时，若有显著不适任或有重大违反任务的行为时，法院依社员及其他利害关系人的请求，可以解任该清算人（商262条）。

即使没有上述事由，也可以以全体社员过半数的决议解任由社员选任的清算人（商261条）。

6）损害赔偿责任：清算人懈怠任务时，与股份公司董事的情况一样，向公司或第三人承担损害赔偿责任（商265条→399条，401条）。代表清算人因业务执行给他人造成损害时，像代表社员的情形那样，与公司一起承担连带的损害赔偿责任（商265条→210条）。

7）登记：清算人被选任时，自被选任之日起；业务执行社员成为清算人时，自解散之日起，应在总公司所在地于两周之内、在分公司所在地于三周之内进行登记。登记事项为：（1）清算人的姓名、居民身份证号和住所；（2）指定代表公司的清算人时，其姓名；（3）规定数名清算人共同代表公司时，其规定（商253条，1款）。指定代表清算人时，其他清算人的住所为非登记事项（商253条，1款、1号、但书）。解任清算人时，应进行变更登记（商253条，2款→183条）。

3．清算事务的执行。

1）事务的开始：清算人就任后，应立即调查公司的财产状况，制作财产目录和资产负债表，并向各社员交付（商256条，1款）。

2）清算事务的种类：商法规定清算人的职务权限有：终结现存事务，债权的追偿和债务的清偿，财产的换价处分，剩余财产的分配（商254条，1款、1号～4号）。但是，这仅仅是清算事务中的重要的内容，清算人的职务并不限于此。（1）现存事务的终结：应终结公司营业和除了清算事务以外的所有业务，不管它是私法关系，还是公法关系，均不得作出形成新的法律关系的行为。但是，从解散之前起，公司作为当事人而继续的诉讼，应由代表清算人来继受，继续履行诉讼（民诉213条）。（2）债权的追偿：清算人应追偿公司的债权。但是公司的债务人并不因此而失去期限的利益。（3）债务的清偿：清算人可以清偿未到期的公司债务（商259条，1款）。期限的利益在于债权人那里也是如此。清偿无利息的债务时，实际上等于公司放弃期限的利益，因此公司清偿的金额不是债务额，而是要清偿加算清偿期为止的法定利息之后相当于债务额的金额（商259条，2款）。即使是附利息的债务，利率低于法定利息时，清偿加算清偿期为止的差额利息后相当于债务额的金额（商259条，3款）。另外，附条件债务，存续期间不确定的债务及其他价额不确定的债务根据法院选任的鉴定人的评估来清偿（商259条，4款）。（4）出资请求：公司的现存财产不足以清偿债务时，清算人可以不管清偿期请求各社员按各社员持份的比率出资（商258条）。但是，社员应承担连带、无限的责任，因此，即使履行了适合自己持份比率的出资，也不会消灭对公司债权人的有关公司债务的责任。（5）财产的换价处分：清算人为了清偿债务和分配剩余财产，应对公司财产进行换价处分。作为其一环节，可以转让营业的全部或一部分，但须经全体社员过半数的决议（商 257 条）。（6）剩余财产的分配：清算人清偿完公司债务后，才可向社员分配公司财产，有争议的债务应保留清偿所必要的财产而分配（商 260 条）。分配，应与各社员的持份成正比，出资劳务和信用的社员也应根据持份而得到分配。

3）清算的终结：（1）清算结束后，清算人应立即制作计算书，交付给各社员并得到承认（商 263 条，1 款）。收到计算书的社员在一个月内不提出异议者，应视为承认其计算（商 263 条，2 款）。但是，清算人有不正当行为时，不产生与此相同的效果（商 263 条，2 款、但书）。（2）关于计算书，得到全体社员的承认时，清算人自承认之日起，在总公司所在地于两周之内，在分公司所在地于三周之内，进行清算终结的登记（商 264 条）。

第四章　两合公司

第一节　总　述

一、沿革

两合公司（Komman ditgesellschcaft）起源于 10 世纪开始在地中海的海上贸易中流行的康孟达（Commenda）契约。这种契约是由资本家（Commendator）提供商品或金钱，使营业主（tractator）以自己的名义经营海外贸易，作为代价分给盈利的一部分，但到后来，营业主不仅提供劳务，还投入一部分资本（Societas coueganti-a）。到了 15 世纪，其形态更加分化，分为：（1）资本家作为共同经营企业者出现在外部的情形（accommendia）和（2）出资者隐藏在内部，营业主对外成为权利、义务主体的情形（Participatio），前者发展为两合公司，后者成为隐名合伙的起源。

二、特色

两合公司是由无限责任社员和有限责任社员组成的公司（商268 条），是少数的功能资本家（无限责任社员）和持份资本家（有限责任社员）的结合体。持股资本家不参与其企业活动，只是出资给功能资本家，并参加资本利润的分配。换句话说，持份资本的特征是放弃了参与企业经营的权利，其代价是责任的有限性。在全部由功能资本家结合的无限公司中，资本的集中必然不会超过一定的规模；而以功能资本家为中心，结合持份资本家的二元性企业组织——两合公司中，可以期待更高额的资本集中。

由此可见，两合公司以无限公司的组织为基础，加上有限责任社员的公司。由于这种组织的二元性，除了有若干的特别规定以外，准用关于无限公司的规定（商269条）。在此，只分析两合公司相对于无限公司的特点。

第二节　公司的设立

两合公司是经一人以上即将成为无限责任社员者及一人以上即将成为有限责任社员者制定章程并进行设立登记而成立。章程的绝对记载事项与无限公司相同（商270条，179条），但应记载各类社员的责任种类，即是无限责任，还是有限责任（商270条）。设立登记的方法与无限公司的一样，（商271条，1款、180条），但关于有限责任社员的变更登记事项，只记载该社员人数和出资总额（商271条，2款）。

第三节　内部关系

一、出资

无限责任社员与无限公司的社员一样，可以金钱出资及现物出资以外，也可以劳务出资和信用出资，但有限责任社员不能将信用或者劳务作为出资的标的（商272条）。这与在全体社员承担有限责任的资合公司中强调资本充实是出于同样的理由。

二、业务执行及监视

（一）业务执行权

两合公司的业务执行，如章程上另无规定，每个无限责任社员均有执行公司业务的权利和义务（商273条）。有限责任社员不能进行公司的业务执行（商278条）。经理人的选任依靠无限责任社员的过半数决议，有限责任社员不能参与其决定（商274条）。

也有一些人认为，公司的业务执行属于内部关系，与此有关的是任意性规定，根据章程或者全体社员的同意，有限责任社员也能持有业务执行权。但是，在无限公司中，即使以章程的规定或全体社员同意，也不能向非社员者赋予业务执行权，这是定论。因此，将同样关于业务执行权的规定，将其中一个视为强制性规定，另一个视为任意规定是互相矛盾的。而且，肯定有限责任社员的业务执行权的学说认为，关于代表权，即使是有限责任社员也不能持有，但是业务执行与代表本来就处于表里关系，将两部分相分离分别归属是不合适的。商法将有限责任社员从业务执行和公司代表中排除的规定，是忠实于功能资本家和持份资本家的结合体的两合公司本质，而且从保全公司财产和进一步保护公司债权者的角度上看，让"有限责任"社员担任公司管理是不切实的，因此应将商法第278条规定视为强行规定。

（二）权限丧失宣告

关于业务执行社员的权限丧失宣告，有限责任社员也可以请求，这与持份的大小无关。但是，无限责任社员仅剩为一人时，如剥夺其业务执行权，就没有人来担当业务执行，这时就不能允许对业务执行社员的权限丧失宣告（大法院1977．4．26判决）。

（三）监视权

由于有限责任社员被排除在公司的业务执行之外，为了从无限责任社员的专横中保住自己利益，可以行使监视权。即有限责任社员于营业年度末的营业时间内，可以阅览公司会计账簿，资产负债表，以及其他文件，可以检查公司的业务和财产状态（商277条，1款）。如有重要的事由，可以不受上述时间限制，随时经法院的许可，进行阅览和检查（商277条，2款）。

三、竞业禁止、自己交易的限制

有限责任社员不具有业务执行权,只是参加利润的分配,没有必要一定让其负担竞业禁止义务(商275条)。但是,限制与公司交易的规定(商199条)不同于竞业禁止,也适用于有限责任社员(商269条)。

四、损益的分配

如章程上另无规定,如同无限公司,损益按出资额的比率来分配(商269条→195条→民711条)。有限责任社员只能以出资额为限分担损失。

五、持份的转让及社员的变动

无限责任社员转让持份,因须经全体社员的同意(商269条→197条),也得有限责任社员的同意。但是,有限责任社员的持份转让只要经全体无限责任社员的同意即可,并不需要有限责任社员的同意。因为无限责任社员的变动,意味着对外责任主体和业务执行者的变动,与有限责任社员有利害关系,但是在有限责任社员相互间并不具有身份变动上的利害关系。

有限责任社员的死亡,不能成为退社原因,其继承人因继承持份而成为社员(商283条)。而且,有限责任社员的无行为能力的宣告也不会成为退社原因(商284条)。

以上表明,有限责任社员的人员构成,没有像无限责任社员的人员构成那样具有重要的意义。

但是,应注意除名时无限责任社员和有限责任社员的地位是同等的。不管除名何种社员,均须经其余有限责任社员和无限责任社员全体过半数的决议(大法院1991.7.26判决)。还有,如果不存在无限责任社员或有限责任社员,就成为解散事由,因此不能将任何一种社员全部给除名掉(判例同上)。

第四节　外部关系

一、公司的代表

有限责任社员不能持有公司的业务执行权的同时，也不能持有代表权（商278条）。有限责任社员以章程或全体社员的同意可以持有业务执行权的那些见解，也对不能赋予有限责任社员代表权上没有异议。

二、有限责任社员的责任

无限责任社员关于公司债务，与无限公司社员承担同样的责任。但是，有限责任社员则以出资义务为限承担责任（商279条，1款）。因此，有限责任社员已履行出资义务的全部或者一部分时，在其范围内免去对公司债权人的责任。但是，有限责任社员在公司没有盈利的情况下得到分派，在决定其清偿责任时，应加算该金额（商279条，2款）。即使依据章程变更有限责任社员的出资额减少，对于变更登记以前产生的公司债务，自登记后两年以内不能免其责任（商280条）。

有限责任社员作出令他人误认其为无限责任社员的行为时，对于因误认而与公司交易者承担与无限责任社员同样的责任（商281条，1款）。同样，有限责任社员令他人误认其责任限度时，在误认范围内负责任（商281条，2款）。这是基于外观主义的表见责任。

三、责任的变更

根据全体社员的同意，通过变更章程，有限责任社员可以成为无限责任社员。相反，无限责任社员也可以变为有限责任社员的。前者准用关于新入社员责任的商法第213条，后者准用关于退社社员责任的商法第225条（商282条）。

图表：无限责任社员和有限责任社员的地位比较

	无限责任社员	有限责任社员
劳务、信用出资	可	不可(商 272 条)
业务执行权	有(商 273 条)	无(商 278 条)
业务监视权	有(商 269 条→195 条，民 710 条)	有(商 277 条)
代表权	有(商 207 条，1 款)	无(商 278 条)
业务执行的异议提起	可(商 200 条，2 款)	不可
竞业禁止义务	有(269 条→198 条)	无(商 275 条)
持份转让	要全体社员的同意(商 269 条→197 条)	要无限责任社员的同意(商 276 条)
社员的死亡	退社原因(商 269 条→218 条 4 号)	持份继承(284 条)
社员的无行为能力	退社的原因(商 269 条→218 条 4 号)	不退社(商 284 条)
责任	无限(商 269 条→212 条)	有限(商 279 条)

第五节 公司的解散及继续

两合公司以与无限公司同样的原因解散，但由于两合公司是无限责任社员和有限责任社员的二元性组织，任何一方社员全体退社时，当然解散（商 285 条，1 款）。这种情形下，可以以全体残存的无限责任社员或有限责任社员的同意，加入新的有限责任社员或无限责任社员，继续公司（商285条，2款）。而且，有限责任社员全部退社时，以无限责任社员全体的同意，将其组织变更为无限公司，并可以继续公司（商286条，2款）。

第六节　公司的清算

清算程序与方法，与无限公司的相同。选任清算人时，以无限责任社员过半数的决议选任清算人，不需要有限责任社员的同意。未选任时，业务执行社员成为清算人（商287条）。

第五章 股份公司

第一节 序 论

一、股份公司的意义与本质

股份公司（Corporation；Aktiengesellschaft；Société anonyme），是指资本分为股份，通过认购股份出资或者取得已发行的股份成为社员（股东），社员以股份的认购价额为限承担出资义务（有限责任），对公司债务不承担直接责任的公司形态。公司制度的产生已有几百年的历史，当今股份公司的利用之所以占压倒多数，是因为股份公司具有资本以股份为单位构成的独特的资本构成方式，资本集中容易；股东负有限责任，因而可以限制事业损失的风险等优点。因此，"资本"、"股份"、"股东的有限责任"为股份公司的本质要素。通常认为，股份公司作为典型的资合公司，是其社员的个性得不到重视的纯粹的资本团体。这种性质，通过资本、股份、股东的有限责任等股份公司的本质，更为突出地体现出来。

（一）资本

1. 意义。资本（Stated capital；Grundkapital），意指公司发行股份的票面总额（商451条）。这从公司、股东、公司债权人的立场上，分别具有如下含义。

对于公司，它成为公司成立的基础，以及为公司存续中的资本充实而应维持的净资产的规范性标准。在股份公司中，只有其财产，才能成为公司债务的担保。因此，像人合公司那样，只依社员的组成，便无法成立，只有具备为目的事业的基本财产，才有成立的可能。公司成立后，在其事业的继续中，它也成为处分盈余及其他财产管理的规范性标准。

对于股东，它意味着出资额及其责任的界限。同时，股东通过所持股份，在经济上所有并支配公司财产，在法律上行使各项权利，而这种权利的大小，则根据各股东通过所有股份方式的出资在资本中所占的比率来决定。

对于公司债权人，起公示公司信用度的功能。在股份公司中，股东只能以其认购价额为限承担责任，因而向公司债权人担保的只是公司的财产。财产的增减浮动很大，因此，到了决算期之外，外部不易认识它。但是，资本在进行增减程序之前是不变的，是公司应要持有的基本财产。所以，可以基于资本，大致估计该公司的信用。在决算期，又可以以资本为标准算出盈余或损失，也可以依此判断公司收益的现状与展望。

2．资本的三原则。对以公司为中心的利害关系人来说，资本具有上述重要意义。为了保护利害关系人，需订如下三大原则。

1）资本确定的原则：指公司设立时，章程中应确定资本及其出资者，即确定股份认购人。这是为了通过确定并公示资本的规模，向与公司交易者提供预测公司的事业及信用规模的可能性。它的本意与总额认购主义是相同的，旧商法（1963 年以前的商法）采取这种意义上的资本确定原则。而现行商法却采取授权资本制，其结果，公司成立时，只发行章程中授权股分数的 1/4 以上即可，所以旧法意义上的资本确定原则是不适用的。但是，将此可以理解为：章程中应记载"公司设立时发行的股份的总数"；公司设立以前应确定这些股份的全部认购；这种发行股份的票面总额即为资本（商 451 条）。因此，至今资本确定原则的意义仍然存在（商 289条，1、2 款）。只是在公司成立后，通过新股发行追加筹措资金过程中，应视为此原则已废弃（商 416 条，423 条）。

2) 资本维持的原则：指公司应实际维持相当于资本额的净财产的原则。"资本"，不仅以计数上的金额来存在，而且也应实际保有，从这个意义上来看，也可以称为资本充实的原则。即使维持相当于资本的净财产，但该净财产是随着公司的经营成果经常变动的，并非是根据特定人的意志可以维持的。因此，将"资本维持"应理解为：禁止通过资本交易，使公司财产不当流出。如依资本交易流出，主要是指流到股东处，因此，可以将资本维持的原则比喻为防止资本流向股东的防水墙（Stauschleuse）。

这种意义上的资本维持的原则，具有在股东的有限责任制度下，保护债权人的重要意义。商法中，反映这一原则的规定非常多。例如：公司设立时，应全部缴纳股份的发行价额，也应全部履行实物出资（商 295 条，303 条，305 条等）；实物出资及其他变态设立事项有危害资本充实之虑，因此应履行严格程序（商 299 条，310 条，313 条，422 条）；股款的缴纳不得与股东的反对债权抵消（商 334 条）；发起人与董事承担股份认购、缴纳的担保责任（商 321 条，428 条）；公司设立时，禁止低于票面价额来发行股份，发行新股也受严格要件的限制（商 330 条，417 条）；自有股的取得也受限制（商 341 条，341 条之 2）；即使有盈余，也应具备积存法定公积金等所定要件，才有可能分派（商 458 条，459 条，462 条）等。

3) 资本不变原则：资本维持的原则使公司保有资本金以上的净财产额；而资本不变的原则，就是要使作为资本维持标准的"资本"金额，不经法定程序，不得减少。这一原则的终究目的在于使公司维持已保有的财产，因此，可以将此包括在资本维持的原则来理解。

（二）股份

股份公司的资本，分割为股份（商 329 条，2 款），因此股份是构成资本的"分子"，成为社员（股东）的出资单位。在这里，应注意：关于社员和资本的关系，在股份公司与人合公司中是截然不同的。从逻辑上看，在人合公司中，按社员先定，而后确定他们的出资额，并据此确定持份的顺序来展开；而在股份公司中，则按先确定资本，而后由特定人来认购（出资）、成为社员的顺序来展开。这一点是让股份公司埋没社员的个性，带有资合公司特性的要因。

股份作为等额单位，各股之间存在股份平等的原则，因此社员权利的大小与其保有的股份成正比。

将资本分割为股份，是为了易于筹措资金。即通过将资本分割成小额单位，使持有零散资金者也可以参与出资。股份制度，终究是为集中大众资本的手段而创制的。股份以股票的形式证券化，可以自由转让，并在流通市场上交易，这使股东易于回收投入资本，其结果容易募集股东。这些是更加突出股份公司的资合公司性质的要素。

（三）股东的有限责任

1. 意义。社员，即股东仅以其股份的认购额为限，对公司承担出资义务（商 331 条），不对公司债务承担任何责任。如果像无限公司与两合公司那样，将"责任"理解为对外性的责任的话，股东的责任，可谓是无责任。这种股东的有限责任制度是股份公司制度的本质要素，不得以章程和股东大会的决议来加重责任。由于在股份公司中出资采取全额缴纳主义（商 305 条，421 条），一经缴纳而成为股东者或者继承取得股份者，不承担任何责任，而只对公司享有权利。严格来讲，股东的有限责任，属于股份认购人的责任，并非是股东的责任。

2. 功能。即使企业倒闭，藏在出资者口袋里的财产，在有限责任这个乐园（Utopia Limited）中受到治外法权式的保护，可以保全家计，重新开始新的风险事业。因此，18 世纪的英国人将股份公司的出现赞美为"创造性的大胆的创作"（imaginative and bold innovation）。此后，股份公司制度诱导向各种风险事业的大胆投资，成为今日绚烂的产业发展的原动力。但是，如前所述，因恶用该制度而产生的弊端又很大，所以，也成为深刻的社会问题。

3．正当性的根据。股份公司，虽然被称为具有独立人格的法人，但其经济性实体就是全体股东。因此，有限责任制度包含将因股东事业失败的损失转嫁给社会中的意思（企业风险的外部化：externalization of risk），受到伦理方面的批评。对此，在美国有人提出过也应让股东承担与其股份成正比的无限责任的立法论。但也有人反驳道：企业风险的转嫁问题，即使像那些个人企业或者无限公司那样，由无限责任社员运营的企业，如果该企业主体不具有充分财产时也经常被提起，因此，这并非是有限制度的特有问题。与此同时，美国的公司法学者从法经济学的角度出发，多方面说明有限责任制度的存在理由，其代表性的说明如下。

如果没有有限责任制度，股东为了监视经营者支出过分的费用（监视费用：monitering cost），也要调查其他股东的资信情况，随时要留意其他股东的变动。这是因为，如其他股无资力，自己应对公司的债务所要承担的金额就变大。还有，通过证券市场取得少量股份者也有无限责任的风险，因此也不可避免地支出监视费用。少额投资时，此种监视费用为极不经济，结果产生如果不能投资能够由自己来支配企业的金额，就不投资的倾向。于是，资本的大众化也就不可能。

二、沿革

有人说，最初的股份公司为 1407 年设立的。日内瓦的圣·吉格奥银行（il banco di san Giorgio）但是，自从 Karl Lehmann 主张 1602 年成立的荷兰东印度公司（niederländish - ostindische Kompanie）是股份公司的起源以来，此主张得到广泛的支持。据说，荷兰东印度公司是为了进行殖民地贸易而由国王特许（oktroi）设立的公司，在其发展过程中深受船舶共有及康孟达（commenda）的影响。它持有像有限责任、董事会、可自由转让股份等当今股份公司制度的特色（只是没有股东大会制度），不仅成为此后出现的各国殖民公司[1]的范本，并且对银行、保险及其他事业形态都产生了广泛的影响。

三、现代课题

通过股份公司形态而结合的资本，至少在法律上采取股份资本的形式，其股份已证券化。正因为如此，以证券市场为媒介时，能够动员大众资本适应巨大资本集中的要求。并且，通过所谓股东大会这样的客观组成，以分割成股份的所有单位的多数决（资本多数决）来形成企业的统一意思。

但是，随着股份公司的巨大化，股份的所有分散，从而大部分股东实际上没有发言权。尤其是，现代企业结构的复杂性、事业的专门性，不易让大众股东批判公司的经营。况且，证券市场的发达，易于回收投入的资本，因此，大众股东不关心特定企业的控制，而只想获得投资收益，相互比较以后将投资对象转移至更加有利的企业。结果出现"所有与经营相分离"的现象，甚至还要出现"无所有的控制，无控制的所有"的现象。随着公司引诱大众股东将表决权委托给经营者来行使的普遍化，股东大会转变为将经营者的意思正当地化为公司意思的纯属法律上的举手机构。大众股东放弃参与经营，从而由企业所有人的地位转化为公司债权人似的地位。这些现象，给我们留下许多重新研究当今股份公司制度的课题。

---

[1] 例如，1604 年的法国东印度公司，1612 年的英国东印度公司，1612 年的荷兰西印度公司，1664 年的法国西印度公司。

第二节　设　　立

第一款　总　　述

一、设立程序的特色

设立人合公司，应依制定章程来确定社员及其出资额即可，无需另行有关社员及资本组成的程序。社员承担无限责任，或者即使是有限责任社员也应对公司债权人承担直接责任，因此无需为了保护公司债权人，从设立阶段开始匆匆具备资本实体。所以，人合公司一经制定章程并进行设立登记，即可成立。

但在股份公司中，社员并非依章程来确定（商289条，1款），因此，需要进行确定股东（股份认购）的程序，对公司债权人来说，公司财产是惟一的担保，有必要公司设立以前将它确保（出资的履行）。不仅如此，股份公司中应设有像董事、监事等他人机关，为了消除公司运营上的空白，设立以前有必要事先选任他们。因此，在股份公司的设立中，在制定章程后设立登记以前需要为组成社员、资本、机关的各项程序，通常称之为"实体构成"。

在股份公司中，发起人亲自办理公司设立程序，这也是其他公司所没有的制度。

二、设立程序修改（1995年）的意义

股份公司的设立程序通过1995年商法修正大有变化。1995修改以前的设立程序的特征，简单地说，就是发起设立和募集设立的程序上的差异，以及包含现物出资的变态设立事项的检查制度。股份公司的资本组成，可分为发起人出资全部资本的发起设立和发起人与第三人共同出资的募集设立的两种形式。修改以前，发起设立时，必须接受法院选任的检查人的调查（修改前的商298条），而

募集设立时，无需选任检查人，由董事、监事调查后向创立大会报告即可（修改前的商 313 条）。但是，在募集设立时，如有现物出资等变态设立事项，就应选任检查人（商 310 条）。

纵观韩国的实情，即便是股份公司，大部分都由家族等小规模的人员参加公司的设立，从此角度看，当然可以认为发起设立是适合于韩国股份公司的设立形态。但如果想发起设立，应接受法院的检查人的调查，结果会使法院的干涉频繁，而且也需要费用。为了避免这种麻烦，将参加设立的人员分为发起人和募集股东，并履行募集设立程序是所有公司共同的做法。另外，设立股份公司的相当多数是将已有的个人事业转换为股份公司，这种情形下，按理来说，也应当通过现物出资来组成资本，但这种现物出资也应要接受烦琐的检查人的检查。所以，他们采取先以现金出资，待公司设立以后向公司转让其营业的形式。

通过上述迂回方法来设立公司的现象已成为普遍化，这使设立当事人很不方便，又会产生各种社会费用。因此，在修改法中鉴于股份公司设立的实际情况，打开了不经检查人的调查，可进行发起设立和现物出资的途径。估计，将来可能避免偏重于募集设立的倾向，以现物出资来设立的例子也会多起来的。

三、设立程序的概观

依照修改后的商法，股份公司的设立程序如下：首先由三人以上发起人制定章程（商 289 条），并决定股份发行事项（商 291 条）。根据其决定内容，履行如下发起设立或者募集设立程序。

（一）发起设立

在发起设立中，只能由发起人来组成股东。由发起人认购全部股份，并根据其认购的条件缴纳股款。选任董事及监事，由被选任的董事及监事调查设立经过并向发起人报告。最后，进行设立登记，公司即告成立。

（二）募集设立

发起人认购部分股份后，剩余部分交由非发起人即募集股东来认购。募集股东认购的程序采取由募集股东以要式书面（股份认购要约书）发出认购要约，由发起人来分派要认购的股份的方法。认购股份之后，须缴纳股款。缴纳之后，立即召开由股份认购人组成创立大会，选任董事、监事，由他们调查设立经过，并向创立大会报告。设立过程中，只要没有变更章程或应废止设立的事情，进行完设立登记，公司即告成立。

（三）有变态设立事项的情形

有变态设立事项时，原则上由董事请求法院选任检查人，并接受被选任检查人的调查（商 299 条），但是，可以以如下方法代替之。

如果该变态设立事项为向发起人赋予特别的利益或支付报酬，或者支出其他设立费用时，可以由公证人的调查、报告来代替；将现物出资或者财产认购作为变态设立事项时，可以以成为现物出资或成为财产认购对象的资产的鉴定人的鉴定来代替。可以以公证人的调查、报告及鉴定人的鉴定代替的只限于检查人的调查，应将变态设立事项向法院报告，得到法院的审查，这一点与修改前无差异（商 290 条，299 条，300 条）。

（四）设立行为的概念

与人合公司相同，在股份公司设立中，也存在所谓设立行为的团体法上的法律行为。与人合公司的设立行为一样，股份公司的设立行为也指制定章程。有关详细内容，在公司一般理论中作为共同问题已论述过，在此免作说明。

四、股份公司的最低资本制

股份公司的最低资本，应为 5 000 万韩元以上（商 329 条，1 款）。这不仅是公司成立要件，而且也是公司存续的要件。因此，不能允许资本减少为 5 000 万韩元以下。

由于股东承担的是有限责任，因此在股份公司的运营中，保护公司债权人的问题是尤为重要的课题。为了保护公司债权人，确保公司的责任财产是很重要的，要想做到这一点，公司的设立者应当准备自己事业所需的资本之后才能设立公司。但是，实际存在很多以极其微小的资本设立的股份公司，恶用公众对有限责任制度和股份公司的信赖的例子。最低资本制是为了防止因股份公司的滥设、虚伪所造成的损害，提高股份公司制度的社会信赖而设定的。但是，在此可以提出如下问题：现行最低资本与目前的经济状况相比，是否相适应呢？根本上不考虑行业的多样性及规模的大小，一律要求同一金额的最低资本，作为保护债权人的方法，是否具有现实性？

五、发起人

（一）意义

发起人（incorporator, Promoter；Gründer），一般是指策划公司设立，主管其设立程序的人。但是，作为发起人被赋予法定权限和责任者，仅限于在章程上记载并签章或署名的发起人。因此，发起人在法律上可定义为："作为拟定章程并签章或署名者，并在该章程中作为发起人记载其姓名、居民身份证号和住所者"（商289条，1款、8号）。事实上，发起人的存在先行于一切设立程序，而在理论上是与拟定章程的同时产生，并不管其是否实际从事设立业务。

惟独在股份公司中设发起人的理由为：股份公司不同于其他公司，章程中未确定社员，但是有必要设置担任实际设立业务的机构，也需要承担资本充实的责任并在设立过程中承担对第三者的损害责任的主体。作为变态设立事项可以赋予发起人报酬或特别利益，从这一角度考虑，发起人制度也有间接促进股份公司设立的意义。

发起人作为设立中公司的机关，掌管设立事务，在公司成立时和公司未成立时，分别承担各种责任（后述）。

（二）发起人的资格和人数

发起人的资格不受限制，法人也可以成为发起人，无行为能力人也可以成为发起人。发起人要作出制定章程，认购股份等法律行为，而无行为能力者受到有关行为能力限制的一般法理的适用。在设立过程中，就发起人的任务和责任的性质上看，发起人的地位不能转让，即使是发起人死亡，也不得继承其地位。

发起人应为三人以上（商 288 条）。应充足三人以上的发起人数，如不足，则成为设立无效的事由。1995 年修改之前规定为七人以上，但是事实上无需有那么多的发起人。修改法中作为简化设立程序的方法之一，将发起人数降低为三人，之所以规定为"三人"，是因为一方面要维持公司的社团性（二人以上），另一方面不让发起人在意思决定上产生交错状态的奇数（单数）中最小的数字为三。从公司设立开始，就允许一人公司是世界立法的趋势，而且在公司设立的实态中可看出，实际上是一人公司却借用他人名义来填充发起人人数的现象为相当普遍。因此，应该废弃对发起人数的限制。

发起人的人数应为三人，但因死亡，无行为能力等原因，有效人员少于三人时，则同样可以成为设立无效事由。在这种情形下，不得以追加人数来速行设立程序，应从制定章程起重新开始为宜。但是，即使部分发起人死亡或无资格，其有效人员仍为三人以上时，则应视为可以运行设立程序。

三人以上这个要件应维持到何时？应该从章程制定时起至公司实体完成时止，这种看法较妥当的。即发起设立时，应该维持到对设立经过的调查程序终了时止，募集设立时，应维持到创立大会终了时止。在此之后，因有关发起人个人所发生的事由，将设立变为无效者，无论是出于企业维持的理念，还是出于保护利害关系人，均为不可取的。

（三）发起人合伙

发起人之间因有意思的沟通，直至以公司的最终成立为目的而达成协议，从而发起人合伙即告成立。发起人合伙是民法上的合伙，应适用民法上的有关合伙的规定。制定章程，股份认购等公司设立所必需的发起人的一系列行为，应以合伙契约的履行来为之（通说）。

在此，应将发起人合伙与设立中的公司相区别。设立中的公司是制定章程后（有的学说认为是认购股份后）至设立时存在的社团性的存在，具有公司法上的效力；而发起人合伙是发起人相互间的内部性契约关系，其本身与设立后的公司或者设立中的公司没有直接的法律上的联系。起初，认定发起人合伙概念的实际意义在于：以公司设立为目的的数人间的合意的确存在，有必要对此认定个人法上的约束力，并以此来规范他们在进行设立事务时的业务执行方法，明确对外责任的归属形态。

（四）发起人的意思决定方法

发起人的业务执行，虽有应独立进行的事项，但是在公司法中明文规定的业务是都应由全体发起人共同进行的事项。关于须由发起人共同进行的事项的意思决定，依有关合伙的意思决定的一般原则，由发起人的过半数来进行（民706条，2款。例如：募集设立时，对募集股东的股份的分派等，应依过半数决议为之）。

但是，明文规定，像制定章程（商289条，1款），股份发行事项的决定（商291条）等须经全体发起人的同意；虽然没有明文规定，但是像各发起人将认购的股份的分配（商293条），从其性质上看，也应视为须经全体成员的同意。

在发起设立中选任董事、监事时，应向发起人认购的股份赋予表决权，并依其表决权的过半数来决定（商296条）。在这种情形下，并非作为发起人进行业务执行，而是行使出资者的股权，因此，应依资本多数来决议。

六、设立中的公司

（一）意义

公司，一经设立登记而成立，但其实体并非进行登记时突然出现，其组织是逐步产生并完善的。从着手于公司设立而形成某种程度上的实体时起至进行设立登记时止，认定其社会实在性，学理上称之为"设立中的公司（Grün dungsgesell schaft）。设立中的公司是将要成立的公司的前身，尽管其不具有法人格，但在一定的范围之内，具有权利能力，实质上与公司是同一实体（同一性说：通说）。在任何一种公司，在其设立登记前会存在设立中公司，但是，其他公司的设立程序是比较单纯的，在短期内可以结束。对这些公司谈论设立中公司的实际意义不大。因此，这主要是在设立程序复杂、又需要长时间的股份公司中，才能成问题。

设立中的公司，是为了主要说明在股份公司的设立过程中，发起人为了公司设立而取得的权利义务，不归属于发起人等出资者，而归属于成立后的公司的关系而被认定的。若无设立中公司这一概念，那么，在设立程序中发起人为公司而取得的财产（例如：缴纳的股款，移交的现物出资资产），首先应归到发起人名下，待设立登记完毕后，须经由发起人向公司移转的手续。这种程序，不仅没有经济性，而且，向公司出资的财产成为发起人个人债务的责任财产的一部分，从而会出现要服从于其债权人的强制执行的问题，还有通过认定设立中的公司可以说明，有关在设立以前被选任的董事、监事可以不另经其他程序而成为成立后的公司的机关的事宜。

（二）性质

有的学说认为，设立中的公司是合伙。通说则认为，像在民法学上将设立中的社团法人视为无权利能力的社团那样，设立中的公司视为无权利能力的社团。这是因为，它有根本规则（章程），可将发起人或者股份认购人视为其组成人员，可将发起人视为执行机关，从而具备无权利能力社团法人的要件。判例也认为发起人是设立中公司的"机关"，可见，判例也采纳这种立场（大法院 1994. 1. 28 判决）。

对此，少数说根据德国的学说和判例则认为，设立中的公司既不是合伙，也不是无权利能力的社团，当然也不是法人，而是一种带有特殊性质的团体，即独立的组织形态（eine vereinigung sui generis；eigenständige organisationsform）。其理由是：合伙或者无权利能力的社团是力图达到持续性的目的，即终局性的目的，与此相反，设立中的公司本身并不具有终局性的目的，仅仅是一个过渡到这个终局性组织形态过程中的法律现象。因此，设立中公司除了没有法人格这一点之外，与将要成立的公司具备同一的实体。在有关成立后公司的商法及章程的规定中，不以法人格（设立登记）为前提的规定，均适用于设立中的公司。

但是，对上述说法，产生如下疑问：

第一，在民法上无权利能力的社团，并非全部以其本身为终局性的。尽管在无权利能力的社团中，也有无取得法人格的意思，以停留于无权利能力的社团而知足的社团，但也有因取得法人格失败或还未取得法人格而停留在一个过程中的社团。将这些团体也视为无权利能力的社团，这是民法上的通说。总之，决定其是否为无权利能力的社团，在于该团体是否有实体，而不依其组成员的主观意思（即将其状态作为终局性的存在形式，还是只认为它是一个过程的意思）来决定的。

第二，虽然少数说认为将要适用于成立后的公司的商法及章程的规定中，不以法人格为前提的规定均适用于设立中的公司，但是实际上，在商法及章程的规定中，也有很多在其性质上与设立中的公司无关的规定，例如，股份的转让，新股或公司债的发行，资本的减少，公司的计算，解散等规定。因此，实际上能够适用于设立中公司的只有有关机关的组成和运营，业务执行方面的规定。但是关于这一点，商法上另有规定。例如，创立大会的运营，董事、监事的选任等规定。又明文规定发起人的固有权限，因此关于设立中公司的业务执行，没有适用有关成立后公司的规定的余地。

认定设立中公司的理由在于：如上所述，为了说明发起人以成立公司为目的而取得的权利，义务不归属于发起人或者股份认购人，而归属于设立中的公司，设立后又不经其他继承程序直接归属于成立后的公司的原理。为了选择与成立后的公司相关的最为适当的实体，即设立中公司的权利归属形态，将它解释为无权利能力之社团。私法上，对非法人团体的所有形态，只承认合有和总有，如果像少数说所称那样，将设立中公司解释为不是无权利能力的社

团，那么就无法说明公司成立前的所有形态，其结果等于否定设立
中公司的概念或会丧失认定设立中公司的实际意义。

（三）成立时期

关于设立过程中的诸阶段中，何时产生设立中公司的问题，有
三种说法：（1）制定章程时说；（2）认购发行股份总数时说；（3）
折中说，即发起人认购一股以上时说。

上述（2）学说是以德国股份法上的由发起人认购全部股份时，
公司方可"创立"（errichten §29AktG）为根据，并以在法定最低资
本制下，若无最低资本金，公司就不可能设立为理由，视为即使发
起人各认购一股也无意义，从而只有认购股份总数时，设立中的公
司才能成立。

德国股份法里，只有发起人设立。章程经公证人的认证方可确
定，同时确定各发起人的股份认购（§§2，23 Abs．1，2 AktG）。
即发起人认购发行股份总额的时期为确定章程的时期。这样，在德
国，制定章程、发起人认购股份、发行股份总数的认购，均为同时
完成，因此，无学说上的对立。这对不同制度的韩国来说，在解释
上并没有参考价值。韩国商法上的股份公司，若未全部认购章程所
定的"设立之际所发行的股份的总数"就不得设立（商 301 条）。
这一点，在最低资本制实行的前后均无变化。还有，最低资本制是
指章程中应记载的"设立之际所发行的股份总数"须达到 5 000 万
韩元以上，而并非是对公司的成立时期或"设立中公司"的成立时
期赋予新的意义。有关设立中公司的成立时期的争论，与引进最低
资本制是毫无相关的。

在韩国，大多主张发起人认购股份一股以上时说。其理由大体
上是：仅依制定章程连部分组成员都未确定，因此很难将其视为无
权利能力的社团，而如果发起人认购股份，至少能够确定部分组成
员，就可以认定将要发展成股份公司的团体形式。判例的立场也相
同（大法院 1994．1．28 判决）。

正如通说所认为的，在判断设立中公司成立时期中，若将重点

放在能够确定部分组成人员方面，那么，认定发起人认购一股以上时是否妥当，本人对此持怀疑的态度。"发起人认购股份一股以上时，"在发起人设立的情形下是指发起人认购全部股份时；在募集设立的情形下是指在募集股东认购股份之前发起人认购部分股份时。在前者的情形下，由于发起人认购全部股份，可确定全体组成人员，而在后者的情形下，只能确定部分组成人员。认定设立中公司中，无需确定全体组成人员，这一点与通说的观点是相一致的。但在此应注意到的是，在制定章程时已确定过全部或者部分组成人员。这是因为，在商法上，发起人必须认购股份（商 293 条），而发起人是由章程来确定的。只是尚未实际认购股份，未定将要认购的股份的数量，这一点与"发起人认购股份时"有些差异。但对于判断是否已具备其组成人员，股份认购的数量不成为问题；即使尚未认购股份，但与后面实际认购的人在其人员范围是相一致的。因此，尚未形成股份认购的事实，并不对设立中公司的社团性产生影响。

如果说认定设立中公司的实际意义在于：要说明因设立登记之前的发起人的活动而产生的权利、义务归于设立后公司的关系，那么，这种必要性是在制定章程后发起人认购股份之前也存在（例：章程上记载变态设立事项，在认购股份之前发起人承担有关设立费用的债务的情形）。另外，发起人认购股份的确已经预定，因此制定章程时算是已确定部分组成人员，所以设立中公司是在制定章程时已成立。由此可见，（1）说法是正确的。

（四）设立中公司的法律关系

1. 无权利能力社团理论的适用范围。民法学上，通常将无权利能力社团的法律关系分为内部关系和外部关系，并分别基于社团性规律来说明之。将其内部关系说明为：依社员大会的多数决形成意思，并由社员大会选任的业务执行机关来执行业务。将外部关系说明为具有准于社团法人的权利能力、行为能力、侵权行为能力，由代表机关来行使无权利能力社团的对外行为等。

但是，这种有关无权利能力社团的法律关系的理论，对于设立中的公司来说几乎毫无意义。因为设立中的公司在设立登记以前，是限时性的，又抱着极其有限的目的而存在，这与具有长期的社团性而存续的一般非法人社团的法律关系，在其性质上是不同的。因此，商法将设立中公司的法律关系，在履行公司设立程序的极其有限的范围内予以认定，对其所需事项进行自足性地规律，即关于设立中公司的业务执行，以有关发起人业务执行的法律规定来规范其范围和方法；相当于社员大会的机关到了设立程序的完结阶段才认定其组成，使其对部分有限事项（例：董事、监事选任，设立经过调查等）进行决议。因此，关于一般性没有权利能力之社团之内部关系的法理，对于设立中的公司没有适用的余地。

外部关系中也如此。发起人能够代表设立中公司的行为，只限于为公司设立而为的行为，因此，设立中公司与第三人的法律行为限于与募集股东的股份认购契约，与缴纳股款保管银行之间的存款契约等几种，其效果也被法定化。尤其是，设立中公司所承担的债务限于作为变态设立事项规定设立费用等的情形，并限于公司设立的情形下，公司才承担履行责任，如果公司不成立，要归于发起人个人的责任，设立中公司并不承担责任（商326条）。于是，在外部关系中无权利能力之社团的法理并非一般适用。

因此，设立中公司的法律关系为：发起人履行公司设立的行为，由设立中公司取得的权利、义务，这暂时归属于设立中公司的总有，待公司一经成立，不经其他转移行为，而归属于公司。这种效果，仅限于发起人作为设立中公司的机关而作出的行为（通说）。发起人个人的行为，发起人合伙的行为，不具有此种效果。结果，设立中公司的权利能力范围与发起人为设立公司而能做到的行为的范围相一致。

2. 发起人权限的范围。发起人作为设立中公司的机关能实施的行为有哪些？换句话说，在发起人为设立中公司所实施的行为中，其效果当然归属于成立后的公司的行为限于何种范围？对此有不同的看法：（1）限于将公司设立本身作为直接目的的行为之说；（2）为公司设立法律上、经济上所必需的行为也包括在里面之说；（3）为公司成立后的开业所作的准备行为也包括在里面之说，有判例认为，将为设立后公司的营业与第三人缔结的汽车组装契约也视为发起人的权限之内的行为（大法院 1970. 8. 31 判决）。

为公司设立法律上、经济上必需的行为，因其范围很模糊，容易导致发起人的权限滥用；至于开业准备行为，鉴于作为其一种的财产认购作为变态设立事项受限制，只要章程上没有根据就不允许。本来，公司设立事务属于发起人固有的职能，从公司设立的法制中明显可以看出，要抑制发起人滥用这种地位的意思，所以（1）的说法是妥当的。而且，公司不成立时，应将所有对外法律关系恢复原状，为了减少由此带来的混乱，也应限制发起人的行为范围。

3．诉讼当事人能力和登记能力。民事诉讼法认定无权利能力社团的当事人能力（民诉 48 条）；不动产登记法认定登记能力（不登 30 条）。

设立中公司在股份认购人不履行出资时，有时不办理失权程序而直接诉求，因此，应该认定当事人能力。设立中公司取得不动产的情形，就是将不动产作为实物出资而接受，此外的情况很难考虑（参照上述（1）说）。但是，以不动产现物出资时，只是交付移转登记所需的材料，并不要求移转登记（商 295 条，2 款）。因此，很少有实际登记的例子。

第二款　章程的制定

设立股份公司的第一阶段是由三人以上的发起人制定章程，并签章或署名（商 289 条，1 款）。署名指亲笔记名。章程，经公证人的公证才能发生效力（商 292 条）。

章程的记载事项有绝对记载事项，相对记载事项及任意记载事项三种。

　　绝对记载事项，是指商法作为章程的有效要件而规定的事项，如果欠缺这些事项或者其内容违法，章程就成为无效，并成为公司设立的无效事由。商法为了保护股东等利害关系人，将设立之际起应该确定的事项规定为绝对记载事项。而相对记载事项是指即使不记载于章程中，也不影响章程的效力，但为了使该事项有效，就必须记载于章程的事项。例如，现物出资即为相对记载事项，不进行现物出资时，没有必要记载于章程中，但如果章程中不记载，则不得现物出资。相对记载事项一旦记载于章程中，则产生与绝对记载事项同等的约束力。此外，任意记载事项与上述两种记载事项都不同，是为了方便起见，在章程中表明的事项。

　　英美法上将章程区分为基本章程（certificate，charter，articles of incorporation）和附加章程（by - Laws）。前者规定商号、设立目的、资本、发起人等公司基本事项，其修改也受到严格的法律规制。而后者则主要规定有关大会、董事会的召集、盈余分派等公司运营的事项，其修改依股东大会及董事会决议可以做得容易。韩国商法上没有上述区别，所有的章程记载事项具有同等效力。

　　设立时确定的章程，设立之后，可以依所定程序变更（商434条）。有关章程的性质（自治法）与其制定行为的性质（设立行为）已介绍过，因此在此不再说明。

一、绝对记载事项（商289条,1款、1号~8号)和授权资本制

（一）绝对记载事项

　　股份公司的绝对记载事项有：（1）目的；（2）商号；（3）公司要发行的股份的总数；（4）每股金额；（5）公司设立时要发行的股份的总数；（6）总公司所在地；（7）公司的公告方法；（8）发起人的姓名、居民身份证号及住所。

　　下面，要逐项说明。

　　1．目的。

　　1）目的是指公司将其作为存在理由并要进行的事业。对股东来说，它是出资的动机。对董事来说，它揭示董事应要履行的业务执行的积极及消极的范围。当董事作出违背其目的的行为时，承担损害赔偿责任（商399条），同时成为解任事由（商385条）和留止请求权（商402条）的对象。对于第三者来说，目的成为在以公司为对象进行的交易中，能够预测公司的反对给付范围的标准。

另外，采取将公司的权利能力限于目的范围之内的立场时，章程上的目的成为确定公司权利能力范围的标准（已述）。

2）商法中，有不少以营业的种类为基础进行的法律规制。例如，公司的董事、商业使用人等对于公司的营业范围承担竞业禁止义务（商17条，397条）；营业转让人对于同种营业承担竞业禁止义务（商41条）；他人已登记的商号，不得在同一地区登记为同种营业范围内的商号（商22条，53条，60条，61条，62条等）。将这些规定适用于公司时，以公司的目的为标准来判断其营业范围。

3）公司是以商行为及其他营利作为其目的，因此，公司的目的事业必须是能够实现营利性的。例如，像"我国传统文化的研究，普及"或者"英才教育"等与营利无关，不能成为目的。

4）能够实现营利性的均可，其范围并没有限制。但是，违法行为，违反社会秩序的行为，当然不能成为目的事业。

5）为了达到上述（1）所说的宗旨，目的事业，应带有能够赋予利害关系人预测可能性程度的具体性。例如，不允许规定为"商业"、"服务业"、"工业"等统称。但是，提示具体的目的事业之后，又附上"其他附带的事业"的，可以视为依主要目的而确定"附带事业"的范围，所以应该是有效的。

6）目的事业，可以是多个。如今，公司为了预防有关目的事业范围的是非，减轻投资新的事业时要变更章程的麻烦，从一开始将公司可能要做的事业列举成数十种的倾向。

2．商号。商号为表示公司同一性的名称。自然人因有自己的姓名，即使无商号营业也无妨，但是，公司没有商号则无法表示，所以必须有商号。股份公司在商号中必须记入"股份公司"的字样（商19条），依特别法得到认可、许可的营业，在商号上应表示其行业。

3．公司将要发行的股份总数（后述）。

4．每股的金额（票面价）。股份公司的资本分割为股份，因此，股份具有资本的分数性意思的同时，也具有其本身的金额。这种每股的金额为票面价，必须记载于章程中，所有股份必须均等（商329条，3款）。于是，票面价乘以发行股份总数，即为资本。

票面价，从其为资本的构成单位来讲，是抽象的价格，因此应与实际发行股份时，公司作为股份的认购对价所提示的发行价相区别。在资本维持的原则下，不得低于票面价发行股份（商330条，例如：商417条）。超过票面价发行股份的时候，其超过的金额，不构成资本而成为资本公积金（商459条，1号）。

5．公司设立时发行的股份的总数（后述）。

6．总公司所在地。总公司，是指主营业所。主营业所是指整个公司营业的指挥场所。总公司所在地应记载于章程上，有时候，章程上只记载名义上的场所，实际上的主要营业所在别处（例如：为了减少地方税的负担，将总公司设在税率低的地方，而实际营业在大城市进行的公司），在这种情形下，法律上具有重要意义的，不是实际上的主营业所，而是章程上的总公司所在地。即在法律上以总公司所在地为连结点所展开的法律关系，应以章程上的总公司所在地为准。

总公司所在地为公司的住所（商171条，2款），是公司接受意思表示。通知的受领地，是登记及各种公司法上的诉讼中管辖的标准（例：商328条，2款→186条），它制约股东大会的召集地（商364条）。因此，总公司所在地应在国内，并要单一，同时应以最小的行政区划单位及地域番号来特定。

7．公司的公告方法。在公司的法律关系中，有很多是应向股东、债权人等利害关系人予以公示的。因此，为使利害关系人适时知晓公示事项，应在章程中确定公示媒体。商法规定，公司的公告应登载于官方报纸或者有关的时事事项的日报上（商289条，3

款）。因此，章程中也应特定官方报纸或者日报。所以，揭示在广播或一定场所的，不能成为公告方法。

规定两个以上的日报也无妨，但是为了选择利用为目的而记载的是无效，必须载于日报上，因此周刊、双日刊等均不能成为公告的媒体。

必须是刊载"时事"新闻的日报。即使是日报，但那些主管特殊技术（例：电脑杂志），娱乐、趣味（例：体育专门杂志），产业和专业性（证券市场杂志、租税专门杂志、农水产业专门专业杂志）的记事新闻及特定团体成员的报纸（例：公司社报，同窗会杂志），均除外。如果是报道社会一般人时事的报纸、即使其销售限于局部地区（地方报纸），作为公告方法也是无妨的。

8. 发起人的姓名、居民身份证号、住所。发起人制定章程并签章或者署名，因此也应记载签章或者署名的发起人的姓名及住所。发起人为法人时，只记载其商号（非营利法人是名称）即可。

章程中记载发起人之后，因发起人成为历史性的存在，即使公司设立后该发起人死亡也无需变更章程，并且发起人的姓名、居民身份证号、住所，均不能成为变更对象。

（二）授权资本制

章程中不记载资本，只记载与资本有关的事项：(1) 公司将要发行的股份总数（预定发行股份总数）；(2) 每股金额；(3) 公司设立时发行的股份的总数。这些事项具有重大意义，公司设立时，实际发行的是 (3)，发行 (1) 的 1/4 以上即可（商 289 条，2 款）。资本是发行股份的票面总额（商 451 条）。因此，公司设立时的资本为 (2) × (3)。

1. 指的是什么？公司设立之后，在不变更章程的情况下，能够发行的股份数的最大值。即在 ｛(1) — (3)｝ 的范围之内，不重新变更章程，可以发行股份。在商法中，新股发行属于董事会的权限事项（商 416 条正文），需要新的资金时，在预定发行股份的总数范围内，董事会可以不经章程变更或召集股东大会，灵活发行新股，筹措资金。

二、相对记载事项

（一）变态设立事项

相对记载事项虽然散在于商法的各个部分，但是，在设立之际，容易被发起人滥用，有可能害及资本充实的下列事项（即所谓"危险的约束"），作为变态设立事项（qualifizierte Gründung）应记载于章程中。（1）赋予发起人的特别利益；（2）现物出资；（3）财产认购；（4）设立费用及发起人的报酬。为了实行上述事项，不仅将其记载于章程中，也应记载于认股要约书上，以便让募集股东们知晓（商302条，2款、2号），并接受另外的检查程序（商299条，1款、1号、299条，之2、301条）。

1. 发起人的特别利益。发起人要享有的特别利益及享有此特别利益者的姓名为变态设立事项（商290条，1号）。这种利益是指因承担公司设立失败的风险及承办设立事务的功劳而得到的利益。例如，利用公司设备的优惠，新股认购的优先权，与公司继续交易的约定等。但是，不允许像那些对发起人所有的股份支付确定利息，免缴纳，无偿股的交付等，违反资本充实的利益，或像股东大会上决议之特权，优先利益分派等，违反股份平等原则的利益。不仅如此，将董事、监事的地位作为许愿也违反团体法上的秩序，也是不允许的。

2. 现物出资。[1] 现物出资者的姓名、其标的——财产的种类、数量、价格和对此要赋予的股份种类和数量也是变态设立事项（商290条，2号）。

1）意义：所谓现物出资（Sacheinlage）是指将现金以外的财产作为出资的标的。现物出资一方面可使未持有现金者，避免因为出资而变卖财产所产生的损失；另一方面，如这些财产为公司设立后

---

〔1〕 韩、日商法上的现物出资与中国公司法上的实物出资不完全一样，现物出资的范围比实物出资的范围更广一些，这一点要注意——译者。

须购进的财产，且出资者正好有之，那么该出资者就可以直接出资
其财产，从而可以省略出资者以现金出资，公司再向出资者购入财
产的双重交易的烦琐。这就是现物出资的长处。但是，出资的财产
评估为现金，并发行为股份，构成资本，在此过程中，可能会产生
以无价值的财产出资或者过高评估出资的财产，害及资本充实之现
象。因此，在现物出资中，应交出真正有价值的财产，发行符合其
价值的股份。从这个目的上讲，商法将现物出资规定为变态设立事
项，进行各种规律，图谋出资的公正性。但是，发行新股时的现物
出资，不需记载于章程，如章程中另无规定，董事会就可以决定之
（商 416 条，4 号）。

2）性质：有些学说认为，现物出资的性质是代物清偿、买卖、
（与股份的）交换等，但是这些均不准确。将现物出资视为商法所
规定的出资的一种形态即可，无需在原有典型契约的框架上生搬硬
套。因此，不能以出资标的的财产价额超过股份认购额为由，向现
物出资者支付现金。

由于经现物出资财产权归属于公司，带有双务、有偿契约的性
质，所以应类推适用民法上有关风险负担，瑕疵担保责任等规定
（民 537 条，570 条以后）。

3）出资标的：关于现物出资的标的，除了现金以外的，可以
转让并可记载于资产负债表中资产部分的财产，均可以成为其标
的。动产，不动产，债券、票据等有价证券，无形财产权，其他公
司的股份，商号，营业上的秘诀，营业本身及契约上的权利或有财
产价值的电脑软件（soft　ware）也可以成为出资标的。但是，在股
份公司这样的纯粹的资本团体中，财产的价值并不明确，不能立即
现实化的劳务出资或信用出资是不能或为出资标的的（无异说）。

4）出资资格：在 1995 年修改之前的商法中，在股份公司设立
时，只有发起人才可进行现物出资（修改前的商 294 条），但在修
改法中废止了这种限制。修改之前，将现物出资资格限于发起人的
理由在于，想让现物出资者承担发起人的资本充实的责任，但是，

实际上，无论是由谁来进行现物出资，发起人均要负责资本充实责任和损害赔偿责任。因此无需将出资者一定要局限于发起人，所以将其废止。

5）现物出资的不当评估：现物出资被过高评估时，应依后述的有关现物出资的调查程序，予以纠正。但如果在尚未纠正的状况下，完成设立登记时，应依该不当评估的程度，具体、妥当地解决其效力。如果不当评估的程度轻微，则可以依追究发起人和董事、监事的损害赔偿责任来解决（商322条，323条），但如果其程度较重，对资本构成带来仅依追究发起人、董事、监事的责任而难以弥补的程度的缺陷时，可将该现物出资视为无效。

6）现物出资的履行：现物出资时，应在缴纳期内不得迟延地履行实物出资（商295条，2款、305条，3款）。这里的履行是指按出资标的物财产的种类，依权利移转方式，转移财产权。例如，动产则移交，有价证券则采取背书，交付等方法，债权则应具备类似通知、承诺等对抗要件。不动产及其他须登记、注册的财产，应以设立中公司的名义登记、注册，但是因为在公司成立之后，重新以公司的名义进行登记、注册比较麻烦，另外，公司设立也并非已确定，所以商法规定备齐并交付登记、注册所必须的文件（商295条之2、305条，之3），将此规定准用于新股发行时（商425条）。移交、文件的交付等移转行为，应向发起人代表为之。

设立时，现物出资的财产权暂时归属于设立中公司，待公司成立后不经特别程序，转为公司财产（通说）。

现物出资不能履行时，不管是属于原始性的，还是后发性的，均可以变更章程，速行设立程序。履行迟延时，当然可以强制执行，但也可以如同不能履行时，变更章程，速行设立程序。

3．财产认购。发起人与特定财产的所有者约定，公司成立后公司将其财产受让，这是变态设立事项，应将其财产的种类、数量、价格和受让人的姓名记载于章程上（商290条、3号）。

1）意义：财产认购（sachübernahme）是指发起人可以代表设

立中公司与特定人约定，公司成立后公司受让特定人一定的财产的行为。根据这个约定，成立后的公司承担受让该财产的义务。本来，发起人只能实施为公司设立的行为，不能作出属于成立后公司的活动范围内的行为，这是一个原则，但是为了成立之后连续性地履行目的事业，允许财产认购（换句话说，商 290 条，3 号中也包括允许发起人认购财产的意思）。

但是，发起人会滥用其为设立中公司机关的地位，约定不公正的财产认购，有可能给成立后的公司带来经济负担的同时追求自己的私利。不仅如此，财产认购也有可能在回避对现物出资的制约的同时，实质上是为达成现物出资的目的而行使。例如，A 想以不动产来现物出资，但是如果进行现物出资，要接受法院检查人的调查，或要经过鉴定人的鉴定，比较麻烦。因此，A 与发起人约定，先以现金出资，待公司成立后由公司受让 A 的不动产，其结果与 A 以不动产现物出资是相同的。为了防止这种情况的发生，商法规定，财产认购也与现物出资相同，将其作为为章程上的变态设立事项，并要经过检查人的调查程序或鉴定（商 298 条，4 款、299 条，2 款、310 条）。

1995 年修改以前，公司设立时，对现物出资者的资格及检查程序是比较严格的，作为其回避的方法，广泛利用财产认购的方法。而在修改法中，大大缓和了现物出资者的资格检查程序，财产认购的动机大大缩小，但现物出资仍需要通过鉴定人的评估作价的程序，估计仍会发生为回避这些程序而财产认购的例子。财产认购如上所述，应记载于章程上，要经过调查程序或评估程序，但是虽然不具备上述要件，其设立登记不受影响。因此，过去有过隐匿财产认购的约定而设立之后立即实行的例子（大法院 1994.5.13 判决）。修改后，这种可能性是仍然会存在的。

2）当事人、标的：财产认购时，对其转让人没有限制。发起人、股份认购人当然可以成为转让人，除此之外的第三人也可以。认购契约，由发起人代表设立中的公司签订，如果设立后由代表董事签订、或者设立之前由非发起人的董事、代表董事签订，则不是财产认购（大法院 1989. 2. 14 判决）。

像现物出资时那样，只要能资产负债表中记载，任何财产均可成为财产认购的标的物，动产、不动产、有价证券、无形财产权、商号等当然可以成为标的物，像营业秘诀那样的有财产价值的事实关系或者营业的全部或部分也可能成为财产认购的对象（通说）。认购债务，当然不能成为财产认购，但是像营业受让时那样，与积极财产相结合时应被允许。

3）财产认购的效力：财产认购记载于章程中，并经过检查人的调查或鉴定人的鉴定等法定程序时，成为设立中公司的有效行为，成立后的公司将取得契约上的地位。

未记载于章程而进行的财产认购为无效。设立前被选任的董事、代表董事、设有代表公司的权限，不管是在章程上已记载与否，他们作出的财产认购的约定是无效的。

有的学说认为，未记载于章程而进行的财产认购，属于发起人的无权代理，依民法第 130 条以下的规定，可以予以追认，而将成立后的公司准于事后设立，可以以特别决议追认，追认后对方则不得主张其为无效。但是，这种解释，不仅没有实定法上的根据，而且因为财产认购契约是由发起人缔结，而公司设立后的股东大会决议实际上也是发起人作为大股东来控制，如果可以以股东大会的决议予以追认，那么其结果会使规定变态设立事项的商法第 290 条的宗旨失去意义，所以很难赞成。

4．设立费用等。公司要承担的设立费用及发起人应得的报酬额，也属于变态设立事项（商 290 条，4 号）。

1）设立费用：设立费用，指进行公司设立程序所需的费用。例如，办公室租赁，通信费，章程、认股要约书等的印刷费，募集股东的广告费，使用人的报酬，代收缴纳款的银行手续费等。成立后的公司业务所需的工厂，建筑物，办公用具等购置费，属于开业准备费，不包括在设立费用之中（通说）。为准备开业而借入的现金也不得包括在此。设立费用是为成立公司组织而支出的费用，原则上以公司的资本来承担。但是，会存在发起人滥用权限而过多支出的风险，为了资本充实，以变态事项来规定的。所以，因设立登记而交的注册税那样，从其性质上看，发起人的裁量无法介入的费用，不论其是否章程上已记载，均应由公司来承担。

未记载于章程而支出的设立费用，不得向公司求偿，应由发起人个人来负责。从不当得利和无因管理的规定来看，也应视为不得向公司请求。公司也不能以股东大会决议等的方法来追认其支出。

即使已记载于章程中，但也不能免除发起人关于该支出的责任。如该支出违法、不当，则发起人应当承担赔偿责任（商322条，1款）。对于正当支出的设立费用，如果公司终未成立，发起人也要承担责任（商326条，2款）。

将设立费用记载于章程时，无需逐项记入支出明细，仅记载总额也可以。

2）发起人的报酬。发起人的报酬得指发起人为设立事务而提供的劳务的代价。商法将发起人的报酬与设立费用区别规定。因此，这种报酬不包括在设立费用之中，这与作为设立功劳而得到的"发起人的特别利益"（商290条，1号）也是不同的。发起人的报酬是发起人作为设立中的机关而提供的劳务的代价，所以其原因发生于设立之前，应由设立中的公司来负担（即使是在设立之后支付也可以），而发起人应得到的特别利益，是对创立公司的功劳而给予的，在公司成立时发生，并由成立后的公司来承担其债务。发起人的报酬有可能过多支出而害及资本充实，因此须记载于章程中。

设立费用和发起人的报酬，可以以顺延资产计入，5年之内，在每个决算期，都要折旧均等额以上（商453条）。

（二）其他相对记载事项

作为相对记载事项，记载于章程中才可发生效力的，除了变态设立事项以外，还有很多例子。发行数种股份（商344条，2款），转换股份的发行（商346条，1款），无记名股票的发行（商357

条，1款），董事任期延长至大会终结为止（商383条，3款），资格股（商387条），由股东大会选任代表董事（商389条，1款、但书），董事会召集期间的缩短（商390条，2款），新股发行事项的决定（商416条），第三人的新股认购权（商418条，1款），建设利息的分派（商463条，1款）等均为相对记载事项。

第三款　资本与机关的构成

股份公司要求章程制定之后设立登记以前确定出资者，让他们缴纳资金，使公司资本现实化，从而完备作为资本团体的实体，并组成机关，打好活动基础的程序。资本形成的方法有发起设立和募集设立两种方法，[1] 前者为发起人全额认购股份的方法，而后者为发起人和非发起人同时认购股份的方法。要发起设立，还是要募集设立，这并非属于章程中记载的事项，而是根据发起人的合意，可以任意选择。这种合意，应该是发起人全体的合意。1995年修改之前，由于发起设立要经法院选任的检查人的设立经过调查，比较烦琐，几乎都不被利用，但是，在修改之后的发起设立，无需经法院的调查，青睐募集设立的理由已消失。反过来，募集设立，需使用认股要约书，组织创立大会，也比较麻烦。估计，今后会更多采取发起设立之方法。

不管采取哪一种设立方法，先要决定股份发行事项。

一、股份发行事项的决定

尽管公司设立时所发行的股份总数和每股金额，均由章程规定，但为了实际发行股份，应由发起人决定关于股份发行的具体计划。其内容有：（1）股份的种类和数量（商291条，1号）；（2）发行票面价值以上股份时，其数量和金额（商291条，2号）。"股份

---

［1］　关于设立方法各国的立法例都不一样。例如，日本与韩国一样，德国则只承认发起设立（日商170条、174条；§29AktG）。

的种类和数量”是公司发行优先股、普通股、劣后股或者转换股份和偿还股份时，具有其意义。这些各种股份只有在章程上有记载时，才可以发行（商344条，2款、345条，2款、346条，1款），而其具体数量，在章程规定的范围之内，发起人可以决定。公司设立时，不能发行低于票面价格的股份（商330条），而从资本充实的角度看，发行超过票面价格的股份是值得提倡的。发行价额的决定，也要依发起人的裁量为之。

公司设立时，发起人决定股份发行事项，这与新股发行时由董事会决定新股发行事项是相对应的。但是，后者经过半数董事出席并经出席董事的过半数来决定（商391条，1款），而前者因具有公司设立时资本形成的第一阶段的重要性，须经全体发起人的同意（商291条）。发起人的同意，应该于发起人从股份认购之前作出，但是设立登记以前，如有同意，瑕疵就可治愈（通说）。如果没有全体发起人的同意，就成为设立无效事由，全体发起人的同意，设立登记时应以添附文件来证明（非讼203条，4号）。

二、发起设立

（一）发起人的股份认购

发起设立，是指全部由发起人组成股东的设立方法，设立时发起人应认购要发行的股份的总数（商295条，1款）。股份的认购应依书面进行（商293条），此书面材料应在申请设立登记时添附（非讼203条，2号）。未依书面认购的股份无效（通说）。

1.法律性质。发起人的股份认购，是以发行股份总数的认购为前提，为此应有全体发起人的合意。履行其合意的标志为各发起人的股份认购。关于发起人股份认购的法律性质，通说认为，发起人的股份认购是设立行为，而设立行为又是合同行为，即以发起人的股份认购是依据全体发起人的意思合致而进行为由，说明设立行为为合同行为。其中，部分学说又认为，发起人的股份认购在章程制定之前作出也无妨。同时，通说又说明为，募集股东的股份认购是入社契约（后述）。

但是，如前所述，本人采纳发起人的股份认购为非设立行为的立场，下面，从这一立场出发探讨通说的妥当性。第一，通说一方面采取"设立行为＝章程制定和股份认购、"设立行为＝合同行为"的等式，另一方面又解释发起人的股份认购为合同行为，募集股东的股份认购是设立中公司的入社契约。这是相互矛盾的。第二，募集股东的股份认购和发起人的股份认购，均以公司成立后成为公司的股东为目的，由此引起的法律效果也是相同的。无需将同一法律现象，视为不同性质的现象。第三，采取合同行为说的学者们大部分都认为，从合同行为的性质上看，合同行为中不可能存在对方已知的非真意表示（民 107 条，1 款、但书），串通、虚伪表示（民 108 条）。但是，实际上，在发起人的股份认购中有可能存在这些问题（例如：以免债务、成为无资力为目的，伪装认购股份时）。

通说主张发起人股份认购为合同行为的理由在于：发起人之间存在关于股份认购的全体意思的一致。但是应该注意，与发起人的股份认购有关的法律行为有两种。其中一个是，关于如何分配各发起人将认购的股份的种类和数量，全体发起人达成合意或者制定章程以前，欲设立公司者之间达成合意；另外一个是发起人实际取得股份认购人地位的行为。通说似乎是将前者的合意视为股份认购，并以该合意要求全体发起人意思合致为由，认为股份认购是合同行为。但是，前者的合意，仅仅是设立公司的合伙人之间或者发起人合伙的合伙发起人相互之间的内部合意，不可能从此就产生取得股份认购人地位的团体法上的效果。因此，通说所称合同行为的发起人的股份认购，仅仅是欲设立公司的合伙人之间的出资合意（但是，这是多数人之间的契约，并非为合同行为）。

法律意义上的发起人的股份认购，是指制定章程后（通说是为了出资合意的履行而作为），以设立中公司为对象的契约（著者认为，章程制定时，设立中公司成立）。即，与募集股东的股份认购并无区别的对设立中公司的入社契约。

2. 认购时期。通说认为，发起人的股份认购在制定章程之前作出也无妨。但在这一时期，发起人的地位尚未产生，连章程也未制定也就意味着将要发行的股份也未产生。因此，在这一阶段中不可能有取得股份认购人地位的行为。发起人的股份认购应在制定章程之后进行。

3. 方式。发起人的股份认购，应依书面方式进行（商 293条）。即发起人的股份认购是要式行为。书面形式是指应记载发起人要认购的股份种类和数量、认购价格，并签章或者署名。募集股东的股份认购也要通过书面形式，即认股要约书，该认股要约书同时具有向募集股东公示有关公司设立的主要事项的意思，而发起人认购则没有这种意思，它仅仅是为了向对内外证明股份认购的内容。因此，无需每一发起人一一制作书面认购书，在同一书面材料上记载每一发起人的认购内容并由全体认购人签章或者署名也无妨。反之，在章程上应签章或者署名，因此将认购内容记载于章程中也无妨。

(二)　出资的履行

发起人认购设立时发行的股份总数时，应不得迟延地缴纳对该股份的全部认购价额（全额缴纳主义，商 295 条，1 款）。发起人应规定，代收缴纳款的银行及其他金融机关和场所，并到此处缴纳（商 302 条，2 款、9 号），其目的在于确保缴纳。1995 年修改之前，仅对募集设立时，规定缴纳金的保管机关；发起设立时，并没有对缴纳方法加以限制。因为在发起设立时，必须接受法院的检查，所以没有必要为了确保缴纳，另行规定缴纳金保管机关。但在修改以后，规定发起人设立时也不接受法院的检查，因此与募集设立时一样，以缴纳到缴纳金保管机关来确保缴纳。向缴纳金保管机关缴纳之后，发给缴纳金保管证明，该证明为设立登记时应具备的文件，依此可防止缴纳的不充实现象。

发起人认购股份而未缴纳时，不同于募集设立，没有失权制度，因此，只能限于诉求履行或公司不成立。但是，忽略它而进行设立登记时，如果不履行缴纳的部分很少，那么应由全体发起人连带承担缴纳担保责任（商321条，1款），如果相当一部分未缴纳时，则为设立无效之事由。

（三）董事、监事的选任

发起人对自己认购的股份履行出资以后，发起人应不得迟延地以表决权的过半数选任董事及监事（商296条，1款）。这种选任行为，并非作为发起人的资格，而是作为设立中公司的成员即出资者而履行的。表决权，不依人数主义，而是依持份主义所认购的每一股份都有一个表决权（商296条，2款）。发起人的决议相当于募集设立中的创立大会，但与创立大会的议决方法相比，是有所缓和的。

发起人应制作会议记录，记载会议的经过及其结果，并签章或者署名（商297条），这是以在发起人的实际会合中通过选任董事、监事决议为前提的。

董事、监事一经选任，就成为设立中公司的机关，公司设立的同时，又不经其他程序，直接成为公司的机关。在有些立法中，特别规定首任董事、监事的任期（日商256条，2款），但是韩国商法对此未作出规定。但以章程来规定也是无妨的。只是，不得长于商法第383条第2款中的任期（3年）及第410条中的任期。

（四）设立经过的调查

董事和监事就任后，立即调查有关公司设立的所有事项是不违反法令或章程中的规定，并向发起人报告（商298条，1款）。这种调查制度是在1995年修改事项中最为划时期的部分。修改之前，发起设立必须接受法院选任的检查人的调查（修改前的商298条），这正是规避发起设立的要因。但是，在修改法中，可以由董事、监事的调查报告来代替，这使发起设立变得容易些。

调查结果，如在设立上有违法或者违反章程的事项时，应予以纠正并继续设立程序；如有无法治愈的缺陷，就按公司不成立来处理。

在董事及监事之中，曾是发起人者，现物出资者，或者公司成立后受让财产的契约当事人者，不得参加上述调查及报告（商298条，2款），全体董事和监事有除斥事由时，为了追求调查的公证，董事应让公证人进行调查，报告（商298条，3款）。

（五）变态设立事项的调查

有变态设立事项时，为了资本充实，应进行更为客观的调查。因此，在修改法中，有变态设立事项时，除了依上述董事、监事的调查外，原则上还要接受法院选任的检查人的调查，但同时又打开了可由公证人的调查和鉴定人的鉴定来代替的途径。发起人会毫无例外地选择后者，因为它是更加简便的途径，因此，法院的检查人的制度，事实上会名存实亡的。

1．法院调查。

1）检查人的选任：有变态设立事项时，董事为了调查它，应请求法院选任检查人（商298条，4款）。

检查人，由法院选任，与公司（设立中的公司）没有私法上的委任关系，与法院有公法上的委任关系。所以，不能将检查人视为设立中公司机关。

2）检查人的调查及报告：检查人应调查变态设立事项（商290条）和有关履行实物出资的事项（商295条），并向法院报告（商299条，1款）。同时，向各发起人交付此调查报告的誊本（商299条，2款）。该调查报告也是设立登记时应添附的文件（非讼203条，5号）。此报告书中，如有与事实相违的事项时，发起人可向法院提出对此的说明书（商299条，3款）。

3）法院的变更处分：法院审查检查人的调查报告书和发起人的说明书后，如认为该变态设立事项不当时，可以变更，并向各发起人通告（商300条，1款）。"变更"是指从资本充实的角度，调整变态设立事项的内容。例如，"削减因实物出资的股份认购数，或者减少公司要承担的设立费用等"。对此变更处分，发起人和董事或者依通告变更章程而继续设立程序，或者即时抗告（非讼139条，3款），或者放弃设立。并且，对于变更处分有直接利害关系的发起人（例如，对实物出资的变更中实物出资的发起人）可以取消股份的认购，这种情形下可以变更章程继续设立程序（商300条，2款）。自法院通告之日起两周之内，若无取消股份认购的发起人时，可视为章程根据通告已变更（商300条，3款）。

2．公证人的调查、报告及鉴定人的鉴定。

变态设立事项向发起人赋予特别的利益（商290条，1号），或规定公司要承担的设立费用或者发起人的报酬（商290条，4号）时，可以以公证人的调查来代替法院的检查人的调查；若变态设立事项是有关现物出资或者财产认购时（商290条，2、3号），可以以公认的鉴定人的鉴定来代替（商298条，4款、但书，299条，之2）。按变态设立事项的种类，其调查者也不同的理由为如下：发起人的特别利益或者设立费用，应从法律的妥当性的角度来审查，而现物出资或者财产认购则应以经济合理性为其审查对象。因此，应分别安排适合的专家。

公证人及鉴定人是由发起人来选任，与设立中公司产生委任关系。

即使是以公证人、鉴定人的调查来替之，但也不得省略法院的审查。应向法院报告公证人的报告、鉴定人的鉴定结果（商299条，1款），经法院审查，认为该变态设立事项为不当时，也可以变更之（商300条）。

3．欠缺调查的变态设立事项的效力。

未记载于章程而实行的变态设立事项为无效。那么，虽然在章程中记载过，但未经必要的调查程序时，其效力如何？登记时，须提出有关的报告书及鉴定书，因此，实际上不经这种程序而进行登记的情况是很少见的。但是登记审查时，也有可能忽略调查程序的欠缺，或者是报告书等伪造的情况。过去判例认为，未经检查人的调查的现物出资并非当然无效（光州高等法院1979．12．17判决）。按照这种逻辑，不经调查程序而实行的变态设立事项，也不能算是当然无效。检查人、公证人的调查或者鉴定人的鉴定是属程序上的问题，不能认为其本身不会左右变态设立事项的效力，只是其内容不公正时，才应否定其效力。特别是现物出资不公正时，发生发起人的损害赔偿责任，如该缺陷显著时，可以导致出资或者设立的无效。

（六）代表董事的选任

代表董事为进行设立登记时应登记的事项（商 317 条，2 款、9 号），因此，必须选任代表董事。至于由谁来选任代表董事，没有明文规定。如同存立中的公司，原则上由董事会来选任代表董事那样，设立中公司也应由董事来选任代表董事，但是，章程中可另行规定（例如，由发起人选任）。

三、募集设立

募集设立不同于发起设立，第三人（募集股东）加入股东行列。由于发起人专门承办设立事务，因此，募集股东成为一种局外人（outssider）。于是，在募集股东的设立程序中，保护募集股东一事成为重要的一项课题。商法为了让募集股东知晓公司的内容，规定要约认股时，强制使用记载所定事项的认股要约书。又为了保护募集股东的利益，要求调查设立经过及选任股东时，须召开创立大会。

（一）发起人的股份认购

发起人必须认购股份（商 293 条）。即使是募集设立，发起人也必须认购股份。鉴于认股要约书应记载"各发起人认购的股份的种类和数量"（商 302 条，2 款、4 号），发起人须在募集股东要约认购股份之前进行股份认购。

（二）股东的募集

应募集认购发起人认购之后所剩股份的股东。将非发起人的股份认购者，一般称为募集股东。对其人数不加限制，一人也无妨；对募集股东将认购的股份数也没有最低限制，一股也可以。

募集股东，不管是采取公募方法，还是缘故募集方法，均无关系。只有在以 50 人以上多数人为对象进行公募时，才适用证券法，须另行向证券管理委员会申报有价证券等程序（证法 8 条）。事实上，大部分公司在设立时，依缘故募集来募集股东。不论是在何种情形下，都有必要让募集股东知晓公司的概况。于是，商法规定，发起人应制作记载章程中的绝对记载事项和变态设立事项及能够知晓公司设立概要之事项的认股要约书（商 302 条，2 款），募集股东仅凭认股要约书要约股份的认购（商 302 条，1 款）（认股要约书主义）。然而，在英美国家募集股东时，则强制制作并使用记载关于公司的参考资料的文书，采取禁止过大宣传的事业计划书（prospectus）主义。在韩国，仅在募集适用证券交易法的有价证券时，采用这种主义，使其制作事业说明书（证交 12 条，13 条）。

（三）股份的认购

1. 性质：募集股东的股份认购，经股份认购者（募集股东）要约，由发起人进行分派而完成。关于其性质，有合同行为说，单方行为集合说，入社契约说，合同行为与入社契约并存说等。韩国的大部分学者认为是向设立中公司的入社契约，部分学者则认为是向将来成立之公司的入社契约。这种少数说，虽然将认购人的主观动机表现得确切，但是，事实上要约的对方尚未存在，所以从法律角度看，是一个不正确的说明。股份的认购，是以取得社员地位为目的的，而股份认购人与发起人之间的意思表示是相互交叉的，从这一点上看，应将其视为入社契约。同时，应认定"设立中的公司"这一概念，将发起人的股份分派责任归责于设立后的公司是当然的。所以，将股份认购的性质归纳为"向设立中公司的入社契约"是正确的。股份认购是团体法上的契约，其重点应放在公司法律关系的稳定之上，而不放在董事当事人的意思上。正因为如此，应认定对一般契约的各种例外。股份认购又是一种附合契约。

2. 要约：应由股份认购者作出认购要约（商 302 条，1 款）。发起人方不得作出要约（如果作出要约，则只能认为是要约引诱。这一点与一般性契约不同）。要约，由募集股东在发起人记载所定事项而制作并交付的两份认股要约书上，记载所要认购的股份的种类和数量及住所，并签章或者署名（商 302 条，1 款）。这是要式行为，其他形式的要约为无效。须凭认股要约书进行要约，作出这种硬性规定的理由在于：股份的认购是一种冒险投资，应充分告知认购人有关公司设立的情报，使认购人经慎重的判断之后认购为目的。

偶尔有以假名认购股份或者未经他人承诺，以他人名义认购股份的情形，在这种情形下，应由实际认购人承担股份认购人的责任（商 332 条，1 款），出借名义者与实际认购人承担连带缴纳责任（商 332 条，2 款）。

3．分派：对于股份认购的要约，由发起人来进行分派（商 303 条）。分派相当于一般契约上的承诺，一旦分派，股份认购即告完成。发起人的分派不同于一般契约的承诺，所分派的数量可以不同于要约的数量，也可以不考虑各募集股东间的要约数量的比率，任意分派。即使所分派的数量不同于要约的数量，但要约人仍受其约束。例如，在发行 1 000 股的公司中 A 要约 100 股，B 为了掌握经营权要约 600 股。实际上，发起人向 A 分派了 100 股，向 B 分派了 50 股，但是 B 仍受其约束，成为股份认购人，承担履行义务。认定发起人分派自由的理由在于：发起人进行分派时，应考虑认购人的履行能力，股东之间的势力的均衡等。但是，实际分派的数量多于要约的股份数量，或者分派了不同于要约股份种类的其他股份，或者分派的价额高于要约认购的价额时，均为无效。

发起人是作为设立中的公司的机关来进行分派的。换句话来说，要约人的相对方为设立中的公司。

4．对认股要约人及股份认购人的通知、催告：发起人有很多须与认股要约人或者股份认购人通信的事情。例如，向认股要约人通知分派结果，催告股份认购人缴纳股款，通知召集创立大会。这种情形下，将通知、催告发至认股要约书上所记载的住所或者要约人、认购人通知公司的住所即可（即，如照此做，发起人可免责，要约人、认购人来承担未到达而引起的不利益）（商 304 条，1

款)。这种通知、催告,视为通常应到达的时期已到达(商304条,2款)。到达时,才能发生效力(到达主义)。

5．股份认购的无效、取消:

1)一般原则的适用:股份认购是由要约的意思表示与分派的意思表示所构成的法律行为,仍旧适用有关法律行为、意思表示的无效、取消理论。所以,若要约方有无行为能力、错误、欺诈、强迫、虚伪表示、无权代理等事由时,可以主张该认购行为为无效,取消;若在发起人制作并发出的认股要约书的要件中存在缺陷时(例如,发行优先股,但未在认股要约书上记载时),也可以主张无效。发起人方同样也可能有无效,取消事由(例如,要约了10股,而误认为是100股,分派了100股时;无代理权人以发起人的代理人来分派时)。这种情形下,公司也可以主张该认购行为的无效、取消。

2)对无效、取消的限制:股份认购为多数人参与的团体法上的行为。所以不能只着重于保护作出意思表示的个人。对意思表示的一般原则,商法设定了两个特殊规则。

(1)非真实意思表示的特例:排除民法第107条第1款但书中关于对相对方已知的非真实意思表示规定的适用(商302条,3款)。所以,发起人已知要约人的认股要约为非真实意思时,该要约仍为有效。

(2)对无效、取消的主张时期的限制:公司成立之后,或者股份认购人出席创立大会行使权利之后,股份认购人不得以认股要约书的要件上有缺陷为由,主张认购无效,或者不得以欺诈、强迫或过错为由,取消认购(商320条,1、2款)。在这里,"公司成立后"是指设立登记完毕时;"在创立大会上行使权利"是指行使表决权时(单凭出席,不得限制无效、取消之主张)。

关于其认购的瑕疵属于无行为能力、无权代理的情形,没有明文规定。在无行为能力人认购股份的情形下,对本人的保护更为重要,因此应视为其无效、取消之主张不受限制。在无权代理的情形下，也不归责于本人。但是，无权代理人认购股份后，本人在创立大会上行使表决权时，应视为已追认该无权代理。另外，认购人未凭认股要约书而认购，或未在认股要约书上签章或者署名时，应视为该认购行为本身并不存在。所以，无法适用上述限制。

（3）对公司设立的影响：在此值得注意的是，股份认购的无效、取消，原则上不与公司设立的无效连结起来的，因为在股份公司中社员（股东）的个性并不重要，因此与人合公司不同，在设立问题上主观性瑕疵不成为问题，而且如果股份认购被无效、取消时，由发起人承担认购担保责任（商 321 条，1 款），因此不影响资本构成（请参照后述 6 款、之 2）。但是，关于事实上发起人难以履行责任的数量，股份认购被认定无效、取消，则成为公司设立的无效事由。

（四）出资的履行

1．缴纳义务。股份认购人按所分派到的股份数，承担缴纳认购价额的义务，股份总数被认购完毕时，发起人应即时让股份认购人缴纳各股份的全部认购价额（全额缴纳主义，商 303 条，305 条，1 款）。

缴纳应使公司实际拥有现金，而不允许以物代偿，更改等。同样，以支票、票据等缴纳时，只有付款人支付到，才可称之为有效缴纳。如果以票据缴纳，并于到期之前进行设立登记时，这等于是实物出资，这种缴纳是不允许的（大法院 1977．4．12 判决）。

2．缴纳款的保管人。为了防止股款的不充分缴纳，规定股款只能向银行及其他金融机构缴纳。因此，发起人应选定缴纳款的保管者，并应将此记载于认股要约书（商 302 条，2 款、9 号）。如要变更缴纳款保管者或者缴纳场所时，须经法院的许可（商 306 条）。收取并保管缴纳款的银行及其他金融机构应发起人或者董事的请求，应交付该保管金额的证明书（商 318 条，1 款），此证明书为设立登记时须添附的文件之一（非讼 203 条，3 号）。从而，事实上，可以防止股款缴纳的不充实现象。

3. 假装缴纳（假装设立）。未实际缴纳股款，却假装已缴纳而完成设立登记的现象，称为假装缴纳或者假装设立。上述缴纳款保管制度，就是为了防止假装缴纳而设立的制度。同时，在假装缴纳时，通过对董事或者发起人等关系人加以刑事制裁，达到预防假装缴纳的目的（后述的假装缴纳罪）（商 628 条）。

有一种假装缴纳款的方法，即发起人与缴纳款保管银行互相串通，在无缴纳款或者缴纳款不足（发起人约定持缴纳款保管证明而不主张权利）的场合，银行向发起人发放缴纳款保管证明，发起人凭它来完成设立登记（即所谓的"预合"）针对这种情形，商法规定，至于银行及其他金融机构发放缴纳款保管证明而证明的保管金额，不得以其缴纳不真实或者该金额的返还受限制为由，对抗公司（商 318 条，2 款）。即公司成立之后，代表董事请求返还保管金时，金融机构不得以与发起人串通为由，拒绝支付。从而，这种方法，金融机构所承担的风险很大，因此不易实行。

实际上，经常发生的假装缴纳的形态为，发起人借入他人金钱，进行设立登记之后，再从银行取出来偿还的方法（所谓"见金"设立）。这形式上已缴纳股款，而没有实质上的资本构成，大部分学说，认其为无效（通说）。与之相反，判例认为，真实缴纳意思的有无纯属主观问题，这里发生了实际金钱移动的现实的缴纳，因此这是有效的（大法院 1983．5．24 判决）。并认为，公司代交了股东的缴纳款，因此，公司可以请求股东偿还该缴纳款，同时构成发起人的共同侵权行为，所以应向公司承担连带损害赔偿责任（大法院 1989．9．12 判决）。

公司设立之后，"见金"而进行的假装设立自然会揭露出来的。这种情形下，如果认为该缴纳有效，那么如后所述，会产生未出资而仍维持股东权的不当效果。这正如通说认为的不仅没有缴纳效力，而且股份认购本身也应为无效的。

4. 不履行缴纳的效果（失权程序）。股份认购人未缴纳股款时，可以诉求强制执行。但是，如采用这种方式，公司设立会拖延。从而认定剥夺股份认购人的地位，重新找认购人的失权程序，即股份认购人不缴纳时，发起人定好一定日期，应于该日期的两周之前通知认购人若未在该日期之内缴纳则失去其权利的意思（商307 条，1 款）。如果接到此通知的股份认购人在该日期内未履行缴纳、他将失去该项权利、发起人可以重新募集认购此股份的股东（商307 条，2 款）。即使未缴纳股款，但是未经失权程序，不丧失股份认购人的权利。

关于被失权的股份，可以以再募集股东的方法重新募集认购人，也可以由发起人自己认购。如果，全体募集股东不履行缴纳，而由发起人认购全额时，将成为发起设立。与失权程序不同，可另行请求股份认购人承担损害赔偿责任（商307 条，3 款）。

（五）创立大会（organization meeting; Konstitatierende Hauptver-sammlung）

1．意义：创立大会可以说是在公司设立的终结阶段由股份认购人组成的设立中公司的议决机关，又可以说是股东大会的前身。关于大会的召集程序，表决权，决议的瑕疵以及运营，准用有关股东大会的规定（商308 条，2 款）。但是，创立大会的权限仅限于选任董事、监事及调查设立经过等终结设立程序的事项。创立大会的决议方法也与股东大会不同，它以"出席的股份认购人表决权的2/3 以上"及"已认购股份总数的过半数"来决议（商309 条）。这与股东大会的特别决议的要件相比更为强化，之所以这么做，是因为应要慎重对待设立的最终阶段的决议，并要限制发起人的影响力。

2．召集：已缴纳认购股份的股款及履行完实物出资时，发起人应立即召集创立大会（商308 条，1 款）。

3．功能。

1）发起人应凭明确记载关于股份认购及缴纳的各项事项的书面文件及变态设立事项实态的书面材料，向创立大会报告有关公司创立的事项（商311 条，1、2 款）。

2）在创立大会上，应选任董事和监事（商312条）。

3）设立经过的调查：董事及监事就任之后，应不得迟延地调查有关公司设立的所有事项是否违反法令或者章程的规定，并向创立大会报告（商313条，1款）当董事与监事为发起人、实物出资者、财产认购的当事人时，不得参加此调查及报告；全体董事及监事有相当于除斥事由时，董事应让公证人来调查、报告设立经过（商313条，2款→298条，2、3款）。

有变态设立事项时，发起人为了调查此事，应请求法院选任检查人，并向创立大会提出检查人的报告（商310条，1、2款）。但是，该变态设立事项为发起人的特别利益，报酬或者设立费用（商290条，1、4号）时，可以以公证人的调查、报告来代替；现物出资或者财产认购时，可以以鉴定人的鉴定来代替（商310条，3款→298条，4款、299条，之2）。这一点与发起设立时是相同的。没有变态设立事项时，可以省略这一程序。

4）变态设立事项的变更：在创立大会中，认定变态设立事项为不当时，可以将此变更。对此不服的发起人可以撤消股份认购，也可以发变更章程来继续设立程序，这点与发起设立时是相同的（商314条，1、2款→300条，2、3款）。这时，如有损害，可以另行请求发起人承担损害赔偿责任（商315条）。

5）变更章程、废止设立：在创立大会上可以进行变更章程或者废止设立的决议（商316条，1款）。在召集通知书上没有记载这种意思的情形下也是可以的（商316条，2款）。

变更章程时，不仅可以变更像总公司所在地等轻微事项，而且也可以变更像预定发行股份总数等有关资本的事项。但是，对于是否可以大幅度变更目的有争论。因为股份公司是接受多数股份认购人的出资而成立的，这些股份认购人的出资目的集中于目的事业，如果将此变更则会给认购人带来预想不到的约束。基于这一理由，有人主张不能允许变更"目的"。但是，应该注意到，在公司成立后，可以随时依章程变更程序来变更目的（变更章程的股东大会的特别决议要件比起创立大会的决议要件更加缓和，请比较 30 条与 434 条），与其设立后迟早要变更而引起纠纷，还不如在设立以前适应情势变更，因此，允许变更目的是比较合理的。不过，应救济因出乎意料的目的变更而带来的股份认购人的损害。所以，在设立最初的事业目的时，如发起人有恶意或者重大的过失（例如，实际不能履行的事业，因发起人的不注意被设定为目的的情形），因此而受损害的股份认购人可以请求发起人承担损害赔偿责任（商 322 条，3 款）。

（六）代表董事的选任

公司成立前，应选任代表董事，这与发起设立相同。

第四款　设立登记

一、意义

公司经设立登记而成立（商 172 条）。设立登记制度的目的在于：第一，为了统一判断公司设立的时期，并以对外公示可能的方法来决定之；第二，既然对公司设立采取准则主义，为了让国家审查公司设立的法定要件具备与否。

二、登记时期

在发起设立的情形下，自董事、监事的调查报告终了之日起，有变态设立事项时，自其调查程序及法院的变更处分程序终了之日起两周之内；募集设立的情形下，应自创立大会终了之日起，有变态设立事项时，自变更之日起两周之内进行登记（商 317 条，1 款）。

三、登记事项

设立时须登记的事项有：（1）目的、商号、预定发行股份总数、每股的金额、总公司的所在地、公司公告的方法；（2）资本总额；（3）发行股份的总数及其种类和各种股份的内容和数；（4）规定关于股份的转让须经董事会承认时，其规定；（5）分公司所在地；（6）定有公司的存立期间或者解散事由时，其期间或事由；（7）定有开业之前分派利息（建设利息）时，其规定；（8）定有以向股东分派的利益为目的，注消股份时，其规定；（9）发行转换股份时，第347条规定的事项；（10）董事及监事的姓名、居民身份证号、住所；（11）代表公司的董事的姓名、居民身份证、住所；（12）设有共同代表董事时，其规定；（13）设有名义变更代理人时，其商号及总公司所在地（商317条，2款）。在上述事项中（1）、（4）、（11）、（12）在分公司也应登记（商317条，3款）。分公司的设置，总公司，分公司转移也是登记事项，若上述事项有变更，应进行变更登记（商317条，4款→181条～183条）。

四、设立登记时应添附的文件

为了证明发起人遵守有关公司设立的各项要件，并作为登记受理时的审查资料，在登记申请书上应添附下列资料：（非讼203条1号～11号）：（1）章程；（2）证明股份认购的书面资料；（3）认股要约书；（4）证明发起人所定的股份发行事项（商291条）的书面资料；（5）董事及监事，或者检查人的调查报告书及其附属书面资料；（6）有关于检查人的报告的裁判时，其裁判的誊本；（7）发起人选任董事和监事时，有关书面资料；（8）创立大会的会议记录；（9）证明董事、代表董事及监事的就任承诺的书面资料；（10）有名义变更代理人时，证明与其签订契约的书面资料；（11）关于担任股款缴纳的银行以及其他金融机构保管缴纳款的证明书。

五、设立登记的效果

设立登记的基本效果是设立中公司因取得法人格而成立为公司（商172条）。进行设立登记的同时，设立中公司被消灭，设立中公司取得的权利义务当然由设立后的公司来继承。还有，股份认购人成为股东。

另外，一经设立登记而公司成立，股份认购的无效、取消的主张受限制（商320条，1款），终结权利股状态，不适用有关权利股的转让限制的规定（商319条），公司可以发行股票（商355条，

2 款），同时会发生发起人等的资本充实责任、损害赔偿责任问题。

第五款　设立与税收

与公司设立有关而发生的税收问题为如下。

1. 对于章程制定课以 3 万韩元的印花税（印税 3 条，1 款、17 号）。

2. 实物出资的财产属于应登记、注册的财产时，课以注册税、取得税等地方税。在所得税法上，将实物出资也视为资产的有偿转让，因此实物出资的标的物为不动产或其他转让所得税的课税对象时，对出资者课以转让所得税（所税 94 条）。

3. 对设立登记课以地方税——注册税。税率为缴纳的股份金额和实物出资价额的 4‰（地税 137 条，1 款、1 号 (1)）。但是，在大城市（首都圈、釜山市、大邱市）内设立公司时，课税为其 5 倍（地税 138 条，1 款、1 号）。设立分公司时，课以——分公司为 2.3 万韩元的注册税，在大城市内设立时课税为其 5 倍（地税 137 条，1 款、5 号、138 条，1 款、1 号）。

4. 发行股票时，每一股票课以 200 元的印花税（印税 3 条，1 款、2 号）。

第六款　关于设立的责任

一、序言

股份公司的设立，因其设立程序复杂，很容易违法，有时也会出现一开始就以欺诈为目的而设立的情况，因此有可能害及股份认购人或公司债权者。于是，只依据民法的一般原则承担责任是不够充分的，商法通过对担当设立主角的发起人，以及在设立终结阶段起重要作用的董事、监事、检查人追究严格责任，纠正因准则主义很容易引起的设立不真实及其弊端。

二、发起人的责任

发起人的责任，在公司已成立（即设立登记完毕）时和不成立时，其内容是不同的。

（一）公司成立时

1．对公司的责任。

1) 资本充实责任：发起人对设立时发行的股份承担认购担保责任和缴纳担保责任。原来，如发行的股份未认购和缴纳时，公司就不得成立，但如果忽略这些并进行设立登记或因股份认购的无效、取消，在资本构成上产生缺陷时，应使发起人对此承担责任，从而图谋企业维持，防止设立无效化，并保护关于公司设立的股东等利害关系人的期待和信赖。

（1）认购担保责任：在公司设立时发行的股份中，公司成立后仍有尚未认购的股份或股份认购的要约被取消时，视为发起人已共同认购该股份（商 321 条，1 款）。

（a）责任的发生范围：设立后仍未完成股份认购情形是很少见的，但可以有伪造登记文件来完成设立登记的情形。还有，公司设立后尽管不会有依过错、欺诈、强迫的股份认购被取消的现象（商 320 条，1 款），但是会有无行为能力者的股份认购被取消的情形。在法律条文中，虽然没有认购无效的提法，但是无行为能力状态下作出的股份认购，根据无权代理所作的股份认购等，成为无效是理所当然的。法律条文中的"……仍有未被认购的股份……"应解释为也包括因上述事由而变为无效的情形。这种情形下，发起人同样承担认购担保责任。

（b）责任的性质：认购担保责任并非是损害赔偿责任，而是为了资本充实而承担的法定责任，是一种无过错责任，对此没有任何异议。关于股份未被认购或股份认购变为无效、取消，无需有发起人的过失。

（c）责任形态：关于法律条文中视为发起人已"共同认购"的规定，会产生其认购形态会是如何的疑问。从关于股份共有的商法

第 333 条第 1 款同样使用"共同认购"的用语来看，应认为，发起人之间对视为认购的股份成立共有关系。于是，关于发起人对上述股份的权利、义务、适用民法第 262 条以下的有关共有的规定和商法第 333 条。

（d）责任的效果：视为发起人已认购股份。于是，与发起人的意思无关，也不需要发起人的特别的认购行为，拟制为发起人已认购股份，应要承担缴纳义务。

（e）与设立无效的关系：认购担保责任制度的宗旨是尊重已进行的设立程序，从企业维持的目的出发治愈资本的轻微的缺陷。未认购或认购取消、无效的部分很大，以至事实上不可能让少数的发起人负担全额责任时，成为设立无效事由（通说）。这种判断应于设立无效诉讼的事实审理辩论终结时作出。于是，事实审理辩论终结时为止，发起人若履行认购责任，就不能作出无效判决。

即使设立无效判决已被确定，也视为发起人的认购担保责任不消灭。无效判决的效力发生于将来，而设立登记后至判决时止，仍存在事实上的公司。为了清算作为事实上的公司而存续期间所产生的法律关系，同样也需要资本充实。

（2）缴纳担保责任：公司成立后，仍有未缴纳的股份时，发起人应连带缴纳（商 321 条，2 款）。

（a）责任的发生原因：责任在股份已被认购，但是仍有未缴纳部分时才发生。根本未被认购时，如上所述，应视为由发起人已共同认购，承担认购人本人应承担的缴纳责任。

现物出资未被履行时，多数说认为，从出资的个性来看，应否定发起人的缴纳担保责任，而应视其为设立无效事由。还有，因商法将出资的"缴纳"与现物出资的"履行"相区别使用，所以规定"缴纳"担保责任的本条，不能适用于现物出资上。对此，也有当现物出资将具有代替性的给付为标的时，应肯定发起人的缴纳担保责任之说。笔者以为，现物出资未被履行时，应与事业目的的完成相联系探讨其效力。如果，现物出资的标的财产对事业目的的完成不可缺少，则应视其为设立无效事由（例如，以不动产租赁业为目的公司中，租赁用不动产的出资未被履行时），否则视为发起人认购该部分股份，并可以以现金缴纳。从企业维持的角度上，这是值得肯定的。

（b）责任的性质：是无过失责任，对此没有异议。

（c）责任的形态：是连带债务。发起人各自应承担的部分，推定为均等（民424条）。超过自己应承担的部分履行担保责任的发起人，可以对其他发起人行使求偿权（民425条）。

（d）股份认购人之间的关系：发起人即使履行缴纳担保责任，也不是成为股东，只是代替他人（股东认购人）履行债务。因此，发起人可以代位公司请求股份认购人清偿债务（民481条）。

（e）即使发起人承担认购担保责任和缴纳担保责任，公司对发起人的损害赔偿请求，不受影响（商321条，3款→315条）。于是，因发起人懈怠任务而产生没有被认购的股份或认购被取消，或者没有缴纳时，依商法第322条的规定应赔偿由此产生的公司的损害。

2）损害赔偿责任：发起人关于公司设立懈怠其任务时，发起人对公司承担连带赔偿损害的责任（商322条，1款）。发起人虽然与成立后的公司没有直接的责任关系，但作为设立中公司的机关，应负善良管理者的注意义务，因此违背此义务加害于设立中公司时，设立中公司对发起人具有损害赔偿请求权，并由设立后公司来继承之。因此，发起人的损害赔偿责任，并非契约上的责任，也非侵权行为责任，而是商法认定的特殊的损害赔偿责任。

责任的发生以懈怠任务为要件，因此它是过失责任。在为设立的一切行为中，如有过失，应对因此有相当因果关系的所有损害，承担赔偿责任。例如，过高评估实物出资或不当支出设立费用，或将设立事务全部委任给特定人而发生事故的情形，均属于此。但是，预测行情失误而设定不合适的事业目的或发起人选任的董事加害于公司等，并非是应由发起人承担责任的事项（董事的选任本身有过失的除外）。

判例对于所谓依"见金"的公司设立，因有了实际缴纳而视为有效，那么这时的资本充实应依对股东的偿还请求和对发起人的损害赔偿责任来解决。但是，如上所述这并非是合理的解决方法。

关于变态设立事项，由于受法院选任的检查人或公证人或鉴定人的调查、鉴定，因此，具有纠正不当的变态设立事项的机会。在此程序中，也有可能因检查人等的过失，忽略发起人的任务懈怠，收容不当的变态设立事项，但是，并非因此而免除发起人的损害赔偿责任。

即使公司设立被作为无效，但是，事实上的公司仍然存在，所以发起人的损害赔偿责任并非因此而消失。

发起人的损害赔偿责任与一般民事债权一样，其消灭时效应视为 10 年（民 162 条，1 款）。

3）责任的追究、免除：公司不追究发起人的认购及缴纳担保责任和损害赔偿责任时，持有发行股份总数的 1% 以上的股份的股东，可以请求公司提起追究发起人责任之诉。如公司不顾这种请求，30 日之内不提起诉讼时，股东可以为公司提起诉讼（即代表诉讼）。

发起人的损害赔偿责任，可以以全体股东的同意免除（商 324 条→400 条）。但是，认购担保责任和缴纳担保责任是与股份公司存立的物质基础有关的事项，因此不得以全体股东的同意免除（没有异说）。

2．对第三人的责任。

发起人对公司的设立，因恶意或重大的过失而懈怠其任务时，该发起人应对第三人承担连带赔偿损害的责任（商 322 条，2 款）。

1）性质：发起人虽然与第三人没有直接的法律关系，但因对公司的任务懈怠而对第三人承担损害赔偿责任，这是一项特殊的规定。于是，关于此责任的性质问题产生争论。通说认为，这是为了加强与公司设立有关的第三人的保护而认定的公司法上的特殊责任，而少数说则认为，此责任是特殊的侵权行为责任。本人认为，发起人对第三者的责任，不以对第三人的直接的加害行为为要件，而是将对公司的任务懈怠作为责任发生的原因，以这一点上来看，很难认为是侵权行为责任的一种，因此通说是妥当的。如果发起人的行为同时具备侵权行为的要件，那么与因侵权行为而产生的损害赔偿责任相竞合（请求权的竞合）。

2）责任要件：对公司懈怠任务，并因此而产生第三人的损害。例如，不在章程上记载而签订财产认购契约，从而该财产认购被认为无效；或发起人将设立事务委任给部分发起人，然而该发起人贪污股份要约证据金等。而且，发起人的恶意或重大过失，存在于任务懈怠上即可，无需存在于对第三人的损害上。排除轻微过失，是因为并非存在对第三人的侵权行为，但为了保护第三人，让发起人承担责任，如将轻微过失也包括进去，那么，对发起人来说是未免太残酷了些。

3）第三人的范围：发起人要承担责任的第三人是指公司之外的所有的人，股份认购人，股东也应包括在内（通说）。发起人错误记载设立目的，致使股份认购人相信而认购股份时；或者因公司设立无效而股份丧失流通性时等，就是股份认购人和股东因发起人的任务懈怠而受的损害。

少数说认为，由于公司受损害而股东也间接受损时，通过公司受补偿，股东也间接受偿，在这种情形下，股东不应包括在第三人之中。在此，间接损害是指公司所受的损害直接反映于股份的财产价值的损害（例如，在发行1 000股的公司中，发起人评估实物出资时，多估100万元，结果每股产生1 000元的损害）。这种损害，可依股东的代表诉讼得到救济，但是代表诉讼中提诉要件受限制，也可能要求提供担保，因此股东有另行请求损害赔偿具有实际意义。从而，将间接损害也应包括在发起人的责任范围之内。

4）即使公司设立被认为无效，发起人对第三人的责任仍存续，这与发起人对公司的损害赔偿责任的情形是相同的。

发起人对公司及第三人的责任，与董事因懈怠任务而向公司及第三者所承担责任（商399条，1款、402条，1款）的原理是相同的，所以在有关董事的部分中详述。

（二）公司不成立时

公司不成立时，发起人对其设立行为承担连带责任（商326条，1款）；为公司设立而支出的费用，由发起人承担（商326条，2款）。

1. 不成立的意义：公司的不成立，是指已着手进行设立程序，但被确定为到不了设立登记。例如，像在创立大会中，决议废止设立时（商316条，1款）那样，法律上已确定不成立，或者像发行股份的大部分未被认购，设立计划受挫的情形那样，事实上已被确定不成立的情形。事实上确定不能成立时，应综合妨害设立事由的性质与治愈的可能性等来判断。这与有无发起人的过失无关。

不成立时的发起人的责任，是本来应归属于设立中的公司，或者已成立时，应归属于设立后公司的责任，转嫁给发起人的，因此至少是在制定章程后才能适用这一规定。这是因为连章程都未制定时，根本上不存在发起人，有意设立公司者与第三人之间的法律关系应适用个人法上的责任原理的缘故。设立登记后，有设立无效判决时，应承担既述的"公司成立时"的责任（商321条，322条）。

2. 责任的根据：将这一责任，归结于发起人是因为在公司不成立时，应保护与设立中公司有交易关系的债权者及股份认购人。这些人的损害起因于发起人主管的设立程序。至于发起人要承担这些责任的理论根据，有些学者认为，在公司不成立时，设立中公司在法律上自始就不存在，因此发起人在形式上及实际上均成为权利、义务的主体。本人的观点为：公司不成立时，设立中的公司因未达成目的而解散，本来应进行清算而将财产分配给股份认购人，但为保护股份认购人和公司债权者，特让发起人来承担。

3. 责任的性质：是无过失责任。即，对公司不成立，不要求发起人的故意、过失。

4. 责任内容：对于设立行为，要承担连带责任，并承担设立费用（商 326 条，1、2 款）。对于"设立行为"的责任，主要是指向股份认购人返还缴纳金；"设立费用"不限于作为变态设立事项记载于章程中的费用，广告费、办公室租赁费、劳务费用等，与设立事务相关而支出的一切费用。

5. 股份认购人的责任：值得注意的是，关于发起人责任的商法第 326 条中可以看出，对设立中公司的债务，股份认购人并不承担出资者应承担的责任。即意味着设立中的公司与股份认购人之间并不存在那种在社团与其成员之间产生的责任关系；股份认购人的股份缴纳款并不构成设立中的公司的责任财产。

三、董事、监事、检查人、公证人、鉴定人的责任

董事及监事懈怠有关设立程序的调查、报告义务时，向公司或者第三者承担损害赔偿责任，发起人也要承担责任时，应相互连带赔偿损害（商 323 条）。为与发起人之间的责任保持平衡，对第三者的责任应限于有恶意、重大过失的情形。

由法院选任的检查人在调查、报告变态设立事项时，如有恶意或者重大过失，应承担对公司或者第三者的赔偿损害责任（商 325 条）。

关于公证人或鉴定人的调查、评估变态设立事项中有过失的情形，没有明文规定。公证人和鉴定人，与公司是处于委任关系，由于他们的故意、过失给公司带来损害时，可以追究一般债务不履行责任。但是，由于他们的故意、过失也会给第三人带来损失（例如，由于忽略对现物出资的过大评估而给股份认购人带来损害时），而像规定发起人和董事、监事对三者的损害赔偿责任的第 322 条及第 323 条那样的规定，没有为公证人和鉴定人的责任而设置，这是立法上的一项漏洞。因此，应类推适用第 323 条来追究其责任

四、类似发起人的责任

（一）宗旨

在认股要约书及其他有关股份募集的书面文件上记载其姓名，

并承诺记载赞助公司设立之意思者，虽然不是发起人，但是从实质上已具备了参与设立的外观，为保护信赖其外观者，规定承担与发起人同样的责任（商 327 条），称其为类似发起人。商法从形式上理解发起人的概念，将发起人限于制定章程，并在章程上记载为发起人者，因此也会出现实际上参与公司设立，但没有记载于章程上，从而避免发起人责任者。还有，为了容易募集股份，借助虽与公司设立无关，但知名度高的人的名义虚张声势的情形。这种例子均影响募集股东等利害关系人的判断，诱发夸张的信赖，因此，追究其外观创出的责任。

（二）责任要件

承诺在认股要约书及其他有关股份募集的书面文件上记载赞助设立之意者承担责任。关于股份募集的文件，不限于认股要约书，也包括关于公司设立能够诱导利害关系人判断的募集广告，设立介绍，劝诱股份认购的书信等，不一定必须印刷。广播、电视的广告、介绍等虽然不是"书面文件"，但其外观创出的效果是一样的，所以应包括在本条的书面文件中。

"赞助设立"之意，是指明示其支持设立之意，或者使用设立委员、顾问、咨询委员等头衔间接支持等，可以以多种方法来表现。而"承诺"，也包括明知自己名义被使用在书面文件上，但放任的默示性承诺。从条文中可以看出，第三人在追究类似发起人的责任时，误认为发起人并非为要件。

（三）责任的范围

类似发起人承担与发起人同样的责任。但是，类似发起人没有有关公司设立方面的任务，所以不承担以任务懈怠为前提的商法第 315 条、第 322 条的损害赔偿责任。于是，类似发起人仅承担资本充实责任（商 321 条，1、2 款）和公司不成立时的要约证据金或者缴纳股款的返还义务及关于设立费用的责任（通说）。

第七款　设立无效

一、原因

设立程序上虽有缺陷，但将其忽略而进行设立登记时，设立效力有可能出现争执。

在股份公司中，对于股份认购人的认购行为的无效、取消主张受限制（商 320 条），认购行为被取消时，因认购人的个性不被重视，只不过该认购行为失去效力而已，并依发起人的资本充实责任来得到弥补，从而对公司设立本身并没有影响。发起设立时也用同样的方式来解决。

另外，各发起人的设立行为，即章程制定上有无效、取消的原因时，将该发起人从发起人名单中除名即可，只在因此而发起人人数少于三人时，才成为设立要件的欠缺。因此，在股份公司设立中，不承认在人合公司中所存在的设立取消或主观上的无效原因，只有以关于设立程序的客观上的瑕疵，即违反强行规定，或者违背于股份公司本质的瑕疵为原因的设立无效，才会成为问题。下面举具体例子：（1）设立目的违法或违背社会秩序时；（2）发起人少于三人时；（3）章程的绝对记载事项不齐全时；（4）没有发起人的签章（或者署名）或者公证人的认证，或者无效时；（5）没有股份发行事项（商 291 条）的决定或其内容违法时；（6）设立时发行的股份数达不到预定发行股份总数的 1/4 时；（7）因设立时发行股份总数的认购或者缴纳缺陷显著，仅靠发起人的认购、缴纳担保责任不能期待资本充实时；（8）没有召集创立大会或没有进行调查、报告或决议无效时；（9）设立登记无效时等。

二、无效之诉

公司设立无效，自成立之日起两年内只能以诉讼来主张（商 328 条，1 款）。此诉的原告是股东、董事或者监事，被告是公司。此诉的管辖，提诉公告，诉讼程序，设立无效判决的效力，败诉原告的损害赔偿责任，设立无效的效果及登记等，前面已作为所有公司设立瑕疵的共同问题来阐述过，在此省略。

第三节　股份与股东

第一款　股　　份

一、股份的概念

在股份公司中，社员的地位被称之为"股份"。在这一点上，股份与人合公司中的持份的意思是相同的。正如持份除了社员地位的意思以外，还有资本持份，即对公司资产的经济性参与比率之意思，股份也有资本持份，即资本的均等构成单位的意思（商329条，2款、464条等）。

法律性质上，股份与人合公司持份的差别在于，股份采取持份复数主义。在股份公司中，企业之共同所有者地位分为股份这种均等的单位，并按股东的出资来所有股份。因此，持份（即股份）的数与社员（股东）的数未必相一致。

股东以其持有股份的认购价额为限，承担出资义务（商331条），除此之外，不承担任何义务。而出资义务，应于取得股份以前全额履行完毕，因此严格来讲，股份仅由各种权利所构成，并不包含义务。于是，像人合公司的持份那样，以分担损失义务为基础的消极持份的概念无法成立。

二、股份的本质（社员权）

关于股东的各种权利及其根源——股份之间的关系之说明，取决于股份的性质论，对此众说纷纭。

过去，将股份公司的本质认为合伙时，将股份视为对公司财产的权利单位，即物权（股份物权说）；或者将侧重点放在股东对公司所持有的各种请求权上，视股份为债权（股份债权说）。而如今，普遍认为，股份是意指股东权或者股东地位的社员权（股份社员权说）（即通说）。社员权的内容有：盈余分派请求权、剩余财产分配请求权等自益权和表决权、各种提诉权等共益权，这些权利随着股份依转让、继承等转移时同时转移。社员权说，在对股东权和股东所持有的每一权利的关系的说明上，又细分为不同的学说，大体上有下列几种：股东权是股东的地位上所持有的权能和义务合而为一形成单一的权利之说；股东权是指在股东的地位上所持的多数权利之集合，并非指单一的权利之说；股东权是指产生股东权利的法律上的地位及资格，股东的权利是股东权的结果，而不是其内容本身之说。

然而，否认社员权及股东权之说（社员权否认说）也存在，主要有：通说所指的股东权中的共益权是股东作为公司机关——股东大会的成员所持有的权限，而自益权是股东在社员的地位上所持有的独立的权利，因此股份并非股东权，而仅仅是股东的地位，股东的地位在与公司的关系中（对股东一个人）只存在一个，与股份的数量无关之说；自益权是由盈余分派请求权及为确保该项权利的附属权利所组成的私权，而共益权则是与国家参政权的本质相同的一身专属性的公权、人格权，两者间并不存在关联性之说[1]等。但在韩国没有学者主张上述学说。

股东的一切权利，根源于股份，随着股份的转移，股东的所有权利也随之转移，因此将股份视为权利是理所当然的。而且，鉴于股份公司的社团性本质，将股份说明为社员权是正确的。

---

[1] 是否承认社员权的概念，是从第二次世界大战前开始在日本的法学界争论不休的问题，在此说明的是社员权否认论的先驱田中耕太郎的学说（田中耕太郎，"改订公司法概论"（上），1945 年，第 73 页；山口正义，"股东权法理的展开"，文真堂，1991 年，第 7 页）。

三、股份的类型

（一）概述

股份的票面价必须是均等的（商 329 条，3 款），除此之外，对于其他属性可以多样化。为了顺利地流通以及便于筹措资金，或者为了经营权的稳定，可以发行种类不同的股份，并可附特殊约定。

（二）票面股份、无票面股份[2]

票面股（par Value Stock；Nennbetragsakie）是指每股的金额已在章程中规定，并表示于股票上的股份。所发行股份的票面价算入资本金，溢出票面价发行时的超过额（Premium）应作为资本公积金来储备（商 451 条，459 条，1 号）。

无票面股（no Par value Stock；Quotenaktie）是指不表示每股的金额，股票上只记载股份数的股份（于是股东只能认识自己持有的股份对全部发行股份的比率）。公司在每次发行股份时，均规定发行价格，也可以只将发行价的一部分算入资本。

商法只承认票面股，过去一股的金额应为 5 000 韩元以上，1998 年修改商法降为 100 元以上（商 329 条，4 款）。其理由是有利于股份分割，提高高价股份的流通性，进而对公司的资本筹措提供方便。

（三）记名股份、无记名股份

记名股份和无记名股份的区分，并不是基于股份本身的属性，而是依股票和股东名册上是否将股东的姓名表示来区别的。

记名股份（Share certificate；Namensaktie）是指在股票上表示股东的姓名，并将股东的姓名记载于股东名册上的股份；无记名股份（Share Warrant to bearer；Inhaberaktie）是指股东的姓名不在股票上表示，也不记载于股东名册上的股份。将哪一种作为原则性的形态是立法政策上的问题，韩国商法将记名股份为原则，无记名股份的

---

[2] 韩国语称"额面股"、"无额面股"。

股票则只有章程上规定的情形下，才可以发行（商357条，1款）。但是根据法令，只由大韩民国国民组织的股份公司及以只由大韩民国国民组织股份公司为条件，得到特别权利的股份公司不能发行无记名股份（附4条）。如后所述，这是为了经营权的稳定而规定的。在韩国发行的股份几乎都是记名股份（相反，社债几乎是无记名式）。

　　公司识别股东时，可以凭股东名册认识记名股份的股东，只要这样做，公司并不承担任何责任，而无记名股份的股东，只能凭股票来认识。因此，记名股份和无记名股份有以下差异：（1）在公司管理股东上有差异。例如，公司通知股东召集股东大会时，对记名股份的股东要发出召集通知，但对无记名股份的股东应进行公告（商363条，1、3款）；（2）股东对公司行使权利时，公司认识股东的方法上也有差异。记名股份的股东，公司凭股东名册来确认是否一致即可，但无记名股份的股东，只要凭股票的持有，就能证明其权利的存在，因此只有持有股票者，才能行使权利。正因为无记名股份只凭持有股票，就可证明权利，若行使权利之后马上转让股份，则有可能受让人重复主张权利。因此，如果无记名股份的股东未将股票提存于公司，就不得行使权利（商358条）；（3）记名股份的股东可以不持有股票（商358条，2款），但无记名股份的股东如不持有股票，权利的证明本身就不可能，因此不得利用不持有股票制度；（4）在转让股份中，不管是无记名股份，还是记名股份，只凭股票的交付，就可以转让（商336条，1款），在这一点上没有差异。可以将此视为记名股份的无记名证券化现象；（5）质权的设定方法不同。记名股份的质入分为，依股票的交付而进行的略式质入和在股东名册上进行质权登记的登记质入，但无记名股份仅依股票的交付来质入；（6）转让记名股份时，名义更换成为对公司的对抗要件，因此公司方面容易把握其股份的移动，但无记名股份仅依股票的交付即可，无须有其他对抗要件，公司很难把握股份的移动。因此，经营权的稳定性方面，无记名股份的发行成为不稳定因素。

无记名股份的股东，随时可以请求公司将股票转为记名式（商357条，2款）。但记名式转为无记名式是不允许的。

（四）数种股份

1. 概念。"数种股份"是指商法第344条第1款所规定的"关于盈余或利息（建设利息）的分派或者剩余财产的分配上，其内容不同的股份"。商法在各处都使用"股份的种类"（商219条，302条，1款、317条，2款、3号、352条，1款、2号、416条，1款、436条）的概念，正是指发行数种股的情形。记名股份、无记名股份仅仅是因股东权的表彰方法的不同而相区别的，并不是数种股份。偿还股份、转换股份、无表决权股份等，虽是在发行数种股份时可以发行的股份，但股份本身的属性并无不同，仅仅是对某种股份附加了特殊的约定而已，也不是数种股份。数种股份，正像商法第341条第1款规定的那样，对财产上的权利差别对待而发行的，可分为普通股、优先股、后配股、混合股等。

商法之所以规定可以发行数种股份，是为了给股份赋予很强的投资诱引动机，易于募集股东，直至图谋资金筹措的灵活性。

2. 类型。

1）普通股（Common Share；Stammaktie）：在盈余（或者建设利息）分派或剩余财产的分配上没有任何限制或优先权的股份。对普通股的分派金额依承认财务报表的股东大会决议决定，即使公司有盈余也并非必须要分派，股东也不能请求分派。但是，另一方面，普通股是只要公司有盈余就有分派可能性的开放性（Open–encled）的股份。商法上没有明文规定"普通股"的概念，这是因为普通股是股份的原型（Prototype）。因此，普通股并不只是相对于优先股或后配股而设的概念，公司若不发行普通股，就不能发行优先股或后配股。

2）优先股（Preference Share；Vorzugsaktie）：在分派盈余或分配剩余财产时，优先于其他股东而得到所定的分派或分配的股份。优先股分派或分配完毕后如有剩余，普通股才可以得到分派或分配。实际上，主要发行有关分派金的优先股，很少有发行有关剩余财产分配的优先股。优先分派，一般是以分派金对票面价的比率或者每股应分金额来表示。

　　关于优先股的概念要注意的是，优先股并不是指比别的股份多得分派金的股份，而是指先于其他股份而得到所定分派金的股份。即公司出现 X 元分派可能盈余时，对优先股支付确定分派金 Y 元，将其剩余，即（X—Y）元分派给普通股。与此不同，也有采取不表示优先股的确定分派率，而在普通股的分派率上加算一定比率的方式的。例如，"以票面金额为标准比普通股多分派 1%"的方式。将这种类型的股份按为无表决权的股份来发行，既没有大的资金负担，也可图谋经营权的稳定，因此很多公司发行过这种股份，但这并非本来意义上的优先股，而是类似优先股。

　　这种类似优先股，被多数上市法人发行过，这使投资者们产生混乱，因此，在 1995 年修改法中规定，对盈余分派中有优先内容的股份，应以章程规定最低分派率（商 344 条，2 款）。即关于优先分派股，按照优先股的本来意思，规定确定比率的分派金。

　　即使优先股也不能违背"没有盈余就不能分派"的原则，因此，在没有盈余或盈余少的结算期，也会出现不能满足所定的分派金的情形。这时，可以将不足的分派金顺延，在下一期的分派金里加算而分派，这叫累积优先股（Cummulative Share）；即使该期的分派不足，也不顺延的叫做非累积优先股（non - Cummutative Share）。

　　另一方面，如果公司的经营业绩很好，发生了很多盈余时，反而优先股不利于普通股（例如，发行了票面价的 20% 优先分派率的优先股的公司中，在某一结算期发生了可以给所有股东按 50% 分派率分派的盈余时，由于普通股的分派并没有限制，而优先股则受 20% 限制，普通股是可以得到 50% 以上的分派）。考虑到这种情形，优先股可以先得到自己的所定分派金，还可以重新参加剩余盈余的分派（其参加形态可以是多种多样，一般可以按超过优先分派的普通股分派率得到分派）。将这种优先股叫做参加性优先股（participating Share），以普通股的资格不能参加分派的优先股叫做非参加性优先股（non-Participating share）。还有，可以将累积与否、参加与否相互组合。例如，以累积性、非参加性优先股的方式来发行。

如果优先股恒久存续，会给公司带来长期的财政负担，因此，可以规定优先股的优先权在一定的条件下或一定期间的到来时消灭，使之自动转换为普通股。

3）后配股（deferred share；Nach zugsaktie）：在盈余（利息）分派或剩余财产分配中，设比普通股更为不利的地位的股份。但是，尚无实际发行之例。

4）混合股：对一些权利持优先地位，对另一些权利持劣等地位的股份（例：在盈余分派上优先，而在剩余财产分配上置后），也没有实际发行之例。

3．发行。公司只有在章程上规定各种股份的内容和数额时，才可以发行数种股份（商344条，2款）。不仅如此，发行数种股份时应进行登记（商317条，2款，3号），还要采取在认股要约书、股东名册、股票上记载等公示措施。之所以这样做，是因为发行种类不同的股份是对现存股东来说是有重大利害关系的问题，有时可能害及资本充实。

数种股份在章程记载的范围内，公司设立时可由发起人，新股发行时可由董事会决定其种类和数量而发行（商291条，1号、416条，1号）。

4．关于数种股份的特则。新股认购等能够带来股东权变更的行为，原则上应根据股份平等的原则进行，但是发行数种股份时，即使在章程上没有另行规定，公司也可以按股份的种类，对因新股认购、股份的并合、分割、注销或者合并而产生的股份的分配，作出特殊规定（商344条，3款）。例如，在新股发行中，普通股和优先股之间设认购权上的差别，或者按股份的种类设置差别而注销，或者合并时，不按消灭公司的持股比率，而对普通股和优先股设置差别而分配股份。"即使章程上设有规定也可以进行"，是指根据不同情况，依据董事会或者股东大会的决议可以进行。设这种规定的宗旨在于，数种股份由于各自的经济价值不同，始终按照股份平等来划一处理，反而会带来实质上的不平等。

但是，因上述特殊规定，给某一种类的股东带来损害时，除了股东大会的决议以外，再经该种类股东的大会（即种类股东大会）的决议（商436条，435条）。因此，这可以说是以种类股东们的好意谦让为前提的。

起初，制定这一制度的目的是要实现不同种类股份的实质上的平等，但是因技术上的难度，很难期望完全的平等，由此可能产生的特定种类股东们的损害，通过该股东们的多数决来求得谅解，因此并非是设定了股份平等原则的例外。于是，按股份的种类而作出的"特别规定"，只有在实现股东间实质上平等的范围内才有可能的，而不得以破坏股份平等的内容来实施。

（五）偿还股份（redeemable Stock；Callablestock）

1．意义。偿还股份是从股份的发行时起被预定为将来以公司的盈余偿还并消灭的优先股（商345条）。公司一方面通过发行优先股，可以容易筹措资金，同时将该股份作为偿还股份来设置，待将来资金状况一好转，偿还该优先股，以躲避分派压力，或一旦银行利率下降，致使公司债的发行或借款比起优先股的分派少用金融费用的时候，可以偿还优先股，选择筹措他人资本的方法，从而能够进行更加合理的财务管理。偿还股份是公司的内部人（insider）为了筹措资金拉进局外人，即经营圈外的投资者，一旦资金状况好转，就将其驱逐出去而稳定公司经营权的方法。

如果只看到偿还这一点，偿还股份与公司债的功能是一样的。但是，两者存在本质上的差异，即前者是自有资本，后者是他人资本。还有，偿还股份，只能依盈余来偿还。因此，如果没有盈余，偿还可以无期限地。而公司债的偿还，不管有无盈余都必须偿还。

偿还股份只不过是在优先股份上附加了偿还条款而已,其本身并非为商法第 344 条所称的数种股份之一。因此,只为偿还股份的股东而召集的种类股东大会是不允许的。而且,偿还条款本身也不具有依种类股东大会制度来得到保护的实际意义。但是,偿还股份的股东可以以优先股股东资格参加优先股的种类股东大会。

2.发行。

1)只限于盈余分派上有优先内容的股份,可以发行偿还股份(商 345 条,1 款),章程上应记载偿还价额、偿还期间,偿还方法和数量,即应有章程上的明文授权。当然应在预定发行股份总数的范围之内发行。

2)偿还条款须记载于认股要约书上(商 302 条,2 款,7 号、420 条,2 号),并应登记(商 317 条,2 款、6 号),而且,作为对偿还股份受让人的预告,也应在股票上记载(商 356 条,7 号)。

3)偿还股份是为公司的资金运用之便而制定的制度,但在某种情况下,得到偿还很可能有利于股东。于是,可以考虑根据股东的请求,由公司负担偿还义务的偿还股份。关于这一点,章程中应明示,即公司单方面要偿还,还是根据股东的请求,由公司负担偿还义务。但如果没有明示,就视为是前者。

4)只要章程上有发行偿还股份的规定,依照一般的新股发行程序,可以以董事会的决议来发行(商 416 条)。

3.偿还。

1)偿还股份的偿还,只要按章程的规定进行,就可以不经其他程序,依董事会决议进行。

2)偿还,只能靠盈余来进行(商 345 条,1 款)。因此,如果偿还,发行股份数就会减少,但资本不会有变动。在这里产生"资本等于发行股份的票面总额"的商法第 451 条的例外现象。因为资本没有变动,无须经资本减少程序(债权者保护等)。但是,因发行股份数减少,应在总公司所在地于两周之内,分公司所在地于三周之内应进行变更登记(商 317 条,2 款、3 号、317 条,4 款→183 条)。

3)偿还价格应依章程的规定。章程无须以金额来规定,只规定市价、认购价额等能够决定具体的偿还价额的标准即可,据此由董事会规定实际偿还价额。

4)偿还期间,可以章程规定。如果没有盈余就不能偿还,因此也可以推迟。因没有盈余而推迟偿还,也不发生董事的损害赔偿责任(商399条,401条)。

5)不允许部分偿还股款(股份不可分的原则)。还有,不管是强制偿还,还是任意偿还,偿还股份相互间应适用股份平等的原则。例如,以持股比率或依抽签偿还,可视为按平等原则进行的。

4.偿还效果。

1)因偿还而公司临时取得的自有股份,应即时通过股份失效程序,将其消灭(商341条,1号、342条)。

2)因偿还股份,即使发行股份总数变为预定发行股份总数的1/4以下,也可以进行偿还,可以不进行章程变更手续(通说)。

3)由于偿还股份,外观上产生预定发行股份总数的未发行部分增加的现象。对这一部分,能否再次发行偿还股份? 通说认为,如认可再次发行,就成为重复授权,害及其他股东的权利(接受盈余分派的权利),因此不能允许。但也有肯定的见解。如果允许,除了通说所举的问题以外,还会导致超过预定发行股份总数的资本不经章程变更就可以产生的结果,因此是不当的。

(六)转换股份(Convertible Share)

1.总述。

1)意义:转换股份,是指根据股东的请求,可以向其他种类的股份转换的股份。例如,将优先股转换成普通股,或者将普通股转换成优先股,等等。

转换股份随着股市行情的变化或公司分派能力的变化,成为股东将其所有的股份保值或增值的手段。例如,假设优先股可以转换为普通股,并且对1个优先股发行1.2个普通股,那么如果目前公司的分派能力不佳,且股份行情下滑时,持有优先股,优先得到分派是有利的。但是,以后股价上升,公司分派能力好转,持有更多数量的普通股,无论是在分派方面,还是在股份的换价方面都是有利的。因此,转换股份将公司前景的展望和对股价的预见交由股份认购人判断,通过提供股份的价值保存或者增值机会的又一个投资诱引动机,使资金筹措变得容易的制度。

转换股也是仿效美国法律的一种制度。美国很多州法律只允许将优先股转换为普通股(dowhstream conversion),禁止将普通股转换为优先股(upstrem conversion),但韩国商法没有这种限制,两者都可以。

2)转换股份的性质。(1)转换股份是在公司发行数种股份的情形下,可以向不同种类的股份转换的股份(商346条,1款)。于是,将无记名股换成记名股,并不是这里的讲的转换股份。在美国法中规定允许发行可以转换为公司债的转换股份,但韩国商法不承认这类的转换股份。(2)转换股份是根据股东的请求转换的(商346条,1款)。尽管可以解释为,根据章程规定,可以发行因一定期限的到来或条件成熟而自动转换为其他种类股份的股份,但这不是商法上的转换股份。一般认为,不得发行公司持有转换权的股份,即使认可也不是商法上的转换股份。(3)在发行转换股份时,应规定转换条件、新股的发行价额等,并因此而新、旧股的内容和数量不同。因此,转换股份的转换是消灭旧股份,并代之发行新股份的一种特殊的新股发行。(4)转换股是只有在发行数种股份的情形下,才可发行的股份,其本身并非为商法第344条上规定的数种股的一种(没有异说)。因为转换股份并不是决定盈亏或利息的分派或者剩余财产分配等股东权的内容,而是对特定种类的股份附加转换权而已。因此,像偿还股份那样,不承认只为转换股的股东而进行的种类股东大会。

2.发行

1)转换股,只有在章程上规定发行数种股份时,才可以发行(商346条,1款)。这时,应在章程上规定转换的条件(例如,转换比率为1个优先股转换为1.5个普通股),转换请求期间,“因转换而发行的股份”的数量和内容(商346条,1款)。就这样,只要章程上有规定,可以以董事会的决议发行转换股份。转换股份不仅在新股发行时可以发行,公司设立时也可以发行。

2)发行转换股份时,应将以下事项记载于认股要约书或者新股认购权证书上,并将其登记。(1)股份可以转换为其他种类股份的意思;(2)转换的条件;(3)因转换而发行的股份的内容;(4)可以请求转换的期间(商347条,2款、4、7号)。在股东名册和股票上也应记载上述事项(商352条,3款、356条,8号)。

3)一旦转换股份转换,应发行其他种类的股份(因转换而要发行的股份)。它意味着在预定发行股份总数中须有相当于"因转换而要发行的股份"数量的同种未发行股份额度。因此,商法规定各种预定发行股份总数中相当于"因转换而要发行的股份"的种类及数量,应在转换请求期间内保留发行(商346条,2款)。于是,不允许预定将来通过变更章程增加预定发行股份数而发行转换股份。

3.转换请求。

1)请求转换股份转换的股东,应在两份请求书中记载要转换的股份的种类、数量和请求年月日,签章(或署名)并附上股票,向公司提出(商349条,1、2款)。1995年修改之前,即使在转换请求期间内,在股东名册的封闭期间则不得请求转换(修正前的商349条,3款),但修改法中废除了这一限制。这会给公司的股份业务带来相当大的混乱。如后所述,关于盈余分派,按转换前股份来分派(商350条,3款),在股东名册封闭期间中进行转换请求时,新股不能行使表决权(商350条,2款),从而这两个问题得到解决。但是,在股东名册封闭期间,发行新股或合并时,股东进行转换请求之后可以立即持新股行使权利。

2)关于转换请求期间,法律没有任何限制,因而章程上可以自由规定。一般来说,起止期间同时规定。例如,"发行日后,从特定日到特定日为止"的方式。有一种学说认为,可以不限制终期,可以无期限行使转换权,不过,转换请求时间越长,转换股东探索新股份价值的机会就越扩大,从而转换权的价值也变大。但是,它会给非转换股份的股东带来相反的利害关系,公司因此而长期持有不稳定的资本结构。因此,将转换请求期间定为无期或者事实上的无期是不能允许的。

3)股东的转换请求权是形成权,进行转换请求时发生转换的效力(商350条,1款)。即不需要公司承诺或新股发行程序,股东因转换而成为将要发行之新股的股东。请求转换的同时,产生旧转换股消灭和发行新股的效果,旧股票失效,股东应将旧股票向公司提出(商349条,1款)。

4)转换请求是股东的权利,而不是义务,因此,可以不进行转换请求。

4.发行价额。商法第348条规定:"因转换而发行新股时,将转换前的股份的发行价额作为新股的发行价额"。这一规定,指转换股份的"总"发行价额和新股的"总"发行价额要相同。因为如果将此解释为转换股1股和新股1股的发行价额相同,转换条件总是会成为1:1。

那么,总发行价额相同指的是什么呢? 举例说明如下。

假定将票面价5 000韩元的优先股以发行价6 000韩元发行了100 股,该股可以转换为普通股。如果将每股发行价额为Y,转换股对新股的转换率为1:X的话,那么因转换要发行的股份数为100X。如下表。

	转换股份(优先股)	新股份(普通股)
票面价	5 000(韩元)	5 000(韩元)
转换条件	1	X
发行价	6 000(韩元)	Y 韩元
发行股份数	100 股	100X 股
总发行价	60 万韩元	60 万(韩元)

如上表,转换股的总发行价额是6 000韩元×100 股,即60 万韩元,新股的总发行价额也是60 万韩元。这时, 如果 X 为 1.5 的

话，新股的发行价（Y）成为 4 000 韩元。这将成为票面未达发行，除非是商法规定的情形（商 417 条），就不能允许的。因此，如果新股份做到不至于低于票面价格发行（即 Y 成为 5 000 韩元以上），新股的发行股份（100X）就不能超过 120 股，即转换比率不得高于 1∶1.2 以上。

总之，总发行价额相同具有限制转换条件的意义。这是为了防止董事会急于筹措资金，以适合的条件发行转换股份而害及资本充实。

5. 转换的效果。

1）自动转换：转换请求时就发生转换的效力，因此转换股份的股东持已转换的新股可以直接行使股东权。但是，新股的权利行使有以下两种限制。

关于盈余或建设利息的分派，视为在转换请求时期所属的营业年度未转换（商 350 条，3 款）。于是，股东所得到的该决算期的盈余分派应以转换之前的股份为标准。其立法理由为：若未设这种规定，应以新股为标准分派，这会使转换股份的股东在营业年度中一直在探索转换的有利与否，直至到了营业年度末才决定转换或者不转换，从而会给公司的财务管理带来冲击。但是，公司承担这些负担也无妨。1995 年修改法中规定，可以在章程上设置规定，作为于请求转换的营业年度的前一营业年度末转换（商 350 条，3 款）。若章程上设这种规定时，转换请求的营业年度的盈余分派应以新股为标准来进行。

转换请求于股东名册的封闭期间中提出时，股东不得持新股行使表决权（商 350 条，2 款）。即只能持转换之前的旧股份行使表决权。

2）资本增减：除了转换条件为 1∶1 的情形之外，转换导致资本的增减。当转换条件超过 1∶1 时（将优先股转换为普通股时会产生这种现象），增加发行股份数，带来资本增加的结果；相反，当转换条件不到 1∶1 时（普通股转换为优先股时会产生这种现象），减少发行股份数，从而带来资本减少的结果。因此，后者应经债权人保护程序。无论是哪一种情形，发行价中减去票面价的部分均应作为公积金来储备。

3）预定发行股份总数：因转换，在预定发行股份总数中会增加相当于已转换股份数量的旧股份的未发行部分。关于这一部分能否再发行新股呢？通说认为，即使承认再发行，与偿还股份的情形不同，不会存在董事会摆脱授权股份的限制之虑，因此，可以再发行（通说）。但是，该发行只能限于从前转换之前股份的种类，并不得再次发行转换股份。

4）质权的效力：设在转换股份上的质权的效力及于因转换而产生的新股（商339条）。

5）变更登记：应自转换之日所属月份的最后一日起两周之内，在总公司所在地进行因转换的变更登记（商351条）。

第二款　股东、股东权

一、意义

股份公司的社员称为股东（Share holder；Aktionär）。股份公司与其他公司不同，与其说是因出资而成为社员，还不如说是因取得资本构成单位的股份而成为社员。股份的取得是成为股东资格的前提。对此不得有例外，与此不同的其他约定都是无效。股东对公司持有的地位，为一种社员权，它形成股东对公司持有的每一种权利的源泉，称作股东权。

股东的资格不受限制，不管是自然人，还是法人，也不管有行为能力，还是无行为能力，均可成为股东。

二、股东的权利

（一）意义

股东以所谓股东权的社员权为源泉，对公司持有各种具体的、个别的权利。将商法认定的这种权利，表示为股东的权利。正因为股东的权利是以股东地位为前提而产生的，所以不能依其他非股份取得的方式取得，而且其本身不能独立转让或成为担保的标的，并且也不涉及时效问题。

应将股东的"债权人性权利"与上述股东的权利相区别。股东可以离开股东资格，对公司持有作为一般债权人的权利（即股东与公司交易而产生的债权），但是，在这里讲的股东的"债权人性权利"，并不是指这种意义上的权利，而是指虽然由股东地位所产生，但是像股东大会承认关于盈余分派的议案而股东取得一定数额的盈余分派请求权那样，已经被具体化并独立的权利。在这种情形下，一定数额的盈余分派请求权是出于作为股东权内容的抽象的盈余分派请求权，但是从股东的地位中分离出来，成为转让或者扣押的对象。"债权人性权利"，即使转让股东的地位，也不理所当然随之转移，并且一旦权利成立，即使以股东大会的决议也不能侵害之。对公司行使权利的顺序上，也与一般债权相同。

（二）权利的根据和限制

股东的权利，是由法律授予的，不得以章程规定、股东大会决议或者董事会的决议加以限制。所以，像那些以股东大会的决议或者董事会的决议可以限制股东的表决权以及规定股东之间不同分派率的章程规定，均为无效。但是，像新股认购权的限制（商418条，1款）那样，商法有所保留的情形是例外的。不过，即使根据这种规定限制股东的权利，也必须是根据股份平等的原则，一般限制所有股东的权利，而不能特别剥夺或限制部分股东的权利。总之，股东的权利并不是多数决的议事决定对象。

（三）权利的分类

股东的权利通常可分为以下几种类型。

1. 共益权和自益权。以参加公司的运营为目的，或与此相关而行使的权利叫做共益权。股东以从公司获得经济利益或其他便益为目的的权利为自益权。

共益权有：股东大会召集权（商366条），设立无效之诉的提起权（商 328 条），表决权（商 369 条），关于股东大会决议瑕疵的各种诉的提起权（商 376 条，380 条，381 条），代表诉讼的提起权（商 403 条），对董事违法行为的留止请求权（商 402 条），新股发行无效之诉的提起权（商 429 条），会计账簿阅览权（商 466 条），董事、监事的解任请求权（商 385 条，415 条），公司业务及财产状态的检查请求权（商 467 条），解散判决请求权（商 520 条），合并无效之诉提起权（商 529 条）。

自益权有：盈余分派请求权（商 462 条），股票交付请求权（商 355 条），股份转换请求权（商 355 条），名义更换请求权（商 337 条），新股认购权（商 418 条），公积金转入资本时的新股分派请求权（商 461 条），剩余财产分配请求权（商 538 条）等。

2. 单独股东权、少数股东权。

1）商法上的少数股东权：即按持有一定数量的股份是否是权利行使的要件来区别的。自益权均为单独股东权。共益权中虽然相当一部分是单独股东权，但限于持有发行股份总数一定比率股份的股东行使其权利的情形也是不少的。例如，股东提案权（商 363 条，之 2、1 款）股东大会的召集请求权（商 366 条）、集中投票请求权（商 382 条，1 款）董事解任请求权（商 385 条，2 款）、会计账簿阅览权（商 466 条）、业务财产状态检查请求权（商 466 条）要求必须持有发行股份总数的 3% 以上；留止请求权（商 402 条）、代表诉讼提起权（商 403 条）要求持有发行股份总数的 1% 以上；解散判决请求权（商 520 条）要求持有发行股份总数的 10% 以上。像这样，持有一定数量以上的股份才可行使的权利，称做少数股东权。法律之所以将共益权的一部分规定为少数股东权，是因为一方面要防止多数决原则下的多数派股东的专横，另一方面还要防止单独股东权的情形下个别股东滥用股东权。还有一个理由是，从权利的性质来看，并不存在对过于零散的股东也认可的实际意义，因此，以制度的效率上考虑将其规定为少数股东权。1998 年商法修改之前，关于少数股东权要求发行股份总数 5% 以上的严格要件

（但解散请求是 10％以下），因此行使少数股东权比较困难。1998年修改商法为了提高少数股东权制度的实效性，如上述缓解了少数股东权的要件。

2）上市法人的少数股东权：为了加强上市法人的少数股东权制度的实效性，在 1996 年底的证券交易法修改中，已先于 1998 年修改商法，作出了特殊规则。

（1）要件的缓解：证券交易法整体上缓解少数股东权要件的同时，将少数股东权分为四大群来分别规定其要件。

〈第一群〉：能够提出各种代表诉讼（商 324 条，403 条，424条，之 2、467 条，之 2、542 条）的少数股东权，将持有发行股份总数的 1‰以上作为其要件（证券 191 条，之 13、1 款）。

〈第二群〉：能够提出董事、监事的解任请求（商 385 条，2款）和清算人的解任请求（商 539 条，2 款）及留止请求（商 402条）的少数股东权，将持有发行股份总数的 50‰以上为其要件（证券 192 条，13、2 款）。

〈第三群〉：以股东提案（证券 191 条，之 14、1 款）、会计账簿阅览（商 466 条）为目的的少数股东权，将持有 10‰以上作为其要件（证券 191 条，之 13、3 款）。

〈第四群〉：股东大会召集请求（商 366 条）及公司业务、财产状态的检查（商 467 条），以持有发行股份总数的 30‰以上（即3％以上）为其要件（证券 191 条，之 13、4 款）。

〈大规模公司的特例〉：对最近营业年度末的资本金为 1 000 亿韩元以上的公司，证券交易法再次将上述"50‰以上"下调为"25‰以上"；将上述"10‰以上"下调为"5‰以上"；将上述 30‰以上"下调为"15‰以上"（证券交易令 84 条，之 20、1 款）。如此对大规模公司一再缓解其要件的理由为，大规模公司由于其股份分散度高，很难具备 10‰或者 30‰的持股要件。因此，为扩大可行使少数股东权的股东的范围，采取了上述缓解少数股东权要件的措施。

　　过去，商法上为行使少数股东权而设的持股要件过于严格，因此，少数股东权的行使未能取得实效。鉴于这一点，证券交易法如此大规模缓解少数股东权的持股要件，从保护股东的角度来说，确实是划时期的改善。但是，证券交易法上的各种少数股东权之要件分得太细，有必要理顺，并且从证券交易法的性质来讲，它并非是适合规定少数股东权的法律，因此应将证券交易法上的少数股东制度吸收到商法里。

〈图表：关于少数股东权要件的商法和证券法的比较〉

事　　项	商　　法	证　券　法
股东提案权	3%(363条,之2)	10‰(191条之14)
代表诉讼	1%(403条)	1‰(同上)
有关利益供与代表诉讼	1%(467条之2)	1‰(同上)
有关不公正收购代表诉讼	1%(424条之2)	1‰(同上)
追究发起人责任代表诉讼	1%(324条)	1‰(同上)
追究清算人责任代表诉讼	1%(5条)	1‰(同上)
董事、监事解任请求	3%(385条,2款、415条)	5‰(191条,之13、2款)
清算人解任请求	3%(539条,2款)	5‰(同上)
留止请求	1%(402条)	5‰(同上)
会计账簿阅览权	3%(466条)	1%(191条,之13、3款)
股东大会召集	3%(366条)	3%(191条,之13、4款)
业务检查权	3%(467条)	3%(同上)
公司整顿申请权(公整30条,2条)	10%(520条)	—

　　(2) 持股要件的持续性：商法上可以行使少数股东权的持股比率，在行使少数股东权时具备即可。而证券交易法规定，自行使期间起溯及一定期间，只限于在此期间内持续保有所定比率股份的股东，才允许行使少数股东权。例如，关于代表诉讼，自诉讼提起前6个月开始，持续保有发行股份总数 1‰以上的股东才可以行使权

利（证券 191 条，之 13、1 款）。之所以这样规定，是因为对于相当期间内保有股份而与公司之间保持稳定的利害关系的股东，才有认可少数股东权行使的实际意义，应预防只行使少数股东权为目的而取得股份的滥用行为。

3．固有权和非固有权。固有权是指如未经持有该项权利的股东的个别同意，即使以章程或股东大会决议也不得剥夺的权利。以前，关于哪些权利属于固有权，有特权说（限于一部分股东的权利）、共益权说、自益权说、关于股东本质利益的权利说等。不过，关于赋予股东权的规定都是强行法规，以其他股东的全体一致同意也无法剥夺，因此，关于固有权和非固有权的争论没有实际意义。

4．比例性权利和非比例性权利。在股东的权利中，有权利的内容按其所有股份数的比例数量上增减的，也有不管其所有的股份数的多少，只要所有一股以上或一定股股数以上（少数股东权的情形），就可以均等享有的。前者称作比例性权利，后者称作非比例性权利。前者有：利益分派请求权（商 462 条），表决权（商 369 条），剩余财产分配请求权（商 538 条），新股认购权（商 418 条），公积金转入资本时的新股分派请求权（商 461 条）。各种诉的提起权等其他权利则都是非比例性权利。

适用股份平等的原则时，对于比例性权利，应遵守比例性平等原则，但对非比例性权利，则应根据数量平等的原则，对具备一定要件（1 股以上的股东或少数股东）的股东应予以均等内容的权利。例如，财务报表的阅览请求权（商 448 条，2 款），即便依据章程，也不能只对特定股东或者持一定数量以上的股份所有者认可。

三、股份平等的原则（股东的比例性利益）

（一）绝对性平等和比例性平等

股份平等的原则，是指股东在与公司的法律关系中，平等地享有权利。股份平等的原则，从作为股份归属者的股东的立场上被称之为股东平等的原则。股份平等依据以何种方法来实现平等，可以分为绝对性平等和比例性等（或者相对性平等）。绝对性平等是意指不管股东所有的股份的数量，对全体股东赋予同等权利的平等；而比例平等是意指按所有股份数的比例赋予权利的平等。关于前面已叙述的非比例性权利，适用绝对性平等原则；比例性权利适用比例性平等的原则。

绝对性平等来源于股份公司的社团性，与此相反，比例性平等来源于以股东的有限责任制度为基础的资本团体性。

在资本团体性浓厚的股份公司中，对股东来说，比例性原则更加具有本质性，通过它强烈地显示出股东的利害关系。相反，非比例性权利，大致作为确保比例性权利的手段而具有的意义更大些。因此，股份平等的原则主要是在比例性权利方面具有实际意义。

（二）根据

风靡18世纪的政治法律平等思想对同时代诞生的股份公司也产生了影响，并因此而出现了股份平等的原则。该原则可以说是将股东的机会和风险（chance und Risiko）的比例性分配制度化而产生的原则。

在无限公司中，由于社员承担无限责任，各社员的风险负担与其出资价额是不成比例的。如果社员的责任额大至可以忽略其出资额的规模时，各社员的风险负担几乎是平等的。因此，在无限公司中，各社员享受的机会与其出资额是不成比例的。在行使表决权时依人数主义；在利益的分配中，没有特别规定时，出资额才成为补充性的标准。但是，在股份公司中，股东承担有限责任，因此各股东的风险负担是由股份数表示的出资额本身，并比例于此。于是，股东所享受的机会也是与出资额即股份数成正比，这与风险负担的比例相对应，可以说是公平的。

有些国家的立法明文反映出股份平等的原则。美国示范公司法将股份定义为"分割公司财产权益的单位"；[1]德国股份法第53a

---

[1]　Model BUS. Corp. Act § 1.40 (21).

条中则规定："在同一条件下应平等对待股东"。[1] 韩国商法中的表现与此不同，如后所述，根据每项权利，分别标榜股份平等的原则。由于股份平等的原则，在制度上已成为股份公司在资本构成过程中向出资者提示的赋予权利的规范性标准，因此成为解释公司和股东之间法律关系的标准，同时作为适用于法律尚未明文规定的所有事项的独立性法律原理，可与民法上诚实信用原则相比拟的一般条款性的最高原理。于是，股份平等的原则是强制性规范，违反该原则的章程中的规定，股东大会的决议，董事会的决议或者业务执行均为无效。

（三）内容及例外

股份平等的原则，基本上具体体现为对公司收益（earnings），净资产（net assets）以及公司控制（cantrol）的比例性利益（权利）。对收益的比例性利益，意味着盈余分派上的平等（商 464条）；对净财产的比例性利益，意味着在剩余财产分配中的平等（商 538 条）；在公司控制中的比例性利益，意味着表决权的平等（即 1 股 1 表决权原则）（商 369 条，1 款）。股东的权利除此之外还有很多种，但大体上都是上述三种比例性利益中派生或为了维持或者实现这三种利益的权利。

法律上可以设明文规定排除或限制股份平等的原则。例如，数种股份（商 344 条），无表决权的股份（商 370 条），监事的选任（商 409 条），少数股东权（商 366 条），端股的处理（商 443 条）等规定，都是对股份平等原则的特殊规定。但是，法律上的特殊规定也都只不过是在实现股份平等原则时，从技术和方法论上以不同的方式表现的而已。还有，相当于特殊情形的股份相互之间同样也要遵守平等原则。例如，即使发行了不同种类的股份，但在同种股份之间照样适用原来的股份平等的原则。

---

[1]　§ 53a AktG.

四、股东的义务

(一) 出资义务

1. 意义：股东对公司承担缴纳全部股份认购价额的责任（商295条，303条，305条，421条）。但是，缴纳应在公司设立之前或者新股发行之前，即成为股东之前全额履行，因此确切地讲它不是股东的义务，而是"股份认购人"的义务。根据商法第331条，第334条的表达和一般性用法，在此也称为"股东"的义务。此出资义务是股东的全部义务（商331条），除此之外股东不承担任何责任。这是股份公司有限责任制度的本质性要素，不得以章程或股东大会的决议来另作规定。但是，全体股东或者部分股东自发达成的分担公司债务的协议，与股东的有限责任无关，是个人法上的约定，并非无效。

出资限于财产出资，以现金出资为原则，现金以外的财产出资即实物出资按照严格的程序例外地予以认可。在人合公司中允许的劳务出资或者信用出资，既设有换价性，又有害及资本充实的可能性，所以在股份公司中不能成为出资方法。

除此之外，还有如下几种派生出的问题。

2. 抵消的限制：关于缴纳，股东不得以抵消来对抗公司（商334条）。即禁止将股东对公司持有的债权为自动债权，公司对股东持有的股款缴纳请求权为被动债权来抵消。这是为了使股款的缴纳必须通过实际的履行，从而图谋资本充实。同时也考虑到了若允许抵消，那么等于股东从为全体公司债权人而担保的公司财产中优先受偿；如在股东的自动债权中有发生争议的因素时，公司则失去行使抗辩权的机会。但是，判例认为，纯属省略现金收受意义上的抵消是可以允许的（大法院1960. 11. 24判决）。

相反，公司将股款缴纳请求权作为自动债权，将股东对公司的债权作为被动债权来抵消是可以（大法院1960. 9. 1判决）。但是，有不适合抵消的情形，或公司对股东的债务中有发生争议的因素时，以后有可能产生发起人或董事的责任问题（商322条，1

款、399 条)。

3．公司的代位清偿：公司不得代替股东履行股款缴纳义务（大法院 1963．10．22 判决）。如果予以承认公司代位清偿股款缴纳义务，股东的缴纳义务则因公司代位清偿而被消灭，公司只能对股东持有一般性的金钱债权，事实上不能取得出资效果。

4．履行方法：履行缴纳义务时，不得进行代物清偿。因为如果允许，它将成为不经法定程序的实物出资。尤其是，以票据或支票缴纳时成为问题，即使有某种约定，不能视为"代替清偿"（即代物清偿），而应视为"为清偿"而进行的。于是，该票据或支票被支付时，才应视为已缴纳（大法院 1977．4．12 判决）。

(二) 控股股东的责任

如前所述，股东承担有限责任，就表决权等股东权的行使不承担任何责任。关于这一点，即使控股股东也不例外。因为理论上讲，控股股东只不过比其他股东从比例上享受更多的权利，并非在权利的质量上有所不同。但是，事实上，控股股东的权利受社会学上的所谓"支配权"的影响，显示出比普通股东的权利更为优越。利用这一优越性，控股股东在与其他股东的关系中，不仅在比例上享受更多数量上的利益，而且享受其他股东不能接近的机会。例如，控股股东可以选任自己或亲戚为董事，并从公司得到报酬。从公司法理上看，这种机会的不平等似乎是不可避免的，但是，事实上有很多控股股东再进一步滥用其优越性，享受更加不公正的机会。例如，垄断向公司供给商品的地位或为了私利而利用公司财产。当今，由于股东大会虚构化现象和缺少有实效的经营监视体制，控股股东的私利追求不断扩大，如何杜绝这一现象成为公司法的一项重大课题。1998 年修正商法在第 402 条的 2 中新设了追究向董事指示业务执行者的责任的制度，主要为了追究控股股东滥用自己地位的责任。详细内容与董事的责任相关后述。

五、股份不可分和股份的共有

(一) 共有的原因

股东权将一个股份作为最小单位，因此，将一个股份由数人分割所有是不可能的（股份不可分的原则）。但是，数人共有股份是可以的。股份的共有，主要因股份的共同认购，共同继承或者共同受让等原因产生，但是也有根据股东相互间的约定，由数人各自所有的状态转变为共有关系的例子。公司法上，由于发起人或者董事对未认购股份承担认购担保责任，他们之间也产生共有关系（商321条，1款、428条，1款）。

(二) 共有关系的特则

关于股份共有的法律关系，准用民法第26条或第270条的规定（准共有，民278条），但是关于下列问题商法和证券交易法上设了特则。

1. 数人共同认购股份时承担连带缴纳责任（商333条，1款）。

2. 股份的共有人应决定1名行使股东权利人（商333条，2款）。据此，行使盈余分派请求权、表决权、各种提诉权等股东权时，各个共有人不得凭共有股份来行使，须要通过该代表人来行使，未定有代表人或因其他事由没有人行使股东权利时，对共有人的通知或催告，只对其中一人进行即可（商333条，3款）。

3. 依照证券交易法，将上市股份寄托给证券托管院的寄托人及其顾客，对于被托管的股份，依其寄托的数量，持有共有的份额（证交174条，之4、1款）。但证券托管院应将其实际股东名单通报给发行公司，发行公司应据此制作实际股东名册。于是，寄托人和顾客不是基于共有关系行使股东权，而是按各自寄托的股份数量来单独行使股东权（证交174条，之8、2款）。

(三) 共有股份的转让

股份分割（共有物分割，民268条）之前，不可能有一名共有人转让股份的行为（民264条），只能转让共有份额，并随着该份额的转移，可以进行名义更换。如果要对公司主张共有关系，应在股东名册上登载全体共有人的姓名、住所及共有关系。

六、以他人名义认购股份的法律关系

(一) 概述

在股份认购中，也有不使用自己的真实姓名，以家族或使用人，亲戚等他人的名义认购或甚至以死者或虚构人之名义认购的事例。这种情况下产生由谁来对公司承担股款的缴纳责任的问题和应将谁视为股东的问题。

(二) 缴纳义务

商法第 33 条将以他人名义认购股份的情形分为：(1) 使用假设人名义或未经他人承诺使用其名义时；(2) 经他人承诺而使用其名义的情形。并对此分别规定不同的缴纳义务。以假设人名义认购股份或不经他人承诺以其名义认购股份时，只能由实际股份认购人承担股份认购人应承担的责任 (即缴纳责任) (商 332 条，1 款)。相反，经他人的承诺，以其名义认购股份时，出借名义人和实际的股份认购人承担过连带缴纳责任 (商 332 条，2 款)。

商法第 332 条对以他人名义认购股份的缴纳义务作出的规定，可以说是将以他人名义作出的股份认购有效为前提的。在此，不存在发起人和董事的认购担保责任 (商 321 条，2 款、428 条，1 款)。

(三) 股东的确定

在以他人名义认购股份时，在名义上的股份认购人和实际股份认购人中应将谁视为股东？这是牵涉到多数人利害关系的重要问题。名义股东和实际股东相互之间的事情，可以通过个人法来解决，但是与公司的关系中，产生由谁来行使盈余分派请求权、新股认购权、表决权等股东权以及公司应将谁视为股东的问题。与第三者的关系中也如此。例如，名义股东向第三者转让股份时，受让人能否适法取得股份或谁的债权者能扣押股份等有争议。

以假设人即虚构人的名义认购股份时，因为没有对立的利害关系人，所以不会产生这种问题，只是使用现存人物的名义时才成为问题。

1. 实质说。实质说将实际上的股份认购人视为股东。不管该行为的名义人是谁，事实上作出行为者应成为权利、义务主体的意思主义为基础的见解。此外，此说又将商法第332条作为重要的根据。

第一，该条第1款规定不管使用何人名义，都由实际上的股份认购人来承担股份认购人应承担的责任，因此，适用该规定的时候（即以假设人名义认购股份时及不经他人承诺，以他人名义认购股份时），应以实际上的股份认购人为股东。

第二，该条第2款（借用名义）是特别规定了串通者的连带责任，并非是出借名义人取得股东的权利的意思。还有，从与该条第一项之间的平衡上考虑，在第2款的情形下也应将实际股份认购人（名义出租者）视为股东。

2. 形式说。形式说将名义上的股份认购人视为股东。其理论根据为：（1）公司法上的行为是集团性行为，因此它强调法的稳定性。于是，对其处理应客观、划一地进行，这一点在确定股份认购人时亦同；（2）从公司的角度上看，公司对实际股东进行调查是不可能的；（3）按实质说所说的那样，如否定名义股东的股东资格，那么会导致从公司成立时起，理所当然从法律上、形式上允许一人公司设立的结果。除了上述三个理由之外，有人追加股份认购呈现出依认股要约书作出要约，公司以此为基础进行分派等要式性，如不管名义上的股东是谁，将实际股东视为股东则违反这种要式性，而且也违背禁反言的原则的理由。

3. 股东关系的稳定性处理。关于实质说，除了形式说所指出的一般性问题之外，还有如下问题。

根据实质说，公司应区别名义股东和实际股东，这对于以多数的股东为对象划一处理业务的公司来说，不仅是大的负担，而且因股东恣意创出的外观给公司之间的法律关系带来混乱，因此是不妥当的。倘若在某一时期，将实际股东和名义股东相区别认识，但经过一段时期，如董事被替换，那么就不能认为这种认识会继续下去，因此，也是不妥当的。而且，根据实质说，实际股东可以全盘否定至今为止以名义股东的名义所形成的所有法律关系的效力，从而公司法关系的不稳定会变得更加深刻。

还有，考虑到从名义股东处受让股份者和取得质权者、名义股东的扣押债权者等牵涉到第三者利害关系的问题，采取形式说时，对他们的保护会更加完善，股份的流动性不受阻碍。尤其是出借名义时，持有判例认定其有效性的名义信托似的目的和外观，为了与其相平衡，也应将名义股东视为股东。

第三款　　股票和股东名册（股份的管理）

在人合公司中，社员记载于章程上，其变动也不多，但在股份公司中，股东因认购股份或受让已发行的股份而取得其地位，股东并不记载于章程上，同时因股份的转让性，其移动也很频繁的。因此，在股份公司中，应股份认购和转让的要求，需要有一种连结股东与公司的可视性证明权利手段，这就是股票和股东名册。

一、股票

（一）股票的意义

股票（Share Certificate；Aktie od.，Aktienurkunde）是表彰股份的有价证券。

股份根据立法政策，转让的难易度有所不同，但是原则上是可以转让的。而且，为促进股份的认购，有必要保障通过转让而可以回收投入资本。既然将股份认为是一种财产性权利，不管是以准于债权转让的方法，还是以其他任何方法，均可以自身转让。但是，未将此可视化的状态下，不能期待在未知的多数人之间流通。因此，将股份以股票形式有价证券化，并在股份转让时，以股票的交付来公示，从而保障其流通性。

但是，另一方面，对于那些不愿意转移股份的股东来说，股票反而成为提高权利丧失危险度的存在，因此设有可使这些股东不持有股票的股票不持有制度，而且在证券市场上股份大量交易时，如将股票的实际交付作为必需的履行方法，反而害及股份交易的迅速性，因此出现了不实际交付股票，就可以转让股份的证券对替决算制度。

（二）股票的性质

股票是有价证券，但股票只表彰已存在的股份或者股东权，并非因它的制作、发行而产生股东权，所以不是像票据那样的设权证券。于是，假设公司保有的预备股票外流并转移或不发行股票记载于股东名册上而无效的旧股票流通时，即使取得它也不能成为善意取得。总之，股票与权利的发生无关，无记名股份在权利的行使和转移上，记名股份在权利的转移上分别需要持有股票，因而它是不完全有价证券。与票据或支票等有价证券相比有如下差异。

第一，由于股票的效力受其股票的原因关系——股份或股东权存在与否或有无效力的影响，因此股票是要因证券；第二，股票上记载一定的法定事项，代表董事要签章（或署名）（商356条），因此是要式证券，但是该记载事项为非本质性的事项，即使欠缺或与事实不同，只要该实体意义上的法律关系仍存在时，该股票仍有效。在这一点上，比起票据或支票其要式性大缓解；第三，持无记名股份行使权利时，须提示股票，但记名股份的情形下，凭股东名册认知股东，因此是非提示证券；第四，股票在股东的权利行使上持续需要，行使股东权时，也不将股票返还给公司，即非相换证券。

（三）股票的种类

1. 记名股票、无记名股票。表示股东姓名的股票称为记名股票，没有表示股东姓名的股票称为无记名股票。其详细内容在记名股份和无记名股份的部分已说明过。

2. 单一股票、并合股票。表彰一个股份的股票称为单一股票，将数个股份用一张股票表彰的称为并合股票。虽然通常发行10股票、50 股票、100 股票等单纯并合股票，但是像 49 股票、97 股票等将特定股东所持有的总股份数以一张股票表彰的票面合算表彰股票的发行也是可以的。通常，作为任意记载事项，在章程中已定好股票的发行单位，但实际发行与此不同的股份也不会成为无效（大法院 1996．1．26 判决），股东也可以请求股票的分割或并合请求，若拒绝它，则与股份的转让性相抵触，因此是不允许的（商 335 条，1 款）。

（四）股票的发行

1．股票的记载事项。股票是要式证券，应记载如下事项和编号，并由代表董事签章（或者署名）（商 356 条，1 号 ~ 8 号）。（1）公司的商号；（2）公司成立年月日；（3）公司要发行的股份总数；（4）1 股的金额；（5）关于公司成立后发行的股份，其发行年月日；（6）有数种股份时其股份的种类和内容；（7）关于股份的转让须经董事会承认时，其规定；（8）有偿还股份时，在第 345 条第 2 款中所规定事项（偿还价额，偿还期间，偿还方法和数量）；（9）有转换股份时，在第 347 条所记载的事项（关于转换股份，应在认股要约书上应记载的事项）。

此外，应记载该股票所表彰的股份的数量（例如，10 股票，100 股票），记名股票中应记载股东姓名。

股票为非设权证券，因此股票的要式性不像票据、支票那样严格，即欠缺像代表董事的签章（或者署名）那样，部分非本质性的记载事项也仍有效。而且，并非为被表彰的股份本身变动的记载事项（例：商号、预定发行股份总数），即使变动也不影响股票的效力。但是，股票上应记载的事项不记载或不如实地记载时，应给予罚金的（商 635 条，1 款、6 号）制裁，并追究董事的责任（商 399 条）。

2．股票的发行义务及限制。

1）公司成立后或者新股缴纳日期后，应不得迟延地发行股票（商 355 条，1 款）。没有股票，原则上没有办法转让股份，为了保障股份的转让渡（商 335 条，1 款），强制发行股票。于是，这一规定不仅适用于公司成立时的股份发行或新股发行时（商 416 条），而且也适用于进行股份分派或将公积金转入资本而发行新股等所有的股份发行（商 348 条，442 条，461 条，462 条，之 2、515 条、523 条，之 3）。尽管如此强行规定发行股票，但实际上韩国的股份公司，除上市法人以外，大部分公司成立后经数年也不发行股份。

与公司的股票发行义务相对应，股东持有股票的发行及交付请求权。股东的股票发行及交付请求权没有必要视为一身专属性权利（民 404 条，1 款、但书），因此可以由股东的债权人代位行使（民 404 条，1 款）。

2）公司成立前或新股的缴纳日期前，不得发行股票（商 355 条，2 款）。这是因为权利股一旦有价证券化而流通，则有可能助长投机。违反这些规定而发行的股票为无效（商 355 条，3 款、但书）。但是对发行者的损害赔偿的请求，并没有影响（商 355 条，3 款、但书）。这可以解释为，取得无效股份者可以向发行股票的发起人、董事等请求因无效而产生的损害赔偿，而且发行这些的发起人、董事等受罚金制裁（商 635 条，1 款、19 号）。

公司成立之前或者新股缴纳日期之前发行的股票无效，不得因公司成立或缴纳日期的经过而得到治愈，公司无法承认其效力。因为若公司成立或者缴纳日期的经过可自动治愈或公司承认其效力，则此前形成的权利股的转让溯及而有效。因此，公司应该向股份认购人重新发行股票。

（五）股票的效力发生时期

在股票发行的实际操作过程中，先进行发行股票的公司内部的意思决定，然后着手实行。印刷股票用纸的同时，记载法定事项，如果是记名股份，应记载股东姓名，编续号，代表董事签章（或者署名），从而完成股票的外观，并将此交付给股东。在这一过程中，有可能在只完成外观的状态下，股票非法外流并流通，而且，交付时，公司有可能将股票误交付给非股东者。因此，在此过程中，哪一时期发生股票的效力是具有决定股份具备适法的公示方法而可以转让的时期及善意取得可能时期的意思，对股东和第三取得人有重大的利害关系，而且与股东的债权人对股票可以实行权利（扣押）的时期也有关的重要问题。

1. 学说。

1）交付时说：公司根据其意思将股票交付给股东时，即发生股票的效力。于是，从此开始可以转让股份。还有，据此说，将股票交付给股东以前，即使完成股票的外形，也只不过是单纯的纸片，在某种情况下，即使由第三人取得也不能成立善意取得。于是，股东仍然对公司持有股票的发行、交付请求权，股东的债权人可以扣押此股票的发行、交付请求权。

2）制作时说（创造说）：一旦制作股票，从制作时起，作为表彰股东权的有价证券而成立，对股东的交付只不过是对权利人的转交而已。因此，公司适法制作股票时，即记载法定事项、编号，代表董事签章并确定为哪一股东的股票时，产生作为股票的效力。根据此说，即使股票未交付给股东并违背公司的意思而外流，只要由善意的第三者取得就可成立，股东对于外流的该股票，若不经除权判决，则不能请求股票的再交付。还有，股票未交付于股东，由公司持有的状态下，股东的债权人可以扣押股东的（非股票的发行、交付请求的）股票移交请求权。

3）发行时说：为上述两说的折衷观点。如果公司已制作股票并有交付给股东的意思，一旦交付给任何人（股东或其他人），即产生股票的效力。交付对象不一定是股东，不管交付给谁，都可以产生效力，这一点不同于交付时说（例如，即使第三人伪造股东印章，利用它从公司得到股票，该股票仍可以发生效力）；不依公司的意志而被外流时，例如，股票被盗时，该股票为无效，在这一点上又与制作说不同。

目前，在韩国交付说为通说。过去大法院判例似乎立足于发行时说（大法院 1965．8．24 判决），而现在则采取交付时说（大法院 1977．4．12 判决）。

2．私见。根据采取何种学说，有明显的差异，并要深刻考虑的问题是股东的保护和善意的第三取得者的保护问题。如根据交付时说，股东的权利可以得到保护，但会忽视交易的安全问题；如根据制作时说，虽然交易安全可以得到保护，但是从股东的立场由看，即使没有占有过股票，自己又没有过失，也有可能丧失股东权；如根据发行行说，虽然这些短处可以弥补一些，但同样也存在股东不因自己的过失丧失股东权的缺陷。

采取制作时说时，不但会完全忽视股东的保护，而且还会有其他的实际问题。制作时说认为，当已确定谁是股东的时候，该股票可以有效成立。在记名股份的情形下，可以视为将股东的姓名记载于股票时已确定股东，因此，其确定时期是明确的。但是，在无记名股份的情形下，确定股东的时期是不明确的。于是，当无记名股票流通，并由第三者善意取得时，会出现哪一股东丧失股东权的问题。

如依发行时说，除了股东有可能无过失地丧失股东权以外，从来都没有占有过股票的股东却相当于"丧失股票占有者"（商359条，支票21条），从而允许第三者的善意取得，这与善意取得制度的本来的宗旨是相违背的。

如采取交付时说，虽然不承认向股东交付之前的第三者的善意取得，但是善意的第三者在请求转让人赔偿损失的同时，还根据不当得利返还的法理，可以从转让人处回收转让金。除了这些一般性救济方法以外，在大部分情况下，又可以向公司请求赔偿损失。因此，本人认为交付时说是妥当的。

（六）股票的不持有制度

1．宗旨。股东转让股份时，须持有股票。因此，要求公司必须发行股票。但是，记名股东对公司的权利行使，大部分凭股东名册上的记载。于是，对长期保有股份的股东来说，是没有必要必须持有股票的。反而，股票丢失或者被盗时，欲得到再发行的股票不

仅烦琐，而且失去股东权利的危险性也不小。尤其是商法规定记名
股份也可以只凭股票的交付转让股份（商336条，1款），因此股
票的善意取得较容易，因丧失股票的占有而丧失权利的危险也就变
大。于是，商法规定根据股东的愿望可以不持有股票（商358条，
之2）。据此，只要章程上另无规定，股东对于记名股可以申告不
持有股票的意思。

2．不持有申报的程序。

1）许可要件：股东的不持有申报，章程中应无禁止规定（商
358条，之2、1款）。由于股票的不持有制度给公司带来业务上的
麻烦，经股东们的同意，可以通过变更章程来不采取这一制度。

2）申报资格：只有记名股份的股东才可以进行不持有申报
（商358条，之2、1款）。关于以证券托管院的名义已作出名义更
换的上市股份，该证券托管院也可以进行不持有申报（证交174
条，之6）。无记名股份为了行使股东权必须持有股票（商358条），
所以不能成为不持有的对象。不持有申报应记载于股东名册上，因
此即使是记名股东也只限于股东名册上的股东，未进行名义更换的
股东不得进行不持有申报。

公司设立中或新股发行的效力发生以前，新股认购人为了事先
拒绝股票发行，也可以进行不持有申报。

股份被出质时，股东无法向公司提出股票，不但在技术上不可
能进行不持有申报，而且为保护质权者也不得允许不持有申报。

3）一部分申报：股东对部分所有股份可以进行不持有申报。
因为有必要将所有股份分别管理。

4）申报的相对方：虽然申报应对公司进行，但不持有申报必
然与名义更换有联系，因此公司有名义更换代理人而自己不进行名
义更换时，应向名义更换代理人申报。

5）申报时期：公司发行股票以前或以后，均可以申报。由于
并不因股票不持有而发生股东的变动，在股东名册封闭期间中也可
以进行申报。

6）提交股票：在公司发行股票之后申报时，应向公司提交股票（商358条，之2、3款）。

3．股票发行之前申报的效力。如有股东的不持有申报，公司应不得迟延地将不发行股票的意思记载于股东名册及其复本上，并将该事实通报给股东（商358条，之2、2款）。公司对不持有申报的股份，不得发行股份。即使发行股票也没有效力，该股票即使流通，善意取得是不可能的。

禁止发行股票的效力，在股东名册或其复本上记载不发行股票的意思时才发生，而不是在向股东通知时发生。

4．股票发行后申报的效力。在已发行股票的状态下，进行股票不持有申告时，公司应将该股票为无效或寄托给名义更换代理人（商358条，之2、3款）。过去，只要进行股票不持有申报的同时提交股票，该股票为无效。但是，1995年修正商法中追加了寄托给名义更换代理人的方法。对于上述两种方法，公司可以自由选择。股份发行后有持有申报时也应在股东名册上记载股票不发行之意（商358条，之2、3款）。但对于如何适用该规定无明文规定，因此带来一定的混乱。关于这一点，应分成公司将股票作为无效时和寄托于名义更换代理人时的两个情形来分别适用。

1）股票的无效处理：法律条文虽然以"……公司将股票作为无效或……"（商358条，之2、3款）来表现，但公司将股票作为"无效"，在法律上是不能成立的命题。这是因为不能以公司的意思来决定股票的有效或无效。这一规定应理解为废弃股票的同时，像在股票发行之前有不持有申报时那样，在股东名册上应记载不发行股票之意。即由于在股东名册上记载不发行股票的意思，股票才变为无效。如果只是理解为废弃股票，那么公司将提交的股票不废弃，并使该股票流通或废弃股票之后发行新股票而流通时，就没有否定取得者权利的根据。

将不发行股票之意记载于股东名册之后，像在发行股票以前进行不持有申报时那样，公司当然不得发行股票。

已发行的股票变为无效是以向公司提交股票为前提的，如不提交股票，不仅不得进行股票不持有申报，而且即使公司未回收股票而在股东名册上记载股票不发行之意，股票也不会变为无效。

2）股票的寄托：不将股票作为无效而将股票寄托于名义更换代理人时，该股票仍然为有效的股票，不得在股东名册上记载股票不发行之意。若该股票有效而流通，那么善意取得也是有可能的。因此，进行不持有申报的股东，不能获得因股票不发行引起的权利的稳定管理效果，只是享受将保管股票的辛苦转给公司的效果。即由名义更换代理人保管的股票被外流，而由他人善意取得时，股东只能对公司请求损害赔偿，无法恢复股票的占有。

对名义更换代理人的寄托，依据公司与名义更换代理人之间的约定来进行。因此，股东不能直接请求名义更换代理人返还股票。

既然股票的无效处理和寄托任凭公司自由选择，那么因保管而发生的费用应由公司来承担。

5. 股东的股票发行请求。股东虽然进行了股票不持有申报，但要转让股份时，会重新需要股票。因此，股东可以随时请求公司发行股票或者返还股票（商 358 条，之 2、4 款）。股票发行之前进行了不持有申告时或者股票发行之后进行不持有申报，公司在股东名册上记载不发行而将股票作为无效时，应请求发行股票；公司将股票寄托给名义更换代理人时，应请求返还股票。

另外，公司在股东名册上记载不发行股票之前，股东可以撤回股票不持有申报。

（七）股票的失效

1. 概述。股票是表彰股份这一权利的物理性存在，因此依被表彰权利的消灭及其物理性存在的消灭而丧失其效力。

第一，股票不是设权证券，因其表彰的股份即股东权的消灭而失效。例如，因公司的解散其法人格被消灭，或者像股份的并合（商 440 条，530 条，3 款）、股份的消灭（商 343 条）、股份的转换（商 346 条）那样，股份被消灭时，在股票上表彰的股东权本身要消灭，股票随之也当然失效。

第二，因股票被污损而向公司提交旧股票，以此交换新股票而得到时，旧股票失效。另外，为了不持有股票而提交的股票也失效。

第三，股票灭失或被丧失时，根据公示催告程序，可以将股票作为无效（商360条，1款）。

在第一种、第二种情形下，股东应向公司提交股票，而且提交股票成为股东重新取得股份或者股票的要件，即使旧股票立即失效，也不会产生与第三者的权利相冲突的问题。但是，在第三种情形下，即股票灭失或被丧失时，第三者可以善意取得，因此只凭灭失、丧失的事由，不能立即使股票失效。另一方面，一旦股东丧失股票，就等于没有行使股东权的手段，如果丧失股票被第三者善意取得，则从前的股东连股东权都会丧失。因此，从救济丧失股票股东的必要性出发，使从前的股票失效，并规定可以再发行股票，但是为了预防围绕被丧失的股票发生新的法律关系，特设了公示催告程序，同时，因不知道有无第三者权利的牵涉问题，规定禁止公司任意再发行股票，丧失股票的再发行须经除权判决之后才可进行（商360条，2款）。

2. 公示催告。股票无效的公示催告程序依民事诉讼法上有关证书无效宣言的公示催告程序规定（民诉463条，1款）。

管辖权属于总公司所在地所属的地方法院（民诉447条，3款）。最后持有股票者可以申请公示催告程序（民诉464条）。作为申请的证据，应提出证书（股票）的誊本或提示能够充分知晓证书存在所需的事项，并应疏明证书的被盗、丢失、灭失及可以申请公示催告程序的原因事实（民诉465条）等。是否许可公示催告的审判用裁定作出（民诉449条）许可公示催告申请时，应由法院进行公示催告（民诉450条，1款）。此公示催告中，应催告在公示催告期间内进行权利或请求的申报及提出证书，并警告如懈怠则以失权来处理，宣告该证书无效（民诉466条）。此期间，定为自公告终了之日起 3 个月后（民诉 452 条）。在此期间，争申请人主张之权利者应申报其要旨及自己的权利。在公示催告期间内未申报时，宣告除权判决；申报时，应将公示催告程序中止，至有关该权利的判决确定为止，或者保留其权利并宣告除权判决（民诉 456 条）。

3. 除权判决的效力。

1）申请人的地位：除权判决中应宣告股票无效（民诉 467 条）。因此，根据除权判决，股票丧失效力，申请人可以对公司主张股票的权利（民诉 468 条）。但是，除权判决只能起代替股票占有的效力，没有创设或者确定实体性权利关系的效力，并不是确定申请人是正当的持有人，或股票及其表彰的股份的内容。因此，股东权的内容或其存在本身，或者申请人是否是正当的持有人应以另外的诉讼来解决。这时，善意取得者和申请人的地位成为问题。

2）善意取得者和申请人的地位：依据除权判决，股票为无效。所以，除权判决以后，即使善意取得股票也得不到保护。但是，除权判决前善意取得者，即使有依公示催告的公告也不能被拟制为有恶意或重大过失，依申报权利当然可以得到保护。因此，有人凭股票请求名义更换时，公司不得以已有公示催告为由拒绝名义更换（没有异说）。问题是在除权判决之前，善意取得股票者若没有进行权利申报时，根据除权判决是否失去权利？关于这一点有学说上的分歧。（1）少数说认为，即使是善意取得者，若不进行权利申报，则依据除权判决也将失去权利。对于其理由有人认为，除权判决宣告股票无效产生恢复申请人对股票的占有的效果，因而善意取得者处于与返还股票同样的状态而失去权利。也有人认为，根据除权判决，股票为无效，因此善意取得者根据该股票来证明权利是不能允许的。（2）也有采取基本上与少数说相同的立场，只是认为善意取得者在公示催告期间中进行名义更换时，完成名义更换的股票在法律上是新股票，因此除权判决的效力不及于该股票的学说。（3）多数说认为，即使未进行权利申报，善意取得者也不失去权利。其理由是：依公示催告的公告很难具有完整的公知性，如果像第一说那样解释，股票的流通保护就成为问题，还有，除权判决的效力仅限于向申请人赋予形式上的资格，因此实体性权利不得被其左右。

著者对除权判决后不能认可善意取得的问题没有异议，如果采取第三说，事实上有可能出现连除权判决后取得权利者也当作善意取得人来保护的情形（例如，虽然除权判决后取得，但主张取得日期为除权判决以前）。关于善意取得的举证责任转嫁到否定善意取得的对方身上，举证非善意取得非常困难。而且，如果申请人取得除权判决，作为其效力得到再发行股票，重新将其股票转让给第三人，那么该受让人也应得到保护。因此，既然除权判决制度作为保护申请人和保护流通性的调整装置设有公示催告程序即权利申报的机会，那么像第一说那样解释是符合该制度的宗旨。还有，如采取第二说，记名股份的名义更换只不过是具备对公司的对抗力的方法而已，却对其赋予代替起流通上的权利调整功能的权利申告的效力，这不仅不当，而且不能统一解决无记名股份的问题。

另一方面，判例认为，"即使因善意取得而持有股票，并且除权判决有瑕疵，但只要依据对除权判决的不服之诉，除权判决未被取消，对于公司不能行使作为适法股东的权限"（大法院1991.5.28判决）。这是以上述第一说为前提的。

4. 股票的再发行。丧失股票者，若未经除权判决，则无法对公司请求股票的再发行（商360条，2款）。这是因为丧失股票时，被丧失的股票有可能流通，如再发行，同一个股份存在复数股票，权利相冲突。于是，丧失股票的股东不能请求再发行，而且也不能允许公司承认其请求而发行。基于同样理由，即使并非股东遗失股票，而是公司在保管期间遗失股票，也同样未经除权判决不能请求再发行。

二、股东名册

（一）意义

股东名册（Stock transfer books, register of members; Aktienbuch），是

为了体现股东及股票的现状，依据商法的规定，由公司制作并备置的账簿（商 396 条，1 款）。但是，它不显示公司的营业及财产状况，因此不是商业账簿。

在无限、两合公司中，根据章程中记载的社员的姓名来认知出谁是股东。但在股份公司中，因章程中不记载股东的姓名以及股份的转让性，股东随时可以变动，因此应采取公司在特定时刻确定股东的方法。在无记名股份的情形下，股东通过提示股票来证明是股东就可以，但记名股份的情形下，像将有关不动产的权利状况以登记的方法来管理那样，股东希望以更加稳定的方法来把握股东权的归属关系。因此，公司在以记名股东为对象处理集团性、持续性的法律关系中，作为静态地把握股东的方法，制作并备置股东名册。公司根据股东名册来认知股东，受让股份者为了在与公司的关系中主张自己为股东，应进行名义更换。而且，股东名册也附带地履行使股份的受让人及外部人员认知谁是股东的公示功能。但是，股东名册并不是以其记载来确定股东权本身，即股东名册不是确定谁为真正股东的"权利所在的根据"，而不过是确定谁可以无举证地主张股东权的"形式上资格的根据"。

（二）备置和公示

股东名册应备置于总公司。有名义更换代理人时，在代理人的营业所可以设置股东名册或复本（商 396 条，1 款），决定将股东名册（非复本）放在名义更换代理人的营业所时，也可以不备置于总公司。股东及公司债权人在营业时间内随时可以请求阅览或者誊写股东名册或者其复本（商 396 条，2 款）。但没有必要疏明阅览目的或其正当性。

（三）记载事项（商 352 条）

1. 发行记名股票时：（1）股东的姓名和住所；（2）各股东持有的股份的种类，数量；（3）发行各股东持有股份的股票时，该股票的编号；（4）各股份的取得年、月、日。

2. 发行无记名股票时：（1）股份的种类、数量，股票编号；

(2) 发行年、月、日。

3．发行转换股份时：除了上述1、2以外，还应记载在商法第347条上列举的事项。此外，质权的登记（商340条，1款），信托财产的表示（信托法3条，2款），股份共有的情形下，也应进行股东权行使者的表示等（商333条，2款）。不记载或不真实记载应记载于股东名册上的事项时，对发起人、董事等适用罚则（商635条，1款、9号）。

（四）股东名册的效力

1．股东权的对抗要件。股东名册上记载股东姓名和所有股份，是向公司主张股东权的要件。因此，即使具备适法的原因及方法而受让股份，如果未进行名义更换，就不可以对公司行使股东权。这一点正是股东名册的最重要的效力。这种效力只限于记名股份。无记名股份在股东名册上不记载其股东的姓名，只是根据股票占有就可以主张股东权，因此，股票的占有具有替代记名股份的股东名册的效力。

详细的内容，作为名义更换的对抗问题后述。

2．资格授予的效力（权利推定力）。在股东名册上记载为股东者，没有必要向公司举证自己实质性的权利，仅凭该记载就可以主张自己为股东（作为质权登记者记载的人可以推定为适法取得质权），也没有必要提示股票。但是，股东名册的记载不具有创设权利的效力，实体法上没有取得股份者即使进行了名义更换，也不能取得股东权。因此，只要证明他是无权利者，那么他的股东权当然被否认（大法院1989．7．11判决）。但是，否认股东名册上被记载为股东者的股东权者，应承担举证该事实的责任（大法院1985．3．26判决）。就这样，虽然股东名册上的权利推定力，但股东名册上作为股东登载的事实本身，应由主张股东权者来举证（大法院1993．1．26判决）。

根据股票的占有，被推定为适法的持有人，因此，股票的占有也具有资格授予的效力（商336条，2款），但这与依股东名册的资格授予是相区别的。依据股东名册的资格授予效力，意指在股东名册上作为股东记载者向公司行使股东权时，没有必要证明其实质性权利，就被推定为适法的股东。而依股票上有的推定力，是指股票的持有被推定为适法。因此，即使持有股票，也不能直接对公司行使股东权。为了行使股东权（即向公司对抗），应进行股东名册的登载即名义更换（商 337 条，1 款）。股票的占有者因股票占有的权利推定力的效果，对公司无须证明自己的实体性权利，直接可以请求进行名义更换。

3. 免责效力。由于股东名册上具有资格授予效力的缘故，一旦公司将股东名册上被记载为股东者视为股东，认定盈余分派请求权、表决权、新股认购权等权利，即使股东名册上的股东为非真正的股东也是被免责的。

免责效力不仅及于股东的确定，而且也及于股东的住所等其他记载事项，公司对股东或者质权者的通知或催告，向股东名册上记载的住所或者其本人向公司通知的住所发出即可（商 353 条，1款），如因住所变更或股东错误提出住所，住所与事实不同而股东收不到通知时，公司对此不承担责任。股份被继承时，只要没有因继承引起的名义更换，通知或催告对被继承人作出就可免责。

4. 股票不发行记载的效力。依据股东的不持有股票申报，公司在股东名册上记载不发行股票之意，就不得发行股票，股东提交的股票变为无效（商 358 条，之 2、3 款）。这一点也可以视为股东名册的效力。

（五）股东名册的封闭和基准日

1. 意义。随着股份的流通，股东随时可以变动，出现像盈余分派或股东大会的召集等要行使股东权的事宜时，有必要特定一定时期内行使股东权者。为此，作为技术性方法，有在一定期间内，股东名册上禁止记载权利变动的股东名册的封闭和将一定日期内的股东不管此后有无变动都确定为行使股东权者的基准日。

股东名册的封闭及基准日制度不是强制实行的，只是为公司的效率性的股份事务赋予了时间上限制股东的名义更换请求权或者股东权行使者的根据。但是，若要实施，应依照商法上的规定。上市公司的章程上通常设有从营业年度末最后一天起定期股东大会日为止封闭股东名册的规定。就这样，如果章程上关于一定事项规定了在一定期间内封闭股东名册或基准日，那么关于该事项，必须封锁股东名册或设定基准日。因为章程规定封闭或者基准日时，如下所述，没有必要公告股东名册的封闭或基准日，股东们在预知章程上的股东名册封闭或者基准日的状态下，进行股份的交易。

2．股东名册的封闭。股东名册的封闭（Closing of transfer book）是指公司为决定行使表决权者或得到盈余分派者或其他行使股东或质权人的权利者，在一定期间内停止股东名册的记载。一旦封闭股东名册，名义更换就被禁止，封闭当时股东名册上的股东被确定为行使特定股东权者。

1）股东名册上的封闭不限于表决权行使、盈余分派请求，有必要规定行使新股认购权、建设利息分派请求权等行使股东权者时，均可以被允许，但只限于股东权同时对所有股东以划一标准赋予的情形，为确定像少数股东权、各种诉提起权那样，行使与否依照股东个人意思的权利的行使者时则不被认定。由于只限于确定行使股东权者，不能以公司实务之便利为目的封闭。

2）封闭期间中，当然要禁止名义更换，也不能进行像质权的登记或注销，信托财产的表示或注销等变动股东或者质权者权利的记载。但是，与权利变动无关的记载事项的变更（例：股东的住所变更）或更正是可以的（通说）。

3）在封闭期间内不得作出封闭之间未能估计到的、能够引起股东权变动的行为。例如，以召集定期股东大会为由，自1月1日起2月18日为止封闭股东名册，又以1月15日为基准日来发行新股，那么这种发行行为为无效。

4）在封闭期间中，能否接受一部分股东或者质权人的请求，公司任意进行名义更换或其他记载？这不仅违反股份平等的原则，而且有可能侵害其他股东的权利，是不能允许的（通说）。例如，为确定接受盈余分派的股东而封闭了股东名册时，如果在封闭期间，公司接受受让股份的受让人的请求，作出了名义更换，那么转让人应接受的盈余分派由让受人得到。

即使这样，公司仍进行了名义更换等时，其效力如何？多数说认为是无效。但是，如果将此作为无效，那么在上述例子中，受让人在封闭期间终了后，也不能主张名义更换的效力，重新反复进行同样的名义更换，这种行为是毫无意义的，而且保护进行名义更换之前，从受让人处取得登记质权人的权利上也有问题。因此，应认为，名义更换本身是有效的，但在封闭期间中不发生其效力。

5）由于一旦封闭股东名册，在此期间即使股份被转让，也无法进行名义更换，事实上等于限制流通。因此，关于股东名册的封闭，商法限制其期间，并设了对股东的预告程序。封闭期间不得超过3个月（商345条，2款），封闭期间开始两周之前应公告（商345条，4款）。在此公告中，应记载封闭期间的始期、终期、目的。章程上规定封闭期间时，无须进行公告（商354条，4款、但书）。在章程上无须记载年、月、日，能够记载特定期间的方法即可。在实务上通常以"从每一决算期最后一日的第二天起至有关该结算的定期股东大会终了之日止"的形式规定封闭期间。但是，股东名册的封闭对股东来说是有重大利害关系的问题，虽然没有明文规定，但须有董事会的决议并应由代表董事来执行。

3．基准日。作为确定行使表决权者或者得到分派者或者其他的以股东、质权人来行使权利者的方法，公司可以将一定日期在股东名册上所记载的股东或者质权人视为在行使该权利的股东或者质权人。这时的"一定日期"称为基准日（record date）（商354条，1款）。例如"1997年营业年度的分配金支付限于1997年12月31日17时当时的股东"。基准日有不停止股东名册上记载也能够确定股东的优点。

基准日应定为作为股东或者质权者将要行使权利日的3个月之

前的一天，并于两周之内进行公告（商354条，3、4款）。公告时也应记载其目的。章程规定基准日时，无须进行公告（商354条，4款、但书）。并且，如同股东名册的封闭，应由董事会决议，并由代表董事执行。

4．两者并用。实务上，在很多情形下并用股东名册的封闭及基准日。尤其是，为了结算期以后的定期股东大会和支付盈余分派金而确定股东时，常常将两者并用。

由于股东大会及分派金支付在相互不同的时期进行，为了使参加定期股东大会承认财务报表的股东和接受分派金的股东相一致，应并用两者。而且，在封闭股东名册期间发行新股时，欲将此新股的股东从股东大会决议中排除，除了封闭股东名册之外，应另定基准日。

5．违法封闭及基准日的效力。虽然这两种制度并不是强制实行的，但对股东来说是有重大的利害关系的问题。如果实行，应依照商法的规定（没有异说），违背它的章程的规定为无效。

若公司违反商法规定而封闭股东名册或规定基准日时，其效力会如何？对此，有人认为，与商法规定相违背的运用一般来说是无效的。但通说认为，按不同的事项，分别超过股东名册的法定封闭期间（3个月）而规定期间时，其超过的部分为无效。基准日被确定为行使权利之日起3个月以前的日期时，违反封闭及基准日的公告期间时，该封闭或基准日为无效。

以下具体地分析一下封闭及基准日的设定违反商法上规定的几种形态。大致分为：（1）不属于封闭股东名册或规定基准日的事项，却封闭或规定基准日的情形；（2）虽然是属于应封闭股东名册或规定基准日的事项，但其细节上有欠缺的情形。又将（2）分为：①不经董事会决议封闭股东名册或规定基准日时；②封闭期间超过3个月时；③将基准日定为权利行使之日起3个月以前的日期时；④未进行公告或违反公告期间，在不到两周以前公告时，或者公告事项不齐全时。

其中，关于股东名册的封闭期间超过 3 个月的情形，通说认为，如果该期间明确，那么只有超过的部分为无效，如果该期间不明确，全部为无效。这从交易的安全来看是妥当的。不经董事会决议封闭或规定基准日时，不影响其效力。此外，因其他情形均对股东利益有重大侵害，原则上为无效，但轻微违反封闭期间或公告期间，公告事项稍微不全时，其效力并无影响。

股东名册的封闭或基准日无效时，股东名册的封闭或基准日变为，根本没有存在过。封闭无效时，应将被拒绝名义更换的股东、质权人视为权利行使人；基准日无效时，应将权利行使日的股东名册上的股东、质权人视为权利行使人。依违法的股东名册的封闭和基准日被确定为权利行使人的股东、质权人均不得行使权利。若这些人在股东大会中行使了表决权，那么该决议方法有瑕疵，根据其瑕疵的程序，成为决议取消事由或不存在事由，对其的盈余分派、新股分派也成为无效。

（六）实际股东名册

频繁交易上市股份的证券公司等有关证券的机构将其保有的大部分股票寄托给证券托管院。证券公司应将自己的顾客所寄托的股票应寄托给证券托管院。证券托管院持这些向自己寄托的股票，以自己名义进行名义更换（证交 74 条，62 款）。证券托管院将该股份的实际股东名单通知给发行公司，发行公司据此制作实际股东名册（证交 14 条，之 7、3 款、174 条，之 8、1 款）。一旦被记载于实际股东名册上，与记载于股东名册具有同样的效力（证交 174 条，之 8、2 款），所以实际股东可以行使股东权。这是对商法的重大的例外。

第四款　股东权的变动

一、股东权变动的原因

股东的地位与人合公司社员的地位不同，它是随着股份的取得、丧失而发生、消灭。这是一个绝对原则，不得依当事人的约定，用不以股份的取得、丧失为前提的其他方法而取得或丧失股东权（大法院 1967．6．13 判决）。

股份的取得与一般性的权利变动一样，分为原始取得和承继取得。原始取得有公司设立时或新股发行时（参照第五节第 2 款）的股份认购和善意取得。承继取得分为概括承继和特定承继。概括承继有以继承、公司合并、概括遗赠为原因的股份取得；特定承继有股份的转让。此外，作为股份的设定取得，还有担保取得。

股份的丧失，有绝对丧失和相对丧失。绝对丧失意指股份本身的消灭，公司解散、股份的注销（资本减少，盈余注销，偿还股份的偿还）等相当于绝对丧失；相对丧失是将承继取得从转移股份者的立场上看的。股票为要因证券，即使股票灭失或股东将股票抛弃或返还于公司，也不会因此而股份消灭或丧失股东权（大法院 1991．4．30 判决）。

将转换股份转换时和股份并合时，股份的丧失和取得是同时发生的。公司合并时，消灭公司的股东在丧失从前股份的同时，取得存续公司或者新股公司的股份。

对于股东权能否适用时效制度？对此，虽然有判例认为股东权可以成为取得时效的对象，但因股东权如不经过股份的取得则无法取得，不应该适用时效制度。因此，如没有上述股份取得的原因，即使长期对公司行使股东权也不能成为股东。另外，由于股东权是通过所有股份而取得的权利，因此不像所有权那样，受消灭时效的限制。

上述各种变动原因中，发生最为频繁，且最为重要的是股份认购和股份的转让。另外，股份的担保交易也是经常发生的。股份的认购在公司设立及新股发行部分中进行说明，本节只论述股份的转让和担保交易。其他的取得、丧失原因在各个有关的章节中分别说明。

二、股份的转让

(一) 股份转让的概念

股份的转让意指依据法律行为转移股份。

1. 因股份的转让，受让人从转让人处特定承继股东权。因此，它与新股认购等原始取得不同，与承继取得中的继承、合并等概括承继也不同。

2. 因股份的转让，股东的地位也随之转移，从而不管是共益权，还是自益权，全部归属于受让人。但是，即使是基于股东的地位而产生的权利，已经从股东权分离出去并已具体化了的权利，例如，像股东大会作出分派决议之后所发生的特定决算期的分派金支付请求权等债权性权利则不转移。另外，虽然股份是由盈余分派请求权、表决权等多种权利组成，但不能分离其中一部分权利单独转让。

3. 因股份转让的效力，股东权最终转移，不产生重新履行的问题，所以股份的转让是准物权行为。股份转让的原因，通常是像买卖、赠与、交换等债权行为，并依其履行而发生，股份的转让应与此原因行为相区别。

(二) 股份的转让性

股份公司是资合公司，社员的个性并不重要，因此社员（股东）的变动不像人合公司那样重要。同时，公司资本以股份这一均等的单位来细分，并以股票这一有价证券来表彰，是为了集中大众资本。而大众资本的集中在股份流通的前提下才有可能。在股份公司中，不承认退社或出资的退还，股东回收投入资本的途径，除了股份的转让以外没有别的办法。因此，在股份公司中股份的转让比人合公司持份的转让应更为自由。从保护投资者的立场上看，这是必然的要求。

但是，即使是资合公司，股东通过选任业务执行人（董事）等，成为控制公司的主体，所以也不能排除其人合构成的重要性。从这一点来说，在股份公司中也有必要自治性地限制股份的转让，这并不损害股份公司的本质。因此，股份的转让当然应比其他类型公司的持份转让更为自由，但至于认可何种程度的转让自由，是立法政策上的问题。国外立法尽管其形态不同，但大多在章程上作出规定，只有得到董事会的承认才可以转让，以便公司能够自治性地加以限制。过去，韩国商法未允许限制股份的转上，但在1995年修改法中，参照国外的做法，允许可以依章程自治性地限制转上。详细内容后述。

将限制转让的根据放在章程上的情形下，可以以公司法上的效力限制股份的转让（商335条，1款、但书），但如果在章程上未设限制规定时，可以自由转让（商335条，1款）。只要章程没有限制，就不得通过股东大会的决议或董事会的决议或其他的方法来限制转让。不过，有限制转让的约定时，如何看待其约定的债权性效力是另外的一个问题。

股东之间有限制转让的约定或股东和公司之间有限制转让的约定时，应认定其债权性效力（无异说）。例如，如果约定违反时的损害赔偿责任，可以据此请求损害赔偿。但是，对于第三人，不管是善意还是恶意，均不得以此约定来对抗。

（三）股份的转让方法

1. 转让合意。股份转让是为了履行通常先行的买卖、交换等债权交易而为的准物权行为。于是，当事人之间应有转让的合意，此合意不要求特别的方式。

2. 股票的交付。股份的转让，除了须有转让的合意外，还要求交付股票（商336条，1款）。股票的交付不是股份转让的对抗要件，而是成立要件。因此，股份转让是要式行为。根据有价证券的一般法理，原则上，无记名证券仅凭证券的交付就可以转让，记名证券则通过背书、交付才可转让。但是，商法打破常规规定，不仅是无记名股份，而且记名股份也凭交付可以转让。

由于记名股份仅凭股票的交付可以转让，记名股份一方面在对公司的关系中，因名义更换的对抗力而维持"记名"性的同时，另一方面在股份的流通上却已无记名证券化了。

3．适用范围。

1）商法第 336 条第 1 款只适用于股份的"转让"。因此，在继承、合并等概括继承中，即使没有股票的交付，股份也可以转移。依遗赠的转移也不属于转让，也无需交付股票。但是依据这些原因，接受股份的转移时，为了对抗公司也应进行名义更换。

股份的转让契约被解除时，即使没有返还股票，股份受让人也丧失股东的地位。将股份名义信托给他人之后又终止该名义信托契约时，信托者直接恢复股东权，不需要有转让的合意或股票的交付。但是，就恢复的股东权，为了对抗公司，应进行名义更换。

2）根据股票不持有制度，不持有股票人（商 358 条，之 2）转让股份时也适用商法第 336 条第 1 款。于是，股东向公司请求股票的发行或返还，通过将公司交付的股票交付给受让人，即可转让。证券托管院接受寄托而保管的上市股份，可以由该院来进行不持有申报，并在那种状态下，只依账户结算也能转让（证交 174 条，之 6、3 款）。这是无股票转让股份的重大的例外。

3）股票发行之前，原则上不能转让，但公司成立后或者新股发行后 6 个月内公司没有发行股票时，可以作为例外转让（商 335 条，3 款）。这时候，因没有股票，不适用第 336 条，第 1 款，可以只凭当事人之间的意思表示转让。

4）依股票的占有，可以扣押股份（大法院 1988．6．14 判决）。

4．股票占有的权利推定力。作为仅凭股票的交付来转让股份的逻辑前提，不得不认定股票的占有为权利的外观形态。于是，根据商法第 336 条第 2 款，将股票的占有人被推定为适法的持有人。

1）根据推定力，股票占有人无须证明自己为权利人，就可以对公司行使权利。

记名股份，如果不进行名义更换，就不能对抗公司（商 337 条，1 款），因此仅凭股票的占有而行使股东权是不可以的。于是，作为适法的持有人对公司行使权利是指可以请求进行名义更换。而无记名股份为了行使股东权，应将股票向公司提存（商 358 条）。因此，占有无记名股票同样不是指直接行使股东权，而是指作为适法的持有人向公司提存股票之后才可以行使股东权。

2）股票占有者仅仅是得到被"推定"为适法持有人的形式上的资格而已，并非赋予实质性的权利。因此，主张相反事实的人可以通过举证推翻该推定。

3）如果公司将股票的占有人视为适法的权利人，认定其行使权利，即使占有人不是适法权利人，只要公司没有恶意或重大过失，公司就可免除责任（免责性效力）。

4）股票的占有具有上述推定力，因此基于此推定力，股票的善意取得是可以的。

5. 股票交付的形式。股票的交付是转移股票，即转移股票的占有。股票的交付通常是以实际转移来进行（民 188 条，1 款），但与动产的转移一样，简易引渡（民 188 条，2 款）、改变占有（民 189 条）、依据标的物返还请求权的转让而转移（民 190 条）也是可以的。其中，依据标的物返还请求权的转让而转移的重要的例子有证券账户结算制度（证交 173 条以下）。

（四）名义更换（记名股份转让的对抗要件）

1. 意义。股东名册中记载股东的姓名和住所，各股东所持有的股份的种类和数量，股票的编号，各股份的取得年、月、日（商 352 条，1 款、1 号~3 号）。如因股份的转移，股东被交替时，将该取得者在股东名册上记载为股东，这就是名义更换。在股东名册中的记载事项中，与股东的同一性无关的误记的更正，以住所的变更、转移，改名等为理由的变更记载，股票不发行的记载（商 358 条，之 2、2 款）等均不是名义更换。

2. 股份转让的对抗要件。记名股份的转移，若不经名义更换就不得对抗公司（商 337 条，1 款）。因此，即使股份被已转让，受让人不进行名义更换，在与公司的关系中转让人仍然是股东（大法院 1988．6．14 判决）。不仅是股份的转让，而且根据继承、合并或遗赠而转移的时候也相同。还有，即使股份的买卖契约已解除，如果出卖人未按自己的名义重新名义更换，就不能对抗公司（大法院 1963．6．20 判决）。

就这样，没有进行名义更换的受让人就不能行使股东权，转让人仍可以行使权利，这时，受让人作为债权人，只能依照股份转让契约的内容，请求转让人向自己转移权利行使的结果（例：分派金、新股等）（大法院 1991．5．28）。

记名股份名义更换制度的宗旨在于，更加稳定地维持、管理股东和公司之间的权利关系。这是记名股份的最重要的属性。换句话说，因股份的流通性频繁交替的股东中，通常只有长期保有股份者才进行名义更换，因此公司不因股东的交替而动摇，即使在流通过程中发生事故，名义更换可起缓冲作用，公司在股东之间的纠纷中可以采取中立的立场。

3．程序。

1）请求权人：根据股票的交付，受让股份的受让人可以单独请求名义更换（没有异说）。于是，名义更换之请求应以公司为对象提出，转让人不能成为请求的对象。

有人认为，名义更换请求权是因取得股份而原始发生。但是，应该知道股东的所有权利均出于股份，因此名义更换请求权也依据股份的转让，从转让人处向受让人处转移。这样解释更为妥当。

2）股票的提示：请求名义更换时，应向公司提示股票。只是向公司通知股份受让的事实而请求名义更换，并不是适法的请求。但是，根据继承、合并等概括承继而承继权利者可以不提示股票，通过证明概括承继的事实，就可请求名义更换。还有，丧失股票者可以以除权判决书来替代股票的提示。如果是属于股票发行前的股份的转让（有效时），股票的提示根本就不可能，应另行提示能够证明其取得的资料。

3）承继原因的证明与否：由于认定股票占有的权利推定力，

在进行名义更换时，对于公司无须证明买卖、赠与、继承、合并等承继原因。因此，因继承、合并而承继者如持有股票，无须证明继承、合并的事实，只提示股票就可以请求进行名义更换，如不持有股票时，须证明继承、合并的事实，但这时若第三人持有股票，其名义更换请求优先。

4）公司的审查：由于股票占有人被推定为适法的持有人，公司接受所提示的股票，调查该股票本身的真伪，作出名义更换即可。即使占有人是无权利人，只要公司没有恶意或者重大的过失，就可以免责。

公司可以通过举证股票的占有人为非适法持有人而拒绝作出名义更换。只要有可能举证，应予以拒绝，但不能没有证明其为非适法持有人的情形下，拒绝名义更换，或者不能使占有人另行举证自己为适法的持有人。即使有人对公司申报股票的被盗或遗失，或有公示催告也相同。

5）股票上记载与否：最初发行记名股票时，股票上应记载股东的姓名。那么，股份被转移时，如要进行名义更换，是否同时将取得者的姓名也表示在股票上？有人认为，从记名股份的性质来看，当然要表示取得者的姓名。根据此说，只有现在股东名册上的股东和记载于股票上的股东相一致的股份才是有效的。但是，记名股份也是仅凭股票的占有就被赋予权利推定力，所以对此观点不敢苟同。实际上，在股票上记载取得者的姓名是毫无意义的。

6）不可强化名义更变的要件：股份的受让人以提示股票或以其他方法，能够证明股份取得的事实就可以。虽然有章程上作出规定，请求名义更换时，转让人应提供印鉴证明或其他文件的事例，但是这种限制是没有约束力的（大法院1995.3.24判决）。

4. 名义更换的效果。股份受让人等股份的取得者通过名义更换可以向公司行使股东权（商337条，1款）。但是，即使进行名义更换也并非产生无权利者变成股东的设权性效力。只是股票的占有人被推定为适法的持有人，据此进行名义更换，被记载于股东名册上的股东时，同样是具有被推定为适法股东的效力。因此，即使名义更换之后才知道是无权利者，该期间内的股东权的行使也被溯及而失去效力。

5．未进行名义更换的股东的地位。不管是受让，还是由于其他原因取得股份，如果未进行名义更换，取得股份者的法律地位就成为问题。即使未进行名义更换，也可以在与公司以外的第三人的关系中主张股东权。这可以通过商法第337条第1款的反面解释来认定。但是，对于下列几个问题有学说上的分歧。（1）公司能否对未进行名义更换的实际股东认定其股东权？（2）公司不当地拒绝名义更换时，取得股份者的地位如何？（3）受让人未进行名义更换期间，股东名册上的股东（转让人）行使股东权而接受盈余分派或认购新股等利益时，该利益应属于谁？

1）公司的权利认定问题：商法第337条第1款规定，若不进行名义更换"就不得对抗公司"。对此，有取得股份者不能主张自己为股东，而公司却可以认定其为股东的观点（片面约束说）和不仅取得股份者不能主张自己为股东，而且公司也不能认定其为股东之观点（双方约束说）。

片面约束说认为，解释应符合真实的权利关系，在股东名册上记载而产生的股东的资格仅仅是股票的占有所具有的权利推定力的反映而已，如果出现与股东名册上记载的股东不符的股票占有人时，应否定股东名册的效力是妥当的。不过，商法第337条第1款的立法宗旨是为公司的社团法性事务处理提供方便，因此，没有理由阻止公司自己放弃此便利，以自己承担风险来认定股票的占有者为股东。

对此，双方约束说则认为，如果像片面约束说那样解释，就等于公司可以自由选择股东名册上的股东和实际股东中的一个为股东，这显然是不当的。不仅如此，如采取片面约束说，公司可以以股东名册上的股东为不是实际股东为由否认其权利，又可以以实际股东没有进行名义更换为由否认其权利，因此是不当的。

判例采取了片面约束说的立场。

商法上赋予公司的便益是为了维持以公司为中心的法律关系的全部利害关系人的利益，因此公司不能单方面放弃。规定如不进行名义更换就不得对抗公司，并不是只考虑到了公司的股份事务的方便，而是划一处理多数人的利害关系相互交叉的公司法律关系之意思更强些。公司在股东认定问题上持有选择权本身是阻碍团体法上法律关系的划一性，导致不稳定（例如，股东名册上股东的债权人信赖股东名册，想扣押股东要得的分派金，公司却向实际股东分派，从而害及债权人的利益）。还有，在股东名册的封闭期间中转让股份时，通常认为封闭期间中的股东权保留给转让人，但如果公司认定实际股东的股东权，并不符合真实的权利关系（例如，上市公司为了确定得到盈余分派的股东而封闭股东名册，即使其后取得股份者不能得到分派，对此没有人提出异议，于是股价下跌相当于预想分派额的价值）。因此，应认为商法第 337 条第 1 款对公司也有约束力。

德国股份法规定："在与公司的关系上，只能将股东名册上记载的股东视为股东"（§67A bS., 2AktG）。根据这一规定，公司即使知道股东名册上的股东和实际股东不同，也只能承认股东名册上的股东的股东权。这一解释出于稳定团体法律关系的考虑，韩国商法第 337 条第 1 款的解释也应与此相同。

2）名义更换的不当拒绝：公司没有正当事由而拒绝名义更换时，股份取得者可以请求代替名义更换的判决，并可以请求损害赔偿，对董事等人适用罚则（商 635 条，1 款、7 号）。被不当拒绝名义更换的股份取得者能否不经名义更换行使股东权？根据诚实信用原则，应该是可以的。于是，股份取得者可以主张有关名义更换请求之后的盈余分派、新股发行的权利，可以请求取消没有收到召集通知的股东大会的决议。公司因过失拒绝名义更换时亦同（大法院1993．9．13 判决）。

3）名义更换迟延时的利益归属关系：有时因股份受让人怠慢

于名义更换之请求，会出现错过行使特定股东权的日期而未能行使到受让后所发生的盈余分派请求权或新股认购权等自益权，却由转让人行使这些权利的现象（这种股份被称为失念股或失期股）。例如，受让人受让股份后，经过新股分派基准日（商418条，2款），却仍未进行名义更换，从而未能行使新股认购权，由转让人来认购了新股。在这种情形下，与公司的关系上，由转让人行使权利是符合股东名册上形式上的资格，但会出现权利行使的效果应归属于转让人还是受让人的问题。于是，这是转让人与受让人之间的个人法上的问题，并非公司法上的问题。

但是，转让人和受让人之间关于权利的归属问题没有合意时应该如何处理呢？当事人之间可以认为，股东权已经移至受让人，所以其权利应归属于受让人（通说）。那么，如何说明其法律根据呢？有人认为，转让人未因法律上原因取得了利益，因此根据不当得利返还的法律原理，应将该得利返还给受让人。也有人认为，将转让人视为准无因管理人，并使其承担由此而产生的义务。

根据不当得利之说，就转让人应返还的范围将受让人的损失最大限度地计算，所以转主人的利益中也会有可以不返还的剩余利益，受让人对此不会满意。相反，如根据准无因管理之说，转让人应返还因行使股东权而产生的所有利益（例如，如果股东权的行使为新股认购，那么是新股或者出卖价金以及认购新股而产生的分派金、无偿股、有偿新股等所有基于新股而取得的利益），而行使股东权所需用（例：新股缴纳金）可以作为有益费用来请求，是比较公平的。还有，一部分学说将其视为无因管理，并下同样结论。但如采取此说，转让人没有管理意思时，存在不具备无因管理要件的问题。

6．名义更换代理人。

1）意义：原则上名义更换由公司进行，依据章程规定可以设名义更换代理人（商337条，2款）。所谓名义更换代理人，是指为公司代行名义更换事务者。

虽然法律条文使用名义更换"代理人"这一词，但是该制度取自美国法上的 transfer agent 及日本的名义更换代理人制度（日商206条，2款）的名称、并非私法上的"代理人"。因为名义更换不是法律行为，只是代行而已。

股东名册本来应备置于总公司（商396条），这样一来股东为了进行名义更换，将股票送至总公司，这不仅给股东带来不方便，而且给公司的业务也带来麻烦。尤其是，对上市法人那样多数股东的公司里，名义更换不仅是需要有高度技术的业务，而且如果公司自己处理，则要花费很多费用。名义更换代理人制度是将此业务委托给专门进行名义更换者，从而减少不便，提高股份业务效率的制度。由于记名公司债也需要进行名义更换，因此，名义更换代理人制度也适用于记名公司债（商479条，2款）。

2）名义更换代理人的选任：无须以章程特定名义更换代理人，其决定属于公司的业务执行，由董事会决议决定即可。公司与名义更换代理人的关系是委任关系。因此，名义更换代理人的选任根据双方的契约来达成（民680条），公司单方面在认股要约书上记载或登记名义更换代理人也不等于已选任名义更换代理人。

名义更换代理人是为公司和股东方便而设置的，其选任并非强制的。只在证券交易所的"有价证券上市规程"中以名义更换代行契约为上市要件，因此对上市法人来说是名义更换代理人的选任算是强制性的（同规程15条，1款、12号）规定。公司设有名义更换代理人时，应登记其商号及总公司所在地，在认股要约书及公司债要约书上也应记载（商317条，2款、11号、302条，2款、10号、420条，2号、474条，2款、15号）。这是因为股东、公司债权人及其受让人须知道谁为名义更换代理人。

名义更换代理人的资格，限于依照证券交易法，在财政经济部登记的股份公司（附8条，2款，商施行规程4条，证交173条，2款、180条，1款）。目前，由证券托管院、汉城银行及国民银行已获得许可经营此业务。

3）名义更换代理人的业务：证券交易法规定，名义更换代理人（名义更换代行公司）除了代行名义更换之外，还可以经营代理支付分派金、利息及偿还金业务和代理发行股票、债券等有价证券的业务（证交 180 条，2 款）。为此，应有公司的特别授权。

设置名义更换代理人时，将股东名册及公司债原本不备置在总公司，可以将其名册或原本或者复本（并非抄本）备置在名义更换代理人的营业所（商 396 条，1 款）。

4）代行名义更换的效果：设有名义更换代理人的情形下，由名义更换代理人将股份取得者的姓名和住所记载在股东名册的复本时，视为在公司的股东名册上已进行了名义更换（商 337 条，2 款）。于是，股份取得者可以凭此对公司持有对抗力，公司不能以未在原本上记载为由拒绝股东权的行使。

5）名义更换代理人的地位：应视为名义更换代理人处于与公司的履行补助人同样的地位。因此，如果名义更换代理人有不正当拒绝名义更换等不注意行为时，公司对利害关系人承担损害赔偿责任（民 391 条）。名义更换代理人处于公司的受托者的地位，负善管注意义务（民 680 条，681 条），关于名义更换业务，对股东等利害关系人带来损害时，应承担侵权行为责任（民 750 条）。

（五）股票的善意取得

1. 意义。转让股份者即使是无权利者，只要在一定的要件下，由受让人善意取得股票，那么该受让人就适法取得股票，同时取得股东的地位。这就是股票的善意取得（gutgläubiger Erwerb von Aktie）（商 359 条）。

以资本集中为目的的股份公司，从制度上必然要求加强股份的流通性。要做到这一点，应让股份的受让人无须调查转让人有无实质性权利，只信赖转让人所具有权利的外观形式，就可以受让股份。并且，股份的善意取得是基于对股票的占有认定的权利推定力（商 336 条，2 款）的当然的逻辑性结果。因此，商法第 359 条就股票准用支票法第 21 条，从而允许股票的善意取得。

股票的善意取得并非是从权利者承继的，而是一种原始取得。

2. 要件。

1）股票的有效及股份的处分可能性：股票的善意取得，只有在取得有效的股票时才可以予以认定。因此，对伪造的股票、失效的股票、尚未发行的预备股票，根本就不可能认可善意取得。因股东申报不持有股份，向公司提交而变为无效的股票也一样（商358条，之2、3款）。

法律所禁止处分的股份也不得善意取得。因为善意取得制度只不过是只有真正权利人的转让行为才可取得权利的交易中治愈转让人无权利的制度而已，法律禁止处分而受让人的所有不被承认时，则不能成为善意取得的对象（大法院1978．7．25判决）。例如，公司为注销股份而取得自有股份，不经失效程序使其流通时，就不能承认善意取得。

但是，法律上的限制仅仅是管束性规定时，可以认定为善意取得。在银行法、证券交易法等有关经济的特别法中规定的股份取得限制，大部分是管束性规定，如违反它就得适用罚则，而该取得行为本身的效力并不受影响。

2）从无权利人的受让：转让人应该是无权利人。（1）商法第359条所准用的支票法第21条规定："不管有何事由，只要有丧失支票占有者时……"。由此可见，不管无权利的转让人取得股票的事由以及在此前真正的权利人失去股票的事由如何，均不影响善意取得。即从盗品、遗失物的取得者处受让股份也可以善意取得，因此，比民法上动产的善意取得，其范围更广（民250条）。（2）受让人和无权利的转让人之间的交易行为本身应有效。（3）转让人为适法权利人而非无权利人，但如果他是无行为能力人或在其意思表示上有瑕疵而被取消时，或者依无权代理转让而被作为无效时，如果该受让人是善意的，又没有重大过失时，能否对其承认善意取得？关于这个问题，主要围绕票据的善意取得有争议。多数说认为，只有转让人为无权利人时，才可以善意取得；而少数说则认为，有权利人的转让行为无效、被取消时，也是可以善意取得的。

善意取得制度本来就是为保护信赖权利外观者而治愈转让人无权利的制度。于是，它原本只适用于转让人为无权利人时的制度。如果按少数说那样解释，那么有关无行为能力、无权代理、意思表示的瑕疵等民法规定根本无法适用于票据交易上，从而很容易破坏司法体系的平衡。如按多数说那样解释，根据对无行为能力人或有瑕疵的意思表示者的取消限制、表见代理等，受让人在某种程度上可以得到保护，而从受让人处再受让者则被认定善意取得，因此交易安全并无大的障碍。可见，多数说更为合理。

3）依转让取得：善意取得为保护交易安全为目的而制定的制度，因此只有在股份的转让中才可出现。于是，由继承或公司合并而取得时，不存在善意取得。当然，从无权利人处因继承、合并而取得者重新受让的人可以善意取得。

4）具备转让方法：股份转让本身应适法进行，并必须向受让人交付股票。前面已讲过，通常转让中的股票交付，不仅可以依实际引渡，而且也可以依简易引渡、标的物返还请求权的转让、改变占有等来进行。但是，改变占有在外观上对从前的权利状态带来任何变化，因此，通说和大法院判例就动产的善意取得否定依改变占有的善意取得。本人认为，股份交易比起动产物权的交易，对外观主义的要求是更为强烈，所以，不能对于像改变占有那样极其不确实的公示方法认定公信力。

名义更换与股份取得本身是无关的，仅仅是对公司的对抗要件，因此不是善意取得的要件。

5）受让人的主观要件：受让人应有善意，不应有重大过失（商359条→支21条，但书）。善意指受让人不知转让人为无权利人，并对于"不知"没有重大过失。重大过失，一般是显著欠缺交易时所需的注意时才可以认定，并且为了保障流通性应狭义地进行解释。没有查清报纸上的被盗广告而取得被盗股票的证券公司可以说没有重大过失，还有证券公司从首次接触的顾客处未经权利有无的调查而取得股票时，同样没有重大过失。在流通性很强的股份的交易中，丧失股票等于丧失现金那样，丧失权利的危险是很大的。为了减少这种危险，应利用股票不持有制度。

由于具备股份的转让方法时有被推定为适法的持有人的效力（商336条，2款），否认善意取得者应举证受让人有恶意、重大过失（无异说）。

3．善意取得的效果。善意取得者适法取得股票、进而取得股东权。

相比之下，原权利人则失去股东权，质权等担保物权也随之消灭。质权以及其他以股票为担保的权利也根据商法第359条可以善意取得。

（六）股份转让与税收

1．证券交易税。将股份的转让作为课税对象，课以证券交易税。税率是以转让价额的5‰为中心税率的弹性税率（证税8条，1款）。但是，在证券交易所或场外中介公司交易的上市股份，其转让价额在票面价以下时适用零税率（证税8条，2款、令5条，1款、1号）。

2．转让所得税。对股份的转让差价的课税，法人和个人是不同的。在法人的情形下，股份的转让差价当然成为课税所得；而在个人股东的情形下，只对非上市股份的转让差价课税，对上市股份的转让差价是不课税的（所税94条，4号）。但是，发行转让的股份的公司过多所有不动产时，不分上市、非上市股份的均课税。即关于不动产的权利（包含所有权、地上权、已登记的租赁权、要取得不动产的权利等）占总资产的50%以上，且股东一人（包含特殊关系人的所有股份）的所有股份占发行股份总数的50%以上的法人的股份被转让时，有可能被课税。准确地说，持有这些法人发行股份总数50%以上的股东（包含特殊关系人所有股份）转让50%以上时，课以转让所得税（所税94条，5号）因为这种法人转让占50%以上的股份，其经济意义准于不动产的转让。

3．取得税。由于取得股份成为寡占股东（51％以上的股东，详细的参照地税 22 条，2 号的规定）时，视其为已取得公司的不动产、车辆、重机、立木等，据此课以取得税（地税 105 条，6款）。

三、依章程的股份转让限制

1995 年修改的商法，原则上允许了股份的自由转让，但又规定可以以章程上的规定限制转让。这是对股份公司为纯粹资本团体的股份公司本质论的重大修改，对股份交易的实务也产生重大影响的大变化。

（一）修改宗旨

1995 年修改前的商法第 335 条第 1 款规定："股份的转让，不得以章程加以禁止或限制。"根据这一规定，修改以前，公司无法自治性地限制股份的转让。

但是，大部分股份公司为非上市公司，而非上市公司大体上由少数的人员构成，与理论上所认识的那种股份公司的本质是不同的，事实上大多以不次于人合公司的人际纽带关系为基础运营。因此，以理论上的股份公司为模型，绝对贯彻股份转让自由是非现实的。同时，也有人批判商法一方面将可以认为股东权的静态权利表象方法的记名股份作为股份的原则性形态（商 357 条，1 款），而另一方面又保障股份的绝对自由转让性的非逻辑性的立法态度。

因此，1995 年修改法开辟了以在章程上设规定，股份转让时要求董事会承认的方式，限制股份转让的途径。

（二）限制转让的法律构造

公司限制股份转让的方法是在章程上设规定，股份转让时须经董事会的承认。如章程中设有此规定，欲转让股份时，股东首先请求董事会予以承认。董事会可以自由决定承认或者拒绝。要求董事会承认的基本宗旨是使公司经营者可以封闭性地维持股东的人合构成。即提供依据公司经营者们的意思事先切断公司不喜欢的人成为股东的机会。

　　但是，为满足这些经营者们的要求，封锁股东回收投入资本的途径是不可取的。若董事会承认转让，转让、受让当事人完成转让交易就没有什么问题。但是，若董事会不承认时，应给股东提供可换价股份的方法。作为股东可换价股份的方法，商法规定了两种途径：一种是请求公司指定受让股份者，以此代替原定的受让人；另一种是请求由公司买入股份。

　　商法对董事会的拒绝承认赋予相对性效力，不经董事会承认也可以转让，但这时受让人应履行受让的承认程序，即未经董事会的承认的受让人可以请求董事会予以承认，如果不予以承认，就可以请求指定新的受让人或者请求公司买入股份。

　　使受让人与转让人一样，也可以请求受让的承认，如遭拒绝，可以请求指定买入人，或者请求买入，这对股份交易具有重大意义。即为那些不知有公司的转让限制而取得股份者，或者虽然知道有转让限制的事实，却相信可以得到承认而取得股份者提供可以避免由于董事会拒绝承认而取得行为变为无效，并回收自己投资资产的机会。

　　（三）限制转让的要件

　　1. 章程上的规定：股份转让的限制是给股东的权利加以重大的团体法上的约束，因此，必须在章程上设置规定（商335条，1款、但书）。章程根据股东们的意思而制定、变更，它具有自治法上的性质。因此，依章程的规定限制股份转让，意味着依据股东们合意的自治法性质的约束。如果章程没有规定，就不得允许任何形态的转让限制。

　　不仅公司设立时在章程上设置规定限制转让，而且公司设立后通过变更章程重新限制转让。

　　2. 限制的对象：虽然没有明文规定，转让限制只有记名股份才可以。从无记名股份的属性来看，无记名股份仅凭持有股票就可证明其权利，因此不能限制该持有人。上市股份，只要不废止上市，就不得限制转让。

3. 限制转让的公示：股份转让的限制是对与股东进行股份交易者有重大利害关系的问题，因此应向多数人公示限制转让的事实。股份转让的限制应登记（商 317 条，2 款、3 号、之 2）。即使章程上设有规定，但未经登记，就不得对抗善意的第三者（商 37 条，1 款）。即使没有登记，转让人不知道限制转让的事实是很难想像的。但是，受让人有可能不知道。受让人不知限制的事实时，即使转让人已知道，也不得以此来否认转让的效力。

限制转让的事实应从股份的取得时起公示，因此，应记载于认股要约书上（商 302 条，2 款、5 号、之 2），股票上也应记载（商 356 条，6 号、之 2）。关于设立时应记载于认股要约书上的事项，有明文规定（商 420 条），但关于新股发行时的认股要约书上应记载的事项，则没有明文规定（商 302 条，2 款、5 号、之 2），这是立法的一个漏洞。应该解释为在新股发行时的认股要约书上也应记载。关于新股发行时表彰新股认购权的新股认购权证书，也没有明文规定，这也是立法的漏洞。

在认股要约书上未记载限制转让时，认股要约书的要件欠缺，成为认购的无效主张事由（商 320 条，427 条）。公司设立或者新股发行后，虽然无效主张受限，但因认股要约书上欠缺记载，股东在股份转让时，有可能不知道限制转让的事实。这时，应视为存在不知道限制转让事实的正当事由，不得以登记的效力来对抗股东（商 37 条，2 款）。股票上未记载时，主要成为受让人不知道转让限制事实的正当事由（商 37 条，2 款），应视为公司对受让人不得主张受让的无效。

可转换公司债或附新股认购权公司债是与将来向股份转换或股份的认购相连结的权利，对股份转让的限制与否成为决定将来股份的价值及公司债自身价值的因素。因此，在可转换公司债及附新股认购权公司债为要约书、债券、公司债原本及对附新股认购权公司债发行的新股认购权证券也要记载限制转让的事实（商 514 条，1 款、5 号、516 条，之 4、4 号、516 条，之 5、2 款、5 号）。

（四）限制方法（董事会的承认）

1. 限制内容的局限性：商法所允许的股份转让的限制方法是关于股份转让须经董事会的承认（商335条，1款、但书）。此外，不允许有其他的限制方法。例如，以特定股东的承认或代表董事的承认来加以限制是无效的。而且，禁止一定期间转让股份也是无效的。

与董事会的承认相关，商法所规定的股份买入请求、买入人的指定请求以及其他有关股东权利的规定都是强制性规定，即使在章程上设置规定限制这些权利也是无效的。

2. 限制的普遍性：限制转让应对所有的股份普遍适用。例如，限于特定股东的股份，或者限于特定数量的股份，转让时要求有董事会承认是无效的。因此，"股份须经董事会的承认"是股份转让的一般性表现形态。

但是，在普遍适用于全体股东的前提下，将转让限制事由特定化也是可以的。例如，对外国人转让股份时，须经董事会的承认；或者对原有股东（或职工）以外的人转让时，规定须经董事会的承认是可以的。但是，其内容应有合理性。例如，向特定大股东以外的人转让时，须经董事会的承认或者向特定人（例：竞争公司）转让时，须经董事会承认，均为无效。

（五）适用范围

章程上的转让承认规定只能适用于股份的转让上。因此，不适用于继承、合并等全部承继上。质押等担保行为也不是承认的对象。股东的债权人扣押股份时也无须经董事会的承认。但是，担保权人或者扣押股份的债权人为实现债权而指卖股份时，须经董事会的承认。

从无权利人处受让限制转让的股份时，也成为善意取得的对象。但是，如果已知股份的限制转让事实时，不能得到保护。这时，善意取得人善意取得了限制转让的股份，为了成为股东，须经董事会的承认。

（六）未经承认的转让之效力（相对无效）

违反章程上的规定，未经董事会承认而转让股份时，不得对抗公司（商 335 条，2 款）。不得对抗公司这一规定，在与公司的关系中毫无疑问意味着转让无效。那么，转让、受让当事人之间的效力又如何？商法第 335 条，之 7 中规定了股份的受让人可向公司请求承认其取得；承认被拒绝时，可以请求指定受让方或者可以请求收买股份，这些都是以当事人之间的转让有效为前提的（即相对无效）。

（七）请求承认者（事先请求和事后请求）

依据章程转让受限制时，商法规定出让人和受让人均可向董事会请求承认。这是未经承认而转让时认定相对效力的根据。关于这一点，上面已说明过。

出让人的承认请求是在转让之前进行。受让人的承认请求是在终结当事人之间的转让之后进行。因此，出让人的承认请求具有请求承认向特定人转让股份之意，而受让人的承认请求具有请求承认从股东处受让股份的事实之意。假设公司予以承认，那么出让人的承认请求和受让人的承认请求在实际效果上并没有差异。但是，假设董事会拒绝承认，两者之间则有很大的差异。

出让人的请求被拒绝时，出让人有三种选择：第一，请求董事会指定受让方。结果，出让人可以放弃当初的受让方，向董事会指定的人转让；第二，请求公司收买股份（商 335 条，之 2、4 款）。结果，出让人可以放弃通过转让换价，以公司的收买回收股金；第三，不顾董事会的拒绝而转让，或者未经请求直接转让。当然，这种情况在受让人明知没有董事会的承认，却欣然同意接受转让时，才可以发生。如果发生，出让人依转让而换价股份，由受让人代替进行承认请求（商 335 条，之 7、1 款）。一旦被拒绝，受让人就没有股东的地位，可以请求董事会指定受让方或者由公司收买。其结果，受让人放弃成为股东，只能实现股份的换价。因此，不经承认而达成的股份的转让，实际上具有转让向公司指定的受让人出卖或由公司收买而换价的权利。

(八) 承认请求及承认程序

1. 承认请求：关于股份的转让须经董事会承认时，欲转让股份的股东以记载受让方及转让股份种类和数量的书面材料，受让人则只以记载股份种类和数量的书面材料，可以请求予以承认（商335条，之2、1款、335条，之7、2款）。由于出让人的请求为事先请求，股份已转让时，出让人不可以请求。只要公司对出让人的转让请求加以承认，那么对受让人也有承认转让的效果。因为公司是否允许特定人成为股东才是重要的，而对谁作出意思表示并非是本质性的。

在股东或受让股份者中，也可能有比起得到股份转让的承认，更愿意由公司收买股份来实现换价者。但是，公司拒绝承认之前，不能请求指定收买人或由公司收买。

2. 承认：公司对上述请求，应于一个月之内书面通知股东或者股份受让人（商335条，之2、2款、335条，之7、2款）。若在此期间内未通知时，视为董事会已承认股份转让（商335条，之2、3款、335条，之7、2款）。由于第335条，之2、3款条文规定"……未通知时……"存在有可能误解为发信主义的因素，但将此理解为发信主义是不妥当的。应理解为到达主义。因此，若在一个月之内，拒绝的通知没有抵达股东或受让人时，应视为已承认转让。由于视为已承认转让，公司无法拒绝受让人的名义更换请求。

承认与否应以董事会的决议来决定。承认与否是董事会的裁量。不管其决定结果如何，与进行承认请求的股东或者受让人的关系中，无要求合理性或公正性等。但是，承认或者拒绝承认对公司来说，有可能成为任务懈怠行为。例如，承认对有可能害及公司利益者的转让，或者没有拒绝承认的理由，却拒绝承认而接受股份收买请求等。在这种情形下，与公司关系上，有可能发生责任问题（商399条）。

既然董事会的决议为要件，那么，未经决议或者决议无效时会产生何种效果呢？首先，可以假设没有董事会的决议，由代表董事发出转让承认通知的情形。在这种情形下，若出让人和受让人都对没有董事会的决议或瑕疵持善意的态度，则该承认应该是有效的。但如果出让人为恶意，而受让人为善意时，为了保护受让人，应视为承认有效。与此相反，出让人为善意，而受让人为恶意时，对于受让人无承认的效果，该受让人应请求公司承认受让。

依未经董事会决议的或者有瑕疵的决议，转让被拒绝时，只要在上述的通知期间内若无适法的拒绝通知，则应视为已承认转让（商335条，之2、3款、335条，之7、2款）。

3．拒绝承认的后续程序：接受转让承认拒绝通知的股东或者受让人自接受通知之日起20日之内，可以请求公司指定受让方或者请求公司收买该股份（商335条，之2、4款、335条，之7、2款）。这一期间同样应该理解为到达主义。

由于商法规定接受拒绝通知后，应于20日之内进行请求，出让人如违反这一期间，则不能请求公司指定受让方或者由公司收买。受让人的承认请求被拒绝后的情况也相同。若受让人未遵守此期间时，从形式逻辑上应该讲，他将失去指定收买人的请求权和收买请求权。但这并非是一种合理的解释。如果这样解释，会使受让人恒久保有无法换价的股份。应规定受让人可以再次请求承认，若被拒绝时，可以进行收买人的指定请求或者收买请求。基于同样的理由，出让人关于该转让，虽然失去权利，但应该认为，可以再次进行承认请求，被拒绝时可以行使同样的权利。对此，也有若请求期间经过，转让人或受让人不能再次进行转让承认请求的见解。如果这样解释，就出现恒久保有不可能换价的股份的结果，违反股份公司的本质，因此是不合理的。

（九）指定受让方的请求

1．指定请求：公司拒绝承认转让时，出让人或者受让人可以请求公司指定受让方。请求期间是20天。这一请求无须以书面进行，口头请求也是可以的。但口头请求时，请求人应举证请求事实及期间遵守的事实。

2. 受让方的指定：有要求指定受让方的请求时，应以董事会的决议来指定（商335条，之3、1款）。

关于董事会如何指定受让方，没有任何明文的标准。因此，选定谁作为受让方，应属董事会的裁量。被指定为受让方的人，持所谓的优先购买权，可以以股东为对象，请求将股份出卖给自己，这种出卖请求应解释为形成权。结果，它依收买的通知，确定地取得股东的地位。因此，董事会将谁指定为受让方，对股东来说是有重大利害关系的问题。于是，不能排除董事会滥用裁量权，害及其他股东利益的可能性。例如，假设在发行股份总数的100股中，股东甲、乙、丙各持40股、40股、20股的情形下，股东丙欲将自己的股份转让，于是董事会指定甲为此股份的收买人。那么，该公司股东的构成变为甲60股、乙40股，乙成为少数股东。目前，尚无阻止变更公司控制结构的董事会恣意行使指定权的措施。而持有相同制度的日本商法（日商204条，之2、2款）则解释为应立足于限制股份转让的宗旨，董事会应通过基于忠实义务的判断选择受让方。从问题的重要性来看，应该以明文规定来解决，但因尚无明文规定，只能以解释来予以补充。商法规定发行新股时，股东们按自己持有的股份的比例持有新股认购权。这可以理解为，这种权利不仅限于新股认购，而且意味着股东具有维持自己在公司的股份比例的一般性权利。于是，如果章程上没有规定有关指定受让方的方法，那么股东们则具有按所持股份的比例成为受让方的权利。如果这样解释，董事会应按现有股东们所持有的股份的比例，将欲受让的股份按比例分好，然后再指定受让方。

3. 指定通知：公司应自接受指定受让方的请求之日起两周之内，书面通知请求人及被指定为受让方者（商335条，之3、1款、335条，之7、2款），这一期间也应理解为以到达主义为原则。

在这一期间内，如果没有对请求人发现指定受让方的通知，就视为关于股份的转让已有董事会的承认（商335条，之3、2款）。

4．股份的优先购买权：依董事会的决议，被指定为受让方者（以下简称"指定收买人"）从接受指定通知之日起 10 日内，可以书面请求指定请求人将该股份出卖给自己（商 335 条，之 4、1款）。这就是优先购买权。优先购买权应该解释为形成权。所以，无须有指定请求人的承诺，指定请求人承担应向指定收买人转让股份的义务。

指定收买人当然可以放弃优先购买权。如果指定收买人因放弃优先购买权及其他事由，在通知期间内未通知给请求人（到达主义）时，就丧失优先购买权，视为公司承认转让（商 335 条，之 4、2 款）。指定收买人和公司之间有可能达成有关指定原因的合意，但如果该指定收买人懈怠于行使优先购买权而被视为转让承认时，有可能产生指定收买人对公司的责任问题。

5．收买价格的决定：指定收买人行使优先购买权时，应决定收买价格。关于收买价格的决定，商法提示三个层次的决定方法。第一步，以指定请求人和指定收买人之间的协议来决定（商 335条，之 5、1 款）。第二步，协议不成时，可以请求公司指定的会计专家或者法院计算收买价格（商 335 条，之 5、1 款但书）。第三步，指定请求人或指定收买人反对会计专家计算的收买价格时，自收到该价格通知之日起 30 日之内，请求法院决定收买价格（商 338条，之 5、2 款）。在上述程序中，当事人之间的协议从其性质上来看并没有约束力，因此无须必须履行这一程序。另外，关于第二步程序规定在请求会计专家计算价格和请求法院计算价格中可以任意选择，但是在请求会计专家来计算价格时，应有指定请求人和指定收买人之间的合意。因此，在这种情形下，关于请求会计专家算定收买价格没有达成合意时，可以直接请求法院计算价格。当事人之间已达成请求会计专家计算价格的合意时，待其计算结果后，若不服，就可请求法院决定价格。上述第二步中所说的请求法院计算价格和第三步中所说的请求法院计算价格指的是同一程序。

（十）对公司的收买请求

1.收买请求：股份的出让人或者受让人（以下简称"收买请求人"）可请求公司指定上述的受让方或者将该股份收买（商335条，之2、4款、335条，之7、2款）。对公司的股份收买请求也是一种形成权，公司根据收买请求，承担收买的义务。公司自接受请求之日起两个月之内，应收买该股份（商335条，之6→374条之2、2款）。

2.收买请求选择权的问题：第335条，之2、4款规定，接受拒绝通知的股东可以请求公司"指定受让方或者收买该股份"。这就是说，在"指定受让方"和"收买股份"中可以选择。那么，这种选择应由谁来作出呢？是由股东，还是由公司来选择呢？即将法律条文理解为"股东可以请求公司指定受让方，也可以请求收买股份"，还是股东可向公司"请求指定受让方，或者收买股份"？根据法律条文的叙述方式，读成前者更自然些，而且第335条，之3、1款以股东持有选择权为前提，规定股东请求指定受让方时的程序，在第335条，之6中又准用第374条，之2、2款，规定公司自接到收买请求之日起20日内应收买。从此可以看出，当初立法者的意图就是前者。但是，与转让限制相关，承认股份收买请求权本身是一个失误，并且如按前者之意解释，则会引起公司法上所不能允许的其他问题。

股份收买请求的结果，使得公司取得自有股份。这不仅害及资本充实，而且股东也有可能将此作为回收出资金的合法手段来恶用。例如，假设一个没有发展前途的公司的大股东甲在要求董事会承认股份转让的同时，暗中又指示董事会拒绝承认，被拒绝之后，再请求公司收买的话，那么大股东甲可以充分利用股份收买请求权，先于公司债权人回收出资金。于是，问题在于，即使为债权人的公司的责任财产显著减少，也没有办法阻止。不仅如此，大股东与董事们相勾结请求股份收买时，也有可能任意过高评估，从而给其他股东带来损害。因此，这是非常不谨慎的立法。

没有必要一定赋予出让人请求指定受让方和股份收买请求的选择权。因为出让人的目的是回收投入资金，不管是以何种方法，只要能将股份换价,那么他就达到自己的目的。因此,应解释为不管是指定受让方,还是收买股份,均应由公司来选择。无论如何,应做到不违背资本充实的原则,并要保护公司债权人及出让人之外的其他股东。股份的收买实质上就是资本的退还,又是资本的减少。考虑到对此没有设债权人保护程序(商439条,2款),债权人的保护的确是一个非常切实的问题。但是,即使公司具有选择权,也并不等于是允许其任意选择。只要公司可以指定受让方,就不能收买股份。

3.收买价格的决定:收买请求人和公司应决定股份的收买价格。收买价格的决定准用营业转让及合并时适用于反对股东的股份收买请求的收买价格决定方法。即,首先应依收买请求人和公司的协议(商335条,之6→374条,之2、3款),若协议不成,将由会计专家计算的价额作为收买价额(商335条,之6→374条,之2、3款但书)。公司或者收买请求人反对根由会计专家决定的价格时,可以从会计专家决定价格之日起30日之内请求法院决定收买价格(商335条,之6→374条,之2、4款)。

指定收买人行使优先购买权时,在请求会计专家计算价格和请求法院计算价格中,可以进行选择。但由公司收买时,会计专家的价格算定是必经程序。区别对待两者,不仅缺乏合理性,而且在此价格决定程序上也有根本性的问题。关于这一问题,在第374条,之2的解释中详细论述。

4.董事的注意义务:股份收买制度,有可能害及资本充实的原则,应要求董事高度注意。要求董事注意下列事项。

第一,因董事会拒绝承认股份转让,由股东请求公司指定受让方或者收买股份时,考虑到问题的重要性,也应以董事会的决议来决定。决定时,若可以指定受让方时,则应解释为不得收买股份。即使很难指定受让方,如果收买股份的结果会使公司处于债务超过资本的状态,也应认为不得收买股份。在这种情形下,董事会应承认股份转让。

第二,收买价格的决定。虽然关于转让承认的拒绝及受让人的指定等须经董事会的决议,但对收买请求的收买价格决定,没有要求有董事会决议的规定。但从股份的收买给公司财产所带来的影响来看,应解释为收买价格的协议,也须经董事会的决议。关于收买价格的决定,若有董事的任务懈怠时(例如,将收买价格过高协议时),董事应对公司承担损害赔偿责任(商399条);若减少公司的财产而对公司债权人造成损害时,也应对第三人承担责任(商401条)。

四、依法令的股份转让限制

如果章程上未限制股份的转让,那么原则上可以自由转让股份。但是,从法律政策上的理由出发,法律上限制股份转让的例子是非常多的。首先,商法上就限制权利股和股票发行前的股份转让及公司取得自有股份。除此之外,还有不少限制股份转让的特别法上的规定。

(一)权利股的转让限制

1.限制内容:商法第319条规定:公司设立时,"因认购股份而得的权利的转让,对公司没有效力",并将此准用于新股发行(商425条,1款)。

公司设立时,进行设立登记之前不可能存在股东,只有股份认购人;新股认购时,从缴纳日期的次日起才能成为股东(只限于已履行出资时),因此缴纳之前,只具有新股认购人的地位。这种股份认购人的地位称作权利股,商法就是禁止这种权利股的转让。

在实际交易中,存在通过股款缴纳收据或者要约证据金收据上附加空白委任状而转让权利股的例子。

2.限制理由:限制权利股转让的理由在于:为抑制不管企业的营业和利润状态如何,只图谋短期差价的投机行为;为防止公司设立程序或新股发行程序因权利股的转让而变得混乱;尤其是在公司设立时;为了从公司不成立的危险中保护受让人。另一方面,商法规定股份的转让须以股票的交付来进行,而权利股的转让方法很难制度化,这也是限制权利股转让的实际理由之一。

3.转让的效力:权利股的转让有何种效力"它在转让当事人之间

产生债权性效力,对此没有异议。关于对公司的关系,法律条文规定"……对于公司没有效力",因此转让人和受让人对公司不得主张转让的效力,受让人不得行使股东权。但就公司可否承认其效力存在不同的见解。多数说及判例认为,即使公司承认转让也无效力。对此,少数说则认为,限制权利股转让的目的,与其说在于防止投机和巩固公司基础上,还不如说在于防止股份认购人交替时所产生的设立程序或者新股发行程序的繁杂性和停滞性,因此公司自发地承认权利股转让是无妨的,而且这符合交易的实态。

　　笔者认为,在禁止权利股转让的理由方面,要防止因投机和公司不成立引起的损失向一般大众扩散的公益性理由更强,并且在公示方法不全的状态下进行转让而引起的交易上的混乱(例:双重转让的可能性,转让时期的不明确等)是即使公司让步也不是可以容许的问题。通常,从股份的认购至股东这一时间非常短,允许该期间内转让的必要性不大,而且因当事人之间具有债权性效力,公司成立后或者缴纳日期后,受让人可以请求转让人履行,并以此具有对公司的对抗力。因此,在实际交易中,像多数说那样解释也没有什么太大的不便。

　　(二)股票发行前股份的转让限制

　　1.概念。股票发行前的股份,是指在公司设立时,自完成设立登记时起至股票发行时为止的股份;新股发行时为自新股发行的效力发生之日,即缴纳日期的次日(商 423 条,1 款)起至股票发行时为止的股份。

　　2.立法宗旨。商法第 335 条第 3 款规定:"股票发行前股份的转让对公司没有效力。但是,自公司成立后或者新股缴纳日期后经过6 个月时除外。"原则上禁止转让股票发行前股份的理由为:商法上转让股份时,须交付股票,因此在发行股票之前,不可能有适法的转让方法,并且也没有合适的公示方法,不能图谋股份交易的安全。

　　禁止转让股票发行前的股份,在公司按照商法规定成立后或者新股发行后,没有迟延地发行股票(商 335 条,1 款)时,才具有正当性。但是,相当数量的公司在公司成立后经过数年也不发行股票,只制作转让证书,并据此转让股份已成为惯例。在这种现状下,如果将转让股票发行前的股份始终以无效来处理,股东就无法回收所投入的资本,还可能产生股份转让后,转让人通过主张转让无效而再次夺回股东权的不合理现象。因此,1984年修正商法,为允许长期没有发行股票的公司的股东也可以换价和保护受让股份者,自公司成立后或者新股缴纳日期后经6个月也不发行股票时,即使没有股票也可以有效地进行转让(商335条,3款、但书)。

3.适用范围。本条不仅适用于公司成立后或通常的新股发行(商416条)时,并且还适用于可转换股份或者可转换公司债的转换(商350条,515条)、因公积金转入资本而引起的新股发行(商461条)、因分派股份而引起的新股发行(商462条,之2),因附新股认购权公司债债权人行使新股认购权而引起的新股发行(商516条,之8),因公司合并而引起的新股发行(商523条,3号)等所有发行新股的情形。这时,应将6个月的起算点视为新股的效力发生之日。

4.股票发行前股份转让的效力。

1)未经6个月的转让:公司成立后或新股缴纳日期后起经过6个月之前所作的股票发行前股份的转让,对公司没有效力(商335条,3款)。

(1)效务:经过6个月之前所作的股票发行前股份转让的效力是绝对无效。这一点与权利股的转让是相同的。也就是说,即使公司承认转让,并进行名义更换也是无效,受让人也不得请求公司发行并交付股票(大法院1981.9.8判决)。即使公司向受让人发行股票,也不具有作为股票的效力(大法院1987.5.26判决)。如果受让人参加股东大会行使了表决权,那么等于由非股东行使了表决权,根据其程度,它将成为决议取消或不存在的原因。

但是,当事人之间仍具有债权性效力(通说)。因此,如果将来公司向出让人发行股票,那么受让人可以请求出让人交付股票,根据合同内容受让人还可以请求损害赔偿(例如,受让人不知道股票发行之前转让的事实时)。

(2)无效的治愈:股份的转让虽然是于经过6个月之前作出的,但经过6个月后公司尚未发行股票时,是否可以认为经过6个月之前转让的瑕疵被治愈? 即使仍解释为无效,只要出让人和受让人再次作出转让的意思表示,那么根据第335条第3款但书的规定,转让有效。这只能使程序变得复杂,而且如果仍为无效,那么受让人的保护也成为问题。因此,经过6个月后公司仍不发行股票,就应视为转让的缺陷已被治愈。

2)经过6个月后的转让:公司成立后,或者新股缴纳日起经过6个月公司不发行股票时,不持股票也可以转让股份(商335条,3款、但书)。立法上将"6个月"视为公司发行、交付股票所需要的合理期间,为方便而设定了该期间。

(1)效力:不持股票而进行的转让,对当事人、对公司都是有效的。于是,当然可以请求公司进行名义更换和发行并交付股票。但是,股票的发行待进行名义更换之后,才可以请求。因为这牵涉到股东名册的对抗力问题。因此,如果受让人进行名义更换之前,公司向出让人发行了股票,那么该股票应该有效,受让人则失去请求名义更换的机会。受让人只能以请求出让人移转股票的方法保全权利。

即使公司经过6个月也未发行股票,只要股份转让日当时已发行了股票,那么当然不能不持股票来转让股份。

(2)转让方法:因为商法未规定股票发行之前股份的转让方法,所以只能根据指名债权转让的一般原则,依据当事人的意思表示来转让(通说)。结果,转让时期不明确、有可能发生双重转让是不可避免的现象。因此,受让人具备了下述的对抗要件时,为了确保权利,应依有确定日期的证书(民450条,2款)。

(3)对抗力:股份发行前,由于没有股票,不可能有依据股票的交付受让人所享有适法性的推定(商336条,2款)。因此,受让人在与双重受让人、出让人的债权人等第三人的关系以及与公司的关系中,为了具备对抗力,准于债权的转让,要求有对公司的通知或者公司的承诺。在此,对公司的对抗力,是指主张其为适法的受让人,并可以请求进行名义更换。

(4)名义更换请求:请求公司进行名义更换时,因为没有股票,不能认定为具有权利推定力。因此,受让人应另行证明受让的事实。但是,只要能够证明股份的受让事实,可以单独请求名义更换(大法院1991.8.13判决)。

有一判例认为,在股票发行之前转让股份的情形下,只要经过指名债券转让程序,受让人"与名义更换与否无关"成为公司的股东(大法院1996.8.20判决)。但本人认为,这是不正确的。以股票发行之前股份的转让为目的的指名债券转让程序,只能起替代发行股票之后转让股份时的"交付股票"的作用,不能起凭股票转让股份时也不认定的"代替名义更换的效果"。只有在公司不当地拒绝名义更换时,如上所述,应认定受让人行使股东权。

(三)自己股份取得的限制

1.意义。自己股份的取得,是指公司从股东那里受让股份。股份作为财产权,有价证券化而流通,因此有可能出现公司作为财产取得的一环取得自己股份的现象。

但是,如果公司取得自己股份,会产生如下问题:(1)公司触犯自己成为自己的成员的逻辑上的矛盾;(2)由于这种有偿取得会减少公司资产,害及其他股东及债权人的利益,而且事实上导致对特定股东退还出资的结果;(3)由于决定股份的取得和处分的董事们精通公司的企业内容,因此有可能诱发最有力的内部人员的投机交易(证交188条);(4)如果给自己股份赋予表决权,那么行使它的是代表董事,这样会使没有出资的人控制公司。因此,在很多国家的立法例中,都严格限制自己股份的取得,韩国商法中也有限制自己股份的规定(商341条)。

2.适用范围。

1)取得方法:即使以第三人的名义取得自己股份,也同样禁止以公司的计算取得(商341条),因为禁止自己股份取得的主要理由之一就是因它有可能害及资本充实,不管以谁的名义取得,只要它以公司的计算取得,那么其结果都是相同的。基于同样的理由,已取得的自己股份的名义更换与否并不成为问题。

2)担保取得:原则上禁止作为质权的标的接受自己股份(商341条,之2)。因为质权的取得虽然不是为了所有而取得股份,但是如果公司的资产状况恶化,那么担保价值也随之减少,因此与自己股份那样,有可能害及资本充实,也有可能被恶用为变向取得自己股份的手段。基于同样的道理,也应禁止将自己股份作为让与担保的标的来接受。不过,只禁止依据法律行为而取得的担保,取得法定担保权(留置权)是可以的。

3)新股认购:商法第341条是否也适用于新股认购?德国股份法明文规定公司不能认购自己的新股($ § 56AbS.1AktG$),而韩国商法中没有这种规定。但是,公司认购自己股份是一种假装缴纳,因此与本条无关,当然被禁止。

4)新股认购权证书、新股认购权证券的取得:公司取得自己发行的新股认购权证书(商420条,之2)或者新股认购权证券(商516条,之5)而行使新股认购权与通常的新股认购一样,也被禁止。即使公司不行使新股认购权,取得这种证书、证券本身具有与自己股份取得同样的危险,因此应视为其取得本身也被禁止。

5)附新股认购权公司债、可转换公司债的取得:自己公司债与自己股份不同,可以自由取得,因此没有必要将附新股认购权公司债、可转换公司债视为例外。但是,如果据此行使新股认购权、转换请求权,那么等于是认购自己股份。因此,即使取得公司债也应视为不得行使新股认购权或转换请求权。

6)有偿、无偿取得:即使取得自己股份的交易对公司有利,但只要支付代价就得禁止。如果是纯粹的无偿取得,那么它不会危及公司的资本基础,因此是可以允许的(大法院1996.6.25判决)。接受有负担的赠与,其实质与有偿取得相同,应禁止。

7)对取得自己股份的第三人的资金支援:公司有时对欲认购自

己发行的股份者或者欲取得自己已经发行的股份者提供贷款或作保。在非上市公司中，公司发行新股时，大股东从公司借入资金，然后认购新股的例子是很多的。金融机构发行新股时，有时为了让自己的交易企业认购股份，对其提供贷款。还有，公司的控股股份的受让人以受让对象公司财产来支付股款的例子。德国股份法和英国公司法上，将其视为变向取得自己股份的行为，明文加以禁止。由于韩国商法上没有这种规定，将这种现象包括在自己股份的取得中有些不太妥当。以从公司借入的资金来认购新股应视为假装缴纳。另外，虽然立法根据不同，银行法上禁止银行为了让他人认购自己发行的股份而向他人贷款(银行法27条，1款、6号)。

8)子公司取得母公司股份:商法将子公司取得母公司股份也视同自己股份的取得，加以禁止。这是相互股所有的一种，将在有关相互股规制的部分中详细说明。

3.禁止的例外。有些时候，自己股份的取得是不可避免的，因此商法或其他法律明文允许，或者解释上应允许。

1)商法上的例外:商法第341条认定如下例外。

(1)为注销股份时(商341条、1号):公司为注销股份，有时临时取得自己股份。股份的注销分为:根据资本减少的程序进行时(商343条，1款);根据章程规定，以向股东分派盈余进行时(商343条，1款、但书);偿还股份时(商345条，1款)等。为了注销股份，公司从股东处接受股票之后保管至发生注销效力时为止(即股份的消灭)。因此，这期间虽然从外观上看公司取得了自己股份，但是将此允许。不过，从法律上无法将此期间视为公司"所有"股份，因此严格地讲这不是公司取得自己股份的例外情形。

但是，判例将此规定从广义上进行解释，认为不仅包括作为注销股份的程序而取得的情形，还包括为将来注销股份而取得的情形(大法院1992.4.14判决)。这样解释，事实上等于无限制允许取得自己股份，不能说是正确的解释。

(2)因公司合并或者受让其他公司的全部营业时(商341条，2

号）：如果吸收合并时，消灭公司的财产中包含存续公司的股份，或者转让营业时，作为转让标的的营业财产中包含受让公司的股份，那么存续公司或者转让公司就会取得自己股份。这种取得是因资产的概括承继而引起的不可避免的现象。

（3）实行公司的权利中，为达到其目的而必要时（商341条，3号）：公司欲实现债权，但债务人除了持有自己公司所发行的股份之外没有其他财产，从而代物清偿或股份被拍卖时，将此拍得（大法院1977.3.8判决）。这是最典型的例子。一般来说，作为公司权利实现的最终方法，不得不取得自己股份。于是，债务人（除了自己股份）的无资力成为自己股份取得的许可要件，公司对此应承担举证责任。

（4）为处理端股所需时（商341条，4号）：股东从公司原始取得的股份中有端股时，为了将此换价，并向股东支付价金，公司应取得端股。但是，像资本减少、合并、公积金转让资本、股份分派等，端股的处理方法已被法定时（商443条，1款、530条，3款、461条，2款、462条，之2、3款）时，应按法定方法去处理，公司不得取得。因此，此规定的适用对象为通常所说的新股发行（商416条）或可转换股份、可转换公司债的转换及附新股认购权公司债债权人行使新股认购权而引起的新股发行等，端股处理方法没有法定的情形。

（5）质权取得的许可范围：公司在发行股份总数的1/20的范围内，可以作为质权的标的取得自己股份（商341条，之2）。但是，在合并或者受让其他公司的全部营业时及实行公司权利中，为达到目的而必要时，可以超过其限度而取得质权（商341条，之2、但书）。其超过部分应在一定时期内处分（商342条）。

（6）股东行使股份收买请求权时（商341条，5号）：公司不承认股份的转让而收买股份时（商335条，之6），公司将取得自己股份。法律条文中，虽然只举股东请求收买的情形，但是股份的受让人请求收买时，也不可避免地取得自己股份（商335条，之2、4款、335条，之7、2款）。还有，反对合并等部分特别决议的股东行使股份收买请求权时（商374条，之2）也将取得自己股份。

2)特别法上的例外。

(1)上市法人的特例:依据证券交易法,上市法人在有可分派盈余(商 462 条,1 款)的范围内,可以取得自己股份(证交 189 条,之2)。这是在力图稳定上市法人经营权的名义下作出的规定,但是对其妥当性存有疑问。因为经营者以公司资金来稳定经营权是不公平的,并且商法上的自己股份无表决权,该规定也就没有实效性。在德国,为了公司经营的稳定(例如,对抗他人的经营权争夺)而取得自己股份,被认为是违法的。

(2)重整公司的例外:公司重整法规定,作为重整计划的方法,向重整债权人,重整担保权人或者股东发行新股时,如果在所定期间内他们不请求交付股票而失权(公司重整法 262 条,4 款)时,公司就可以取得该失权股(同条,5 款)。因此,虽然取得自己股份,但应在相当时期内处分(同条,5 款)。

3)解释上的例外:在下列情形下,在解释上允许取得自己股份。(1)无偿取得时;(2)行纪人以委托人的计算,收买自己股份时(例如,证券公司接受顾客委托收买自己股份时);(3)信托公司接受自己股份的信托时等。

4.违反的效力。

1)债权行为的效力:作为自己股份取得的原因行为,公司和股东之间有可能达成买卖、交换等债权性合意。而这些债权行为违背强制性法规,应该视为无效。因为它一开始就以不可能履行的行为为目的的。

还有,只有以自己股份取得为前提才可以履行的契约也是违反强制性法规或者原始不可能,因此也是无效的。但只要取得自己股份也可以履行,那么以公司的负担让第三人取得自己股份的约定是有效的。例如,公司约定向董事交付功劳股时,公司即使不取得自己股份也可以向原有股东支付价金,让该股东直接向董事转让股份,因此有效(大法院 1963.5.30 判决)。

2)取得行为的效力:违反商法第 341 条规定(商 341 条,之 2),取得或者作为质权取得自己股份时,关于其效力有如下不同的学说。

(1)无效说:将重点放在防止阻碍资本充实以及其他因取得自己股份引起的危险上,不管对方(转让人)是善意的、还是恶意的,均为无效。判例也认为自己股份取得是无效,将此作为和解的内容时,该和解条款本身无效(大法院1964.11.12判决)。根据此说,可以阻止自己股份取得所来的弊病,但要害及交易的安全。尤其是,公司以他人名义取得自己股份或子公司取得母公司股份时,对方很难识别自己股份取得的事实,因此无法防止出现善意的被害人。

(2)有效说:商法第341条是一种命令性规定,如违反它,只限于追究董事等的责任,并不影响取得本身的效力。根据此说,可以图谋交易的安全,但是仅靠追究董事责任,到底能否收到限制自己股份取得的实效呢?而且,对方为恶意时,自己股份取得也是有效的,因此是不妥当的。

(3)部分无效说:这是为解决上述两种说所存在问题的折衷说。认为,原则上应该是无效,但公司以他人名义取得自己股份时和子公司取得母公司股份时,只要对方是善意,应该是有效的。那么,由谁来举证对方为善意或者恶意? 从举证责任分配的原则来看,应由主张无效者来举证双方为恶意。但事实上,很难证明谁是善意,谁是恶意。于是,公司以他人名义取得自己股份时和子公司取得母公司股份时几乎都变为有效,从而只要公司不是显名取得,事实上自己股份取得是有效的。这会使预防公司以迂回的、规避法律的方法取得自己股份的解释及立法上的努力(即以他人名义取得自己股份同样被禁止)失去意义。

还有一部分学说认为,虽然自己股份取得为无效,但根据商法第341条应得到保护的是公司、公司债权人、股东,因此出让人不管是善意,还是恶意,均不能主张无效。同时,考虑到交易的安全,公司、公司债权人和股东只要出让人没有恶意,就不能主张无效。也就是说,原则上有效,只有出让人为恶意时,只限于公司、股东、公司债权人才能主张无效,也可以不主张。该说除了具有效说所具有的短处之外,又会使对方(出让人)的地位变为极其不稳。

(4)私见(相对无效说):如何对待自己股份取得的效力是立法政策上的问题。德国股份法规定有效(§71 Abs.4 astz1AktG),而日本商法未明文规定,任凭学说解释,这和我国是相同的。

有效说和部分无效说主要考虑了出让人的保护问题。但是,实际上,即使自己股份的取得为无效,也不害及出让人的利益。因为出让人是接受价金而处分股份者,即使无效也不失去股东权,只要返还价金即可(可以主张价金的返还和股票返还应同时履行)。因此即使对方(公司)为无资力,很少会受到出乎意料的损失。只是有可能出现因出让后股价下跌而受损之情况,但是可以以对公司的损害赔偿请求来填补。

反倒应注意的是,将自己股份的取得视为无效时,若公司已处分该自己股份,那么该股份的转得人及其后的取得人则会失去股东权,扣押股份的债权人也会失去权利。因此,应解释为,自己股份取得不管出让人是善意,还是恶意,均为无效,但不得以此对抗善意的第三人(转得人、扣押债权人)。这种解释应该是妥当的。

5.自己股份的处分。在例外情形下,公司取得或作为质权取得自己股份时也不能长期保有,应采取下列失效或者处分的措施。

1)为注销股份而取得自己股份时(商341条,1号):在这种情形下,应不得迟延地履行股份失效程序(商342条)。但是,股份的失效与作为股份注销原因的程序,例如,偿还股份的偿还或者以盈余注销或者资本减少等程序效力发生时期相一致,因此不需要另行股份失效程序,只是进行股票的废弃、股东名册的抹销等事后处理即可。

2)公司合并或者全部营业的受让(商341条,2号),权利的实行(商341条,3号),端股(商341条,4号),收买股份(商341条,5号),超过限度的质权(商341条,之2、但书):在这种情形下,应于"相当时期"内"处分"股份(商342条)。在这里,股份的处分是指出卖股份等转让行为,提供担保是不允许的。关于质权,只要被担保债权的履行期未到,质权就不可能被消灭,因此所谓质权的处分是指到了质权的履行期迅速受偿或如对方不履行,应迅速实行质权。

"相当时期"是一个很不明确的概念。由于股份的行情变化很频繁,应该将此解释为给董事提供选择有利的价格处分股份的时间上的余地。德国股份法规定应在一年内处分自己股份(§71C AbS.1 AktG)。从立法论上看,应该规定这种期限,使董事在规定期限内选择最有利的时机处分股份。

上市法人以因商法第 341 条、2 号~5 号规定的事由而取得的自己股份向本公司职工股持有人支付奖金、退职金等时,可以依董事会的决议保留 3 年(证交 189 条,之 2、3 款)。

6.自己股份的地位。公司可否持有效取得的自己股份行使股东权?德国股份法规定:"公司持自己股份不得行使任何权利"(§71b AktG)。但韩国商法只对表决权设有规定。

商法第 369 条第 2 款规定:"公司持有的自己股份无表决权",因此关于表决权毫无疑问。自己股份在计算定足数时,排除在发行股份总数之外(商 371 条,1 款)。由于关于表决权以外的股东权没有明文规定,解释上成为问题。其中,像少数股东权或各种提诉权等共益权,从其性质上考虑不能予以认定。关于这一点没有异议。

但是,关于盈余分派请求权、新股认购权、剩余财产分配请求权等自益权,是有不同意见的。通说认为,全部自益权均不能被认定,而一部分学说认为,盈余分派请求权和剩余财产分配请求权应被认定或者可以接受股份分派。

1)盈余分派请求权:若认定盈余分派请求权,公司依自己股份接受分派,那么已经被算入的盈余通过分派再次被算入公司的收入,从而盈余被双重计算,而且在下期的分派中,又有一部分归于对公司的分派而循环,这是不合理的。另外,自己股份的取得的实质为对出资的退还,因此对自己股份的分派等于对架空资本的分派。股份分派的本质也是盈余分派,因此与股份分派一视同仁。

2)剩余财产分配请求权:如果公司就自己股份持有剩余财产分配请求权,那么,等于是由即将消灭法人格的公司重新取得财产,这对该公司来说没有什么意义。而且,像对自己股份进行盈余分派时那样又重复将被分配的财产再次分配给股东,公司也再次持自己股份参与分配的循环。

3)新股认购权:关于新股发行或者公积金转让资本时,公司是否就自己股份持有新股认购权的问题上有两种不同的见解。从公司应维持自己股份的价值的理由出发,新股发行和公积金转入资本时都应认定新股认购权的见解和只有对公积金转入资本时发行的新股才可以认定公司权利的见解。但是,如果对此予以认定,那么则会导致自己股份的增大。而且,如上所述,新股发行时的公司的新股认购是虚构的出资,公积金转入资本的实质是像盈余分派那样的剩余金的处分,因此哪一种也不得允许。再评估储备金转入资本时亦同。

肯定说的理由为应保存自己股份的价值,但是公司保有自己股份并不是正常的状态,而是一个极其例外的状态,只不过是一时给予认定,因此没有必要将对正常股东认定的比例性利益扩张到自己股份上而予以认定。公司因未能参加新股认购及公积金的资本转入引起的无偿股交付而遗失的利益,按比例归属于股东们,这反而是很自然的现象。德国股份法规定:作为否定自己股份导致的一切权利的第716条之例外,自己股份也可以分配到因公积金的资本转入引起的新股(§215 AktG)。但是,学说并不认为此规定有妥当性,而是认为这是为了不让股东们的从前的持股率发生变动的方便性规定,并对此规定进行立法论上的批判。

4)股份分割:股份分割(票面分割)并不导致从前的股东权的增大,而是在维持同一性的情况下,将股份细分为更小的单位而已。自己股份也通过分割当然要增加。

除了上述个别理由之外,从一般论的角度上看,公司作为自己的成员对自己行使权利本身是矛盾的,而且为诱导公司将自己股份迅速处分掉也应否定因所有自己股份而发生的一切股东权。如上所述,对权利行使的限制也适用于公司将自己股份以第三人的名义保有时及公司所有母股份时。

权利行使的限制并非股份本身的属性,因此一旦自己股份从公司转移至第三人,所有权利就复活。即基于自己股份的股东权并非消灭,而是行使被停止。

(四)相互股所有的规制

1.意义。"相互股所有"(Cross - ownership; wechselseitige Beteiligung),狭义上是指两个独立的公司互相向对方公司出资的状态(单纯相互股),广义上也包含三个以上的公司之间的循环出资(扣环型相互股; Circular - own ership; ringfömige Veteiligung),例如,A 公司向 B 公司,B 公司向 C 公司,C 公司再向 A 公司出资的情形。

企业集团的系列公司之间的相互股保有状态主要采取 A、B、C ……N 公司中,A 公司所有 B、C……N 公司股份,B 公司所有 A、C ……N 公司股份,C 公司所有 A、B、……N 公司股份的所谓行列式(matrix)形态。

除了无限公司以外,在其他公司形态中,都会出现两个以上的公司相互出资的情形,因此确切地讲,"相互股"应该称"相互资本参加"或者"相互出资"。但这一般是在股份公司之间产生的现象,所以通常叫相互股所有,将互相所有的对方的股份称做"相互股"。

在韩国也正在蔓延相互股所有的事例,其理由大体有以下几种:(1)近年来,随着企业的飞速成长,大众资本无法满足增资资金的需要,因此系列公司相互认购新股的事例频频发生;(2)从 70 年代开始促进的企业公开过程中,各公司的创业者们担心经营权的不稳定,最终以伪装分散股份的手段让系列公司相互保有股份;(3)控股股东们为减轻所得税、继承税等税收负担,作为既不减弱控制权,又可以降低自己持有的股份的方法,让系列公司相互保有股份;(4)相互股可以以最少资本来达到强有力的企业结合的效果,因此有为扩大系列企业而利用相互股的现象。

在以上的相互股保有的动机中,像第二种理由一样,作为防卫他人争夺经营权的方法,为确保稳定经营权所需的股份,系列企业之间或者有同盟关系的企业之间所有相互股的事例很多。这是将相互股所有合理化的最大的名分。

2.相互股带来的问题。

1)自己股份性:如果将股份的经济意义认为是对公司财产的持份,那么相互股的所有本质上就是自己股份的取得。例如,A公司持有B公司股份的60%,B公司持有A公司股份的40%,那么A公司对B公司所有的全部财产持有60%的股份,从而A公司对B公司所有的A公司股份的40%也持有60%的持份。于是,A公司持有40(%)×60%=24%的自己股份。因此,相互股所有等于是以迂回方法取得自己股份,是对商法第341条的规避。

2)破坏社团性:公司是社团法人,因此不管何种公司最终与自然人的出资和自然人的构成相联系。即使出资者为法人,该出资法人的出资者也同样是法人,该出资法人的出资者又是法人……,就这样追溯下去,终究与自然人出资者相连结。但是,相互股是根本未把基础放在自然人出资者的空虚的持份。例如,如果对于A公司B、C两个公司各持有50%的股份;对于B公司A、C两个公司各持有50%的股份;对C公司A、B两个公司各持有50%的股份,那么,A、B、C公司是已丧失法律上的成员基础的公司,即使解散,连剩余财产分配也不能进行的公司。因此,相互股产生"脱离所有者的公司本身"(Vom Eigentümer gelösten unternehmen ansich),这将破坏公司的法律本质——社团性,将公司实体财团体。

3)公司控制的歪曲:所有相互股的公司经营者们互相在对方公司的股东大会上行使表决权,如果所持相互股能够充分控制对方公司的规模,那么双方经营者的地位互相取决于对方的意思。于是,双方经营者在连任问题上互相协力,完全有可能产生永久性的经营者控制。于是,经营者可以将真正的出资者排除,无出资也可以间接控制自己公司的股东大会(Herrschaft ohne Mittl)。于是,该经营者成为既不属于他人,也不向他人负责的永续性的存在。

4)妨害资本充实:相互股的本质为自己股份,事实上带来退还出资的效果。因此,妨害资本充实。

例如,A公司从B公司的股东b处受让B公司股份,B公司又从A公司的a股东处受让A公司股份,于是A、B公司所有相互股,那么等于是A作为B的,B作为A的隐蔽的代理人(verdeckte stellvertreter)向对方股东退还出资,a,b等于是从自己公司获得出资,如果a、b是同一人其效果更明显。

还有,相互认购股份等于虚假出资。例如,假设A公司增资1 000万元,接着B公司又增资1 000万元,并相互认购增资部分,那么,两公司的资本增加合计为2 000万元,但认购资金从B公司向A公司,再由A公司向B公司流动,因此只有出资的往来(hin – undhtr wan dtrte Einlage),净资产并没有增加。等于是A公司对B公司退还了出资,B公司又对A公司退还了出资。

因此,如果将保有相互股的公司视为一个经济单一体(Wirtschaftliche Einheit),那么两公司会出现相当于相互股合计部分的资本的空缺。举一个极端例子,如果保有几乎接近100%的相互股,那么两公司等于保有纸张(Papiercroisé)。

3.法律规制的概况。韩国自1976年以来,以证券交易法来限制上市法人间的相互股所有。到了1984年,修改了商法,开始以商法来规制相互股所有,再以1986年12月修改的"垄断规制及公平交易之法律"(以下简称"公平交易法")来限制相互股所有。以公平交易法来规制相互股所有是出于对经济力集中深化的忧虑。

4.商法上的相互股规制的特点。

1)类型:在外国的立法中,一般将相互股分为子公司所有母公司股份的情形和非母子关系的公司之间相互所有股份的两种情形。前者按自己股份取得的一种来处理,后者按禁止所有相互股或者限制权利行使的方式来处理。参照外国的立法例,韩国商法将子公司取得母公司股份与自己股份取得时那样加以禁止(商342条,之2),而对非母子公司之间的相互股则以限制表决权的方式来处理(商369条,3款)。

2)适用对象:商法只将股份公司的相互股作为限制对象。除了无限公司之外,其他种类的公司之间或者其他种类的公司和股份公司之间的相互出资也是可能的。[1]但在韩国,相互股的弊病主要出现于股份公司中,因此只将股份公司之间的相互股作为规律的对象。

3)扣环型相互股:不管是母子关系,还是非母子关系,商法只将单纯相互股作为适用对象。但是,若考察相互股的实态,就可以发现这些股份像扣环一样相互交错,因此对此有效地进行规制几乎是不可能的。由于对扣环型相互股的规制在立法技术上存在很多困难,因此在外国的立法例中也很难找出规制的先例。

4)规制标准:商法对于非母子关系的相互股,将发行股份总数之10%作为规制的标准。此标准比德国或日本的25%更为严格,而与法国和欧洲公司法是同一个标准。但是,10%标准在多数的系列企业之间按行列式所有相互股时,就起不了作用。例如,六种公司以行列式各所有10%时,这些公司的全部发行股份中的50%为相互股,但不属于商法第368条第3款的适用对象。

5.取得母公司股份的限制。

1)与自己股份取得的同质性:子公司取得母公司股份,其自己股份性尤为浓厚,事实上应理解为与自己股份取得是同质性的。子公司取得母公司股份,除了子公司要控制母公司的情形之外,大致都在母公司的指示或者影响下进行。于是,母公司通过子公司取得自己的股份,可以收到与取得自己股份时同样的效果,自己股份的取得而引起的弊病照旧出现。因此,外国的立法例也将子公司取得母公司股份视为自己股份的取得,对此明文加以限制。

2)母子关系的认定标准:两公司处于何种关系时才可以认定母子关系? 这在解释上或者立法上是重要的问题。

商法将所有其他公司(B)的发行股份总数40%以上股份的公司视为母公司(A),其他公司(B)为子公司(商342条,之2、1款)。这是

---

[1] 在日本和德国将有限公司也作为适用对象(日商211条,之2、241条,3款、§19AktG)。

根据过半数持股说,将股份的所有作为标准的;只是将母子关系的认定范围扩大而已。商法进一步将母子关系拓宽,子公司持有其他公司(C)的发行股份总数的40%以上股份或母公司和子公司合计持有股份超过40%时,将其他公司(C)视为母公司(A)之子公司(商342条,之2、3款),习惯上称之为"孙公司"。多数说认为,孙公司的子公司,或者母、子、孙公司合计所有超过40%以上股份的公司(曾孙公司)也应视为母公司的子公司,其中一部分人将曾孙以后处于继缕处于上述关系的公司均视为母公司的子公司。企业之间的支配、从属关系除了股份所有以外,可以根据很多手段形成。尽管如此,商法只限定于股份所有,其意图在于通过法律关系的客观性规律,图谋法律上的稳定。鉴于违反商法第342条,之2时,适用罚则,股份取得为无效,规制效果是非常大的,无须根据解释来扩大适用范围。母子关系应限于第342条,之2之规定。

将母子关系的认定标准定为40%,这比其他国家的立法还扩大了适用范围。像上市法人那样,股份所有广为分散的公司中,如所有40%左右的股份,可以行使很强有力的控制权,因此此标准是妥当的。但是,对大部分的非上市法人来说并非是适当的标准。例如,关于B公司股份,由A_1公司持有49%,A_2公司持有51%时(合资企业中其事例较多),A_1公司和B公司之间虽然很难成立支配、从属关系,但根据40%标准成立母子公司,于是B公司中有A_1和A_2两个母公司。因此,根据通例,将过半数持股作为标准或许是更妥当的。

还有,将"发行股份总数"的40%作为标准,但没有表决权的股份与公司控制无关,应该将"有表决权股份"的40%作为标准才是正确的。

3)股份取得的限制:关于母子公司之间的关系,商法只对股份的取得加以规律,对于其他法律关系,未加规律。

(1)原则:子公司不能取得母公司股份(商342条,之2、1款)。虽然没有明文规定,但是如同自己股份,不管以谁的名义取得,只要以子公司的计算取得的,均加以禁止。于是,不管名义更换与否。

多数说以关于取得质权商法没有明文规定为由,认为子公司作为质权可以取得母公司股份。笔者认为,子公司作为质权取得母公司股份,与作为质权取得自己股份其性质是相同的,因此应适用商法第341条,之2规定。

基于与自己股份相同的理由,子公司对母公司不能认购新股,持附新股认购权公司债来认购新股、将可转换公司债转换为股份、取得新股认购权证书或新股认购权证券等也被禁止。

B公司已持有A公司股份40%以下时,A公司又取得B公司股份40%以上,这种事后子公司(B)所有母公司(A)股份的情形并不属于商法第342条,之2、1款的适用范围。但是,子公司应准于商法第342条,之2、2款,处分母公司股份。

由于母公司未将股份取得之事实通知给子公司,子公司不知道母子关系存在而取得母公司股份40%以上时,双方成为母子关系。还有,两个公司同时取得对方股份40%以上也成为母子关系。在这两种情形下,双方公司应该将股份处分,使持股率降到40%以下。

(2)例外:(a)子公司吸收合并持有母公司股份的其他公司或者受让其全部营业时;(b)实行公司权利中,为达到其目的而必要进,可以取得母公司股份(商342条,之2、1款、1、2号)。但在这种情形下,应于6个月之内处分母公司股份(商342条,之2、2款)。除此之外,与自己股份取得一样,允许信托公司或行纪人(公司)在营业中以得母公司股份。

这样,即使例外地取得母公司股份,也与自己股份的地位一样,应解释为一切权利行使被停止(通说)。因为禁止子公司取得母公司股份的理由为,因它对母公司来说具有与自己股份取得同样的效果。因此,国内公司的外国子公司取得母公司股份时应受商法的规制,但国内的子公司取得外国母公司股份时不受商法的规制。

4)违反的效果:有人将子公司取得母公司股份的效力与自己股份取得的效力相区别,认为:前者的情形下,取得本身有效,只是应迅速处分。但是一般来讲,将两者视同。因此,如同自己股份取得时,对此也有有效说、无效说、部分无效说、相对无效说的对立。基于与自己股份取得时同样的理由，笔者认为，子公司取得母公司股份时，不管对方是善意的，还是恶意的，均为无效，但不得对抗善意的第三人(转得者、扣押债权人等)(相对无效说)。

违反禁止取得规定，子公司取得母公司股份或没有处分时，对董事和监事适用罚则(商 625 条，之 2)。

6.非母子公司间的相互股规制。

1)规制的基本方向:公司(A)，母公司(A_1)及子公司(A_2)或者子公司(A_2)持有其他公司(B)发行股份总数 1/10 以上的股份时，该其他公司(B)所持有的公司(A)或者母公司(A_1)的股份没有表决权(商 369 条，3 款)。

如上所述，虽然禁止子公司取得母公司股份，但是对非母子关系的公司之间的相互股所有不予以禁止，而是以限制表决权的方式来规制。通常都是从无出资而控制公司的目的出发所有相互股，因此如果剥夺其表决权，相互股作为公司控制的手段起不了作用，从而自然会减少相互股所有。这或许是立法者的意图。但是，相互股的最大的弊病就是成为无财产而盲目增加资本的手段，从而损害资充实，因此仅靠剥夺表决权不可能达到有效地规制相互股的目的的。

2)规制内容:由某一公司(以下简称"参股公司")所有其他公司(以下简称"被参股公司")的发行股份总数 10%以上的股份时，被参股公司持有的参股公司的股份没有表决权。

(1)10%是对发行股份总数的比率，不是对有表决权股份的比率。由于规制方式不是禁止取得，而是限制表决权，将有表决权股份作为基准更符合逻辑。

(2)计算参股公司的持有股份时，合算参股公司持有的股份和其子公司持有的股份。因此，会产生三种情形:①参股公司单独持有被参股公司的 10%以上股份时(〈图 1〉);②参股公司的子公司持有被参股公司的 10%以上股份时(〈图 2〉);③参股公司持有的被参股公司的股份和参股公司的子公司持有的被参股公司的股份之合超过被参股公司发行股份总数的 10% 以上时(〈图 3〉)。还有,在此可以有两个以上的子公司,并根据商法第 342 条,之 2、3 款规定,孙公司也被视为母公司的子公司,因此孙公司所持有的被参股公司的股份也被视为参股公司所有的股份。

不管是何种情形,凡是被参股公司持有的参股公司的股份没有表决权。

以上的所有股份数,应为已进行名义更换的股份。虽然也有不要求进行名义更换,仅靠取得实质性的股份即可的见解,但判断有无表决权时,未被进行名义更换的股份不能成为限制的对象。

(3)参股公司(及其子公司和孙公司)所持有的被参股公司的股份应该是 40% 以下。如超过 40%,参股公司和被参股公司成为母子公司,因此被参股公司不能所有参加公司的股份(商 342 条,之 2)。

(4)被参股公司持有的参股公司的股份应是 10% 以下。如超过 10% 互相成为参股公司的同时又是被参股公司,所以均不得行使表决权(〈图 4〉)。取得时期的先后不成为问题。因此,被参股公司为了排除掉从前的参股公司的影响力,欲取得参股公司 10% 以上股份的事例也会发生。被参股公司有子公司时,子公司持有的参股公司的股份按被参股公司的所有股份来计算(〈图 5〉)。

3)效果:被参股公司所有的参股公司股份的表决权被剥夺,因此参股公司无须通知被参股公司参加股东大会。由此可得出被参股公司不仅是不能行使表决权,连以表决权为前提的其他权利,即像少数股东的股东大会召集权等也不能行使的结论。同时,被参股公司所有的股份也从参股公司的股东大会决议定足数计算中被排除在外(商 371 条,1 款)。但是,仍持有种类股东大会上的表决权。除此之外的股东权,不管是自益权,还是共益权,只要没有明文规定,均不受限制。

被参股公司违反第 369 条第 3 款规定,行使表决权时,成为该决议的取消事由(商 376 条,1 款)。

被参股公司所有股份的表决权限制并非基于股份本身的属性,

因此只要参股公司对被参股公司的持股率下降到10%以下或者被参股公司转让其所有的参股公司的股份时,该股份的表决权当然要恢复的。

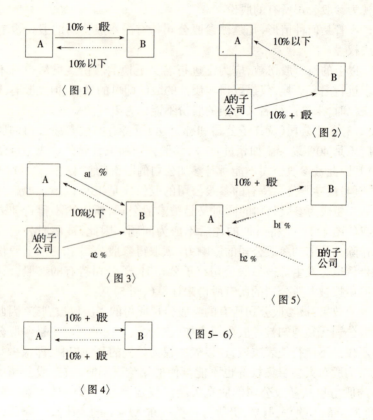

〈图1〉

〈图2〉

〈图3〉

〈图5〉

〈图5-6〉

〈图4〉

注:$(a_1 + a_2) >$ B公司发行股份的10%,$b_1 + b_2 >$ A公司发行股份之10%)

→为有表决权之股份所有

→为无表决权之股份所有

7.特别法上的相互股规制。

1）证券交易法上的限制：证券交易法第 189 条规定："上市法人除了总统令规定的情形之外，其法人所发行的股份让其他上市法人所有，与此相关，所有其他上市法人的股份是不可以的。"可见，证券交易法与商法不同，采取了禁止相互股所有的态度。当初的立法目的是为规制公司将股份公开时，作为伪装公开的手段来利用相互股所有的现象。

（1）适用条件：①限制上市法人和上市法人之间的相互股所有，不限制非上市法人间或者上市法人和非上市法人之间的相互股所有。还有，即使是上市法人之间，如一方为证券公司等经营证券业的特定法人，其以买卖为目的取得股份时，就不受限制（证交令 84 条，1 号）。②在此受限制的相互股为单纯相互股，扣环型相互股不是本条的适用对象。③受限制的数量是超过发行股份总数 5% 的所有（证交令 84 条，2 号）。即，双方公司互相所有对方发行的股份 5% 以上时，成为本条的适用对象。④证交法第 189 条规定："……让其他上市法人所有，与此相关，所有……是不可以的。"这要求相互股的所有在关系公司相互之间有意地形成。于是，不知道对方的股份保有事实而取得对方的股份时，应排除在本条的适用对象之外。

（2）违反效果：违反本条而所有相互股时，依照证交法第 209 条，9 号，适用罚则。关于取得行为的私法上的效力则没有规定。为了交易安全，又从这一规定的性质上看，并不影响其私法上的效力。但是，违反此规定而取得的股份应进行处分。现在，在证券管理委员会的实务上也是这么做的。

2）公平交易法上的限制。"垄断规制及公平交易之法律"（以下简称"公平交易法"）为抑制大规模企业集团的过渡的企业结合，禁止系列公司之间的相互出资。但是，从其内容上，很难认定合理性。

公平交易法第 9 条禁止属于大规模企业集团的公司取得或者所有那些取得或者所有自己的股份的系列公司的股份。

此制度是为抑制大规模企业集团的过渡的企业结合而设的。与商法不同,在禁止相互股所有的问题上,禁止相互股的所有,这一点与证券交易法相同。但它连一股都禁止,是最为严格的规定。

(1) 适用要件:①只有属于大规模企业集团的公司,才成为规制的对象。"企业集团"是指同一人根据所定的标准,事实上支配其事业内容的数个公司(垄规2条,2号),在这些企业集团中,以其所属公司的资产总额为标准,排在全国30位以内的企业集团是大规模企业集团(垄规17条,1款)。大规模企业集团由公平交易委员会指定(垄规14条,1款)。②禁止系列公司[1]间的相互股的所有(垄规9条,1款)。"系列公司是指两个以上的公司同属于同一企业集团时,这些公司相互之间对对方的称谓(垄规2条,3号)。于是,与其他企业集团的公司之间所有相互股是可以允许的。

(2) 例外:①公司合并或者全部营业的受让时;②因担保权的实行或者接受代物清偿而所有相互股时,不受限制(垄规9条,1款、1号～2号)。但是,该股份应于6个月之内进行处分(垄规9条,2款)。

(3) 违反效果:违反上述限制而取得股份时,适用罚则(垄规66条,1款、4号),公平交易委员会可以命令纠正措施(垄规16条,1款)。命令纠正措施时,该股份丧失表决权(垄规18条)。

(五) 特别法上的股份交易限制

1. 内幕人交易的限制。证券交易法规定的内幕人交易的限制(证交188条,188条,之2),是上市股份交易中的一个很重要的制约因素。关于内幕人交易的限制问题,在股份的流通市场部分中详述。

2. 控股公司的禁止。"垄断规制及公平交易法律"禁止控股公司。控股公司,是指通过股份的所有,将支配国内公司的事业内容

----

[1] 系列公司为关联公司的韩国式称谓——译者。

为主要业务的公司（垄规8条，1款）。具体地说，控股公司的要件为：以企业控制为目的所有的其他公司股份的账面价额占公司总资产的50%以上（垄规15条）。控股公司不能新设，也不能将原来的公司转换为控股公司（垄规8条，1款）。但是，在（1）依据法律设立时；（2）依据"外资引进法"，为引进外国人投资而设立并根据总统令，得到公平交易委员会的承认时，例外地允许设立（垄规8条，2款）。

3．取得限制竞争之股份的限制。"垄断规制及公平交易之法律"第7条禁止处于竞争关系或可以成立竞争关系的一定规模以上的公司之间为限制竞争而进行企业结合。此规定中的企业结合是指股份的取得、合并、受让营业、设立新公司等（垄规7条，1款、1号～5号）。取得无表决权股份的20%以上或认购新设公司股份的20%以上时，应于30日之内向公平交易委员会申报（垄规12条，1款、1号）。通过系列公司或者特殊关系人，取得或认购股份时也以同样方法加以限制（垄规7条，1款）。

4．外国人取得股份的限制。外国人欲认购或者所有大韩民国的法人企业的股份时，一般事先应向财政经济部长官申报（外资7条，1款）。

外国人取得注册法人或者上市法人发行的股份时，另受证券交易法上的限制（证交203条）。外国人取得注册法人或者上市法人发行的股份时，金融监督委员会可以对该股份的种类、行业、项目等进行限制（证交令87条，之2、2款）。外国人交易上市股份时，原则上应通过证券市场（证交令87条，之2、3款）。过去，韩国以证券管理委员会的规定设置外国人取得股份的限度，但现在只就公共性法人限制外国人的所有，对其他的上市法人并没有限制（"关于外国人买卖有价证券等规定"第5条，1款）。不过，公益或稳定证券市场和产业政策所需时，金融监督委员会可以限制取得的限度（"关于外国人买卖有价证券等规定"第5条，3款）。

另外，居住者和非居住者之间进行证券的买卖等交易时受"外汇管理法"的规制（外汇管理法 21 条，1 款、5 号）。

5．银行股的所有限制和银行取得股份的限制。银行法从预防特定人控制金融的宗旨出发，一方面规定银行股所有的上限，另一方面为防止金融资本控制产业，限制银行所有其他法人的股份。

1）银行股的所有限制。

（1）同一人不能所有或者实际控制金融机关有表决权发行股份总数 4% 以上的股份（银行法 15 条，1 款）。"实际控制"指的是股东一人和他的特定亲属或者与其有出资关系的法人所有股份（银行法 3 条，之 2）。于是，这些人所有的股份之合来判断是否超过上述限制标准。这一限制不适用于与外国合资而设立的金融机关。对不以全国为营业区域的金融机关（通称地方银行）的取得限度放宽到 15%（银行法 15 条，1 款、2 号）。

（2）即使所有 4% 以上，也不影响其取得行为本身的私法上的效力。但是，违反此规定的股东应不得迟延地采取处分等措施，使其所有的股份降到 4% 以下。在这一期间内，其表决权应限制到有表决权发行股份总数的 4%（银行法 16 条）。

2）银行取得股份的限制：金融机关不得买入或恒久所有金融机关或者其他股份公司的发行股份总数 15% 以上的股份（银行法 37 条）这是为了防止金融资本控制产业和保障银行资产运营的安全性而设的规定。

6．其他。经营特殊事业的公司有时从公益角度出发，设定一人的股份所有限度。例如，关于放送[1]法人，一人的股份所有不得超过发行股份总数的 30%；关于基础通信事业，一人不得所有发行股份总数之 1/3（放送法 6 条、1 款；电气通信事业法 6 条、3 号）。

（六）股份取得的通知义务

1．立法宗旨。某一公司取得其他公司发行股份总数 1/10 以上

---

[1] 韩国语的"放送"指广播电视——译者注。

股份时，应不得迟延地通知该公司（商 342 条，之 3）。这是 1995 年修正商法中新设的制度。这一制度具有两个目的。

1）提供控制竞争的均等机会：为了就公司间的控制可能性，对双方赋予对等的机会。如果甲公司大量取得乙公司股份，那么乙公司就要服从于甲公司的控制。在这里，乙公司不受甲公司控制的方法是乙公司同时取得甲公司的 1/10 以上股份。因为双方相互取得 1/10 以上对方股份时，双方的表决权就会消失（商 369 条，3 款）。因此，乙公司为了得到摆脱甲公司控制的机会，应知道甲公司的股份取得事实。否则，甲公司取得乙公司股份后，就会在乙公司的股东大会中突然行使表决权，替换董事、监事，从而乙公司连防御的机会也不能得到。证券交易法上，同一人取得某一上市法人股份 5% 以上时，课以通知义务（证交 200 条，之 2、1 款），这也出于上述宗旨而设的制度。

2）提供母子公司及相互股制度的运营条件：子公司不得取得母公司股份（商 342 条，之 2、1 款）在两个公司所有相互股的状态下，一方公司所有其他公司发行股份总数的 1/10 以上股份时，该其他公司不能持这一公司的股份行使表决权（商 369 条，3 款）。关于这一点已说明过。这种制度是以子公司或者被所有 1/10 以上股份的公司知道自己为子公司或者已知道被所有 1/10 以上的事实为前提的。因此，母公司应告知子公司母子关系的成立，所有 1/10 以上的公司也将该事实告知被所有股份的公司。尽管如此，1995 年商法修改之前没有设通知制度，使得有关相互股的制度在运营上很不完备。1995 年修正商法中新设通知制度后才解决了这一问题。

2．通知的方法和时期。关于通知方法没有限制，不管用何种方法只要向对方公司告知股份取得的事实就可以。但是，关于通知的举证责任，应由取得股份的公司来承担。

应该通知的事项为所取得的股份种类和数量。

通知的义务与取得 10% 以上股份同时产生。即使没有进行名义更换也有通知义务。如进行名义更换，对方公司当然会知道股份取得的事实，因此通知义务就没有大的意义。因此，通知制度在没有进行名义更换的状态下才必要的。名义更换请求可以视为通知的方法之一。

在法律条文中规定应"不得迟延"地进行通知，那么，到底要多长时间内进行通知？于是，关于适期通知与否，有产生争议的可能性。这一制度是为防止突然行使表决权而设的，因此应按持取得的股份行使权利时起逆算的方式来解释。从立法的目的来看，应给予被取得公司反取得取得公司股份，并进行名义更换的时间。那么，应解释为，至少在取得公司的股东名册封闭公告日以前通知。

3．违反的效果。关于懈怠通知义务时会产生何种效力，商法没有明文规定。这是立法上的一大漏洞。即使不通知，对股份取得之效力并没有影响。鉴于当初的立法目的在于防止突然行使表决权，因此懈怠通知时，不得行使表决权。

4．适用范围。由于设通知义务的目的是防止突然行使表决权，担保取得股份时不适用通知义务。但是，接受他人股份的信托时，可以行使表决权，因此是通知义务的适用对象。还有，从股东处取得表决权的代理权时也类推适用本条。

本条是为确保相互股规制的实效性而设的规定，因此在计算发行股份总数的1/10时，也应合算子公司所有的股份。

五、股份的担保和借贷

(一) 序论

因股份具有财产价值，又可以转让，当然可以成为债权的担保。股份的担保化，对于股东来说是一个补充性的回收投入资本的方法，而且股份比不动产、动产在设定担保方面更加迅速、简便，于是随时可以换价的上市股份作为金融交易中的有用的担保手段，广泛利用于实践中。股份的担保交易是准于股份转让的股份交易，要求保障交易上的安全，因此商法上的规律将侧重点主要放在担保权的保护上。

作为股份担保的方法，有商法上已制度化了的质押，此外还有习惯上的让与担保。

（二）股份的质押

根据商法规定，可以将股份作为质权的标的。在民法中已对权利质押作出了详细规定（民345条以下），因此股份的质押也可以由民法规律。但是，股份又具有不同于普通的指示债权或者有价证券的特点，因此商法上关于股份的质押设有特则。第一，关于股份，其转让方法及权利的公示方法通过股票的交付、名义更换等特殊手段来管理，因此有必要将此反映于质权的设定上；第二，将股份作为担保时，其担保价值随着注销股份等公司的资本交易而变动，因此有必要通过物上代位等保护质权人的利益。

关于股份质押的性质，有权利质押说、债权质押说、有价证券的质押说等。在实际交易中，将作为有价证券的股份作为担保的标的，而且法律上又将股票的交付作为质押的要件，因此将其视为有价证券的质押是正确的。

1．质权的设定方法。

1）记名股份：分略式质押和注册质押（正式质押）。

（1）略式质押：依质权设定的合意和股票的交付而成立（商338条，1款）。股票的交付不仅依现实的引渡，而且也可以通过简易引渡或标的物返还请求权转让的方法来进行。但依改变占有的引渡，民法禁止适用于民事质押上（民332条），因此是不允许的。

质权人如果不继续占有股票，就不得对抗第三人（商338条，2款）。也就是说，如果不占有股票，在与出质人、出资人的债权人等的关系中，不能主张物上代位及优先受偿权。但是，即使丧失股票的占有，也不等于丧失质权，一旦质权人重新恢复股票的占有，就可以对抗第三人。

（2）注册质押：注册质押是通过质权设定的合意和股票的交付，以及依据出质人的请求公司将质权人的姓名和住所附记在股东名册上并将其姓名记载在股票上而成立（商340条，1款）。

①虽然法律条文要求在股票上记载质权人的姓名，但一般认为

无记载也质权可以成立。但是，如果股票上不记载姓名，在质权人丧失股票占有时，第三人很容易善意取得（包含质权的善意取得）会导致质权人失去权利的危险。因为，当取得股票者主张股份的善意取得或者质权的善意取得，请求公司进行名义更换或质权的表示时，因股票占有的权利推定力（商 336 条，2 款），公司无法拒绝它。

②注册质权人在与公司的关系中，无须提示股票或以其他的方法证明权利，就可以行使质权人的权利。

2）无记名股份：无记名股份的质权视为无记名债权的一种，按照无记名债权的质押方法向质权人交付股票而成立（民 351 条）（没有异议）。无记名股份没有略式质押和注册质押之分，无记名股票的交付等于关于记名股份在股东名册上登载的效力，因此无记名股份的质押具有与记名股份的注册质押相同的效力。

如上所述，股份的质押始终都要求交付股票，权利股、股票发行前股份、股票不持有申报的股份不得质押。但是，寄托在证券托管院的股份，即使已进行不持有申报，也可以通过账户结算设定质权（证交 174 条，之 3、2 款）。

2. 质权的效力。股份的质权有与民事质押相同的效力，但就物上代位和优先受偿，商法另设规定。

1）物上代位。

（1）范围。

①一般质权：股份注销、合并、转换时，质权人对于因此而从前的股票要得的现金或股份也可以行使以从前的股份作为标的的质权（商 339 条）。股份分割时也应视同。质权的效力还及于将公积金转入资本而发行的新股（商 461 条，6 款）、确定新股发行无效而向股东退还的股份缴纳金（商 432 条，3 款）、因依公司重整程序的权利变更而股东要接受的现金、股份、物品、债权等（公整 242 条，2 款）。对于合并时存续法人给消灭法人的股东支付并发行的合并交付金或新股也产生以消灭法人的股份为标的的质权的效力

（商 503 条，4 款）。因为这些现金或股份均可以说是被担保股份的代表物。

②注册质押：除上述的以外，注册质押还可以对于股东应从公司得到的盈余或股息的分派、剩余财产的分配以及股份分派物上代位（商 340 条，1 款、462 条，之 2、6 款）。于是，注册质押的物上代位比起略式质的物上代位，其范围更广。不过，对于无记名股份的质权的物上代位的范围与注册质押的范围相同。

③除了商法上有明文规定的以外，关于质权的物上代位可以是否没有明文规定，因此在解释上有争论。

a. 盈余分派请求权：商法只规定注册质押对于盈余分派请求权产生物上代位之效力，因此关于略式质押的效力是否也及于盈余分派请求权，有不同的见解。否定说认为，由于略式质押的形成与公司无关，只是以股份的交易价值作为担保，因此让该质权的效力及于盈余分派请求权是不适当的。肯定说认为，盈余分派准于股份的孳息，根据质权的效力也及于孳息的一般原则，主张略式质押的效力及于盈余分派请求权。

肯定说又认为，略式质权人要对盈余分派请求权行使权利，应在支付分派金之前将分派金扣押。因此，对公司的业务不产生混乱。那么，究竟如何解释才能符合通常的当事人的意思，又不至于忽视债权人以外的一般债权人的保护。

避开对盈余分派请求权的权利明文被保障，不需经扣押就可以优先受偿的注册质押却选择略式质押的质权人可以视为对盈余分派请求权没有欲行使权利的意思。从实际交易情况来看，主要是对上市股份盛行质权交易，但几乎没有以股份的市价作为标准来决定担保价值，关于盈余分派质权人行使权利的例子。机构投资者之间的担保交易中，如果是欲将权利行使至盈余分派请求权，那么也选择注册质押。而且，如依肯定说，略式质权人凭关于盈余分派完全没有公示的权利，优先于一般债权人受偿，因此它不可避免地损害债权人平等的原则。鉴于这一点，笔者认为否定说是妥当的。

b. 对新股认购权的效力：以前对质权的效力不及于新股认购权上没有争议，但是近年来出现以低于市价的价格发行新股时，将会减少出质股份所担保的价值，因此应认为质权的效力及于新股的见解。该见解认为，假如市价1万元的股份被出质，发行与从前相同数量的新股，股东按每股5 000元的价格认购新股时，股价从理论变为7 500元。因此，被出质的股份的价值降低，其价值向新股转移，因此应将新股视为被出质股份的代表物。

但是，新股认购权根据另外的有偿契约支付代价而被行使，因此不能视其为从前股份的代表物或变形物。尽管如此，还要使质权的效力及于新股认购权，与要求出质人提供追加担保是一样的。因此，质权的效力不及于新股认购权。

c. 被请求收买股份的收买价金：请求承认股份转让，但被拒绝而行使股份收买请求权或者仅对营业转让或合并等决议的股东行使对公司的股份收买请求权（商374条，之2）后从公司得到的股份收买价金，是产生质权的物上代位效力的财产（日商208条）。

d. 剩余财产分派请求权：商法第340条规定：对于剩余财产请求权，只有注册质权才发生效力。但是，由于剩余财产分派请求权是典型的股份的代表物或者变形物，因此略式质权的效力当然也及于它。因为剩余财产分配给股东后的股份毫无价值。

（2）物上代位权的行使程序：对于注册质权人来说，如果物上代位的对象为股份，无须经扣押直接可以请求公司交付股票（商340条，3款）；如果物上代位的对象为现金，同样无须经扣押直接由公司支付，用于清偿债权（商340条，1款）。无记名股份的质权人也是一样的。

但关于略式质权人的物上代位权的行使方法，商法上没有明文规定。通说解释为：根据关于民事质权物上代位的一般原则（民355条→342条），公司向股东交付股票或者支付现金之前应扣押。其理由是：只要物上代位的标的物一旦混入股东的一般财产，那么它便失去其个性，使得质权人追偿是不合适的，并且略式质权的设定与公司无关，公司很难识别质权人。如果真是基于这样一个理由，那么不应该一律要求扣押，而是将物上代位的标的物分为与股票交换而支付或交付的和以股东名册为基础支付或交付的，关于前者无须要扣押，只有在后者的情形下扣押才是合理的。因为在前者的情形下股东如持有股票，不能得到支付或交付，没有必要担心与股东的一般财产相混，并且公司也没有危险负担。

因此，股份的注销、合并、转换及股份收买时，会以提交股票为条件支付现金或交付股份，对这些现金和股份的物上代位无须要进行扣押。而公积金的资本转入而发行的新股是会以股东名册为基础分派的，因此需要扣押股份。

2）优先受偿权。

（1）从质物的优先受偿权：从质权的效力上看，拍卖设定质权的股份可以得到优先受偿当然是可以的（民355条→338条，1款）。略式质权，注册质权或无记名股份质权均可以拍卖而受偿。

（2）依物上代位的优先受偿权：如物上代位的标的物是现金时，可以以此充当优先受偿，但是如果是股份时，与一般有价证券质权一并拍卖。关于这一点，注册质权和略式质权是相同的。但两者的物上升位的范围不同，关于要求扣押与否也有差异，而且注册质权者代位的标的物为现金时，即使未到清偿期，注册质权人也可以使公司将其现金提存，对该提存金持有质权（商340条，2款→民353条，3款）。

3）其他。

（1）股东权的归属：质权人掌握的是股份的交换价值，并非取得股东权，因此不能行使表决权等股东的权利。产生质权效力的权利，除了行使质权以外，也归属于股东。

（2）公司的通知义务：商法规定，为了使质权人适时行使权利，在股份变形物化而发生要物上代位的事项时，公司应向质权人进行通知（商440条、461条，5款、462条，之2、5款）。

（三）股份的让与担保

1. 成立。为担保债务，债务人和债权人之间有时约定：债务人转让股份后，如清偿债务，债权人便返还股份；如不清偿债务，债权人确定地取得股份。此即所谓的让与担保。由于债权人可以不经为优先受偿而进行拍卖等复杂的程序，而且债权人也有可能取得实际价值高于债权额的股份。因此，比股份的质押还要经常利用。

如同质权分为略式质押和注册质押，让与担保也分为交付股票、不进行名义更换的略式让与担保和交付股票的同时也进行名义更换的注册让与担保。略式让与担保仅凭股票的交付就可以完成，因此从外表上很难与略式质押相区别。当然可以根据当事人的意思来决定是质押，还是让与担保。但是，当事人的意思不清时，应解释为持有制定法根据的质押，以便合理地调整利害关系。

2. 担保权的实行。依让与担保而转移所有权是所谓"信托型转让"，担保权人虽然持有优先受偿权，但总是要将标的物换价，进行清算，直接取得标的物所有权的流担保是不允许的。这就是通说、判例所持的观点。因此，为实行股份的让与担保，应经清算程序。但鉴于对于因商行为而引起的债权担保允许流质契约（商59条），对让与担保也要类推适用之。

3. 让与担保权人的地位。让与担保权人对外是股份的所有人。即使让与担保作为"精算型"，担保实行后留有清算义务也相同。因此，进行名义更换的注册让与担保权人可以行使一切股东权，略式让与担保权人待进行名义更换之后就可以行使股东权（大法院1992. 5. 26，1993. 12. 28，1995. 7. 28判决）。

（四）股份担保的特殊问题

1. 股票发行前股份的担保化。无论是略式质押，还是注册质押均要求交付并占有股票，因此股票发行之前的股份不得质押。即使公司成立后或者新股缴纳期后经过6个月而可以转让时也相同。

但是，股份发行之前股份也可以让与担保。在这种情形下，应履行与股票发行之前股份的转让相同的程序，即当事人之间应有股份转让的合意，并应通知公司（或者得到公司的承诺）。如果停留于这一阶段，它将成为略式让与担保，进一步进行名义更换就会成为注册让与担保。

2．集中托管股份的质押。现实中，有很多将依证券托管制度被寄托的股份作为担保提供的情况。主要是，由证券公司从证券金融股份公司处得到融资时，将被寄托的自己的商品股份或者顾客的股份作为担保提供。这时，股票的交付以账户结算来代替。这时的担保可以说是账户的开设人对其保管股份所持有的共有持份的质押。

有时会有将托管股份的托管证作为担保提供的现象（证交 174 条，2 款）。在这种情形下，将托管证视为有价证券，应认为有价证券的质押。与此相反，如果将托管证视为证据证券，应认为标的物返还请求权的质押或者共有持份的质押。

（五）股份的借贷

股份的借贷主要以上市股份为对象。为了将他人所有的股份作为买卖标的物或者担保物而利用。在股份"借贷"交易中常用的是以下两种方法：

第一，贷股。是由证券公司的顾客从证券公司借股出售，并在一定期间内返还同种、同量的股份。这时，股票实际不移动，以顾客和证券公司之间的账簿交易来完成，证券公司则受顾客的委托，与对方证券公司进行卖出、买入股份的结算。于是，尽管不是以实际股票的借还为目的，但是根据改变占有，可以认为已形成证券公司对顾客的股票的消费借贷。贷股的本质是金融交易。此交易根据证券管理委员会的"关于证券公司提供信用的规程"已制度化（同规程 2 条，2 款、11 条以下）。并根据同规程及以此为基础的格式条款来规范。个人之间借贷股票的情形也非常多。这时，应实际转移股票。

第二，以支付手续费为条件，借用实际股票的交易。主要是由商事公司借保险公司或退休基金等机构投资者保有的上市股份来向证券公司提供担保，并以此得到融资的形式利用。由于股份的价格浮动非常利害，债券的利用率比股份的利用率高，但利用股份的情况也不少。这种借股票的行为，如果依照当事人的意思约定返还同种、同量的股票，那么应视其为股票的消费借贷；如约定返还原来的股票，那么应视为股票的租赁（商 46 条，2 号）。

六、股份的注销、分割、并合

（一）总述

如前所述，股份的转让、依继承及合并的承继、善意取得等，只替换股东，并非股份本身发生变动。与此相反，股份的注销、分割、并合是不替换股东，只是依所定的原因，股份在数量上消灭或者增减，以至于股东权发生变动的情形。

（二）股份的注销

1. 意义。股份的注销（redemption of shares; Einziehung Von Aktien）是在公司存续期间，绝对消灭一部分发行股份的公司的行为。股份的注销虽然像公司的解散那样，成为股份绝对消灭的原因，但是在公司的存续中股份被消灭的，这一点又不同于公司的解散。股份的注销成为公司存续中惟一的股份被消灭的原因。另外，股份本身被消灭这一点又不同于对股份本身没有影响，只将表彰股份的股票作为无效的除权判决。

2. 注销的种类和方法。

1）股份的注销分为，根据资本减少的规定进行时（商 343 条，1 款）和以应向股东分派的盈余来进行时的两种情形。前者，由于被注销的股份从资本中减少掉，因此要履行债权人保护程序（商 439 条，2 款），而后者将盈余作为注销的财源，对资本没有影响，于是无须履行债权人保护程序。后者的消灭又分为偿还股份的偿还（商 345 条）和盈余注销（商 343 条，1 款、但书）。偿还股份只能存在于优先股，而且发行时附上偿还条款，从发行时开始其股份的注销已被预定，但盈余注销不分股份的种类，依对所有股东平等的标准注销，因此被注销股份到了消灭时才被特定。在美国，上述三

种股份注销都存在，但德国只允许根据资本减少的注销（§§237
~239AktG）。

2）注销股份的方法有：注销愿意注销股东的股份的任意注销
和不管股东的意思而注销的强制注销。还有，公司对被注销的股份
支付代价的有偿注销和不支付代价的无偿注销。

3）关于偿还股份的偿还前面已说明过。关于根据资本减少而
注销股份，在资本减少部分详述。在此只说明盈余注销。

3．盈余注销。

1）概述：根据章程上的规定，可以以应向股东分派的盈余来
注销股份（商343条，1款、但书）。在美国将税法上的非优先股
的偿还（注销），原则上视为与自己股份的取得一样的由股东转让
股份，因此，常常以为回避对分派金的课税，向股东分派盈余的方
法来被利用，但韩国的情况并非如此，没有进行盈余注销的实际意
义。于是，在实践中很难发现以盈余注销股份的例子。

2）要件。

（1）章程中应有有关盈余注销的规定。应规定可以进行盈余注
销的意思及其时期和方法、注销数量等具体事项。

多数说认为，只有在原始章程上规定，如原始章程上没有规
定，则以"全体股东的同意"来变更章程，才能允许盈余注销。因
为盈余注销是消灭股东权的行为，为保护股东，只有股东一开始知
道并承认时，才能被允许。

但是，是否任意注销也有必要有全体股东的同意呢？笔者认
为，在资本多数决支配下的股份公司中，没有明文规定就强求全体
股东同意的特殊的决议方式是不妥当的，而且导致盈余注销比依资
本减少的注销还难的结果，有失均衡的。虽然说盈余注销是丧失股
东权，股东应事先知道并承认，但应该注意的是，同样是丧失股东
权的资本减少依特别决议就可作出（商438条，1款）。因此，盈
余注销也可以按一般的章程变更程序作出。

（2）只要有分派可能的盈余，就可以注销。不仅以当期的盈

余，并且持已储备的任意准备金也可以注销。

（3）以对所有股东平等的标准注销。于是，不能选择特定股东的股份强制注销。

3）注销的效果：虽然因注销股份的消灭，发行股份数减少，但是由于以分派可能的盈余来分派，因此对资本并没有影响。于是，产生发行股份数和资本的偏离（商法第451条的例外现象）。注销后，发行股份数达不到预定发行股份总数的1/4也无妨。但是，已注销的股份为已使用过的授权资本，不可以再次发行（通说）。

（三）股份的分割

1. 意义。股份的分割（stock split）是指不增加资本的状态下增加发行股份数的行为。它与发行股份不变的情况下，将一枚股票所表彰的股份数细分而制作多枚股票的股票的分割相区别。若分割股份，所有股东的持有股份数按比例增加。

韩国商法还没有无票面股份，因此所谓的股份分割即指票面分割。也就是说，将票面价按一定的比率减少，反过来以其倍数增加股份数。例如，将票面价1万元变更为票面价5 000元，并将股份数增加两倍。

股份的分割，在股价过高时，为了便于流通而降低价格时采用；合并之前，为了便于合并比率的决定而统一当事公司的价额时也可采用。

1998年商法修改以前，商法没有使用股份分割的用语，但解释上认为，可以通过变更章程采取降低票面、增加发行股份的股份分割。实务上也用同样的方法将股份分割。1998年修正商法，一方面明文认定股份分割，另一方面又提供了可以进行产生端股的股份分割的根据（以前解释上不允许产生端股的股份分割）（商329条，之2、329条，之3）。过去，韩国的股份公司发行股份时，一般将票面价作为商法上的最低票面价5 000韩元，于是很少有公司进行股份分割。但是，这次修改商法（1998年）后，由于最低票面价降低为 100 元, 股份分割变得容易。

2. 要件和程序。

1) 章程变更: 若进行股份分割, 应变更票面价, 如预定发行股份总数的未发行部分不充分, 应增加预定发行股份总数, 为此应变更章程。商法只规定可以以股东大会的特别决议分割股份 (商 329 条, 之 2、1 款), 因此有可能解释为可以不经变更章程进行股份分割, 但应该想到, 既然股份分割须经股东大会特别决议, 那么就不存在不变更章程的实际意义, 况且章程上维持与事实不符的票面价也是不合适的。因此, 应解释为分割股份要变更章程。

2) 分割的限度: 票面价应为 100 韩元以上。因此, 将票面价作为 100 元以下的股份分割是不可能的。1998 年商法修改以前, 解释上认为, 为了使股份分割时不产生端股, 应将票面价作为整数, 但修正商法允许端股的产生, 因此可以将票面价自由降低。例如, 在票面价 5 000 元的状态下, 分割为票面价 3 000 元也是可以的。

3) 新股票的发行: 由于股份分割后票面价发生变化以及股东持有的股份数也增加, 因此应重新发行股票。关于与此相关的各项业务, 即提交旧股票、交付新股票、效力发生等, 应准用股份并合的规定 (商 440 条～442 条)。由于资本或者财产没有变化, 因此不需要债权人保护程序。

3. 效果。股份分割的结果, 公司的发行股份总数增加, 并以相同的比率各股东的所有股份数也增加, 但公司的资本、财产并没有任何变化, 各股东持有的份额也没有实质性的变化。于是, 分割前后的股份由于维持同质性, 对分割前股份的质权对分割后的新股份发生效力 (商 339 条)。

(四) 股份的并合

股份的并合 (Zusammenlegung Von Aktien) 是与股份的分割相反, 将多个股份合起来变为更少数额股份的公司的行为。例如, 将 10 股合起来变为 7 股。股份的并合通常产生端股, 对各股东的利害产生影响, 因此限于例外的情况下被认定。只限于资本减少 (商

440 条）和合并（商 530 条，3 款）的情形下才可并合。

关于股份的并合，在资本减少的部分中进行详细说明。

第五款　股份的流通市场

一、序论

（一）总述

股份公司自产生时起，无论是从动机上还是本质上，均为将多数人的资本集中而存在的。于是，为扩大资本筹措的财源，由不特定的多数人作为投资者参与的证券市场形成并发展起来，并以此为基础，聚集零散资本而形成巨大资本变为可能。从整个社会来看，这成为诱导积累闲置资本，并将此再转化为功能资本的手段。并且，因证券市场受短期流动性的支配，政府可以将此作为有用的流动性管理的手段。

（二）证券市场的意义

从经济学意义上的证券市场，广义上是指发行证券并交易的媒介体。但在此要谈的是通过常设的证券市场——证券交易所形成的流通结果（证券 2 条，12 款）。证券市场上的交易对象除了股份以外还有公司债、国债、公债等，在此重点要谈的是股份的交易。狭义的证券市场，仅指投资者之间对已发行股份等进行交易的流通市场，但广义上也包括向流通市场供应新的股份过程中形成的发行市场。

能够成为大众资本集中手段的只有发行市场，而在流通市场上，已完成资本集中使命的已发行股份不生产附加价值而移动。因此，有人认为，在流通市场上的已发行股份只能成为投机的手段，对企业的资本筹措并没有帮助。但是，关于除了转让以外没有其他回收投资方法的股份，最初的投资者（即股份认购人）期望通过流通市场处分股份而参与发行市场。一旦股份发行，在流通市场上根据供需关系的自由竞争原理再评估而决定价格，股份认购人据此回收资本金。因此，流通市场与发行市场的关系是手段与目的，需求与供应的关系。于是，流通市场成为发行市场上决定发行公司及认购人行为的标准。

（三）韩国证券市场的概要

在韩国，由韩国证券交易所开设的有价证券市场是惟一的有价证券的公开市场（证交2条，12款、71条，1款）。韩国证券交易所选定具备该所规定要件（上市要件）的法人的股份，允许其在市场内进行买卖（证交88条，1款），这就是"上市"。已上市的股份为"上市股份"，发行上市股份的公司为"上市法人"。市场内的买卖限于具备一定资格者，其被称做"交易商"。一般投资者以向交易员委托买卖的方法参与上市股份的交易。

韩国的资本市场从70年代初期开始，急剧成长，为企业的直接的资金筹措做出了贡献。直到1998年末，已成长为上市法人750个、上市股份926种、110亿股、市价总额100亿兆韩元的市场。

二、发行市场

（一）概念

为了向流通市场供应股份，首先需要一个让一般大众所有股份的过程（企业公开）。就这样，以一般大众为对象发行新股或出售已发行股份的过程中所形成的经济学意义上的市场，被称做发行市场。发行市场上首先应存在发行股份的公司或者所有多量股份者（主要是企业公开公司的控股股东）向不特定多数人劝诱认购股份或取得股份的行为。于是，在发行市场上进行劝诱多数人要约以同等的条件取得新发行的有价证券（股份）的"有价证券的募集"（证交2条，3款）和劝诱多数人要约以同等的条件买出或买入已发行的有价证券的"有价证券的出售"（证交2条，4款）。如果从所谓"发行市场"的字面上理解，股份的发行市场仅指为发行新股而进行的"有价证券的募集"，但供应流通市场股份的意义上看，也应将公开已发行股份的"有价证券的出售"视为发行市场。

有价证券的募集和出售是以对企业状况不明的大众投资者为对

象进行，因此有不公平进行的可能性。于是，证券交易法规定"募集"和"出售"须经如下程序，以 50 人以上为对象进行的要约劝诱视为"募集"和"出售"适用证券交易法。

（二）有价证券发行人的注册

无论上市法人，还是非上市法人，欲募集或出售时应在金融监督委员会注册（证交 3 条）。

（三）有价证券申报

欲募集或出售有价证券时，发行人应向金融监督委员会提交申报书（有价证券申报书）。如金融监督委员会没有受理此申报书，就不能进行募集或出售。并且，上市法人的新股发行待申报书发生效力之后才可进行（证交 8 条，9 条）。

（四）公示制度

由于有价证券的募集和出售是以对企业内部不明的大众投资者为对象，为保护投资者，应先行对企业内容（信息）的正确公示。因此，注册法人及有价证券申报人将有关结算的文件等所定事项向金融监督委员会提交并公示（证交 4 条，5 条，8 条，2 款、18 条），并且在募集和出售时，发行人应制作另制定不同于商法上的股份要约书的事业说明书（证交 12 条，1 款）。如虚伪制作申报书及事业说明书时，向法人的董事等关系人课以损害赔偿责任（证交 4 条），并适用罚则（证交 209 条，1 号、210 条，2 号）。详细说明见新股发行部分。

三、流通市场

（一）公开和上市

为了使股份上市后顺利地进行交易，股份应向多数人分散。如果股份集中于一部分股东手中，那么流通量就会减少，很难形成有效的需求和供给，流通性便会降低，会丧失公开市场上的商品性。

因此，股份的分散对于上市来说应是绝对性的。一定规模以上的股份的分散称为"企业公开"。证券交易所的有价证券上市规程所要求的上市要件——"企业公开"是指上市法人于上市申请日前

6个月以内应有募集股份或者销售股份的业绩，而且其募集或出售的股份在上市申请日当天应占发行股份总数的30%以上（"有价证券上市规程"15条，1款、3号）。

（二）证券市场上的交易

证券交易所内的买卖交易，只有交易所的会员才可以进行（证交85条）。会员应是具备所定要件的证券公司（证交76条，之2）。1998年底为止，韩国证券交易所共有41个会员，即证券公司。如此限制交易当事人的理由在于：证券买卖需要有高度的技术和信用，因此不适合向一般人开放。

（三）委托交易

一般投资者通过向会员（证券公司）委托交易所里的交易，并接受买卖结果的方式参与证券市场。这时，会员成为行纪人（商101条）。委托交易依照证券交易所规定的受托契约准则定型地形成（证交110条，1款）。

（四）公平交易秩序的维持

证券市场因持续的价格变动，投资者们的利害关系相对立，从而要求公平的交易秩序进行交易。为维持公平的交易秩序，最重要的是及时将正确的企业信息传给投资者，使他们获得同等的机会，进行投资判断。这就是所谓的适时公示（timely disclosure）制度。因此，证券交易法对上市企业课以所定事项的公示义务（证交186条），并且为防止内幕人员垄断信息利用，限制内幕人交易（证交188条）。还有，为防止以欺诈手段取得不当得利，向其他投资者带来损失，禁止各种类型的行情操纵行为（证交105条）。

四、流通交易上的特殊问题

（一）总述

流通市场上的股份交易，比起一般的转让和受让，具有利害关系人多、大量及迅速地进行等特殊性。证券交易法中有很多反映这种特殊性的规定。下面联系商法中的有关股份转让规定，介绍尤为重要的制度。

（二）账户结算（特殊交付）和实际股东

1. 概述。像证券公司那样，相互频繁交易上市股份者，每次转让时不是实际交付股票，而是向证券托管院寄托股票，双方账户之间以账簿交易来结算。这种方法是股份转让的要件——股票交付的特殊形态，依照证券交易法来规律，通过证券交易所交易的上市股份的转让中日常使用。

一般人交易上市股份时，大部分利用证券公司的委托买卖，频繁交易的投资者将股票通过证券公司寄托于证券托管院，一般不进行名义更换。证券交易法将没有进行名义更换的实际股东作为法律上的概念来处理，并为他们开辟了直接行使股东权的途径，同时，为了管理实际股东，让公司除了制作商法上的股东名册之外，还让他们制作实际股东名册。这种制度为股份投资者提供了既可以减轻名义更换的烦琐，又可以直接行使股东权的便利，加强了惯于忽视名义更换的零散投资者的地位。这是对只有进行名义更换的股东才可以行使股东权的商法大原则的例外。

2. 证券账户结算制度的构造。

1）意义。账户结算是股票的转让当事人或者担保交易当事人均向共同的中央机关开设账户并寄托股票,.在转让或设定担保时，不收受实际股票，而是委托托管人以账户之间的账簿交易来结算的方法（证交 174 条）。即，在转让人或者设定担保的账户上，减去转让的数量或者提供担保的数量，同时将相同的数量加入受让人或者担保权人的账户上，托管人只要有寄托人的请求，就返还同种、同量股票的制度。为此，托管人即证券托管院应将制作并备置寄托人账户（证交 174 条，3 款）。

在证券交易所的上市股份交易中，有限的证券公司构成的当事人之间进行大量的、频繁的股份交易，不需要有实物的移动。同时，为防止遗失和由计算错误产生的危险以及确保迅速履行而使用了这种方法。因此，关于上市股份，无股票的股份交易（stückeloser Aktienhandel）已普遍化。

账户结算不仅被利用于股份，而且也被利用于公司债、国债等债权交易上，所以被称做证券账户结算。

2）账户结算的当事人。账户结算业务只有证券托管院才能经营（证交173条，1款）。证券托管院是证券交易所和证券公司出资而成立的法定机关。证券公司和保险公司、金融机构等机构投资者开设账户，将它和用于股份买卖及担保设定时的结算上，这些机构投资者被称为"寄托人"。证券公司不仅将自己的商品股份，而且将顾客寄托交易的股份也经顾客的同意，以自己的名义寄托。这时，证券公司应制作并备置记载顾客姓名和住所、寄托证券的种类和数量等的顾客账户（证交174条，之2、1款）。

3）寄托股份的所有关系。寄托给证券托管院的股票，与其他的寄托人寄托的股份一起，由证券托管院按种类和项目混合保管（证交174条，4款）。有返还请求时，以同一项目、同一数量的有价证券来返还。因此，寄托股票的保管方法是一种混藏保管，从混藏保管的性质上看，证券托管院不能取得托管股票的所有权，所有权应归于寄托人和寄托人的顾客共有。即推定寄托人的顾客和寄托人各自依照顾客证券和寄托人账户上记载的有价证券的种类、项目及数量，持有对寄托有价证券的共有价额（证交174条，之4、1款）。

在此应注意的是，其共有关系按有价证券的项目来成立。例如，假设A证券公司持有三星物产公司的股份100股，大宇公司的股份200股，同时接受自己的顾客a的委托保管三星物产的股份200股，大宇的股份300股；B证券公司持有三星物产的股份300股，同时受自己顾客b的委托保管大宇的股份400股，A证券公司和B证券公司将自己持有的股份和正在保管的顾客的股票都寄托于证券托管院，并假设证券托管院保管的三星物产和大宇的股份仅仅是这些，那么A、a、B对于三星物产股份各持有1/6、2/6、3/6的只有份额，A、a、b对于大宇股份各持有2/9、3/9、4/9的共有份额。

　　4）寄托股票的交付。寄托人的返还请求权化为种类物债权，转让人对受让人的股票交付则以账户结算来进行。这一点也可以以标的物返还请求权或共有持份的转让来说明。将在寄托人账户和顾客账户上记载者视为各自占有其股票（证交 174 条，之 3、1 款），记账结算，即账户上记入数量产生转让人和受让人之间交付股票的效力（证交 174 条，之 3、2 款）。

　　3．实际股东的意义。实际股东，顾名思义，就是以股东名册上的股东和计算上的股东相分离为前提的。因此，如果向证券托管院寄托股份的寄托人或者证券公司的顾客以自己的名义进行名义更换，那么"实际股东"和名义股东就相一致，实际股东的概念就无从谈起。只有证券托管院持寄托人或者寄托人的顾客的股份，以自己的名义进行名义更换时，才产生实际股东的地位。

　　证券托管院对于有价证券寄托期间内的股票可以以自己的名义进行名义更换（证交 174 条，之 6、2 款）。证券托管院以自己的名义进行名义更换时，不需要寄托人或顾客的承诺。同时，证券托管院的"有价证券账户结算业务规程"（以下简称"账户结算规程"）规定：寄托有价证券中的股票，应以证券托管院的名义进行名义更换（同规程 24 条）。此规程带有一般格式条款的性质，如按此规定运营账户结算制度，向证券托管院寄托股票者只能抛弃以自己的名义进行名义更换。

　　法律条文规定，证券托管院"以自己的名义可以进行名义更换"，由此看来，似乎名义更换与否是属于证券托管院的任意行为。但是，证券托管院解释为，为了不使实际股东在股东权行使上失去机会，应不得延误地以自己的名义进行名义更换。在懈怠名义更换期间，如由前权利者（向寄托人或顾客转让股份者）行使股东权，证券托管院应向寄托人和顾客进行损害赔偿。

　　证券托管院以自己的名义进行名义更换时，对该股份持共有份额的寄托人和顾客就成为实际上的股东。

　　4．实际股东的股东权行使。以证券托管院的名义进行名义更换时，关于股份的权利分为"关于股东名册及股票的权利""和"其他股东权"，各自具有不同的权利行使人。

1）关于股东名册及股票的权利。对于以证券托管院的名义进行名义更换的股份，即使没有寄托人或者顾客的申请，由证券托管院可以就股东名册的记载及股票、行使股东的权利（证交 174 条，之 6、3 款）。关于股票的权利是指因股票的并合、股票的分割、公司合并等股票替换时的该替换请求；因公积金的资本转入、股份分派、新股认购权的行使而发行的股票的收领；股票丧失时的公示催告申请等权利（"账户结算规程"26 条，2 款）。实际股东不能行使这种权利（证交 174 条，之 7、2 款）。权利实际上与股东名册上的股东资格处于不可分割的关系，如将权利行使者和股东资格相分离，会给公司的股份事务带来混乱。但是，实际股东可以请求阅览股东名册及誊写（证交 174 条之 7、2 款但书）。

而且，证券托管院不管实际股东的意思，可以对发行公司申报股票的不持有（商 358 条，之 2）（证交 174 条之 6、3 款）。这是以减轻大量保管股票的证券托管院的股票保管上的不便和危险为目的的，证券托管院的股票不持有申报应视为股票保管的一种方法。即使证券托管院申报不持有而不持有股票，对其股份的寄托人之间的转让是可以的，这对于应根据股票的交付来转让股份的商法上原则（商 336 条，1 款）的重大例外。

股票的不持有申报，也不属于实际股东可以行使的权利（证交 174 条，之 7、2 款）。

2）其他股东权的行使。除了上述只有证券托管院才可行使的权利以外，实际股东可以行使其他的所有股东权。例如，表决权、盈余分派请求权、新股认购权等都是实际股东行使的权利。这种权利，如有实际股东——寄托人或者顾客的申请，证券托管院就可以行使（证交 174 条，之 6、1 款），如无申请，当然由实际股东来行使（只有表决权是例外，后述）。

依据商法，股份属数人共有时，共有人应指定一人行使股东权利（商333条，2款）。据此，实际股东为行使股东权，应指定他们之中一人为行使权利人。但是，让相互间没有联系的实际股东选定代表人是不现实的，也违背让实际股东行使股东权的基本宗旨。因此，在证券交易法中作为对商法有关共有关系规定的例外规定：寄托股票的共有人作为股东行使权利时，应视为各自持有相当于共有份额的股份（证交174条，之7、1款）。

因实际股东行使股东权，因此应向实际股东进行股东大会的召集通知等对股东的各项通知（证交174条，之7、2款、但书）。

5. 对实际股东的认知。如果要使实际股东行使股东权，发行该股份的公司就应该认识谁是实际股东。因为股东名册上记载证券托管院为股东，所以只靠股东名册无法把握实际股东。于是，应摸索其他可以把握实际股东的方法。其方法有实际股东的通知和实际股东名册。

1）实际股东的通知：寄托股票的发行公司为决定行使表决权或得到分派人及其他行使股东权人而封闭股东名册或基准日（商354条）时，证券托管院应及时将有关封闭期间的第一天或者基准日的实际股东的一定事项，不得迟延地向股票的发行公司（或者该公司的名义更换代理人）通知。通知事项是：实际股东的姓名和住所，相当于实际股东所持共有份额的股份的种类和数量（证交174条，之7、3款、1、2号）。而证券托管院根据自己制作的寄托账户，只能把握寄托人所有的股份，对于寄托人的顾客通过寄托人寄托的股票，只知道其总量，无法知道个别的实际股东。这是因为顾客——实际股东只出现于寄托人制作的顾客账户上。因此，证券托管院为向发行公司通知实际股东，可以请求寄托人通报有关实际股东的情况，对此寄托人应及时通报（证交174条，之7、4款）。

根据此制度，发行公司规定的封闭日或者基准日当时记载于证券托管院的寄托账户上的寄托人及被记载于寄托人的顾客账户上的顾客，与下面将要说明的实际股东名册连结起来，享有与在发行公司规定的封闭日或者基准日被记载于发行公司股东名册上的股东相同的效果，并可以行使股东权。

2）实际股东名册：从证券托管院得到有关实际股东事项的通知的发行公司（或者其名义更换代理人）应记载其接受的通知事项和通知年、月、日，制作并备置实际股东名册（证交 174 条，之8、1 款）。

该实际股东名册，对实际股东起与股东名册相同的作用，成为发行公司认知实际股东的根据。同时，在法律效力上，实际股东名册上的记载与股东名册上的记载有相同的效力（证交 174 条，之8、2 款）。因此，实际股东名册上的记载与股东名册的名义更换一样，对于实际股东予以资格授予性效力，对公司予以免责性效力。于是，被记载于实际股东的人无须证明其实质性权利，可以行使股东权，一旦公司将这些人认定为股东就可以免责。

同时，实际股东名册上的记载又是实际股东对公司行使权利的对抗要件。因此，实际股东与公司的关系中，虽然因记载于实际股东名册而取得其地位，但是其记载的效力并非发生在实际记载于实际股东名册时，而应理解为溯及到股东名册封闭日或者基准日。因为只有这样，股东名册封闭日或者基准日当时的股东可以行使权利。

有些股东将其所有股份中的一部分由自己保管股票，并在股东名册上进行名义更换，其余的股份则寄托给证券托管院。这种股东虽是同一个人，但分别记载于股东名册和实际股东名册上，并列记载为股东及实际股东。这时，公司认定股东名册上记载者和实际股东名册上记载者是同一个人时，在行使股东权利时，应合算股东名册上的股份数和实际股东的股份数（证交 174 条，之8、3 款）。对该股东适用关于限制表决权不统一行使的商法第 368 条，之 2 的规定。这虽然给公司的股份事务带来方便，但有股东的合算请求时应予以合算（为行使少数股东权而有必要合算）。

（三）内幕人交易的限制

1.总述。

1）立法宗旨:证券交易法第 188 条～第 188 条,之 3 对上市法人或者注册法人的董事、监事、职员、大股东等容易接近公司内部企业情报者的股份交易，加以禁止交易、返还差价等法律规制。

一般来说，在证券市场上像新商品的开发、大量的订单，有、无偿增资等企业情报作为判断投资的最重要资料而被利用，这些信息公开时对股价的形成有很大的影响。将容易靠近这些企业信息的相关企业的董事、监事、职员、大股东以及其他因与公司的密切关系持有取得内部情报机会者称为"内幕人"(insider)。内幕人利用因自己的地位获得的未公开的信息，为取得买卖差价和为避免损失而进行的股份交易称为内幕人交易(insider trading)。

股票市场上的交易本质上就是高度的不确定性(uncertainty)的投资。在这种不确定性中，投资者根据自己的判断和危险负担下，进行投资活动。因此，所有的投资者的判断应由自己负责，但机会应该是均等的。这种机会的公平性就是证券交易法所追求的最重要的目的。企业情报减少投资的不确定性。因此，如果利用企业情报，这应该是已公开的，由所有投资者可以平等利用的情报。相反，若只有部分内幕人垄断企业情报，作出先于大众投资者的判断，从而获得利益或回避损失，这会转嫁为大众投资人的损失，不仅不公正，而且会破坏证券市场的基本秩序，是不能允许的。

总之，对内幕人交易的限制是为防止内幕人不公正地利用企业情报(unfair use of information)，从而进一步保护一般大众及局外股东(outside shareholers)的制度，因此内幕人应公开企业信息，在不得已的情形下不能公开时，应切断证券交易的念头('disclose or abstain' rule)。

2)内幕人交易限制的概要：证券交易法规定的内幕人交易的限制内容有：(1)禁止一定的内幕人的空卖(证交 188 条，1 款)；(2)内幕人员以卖出或买入股票后 6 个月内再买入或卖出的方法，通过短期间的买卖(Short Swing transation)获得差价将其差价返还给公司(证交 188 条，2 款)；(3)禁止内幕人员利用未公开的情报卖出或买入股份(证交 188 条之 2)。

应搞清上述三种限制内容的区别点。首先(1)、(2)和(3)的要件上有很大的差异。(1)、(2)是只要具备一定的内幕人的身份,不管是否利用了未公开信息,均加以限制。但是,(3)是在利用了未公开情报而交易时,才加以限制。因此,其规制内容自然就不同。(3)含有利用未公开情报的可罚性责难可能性,因此适用罚则。而(2)的行为只是根据情报利用的盖然性而限制的,所以不能认定其犯罪性。所以,只能以返还买卖差价来使交易失去意义。(1)虽然也是基于情报利用的盖然性而限制,但内幕人的空卖含有高度危险性,所以将处罚作为规制的手段。这样,(1)、(2)将情报利用的盖然性为基础,而(3)是责难实际利用情报的事实,因此规制对象——内部人的范围也是不同的。(1)、(2)是根据形式上的标准来限制其范围,(3)更广泛地包含有可能接近情报者。

同时,证券交易法为了确保上述规制的实效性设置了如下附带性制度:(1)公开主要股东的现状及变动(证交188条,6、7款);(2)卖空时和利用信息买卖时,还有违反公示义务时适用罚则(证交209条,9号);(3)使利用情报而买卖者赔偿由此而受损者(证交188条,之3)。

3)沿革:证券交易法第188条及188条,之2,是以美国1934年证券交易法(Securities Exchange Act of 1934)第10条(b)、第16条的内幕交易限制及吸收该规定的日本证券法(1948)第189条和第190条为范本而制定的。将10%以上的股份所有者定为主要股东,转买卖期间定为6个月,认定股东的代位请求,将利益返还请求权的行使期间定为2年等是三国的共同规定。在美国,自从制定上述规定以来,内幕交易限制将与公示义务相联系,成为适用频率很高的重要的制度,通过判例理论不断完善了其内容。学界普遍认为,在韩国也有很多内幕人交易,但过去能够实际运用法律的例子还是不多。最为重要的理由是在过去关于股份的委托交易没有要求实名,因此可以以假名或者亲戚朋友等他人名义进行内幕人交易的,把握起来的确是有难度的。但是,最近实行了金融实名制,规制起来较容易,也强调了内幕人交易限制的必要性,逐渐增多其适用的事例。

2.禁止卖空。内幕人不得卖出非自己所有的股份、有价证券等(证交188条,2款)。

未所有股份而卖出的叫做卖空。例如,先将股份卖出,待到履行日(卖出日的两天之后)再买回股份而履行或从他人借股份而履行。内幕人将股份卖空是不正常的现象,大概估计到将来会发生打击公司事业和信用的事情而股价跌落,为了得到短期差价而进行交易,所以无条件禁止。实际利用内部情报与否是与此无关的。

违反此规定者处以2年以下的徒刑或者1 000万元以下罚金(证券209条,9号)。

至于内幕人的范围、禁止对象股份的范围等,是与短期差价买卖一样的,因此在下一部分论述。

3.买卖差价的返还。上市法人的董事、监事、职员、主要股东买进法人的股份后6个月内卖出或卖出该法人的股份后6个月内买进而获得利益时,该法人可以请求将该得到提供给该法人(证交188条,2、3款)。

与卖空不同,只要求返还利益,交易本身是不被禁止或违法的。

1)内幕人的范围及判断。

(1)内幕人的范围:证交法第188条将上市法人或者注册法人的董事、监事、职员、主要股东规定为内幕人。因此,本条只对上市法人或者注册法人适用。

①董事、监事:董事和监事不分常勤,非常勤。这些人经常执行公司的业务或接触公司财产或会计,可以说是内幕人中对企业信息最灵通的人。

②职员:因为商业使用人中会有根据其地位和职务而精通于特定信息的人,为限制这些人的股票交易,将他们一概包括在内幕人中。

③主要股东:不管是以谁的名义,只要以自己的计算所有发行股份总数的10%以上的股东(证券188条,1款),就是主要股东。

股东可以是自然人,也可以是法人。公司即使所有自己股份10%以上,因为自己股份的取得受严格限制,没有害及交易公正的可能性,应从内幕人中除外。

只要持有发行股份总数的10%以上的股份,就属于主要股东,与有无表决权毫无关系。10%的数值,除了援用了美、日的立法例的沿革性背景以外,还可以从股份广泛分散的上市法人中如持有10%左右的股份,可以行使对公司的影响力,很容易得到企业情报中找出其妥当性。

不管以谁的名义,只要以自己的计算保有的股份数10%以上就是内幕人。

④准内幕人:此外,即使不是内幕人,但同样基于一定的地位,精通企业情报,有可能将其滥用者,称他们为准内幕人。

证券交易法作为准内部人的例子,举出中介或者认购股份募集、出售的证券公司。将中介或者认购上市法人发行的股份的募集、出售的证券公司也在一定期间内(仲介,认购契约签订之日起3个月内)视为其上市法人的内幕人,也应将转买卖差价返还给公司(证交188条,9款、令83条,之4)。仲介或认购的证券公司虽然不是上述三种意义上的内幕人,但是在仲介或认购过程中有很多接触发行公司企业信息的机会,其为防止其滥用而将它为准内部人。

除此之外,还有很多能够先于一般投资者接触企业信息的准内幕人。但是,如上所述,买卖差价返还制度并不规律实际的利用情报行为,而是以情报利用的盖然性为基础来规律,因此它强调的是形式上的明确性,如上所述,规定内幕人的范围。

(2)对内幕人的判断:内幕人的地位可以随时变化,所以适用证交法第188条时,应如何确定成为内幕人的时期? 第一款禁止卖空的情形下,其行为是一次性的行为,应解释为在卖空时成为内幕人,对此没有特别的异议。

但是,第2款的短期买卖时,存在卖出和买入或者买入和卖出的两个行为,因此,先行行为直前和直后,后行行为直前和直后的四个起点成为判断对象。尤其是,主要股东依股份的卖出和买入产生身份上的得失。证券交易法第 188 条第 8 款规定:"第 2 款的规定是……主要股东于卖出或者买入的某一时期中为非主要股东时不适用。"因此,应解释为,在先行行为和后行行为的两时期均应是内幕人。

　　问题是在买入和卖出或者卖出和买入是否都是在事先行为人已具备内幕人身份的状态下作出? 例如,假设甲于 4 月 1 日买入 11%的股份,然后 5 月 1 日再买入 3%,6 月 1 日卖出 5%,7 月 1 日卖出剩下的 9%。如果需要事先具备内幕人身份,那么在这个例子中,4 月 1 日的 11%的买入和 7 月 1 日的 9%卖出是在非内幕人身份的状态下作出的,因此不属于内幕人交易,只有 5 月 1 日的 3%买入及 6 月 1 日的 5%卖出才相当于内幕人交易。美国的判例就是根据对美国证券交易法第 16 条(b)的文义解释如此看待的。

　　但是,既然本制度的宗旨在于阻止内幕人的情报利用及实现由此引起的短期差价上,应视为从成为 10%以上股东之际起,被赋予情报利用的机会,并且这将反映于此后的卖出之中,因此与买入的同时成为主要股东的买入也应解释为包括在内幕人交易之中。而且,卖出时,只要在法定期间——6 个月内进行的,可以视为依据单一处分计划的单一卖出行为,在处分过程中无须考虑其身份丧失。于是,上述例子中的于 4 月 1 日,5 月 1 日,6 月 1 日,7 月 1 日的买入、卖出均相当于内幕人交易。相反,在先卖出后买入时,其主要股东经数次卖出,在该期间内丧失了主要股东的身份,并经数次买入,该期间内又恢复了主要股东的身份时,其卖出、买入只要是在 6 个月内作出的,均属于内幕人交易。

　　关于董事、监事、职员,与主要股东不同,没有与证券法第 188 条第 8 款相同的规定。于是,在买入、卖出或者卖出、买入的某一时期曾经是董事、监事或职员者,就应视其为相当于内幕人交易。

　　2)短期买卖的要件。

　　(1)股份的买卖:内幕人须在 6 个月内进行买入和卖出或者卖出

和买入。即使场外交易也无妨。规制的对象不限于股份,包括可转换公司债、附新股认购权公司债、新股认购权证书、附参与利益公司债。还有,法律条文上虽然使用"买入"和"卖出"这一词,但本案的宗旨上看,只要有不当利用公司情报的可能性,新股的认购、交换等有偿取得和处分也当然包括在短期买卖之中。

(2)交易名义:虽然没有明文规定,但应解释为只要以内幕人的计算来买入、卖出,不管他是以谁的名义进行都一样的。这一点,可以从判断主要股东时不问以谁的名义所有中类推出。于是,与名义更换与否也无关。

(3)秘密的得知和利用与否:只要有内幕人在 6 个月内交易的事实即可,是否依其职务或者其地位得知秘密,并且将其秘密利用于交易上,均与此无关。这一点与后述的内幕者交易的禁止,是本质上不同的。

可以说美国证券交易法第 16 条(b)为韩国证券交易法第 188 条的母体,第 16 条(b)中规定"为防止内幕人不正当地利用信息"(for purpose of Preventing the unfair use of information……)而限制内幕人交易,因此防止信息利用只限于立法目的,内幕人实际上不当利用信息与否与第 16 条(b)适用是无关的。

美国证券交易法第 16 条(b)采取这种立法方式是主要考虑举证的困难。即意识到证明内幕人不正当利用信息的主观意图的难度,作为它的客观性证明手段(an objcetive measure of proof)而设定了 6 个月的短期转买卖期间。换句话来说,选择了如果一定的内幕人在 6 个月期间内进行了转买卖,就视为存在信息的不正当利用的"不完善的判定标准"(crude rule of thumb)。同时,估计如经过 6 个月的股价浮动,那么根据内部信息进行的交易也会变得没有用处,这也是这种立法方式的原因。

(4)买卖差价的发生:6 个月内的买卖应发生利益。为了算出买卖利益,应在买入和卖出,或者卖出和买入的股份数量相一致的范围内计算差价。于是,以买入和卖出中的少额数量为标准计算差价。

例如,由内幕人买入 5 000 股,卖出 3 000 股时,只对 3 000 股以从卖出价减去买入价的方式计算差价。6 个月内作出多次买入和多次的卖出或多次卖出和多次买入,并其价额互相不同时,将如何对应买入和卖出或者卖出和买入而算出利益? 美国采用按最低价买入和最高价卖出(lowest price in highest price out)的顺序对应的方法。

将最低价买入和最高价卖出相对应的意义为了在买入和卖出数量不一致时便于算出差价。买入数量超过卖出数量时,从买入数量中首先将相当于最高价买入份的数量舍去,使其数量等于卖出数量,而卖出数量超过买入数量时将卖出数量中将相当于最低价卖出份的数量舍去,使其数量等于卖入数量来分别计算差价。如果按此方法,就可以抽出因内幕交易的所有利益,是最为合理的方法。而在韩国采取平均卖出单价和平均买入单价相对应而计算的方法(证券令 83 条之 5、1 款、1 号)。

以上只对转买卖差价进行了说明,但是将作为内幕人期间内的决议的盈余分派也应视为因内幕人交易而得的利益。因为也有一些内幕人可以预测高额的分派,为此而认购股份。

3)返还请求:公司可以请求内幕人返还利益(商 188 条,2 款)。

(1)利益的归属:买卖差价应返还给公司。公司虽然不是因内幕人交易的直接的受害人,却将其利益归属于公司,这是因为内幕人当然不能享有该利益,而且内幕人的信息取得终究是在公司的费用负担下进行的,同时也有可能具有对于因内幕人交易而受损的公司的对外信用的补偿意思。

(2)请求权人:公司持有返还请求权。返还义务,因请求权的行使而产生,此权利即形成权。因此返还义务是根据公司的单方面行使而产生。

返还请求权,可以由证券管理委员会及股东代位行使。金融监督管理委员会或者股东先要求公司行使返还请求权,公司在两个月内不请求时,可以代位请求(证交 188 条,3 款)。但对股东的资格没有限制。股东持有 1 股也可以进行代位请求,而且无须为内部人交易当时的股东,只要是公司返还请求当时的股东即可。

因证券管理委员会或股东代位行使而胜诉时,可以请求公司支付诉讼费用及其他诉讼过程各所需的实际费用。(商188条,4款)。

(3)请求权的行使:公司的返还请求权依公司的单方面意思表示而行使,无须依诉讼来行使。金融监督委员会及股东的代位请求也无须依诉讼进行。

公司的返还请求权及金融监督委员会和股东的代位请求权若自内幕人取得利益之日起两年之内不行使则消灭(证交188条,5款)。这期间是除斥期间。利益的取得之日是指后行行为之日。

4)股东比率变动的公示:上市法人的董事、监事或者主要股东,自成为董事、监事或者主要股东之日起10日内,不管以谁的名义所有,应将以自己的记算所有的股份的所有现状向证券管理委员会及证券交易所报告。数量上有变化时,到发生该变化之日所属月份的下一月的10日为止,将该内容向证券管理委员会和证券交易所报告(证交188条,6款)。

委员会和交易所应备置此报告书供一般人阅览(证交188条,7款)。这是为了让监督机关容易把握内幕人及其交易状况,并使一般投资者作为投资判断的资料而应公示持股状况及其变化的。不履行报告义务时,同样适用视同违反空卖禁止,适用罚则(证交210条,5号)。

证券交易法第188条第1款规定将职员也作为内幕人,却将职员从持股报告义务对象中排除掉。这是立法的一个漏洞。

4.内幕人交易的禁止及损害赔偿。

1)总述:证券交易法第188条,之2对利用未公开情报的内幕人交易适用罚则,第188条,之3认定因该交易而受损人的损害赔偿请求权。此制度有如下意义。

美国法认为,利用未公开情报的内幕人交易构成民事上的侵权行为和刑事上的欺诈罪。因此,对于该交易需要进行刑事上的制裁,同时应准备被害人的救济方法。韩国证券交易法第188条,之2和

第188条,之3,正是出于这样一个理由而制定的。

而内幕人的买卖差价返还制度是以消除内幕人交易的实益来预防内幕人交易的制度,但在此制度下,内幕人一旦其交易成功就发横财,即使交易失败(被揭发),也只是返还差价而已,不会遭到更多的积极损失,因此这种内幕人交易的期待收益无论是在何时均为正(+)值。于是,从理论上讲买卖差价返还制度完全起不了预防内幕人交易的效果。为确保规制的实效性,应让内幕人交易承担费用(即将期待利益作为负值)。因此,证券交易法第188条,之2和第188条,之3同时也具有更加有效地预防内幕人交易的目的。

美国的1934年证券交易法第16条与韩国的证券交易法第188条一样,规定返还因内幕人交易而带来的差价,但在第10条(b)中对内幕人交易适用刑事处罚。1988年修改后日本证券交易法也大大强化了对内幕人交易的刑事处罚。韩国证券法第188条,之2的规制理念将其根源放在美国证券交易法第10条(b)上。

2)内幕人的范围:此制度的目的是要处罚实际利用未公开情报的行为,因此内幕人的范围比买卖差价返还的制度更宽。该法人的董事、监事和职员,主要股东当然是内幕人,同时也包括该法人的代理人,对该法人持有法令上的许可、批准、指导、监督以及其他权限者,与该法人签订契约者,上述人员的代理人、使用人及其他职员(证交188条,之2、1款)。

3)适用对象:第188条,之2中所禁止的行为,不限于股份交易,也适用于上市法人及注册法人所发行的所有有价证券交易上(证交188条,之2、1款)。因此,也当然包括公司债。公开收买时也适用第188条,之2(证券188条,之2、3款)。

4)未公开情报的概念:内幕人不得利用的未公开情报是指属于上市法人所承担的公示义务的情报,对投资者的投资判断有重大影响并向多数人告知之前的情报(证交188条,之3、1款)未公开情报要具备情报的重要性与未公知性的两个要件。上市法人应承担公示义务的情报在证券交易法第186条中列举了票据不渡等共十三种,一旦相当于此十三种的情报可被推定为对投资判断产生重大影响的情报。证券交易施行规则第36条中规定可以视为情报已公开的时期,处于这时期之前状态的情报为未公开情报。

5)罚则:内部人利用重要的未公开情报交易有价证券时,处于3年以下的徒刑或者2 000万元以下的罚金(证交207条,之2)。

6)损害赔偿:内幕人利用未公开情报进行证券交易时,不仅是与其进行交易者而且在同一时期进行相反交易者均受损害。为了这些人的民事性救济,向内幕人课以损害赔偿责任(证交188条,之3、1款)。被害者的损害赔偿责任请求权应从知道内幕人交易之日起1年内,内幕人交易之日起2年内行使(证交188条,之3、2款)。

(四)经营权的竞争

上市法人的股份在证券市场上,在不特定多数人之间,公开竞争地流通。这除了意味着实现上市法人的资本集中以外,也意味着经营权也成为公开竞争的对象。即任何人都可以通过证券市场取得大量股份,从而掌握股东大会的多数表决权,并据此通过选任自己或者自己势力下人为董事,取得经营权。关于上市法人的经营权竞争,有下列两种重要的制度。

1.股份取得的通知义务。取得某一上市法有表决权发行股份总数的5%以上者,从取得之日起5日以内向金融监督委员会和证券交易所报告该股份的保有状况(证交200条,之2、1款)。同时,保有5%以上后,有表决权发行股份总数的1%以上之变化时,同样也在5日以内以同样的方式报告(同条,同款)。金融监督委员会和证券交易所应备置并公示保有状况,以使一般人可以阅览(证交200条,之2、4款)。股份取得者懈怠于此报告义务时,则适用罚则(证交210条,5号)。

此制度,为的是防止那些通过突袭性地大量取得上市法人的股份,使现有的控股股东或经营者来不及防御,从而夺取经营权的行为。由于上市法人股份公开流通,经营权夺取的威胁是经常存在的,但是至少应给予争夺经营权的当事人一个对等的机会,使他们进行进攻与防御的公平竞争。

　　根据上述立法目的来看，报告对象是否妥当呢？虽然规定了向金融监督委员会和证券交易所报告，但笔者认为，更应该通知经营权竞争的利害关系人——公司。

　　前面已讲过，商法规定公司取得其他公司股份时，应向该公司通知（商 342 条，之 3）。但证券交易法上的报告义务在很多方面与此不同。商法的通知义务是在取得发行股份总数 10% 以上时发生，而证券交易法的报告义务在取得有表决权股份的 5% 以上时发生；商法将公司取得其他公司股份时作为适用对象，而证券交易法以不管是谁只要取得上述标准以上的股份时为对象。这是因为两者的方法目的不同。证券交易法的目的只放在确保经营权竞争的公平性方面，但是商法虽然也考虑经营权竞争的公平性，但主要焦点放在相互股规制的管理上。

　　2. 股份的公开收买。公开收买（takeover bid; tenderoffer），是指以不特定多数人为对象，在证券市场外要约收买某一上市股份（或者注册法人的股份），或劝诱向自己进行出卖要约（证交 21 条，3 款）。即公开提示自己要收买的数量和价格，通过收买应者的股份，可以取得大量的股份。在欧美各国中，公开收买作为企业经营权竞争的主要武器来被利用，最近在韩国也是作为经营权竞争的争取手段而将广泛利用。公开收买有与现有经营人之间达成协议，得到其协力而进行的情形和在与现有经营人相对立的状态下进行的情形。通常，将前者称为友好的公开收买（friendly takeoverbid），将后者称为敌对的公开收买（hostile takeoverbid）。

　　公开收买本身也是一种股份交易，其进行或成败基本上是当事人责任的问题，但是因交易的集团性，需要保护投资者，又由于这是经营权的竞争，因此必要确保公平性。因此，证券交易法从投资者保护和竞争公平性的观点出发，规定其程序和方法（证交 21 条，之 2 ～ 27 条，之 2）。

第四节　股份公司的机关

第一款　机关的构造

一、机关的意义和分化

公司作为独立的社会存在，具有其自身的意思和行为，但没有决定实际的自然意思及进行自然行为的能力。因此，其意思和行为由位居公司组织上一定地位者来决定并实践。这种，决定公司意思并实行其行为的公司组织上的地位称作机关。

在无限公司等人合公司中，原则上各社员持有业务执行权和代表权。即使另设业务执行人和代表人也应从社员中选任。因此机关资格和社员资格相一致（自己机关）。而在股份公司中，按其功能分化为数个机关，其中除了股东大会以外的机关是构成不以股东资格为前提的（他人机关）。这是股份公司机关的特点。

1. 股东大会：由全体股东构成，就董事、监事的选任，章程变更等法律规定的主要事项，作出公司内部的最高的意思决定（商361条）。

2. 董事、董事会、代表董事：股东大会上选出数名董事，由他们组成董事会。董事会对公司业务执行持有意思决定权（商393条，1款）。但是，董事会是由数名董事组成的会议体机关，实践现实的业务执行行为是不适合的。因此，关于业务执行的董事会的权限限于"意思决定"，现实的执行行为由董事会或者（根据章程的规定）在股东大会上选任的代表董事担任。还有，代表董事对外代表公司，形成组织法上及交易法上的法律关系（商389条，3款→209条）。但是，业务执行的决定终究是董事会的权限，所以董事会监督代表董事（商395条，2款）。

3．监事：监事与董事一样，由股东大会上选任，监察董事和董事会的业务执行（商 412 条）。

〈图表：股份公司机关构造〉

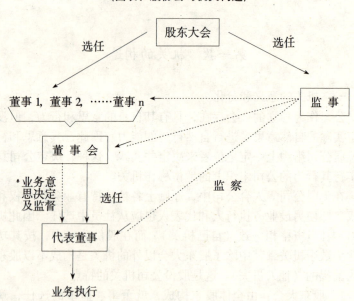

二、机关构成的逻辑

股份公司的机关构造与人合公司的相比较，最大的特征是由独立于出资者（股东）的人（董事）构成公司的经营机构（所有和经营的分离）。股东大会和监事只不过是因董事担任经营而派生出来的机关。

（一）所有和经营的分离

1．有限责任和责任财产的管理。在股份公司中，所有和经营应分离的制度性动机之一就是股东们承担有限责任。股东由于对公司债务负有限责任。只有公司现存的财产才成为对公司债权人的担保。这意味着将企业经营带来的风险转嫁给公司债权人。因此，为保护公司债权人，要健全地维持公司财产。这是公司允许有限责任制度的同时赋予的附款性的命题。只有不受股东们利己主义行动倾向的影响，独立地管理财产，才能健全地维持公司财产。这就是在股份公司中所有和经营应分离的最重要的理由。

同时，因公司经营从利己的出资者的手中脱离而变为客观化，公司的债权人可以减少对公司经营的监护费用（monitoring cost），从而公司也就可以减少债务负担费用。

2. 确保经营的中立性。股份公司是为了集中大众资本而创制的企业形态，应预计到存在多数股东。多数股东集体参加经营是非效率的，如果股东直接着手业务执行，日常经营总是由资本多数决来决定，有可能导致大股东的专横，有时也会因意思的分裂而产生经营的停滞。结果，增加股东的监视费用，减少投资收益。因此，设一旦选任就不受资本多数决影响的第三的独立性经营机构，从维持业务执行的客观性出发，将所有和经营相分离（经营的客观化、中立化）。当然，董事由股东大会和普通决议选任，因此是在大股东的影响力下被选任的，但是一经选任，就承担作为公司的受任人在自己的责任下执行业务的法律上的义务。还有，董事会上的意思决定，像人合公司的业务执行那样，按人数主义进行。这两点起缓解大股东对公司日常经营的影响力及其负作用的作用。

3. 经营的专门化。由于股东负有限责任，经营结果所带来的股东的风险分担是有限的并可预见的。因此，像人合公司那样，股东没有必须直接经营的理由，如果有更能满足股东利润动机的经营机关，那就再好不过了。所有和经营的分离，虽然不是商法的直接立法动机，但是通过向专业经营人委任经营，可以期待更高的经营效率，进而更好地满足股东们的利润动机（经营的专门化、效率化）。

（二）股东的保护和经营控制

所有与经营的相分离为有限责任制度逻辑的必然结果，也是减少股东之间监视费用的方法，但由此而产生保护股东的问题。因为董事全权担任经营，从公司经营的角度上看，股东是局外人，然而无法保证董事总是进行合理的、合法的行动。因此，股东需要在日常牵制董事的专门性的监视机构，由此而产生的制度性机构就是监事。

虽然所有和经营要分离，但董事将其存在的根据只能放在企业的所有者——股东的意思。监事是代替股东的一部分监视功能者，因此也应由股东选任。除此之外，公司还有一些日常经营的担任者——董事所不能做的处分业务（例如，章程变更、资本减少、经营转让、公司解散、合并、决算承认等），这同样需要股东们的意思决定。在股份公司中，存在多数股东，依所有股份数，各股东的意思比重也相异。因此，为了意思形成的公正性，需要有程序上的形式性、严格性。与董事、监事等机关组织相对应，股东也有必要同样以组织化的方法来形成团体意思。于是，股东组成所谓股东大会的机关，以多数决的方法表示单一化的意思。

（三）机关运营的理想

如上所述，机关分化及权限分配的法律逻辑，归根到底就是满足股东的有限责任为起点而提出的对公司财产的客观性、中立性运营的必要性，并且为了保障，机关之间维持牵制和均衡。因此，法律的理想是，均衡地实现大小股东、公司债权人及作为社会性存在的公司自体等所有利害关系人的利益。公司的实际运营应符合这种逻辑和理想，有关公司运营的法律规范也同样基于这种逻辑与理想来解释。

三、意思决定的逻辑

股份公司由复数的机关构成，不管哪一机关，为履行自己的权限和义务应进行意思决定。监事和代表董事（即使是数人）各自作为独任制的执行机关，以自己的独断进行意思决定，其公正性由各自的法律责任来担保。但是，股东大会和董事会由复数的人员组成，以合意方式决定共同的意思。在当今的民主社会中，作为将立场不同的多数人的意思民主地吸收并单一化的方法，采用多数决的原则。这同样也适用于公司的意思决定上。只有股东大会和董事会，在法律上就单一的议题总是以赞成与否的方式来决定其意思。因此，股东大会和董事会的多数决交非单纯多数决，原则上采取过半数决议的形式。但在股东大会决议时，，也有根据情况，为了更加提高意思决的代表性，可以以特别决议的形式来要求超出过半数的多数（2/3 以上）的情形。董事会也可以根据不同议案以同样的方法强化决议要件。

多数决，在股东大会和董事会上的含义是不一样的。股东大会是决定出资者意思的机关，应将认识多数决的标准放在因出资而负担的风险的大小上。因此，作为多数决前提的意思决定力的等价性，并非在于构成股东大会的人，而在于出资额（资本多数决），这通过一股一表决权的原则来规格化。

而董事会并不适用资本多数决。因为董事是与出资无关的人，各自作为公司的受任人，具有相等价值的法律地位。因此，在董事会上每一个董事各持一个表决权来参加决议。

股东大会的多数决制度，之所以具有妥当性，其根据在于公司利益正是股东全体的利益，因此股东们就所提出的议案，会向对公司带来利益的方向决定。但是，这一假设是以股东大会由无单一的支配性影响力的多数的股东组成，根据不同的议案，形成可变性的多数派为前提的。因为以此为前提时，决议的目的——利益的同质性平准化（homogene Intere – ssenschichtung）才有可能。但在实际的股份公司中，大部分情形下都有在持有多数股份而支配决议的大股东，出现支配力的恒久性偏倒现象，从而根据决议取得的利益偏向归属的例子也很多。这一点，从董事会的决议上也可以发现。虽然董事在法律上作为公司受任人处于独立于股东的地位，但是董事们为继续保全其地位，不得不考虑到控股股东的信任。于是，在大股东的间接影响下，进行偏向性决议的例子也很多。

由于存在上述多数决的普遍的妥当性被破裂的情形，作为多数决的例外，也有少数派股东的意思得到法律的支持而受到保护的情形。例如，提起决议取消或无效等诉讼，或者提起董事解任请求之诉等是一个代表性的例子（商376条，380条，385条2款），有时少数股东集团性地形成其意思来对抗多数决的效力（例：种类股东大会，商435条）。但是，作为普遍性的意思决定方法——多数决所持有的缺陷只靠这些制度是无法克服的。因此，通过立法和解释论，试图恢复多数决的普遍的妥当性而努力。

第二款　现代股份公司的控制结构[1]

现代公司法大体上以所有和经营的分离为原则，在减弱股东大会权限并将公司经营的控制权力集中于董事或者董事会的倾向。于是，持有董事的选任权，按自己的意思左右股东大会决议的股东最终控制公司。那么，到底谁在控制股东大会决议呢？这的确是一个人们所关注的问题。在封闭公司中控股股东的存在是很明显的，但在大规模公开公司是由没有决定性控制力的多数股东构成，因此很难找出控制权归属的普遍倾向。自 Berle 和 Means 提出经营者控制论以来，这个问题成为很多学者研究的对象。

一、控制要件的缓和倾向

之所以能够谈论现代公司共同的控制论，是因为公司的控制要件表现出缓解的倾向。

控制公司的最重要的目的是掌握公司日常的经营权。因此，控制公司也就是确保足以选任董事的普通决议的表决权。从这种意义上讲，最有把握的表决权的确保就是持有发行股份总数的过半数

---

〔1〕 韩国的法学界和经济学界使用"支配结构"的用语，译者将此翻译为"控制结构"。韩国的学界又普遍将"corporate Governance structure"（公司治理结构）翻译为"公司支配结构"，本书的作者将"corporate Governance struture"理解为，公司的机关构造和"支配结构"（控制结构）合起来的概念——译者。

（商 368 条，1 款）。但是，由多数股东所构成的公司中，全体股东
出席股东大会是很少见的，并且即使出席也集体行使表决权是很难
想像的。因此，实际上，持有未达到发行股份总数的单纯多数也可
以控制公司的情形是很多的。况且随着现代公司股份的广泛分散，
产生公司债权化的、参加股东大会没有实际意义的群小股东，从而
缓解控制所需要的表决权数，若以他们为对象有效地劝诱表决权的
委任，那么小股东群的表决权会加入劝诱者的控制权。还有，为了
索性制度上将投资股东从公司的控制中排降为目的，有时也发行无
表决权股份。于是，持少量的股份，也可以控制公司。因此，现代
公司正在经历着如下控制结构上的变化。

二、经营者控制论

Berle 和 Means 以本世纪 20 年代美国的主要大企业的控制实态
为基础，试图分析现代股份公司的控制结构。他们在 1932 年出版
的 "现代股份公司和私有财产"（The mordern Corporation and private
property）一书中，指出：大规模股份公司随着因经济力的集中而
资本规模增大，其股份广为分散，并因此而企业的所有更加细化，
任何个人都不能成为控股股东。于是，持有少量股份的经营者利用
表决权代理（proxy）制度掌握企业控制权的，所谓的经营者控制
（management control）变为可能，其结果，作为控制人的经营者本身
成为自身永续性的存在（a self - perpetuating body）。[1] Berte 和
Means 为论证该理论，1929 年调查了降了金融业以外的 200 家大企
业的股份分散实态，其中 63 家企业中任何单一股东集团（a com-
pact group）也都没有所有发行股份总数的 5％以上，只有 16 家左右
的公司中最多所有股东的股份达到 5％～20％的事实，以及整体上
44％的公司处于经营者控制下的事实。此后，到了 1963 年，Robert
Larner 调查了 200 家企业的控制结构，发现其中 160 家企业中没有

---

〔1〕 Adolf A. Berle & Gardiner C. Means, The Modern Corporation and property（New York：
The Macmillian Co.），pp. 4～5, 66, 68.

所有股份 10％以上的单一股东。[1] 还有，Larner 又指出 200 家企业中相当于 84％的 167 家企业是处于经营者控制下，[2] 这一数据比起 1929 年 Berle 和 Means 调查当时的处于经营者控制下的公司为 44％增加一倍。

对于经营者控制论，有很多反对的观点。特别是 Eisenberg 通过论证美国大部分公司中存在控股股东，提出了反对观点。[3] 但至今为止，经营者控制论仍然为说明股份广为分散的大企业控制结构的最为说服力的理论。

三、法人股东化现象

经营者控制在股份广泛分散于大众投资者的状况下有可能的。但是，现代股份公司中股份向法人股东集中的现象越来越明显，表现为两种情况：一是分散于大众投资者的股份再向机构投资者集中；二是通过企业结合，股份向企业结合的当事公司集中。

（一）向机构投资者的股份集中

1．机构投资者的股份保有现状。美国在第二次世界大战以后，受风靡世界的现代资本主义理论（modern capitalism）的影响，作为所得革命的对象，股份的大众化运动（peoples capitalism）兴起，个人股东人数空前增加。

但是，近年来的股份所有结构大大变貌，自 50 年代后期开始，养老基金、银行信托部门、保险公司、投资信托等机构投资者（institutional investor）的交易急剧增加，现在机构投资者在股份市场上占有支配性地位。

如此，股份向机构投资者集中的理由在于，以个人投资者的能力无论如何也赶不上机构投资者专门的资产运用（portfolio mahage-

---

〔1〕 Robert Larner, "ownership and control in the 200 Largest Nonfinancial corporations, 1929 and 1963," 56 American Economic Review 777 (1966).

〔2〕 Robert Larner, Management control and Large Corporation (1970), p. 12, Table I.

〔3〕 M. A. Eisenberg, The Structure of the Corporation – A Legal Analy Sis, Little, Brown and Company, 1976, pp. 37 ~ 51.

ment）的技术，个人投资者逐渐放弃直接投资方式，选择通过受益证券的间接投资方式的倾向逐渐增加。于是，某些专家们预测到，机构投资者的所有股份今后还会持续增长，到 2000 年将占据整个上市股份市价总额的 55.2%。

在日本，以金融机构和投资信托为支柱的机构投资者的股份保有数量也在增加，50 年代初占全部上市股份的 10% 左右，到了1991 年则占全部上市股份的 41.5%。但是，日本的金融机构与美国和韩国不同，大部分是企业集团的系列法人，其股份阶有的性质与其说是作为机构投资者所有，还不如说是相互持股。

在韩国，随着上市公司的规模越来越大型化以及银行、证券公司、保险公司、投资信托、短期融资公司等金融机构的运用资产逐渐丰富，机构投资者的股份大大上升。1974 年，韩国的证券市场开始走向正规时，当时机构投资者的所有股份只不过是占总上市股份的 8.4%，而到了 1994 年底增加到 28.8%，预计今后会更加上扬。

2．机构投资者的行动倾向。从机构投资者的股份增加的趋势来看，有朝一日有可能一跃成为上市公司的控股股东。于是，Berle 从第二世界大战后在美国股份集中于机构投资者的现象出发，预言到：美国大企业的控制结构由所有者控制转向经营者控制，终究会由机构投资者业控制。但至今尚未显示出机构投资者作为公司的控制者登场的可能性。

这是因为，机构投资者有时候有可能对经营者施加背后影响力（behind - the - scenes influence），但由于机构投资者的公共性，会节制其潜在的权力。又由于其运营资产的特殊性，对投资对象公司的经营方针有不满时，与其介入参与董事选任等公司经营，还不如选择出售保有股份的方式（这种行动倾向即所谓 "wall street rule"）。

关于韩国机构投资者的经营参加倾向尚无研究报告，但估计大体上会有同样的行动倾向。

(二) 企业结合

企业规模的膨胀是以资本集中为目的创制的股份公司的本能的要求。再加上得益于交通、通信的发达,现代股份公司正在脱离地域性企业的范围,向大型化方向发展。不过引人注目的是,现代股份公司的决策者们作为大型化的手段并不想使用新的设备投资和市场开拓,而是喜欢选择企业结合方式。这是因为,比起新的设备投资或市场开拓,收购那些已在该领域投资的企业更经济、风险更少。近年来,企业结合显著增加,经常利用的方法有母子公司的形成、合并以及相互股所有等。

1. 母子公司形成及合并。在美国很早就开始流行了通过合并的企业结合,因此加速了企业的大型化及财富的集中。虽然合并是美国的传统的企业结合方式,但从 1960 年以后流行通过母子关系形成的结合 (parent – subsidiary complex)。于是,当今主要产业中的大公司大部分是超大型的母公司 (mega sub sidiary)。特别的是,与正常的母子关系形成的形式相反,大公司采取建立母子公司,自己成为其子公司的方式 (upstream holding company)。其动机有很多种,但不管怎样,明显的是企业控制正在逐渐以个人股东手中脱离。

在德国,无记名股份占压倒多数,因此对整个股东构成的调查是不可能的。不过,像 Deutsche Bank,Siemens Bayer,Hoechst 等大型公司的子公司现况广为人知,它们大部分拥有数十个子公司,其持有的股份达 100% 或几乎 100%。例如,Hoechst Konzern 中,Hoechst 公司 (Farbwerke Hoechst AG) 属下有 31 个子公司,其中 16 个公司的 100% 股份,12 个公司的 50% 以上股份,3 个公司的 30% 以上股份由 Hoechst 公司所有。

在韩国,上市法人以一定标准以上的股份分散作为上市要件,因此很难产生将上市法人作为子公司的母子关系的发生,但上市法人成为母公司时或非上市法人之间通过母子关系建立的企业结合的现象比较多,合并结合也是近年来常见的现象。

2. 相互股所有。相互股所有是在日本尤其突出的现象。1991

年 3 月底，日本的股东构成是：法人股东为 66%，个人股东为
23.2%。法人股东化现象已达到极端。法人股东化的主要方式是企
业集团内的系列企业之间的相互股所有。还有，在相互股所有中，
本集团内的金融机构成为主力。这样的相互股所有倾向，正如日本
人自己鼓吹它是经营者控制的"日本"形态"日本式"控制结构
等，是前所未有的独特的资本结构。

　　在韩国，虽然没有像日本那样明显，但近来相互股所有现象也
是比较突出的。到 1994 年底，上市股份的分布中约 20% 左右是由
营业法人所有，估计大部分是系列公司之间所有的相互股。但是，
依据公平交易法，属于大规模企业集团的公司的单纯相互股的保有
被禁止（垄规 9 条），因此这些公司以系列公司之间的循环形式来
保有相互股。

　　相互股所有被誉为"企业结合的艺术精华"（die kunstvou ste
Blüte der konzernverflechtung），它既是非常精巧的企业结合手续，又
是企业控制手段。依相互股结合的企业中，控制公司者就是如前所
述的经营者（参见"相互股所有的规制部分"）。依相互股的经营者
控制，最广泛且全面实现的国家是日本。

　　日本学者们将日本大企业的控制结构的特点说明为经营者控
制。但是，它不是像美国那样建立在股份广泛分散于大众基础之
上。如前所述，在日本的上市企业中，个人股东的所有股份不到
30%，而且又广为分散，因此日本实际上不存在资本家。从其结构
上看，公司被法人控制而通过法人控制是以相互持股为基础的。由
资本家来控制公司，从结构上看是不可能的。

　　从日本大企业的所有结构上看，一般企业的大股东为人寿保险
公司和银行，银行的大股东又是人寿保险公司和系列公司，而系列
公司的大股东是人寿保险公司和银行。不过，日本的人寿保险公司
大部分是相互公司。相互公司从性质来看，很难对投资对象法人行
使控制权。因此，日本的公司控制，可以说是按集团内的一般企业
→银行→一般企业→银行的形成进行。持这些公司的股份，行使表

决权的是代表董事，他们以股东大会上的协助来相互连任，从而实现经营者控制。

这种控制结构，其根源不是放在个人出资上，而是纯粹通过法人资本形成经营者控制，从这个意义上称为"法人资本主义"。[1]

四、韩国公司的控制结构

韩国公司中，大多数为非上市公司，这些公司彻底由所有者控制。那么上市法人的情形下又是如何呢？到1994年底，上市法人的标准性股份构成比率为：机构投资者28.8%，营业法人（包含相互股）20.1%，个人股东40.2%，其他11.9%（包含外国人股份9.1%）。个人股东的股份中包含公司创业者或者一般知晓的自然人控股股东的股份。他们的股份可推算为约15%左右。仅靠这一事实，很难立即能判断上市公司的控制结构的特点，但与其他几个事实联系起来看，可以看出属于自然人控股股东的控制。

营业法人的股份（20.1%）中相当一部分可以推算为系列公司的股份。其结果，自然人——控股股东以自己的影响力可活用至少30%左右的股份。机构投资者虽然保有相当数量的股份，但他们不关心经营，反而对现存控股股东持赞成的态度。还有，韩国政府为诱导企业公开，政策上保障了创业者的经营权稳定（1994年修改之前，证券交易法第200条规定：除创业者外其他人均不能所有10%以上股份），因此，对经营权的挑战几乎是不可能的。同时，一般来说，上市公司的股东大会上实际股东的出席率仅达到40%左右，是很低的。关于实际股东的表决权行使证券交易法上设有重要的特则。证券交易法规定：向证券托管院寄托的股份，只要实际股东不申请表决权行使，那么证券托管院按影子投票（按其他股东的赞反比率分开行使表决权）的方式来行使表决权（证交174条之6、5款）。于是，缺席的实际股东的表决权由证券托管院行使，出于剩余的出席股东中控股股东及其原则公司的股份已超过半数，因

---

〔1〕 奥村宏："公司资本主义的崩溃"，岩波书店，1992年版，第3页，

此股东大会上的决议总是由控股股东来控制。

五、小结

不管是什么形态的控制结构，均有共同的特点，那就是公司的控制已脱离了大众投资者之手。本来，公司的控制经营最终从股东大会决议中找出其根源及正当性，而股东大会原本就是以多数股东的存在为前提，并根据这些人意思的统一来形成公司意思，同时通过他们的监视来达到公司运营的适当性。但是，如果形成经营者控制，或者减少大众股东的股份，而增加法人股东和控股股东的股份，使股东大会上后者居于控制地位，那么在股东大会中的意思形成离开股东的普遍利益，只依据经营者或者控股股东和法人股东的政策性决定来形成，而且在意思形成过程中也无视吸收多数人意思的股东大会的古典性运营原理，通过看不见的方式事先形成合意，股东大会转变为赋予法律正当性的追认机构（此种现象称做股东大会的"形骸化"）。这样，大众股东连监视功能都丧失，只能完全成为公司经营的局外人。

因此，对现代股份公司的规律上，为了从经营者的专横中保护股东，尤其是少数派股东，并通过对经营机构的监视和牵制来保障公司经营的合法性及公正性，应从立法及解释上，不断作出努力。

第三款　股东大会

一、意义

股东大会（general meeting of share holders；Hauptversammlrng）即由股东组成的必要的常设机关，对法律或章程所规定的事项进行决议的股份公司的最高意思决定机构。

（一）由股东组成

股东大会由全体股东组成，只有股东才能成为其成员。即使董事或监事出席股东大会，也不是股东大会的成员。还有即使非股东者可以作为议长来主持会议，但同样也不是股东大会的成员。关于这一点，章程也不能另行规定。

虽然，也有一些人认为，没有表决权的股东不能成为股东大会成员，但"无表决权"并非永久性的，而且股东大会应与有条件才可以召集的会议相区别，应视为常设机关，因此不管表决权的有无，只要是股东就视为股东大会成员。

（二）意思决定机关

股东大会吸收股东的意思，决定公司的意思。但其意思决定是对内性的，并非直接形成对外性法律关系。但须经股东大会决议的对外性交易，在未经股东大会决议而达成时，对其交易本身的效力带来影响（例如，营业转让）。从这一点上来讲，实际上也发挥对外性约束力。意思决定的方法是"决议"。于是，要求有实际的股东集会。

股份公司与人合公司不同，关于业务执行有他人机关，因此股东大会是股东积极介入公司经营的惟一途径。

（三）决议的范围

股东大会只对商法及其他法律或者章程所规定的事项进行决议（商361条）。相反，该事项必须经股东大会决议，不得以股东大会的决议委任给其他机关。

（四）必要的常设机关

公司作为社用，必须具备社员们的意思决定制度。无限，两会公司不仅由少数的社员组成，而且原则上各社员要常驻公司而担任业务执行，因此社员大会并非是必须的，以自由的方式争求同意就可以。但是，股分公司的股东按照所有和经营相分离的原则，从业务执行中被排除在外，作为局外人而存在，因此需要有更为组织化的意思决定方法。从这个意义上讲，股东大会是股份公司的不可缺少的机构。有人主张，股东大会是会议性机构，不是常设机构，是临时机构。但应注意的是，股东大会具有两种存在方式。一种是作为抽象的、观念性的权限保有者的地位（机关）和另一种是作为具体的、现实性的权限行使方法的会议本身。例如，商法第361条中的股东大会是指前者，商法第 362 条之股东大会是指后者。前者意义上的股东大会是常设机构。

（五）最高机关

股东大会从其理念上讲，是"公司所有者"组成的机构，因此可以赋予最高性。同时，鉴于股东大会选任或解任其他机关的组成员，股东大会决议对全部其他机关有约束力，从法律上也可以认定公司内部的最高性。

（六）决议欠缺的效力

股东大会的决议是股份公司团体意思的决定方法。因此，关于须有股东大会决议的事项，因缺少股东大会决议或决议有缺陷而无效、取消时，等于股份公司意思本身欠缺，从而绝对无效。例如，如果没有选任董事的决议，董事就不能被选任；无股东大会特别决议进行了营业转让（商 374 条，1 款、1 号），该转让当然无效。关于股东大会决议的欠缺，没有保护善意第三人的制度。即使善意第三人也不能主张其效力。这一点与后述的即使缺少董事会决议，一般来讲善意第三人受保护有重大差异。

二、股东大会的权限

股份公司中的机关虽然已被分化，但是关于机关间的权限分配并非存在自然法性的原则。现代公司立法显示出逐渐减弱股东大会的功能，强化董事会（或者董事）功能的趋势。商法规定"股东大会只对本法或者章程规定的事项进行决议"（商 361 条），从而有意追求实质上的"所有和经营的相分离"，大幅度缩小股东大会权限，强化了董事会权限。

（一）商法上的权限

商法选择对股东的利害关系有重大影响的事项作为股东大会的权限。大体上有：（1）像董事、监事的选任（商 382 条，1 款、409 条，1 款）或财务报表的承认（商 449 条）等那样，从其性质上看，作为出资者当然应该行使的事项；（2）像董事的报酬决定（商 338 条）那样，有关为预防董事恣意的监视功能的事项；（3）像营业转让（商 374 条，1 款、1 号）、章程变更（商 433 条，1 款）、资本减少（商 438 条）、公司合并（商 522 条）、组织变更（商 604 条、1 款）、公司解散（商 518 条）等那样，对公司的基础或营业带来根本性变化的事项。

另外，如将股东大会的决议按法律上的功能加以化分，则存在具有创设新的法律关系的效力的决议和承认董事会决议或代表董事执行行为的决议。董事、监事的选任决议和解任决议（商 382 条，385 条，409 条，415 条），解散决议（商 518 条），章程变更决议（商 434 条），盈余分派及股份分派的决议（商 449 条，1 款、462 条、之 2、1 款）等属于前者，营业转让的承认决议（商 374 条，1 款、1 号），资本减少决议（商 438 条），公司合并的承认决议（商 522 条，1 款），财务报表（分派除外）的承认决议（商 449 条，1 款、447 条），对第三人发行的可转换公司债、附新股认购权公司债的承认决议（商 513 条，3 款、516 条，之 2、4 款）等属于后者。前者决议无须另有执行行为，而后者决议应伴随执行行为，这一点有差异。

（二）特别法上的权限

特别法上有时要求有股东大会决议。例如，清算中公司或破产宣告后的公司在开始公司重整程序时，应得到股东大会的特别决议（公司重整 31 条）。

（三）依章程的权限扩张

股东大会的权限除了法律规定的以外，还可以根据章程的规定追加。商法明文规定：一些属于董事会权限的事项，可以经章程规定，作为股东大会的权限加以保留。（例如，商 416 条，但书：新股发行虽然由董事会决定，但是可以以章程规定由股东大会决定。）关于这些事项，只要章程设有规定，就可以作为股东大会的决议事项。但是在关于没有这种保留条款的事项（例如，公司债发行，商 469 条），如果在章程中作出规定，是否也可以作为股东大会的权限。通说以股东大会的最高机关性或者权限划分的自律性为理由对此加以肯定，只是认为，只有董事会的股东大会召集权（商 362 条），从性质上不能作为股东大会的权限。

如根据通说，股东大会就有可能侵蚀董事会权限，这将违背于追求所有和经营相分离的商法的理念。又如通说，即使没有明文规定也可以扩大权限，那么通说将本来属于董事会权限的一部分事项规定在章程中，可以在股东大会上进行决议的明文的保留条款（商 389 条，416 条），则丧失其意义。不仅如此，因执行董事会决议而公司受损时，可以追究董事们的责任（商 399 条），但如果将它作为股东大会的权限，在股东大会上进行决议，即使因此而公司受损也无法追究股东的责任，因此通说很难令人信服。有的学说意识到这一点，指出：即使承认通说，将法律规定由董事会进行决议的事项作为股东大会的权限时，有必要向股东类推适用董事对公司或者第三人的责任规定（商 399 条、401 条）。但是，追究股东的表决权行使的责任是动摇股份公司制度的基本结构之事，解释上不可以利用的。

商法在第 361 条中规定："股东大会只对本法或者章程中规定的事项进行决议。"这种规定只是为了与将若干董事会的权限作为股东大会的权限来保留的规定保持平衡，因此它并不能成为扩张股东大会权限的根据。而且，虽然通说将股东大会的最高性作为根据，但股东大会的最高性意味着出资者的意思决定机构以及成为主要事项的终究性效力的根据，并非意味着将其他机构的权限作为类概念而包括进去的最高性。有关各机构的权限划分的各项规定，是为了确保有限责任制度下的公司的独立功能而作出的强制性规定，关于没有明文规定的事项，即使用章程中的规定也不得作为股东大会的权限。

（四）股东的权限行使与责任

法律上，股东每个人的意思决定只限于在股东大会上的表决权的行使，而对公司直接产生的约束力是以全体股东的表决权行使的结果即股东大会决议的形式来表现的。因此，股东们并不对自己的表决权行使负有责任。股东大会的决议的内容有可能是违法的，即便是这样也不能归咎于赞成决议的股东们的过失，只能将该决议作为无效，同样股东的责任也不成问题。仅靠决议本身没有具体执行力，其内容是通过董事会或者代表董事的业务执行来实践的。于是，即使股东大会的决议中有违法因素，对公司的损害在董事会或代表董事的执行阶段才能化为现实，因此对公司承担损害赔偿责任的是介入其执行的董事们。如此股东对公司的意思决定不负责任的公司法结构，归根到底是所有和经营相分离的必然的逻辑结果。

股东的表决权行使及决议可以以对公司的侵权行为的手段来为之（例如，股东与董事共谋，为廉价处分公司的重要财产而进行决议）。这时，股东也承担因侵权行为而造成的损害赔偿责任。但是，它是因侵权行为的全过程而承担的责任，并非就表决权行使承担公司法上的责任。

（五）权限的固有性

法律或者章程规定为股东大会权限的，必须在股东大会上作出决议，不得委任给其他机构或个人。例如，将董事的选任（商382条，1款）委任给代表董事的决定，或者将董事的报酬（商388条）委任给董事会的决定等均为无效。更不能以股东大会以外的机构或个人的意思决定，拟制或代替股东大会决议。韩国大法院在拥有80%发行股份的代表董事所作出的支付董事报酬的约定是否有效力的判例中认为，即使召集股东大会也产生相同的决议，因此，该约定与股东大会的决议具有同等的效力（大法院1978.1.10判决）。而后来，在类似的案件中，判例又作出相反的结论（大法院1979.11.27判决），但最近又恢复到原来的立场上（大法院1995.9.15判决）。如依判例的逻辑，就会得出可以控制股东大会决议的大股东单靠单方的意思表示，甚至无须具备股东大会的形式就可以替股东大会决议的结论。这简直是无视有关机关的分化与其权限划分的法理的做法。

三、会议的召集

（一）召集的决定

1. 董事会决议除了商法另有规定，股东大会的召集均由董事会来决定之（商 362 条）。这是一项强制性规定，主张根据章程的规定可以无限扩张股东大会权限的通说也认为，股东大会的召集权不得另行作出规定。无董事会的召集决定而召集的股东大会决议是有瑕疵的决议。由董事会决定召集股东大会，具有断绝股东干涉经营的意思，因此成为确保所有和经营分离的实质性措施。

董事会决定股东大会的召集时间、场所、议案等，该召集决定由持有业务执行权的代表董事来执行。但是，关于召集时间、场所等，由董事会决定大致的范围（例如"2 月 1 日至 2 月 10 日在钟路区召开"等），具体日期的选定可以委任给代表董事。公司解散时由清算委员会决定股东大会的召集（商 542 条，2 款→326 条）。

2. 少数股东召集。

1）宗旨。商法第 366 条规定根据少数股东的请求可以召集股东大会。这是为牵制妨碍股东的正当意思形成的董事的专横，尤其是为了让小股东持有能够对抗受控股股东支持的董事势力的手段而设置的制度性措施，是股东共益权中的一种。

2）要件和程序。

（1）少数股东的要件：能够请求召集股东大会的股东是持有发行股份总数的 3％以上的股东（商 366 条，1 款）。但是，在上市法人的情形下，持有发行股份总数的 30‰以上（注册资本为 1 000 亿韩元以上的公司是 15‰）的股东持有召集请求权（证交 191 条，之 13、4 款）。将召集请求权不作为单独股东权，而作为少数股东权的理由在于，防止对股东大会决议几乎不产生影响的零散股东反复进行无益的召集请求而产生的非效率性。

计算"发行股份总数 3％"时，在"发行股份总数"和"3％"之中不含自己股份和无表决权股份（通说）。因为持有无表决权股份的股东应该说没有召集股东大会的实益。于是，可以请求股东大会召集的少数股东权和其他少数股东权（例：可以提出代表诉让的少数股东权，商 403 条）的要件是不同的。

那么，何时应持有发行股份总数的 3%？只要没有明文限制，按商法解释，应以召集请求时为准。但是，从立法论上看，有心要限制为：相当一段期间作为少数股东而存在，并且利害关系较为固定者。因为一时成为少数股东者没有进行召集请求的实际意义，还会出现为滥用召集请求权而一时取得股份者。在上市法人的情形下，应将相当于上述要件的股份保有 6 个月以上。

至于少数股东与否，不能只以一人的股份保有数来判断。如果数人的所有股份之合达到 3% 以上，就可以作为"少数股东"而共同请求召集。

（2）程序：少数股东可以向董事会提出记载会议的目的事项及召集理由的书面材料而请求召集临时大会（商 366 条，1 款）。会议的目的事项，当然要属于股东大会权限的决议事项。至于"召集理由"只要讲清决议必要性就可以，并不只限于董事行为的不正或财务报表的不当等应追究董事或监事的责任上面。

有少数股东请求时，董事会应不得迟延地履行股东大会召集程序（商 366 条，2 款）。此时，为了研究召集理由的正当性，也须经董事会的召集决定。若召集理由不充分，就没有必要履行召集程序。"不得迟延"是指应于股东大会召集所需要的最短的时间后召开。

已有少数股东请求，但董事会不履行召集程序时，请求召集的股东可以经法院的许可直接召集大会（商 366 条，2 款）。应服从法院的召集许可（非讼 81 条，2 款）。但是，应允许民事诉讼法第 420 条规定的特别抗告。在这种情形下，应视为少数股东作为公司的临时机关召集股东大会，因此少数股东可以采取设定基准日、通知、公告等为召集股东大会所必要的程序，并可向公司请求支付召集费用。大会的议长不拘于章程规定，应从被召集的股东大会中选任。

根据少数股东的请求召集股东大会时，大会为检查公司业务和财产状态可以选任检查人（商366条，3款）。

3．监事召集。1995年修改商法对监事也赋予了股东大会的召集请求权。监事也可以与少数股东同样的方法请求召集股东大会，董事会懈怠于召集时，可以经法院许可直接召集（商412条，之3）。

4．法院命令召集。持有发行股份的3％以上的股东，以关于公司的业务执行存在令人怀疑为侵权行为或者违反法令或章程的重大事实为由，为调查公司的业务和财产状态，可请求法院选任检查人（商467条，1款）。

关于检查人的调查报告，认为有必要时，法院可以命令召集股东大会（商467条，3款）。在这种情况下，无须有董事会的召集决定，应由代表董事直接召集。

（二）股东大会的时期

股东大会分为定期大会和临时大会。

定期大会（ordinary meeting；ordentlich HV）在每个决算期内的一定时期召集一次（商365条，2款）。即使结算期超过1年，每年必须至少集一次（商365条，1款）。在定期大会上，财务报表的承认是主要议题，但是也可以讨论除此以外的议案。一般来讲，定期大会的召集日期，在章程中规定，但章程中没有规定时，为了承认财产报表，应在决算终了之日后的在一定期间内召集。定期大会也由董事会决定召集（通说）。即便定期大会的召集日期迟延一些，也不丧失定期大会的性质。但是，如迟延相当长的时间而召集时，带有临时大会的性质。即便财务报表在这样一个大会上承认也不能视为无效。定期大会无理被迟延时少数股东可以请求召集（商366条）。

临时大会（special meeting；auberordentliche HV）根据需要，可以随时召集（商365条，3款）。临时大会和定期大会只是其召集时期不同，并非其权限或决议的效力上有差异。

（三）召集的通知和公告

为召集股东大会，应决定会议时期，并通知召集，发行无记名股份时应进行公告（商363条，1、3款）。通知、公告是执行董事会召集决定的行为，应由代表董事执行。召集的通知、公告具有保障股东出席大会和参加经营议事决定的机会的重要意义。因此，关于这方面的商法的规定是强制性规定。

1．通知的对象。无须向无表决权的股东通知（商363条，4款）。无表决权的股东不仅包括所有无表决权优先股的股东，并且包括所有相互股及其他商法和特别法限制表决权股的股东。召集上市法人的股东大会时，对于所有有表决权股份总数1%以下的股东，可以以开会两周以前将召集股东大会之意和目的事项在日报上各公告两次以上的方法代替召集通知（证交191条，之10）。

2．通知、公告的期间。通知应于开会两周之前进行，公告应于开会三周之前进行（商363条1款）。该期间，可以依章程的规定延长，但不得缩短（通说）。关于期间，采取发信主义，因此开会两周之前发出通知即可，无须过问到达与否。因未送达而导致的损失应由股东来承担。但是，关于是否遵守通知及其期间规定的举证责任应由股东来承担。即应举证按股东名册上的住所或者股东向公司通知的住所（商353条，1款）发送了召集通知。

3．通知、公告的方法。对于记名股东，应于开会两周以前分别书面通知（商363条，1款）。这是一项强制性规定，不允许以其他方法来代替。例如，口头通知或对内部职工股东以文书传阅或广播来告知是不允许的。

发行无记名股份的公司进行公告时，应根据章程规定的公告方法来进行（商289条，1款、7号、3款）。利用章程没有规定的日报及其他媒体所作的公告）不得视为已作出公告。

4．通知、公告的内容。应公告开会日期、大会场所（召集地）、会议的目的事项。

5．通知、公告的懈怠。公司懈怠于股东大会召集的通知或公告时，或者不合法地进行通知或公告时，就等于召集程序违反法令或者章程，成为决议取消事由（商 376 条，1 款），对董事或者清算人适用罚则（商 635 条，1 款、2 号）。

6．对长期不参加股东的召集通知省略。

1）宗旨。公司对股东进行股东大会召集的通知等进行各种意思的通知或者催告时，只要按股东名册上所记载的住所或者股东通知公司的住所进行通知，公司就可免责（商 353 条，1 款）。所以，若股东的住所已变更，股东应通知公司其新住所。

但是，最近，尤其是上市公司的少额股东们大部分为侧重点放在转让差价的投资者，他们根本不关心对公司的权利行使，有很多股东不向公司申报其已变更的住所。特别是，通过证券公司进行委托交易的股东中的大部分懈怠名义更换，以证券托管院的名义进行名义更换，被记载于实际股东名册。而实际股东名册上的股东的住所是通过证券公司报告的，因此其精确度更低。于是，公司往往持续按早已变更了的旧住所发出通知。在 1995 年修正商法中，为了排除这种股东管理上的浪费，新设了对于长期送达不了的股东公司可免除通知义务的制度。

2）要件。得到股东大会的召集通告是股东的一项重要的权利，因此如在未具备本条要件的前提下省略通知，就会引起股东主张取消股东大会决议等重大的纠纷。如要依本条省略召集通知，应遵守下列要件：

（1）发送住所：应按股东名册上的住所发送通知。关于在证券托管院寄托股份的实际股东，将实际股东名册视为股东名册（证交 174 条，之 8、2 款），因此对于实际股东按实际股东名册上的住所通知。

（2）"3 年"未到达：应连续 3 年未到达。由于连续 3 年未到达为要件，因此若 3 年期间内到达过一次，那么就不属于本条的适用对象，并不问通知过几次。未到达的通知应为关于"股东大会召集"的事项。关于其他通知，即使 3 年内未到达，也不得以此为根据省略股东大会召集的通知。

"3 年",应解释为从最初的未到达通知的发出之日起至最后的未到达通知的发出之日为止。

(3)未到达:通知未到达的事实,依据通知的退回来认识。不能将股东接到通知,却未参加股东大会的事实视为通知未到达。

(4)举证责任:对满足上述要件的举证责任应由公司承担。公司实务中,证明 3 年连续未到达的事实非常重要。因此,若要根据本条省略通知,应保存 3 年的邮政退函。

3)其他通知本规定只适用于股东大会的召集通知。因此,对新股认购权人(股东)的新股认购的催告通知(商 419 条,1 款),因公积金转入资本的新股分配通知(商 416 条,5 款),股份分派的通知(商 462 条,之 2、5 款),对可转换公司债或附新股认购权公司债认购人(股东)的催告认购公司债的通知(商 513 条,之 3、1 款、516 条,之 3、1 款)等通知,即使 3 年未到达也不得省略。

如前所述的因无益的通知而带来的公司的负担不限于股东大会的召集通知。若要允许省略通知,有必要设适用于所有通知事项的一般规定。当然。像有关新股认购权的通知等是关于股东财产的问题,将此等同于一次性地终结权利行使的股东大会的召集,以保护股东的角度上看是不可取的。即便是这样,须作出已确定不能到达的通知,以保护股东的观点上又无意义。因此,以立法论的角度上看,关于这些自益权行使的通知,有必要采取统一公告的方法。

(四)会议时间和召集场所

会议时间和召集场所应由董事会决定,并记载于对股东的通知、公告上面。决定会议时间和召集场所时,应考虑便于股东们出席。

关于召集地,商法第 364 条规定:"如章程上另无规定,股东大会应在总公司所在地或者与此相邻接的地区召集"。在此,召集地,通常指属于同一生活圈的最小行政单位。例如,汉城特别市、仁川广域市或者市、群等。于是,如在远离这些区域的场所召集,就是违法。此外，选定付入场费的场所召开，并使股东承担参加会议的费用的，或者选择股东不易参加的场所召开的，相当于召集程序显著不公正的情形（商376条，1款）。

关于会议时间，应考虑股东方便，按照健全的常识来规定。例如，无特殊情况在公休日或凌晨或夜间召集时，也相当于召集程序显著不公正的情形（商367条，1款）。

（五）会议的目的事项

1．意义。会议的目的事项，是指股东大会中将要决议的议案。这时股东作出是否出席会议的意思决定起最重要的作用。因此，在通知书及公告中应记载会议的目的，只要能够让股东知道将要决议的内容就可以。例如，表示为"改选董事之事宜"，"财务报表承认事宜"等。但是，要召集讨论章程变更、资本减少、公司合并等特别决议事项的股东大会时，也应记载"议案要点"（商433条，2款、438条，2款、522条，2款）。"议案要点"是指决议事项的主要内容。例如，将章程变更作为议案时，应表示要变更的规定、要变更的内容；如果是公司合并，应表示合并条件等合并契约的主要内容。

2．会议目的和决议范围。向股东通知、公告的会议目的制约着该股东大会中应决议事项的范围，即股东大会不得对通知、公告的目的之外的事项进行决议。少数股东召集股东大会时亦同。例如，为承认财务报表而召集的股东大会上选任董事及监事，或者为变更章程而召集的股东大会上，进行资本减少的决议，均属于违法决议，成为取消事由。目的以外的决议，即使有出席股东全体的同意也不得允许的（大法院1979．3．27判决）。

3．修改与撤回。可以撤回一部分或全部的会议目的的事项，只要不害及目的的同一性，修改也是可以的。例如，公积金或盈余分派金的增减等是保持同一性的修改。

（六）股东提案权

1．商法上的议案提请制度。召集股东大会时，应在召集通知或者公告中记载目的事项（商 363 条，2 款），根据此通知或者公告而召集的股东大会只能就被记载的目的事项进行决议。股东大会的召集又由董事会决定（商 363 条，1 款）。因此，过去韩国商法上，股东在股东大会上提出议案的机会是被封锁的。但是由于股东大会上的所有意思决定的效果终究是要归属于股东，股东才是对股东大会决议持有最大的利害关系的人，从而由股东提出议案并作为不自然有现象。并且，允许股东提案，可以减少因董事会垄断有关经营意思决定的主导权而产生的弊端。基于此，1998 年底修改的证券交易法为了对从上市法人的经营中排除的一般股东赋予主导公司意思决定的机会，效仿日本商法，新设了股东提案制度，到了1998 年底，修正商法又新设了股东提案制度，至此该制度适用于全部的股份公司。

2．有关规定。商法第 363 条，之 2、1 款规定：自 6 个月之前起持续所有有表决权发行股份总数的 3％以上的股东可以向董事会提案，将一定的事项作为股东大会的目的事项。证券交易法上的股东提案制度，除了可以提案的股东要件和提案范围以外，与商法上的提案制度内容是相同的（证交令 191 条，之 14、1 款）。

3．股东的要件。

1）保有股份数：所有有表决权发行股份总数 3％以上的股东才可以提案。证券交易法规定持有发行股份总数的 10‰，即 1％以上的股东才具有提案权，但对注册资本 1 000 亿韩元以上的公司，将其保有的股份数放宽为 5‰以上（证交令 84 条，之 21、1 款）。

计算保有股份数时，只能基于有表决权股份数来计算。因为股东提案权只有在提案人本身能够参与意思决定时才有实际意义。并且，无须一名股东具备此要件，可以由数名股东共同具备此要件而行使提案权（证交令 84 条，之 21、1 款）。

2）保有期间；只对 6 个月以上保有符合上述要件的股份数的股东认定提案权。这是为了防止以提案权的行使为目的取得股份的现象。那么，何时为止要具备 6 个月的要件？换句话来说，6 个月期间的终点是何时？

作为对规定相同要件的日本商法（该法第 232 条，之 2）的解释，有人认为，只有股东名册封闭基准日为止或董事会决定召集股东大会日为止保有股份达 6 个月者，才可以行使提案权。但笔者认为，从法律条文的文义上看，应解释为：行使提案权的时间为止，持续保有 6 个月。

4．提案的内容。股东提案权就已决定召集的股东大会的议事行使，因此等于是对董事会所决定的会议的目的事项追加事项的形式。股东提案会有两种形态：一是提出关于股东大会议题的事项（例如，选任董事之事宜，股份分派之事宜等）；二是就这种目的事项），提出议案的要点即具体的决议案（例如，将金某选任为董事之事宜）。日本的商法学者将前者称为"议题提案权"，将后者称为"议案提案权"。证券交易法只认定议题提案权，但商法两者都承认。商法第 363 条，之 2、2 款中规定："……可以请求股东提出的议案的要点……记载于召集通知和公告上。"这正说明商法允许议案提案。

5．提案内容的限制。股东提案时，无须证明或说明该提案的必要性或合理性。例如，股东为变更或追加营业目的而提案变更章程时，无须对其合理性进行说明。因此，股东的提案权行使很容易被滥用，有可能搞乱以所有和经营的分离为原则的公司法的权限分配逻辑。正是鉴于这一点，商法规定：股东提案的内容违反法令、章程时，董事会可以不把其作为目的事项（商 363 条，之 2、3 款）。

同时，证券交易法列举股东的提案违反法令、章程的情形（证交 191 条，之 14、2 款），并在其施行令中列举股东提案被禁止的事由（证交令 84 条，之 21、3 款、1 号~7 号）。这可以对商法的解释提供参考。

6．提案权行使的程序。股东大会的 6 周前为止，应向董事会书面提交提案内容。法律上虽然规定向"董事会"提案，但将代表董事作为收信人提交即可。还有，股东作"议案提案"时，在股东大会召集日的 6 周以前，以书面形式请求在欲作为会议目的的事项中追加该股东提出的议案的要点，并记载于股东大会的召集通知和召集公告上（商 363 条，之 2、3 款）。

商法虽没有明文规定，但可以说股东提案不包含股东大会的召集请求。因为股东提案是请求在将来召集的股东大会上作为议题的权利。因此，股东如想要求召集讨论自己提案的股东大会，应经商法第 366 条的少数股东请求召集股东大会的程序。

7．公司对提案的措施　有股东提案时，只要提案内容不违反法令、章程，应作为股东大会的目的事项列入议程。同时，若有提案者的说明要求，应向其提供在股东大会上说明该议案的机会（商 363 条，之 2、3 款）。

8．无视股东提案的决议之效力。公司无视股东的"议案提案"时，如决议结果与被提出议案相对应，应视为该决议方法有瑕，从而成为决议取消事由。例如，股东提案将金某选任为董事，而公司未将此记载于召集通知上，却在股东大会上通过将李某选任为董事的决议时，选任李某为董事的决议成为取消诉讼的对象。

那么，公司无视股东的"议题提案"时，即未将股东提案的目的事项记载于召集通知上，也未作为议题列入议程时，会产生什么效果呢？在日本，有见解认为，会成为该股东大会全部决议的取消事由。但是，由于无视股东提案的议题时，并不存在与此相对应的任何决议，这种见解并非是合理的说明。正确的解释应该是：其他决议均为有效，股东只能对董事请求赔偿损失。

另外，也会存在虽然未在召集通知上记载，但在股东大会开会时列入议题的情形。由于对未在召集通知书中记载的事项不得进行决议，列入议题进行决议本身是违法的。因此，如果将未在召集通知中记载的股东提案列入议题而进行决议，那么该决议就成为取消诉讼之对象。

（七）召集程序上的瑕疵的治愈

虽然股东大会的召集程序中有瑕疵，但如果股东同意或存在可以视为股东同意的情况，就应视为瑕疵被治愈。股东大会召集程序的瑕疵大体上可分为：董事会召集决定中有瑕疵时和其后的通知程序有瑕疵时，瑕疵的治愈可能性应分别加以考虑。

1. 关于通知程序的瑕疵。召集通知程序是为了保护股东每个人的股东大会出席权而设置的程序。因此，通知中有瑕疵时，例如，未遵守通知期间或干脆没有通知时，如果该瑕疵只限于一部分股东，那么就应视为依本人的同意可以被治愈。根据同样的逻辑，如果通知的瑕疵对于全体股东存在时，就应视为依全体股东的同意可以被治愈。还有，事先股东放弃书面通知的受领权，同意电话或口头通知的方法时，即便省略书面通知，也视为瑕疵不存在。只有一人股东的公司中，只要一人股东的同意，通知的瑕疵当然可以被治愈。

2. 召集决议的瑕疵。无董事会的召集决议或其决议无效时，即使一部分同意也不能被治愈是很自然的。那么，召集决议上的瑕疵也与通知的瑕疵一样，依全体股东的同意可以被治愈吗？很早前的判例认为，只要不是正当的召集权人召集，即使全体股东出席，瑕疵不能被治愈（大法院 1960.9.8 判决）。但是，近年来的判例却认为，虽然董事会的召集决定有缺陷，甚至都没有召集决议，但是全体股东出席时，应视为适法的股东大会（大法院 1993.2.26 判决）。还有，在一人公司中，因一人股东出席而所有的瑕疵当然可以被治愈（大法院 1993.6.11 判决）。甚至，即便没有召开过股东大会，只要按一个股东决议来制作了会议记录，那么就视为存在股东大会决议。如果这样解释，那么在一人公司中，只要股东制作股东大会议事记录，就随时可以撤换全体董事，或者可以为其他的商法上的所有组织法上的行为，从而机关的分化失去意义。而判例认为，这样解释的根据在于：一人公司中反正会按一人股东的意思来决议。

在韩国，由一人或者少数股东构成的封闭性公司占压倒多数，因此判例的解释就等于允许公司的运营中适用范围很广的变通方法。

目前，大部分学说采用与判例相同的立场。甚至，有些学说进一步认为，在有限公司中，如果全体社员同意，不经召集程序就可以召开社员大会（商 573 条），而关于股东大会，未作这种规定是因为在股份公司中没有预想到会出现这种事情，所以在股份公司里也只要有全体股东同意，可以省略召集程序而召开股东大会，即便有股东缺席也无妨。

如前所述，在通知程序上有瑕疵时，经相关股东的同意，瑕疵被治愈。因为通知程序是为了保障每一位股东的大会出席权而作出的程序，是股东可以处分的利益。但是，全体股东出席大会或者一人公司时，因没有明文规定，是否董事会召集决定的瑕疵也被治愈值得怀疑。董事会的召集决定并非是为股东的利益和便宜而设的程序，而是有关股东大会召集"权限"所在的问题，不得视同通知程序。第一，现行公司制度向他人机构——董事会赋予一定的专属性权限，股东和董事会以及董事会所代表的公司自身的利害不能说相一致，因此董事会的权限应被尊重。第二，尽量要抑制以事实上的个人企业实体来利用股份公司制度的现象是立法政策上的要求，如果像判例多数说那样解释，那么等于是默认股份公司也可以像个人公司那样运营。值得注意的是，商法在股东大会召集程序中，将股份公司与有限公司相区别规定的理由是：预想到存在多数股东，通过维持严格的程序来图谋公正的公司运营。第三，通说认为，只有董事会的召集决定权，即使以章程规定也不能归于股东大会权限。因此，董事会的召集决定权应该是即使用章程也不能侵犯的强制性权限，大多说却主张以股东的意思来可以省略，这是逻辑上的矛盾。

综上所述，董事会召集决定的欠缺是即使全体股东出席的股东大会同意或一人股东的出席也不能治愈的瑕疵。当然不得以股东之间的合意来省略股东大会召集决定。

（八）召集的撤回及变更

召集股东大会的通知、公告发出后，可以撤回该召集决定，也可以撤回部分会议的目的事项，也可以变更大会的日期、时间、场所。撤回、变更应以与股东大会召集的通知、公告相同的方式进行，变更日期的通知、公告应遵守变更会议后日期的"两周之前"（商363条，1款）的时间间隔。但因不可抗力的事情而变更时间、场所时，只要在召集之前，让股东充分了解就可以允许（但是，将股东大会时间提前，在任何情况下都不能被允许的）。

（九）延期和续行

1．概念。股东大会的延期是指股东大会召集后来不及处理完议案，将开会时期改定为后日；续行是指虽然已着手议案的审议，但未达成决议而重新决定会议日；将同一议案继续处理。两者均是在大会召集后作出的，这一点与召集的撤回、变更是不同的。根据延期、续行以后再召开的股东大会叫做延期大会、继续大会。不管作出决议或否决，只要决议已作出，则不能延期、续行。若需将被否决的议案重新处理时，应重新履行股东大会的召集程序。

2．决议。股东大会上可以决议会议的延期或续行（商372条，1款）反过来，要延期或续行时，必须在股东大会上决议。议长或董事会不能决定延期和续行。

3．同一性。延期大会、继续大会是作出该决议的股东大会的延长，仍维持同一性。因此，无须另行通知、公告等召集程序（商372条，2款）。延期大会、继续大会的日期和场所未在延期、续行决议时决定，而委托给议长时，只须向出席股东通知即可。原大会上代理行使表决权的代理人在延期大会或继续大会上当然持有代理权。延期大会和继续大会应维持议案的同一性。

四、表决权

如股东大会被召集，就应对被提起的议案进行意思决定。在此之前出现的问题是：由谁参与其意思决定（表决权的归属），谁有多少影响力，再下一步是以何种方式行使表决权的问题，但这仅仅是为公正地实现前两者（有关实质问题）的程度上的问题而已。

（一）表决权的归属

表决权（Voting right；Stimmerecht），是指股东通过股东大会上的意思表示，可按持份参加股东共同的意思决定的权利。除了股东以外，公司还有债权人、职工等其他的利害关系人，他们也通过提供劳务和资金，为实现公司的营利做出贡献。根据不同的公司，他们的贡献有可能大于股东，但是只有股东才持有表决权。这是因为他们的利害关系的本质不同。债权人持有债权的本金和利息，职工持有工资等数值上已确定的利害关系，在权利的行使顺序上也先于股东。相比之下，股东则在他们的权利被确保后，才对剩余的利益持有分配的机会（residual claiment）。由于债权人和职工具有已确定的权利，从理论上讲他们对公司意思决定的结果不持有直接的利害关系。但股东却不同，以何种内容进行意思决定对股东权利的大小影响很大。因此，公司进行意思决定就意味着对股东应承担风险的不确定机会的冒险。关于任何意思决定，由对该决定承担风险者持有决定权是法理上的原则。这是只有股东才应持有表决权的根据。因此，表决权的分配向参与资本市场的投资者们赋予行使与出资风险相应的影响力的机会，从而起到保护投资者的比例性利益，加强对企业的信赖的功能。

因此，表决权为股东的最重要的共益权，是固有权的一种，即使以章程的规定也不能剥夺或限制。股东也不得将表决权和股份分开，放弃表决权。由于表决权不能像盈余分派请求权或新股认购权那样，化为具体的债权性权利，即便是特定股东大会上的表决权也不得与股份相分离而转让。其他股东或者第三人妨害表决权行使时，构成权利侵害的侵权行为（民750条），公司妨害股东行使表决权时，可以主张决议的瑕疵（商376条），也可以追究董事的责任（商401条）。

（二）表决权的数

表决权根据股份平等的原则，一般一个表决权（商369条，1款）。于是，不允许对特定股份有数个表决权的复数表决权（Mehrstimmerechte）。出资者（社员）对公司经营结果承担风险，作为管理此风险而行使影响力的手段持有表决权。在各个股东负有限责任的股份公司里，此风险与出资额，即股份所有数成正比，因此管理此风险的影响力本身也得与此成正比。一股一表决权制度，正是为了实现股东们出资及风险负担和对公司行使的影响力之间的比例性平等（Kengruenz zwischen Einflub Und Risiko）的，是纯粹资本团体——股份公司的本质性要求。因此，关于一股表决权的商法规定为强制性规定，章程中也不得另设规定，即使有与此不同的股东间的合意也是无效。1998年修正商法规定：选任董事时，可以实施集中投票制。但这只是一股一表决权制度的变形。

（三）无表决权的股份（non Voting Share；Aktie Ohne Stimmereche）

1．意义。公司发行数种股份时，可以以章程对关于盈余分派的优先股作出无表决权规定（商370条，1款）。近年来，随着股份成为资产增资手段，不关心公司的经营而只期望投资收益增大的大众投资者和机构投资者不断增加。因此，如将这些股东作为资金筹措的源泉时，只要优先确保一定比率的盈余分派，即使剥夺表决权也不影响股东的募集，而公司经营者或者控股股东又可以在不减弱自己控制力的条件下筹措资本。于是，无表决权股份为对所有关系人均有魅力的股份。因此，无表决权股正在成为促进现代公司的所有和经营相分离的原因。同时，在股份广泛分散的上市公司中，向没有参加股东大会实益的小股东提供无表决权股，从定足数计算中排除在外，从而也可以产生预防因定足数不满而不能召开股东大会的效果。

2．表决权剥夺的正当化根据。如前所述，表决权是股东所负担的投资风险的管理手段，也是股东的本质性的权利，尽管如此，之所以可以对分派性优先股不予以表决权，是因为分派性优先股先于普通股得到确定比率的分派，其地位与公司债权人相似，又不像普通股东那样，承担对公司经营成果的风险。换句话说，优先股股东因不承担投资风险，风险管理手段—表决权并非是他们所必须持有的权利。

应注意的是，商法第 370 条第 1 款规定的优先分派是指前顺序的分派，并非指有利的分派。因此，对普通股不得作出无表决权规定，即使得到比普通股有利的分派，如果不属于"优先于普通股"而得到分派的股份，则不能剥夺表决权。

3．发行限制。只能将有关盈余分派的优先股作为无表决权股份，有关建设利息分派或剩余财产分派的优先股份不得作为无表决权股份。

无表决权股不能超过发行股份总数的 1/4（商 370 条，2 款），若过宽地认定无表决权股份，则会出现持少量股份（有表决权）控制公司的弊瑞。但是，上市法人或为上市而募集，出售股份的法人在国外发行股份，或者经营国民经济的重要产业的法人得到金融监督委员会的承认时，可以最高发行股份总数的 1/2 的无表决权股份（证交 191 条，2 款）。无表决权是指该优先股的发行条件，应在发行优先股之际的章程中设有规定，并应将该内容记载于认股要约书（商 420 条，3 号→416 条，1 号）。

4．权利限制的范围。无表决权股份只是不能行使表决权，不限制其他股东权的行使。虽然有否定得到股东大会召集通知的权利，股东大会的召集请求权，股东大会决议瑕疵之诉的提起权，董事、监事的解任请求权等与表决权有关的一切权利的见解，但是对此不能一概而论。这将在有关的部分进行说明。

即使是无表决权的股东，也可以在该优先股份的种类股东大会中行使表决权，对此没有异议（商 435 条，436 条）。

5．表决权的复活。表决权的剥夺是以优先分派为前提的。因此，即使是无表决权股份的股东，只要有不进行章程上规定的优先分派的决议，就从该股东大会的下一次股东大会起至有进行优先分派的决议的股东大会终了时为止持有表决权（商 370 条，1 款、但书）。章程所定的优先分派是指章程中规定的分派率或者分派金的全额。因此，对已确保 10% 分派率的优先股只决议 9% 的分派率就可以适用此规定，从下期股东大会起表决权就复活。

（四）表决权的一时限制

从股东的特点及议案的性质出发，有时限制股东的表决权行使。如前所述，表决权是股东的最本质性的固有权利，原则上不得剥夺并限制。但是，决议的最终目的是公正地创出多数股东们的普遍意思，实现股东集团的自己决定权。因此，根据不同情况，有时候会存在不可避免的多数决的滥用或特定的表决权行使会损害决议内容的公正性的危险。因此，商法在极其有限制的条件下，规定限制表决权的个别事由。但是，表决权的限制只是在一定条件下的一时性的休止，并非是恒久性的剥夺或限制。限制表决权的情形如下：

1. 自己股份。公司持有的自己股份无表决权（商 369 条，2款）。由他人持公司的自己股份代理行使表决权也等于是认定自己股份的表决权，因此也是不得允许的。公司代理行使其他股东的表决权也是不能允许的。以公司的计算，并以他人名义所有的股份或子公司持有的股份也属于自己股份的范畴，也无表决权。

公司处分自己股份，由第三人取得时，表决权当然复活。

2. 相互股。两个公司之间，一方（A）所有他方（B）之发行股份总数 10% 以上时，他方（B）持有的一方（A）的股份无表决权（商 369 条，3 款）。双方如果相互持有对方 10% 以上股份时，双方均无表决权。

3. 有特别利害关系的股东。

1）宗旨：对于股东大会的决议有特别利害关系者不得行使表决权（商 368 条，4 款）。表决权是为决定股东大会全体的意思而被赋予的，因此其行使的最终目的在于实现公司和全体股东的利益。但如果股东偏重个人利益而行使表决权，将害及决议的共益性本质。限制有特别利害关系股东的表决权的目的是通过预防股东为私益而滥用表决权，维持决议的公正性。

2）"特别的利害关系"：关于何时视为有"特别的利害关系"，有不同的见解。大体上有：意指依决议产生权利义务的得失等法律上产生特别利害关系之时说（法律上的利害关系说）；意指与全体股东无关，只与特定股东的利害相关之时说（特别利害关系说）；意指特定股东与其股东的地位无关，从个人的地位上持有利害关系之时说（个人法说）。通说采用第三种学说。

根据第三种学说，可以视为有特别利害关系之股东为：进行关于免除发起人、董事、监事责任的决议（商324条，400条，415条）时的作为发起人、董事、监事的股东；进行营业转让、营业受让、经营委任等决议（商374条，1款）时的作为交易方的股东；决定董事、监事报酬（商388条，415条）时的作为董事、监事的股东等。

但是，与公司控制有关的决议，例如，在董事、监事的选任或者解任决议中，又是当事人，又是股东的董事和监事，就不能说是有特别利害关系者。否则，会产生越是大股东，越是难以参加经营的不合理的结果。并且，在公司合并中，一方当事公司为他方公司的股东时或者有财务报表的承认中，股东董事行使表决权时，并不发生独立于股东地位的个人的利害关系，因此不能视为利害关系人。

3）适用范围：有特别利害关系之股东通过无特别利害关系之代理人行使表决权时，应视为股东的利害关系化入代理意思之中，因此同样适用本条。相反，股东虽然没有特别的利害关系，但代理人具有特别的利害关系时，应如何看待呢？商法第368条第4款规定："对于股东大会决议有特别利害关系者……"因此，有特别利害关系者并非限于股东。即使代理人不依被代理人意思去作，表决权行使仍然有效。因此只要在表决权行使上反映了代理人的利害关系，就应视为同样适用本条。

关于股份的信托或者名义信托。也应同样进行解释即有特别利害关系的股东不得将股份信托给他人行使表决权，被信托人有特别利害关系时，也不能行使表决权。

4）利害关系存在的效果：有特别利害关系之股东不能行使表决权，其表决权数虽然算入定足数之中，但不算入出席股东的表决权之中（商 371 条，2 款）。有特别利害关系者行使表决权时，成为决议取消事由（商 376 条，1 款）。只要有特别利害关系者行使表决权的事实即可，并不以行使表决权后的决议不公正或给公司造成损失为要件。

4. 选任监事时的限制。选任监事的决议中，持有除无表决权股之外的发行股份总数 3% 以上的股东，不得持该超过的数量的股份行使表决权（商 409 条，2 款）。

选任董事时，因为没有这种制约，全体董事可依大股东的意思而被选任。但是，监事的存在是以监视董事及董事会为目的的，如果连监事都依大股东有意思选任，那么就很难期待监事的有效的牵制功能。因此，为了在监事的选任中，以减弱大股东的影响力来保障监事地位的中立性，设定了表决权的最高限度。基于这种目的，允许用章程规定低于法定地率的比率来加强限制（商 409 条，3 款），但不允许高于法定比率的比率来减弱限制。

5. 寄托股份的特例。寄托给证券托管院，并以其名义进行名义更换的股份，虽然由实际股东行使股东权，但对实际股东的表决权行使有重大的例外。即若实际股东在股东大会召集日的 5 日以前，不向证券托管院表示要直接行使表决权之意，就由托管院行使表决权（证交 174 条，之 6、5 款）。但是，发行公司可以要求金融监督委员会拒绝托管院的表决权行使，就合并等部分特别决议事项（商 374 条，518 条，519 条，522 条，604 条）进行决议时，又不受托管院表决权的影响（证交同条同款）。还有，虽然实际股东事先未表示表决权行使之意，但只要出席股东大会并行使表决权，证券托管院就不得行使表决权（证交 174 条，之 6、5 款、4 号）。证券托管院为了在决议中保持中立性，根据"影子投票"的方式行使表决权。由于上市法人的股份非常分散，确保股东大会的定足数需消耗很多功夫，因此为便于召集股东大会而制定此制度。但是，向非股东者赋予表决权不管有何理由都是不合理的，而且这种制度加速股东大会的虚构化，应废止。

6. 信托股份的表决权限制。根据证券投资业法经营证券投资信托的公司（证券投资信托公司，银行的信托部）不得直接行使接受信托而运用的股份的表决权，应通过受托公司行使（同法 25 条，1 款）。

7. 其他限制。特别法上限制取得股份时，也限制违反该限制规定而取得的股份的表决权，同时，属于大规模企业集团的金融、保险公司对自己所有的系列公司的股份不能行使表决权（垄规第 11 条）。这是为了防止利用金融、保险公司的资金力量的企业集中现象。

（五）表决权的行使程序和方法

股东为行使表决权，在记名股份的情形下，股东大会召集日应作为股东登载于现有股东名册上；在规定基准日的情形下，基准日当天应登载为股东。在无记名股份的情形下，于开会一周前应向公司提存股票（商 368 条，2 款）。这是为了防止在股东大会当日或者在此以前因股东的变动而股东的确定产生混乱。在记名股份情形下，公司应承担调查股东大会的出席者是否为股东名册上的股东的义务。大部分的上市公司，为了方便，将股东大会当天持召集通知书（兼出席证）者视为股东，允许其出席股东大会。

股东为自然人时，由本人或者其代理人行使表决权，法人时由代表机构或者法人的代理人行使表决权。

（六）表决权的不统一行使

1. 意义。股东持有两个以上表决权时，可以不统一行使（商 368 条，之 2、1 款）。例如，持 10 股的股东，可以投 7 个赞成票及

3 个反对票。行使表决权的名义上的股东，若在其背后有持不同利害关系的多数的实际股东时，为反映实际股东的意思，有必要如此分离行使。

如果无限制地允许表决权的不统一行使，会给股东大会的运营带来混乱，商法除了像名义股东和实际股东不同时一样有实际必要性的情形以外，规定公司可以拒绝不统一行使（商 368 条，之 2、2 款）。由一人代理数人股东而行使表决权时，因代理人的意思互不相同而出现有不统一行使的情形，但这只是代理数人的结果，并非属于在此要讲述的表决权的不统一行使。于是，一人代理数人时，与商法第 368 条，之 2、1 款无关，允许其不统一行使。

2．要件。表决权的不统一行使，只在股东收受股份的信托或为他人持有股份时才被允许（商 368 条，之 2、2 款）。"为他人持有股份时"是指行纪人持有委托人的股份时，托管机关发行股份寄托证书（DR）时等。由共有人中一人持有共有股份，行使表决权时（商 333 条，2 款）也属于这种情形。另外，证券托管院就以自己的名义进行名义更换的股份，没有实际股东申请时，可以以"影子投票"方式行使表决权（证交 174 条，之 6、1 款）。这是拟制实际股东的意思而允许不统一行使的特殊的例子。

3．不统一行使的程序。股东为了不统一行使表决权，应于股东大会召开 3 日之前，将其意思及理由书面通知给公司（商 368 条，之 2、1 款）。意指 3 日之前送达公司。不统一行使的"理由"，意指不统一行使的必要性，只要记载上述的"股东收受股份的信托或为他人持有股份"的事实即可。有人主张凭一次通知，可以在数次大会上包括性地不统一行使。不过，每次大会上都要分别确定股东，不统一行使的通知又具有确定实际股东的意思，因此应该是有每次大会时都得通知。即使股东通知了不统一行使，但是实际统一行使也是可以的。

4．公司的拒绝。

1）除了股东接受股份的信托或为他人持有股份的情形之外，

公司可以拒绝表决权的不统一行使（商 368 条，之 2、2 款）。

　　除了实际股东和名义股东相分离时外，并没有允许不统一行使的实际意义，而且会给大会运营带来混乱，因此公司可以拒绝不统一行使。拒绝应在股东大会决议之前作出，因为如果在决议之后可以拒绝，那么等于是推翻公司决议的结果，这是不正确的。

　　公司接到股东的通知之后拒绝其不统一行使表决权时，公司应举证不符合不统一行使的要件。

　　2）股东没有通知不统一行使而不统一行使表决权时，公司能否承认？没有通知时，是否允许不统一行使的问题在决议之前不可能提出，只有在决议后才被提出，这时如承认公司的裁量，公司可以事后选择决议的通过与否。因此，公司不得承认不统一行使，股东未经通知以不统一行使表决权而形成的决议成为有瑕疵的决议。

　　5．不统一行使的效果。不统一行使的表决权，各自成为全部有效的赞成票或反对票，被算入定足数计算之中。

　　（七）表决权的代理行使及代理行使的劝诱

　　1．表决权代理的功能。表决权的代理，是指第三人为特定股东，在股东大会上行使表决权，将它视为股东的表决权行使的制度。股东权既不同于人合公司的社员权，具有非个性的性质，又不同于董事的表决权行使，是非业务执行行为，因此没有理由让股东必须亲自行使表决权。于是，商法明文规定允许表决权的代理行使（商 368 条，3 款）。这一方面保障股东权行使之便，另一方面使股份广泛分散的公司易于确保表决定足数。因此，不得以章程禁止表决权的代理行使（没有异议）。

　　表决权的代理行使问题只在记名股份的情形下产生。无记名股份的股东也可以使他人代理，但这仅仅是股东和代理人之间的法律关系问题，在和公司的关系中不具有代理意思。因为关于无记名股份，其占有者被推定为股东，代理人转受被代理人的股票后，当做自己的表决权来行使就可以，无须证明其代理权（商 368 条，3 款）。

起初表决权的代理行使是针对那些根据每个股东的情况，基于每个人的信任关系选任各自代理人的制度，但是如今在公开公司中，广泛流行大股东、董事等特定人以大众投资者为对象，集团性地劝诱授予其表决权的代理权，并受其授权而确保表决权的"表决权代理行使的劝诱"。

2．代理人的资格。根据一般理论，无行为能力人或法人也可以成为代理人，代理人的资格不受特别限制。只是根据与自己股份的表决权被休止相同的理由，公司本身不得代理行使股东的表决权。

经常有公司在章程上设规定将代理人的资格限于股东的情形，对于这种章程规定的效力有不同的看法，大体上分为：一概是有效的有效说；一般来说是无效，但作为股东的公共团体或法人选任其职员为代理人，或者个人股东因疾病或年迈等为由，选任家族为代理人是可以的限制性有效说；一概无效之说。前两种学说将有必要防止因外部人的介入使股东大会的秩序变乱作为根据提示。

但是，要是根据前两种说，股东选任代理人时有很多障碍，因此保护股东会成为问题。例如，只有互相对立的两个股东的公司中，其中一人不能参加时，则应向反对他的股东授予代理权，或者放弃表决权。还有，在上市公司中，一般来讲，大众股东们互不认识，因此如果股东不能直接出席，他就得放弃表决权行使或不向公司指定代理人而空白委托，这对劝诱代理权行使的经营者或大股东是有利的，但对股东的表决权行使来说，的确是一项重大的制约，将代理人限于股东应视为无效。

无行为能力人的代理人根据法律规定持有代理权，因此即使是非股东也可以代理。因此，上述对立的见解是针对任意代理而言的。

3．代理权的授予。

1）代理人的人数：有人认为，除了像证券公司那样，实际所有多数人的股份之外，应对股东持有的全部股份选任一个代理人。

但是这种解释与共同代表董事制度是不相平衡的。如果是设共同代表董事的公司，应由数名代表董事共同行使表决权。那么，也应允许选任共同代理人。因为为了牵制一人独断，有必要选任数名代理人来共同行使表决权。表决权不统一行使时，可以选任数名代理人，使其各代理行使一部分。也可以股东自己行使一部分表决权，让代理人行使另一部分。但是，他们之间应具备第 368 条，之 2 的不统一行使表决权的要件。

2）方式：欲代理行使表决权的代理人，应向股东大会提出代理权的书面证明（商 368 条，3 款）。法定代理人应提出能够证明法定代理权发生之原因事实的书面材料，任意代理人应提出将记载授予代理权之意的书面材料。一般是提交由公司制作的委任状，以其他书面证明也可以。

证明代理权的书面材料应该是正本，而不是副本。否则，以后若产生代理权存在与否的争论，公司要负担危险的。

3）空白委任的法律关系：公司向股东劝诱表决权代理行使时，一般空代理人这一栏，让股东签名盖章，再由公司补充将要作代理人者的姓名，并让其代理行使。在这种情形下可以视为公司行使复代理权（民 120 条），也可以视为股东委任公司选任自己的代理人，由公司履行之。不管怎样，由公司指定的代理人成为股东的代理人，在这一点上，毫无异议。

4）授权的范围：在每次股东大会，都要授予并证明代理权。多数说认为，仅凭一次授予的代理权，在数次股东大会上行使代理权是可以的。但如果这样解释，会使韩国法上不予以认定的表决权的信托事实上变为可能，在极其特殊的情况下，如按"在公司存续期间可以代理"的形式授予代理权，等于事实上表决权从股东地位中分离出来，可以单独转让。虽然没有必要逐案授予代理权，但至少是一个股东大会授予一个代理权（与日商 239 条，第 3 款内容相同）。

5）授权行为的撤回：在任意代理的情形下，在作出决议之前，股东随时可以撤回授权行为（民 128 条）。

4．代理行使。代理人应按股东的授权行使表决权，如果违反该授权而弃权或与股东所明示的意思相反地行使，那么应对股东承担损害赔偿责任。但是，股东大会的决议本身的效力并不受影响。

在代理人代理数名股东时，根据各自授权当然可以不统一行使表决权。但这不同于股东的表决权不统一行使。

5．表决权代理行使的劝诱。

1）意义：表决权的代理行使制度与一般的代理制度一样，都是为了补充股东个人的能力或扩张意思自治而被认定的。但在现代大规模的公开公司中，则与本来的宗旨不同，达成"代理人的目的"而被运用的。也就是说，像董事、大股东或者欲争夺经营权者等为了成为代理人，集团性地劝诱股东委任表决权。其方式是：将已被格式化的委任状向股东发送，股东在此盖章或签名之后返送过来，代理人持该委任状行使表决权。这种方式已被定型化。

代理行使的劝诱在现代公司中的股东大会运营和公司控制中起着非常重要的作用。现在的经营者利用自己的地位较容易取得委任状。因此，这在美国作为无所有而控制公司的经营者控制（management control）的手段而被利用，争夺经营权的竞争者们展开激烈的委任状争取战（proyy contest）。据说，在日本很早以前就出现了解决委任状的专业公司。在韩国，上市法人虽然广泛进行委任状的劝诱，但至今，还主要是为了确保议决定足数而进行的，与控制权的确保是无关的。因为目前大部分公司的控股股东的持股率很高，仅依其股份也可以维持经营权的稳定。但是，近年来随着企业收购的增多，估计今后以确保控制权为目的的委任状争取战会增加。至于公共法人，为防止持定人掌握公司的控制权，规定只有该法人自己才可以劝诱表决权的代理行使（证交 199 条，2 款）。

表决权代理行使的劝诱，一方面具有挖掘已埋没的表决权来维持股东大会定足数，并最大限度地反映股东的意思，同时与经营权的争夺相联系提高表决权效用的值得肯定的一面；但另一方面，过分盛行时，反而促使股东大会虚构化，会给既存经营者开辟与经营业绩无关的、能够稳住其地位的途径。因此，在运营此制度中的重要课题是：保障股东依正确的判断作出能动性的意思表示，并通过它保障最大限度地、有效地行使自己的权利。

2）劝诱表决权代理行使的法律构成：劝诱人向股东发送委任状劝诱委任，而股东以授予代理权之意送还委任状，至此以表决权的代理行使为目的的委任契约即告成立（民 680 条）。在此，将依发送委任状而劝诱代理行使视为该契约的要约，将股东送还委任状视为承诺。由于股东送还委任状而委任契约成立，自此劝诱人开始承担作为受任人的义务。

民法上的委任当事人随时可以解除契约（民 689 条，1 款）。那么，应该说，虽然劝诱人接受代理行使的委任，但在决议以前随时可以辞任。但是作为委任事项的表决权代理行使是一次性的，而且容易失期，因此应解释为受任人（劝诱人）不能辞任。

3）表决权代理行使的劝诱和股东的保护：表决权代理行使的劝诱是以多数股东为对象，集团性地进行。大部分股东对劝诱人及劝诱目的毫无所知，有必要特别保护股东。证券交易法上，与上市法人的表决权代理行使的劝诱相关，没有很多保护股东的措施。

（1）劝诱的方式：劝诱人通过向被劝诱人发送可以记明对股东大会的各个目的事项赞成与否的委任状用纸进行劝诱（证交 199 条）。这是通过尽可能地反映出股东明示的意思，防止委任状制度成为经营者控制的手段而制定的制度。

（2）公开义务：只有股东为了作出赞成与否的判断而能利用正确的资料，股东才有可能根据合理的判断行使实质性的表决权，进而可以防止股东大会的形骸化。因此，劝诱人在作出劝诱之前，应向被劝诱人送付金融监督委员会规定的参考资料，公开必要的事项（证交 199 条，令 85 条，1 款）。

（3）劝诱及代理人的瑕疵：劝诱人违反上述两个要件而劝诱时，即没能使被劝诱人记明赞成与否或进行不符事实的记载时适用罚则（证交 209 条，9 号）。但是，从证券交易法的性质来看，即使违反上述两个要件，对股东大会的决议没有影响。

还有，代理人违反股东明示的意思而行使表决权时，只能发生代理人的损害赔偿责任问题，但对决议本身并没有影响。这是普遍的看法。但是，当公司成为劝诱人时可以适用无权代理理论，应视为表决权行使无效（民 130 条）的，进而成为决议的取消事由。因为在表决 权行使上，应将公司视为准相对方，公司为劝诱人时，公司能够知晓股东的意思。

（八）有关表决权行使的交易

1. 约束表决权的协议。美国法律规定：股东之间关于表决权行使可以作出约定（voting agreement）。例如，甲、乙股东之间可以约定将 A 和 B 选为董事。韩国法律是否也允许作出这种协议呢？只要协议的内容不损害其他股东的权利或不属于不公正的内容，就应该是有效的。在韩国，有很多情况下，依内部协议，就表决权的行使内容事先达成一致。尤其是在与外国合资的情形下，国内外股东之间有关表决权行使的合意毫无例外地体现在投资契约的内容上。

在美国法上，将股东之间关于表决权达成的协议作为公司法上有约束力的合同来看待（MBCA s、7、31）的，而在韩国法上则不能赋予公司法上的约束力。因为不能以个人法上交易对团体法律关系带来混乱 。只能承认股东之间的债权性效力。

2．表决权的有偿交易。在特定的股东大会上，欲按自己的意图来左右决议者，如果不持有充分的表决权时，可以使用有偿确保其他股东的表决权的方法。由于在韩国法律上表决权的信托性转让或者资格转让是不可能的，作为有偿确保表决权的方法只能有上述的有偿签订约束表决权之协议的方法和有偿取得表决权代理权的方法。在实践中，表决权有偿交易的动机是充分存在的。例如，对于欲掌握公司经营权者来说，有偿使其他股东按自己的意图行使表决权或从其他股东处购买表决权的代理权比为确保控制力而取得股份，更能按低廉的价格达成同样的目的。那么，这种表决权的有偿交易是否有效？美国法认为，所有股东对其他股东独自行使表决权持有利益，表决权的有偿交易损害其他股东的利益，因此本质上是违法的。除了这种公益性理由之外，韩国法上可以解释为，有偿交易事实上将表决权以股东权分离，因此是不能被允许的。

五、议事的进行

（一）议事的方法

关于股东大会的议事方法，商法中无明文规定，因此依据议事惯例和一般原则来进行。当然可以以股东大会的决议来规定有关议事运营的必要事项。

（二）议长

1．议长的选任。股东大会应有主持议事进行的议长（商373条，2款）。通常，章程规定代表董事出任议长，但是如果没有规定，应在股东大会上选出议长。

议长并不一定是股东。但是，非股东议长只能主持议事进行，不能行使表决权。

议长就决议可以持有特别的利害关系。例如，议案为向议长转让营业时就等有特别的利害关系。但是议长只管议事进行，和决议本身无关，所以与股东有特别利害关系时，其表决权受限制不同，视为可以进行议事。

2．议长的权限。议长具有议事进行所需要的权限。确认出席的股东，议事进行所必须的各种发言，赞反两票的检票等，既是议长的权限，又是义务。但是，审查股东或者代理人的资格最终是属于股东大会的权限事项，因此若有疑问时，须经股东大会的决议。

议事进行应依照一般原则，合理、公正地进行，像诱导赞成或反对，封锁股东的发言等属于"决议方法显著不公正"的情形（商376条），成为取消事由。

议长只具有关于议事进行的权限，不得通过行使赞否同数议案的决定权等参与决议。

（三）确保议事的公正秩序

应公正地进行议事和决议是股东大会运营的当然命题，商法上关于股东大会的所有规定都是为确保它而作出的。尤其是，在因股份分散而由经营者或控股股东可以专横的现代公开公司里，为了保护一般股东，议事的公正更为迫切。

另外，证券交易法为了有效地运营股东大会，向上市法人的股东大会议长授予秩序维持权（证交191条，之9），商法又禁止与股东权行使相关而提供利益（商467条，之2）。

1. 议长的秩序维持权。

1）秩序维持：上市法人股东大会的议长在股东大会会场上对故意妨碍议事进行的发言或对扰乱秩序者，可以命令停止、取消该发言或退场，被停止、取消发言者或者被退场者应当照办（证交191条，之9、1款）。

本来，这一制度是为防止"股东大会专业户"的经常性捣乱而设立的，但稍不注意而滥用时，有可能导致封锁股东正当的发言权，议事的进行倒向对公司经营者有利的方向。尤其是，命令退场会使表决权不能行使，因此很明显是对股东权的侵害。

2）发言的限制：上市法人股东大会的议长为圆满地完成议事进行，认为必要时，可以限制股东的发言时间和次数（证交191条，之9、2款）。

这种制度同样含有侵害股东权益之危险。对次数及时间的限制，应在合理的范围内进行。

2. 禁止就股东的权利行使提供利益。近年来，在股东大会的实际运营中，有时也有董事与"股东大会专业户"相勾结，进行决议时利用他们的势力，图谋得到议案的通过。这是侵害股东们的正当权利的事情。为了防止这种弊端，商法规定禁止公司关于股东的权利行使向他人提供利益（商467条，之2）。

（四）股东质问权及董事、监事的说明义务

为了合理行使表决权，股东需要得到有关公司业务的具体的信息。因此，有必要在股东大会上要求董事、监事对一定事项进行说明。德国股份法将股东的说明请求权明文规定，并将此视为股东的固有权利（Anskunftsrecht，§131 AKtG），日本也有同样宗旨的规定（日商 237 条，之 3）。

　　而韩国商法中没有有关股东的说明请求权或与此相对应的有关董事、监事的说明义务方面的规定。但是，作为股东权的内在权利，股东当然可以询问公司业务及财产状态，董事、监事应对此承担说明的义务。但是要求说明与议案无关的事项，如说明将损害公司或者股东共同利益的事项等，可以视为股东的权利滥用。若有这种特殊的事由时，董事可以拒绝说明，但应讲明其合理理由。

　　六、决议

　　（一）意义

　　股东大会的决议（HV Beschlub）是通过股东们的表决而形成的股东大会的意思表示。每个股东通过决议的形式分别进行各自的意思表示（表决权行使），对此适用多数次原则，从而达到股东们的集体意思（collective decision；derkollektive wille）的形成。这种意思成为公司对内性规范，又约束公司的对外行动。因此，决议与股东个人的意思无关，约束全体股东（甚至是反对决议或不参与的股东），并且从法律上约束公司各机关等全体关系人，对决议之后成为股东或机关者亦同。

　　决议有可决（积极性决议，positiver beschlub）和否决（消极性决议，negativer beschlub）。这些并不要求另有程序，对议案赞成的表决权数，若达到出席股份数的过半数（普通决议）或者出席股份数的2/3（特别决议时），就可决，未达就被否决。

　　（二）决议的法律性质

　　1．决议的性质。确定股东大会决议的法律性质是决定适用于决议方法或效力等各项有关问题的法理内容的关键。股东大会的决议是以股东们的意思表示作为要素，而且决议就议案的内容引起积极（可决时）或者消极（否决时）的法律效果，因此是一种法律行为。但是，关于法律行为及意思表示的一般原则，尤其是关于瑕疵的一般法理在何种范围内适用于决议的问题，则应依该法律行为的性质来决定。

部分学说认为，股东大会决议是合同行为（Gesamtakt）。但是，合同行为是指在数个当事人之间同一方向的意思表示合致而成立的法律行为，而在决议中数人的意思表示一般分为赞成与反对两个方面，因此不符合这一概念的（在合同行为的设立行为中，数人的意思表示的方向一致，其内容上也一致）。

股东大会决议，就其意思形成过程和效力的特殊性来看，不属于三种传统法律行为即单方行为、契约、合同行为中的任何一种。决议除了对股东之外，又对公司组织的全体产生直接的约束力，这一点与单方行为或契约不同；决议中存在赞成与反对，即使其意思不一致也可以根据多数决的原则成立，这一点又与合同行为不同。这些差异，出自决议所具有的团体法性特点。因此，虽然其他合同行为大体上可以适用有关意思表示和法律行为的一般原则，但是关于股东大会决议，因其意思形成方法带有团体法性特点，于其效力也强烈要求团体法律关系的稳定，大部分法律行为或意思表示的一般原则不适于决议。因此，决议不能硬套于传统法律行为的分类，而是按独立性法律行为来看待。

因决议的这种团体性特点，不适用有关意思表示和法律行为的一般原则，尤其是关于瑕疵的各项规定。于是，股东大会不得以决议的非真意表示（民107条）、虚伪表示（民108条）为由主张无效，或以过错（民109条）、欺诈、强迫（民110条）为由取消。决议，随着其形成过程的终结立即发生效力，因此有关意思表示的到达主义（民111条）或接收能力（民112条）的规定也均不适用于决议上。决议不能代理（与表决权的代理行使不同），应排除民法的有关代理的规定（民114条）。决议又不能附条件（bedingungs-feindlich）。因为如果附条件，因决议而要形成的团体法律关系就不稳定。

2．表决权行使的性质。决议应区别于决议的构成要素——股东的表决权行使。股东的决议权行使（Stimmabgabe）是股东的个别意思表示。因此，当然要适用有关意思表示的一般原则（这与对决议不适用意思表示和法律行为的一般原则是不同的问题）。但是，意思表示的接收能力（民 112 条）及意思表示撤回的一般理论，从其性格上看不能适用于表决权行使。民法上有关意思表示的无效、取消的规定也一般适用于表决权行使上。但是，为法律上的稳定，商法规定决议的无效、取消只能以诉来主张。因此，股东个人对意思表示的无效、取消主张（即使依诉）不直接影响决议的效力。只是由于股东的意思表示（表决权行使）的无效、取消而产生定足数或者决议要件不充足等决议取消或者不存在的原因时，通过以此为理由的决议取消或者确认决议不存在之诉来否定决议的效力。

（三）决议的要件

决议是社团性法律行为，在其意思的形成过程中受多数决原理的支配，根据不同议案的重要程度，其要件也不同。原则上将以过半数赞成为要件的普通决议作为资本团体—股份公司的意思决定方法，但是需要特别保护少数股东的议案，应依以 2/3 赞成作为要件的特别决议。从议案的性质上无法允许多数决的极为有限的状况下，有时要求全体股东赞成。

1．1995 年修正商法。

1）修改内容：1995 年修改之前，普通决议及特别决议均要求发行股份总数的过半数出席大会（股东大会成立的定足数）。但是，修改后的法律没有另行要求股东大会成立的定足数，而是将出席表决权的过半数（普通决议）或者 2/3 以上（特别决议）作为决议要件，但要求赞同该决议的表决权达到发行股份总数的 1/4 以上（普通决议）或者 1/3 以上（特别决议）。实质上，可以说股东大会成立定足数从过去的过半数减少到 1/4 及 1/3。这是股份公司意思决定结构的最重大的变化。

另外，修改前商法规定：选任董事的决议必须根据商法所规定的普通决议（即过半数出席，过半数赞成）进行，即使用章程也不得另行设置选任董事的决议要件（修改前的商384条）。但是，随着出席定足数的放宽，修改法中删掉了这一条文。

2）修改的意义：修改法的要点可概括为如下三种：（1）根据修改法，只要普通决议时，对议案的赞成股份数占发行股份总数的1/4以上；特别决议时占发行股份总数1/3以上，出席股份数不再成为问题。修改之前商法第368条规定，将过半数出席、过半数赞成的普通决议要件适用于"商法或者章程另有规定以外"。这可以解释为，根据章程规定可以放宽决议要件。于是，修改之前可以以章程来规定与现行法的规定相同的决议要件。在修改之前，只有章程中有规定才可放宽，而现在这种放宽反而成为原则，如需要有修改之前的决议要件则应以章程加以规定。（2）修改前，关于董事的选任决议，将过半数出席和过半数赞成作为绝对要件，即使依章程也不允许变更，但现在董事的选任也可以依修改法上的缓解要件。（3）修改之前，关于特别决议未设像普通决议一样可以依章程变更的保留条款。因此，修改法具有也缓解了特别决议要件的意义。

修改法废止上述出席定足数是考虑到：目前上市公司的股份广泛分散于少额股东，召集股东大会时不参加的股东人数很多，这给股东大会的运营带来了很大困难。但是，这将动摇股份公司意思决定的基本原理，而且估计其负作用也会非常严重的。因此，很难赞成。

3）修改法的妥当性：关于修改前的决议要件的规定，可以说是团体意思决定的法理性方法，因此成为大部分的立法例所遵循的方法以及非营利团体也普遍采用的意思听取的方法。因为在团体决议中重要的是决议的代表性问题，以过半数的出席可以拟制全体成员已参加意思决定，再可以拟制为以过半数的赞成创出了所参加的成员们的一般意思。

根据修改法，在普通决议的情形下，只要占发行股份总数1/4以上股东出席，大会即可成立，并经全部通过就可以决议。但是只有 1/4 出席能否具有股东全体的代表性？修改法将主要焦点放在方便成立上市公司股东大会之上，但这将损害立法的中立性。而且，根据证券托管院的表决权行使制度，上市公司的股东大会成立不成问题，因此无须再追加方便之策。不仅如此，考虑到上市公司所有结构，如使大会成立过于容易，则具有事实上能使一人股份公司成立的缺陷，很难避免过于侧重于经营者之便利的批评。

2. 普通决议。股东大会决议，除了商法或者章程上另有规定，应以出席的股东表决权的过半数及发行股份总数 1/4 以上来进行（商 368 条，1 款）。依过半数赞成的决议，虽然是所有团体的一般性意思决定方法，但是在忽视社员个性的纯粹资合团体——股份公司中成为原则性的意思形成方法。于是，除了商法和章程中要求特别决议或全体股东同意以外，均依普通决议（商 368 条，1 款）来进行。

修改前的商法规定"商法或者章程上有不同规定以外"为条件，并要求过半数出席、过半数赞成为决议要件。于是，通说以此条件为根据解释，只要商法或者章程另无规定，将普通决议作为原则。同时又解释，依章程规定，可以加重普通决议要件，也可以减轻普通决议要件。那么在现行法律条件下能否将普通决议要件以章程加重或者减轻？

1）要件的强化：既然决议要件比过去放宽，那么可以与修改之前那样加重。若要加重，应加重到什么程度？像过去那样，要求将过半数出席作为股东大会的成立要件是根据团体意思决定的普遍原则作出的，因此当然有效。但是最高只能强化到过半数出席及 2/3 以上赞成，其理由在特别决议要件部分中详述。

2）要件的缓解：依章程规定能否缓解决议要件？现行决议要件为出席表决权的过半数赞成及发行股份总数 1/4 以上的赞成。因此，如要放宽此决议要件，只能调整这两个变数，但是出席表决权的过半数这一要件，从决议的本质上看是不能进一步放宽的（例如规定"出席表决权的 1/3 以上为赞成"是不可想象的），因此如果要放宽只能将发行股份总数 1/4 这一要件加以调整。但这一部分是法理上所允许的有关团体决议的最小限度的要件，所以不可能进一步放宽。

3）赞反同数：股东大会的表决结果为赞反同数时当然要否决。这在以过半数赞成为要件的法律条文的宗旨上很明显可以看出，也是团体意思决定中普遍通用的常识。时有以章程规定可否同数时应由议长决定的事例，这不仅违反团体决议的法理，而且议长为非股东时等于非股东者参加决议，因此是违法的，议长为股东时因违反股份平等的原则，同样是无效的（没有异议）。

3．特别决议。特别决议，是指以出席股东的表决权的 2/3 以上数及发行股份总数 1/3 以上数来进行的决议（商 434 条）。商法就对公司的法律基础带来结构性变化，并担心大股东的专横和由此带来的少数股东利益被损害的事项，例外地要求进行特别决议。最有代表性的是章程变更决议（商 434 条），除此以外，转让营业的全部或者重要的一部分（商 374 条，1 款、1 号），全部营业的租赁或者经营委托，与他人共同承担全部营业损益的契约及其他准于此契约的签订、变更或解约（商 374 条，1 款、2 号），受让其他公司的全部营业（商 374 条，1 款、3 号），事后设立（商 375 条），董事或者监事的解任（商 385 条，1 款），票面未达的新股发行（商 417 条，1 款），资本的减少（商 438 条，1 款），解散公司（商 518 条），公司的继续（商 519 条），合并合同的承认（商 522 条，3 款），新设合并中的设立委员的选任（商 175 条，2 款）均属于特别决议事项。

通说认为，有关特别决议要件的商法规定，即使是用章程也不能放宽。特别决议是防止滥用多数决，保护少数股东而制定的制度。那么，可以加重吗？修改以前，可以加重之说和不能加重之说相对立，当时笔者采纳了后说。但是商法修改之后应重新解释。前面已讲过，在修改之前商法中，要求的过半数出席是团体意思决定的法理，因此将现行的要件以章程的规定强化为过半数出席加 2/3

以上的赞成是可以的。但是，如要求更加强化的超多数决时，如下所述，会给一部分少数股东以否决权，从而给公司运营带来困难，直至使企业难以维持。因此，强化的上限应与修改之前的特别决议要件一样，应该是过半数出席加 2/3 以上赞成。

4．特殊决议（全体股东的同意）。即以全体股东同意为要件的决议（含无表决权的股份）。须经全体股东同意的事项有：免除发起人对公司设立的损害赔偿责任（商 324 条→400 条）；免除董事、监事，清算人对公司的损害赔偿责任（商 400 条，415 条，542 条，2 款）；将股份公司组织变更为有限公司（商 604 条，1 款）。从资本团体—股份公司性质来讲，这是非常特殊的要求，在上市公司中是没有现实性的决议要件。之所以在免除董事等的损害赔偿责任问题上，要求如此特殊的决议要件是因为，免除损害赔偿责任是给所有股东带来损失的处分行为，并非是以多数决来强行要求的事项。

5．超多数决（Supermajority Voting）要件的效力。如上所述，除了须经全体股东同意的特殊情形之外，法律上最为严格的决议要件应该是特别决议，即出席表决权数的 2/3 加发行股份总数的 1/3 以上的赞成。那么，可否在章程中规定比法律上的特别决议要件更为严格的多数决（超多数决）来决定商法上的特别决议事项或者普通决议事项呢？前面我们已说过，像修改之前那样，在章程中将发行股份总数的过半数出席作为股东大会的成立要件加以规定是可以的。问题是，能否更加强化其要件呢？关于这个问题，有人以封闭公司中有必要向少数派股东确保否决权为由，主张可以加重特别决议要件，甚至，要求全体股东同意也是可以的。实际上，一些公司在章程中规定超出商法规定很多的特别决议要件。

笔者认为，如果允许超多数决，就等于给某些股东予以否绝权（power ofveto），从而一旦股东之间意思对立，公司就陷于经营上的僵局（deadcock），结果只能通过解散判决（商 520 条，2 款）的企业解体来解决，这是违背企业维持理念的。

不仅如此，对超多数决的允许还违背公司法上有限责任的原则。商法上的股东享有的有限责任的利益，只有在由他们出资组织的公司从股东分离。作为独立的实体作出自己的意思决定和自由行动时才可能被正当化。基于这种逻辑，作为关于意思决定方法的基本构想制度化的就是普通决议或者特别决议。但是，如果一部分股东持有否决权，可以导致公司组织的解体，这等于股份公司适用人合公司的运营逻辑，将丧失赋予有限责任的名分。因此，商法上的特别决议要件是只允许强化至过半数出席的强制性规定，超出这个标准的强化是不允许的。

同时，法经济学家们认为，如允许超多数决，就不能收购企业（夺取经营权），其结果缓解了对现经营者的适当的牵制，导致经营的非效率化，并增加股东的监视费用。

（四）决议方法

1. 决议的定型性。在股东大会上了解股东们的赞反意思的方法有很多种。例如，如果在讨论议案的过程中，持有过半数以上股份的股东进行赞成或反对的发言，或者在股东大会以前表明坚定的赞成或者反对意思，那么表决结果应该是意料之中的事情。即便是那样，也不能以此代替决议（大法院 1989．2．14 判决），在必须询问全体出席股东的意思的同时，须经表决过程。在股东大会上将要讨论的决议事项，都是多数人持有利害关系的有关团体法律关系的事项，因此其团体意思形成应要明确，为此，其程序应该严格（团体意思决定的明确性及严格性）。

2. 表决方法。商法未规定股东大会的表决方法，只要能计算赞反的表决权数，即使采取举手、起立、记名投票等任何一种方法也无妨。有一些学者主张可以采取无记名投票，但是由于各股东持有的股份数不均等，因此不能允许采取无记名投票的方式。这是因为要计算出赞成或反对的股东们的表决权数。也有一种将投票纸按 1 股或 10 股 1 张（餐券式）的方式制作，并按股东所有的股份数发给各股东，进行无记名投票的方法，但这会使表决权的不统一行使普遍化。而韩国商法中只能在特殊情况下才允许适用不统一行使。

因此，这种方法是不可能的。

无记名投票在采纳人数主义决议方式下才可以适用的，不适用于资本多数决方式。

3. 不许书面决议。商法允许关于有限公司的社员大会，若有全体社员的同意，就可以以书面决议代替之（商 577 条，1 款），但关于股东大会则不允许书面决议。因此，只有实际召开会议，在会议上由股东（或其代理人）进行意思表示，决议才可以形成。但是，反对营业转让或合并等一定的特别决议的股东在行使股份收买请求权时，事先通知公司其反对意思即可，无须出席股东大会。这是商法允许书面决议的惟一的例外。

（五）定足数和表决权的计算

1. 成立定足数。股东大会的定足数可分为股东大会成立定足数和决议定足数。修改法虽然只规定有出席股东的过半数或者 2/3 以上的决议定足数，但是赞成决议的表决权数同时要满足发行股份总数的 1/4 以上（普通决议时）或 1/3 以上（特别决议时）。因此在普通决议时如出席股份低于发行股份总数的 1/4，特别决议时如出席股份低于发行股份总数的 1/3，决议本身是不可能的。于是，现行法中，股东大会成立定足数为普通决议时是出席发行股份总数的 1/4 以上，特别决议时是出席发行股份总数 1/3 以上。

2. 无表决权的股份。

1）在计算股东大会成立或者决议的定足数的充足与否时，股东持有的无表决股份之数不被算入发行股份总数之中（商 371 条，1 款）。在普通决议时，应出席有表决权股份总数的 1/4 以上，特别决议时应出席有表决权股份的 1/3 以上。"无表决权股东所持有股份"中不仅包括无表决权的优先股（商 370 条，1 款），还包括公司持有的自己股份，子公司持有的母公司股份，相互股以及其他特别法上表决权被休止的股份。选任监事时，持有发行股份总数 3% 以上的股东的表决权被缩小到 3%（商 409 条，2 款），这时超过 3% 之股份也应视为"无表决权股东所持有的股份"。否则，在一人所有发行股份总数 3/4 以上股份的公司中，若该大股东不参与就无法进行监事的选任程序。

2）股东大会已成立，在进行决议阶段，计算过半数赞成或者 2/3 以上赞成时，因有特别的利害关系而不能行使表决权者（商 368 条，4 款）的表决权数不算入出席股东的表决权数之中（商 371 条，2 款）。1995 年商法修改之前，一般将有利害关系之股东的表决权算入成立定足数（过半数出席）之中，只是不算入决议定足数之中，现行法中也应同样进行解释。即只要有表决权股的 1/4 以上或者 1/3 以上出席股东大会即可成立；进入决议阶段，只要排除特别利害关系人的表决权后剩余的表决权的过半数或 2/3 以上赞成，决议就形成。

3）决议所需的成立定足数（quorum）和决议定足数（Voting reguirement），按每个议案进行决议时分别要充足。

（六）多数决的反作用及其纠正

1．资本多数决的本质与局限性。基于多数股东的出资而成立并存续的股份公司依照多数决制度形成股东们的总体意思，从而追求"共同之善"。多数决的具体方法采用与有限责任制度下各股东承担的出资风险，换句话来说，与持有股份数成正比，按持份参与意思形成的资本多数决制度。于是，在公司意思决定中大股东始终比少额股东行使更大的持份。从多数决的本质上看，每个股东的持份只能在总体意思的吸收过程中被反映出，总意本身只能根据多数者的意思来形成。因此在实际的意思决定中，多数派股东的有效持份（effective interest）为 100%，而少数派股东的有效持份等于零。如果股东大会决议总是公正地形成，并为全体股东（包括表决中失败的少数者）的利益进行，那么这种不平等只能被认为是资本多数决制度的宿命的局限性，作为现存的最佳的意思决定方法被正当化。

但是，在实际的公司运营中，决议经常是按多数股东的利益形成。如果是这样，那么上述有效持份的不平等便转化为股东权的实质性不平等，对此法律是不容许的。为了事先防止或事后纠正多数派股东的专横，商法设置了如下措施。

2. 多数决反作用的预防和纠正。

1）减弱大股东的影响力：股份公司的特别决议制度着重加强对股东们的利害产生重大影响的事项的决议要件，是减弱大股东的影响力为目的的。例如，免除董事的损害赔偿责任须经全体股东同意（商 400 条），这是为了防止庇护董事的大股东的多数决滥用。另外，在监事的选任中将大股东的表决权减到 3%（商 409 条，2 款），也是为保持监事的中立性而缩小大股东的有效持份的。还有，剥夺与决议有特别利害关系的股东的表决权制度（商 368 条，4 款）同样也是以保障决议的公正性为目的的，并且起着抑制为了大股东的个人利益使公司财产遗失的作用。

2）牵制董事：董事被股东大会的普通决议选任，并在其任期内担任公司经营，因此多数派股东的 100% 有效持份率不只限于决议本身，而扩大到公司的日常经营上。即资本多数决下的股东之间的不平等在公司的经营和控制中恒久地存在。因此，商法严格规定董事责任（商 399 条），从而间接控制大股东专横，同时使小股东通过留止请求（商 402 条），代表诉讼（商 403 条）等来牵制大股东和董事，使监事经常牵制董事，从而防止多数决的反作用反映到经营和控制之中。还有，规定少数股东就董事的不正行为，可向法院进行解任请求（商 385 条，2 款）。这是为了中断已反映在经营之中的大股东的专横，否定多数决效力的制度。

3）社团的解体（股份收受请求）：如上所述，在通常的意思决定中少数反对者服从多数者意思，共同接受其法律效力。但是，意思决定的事案对股东利害产生重大影响，而且是属于意料不到的状况变化时，可以考虑少数股东们以回收出资来脱离社团。股份收买请求制度（商 374 条，2 款）正是基于这种目的而创设的制度。但只能对合并、营业转让等有限的意思决定予以承认。

4）多数决的滥用与有关决议之诉：决议取消之诉等否定决议

效力的四种类型之诉，都直接、间接地对事后纠正多数决的滥用起作用。其中，决议无效确认之诉（商 380 条）在对内容违法的决议被多数派股东强制进行时，成为事后纠正的有效手段。外观上虽然合法，但为大股东的利益而进行的不公正的决议是（狭义的）"多数决滥用"，从而否定其效力（参见决议无效确认之诉部分），这可以起纠正多数决制度反作用的作用。

3. 表决权行使的内在限制。以上是为纠正多数决弊端的实定法上的制度，但是如果换一角度承认股东的表决权行使的内在限制（Inhaltsschränken der Stimmre chtsmacht），它将会起抑制多数决滥用的规范性功能。表决权的内在限制，主要是被德国学者发展形成的理论。德国学界曾经认为，依多数决之决议本来是决定对公司及股东有利的事项，即使决议内容似乎对少数派股东不利，但同样具有约束力。并以此为由强调了表决权行使的自由性，否定了其内在限制。

但是，如今认为，表决权也是带有法律义务的权利，其行使受社会秩序和诚实信用原则的约束，并且从股东共同的利益角度出发，考虑少数派股东的地位，也是多数派股东的义务。并强调表决权行使的自由不能发展到表决权的滥用（Mibbrallch des Stimmerchts）。

为了更加明确表决权行使的内在限制的法律意义，不同学者提示不同的判断标准：（1）依强行法规和社会秩序来约束；（2）禁止差别（Diskriminier raungsverbot）；（3）依团体目的（Verbandsz week）来约束；（4）依信认义务（Treupflicht）来约束等。

表决权的内在限制论，是依韩国的公司法理论同样可以得出结论的理论。但是，表决权的行使只要不是作为侵权行为之一环而进行的，就不能让股东承担损害赔偿责任或剥夺其表决权。只是否认因该表决权行使而形成的决议之效力。因此，表决权行使的内在限制终究是指决议的内在限制。

违反强行法规或社会秩序而进行决议时，法律上当然不能承认其效力（商 380 条），但即使没有明文规定，从多数人的利益相交错的合同法律关系的性质来看，也应将"决议的公正性"理解为法理上存在的决议的内在限制。决议的公正性，常被多数派股东无视，引起公司组织内的分配上的不均衡。依此不公正内容而形成的决议，相当于决议无效事由。

（七）会议记录（议事录）

股东大会进行议事，应制作会议记录（商 393 条，1 款）。在会议记录上应记载议事经过的要点及其结果，并由议长和出席董事签章或者署名（商 373 条，2 款）。会议记录应备置于总公司和分公司（商 396 条，1 款），股东及债权人在营业时间内，随时可以请求阅览或誊写会议记录（商 396 条，2 款）。

股东大会上决议的内容属于应登记事项（例如，董事、监事的选任，合并，资本减少等）时，在登记申请书上应附会议记录（非讼 202 条，2 款），这种情形下的会议记录须经公证人的认证（公证 66 条，之 2、2 款）。这是以确保会议记录的真实性为目的而制定的制度。因此，公证人应确认会议记录上记载的决议程序和内容的真实与否（公证 66 条，之 2、2 款），其确认方法有公证人出席决议场所进行检查，或从决议者中的定足数以上者或者其代理人嘱托的人处听取关于会议记录的内容是否真实，并让该嘱托人当公证人的面在会议记录上署名或签章（公证 66 条，之 2、3 款）。

未记载或者虚假记载会议记录的记载事项时适用罚则（635 条 1 款、9 号）。

会议记录虽然成为股东大会成立和决议的重要的证据材料，但并不是惟一的证据或具有创设性效力。因此，如果有虚假记载，可以重新举证而主张真实。另外，即使没有制作会议记录也不影响股东大会的决议之效力（通说）。曾经有一个判例认为，既然以存在股东大会决议为由制作了会议记录，这等于该记录已显现出决议的外观，那么据此交易的第三人不能对抗股东大会决议不曾存在（大法院 1993.9.14 判决）。但这是对股东大会决议之本质的误解。

会议记录应保存到何时？虽然没有明文规定，但是类推适用商业账簿的保存期间，应保存 10 年。

七、主要特别决议事项

如前所述，股东大会的特别决议事项有很多种。其中，商法第 374 条第 1 款中规定为特别决议事项的营业转让等不仅是单纯的营业政策上的问题，而且具有危及公司的财产基础的可能性，因此被认为是对投资者—股东的利害关系带来重大影响。从而作为特别决议事项。还有，在第 375 条中将事后设立规定为特别决议事项，这主要考虑事后设立有可能被作为规避有关现物出资和财产认购的法律规制的方法来利用，从而作为特别决议事项的。

在此，只说明商法第 374 条和第 375 条之特别决议事项，其余特别决议事项在各相关部分中加以说明。

（一）营业的转让和受让

1. 意义。在转让公司营业的全部或重要的一部分或受让其他公司的全部营业时，要求股东大会的特别决议（商 374 条，1 款、1、3 号）。

在此讲的营业的转让及受让与商法第 41 条规定的营业转让是相同的概念。即营业的转让是指将为公司的营业目的而已被组织化，并作为一个有机体来起作用的全部财产，整体有偿转移的同时，完成营业活动承继的契约（大法院 1994.5.10 判决）。

2. 全部营业的转让。这是商法第 374 条第 1 款规定的特别决议的代表性事案。关于营业转让要求须经股东大会决议的理由如下：如果转让营业，难以履行股东们原来的出资动机——营业目的，又由于公司营利性的变化，股东要承担新的风险，因此这是一项要求出资者作出政策性判断的事案；营业的转让是当初没有预想到的状况变化，与章程变更（商 434 条）同样重要。

3. 一部分重要营业的转让。转让部分营业时，如果该部分是一个重要的部分，那么同样也要求有股东大会的特别决议。如果转让营业的重要部分，同样需要保护股东，而且为了断绝董事会为避开转让全部营业时所应受到的制约，例如，股东大会的特别决议，股份收买的负担而借用一部分转让形式的做法，规定转让营业的重要一部分时也要求股东大会的特别决议。

在适用此规定时，应如何解释营业的"重要一部分"呢？一般对此有两个不同方法：一是将焦点放在转让财产在全部公司财产中所占据的比重的数量判断的方法；二是将重点放在整个公司事业的履行中起的作用大小的质量判断的方法。笔者认为，从该制度的宗旨上看，应以对股东们的出资动机产生的影响大小来判断，那么因转让而变更公司的基本的事业目的时，应视其为"重要的一部分"。

4．营业的受让。受让其他公司全部营业时，也要求有股东大会的特别决议。应注意：受让营业的一部分时，与转让方公司不同，受让方不要求有股东大会决议；只有在受让其他公司的营业时才要求有股东大会决议，受让个人营业时则不要求有股东大会决议。受让营业时，并不存在应与一般营业用财产的取得相区别的特殊理由。其他公司营业的全部受让实质上带来与公司合并一样的效果，因此，作为与合并相同的要件，要求有股东大会的特别决议的。

但是，营业的受让一般伴随债务的接收，根据受让公司的财务状况或事业目的，营业的一部分受让或个人营业的受让也会引起公司财产结构的变化，因此对只允许股东介入受让其他公司全部营业是否妥当存有疑问。从立法论来看，不管受让的是全部还是一部分，是公司的营业还是个人营业，只要从受让公司的现状来看能够认定其重要性，应要求有股东大会特别决议更为妥当。

以限制竞争为目的，受让其他公司营业时，受公平交易法的规制（垄规7条，1款、4号）。

（二）重要财产的处分

1．意义。商法第374条，1款、1号规定，营业的全部或者重要的一部分的转让为须经股东大会特别决议事项之一。于是，公司在进行商法第41条规定的营业转让时，股东大会的特别决议当然是其有效要件。此外，虽然不属于营业本身，但处分重要财产的是否也受商法第 374 条，1 款、1 号的适用，要求有股东大会的特别决议呢？

如果将本条在纯粹营业转让的范围内进行解释，那么，只要该项不属于营业转让，即使是可视为公司全部财产的财产，也可依董事会的业务决定权及代表董事的代表权任意有效地处分，这将给公司和股东及公司债权人带来损失。相反，将重要财产的处分包括在本条的适用范围之内，那么未经股东大会的决议而转让的财产交易为无效，其财产的受让人会遭到意想不到的损失，因此会损害交易安全。

于是，关于重要财产的处分有相对立的见解，即应理解为像营业转让那样要求有股东大会特别决议之说（必要说）和包含重要财产的处分所有具体的财产转让均不要求股东大会的特别决议（不要说）之说。

2. 不要说。不要说将本条的营业转让理解为与第 41 条之营业转让相同的概念，认为：营业转让不仅仅是营业财产的转移，还伴随客户等事实关系及营业活动的承继，进而由转让公司承担竞业禁止义务等。因此，即使单纯的营业财产的全部或者重要的一部分的转让关系到公司的存立，也无须经股东大会的特别决议。其理论根据大体可以概括为如下几种：

第一，同一法典中的同一述语原则上应以同样的意思来解释，第 374 条之营业转让是商法总则所规定的现成概念，没有理由对此作出不同解释。

第二，在现行商法下，董事会具有全部的业务执行权（商 393 条，1 款），但仍将营业转让列为股东大会的特别决议事项的理由在于：若转让全部营业，公司只能解散，或即使继续营业也很难继续原来的营业，因此不得不通过章程变更来变更目的事项及总公司、分公司所在地，这自然要求有股东大会的特别决议。但是，对重要财产的处分不会带来这些后果，因此没有必要有股东大会的特别决议。而且，营业转让从其重要性来看类似企业合并，因此要求有股东大会决议，但重要财产的转让不含这种因素。

第三，不需要股东大会特别决议的最重要的理由是交易安全。有无财产重要性是属于公司内部的事情，在交易的对方或第三人的立场上，很难知道公司的内部事情。被这样的内部事情左右交易效果，从交易安全上看是不合适的。再有，若采取必要说时，很难设定财产对公司的"重要性"的判断标准，也有可能根据公司状况被恶用，因此在交易安全上也是不合适的。

3．必要说。必要说认为，应将重要财产的处分包含在本条的营业转让之中，要求有股东大会的特别决议。其理论根据如下：

第一，法律述语具有根据法域、法条的目的不同，其概念也可以不同的相对性，没有必要像不要说所主张的那样，将第41条的"营业转让"和第374条的"营业转让"必须以同样概念来解释。

第二，若依据不要说，则等于公司存立基础——全部财产任凭代表董事来处分，因此在连股东都不知道的情况下，公司的全部财产有可能被处分掉。这违背于股东的保护和企业维持的要求。

第三，不要说的理由是为了交易安全，但是重要财产的转让是特殊现象，这时比动态安全更应该重视静态安全，即重视对转让公司的保护。而且，即使根据不要说，在转让营业的一部分时，仍然存在该财产是否为"重要的一部分"的价值判断，因此不能说比必要说更忠于交易安全。

4．判例。关于是否对重要财产的处分适用第374条，第1款的规定，有很多判例。

1）基本立场：大法院判例基本上站在不要说的立场上，即商法第374条，1款、1号中所说的营业转让理解为与商法第41条的营业转让同样的意思，认为：营业转让意味着将为公司的营业目的而被组织化，并作为一个有机体起作用的财产的全部或者重要的一部分整体转让，因此转让公司的营业活动的全部或者重要的一部分由受让公司承继，（大法院1987.6.9判决）于是，单纯营业财产的转让,即使是公司的惟一财产也并不要求股东大会的特别决议(大法院1988.4.12判决)。

2)例外:但是,转让的财产是作为公司存续基础的重要的营业性财产时,解释就不同。这种财产的转让会导致营业的停止和中断,与营业的转让并无不同。因此,要适用第374条,1款、1号,要求股东大会的特别决议。于是,例如,为经营旅游饭店业为目的而设立的公司处分饭店新建地皮时,从事采矿业的公司转让其采矿权时,以市场店铺租赁为业的公司转让市场建筑物时,等于是转让了成为公司存续基础的重要财产,要求有股东大会的特别决议。[1] 另外,转让公司全部财产等于停止公司全部营业,无须经重要性与否的判断,应视为营业的转让,要求有股东大会的特别决议。

判例虽然认定上述例外,但从转让公司的立场来看,只限于事实上能够带来与营业转让相同结果的情况下,才要求有特别决议。因此可以说,基本上站在不要说的立场,扩张了对第374条,1款、1号的适用范围而已。

3)提供担保:将成为公司存续之基础的重要财产作为担保提供时,如果财产是依卖出担保而转让的,那么"若在赎回期间内不能赎回,营业的全部或者重要部分就被歇业",因此要求有股东大会的特别决议(大法院1965.12.21判决)。与此相反,财产上设最高额抵押权时,即使是重要财产,最高额抵押权设定行为也不符合第374条,1款各号中的任何一款,因此不要求有股东大会决议(大法院1971.4.30判决)。

4)例外的适用范围:判例之所以指出,只限于事实上导致营业停止和中断时才要求有股东大会决议,是因为导致营业的停止或中断的行为(例:营业转让、解散)须经股东大会的特别决议。因此,已通过法律程序或者事实上已停止营业的状态下,即使转让重要财产,无须经股东大会决议。

---

[1] 参见大法院1969.11.25,1977.4.26,1988.4.12判决。

5. "事实上的营业转让"的标准。在必要说与不要说所争论的根据中，营业转让这一同一述语解释的统一性问题或本法条的沿革性理由等，在这个问题的解决中并不是本质性的问题。因为法律概念不管其表现形态如何，可以合目的性地进行不同的解释，而且本条规定首次出现以来，公司法有了数次修改，经济状况也有了大的变化。其要点应放在如何适当地协调企业的维持及股东的保护和交易安全方面。

必要说所指的重要财产的转让是一个比较模糊的概念，在判断上有很大的难点。因为判断何种财产对公司重要是相对的。即使是同一财产，因公司的资产规模或行业的不同，在一些公司中虽然具有绝对性，但在其他公司中是不一定的。例如，小规模房地产租赁公司的 1 000 坪建筑物和大规模公司的同样面积的建筑物，在各自的公司中的意义是不一样的。如想个别地、具体地判断财产重要性，那的确是一件非常不容易的事情。

不要说虽然忠于交易安全，但忽略股东保护及企业的维持。另外，有可能通过个别财产的转让，不经股东的同意，达到实质性的营业转让和公司合并的目的。因为营业转让或公司合并时，要经过股东大会决议等繁杂的程序，还要认定反对股东的股份收买请求权（商 374 条，之 2），为了回避它，也有可能采取财产转让的形式。

判例从折衷的立场上，试图协调交易安全和股东保护，但其提出的"导致营业停止或中断的财产的转让"这一标准，交易当事人依其常识来难以判断，而且只是从转让公司的角度上进行判断，根本不考虑受让人的立场，这就是折衷说的短处。

在本条的解释上要留意的是牵制实质性营业转让为目的或者实质性公司合并为目的转让财产。为此，要援用前面介绍的美国判例法上的"事实上的合并"（defacto merger）理论。即将 374 条，1 款、1 号的"营业转让"进行广义上的解释，将"事实上的营业转让"也包括进去。换句话说，代表董事和受让人之间虽然根据个别财产的转让、受让契约进行了财产的转让，但在双方的立场上均带来事实上与营业转让相同的效果时，视为第 374 条，1 款、1 号之"营业转让"，要求股东大会的特别决议。应将大法院判例所讲的"导致营业的废止或者中断的结果"与在此所讲的"事实上的营业转让"加以区别。大法院判例将侧重点放在从转让公司的立场上一旦转让公司财产就等于事实上终结营业上面，而"事实上的营业转让"具有不依营业转让契约，转让人也不承担竞业禁止义务；又没有顾客关系等事实关系的明显交接，但从转让公司角度上看事实上导致了营业的终止，而从受让公司角度上看导致同一营业的开始或者扩大而客户方自然转移等超出单纯财产转移的含义。例如，进行房地产租赁业的 A 公司将惟一的财产——建筑物转让给 B 贸易公司，由 B 公司将此作为公司办公室来使用，这就不是事实上的营业转让。但是，在一定地域处于竞争关系的 A、B 酿酒公司中，A 公司将酿酒机械转让给 B 公司，使 B 公司独占市场，那么这是事实上的营业转让。

如此解释，第一，从不要说的立场上，可以图谋交易安全；第二，通过限制相当于事实上的营业转让的财产的转让来保全公司财产，直至可以保护股东和公司债权人。

（三）营业的租赁等（商 374 条，1 款、2 号）

1. 营业租赁。营业租赁是指接受代价让他人利用营业财产及营业组织的行为。营业租赁不转移权利，只是由承租人为自己的营业而利用，这一点不同于营业转让，同时，承租人以自己的名义及自己的计算进行营业，这一点又不同于下述的营业委任。

营业租赁并非最终处分公司营业，因此没有营业转让所具有的对公司存立的威胁。但是，公司财产属于第三者占有下，这会导致公司的财产基础的不安，因此要求有股东大会的特别决议（商 374 条，12 款、2 号）。不仅是租赁本身如此，其变更、解约也相同。

与转让营业时不同，租赁——部分营业时不要求有股东大会的特别决议。

为限制竞争承租其他公司营业时，受公平交易法的规制（垄规

7 条，1 款、4 号）

2．经营委任。经营委任是将公司经营委托给他人的行为。据此，营业财产的管理及营业活动虽然处于受托人的掌管下，但能够引起团体法上效力的事项应从委任中排除（例：董事、监事的选任，新股发行，资本减少，章程变更，合并等）。营业活动的名义和损益计算都归于委托公司，向受托人支付报酬。在韩国，将经营不景气的公司正常化的过程中，常有一些经营委任的事例。

将经营委任（及变更、解约）作为特别决议事项（商 374 条，1 款、2 号）的理由与营业租赁相同。有关部分营业的经营委任不要求有股东大会决议。

以限制竞争为目的，受任其他公司经营的行为公平交易法的管制（垄规 7 条，1 款、4 号）。

3．共同损益契约。是与他人共同承担营业的全部损益的契约（商 374 条，1 款、2 号），指数个企业之间共同营业，并根据所投入资本的比例或其他约定的比例分担或分配损益的契约。可视为形成一种合伙，关于所约定的营业，当事公司成为经济上的一体。作为履行此契约的方法，也有成立新公司的例子。尤其是由数个公司组成的大规模企业集团为总管系列公司的购买业务或雇佣业务，从企业集团的角度设置管理机构（例：三星人力管理委员会，明星筹措本部等）的例子是很多的。这些机构的运营以各系列公司的计算来进行，应视为在此所讲的共同损益契约。

如签订这种契约，关于公司营业的一部分产生与营业租赁或者经营委托相同的效果，因此要求有股东大会的特别决议（商 374 条，1 款、2 号）。

4．其他准契约。商法第 374 条，1 款、2 号中规定"……其他准契约……"这并非仅指准于共同损益契约的契约，而是指分别准于营业租赁，经营委任，共同损益契约的全部的契约。例如，各种托拉斯、康采恩、销售卡特尔等应理解为公司接受将自己的营业以他人的计算经营的契约或者为建立利益协作关系的契约中对公司经营的基础产生重大影响的契约。

（四）事后设立

1. 意义。事后设立（Nachgründung），是指公司成立后在较短的时期内取得从公司成立之前起存在的，为营业要持续使用的财产的契约。商法规定：公司自成立后两年内以相当于注册资本的1/20以上的对价签订这种契约时，须经股东大会的特别决议（商375条→374条）。

之所以限制事后设立，是因为实物出资和财产认购是变态设立事项，受商法的严格规制，须经严格的调查程序，为了回避它，事后设立有可能被利用。这一点与财产认购相比较就很清楚了。如果在设立过程中，发起人签订公司成立后要受让财产的契约，那么作为财产认购受到严格限制，因此在设立过程中不表露其意，公司成立之后由代表董事代表公司受让财产，这不仅得到相同的经济效果，而且该取得价额被过高评估时，则要损害资本充实。因此，事后设立和财产认购对资本充实的危险度是大同小异的。

2. 事后设立的要件。

1）时期：是为了防止规避关于实物出资或财产认购的法律规制的手段而利用，因此只将公司成立后短期间（2年）内形成的作为对象。

2）财产：必须是从公司成立之前起已存在的财产。于是，公司成立后制作、创出的财产不能成为事后设立的对象。因为该立法宗旨是防止对实物出资和财产认购的法律规避行为，并且只有关于从成立之前起存在的财产才具有法律规避的可能性。

应该是为公司营业将持续使用的财产。只要是为营业而持续被使用的财产，就不限于营业用固定资产，将所有财产作为对象。这里包括土地、建筑物、机械、设备及各种无形财产权、营业权、他人的营业本身等。但是，不包括像商品或原材料等营业行为的标的财产。

3）取得的对价：事后设立是为防止对实物出资或财产认购的

法律规避而加以规制的，因此在付出某种程度的高额对价时才值得规制。于是，只有以相当于注册资本的 1/20 以上的对价取得时，才适用本条。"1/20"应以财产取得当时的资本为准计算。

是否超过注册资本的 1/20，应以每件契约为单位计算，但是从同一的转让人处以不满 1/20 的价格分数次受让时，应将全部作为一个交易来看待而适用本条。

4．要件的形式：虽然限制事后设立是为了防止对实物出资或财产认购的法律规避以及忠于公司的资本充实，但只要具备上述要件即可，不以公司受到损害为要件。而且，无须过问代表董事或受让人有无过失或其主观动机如何。

3．股东大会的特别决议。具备上述要件，就相当于事后设立，须经股东大会的特别决议。转让人如果是股东，应视为该股东有特别利害关系（商 368 条，4 款），不得行使表决权。未经股东大会特别决议的事后设立为无效。对方的善意与恶意不为要件。

八、反对股东的股份收买请求权

（一）意义

反对股东的股份收买请求权（the appraisal right of dissenters）是指在股东大会上决议了对股东的利害关系产生的重大影响的议案时，反对决议的股东可让公司收买自己所有的股份的权利。其目的是要从多数派股东专横中保护少数派股东。这本来是美国公司法上的制度，过去韩国只在证券交易法（同法 191 条）中对上市法人适用，在 1995 年商法修改中，将此吸收为商法的制度（商 374 条，之 2）。自被证券交易法采用以来，主要是在公司合并时经常行使股份收买请求权。

（二）理论根据

本来，股东大会受多数决原则的支配，因此，即使有反对决议的股东，也不得因此而解体社员构成。如果承认它，就等于将股份公司之实体合伙化（Gesamthandelsgesellschaft），这与传统的股份公司的本质是相违背的。因此，股份收买请求制度只有以关于股份公司的本质基于合伙观或者契约思想来思考的英美普通法的思路才可以说明。

在美国，股东具有可以拒绝自公司设立时起已预期的公司功能的结构性变化的基本权利，作为这一权利的体现而被认定的就是股份收买请求权。即多数派股东有追求公司企业的结构性变化之权能，而少数派股东则作为拒绝追随该变化的权利，可以请求收买股份。于是，股份收买请求，在欲适应新的状况变化之多数派股东的权利与拒绝因此而被受牵连的少数派股东之权利相冲突时，将成为其和解手段。

在这种理论的背景下，现在美国大部分州的公司法在公司合并和事实上的全部财产的转让中认定反对股东的股份收买请求权，几个州在排挤优先分派或新股认购权或限制表决权时那样，以对股东的利益产生重要影响的内容来变更原始章程时也认定股份收买请求权。

股份收买请求权制度，本来是以保护少数派股东为目的的，但从传统的公司本质观来看，的确是一个特殊的制度，因此存在很多问题。首先，广泛允许股份公司中所不能承认的退股或出资的退还。例如，假设全体股东出席，决议所要求的最少股东赞成（发行股份之 2/3），其他股东反对，那么公司则要取得相当于发行股份总数的 1/3 的自己股份，因此这将违反资本充实的原则，而且围绕收买价格之决定容易引起纠纷，也可能出现有意识地只为了行使股份收买请求而取得股份的恶用制度的事例。同时，股份收买请求会诱发公司的财政负担，起对多数派股东所追求的变化承担费用的功能，因此公司合并时也可以期待担保公正的合并比率的功能（即若合并比率大大不利，则会引起股东们的大量的股份收买请求，因此会慎重对待合并比率的决定）。

1995 年商法修改之前，依照证券交易法只对上市公司适用收买请求制度（证交 191 条，1 款）。但是，实际上股份收买请求是对非上市公司起更大作用的制度。因为上市公司有常设的股份市场，股东随时可以处分股份，但是非上市公司没有形成容易处分股份的市场，因此，反对公司的结构性变化之少数派股东除了向公司请求股份收买之外，没有其他可回收资本的办法。因此，美国的部分州不承认上市公司或者股份分散达到一定程度以上的公司之股东股份收份请求权。

但是，这并不等于在上市公司中股份收买请求没有用处。即使股份市场已经形成，反对股东一时欲处分股份，因数量之大，一般会导致股价下跌，而且若投资者不接受公司的结构性变化，股份也会下跌，因此有反对股东请求公司收买股份的实际意义。

（三）要件

1．决议事项。给公司带来结构性变化的特别决议事项有好几种，但是在何种条件下才能赋予股份收买请求权，这是属于立法政策的问题。商法规定的认定反对股东的股份收买请求权的情形如下：在第374条第1款中规定的营业转让等特别决议及第522条所规定的承认合并契约的特别决议（商374条，之2、1款、530条）时。其范围大体上与美国、日本的公司法相一致。但美国的有些州在进行原始章程变更时也承认反对股东的股份收买请求权，在日本为限制股份转让而变更章程时也承认（日本商法3491款），这一点与韩国公司法有差异。

解散后转让营业时，就不能承认股份收买请求权。因为股东通过剩余财产的分派可回收所投入的资本，若解散时又承认股份收买请求权，等于是股东先于公司债权人优先受偿。而且公司重整法所规定的重整公司以重整计划的一环实行营业转让等商法第374条，1款所规定的事项或与他公司合并时，不能允许股份收买请求。因为作为重整计划进行上述行为时，不要求有股东大会决议，并且要优先保护债权（公司重整250条，258条）。

2．股东的反对。股份收买请求权，限于不顾反对决议之股东的反对决议被通过时，只向反对股东赋予（商374条，21款、530条）。反对股东应事先向公司发出反对通知。

3．反对股东的资格。转让营业时，转让公司和受让公司均要求有股东大会的特别决议（商 374 条，1 款、1、4 号），双方公司的股东均持有股份收买请求权。但是，转让部分营业时，只要求转让公司有股东大会特别决议，受让公司不要求有股东大会决议，因此只有转让公司的股东才具有股份收买请求权。合并时，收买请求权并不限于被合并公司的股东持有，存续法人的股东也可持有。

无表决权股份的股东也有股份收买请求权吗？证券交易法中认定无表决权股东的股份收买请求权，但商法中没有明文规定。商法将股份收买请求权的行使要件规定为事先进行反对通知，没要求出席股东大会表示反对。对此，应理解为这是为了对无表决权股东也承认股份收买请求权。

对在董事会上通过营业转让等或合并的决议，并将其计划公开发表后，取得股份的股东赋予股份收买请求权是否妥当？之所以提出这种疑问，是因为无须特别保护那些明知有此计划而取得股份的股东，而且也应防止那些为行使股份收买请求权而取得股份的不健全的投资。但是，不仅没有明文根据而且即使有了董事会决议也很难拟制为全体投资者均已知晓，因此不应承认这种例外。

（四）股东的反对程序

1．股东大会召集通知。在董事会上进行营业转让等或合并的决议之后，召开股东大会。股东通过正式的通知、公告才知道正在进行合并等事项，决定反对与否。通知、公告中应明示股份收买请求权的内容及行使方法（商 374 条，2 款）。如懈怠时，则适用罚则（商 635 条，之 2、1 款、20 号）。如上所述，向无表决权股东也应赋予收买请求机会，因此应向他们通知召集股东大会的事实。

2．事先发出反对通知。反对决议之股东应于股东大会前，应书面通知公司该反对决议的意思（商 374 条，之 2、1 款）事先通知，对公司来说具有可以把握反对股东之现状，准备股东大会决议，进行收买准备的预告性意义。

事先反对属于股东权的行使，只限于通知当时允许行使股东权者才可以行使。如果是记名股东，应该为在股东名册或实际股东名册中已被登载者，如果是无记名股东，则在通知的同时应将股票提存。

通知应于股东大会召集日以前送达公司，通知的事实应由股东举证。

3. 书面请求。商法规定只将书面作出事先反对作为收买请求的要件，事先反对的股东没有必要再出席股东大会提出反对。反对股东只要自股东大会决议日之前20日内书面请求公司收买就可以。即使反对股东不出席股东大会，决议时应将其加算在反对票之中。这将成为现行法律允许书面决议的惟一的例外。反对股东出席股东大会行使表决权也是可以的。这时能否改变原来意思而赞成呢？应该说没有否定的理由。赞成时应视为撤回事先反对，不能进行买受请求。

（五）收买请求

1. 收买请求权人。事先发出反对通知，股东大会决议日后20天之内，书面提出收买请求是股份收买请求的程序。应注意的是，事先反对、收买请求都应由同一股东提出。如果对该期间内出现的股份受让人承认股份收买请求权，其股份受让实际上具有取得股份收买请求权的意义，这会助长针对收买价格的投机，与收买请求制度的宗旨是相违背的。

2. 请求收买的股份数。在事先反对、（出席股东大会）、收买请求这三个阶段中均无变化的同一股东方可以进行收买请求。假如反对股东的所有股份数增减，那只能对最低值可以进行收买请求，如果卖出、买入全部股份，则不能进行收买请求。

在持有的股份中，对其中一部分提出收买请求也可以。这可分为两种情形。一种情形是，股东就事先通知及表决权不统一行使，一部分赞成，一部分反对，只对反对股份提出收买请求；另一种情形是持全部的股份反对，但收买请求只对部分股份进行。在前者的情形下，既然承认表决权的不统一行使，就没有理由予以否认，而后者的情形下，因股份收买请求权是属于股东的权利，部分或全部放弃应该说是股东的自由，同样地没有理由予以否认。股东可以通过请求收买部分股份，又放弃部分收买权来取得分散投资的效果。

3. 收买请求权的性质。在股东行使股份收买请求权的情形下，公司应于两个月之内"收买该股份"（商374条，之2、2款）。这似乎是只有公司另行收买的意思表示（承诺），股份买卖才告成立。但是照此解释，只要公司不承诺，买卖就不成立，若要强制进行，股东就得通过判决来代替承诺的意思表示。因此，将收买请求权可视为形成权，将公司应于两个月之内收买解释为两个月内履行（支付收买金）。

4. 收买请求的撤回。股东可以撤回收买请求。收买请求权是为了保护股东的利益而制定的制度，关于收买请求权的行使与不行使公司不具有相反的利害关系。

（六）收买价格的决定

在实际股份收买请求中，收买价格的决定成为最重要的争执点，同时又是保护股东上的最重要的问题。如果收买价格不适当，就成为不当驱逐（freeze out）少数派股东的手段。

1. 价格决定的基本原则。美国大部分州的公司法都将股份的公正价值（fair value）的决定作为估算收买价的基本原则。公正价值即意指在继续企业中股份所具有的比例性利益（proportionateinterest inagoing concern）。这种价值应以受转让营业或实现合并，或者其预定计划之影响之前状态下的价值为标准来评估。虽然韩国商法中没有明文规定，但是应立足于同样的精神决定价格。

2. 价格决定程序。

1）价格决定顺序：修改后的商法将股份收买价格的决定方法规定为三个阶段：（1）股份收买价格的决定原则上要根据股东和公司之间的协议，（商374条，之2、3款）；（2）没有达成协议时，应将会计专家估算的价格为收买价格（商374条，之2、3款、但书）；（3）公司反对会计专家估算的价格或收买请求股东的保有股份中30%以上反对时，应自决定其价格之日起30天之内可请求法院决定收买价格。

上述规定成为解决公司和股东之间利害冲突的标准，因股份的转让限制而请求股份收买时也准用此条文（商335条，之6），从而具有更重要的意义。

2）协议：收买价格，原则上根据股东和公司之间的协议来决定（商374条，之2、3款）。协议，只有在双方的意思表示一致时才可达成，若任何一方没有协议之意思则成为可不经的程序。即协议并不是有约束力的程序，可以省略并经下一阶段的决定程序即可。协议，不是反对股东形成集团来进行的，而是公司根据与各个股东之间的个别约定而形成的。但是，实际上是由公司提示价格，股东们个别地决定承诺与否。

3）会计专家的价格估算：如协议不成，由会计专家估算的价格成为标准（商374条，之2、3款、但书）。但因其规定模糊，解释上有很多困难。

从法律条文上看，会计专家的价格估算应该具有约束力，因此其地位也是非常重要的。那么，会计专家到底是指谁呢？虽然似乎是指注册会计师一类的职位，但暂且不谈将股份评估业务局限于注册会计师是否妥当，就从会计专家的述语中也不能当然推出注册会计师（例如，公司将会计学知识丰富的财务科长作为会计专家来看待，并向他委托价格估算时，没有否定其效力的根据）。如对此规定最大限度地进行合理解释，就应理解为选任公认的会计专家。

在法律条文中会计专家的价格估算具有约束力，因此从选定会计专家开始当事人的利害关系相对立。关于由谁以何种程序选定，法律没有任何规定。由收买请求的股东和公司协议选定，应该为公正的解释，但是请求收买人不能形成集团，因此没有现实性。终究，还是由公司来选定。

4）法院的决定：根据商法第374条，之2、4款，会计专家估算的价格应具有约束力，因此似乎它是先于请求法院决定的"前审程序"。这本身是制约裁判请求权的，所以是违宪的，但还有更大的违宪因素。若公司不服，可请求法院决定价格，但是股东不股其价格决定时，应以保有股份数为标准，须满足 30% 以上的股份保有数。例如，在提出股份收买请求的 100 股中，71 股股东满足于会计专家估算的价格，29 股股东对该价格不满时，也无法向法院提起诉讼。这即以私人之间的多数决来剥夺宪法所保障的裁判请求权（宪法 27 条，1 款），是一个明显的违宪行为。

外国的立法例中没有如此给会计专家估算的价格予以约束力的例子，当事人之间若达不成协议，可直接请求法院决定价格（MB-CA§13，日商 245 条，之 3）。还有，在价格协议过程中，为易于达成协议，经常选任鉴定人评估价格。之所以在修改商法的解释上产生这种混乱，是因为本来可以作为当事人之间的价格协议方法使用的规定，像仲裁程序那样要强行赋予裁判功能。

因此，此规定不能按照文义来解释，会计专家的价格估算应解释为它是公司和股东之间进行价格协议的一种方法，是任意程序。那么，等于是在收买价格的决定上未形成协议的条件下，可以直接请求法院决定价格。

法院决定价格时，也应根据合理的标准来估算。即上面所讲的因营业转让或合并某决议事项的预定而受影响之前的股份的价值为标准估算，具体的金额应参考该股份的市场价值（market value）、资产价值（asset valus）、收益价值（earnings value），还有分派价值（dividend value）等各项因素来决定。法院的价格决定属于非讼事件。

（七）收买股份的处分

由于反对股东的股份收买请求，公司例外取得自己股份（商 341 条，5 号）。这些股份应在一定期间内处分（商 342 条）。

（八）债权人的保护

由于收买股份，相当数额的公司财产外流，从而保障公司债权人的责任财产就会减少。合并时，因履行债权人保护程序（商 530

条，2款→232条），不存在问题，但就其他决议事项收买股份时，根本就没有保护债权人的措施。因此，也会出现公司转让营业之后，大股东指使他人就部分股份作出收买请求，并与公司协议决定很高的收买价格来回收出资。在这种情形下，债权人可以追究董事的损害赔偿责任（商401条），但这并不是令人满意的保护措施。因此，在引进股份收买制度之前，应先采取保护债权人的措施才对。这是立法的一个漏洞。

九、股东大会决议的瑕疵

（一）概述

股东大会决议制度是将多数出资者的意思吸收为单一的团体意思的制度，因此其内容和程序应合法、公正。相反，如果决议程序或内容上有瑕疵，就不能认为是正当的团体意思，应否认其效力。如果适用有关法律行为瑕疵的一般原则，那么若股东大会决议上有无效原因，即使不特别主张也该决议的效力自始就不发生，如有取消原因，依取消权人的单方面的取消，决议溯及而丧失效力。

但是股东大会决议是社团性法律行为，因此在其形成过程中必然要介入多数人的意思和利害关系，并且决议一经形成，就以决议有效为前提形成各种后续行为，因此如依无效、取消之一般法理来解决，会导致团体法律关系的不稳定，从而将损害多数人的利益。因此，商法规定成为否定决议效力原因的瑕疵的类型，要求原则上只能以诉来主张，同时又根据瑕疵的类型，将诉的种类分为取消之诉，确认无效（不存在）之诉，取消、变更不当决议之诉，并分别规定对其判决的效力，以图谋调整利害关系（参见图表〈各诉的比较〉）。但是就无效确认之诉的性质，存在确认之诉和形成之诉之争执，根据采取哪一种，其主张的方法和效力就不同。

值得注意的是，商法上的决议之诉只适用于积极决议（可决）。消极决议（否决）即使在其召集程序、决议方法上有瑕疵也不能转为可决，因此不可能进行取消诉讼。还有，否决的决议中不可能存在内容上的违法，因此无效确认诉讼也是不可能的。

〈图表：各诉的比较〉

诉的种类 比较事项	取消诉讼	确认无效诉讼	确认不存在诉讼	取消、变更不当决议之诉
诉的原因	程序上的瑕疵（决议程序，决议方法违反法令、章程或显著不公正），决议内容违反章程	内容上瑕疵（决议内容违反法令、社会秩序、股份公司本质）	程序上的瑕疵（取消原因过分，可以视为决议存在时）	内容上的瑕疵（排除有特别利害关系之股东而作的决议内容显著不当时）
诉的性质	形成之诉	形成之诉说 确认之诉说	形成之诉说 确认诉讼说	形成之诉
提诉权人	股东、董事、监事	有诉益者	有诉益者	没有行使表决权之特别利害关系股东
提诉期间	自决议日起两个月	无	无	自决议日起两个月
程序	相同（被告，专属管辖，提诉公告，合并审理，败诉原告的责任，股东的提供担保义务，登记）			
法院的裁量驳回	可	不可		
既判力的范围	对世性效力			
溯及力		溯及		溯及

（二）决议取消之诉（Anfechtungsklage）

　　股东大会的召集程序或者决议方法违反法全或者章程，或者显著不公正时，或者决议内容违反章程时，股东、董事或者监事自决议之日起两个月内可以提起决议取消之诉（商376条，1款）。

　　1. 取消原因。1995年商法修改之前，决议取消只将召集程序或者决议方法等形式上、程序上的瑕疵作为原因，决议内容违法或违反章程时，则作为无效事由。但是，修改后的商法将决议内容违反章程时也作为取消事由。

法律上的召集程序大体上分为董事会的召集决定和对股东的通知。前者在所有和经营相分离的原则下将股东大会召集权归属于董事会，从而起排除股东的无秩序的经营干涉的功能，后者起向股东赋予出席股东大会，并改进意思的机会的功能。还有，决议方法指在大会场所中引出公正的决议而进行的程序和形式。因此，召集程序和决议方法的合法、公正与决议内容的如何无关，如果违反它，就成为取消事由。

1）召集程序上的瑕疵。（1）董事会的召集决议的瑕疵：存在召集股东大会的董事会决议，但就其效力有争执可能性时，这将成为决议取消事由（大法院1980.10.27判决）。根本未经董事会决议召集股东大会时，股东大会成立的法律基础欠缺，因此应将此视为决议不存在事由。但是判例认为，这时如果是由正当的召集权人召集的，则相当于是取消事由（大法院1987.4.28判决）。（2）由无召集权人召集：即虽然有董事会的召集决议，但由非代表董事或章程上的非召集权人召集的情形（大法院1993.9.10判决）。根据少数股东或监事的请求召集股东大会时（商366条，1款）也应由正当的召集权人召集（大法院1975.7.8判决）。无召集权者的召集中重大瑕疵时，也会成为决议不存在的原因。（3）通知的瑕疵：未向部分股东进行召集通知时或不遵守通知期间（开会日两周前）时或通知方法不正确时（例：口头联系）等。除此之外，通知事项不齐全（例：未记载目的，漏掉时间、场所等）也相当于召集程序违法的情形。如选择股东很难以出席的场所、时间时，则成为召集程序显著不公正的情形，同样成为取消事由。（4）目的事项以外的决议：如就股东大会召集目的之外的事项进行决议，即使是紧急事件也是取消事由。（5）关于一人公司或者全体股东出席的股东大会，召集程序中有瑕疵时，瑕疵被治愈。

2）决议方法的瑕疵。（1）非股东者的参加决议：即非股东

（或者代理人）者出席股东大会并参加决议的情形。但如果非股东者所占的比例过高，成为多数时，就成为决议不存在事由。（2）表决权受限制股东的表决权行使：例如，对决议有特别利害关系者行使表决权时（商368条，4款），无表决权的股东行使表决权时（商370条），公司持自己股份或者子公司持母公司股份行使表决权时（商341条、342条，之2），其他公司持表决权被休止的相互股（商369条，3款）行使表决权时，在监事选任决议中某一股东行使3%以上的表决权时（商409条，2款）等。表决权不合法地不统一行使时亦同。（3）违反决议要件：定足数、表决权的计算违法时。例如，将特别决议事项以普通决议来决议时，赞成股份数不足于发行股份总数的1/4或者1/3而议长宣布决议时等（大法院1996.12.23判决）。（4）不公正的议事进行：不当地限制股东的发言或使股东退场时；动员股东大会专业户，造成不安全的气氛而决议时等属于决议方法显著不公正时（大法院1996.12.20判决）。（5）议长的无资格：关于由非代表董事或其他未记载于章程的议长者作为议长主持会议的情形，判例认为，制止正当的议长而由股东中的一人自己作为议长而进行的股东大会成为取消事由（大法院1977.9.28判决），但是因有特殊情况，由非章程上的议长者——董事或监事作为议长而进行的股东大会及因议长不正当地拒绝司令而由股东自己临时选出议长进行的股东大会则是适法的（大法院1983.8.28判决）。（6）种类股东大会的欠缺：在要求有种类股东大会决议的事件中，未经其决议，只以股东大会决议来进行了章程变更、合并契约承认时，由于是否要求有种类股东大会决议上也会产生争论，以未经种类股东大会决议为由将股东大会决议视为当然无效是不恰当的。这时，应视为缺少股东大会决议发生效力的程序要件，成为决议取消事由。

3）决议内容违反章程：过去，决议内容违反章程时成为决议无效事由，但在1995年修改商法将其放在决议取消事由之中。若将决议瑕疵分为形式上的瑕疵和实质上的瑕疵，并将前者列为取消事由，后者列为无效事由，那么决议内容违反章程就是实质上的瑕疵，因此列为无效事由是合乎逻辑的。但是，若将决议的取消和无效从商法规定的效力方面进行分类，那么取消事由是，只要公司成员不特别主张，就可以随着时间的流逝能够治愈的瑕疵（提诉期间有限制，商 376 条，1 款），无效事由则与公司成员的主张与否无关，是属于不可治愈的瑕疵（没有提诉期间的限制，商 380 条）。不过，章程是依据公司成员，即股东们的合意规定的规范，股东大会的决议，也具有股东合意之性质，因此股东大会决议违反章程具有违反原合意的性质。与成员提起异议无关，不能治愈，这从瑕疵的性质上不能不说是非经济性的效果。因此，修改商法为了提供与瑕疵性质相符的效果，将其改为取消事由。

但是，决议内容违反章程的同时，又违反法令时，当然成为无效事由。

决议内容违反章程的情形为：将未具备章程所规定的董事资格者选任为董事时，超过章程规定的名额选任董事时，向董事支付超过章程所规定的金额的报酬时等。

4）股东意思表示的瑕疵：从股东大会决议的性质来看，不得持属于股东个人的表决上的意思表示的无效、取消事由来独立请求取消决议。但是以因股东意思表示的无效、取消，不能充足决议要件为理由，可以提出取消之诉。

2．诉的性质。决议取消之诉为形成之诉（Gestal tungskvage）（没有异议）。于是，决议被判决取消之前视为有效，因此，只得凭诉来主张，不能依攻击、防御方法来主张。例如，让根据有取消原因之决议被选任为董事者退还所接受的报酬时，先提起决议取消诉讼，得到董事选任的取消判决，并在此基础上请求退还报酬。不能以选任决议有取消事由为由，一开始就请求退还报酬。

还有，提诉权人、提诉原因、程序、判决之效力等均要遵循法律规定，不得以反诉（民诉 242 条）或中途确认之诉（民诉 237 条）来主张之。

3．提诉权人。可提出决议取消之诉者限于股东、董事或者监事（商367条，1款）。这主要是考虑决议取消判决的团体性效果，限于与诉讼的关系中有最大的利害关系，而且能忠于诉讼履行者认定原告资格。

1）股东：决议取消之诉是通过恢复股东大会意思形成的公正性及合法性，来维持公司组织的健全性的制度，现有的所有股东均有利害关系。于是，不要求股东为决议之际的股东，只要是提诉时的股东即可（通说）。股东是指被登载于股东名册上的股东，未进行名义更换的股份的受让人无提诉权。

不限制所有股份数，单独股东也可以提诉。由于所有股东均具有诉讼之益，即使是与瑕疵无关的股东（例如，接到召集通知的股东），也可以提起诉讼。参加过决议的股东也可以提诉，这种提诉并不违背诚实信用的原则。

根据多数说，决议取消之诉是以表决权为前提的，因此持有无表决权股份者不能提起取消之诉。但笔者不赞成这种意见。提诉权不是表决权的附带因素（Annek od. Element des stimmrechts），而是与表决权不同的股东权（Selbstähdiger Teil des Mitgliedschaftsrechts）。多数说认为，赞成决议之股东，决议当时非股之股东，与瑕疵无关的股东也可以提诉，这是因为只要是股东，就作为股东大会的成员，对适当运营股东大会持有利益。既然如此，无表决权的股东也持有同样的利益，也应视为持有提诉权。

2）董事、监事：必须是提诉当时的董事、监事。任期已满了的董事、监事，已辞任的董事、监事（商368条，1款、415条）没有原告资格。但是，因其退任而缺员，直至他们的后任董事、监事就任为止，其作为董事、监事承担权利、义务时可以提诉。清算中的公司可以由清算人、监事提诉（商542条，2款→376条）。

提诉当时，虽然不是董事、监事，但根据有瑕疵的决议，被解任的董事、监事，应视为有提诉权。

3）诉讼过程中的股东等的地位变化：通说认为，提诉的股东、董事、监事在起诉后至辩论终结时为止要维持其资格。根据此说，起诉后，因股东死亡或转让股份等理由丧失股东地位时，董事、监事因任期已满、辞任、解任、死亡等丧失其地位时，应以提诉权的消灭为由，终结诉讼。如放任它，提诉期间已过，那么谁也不能再争决议之效力。但是，决议取消之诉不是为了股东等的个人利益，而是为了股东和公司全体的利益而提起的，这种带有公益性之诉与提诉者的个人事情连结起来终结是不妥当的。因此，在这种情形下应允许其他股东或者其他董事、监事继受诉讼（民诉215条）。

4）适用于其他诉讼：以上有关提诉权人的说明，股东或董事、监事成为决议无效确认诉讼或决议不存在确认诉讼的原告时仍用。

4．被告。商法上虽然没有明文规定，但毫无疑问应将公司作为被告的。既判力涉及到以公司为中心的所有的法律关系，如果将公司以外者作为被告会产生公司法律关系转为他人之间的诉讼的问题。

代表董事应代表公司进行诉讼，但董事提出取消之诉时应由监事代表公司进行（商394条）。代表公司进行诉讼的代表董事即使是由成为取消诉讼对象的股东大会决议选任也仍有代表公司的权限。虽然只有公司才具有适合的被告资格，但第三人对决议取消可以持有反对的利害关系。例如，提出营业转让决议的取消诉讼时，受让人等。应允许这种利害关系人参加诉讼。

5．提诉期间。决议取消之诉自决议之日起两个月内提起（商376条，1款）。如此规定短期的提诉期间，是因为取消诉讼时瑕疵比较轻微，并且将法律关系长期放置于不稳定的状态（可能取消状态）是不合适的。

6．董事选任决议的特殊问题。关于请求选任董事决议的无效，不存在之诉中，该有问题之董事在辩论终结之前或者提诉之前退任的情形下，诉的利益会成为问题。在商法修改之前，决议取消判决没有溯及力，因此判例认为随着有问题之董事的退任，诉的利益也就消灭（大法院1996.10.11判决）。但是，修改后的商法规定判决具有溯及力，因此存在提起选任该退任董事的决议取消之诉的利益。例如，为了请求退还报酬或者否定该董事对外交易之效力提起诉讼。

（三）确认决议无效之诉

决议内容违反法令时，可以提起确认决议无效之诉（商 380 条）。1995 年修改商法之前，根据形式上的瑕疵归于决议取消，实质上的瑕疵归于决议无效的二分法将决议内容违反章程时也归于为无效事由，但修改法将违反章程时转到取消事由中，这一点已在前面叙述过。

1．无效原因。

1）违反法令：决议内容违反法令时，可以提起确认无效之诉。决议内容违反法令是指决议内容为：（1）非股东大会权限事项时（例：下次股东大会召集决议）；（2）违反股份平等原则时（例：根据股东，每股的表决权数不同的决议）；（3）违反股东有限责任原则时（例：为填补损失追加出资的决议）；（4）将股东大会权限事项委托给他人时（例：将选任董事委托给董事会的决议）；违反强行法规或社会秩序（民 103 条）时（例：将董事资格限制于男性）等。

2）不公正的决议，尤其是滥用多数决：虽无明文规定，但决议内容为超出内在限制的不公正决议时，应视为无效。实践中经常发生的是多数决的滥用。

"多数决的滥用"是指大股东为了追求自己或第三人的个人利益，将客观上其内容显著不公正的决议靠多数决的力量成立的行为。例如，根据公司规模、营业业绩、董事的职务内容来看，所规定的董事报酬过高的决议；以非常不利的条件转让营业的决议；根据少数股东的请求，将接受解任判决的董事再次选任为董事的决议；为避开与大股东控制的另外一个公司展开竞争，变更公司的目的事项的决议等等。

在多数决滥用的情况下，应如何看待其决议效力呢？有人认为应将大股东视同对决议有特别利害关系之股东（商 368 条，4 款），在此前提下，与有特别利害关系之股东行使表决权时一样，应视为决议取消事由。[1] 但是，多数决的滥用而产生的瑕疵是属于决议内容本身的不公正，因此应视为决议无效事由。

2．诉的性质。依照商法第 380 条，关于确认决议无效之诉，与决议取消之诉一样，准用有关专属管辖等诉讼程序的商法第 186 条乃至第 188 条，同时准用承认判决的对世性效力的第 190 条。但是，对提诉权人及提诉期间商法没有设规定，因此就确认决议无效之诉的性质产生争论。

1）确认诉讼说：多数说视其为确认之诉，不限制其主张的方法。该学说认为，与取消诉讼不同，商法对提诉权人或提诉期间没设限制，所以视为确认之诉是合理的，若将其视为形成之诉，决议无效只能凭诉讼主张，那么损害公益或资本充实的决议或违反股份公司本质的决议一经作出就变为有效，因此是不正确的。再加上，如规定只能由诉讼来主张决议无效，那么作出以决议无效为理由的请求时，例如，作出违法分派金的返还请求，对董事的损害赔偿请求等时，就等于要求双重程序，因此是不合理的。判例采取形成之诉的立场（大法院 1963.5.17 判决），但最近的又一判例认为，决议的效力在非公司的第三人之间的诉讼中成为先决问题时，具有确认诉讼的性质（大法院 1992.9.22 判决），因此判例的态度是不确定的。

2）形成诉讼说：即不管确认决议无效诉讼的名称如何，应视为形成之诉，只能以诉来主张瑕疵的学说。该学说认为，商法第 380 条法定了诉讼程序，对判决的效力赋予了对世性效力，因此应视为形成之诉，只有这样才可以实现团体法律关系的划一化。民事诉讼法学者们一致采取此说。

---

〔1〕 为日本的多数说。参见"新版注释会社法"（5），有斐阁 1985～1989 年版，第 316 页。

3）折衷说：曾经有人主张，虽然有无效原因之决议当然成为无效，其主张方法也没有限制，但一旦以诉主张就产生对世性效力，因此该诉的性质是形成之诉。但现在没有人主张此说。

4）诸说的差异：商法就确认决议无效之诉没有规定提诉权人或提诉期间等，因此不管采取何说，有诉益者不受提诉期间的限制，可以提出诉讼。在这一点上没有差异。

实际上的重要的差异是只能以诉讼来主张决议无效（形成诉讼说）呢，还是也可以通过诉讼以外的其他方法，例如，履行之诉中的请求原因或括辩来主张（确认诉讼说）？如根据形成诉讼说，该决议有效至无效判决时为止，但是如根据确认诉讼说，决议一开始就无效，因此无须将决议无效以诉讼来主张，直接可以以无效为前提主张决议的后续行为的无效。

5）私见。

（1）确认诉讼说所举的强有力的根据在于，商法第380条未规定提诉权和提诉期间。但是，之所以未对确认诉讼作出提诉权和提诉期间的规定，是因为瑕疵的属性，而不是出于诉的性质。即，决议取消诉讼时，原则上将程序性瑕疵为理由，这是属于公司内部的问题，第三人没有争其效力的实际意义，因此将提诉权人限于股东、董事、监事。同时，又因为是属于内部问题，如果在相当期间内内部人未提出异议，可以视为瑕疵已被治愈，所以又限制了提诉期间。但是，决议无效诉讼以实质性瑕疵为由，因此而发生的损害不限于内部人，所以不能限制提诉权人，又由于其对第三人的实质性权利关系产生影响，瑕疵的损害在短时期内无法消灭，从而无法限制提诉期间。总之，有无对提诉人、提诉期间的限制与诉的性质无关。

（2）主张确认诉讼说的学者们认为，如果将确认决议无效诉讼视为形成之诉，那么即使通过了违反强行法规或违反社会秩序的决议或者违反股份公司本质的决议（极端的例子：为人身买卖或秘密贸易或者填补损失而追加股东出资的决议），无效判决之前不能主张无效，因此是不正确的。但是，如此违反强行法规或社会秩序或者股份公司本质的决议，在有其决议的无效判决前，以该决议为前提作出的后续行为（上面例中提出的秘密贸易、人身买卖、追加出资）本身具有无效原因，因此成为无效，从而决议不可能取得实效。于是，仅依如此特殊的事案，无法否定形成之诉。关键在于哪一学说才能真正顺利地解决团体法律关系上。

（3）依据确认诉讼说时，无效之主张方法上没有限制，并一开始就成为当然无效，这与商法承认无效判决的对世性效力显然是相冲突的。即使采取确认诉讼说，只要原告不以其他方法主张无效，而提出确认无效诉讼，该诉讼就不得不受商法第 380 条的适用。因为对无效判决认定对世性效力，所以无效判决的效力自然涉及所有利害关系人。这与形成判决的效力相同的。总之，确认无效诉讼若不提起诉讼就是确认诉讼，若提起诉讼则成为形成诉讼。这是相互矛盾的（即，确认诉讼说就其结果来讲，与上述的折衷说是相同的）。

（4）如果采取确认诉讼说，就会产生同一决议的效力因原告的不同而相异的矛盾。例如，假设因营业转让决议的效力出现问题，公司正在迟延履行。公司以受让人为对象向受让人的管辖法院甲法院以决议无效为理由提起确认债务不存在诉讼；而受让人又以公司为对象向公司的管辖法院乙法院提起履行诉讼。甲法院虽然认定决议无效，作出了确认债务不存在的判决，但是乙法院可以以决议有效为前提作出履行判决。如果采取确认诉讼说，无法防止这种相矛盾的判决。

（5）依据确认诉讼说，在第三人之间的诉讼中也可以主张决议无效，因此是不正确的。

（6）从形成之诉来看，虽然存在对决议无效为原因的请求强行要求履行双重的诉讼程序的非经济性因素，但是更重要的是它可以划一确定因股东大会决议而形成的团体法律关系。因此，应将侧重点放在商法所规定的判决的效力上，将确认决议无效之诉视为形成之诉。

3. 提诉权人。关于确认决议无效诉讼的提诉权人商法没有规定，因此只要是有诉益者均可以提起确认决议无效之诉。股东和董事、监事提诉时所产生的问题，与在取消之诉中的说明相同。

4. 被告。与取消之诉相同，公司成为被告。

5. 提诉期间。商法未规定无效确认之诉的提诉期间。因为从瑕疵的性质来看，以短期间的经过来认定治愈是有失公平的。于是，利害关系人只要有诉益，随时可以提起诉讼。

（四）确认决议不存在之诉

1. 意义。股东大会决议的成立过程中所存在的瑕疵明显重大，就连决议的存在本身也无法认可时，可以认定确认决议不存在之诉（商380条）。确认决议不存在之诉以召集程序和决议方法上有重大瑕疵作为诉的原因，因此与决议取消之诉瑕疵的本质是相同的。但是，商法第380条将确认决议不存在之诉和决议无效之诉等同起来处理，不受有关提诉权人和诉提起期间的限制，这一点上又不同于取消之诉。另外，如果决议的不存在事由相当于最近判例所认定的表见决议，那么干脆不是公司法上诉讼的对象。

确认决议不存在之诉，在决议瑕疵为由的诉讼中使用频率最高的诉讼。因为韩国的大部分非上市公司是家族为中心的封闭式公司，常常不按商法上机关运营程序来运营，从而大部分公司的股东大会决议具备决议不存在要件。

并且，过去在诉讼中有过提诉人持相当于决议取消的瑕疵，尽可能地主张决议不存在的倾向。其理由是，决议取消诉讼受提诉期间及提诉权人的限制，而确认决议不存之诉则不受此限制。

最近判例承认了不适用商法上有关确认决议不存在诉讼规定的"表见决议"概念，给从前以不存在事由来争决议之效力者予以相当的便益，因此预计将来表见决议之主张会很频繁地出现。

2. 诉的性质。商法将决议不存在之诉与确认决议无效诉讼等同起来，均适用有关诉讼程序的特则，在判决的效力上也承认对世性效力（商 380 条）。于是，关于确认决议无效诉讼的性质的争论，即确认诉讼和形成诉讼之争论，仍在确认决议不存在诉讼中存在，从其性质上也应下相同的结论。多数说和判例将确认不存在之诉视为确认之诉，但是在关于确认决议无效诉讼部分中说明的那样，应视其为形成之诉。

　　3．不存在原因。决议不存在原因为"股东大会的召集程序或者决议方法上存在可视为股东大会决议不存在的重大的瑕疵"。这意指决议取消原因，即"股东大会的召集程序或决议方法违反法令或者章程或者显著不公正"的瑕疵很严重，直至达到可以视为股东大会不存在的程度时，才可以成为不存在的原因。因此，决议不存在原因应包含在取消原因之中，这些与决议无效原因的区别是质量上的区别问题，而它们相互之间的区别是数量上的区别问题（参见〈图表：瑕疵的类型〉）。

〈图表：瑕疵的类型〉

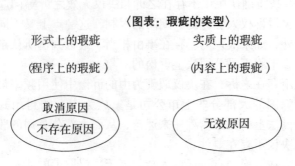

下面列举判例中出现的决议不存在的事例如下：

　　1）未经董事会决议（或者伪造董事会决议之会议记录）召集股东大会时（大法院 1978.9.26 判决）。由依不存在决议被选任的董事组成的董事会上通过召集决议而被召集的股东大会的决议，同样成为不存在原因（大法院 1978.7.8 判决）。

　　2）无召集权限者召集时（大法院 1962.12.27 判决）。

　　3）未向大部分股东进行召集通知时（大法院 1973.6.9 判决）。

但是，未向所有发行股份总数 41% 的股东发出召集通知而召开股东大会时则成为取消事由（大法院 1993.1.26 判决）。

4）因不可抗力的事由，包括代表董事，全体董事未参加股东大会时（大法院 1964.5.26 判决）。

5）大部分由非股东者决议时（大法院 1968.1.31 判决）。

6）会议有效地结束后，由一部分股东聚集决议时（大法院 1993.10.12 判决）。

7）根本没有召开股东大会，制作虚伪的会议记录时（大法院 1969.9.2 判决）。但是这种事由相当于最近被承认的表见决议事由（后述）。

除此之外，虽然适法召集，但是大部分股东未参加的状况下形成决议时，应视为决议不存在。

4. 提诉权人。提诉权人并不只限于股东、董事、监事，和确认无效之诉一样，只要是持有诉的利益者均可提出。

判例中出现的持有诉的利益者汇总如下：

1）股东：赞成决议的股东也可以主张决议不存在，股票发行之前已转让股份的原始股东也可以主张受让人们的股东大会决议不存在。但是，属于纯粹的名义出借者的股东，受让股份而未进行名义更换的股东没有请求决议不存在之诉的利益。另外，股份的转让人没有交付股票，其后主张以受让人为中心的股东大会决议的不存在，这等于是将义务的不履行状态作为权利来主张，是违反诚实信用的原则的，因此没有诉权。关于股票发行前股份的转让，保证事后不提出异议的代表董事主张以受让人为中心的股东大会的决议的不存在也是违反诚实信用原则的。

2）董事、监事：已退任的董事、监事在下任董事、监事就任之前，仍持有董事、监事的权利义务时，可以主张决议不存在。依不存在的决议被解任的董事也可以主张其决议的不存在，被有瑕疵的决议选任的董事也可以主张在其任期中的股东决议的不存在。但是，辞任的董事没有主张决议不存在的利益。

另外，依股东大会的决议被解任的董事在此后通过适法程序选任出新的董事时，请求当初解任决议的不存在是等于请求确认过去法律关系，原则上并没有要确认的利益，但是只要其下一任董事的选任决议上有无效、不存在的事由时，依该不存在决议被解任的董事持有作为董事持有的权利、义务（商386条，1款），因此具有请求解任决议不存在的利益。

3）债权人：公司债权人只要有诉的利益，可以主张决议不存在，但是公司债权人之诉益只在股东大会决议具体侵犯债权人的权利或者法律地位，并对此带来影响时，才可以被认定。债权者对董事的选任或章程中追加事业目的等对公司的对内事项的决议不得主张不存在。

5．被告，提诉期间。与其他诉一样，应将公司作为被告，与确认无效之诉相同，没有提诉期间的限制。

6．表见决议。

1）概念：近年来的判例中，与商法第380条所规定的"决议不存在"相区别，认定"股东大会的意思决定本身就不存在时"的概念。根据判例，商法第380条规定的"决议不存在"，指的是股东大会召集、召开、进行决议等公司内部的意思决定虽然存在，但是其召集程序或决议方法上有重大瑕疵的情形。而与公司无关者伪造会议记录或根本就不存在召集股东大会的事实而制作会议记录或召开不能视为股东大会的会议并制作会议记录时，不能视为商法上的"决议不存在"。因此，存在这种瑕疵时，不适用商法第380条。有这种瑕疵的决议称为"表见决议"。

2）实际意义：表见决议这一概念在1995年商法修改之前对决议不存在判决也限制溯及效力时起过作用。由于否定不存在决议之溯及效力，即使有了确认决议不存在判决，也不能否认根据该决议形成的后续行为的效力。但表见决议不适用商法第380条之规定，从而确认表见决议之判决的溯及效力没有被限制，从而也可以否认后续行为效力。而修改商法对关于决议瑕疵的判决承认溯及效力，因此表见决议概念的实际意义大大减少，但是表现决议的主张并不受商法第380条之制约（诉讼程序，判决之对世性效力等），可以自由地作出，所以仍然具有认定此概念的实际意义。

3）表见决议之效力：判例认为，有表见决议时，若通过制作股东大会会议记录等制造其外观者为保有过半数股份者或事实上控制公司运营的股东，那么应视为公司参与了其外观制造，因此对相信根据此决议进行的对外行为为有效而交易的第三人，公司应承担责任（大法院1992.8.18判决）。但是，如此解释违背股东大会决议的本质。在以股东大会决议为要件的交易中，若无法认定其决议的存在，这就成为无公司意思本身的交易，对此商法不考虑保护第三人。如按照判例理论，相当于决议取消或决议无效及决议不存在时，这种瑕疵比起表见决议瑕疵轻微，因此更要保护相信者，由此便可得出对外交易问题上的关于决议瑕疵的所有争执毫无意义的结论。因此，只要不是基于决议不存在或者表见决议而形成的对外交易与不真实登记（商39条，1款）或者表见代表董事的行为相连结而第三人可以得到保护的情形，就不能凭决议的表见外观，保护第三人。

（五）诉讼程序和判决

1. 诉讼程序。

1）管辖：决议的取消、确认无效、确认不存在之诉（以下简称"取消等之诉"）专属于公司总公司所在地的地方法院的管辖（商376条，2款、380条，186条）。

2）诉讼费用的计算：取消等之诉不是以财产权为目的的诉（大法院诉价算定例规），其诉讼费用为10 000，100韩元（民诉等印花法2条，4款民事诉讼等印花规则15条，2款）。

3）公告诉的提起：提起诉讼之后，公司应不得迟延地进行公告（商376条，2款、380条→187条）。这是为了向现存的利害关系人及潜在的利害关系人预告公司法律关系之可变性。

4）诉的合并审理：提起数个决议取消之诉时，法院应将此合并审理，提起数个确认无效之诉及数个确认决议不存在之诉时亦同（商 376 条，2 款、380 条→188 条），因为取消、无效、不存在判决之效力具有对世性效力，应对所有当事人统一确定。依合并，数个诉带有类似必要的共同诉讼的形态（民诉 63 条，1 款）。

就同一股东大会的决议，会别提起决议取消之诉、确认决议无效之诉或者确认不存在之诉时，能否将这些诉合并？商法第 188 条允许设立无效之诉和设立取消之诉的合并，因此对此也没有理由否定，而且就同一决议判决不能相冲突，所以应合并审理。

5）提供担保：提起取消等诉时，公司可以通过讲明股东有恶意，请求股东提供担保，法院可以据此命令股东提供相当的担保（商 377 条、1、2 款、380 条→176 条，4 款）。这是为了抑制股东的滥诉。只是股东为董事、监事时，没有提供担保的义务（商 377 条，1 款、但书）。"恶意"指明知无取消、无效、不存在事由而提起诉讼。命令提供担保的目的是要担保因提起诉讼而公司受到或将要受到的损害，其价额以公司将要遭受的不利益为标准，由法院裁量决定。

6）和解的可能性：取消等诉的当事人不得进行和解。因为诉是以团体法律关系为对象的，并不是提诉权人可以任意处分的利益。基于同样理由，也不得允许公司认可和解请求。

2．判决。

1）裁量驳回取消之诉被提起时，法院参照决议内容、公司的现状及其他事项，认定取消不适当时，可以驳回其请求（商 329 条）。因为决议取消具有原则上可以依提诉期间的经过而自动被治愈的程序上瑕疵的特征。于是，确认决议无效或确认不存在之诉中不可能存在该制度。裁量驳回虽然以尽可能维持公司法律关系的稳定为出发点的，但是如前所述，即使瑕疵对决议结果没有影响，也不能说该取消是不适当。驳回与否时，应考虑瑕疵的性质及程度等，将股东大会的适当运营的要求和公司法律关系的稳定相比较衡量后才可决定。

1995 年修改后的商法将决议内容违反章程时作为取消事由来规定，因此决议当时违反章程，但事后通过章程变更将该决议内容正当化时，应裁量驳回。

2）原告胜诉（取消、无效、不存在）判决的效力。

（1）对世性效力：取消、无效、不存在判决（以下简称"取消等判决"）之效力及于提诉权人、公司以及此外的第三人（商 376 条，2 款，380 条→190 条）。因此，任何人也不能重新主张决议有效。这是对将既判力的主观范围局限于当事人的民事诉讼法的原则（民讼 204 条，1 款）的一个例外。如此认定对世性效力的理由在于，股东大会决议具有固定而多数人与公司建立同种法律关系的团体法性特征，因此有必要对他们划一确定。例如，对选甲为董事的决议，A 股东提起取消之诉而胜诉时，若适用既判力的一般原则，会发生甲在与 A 股东的关系来说是非董事，而在与其他股东、公司、第三人的关系上是董事的奇怪的现象。

（2）溯及效力问题：1995 年商法修改以前，规定无限公司设立的无效、取消判决之效力对判决确定之前已产生的公司和股东及第三人之间的权利义务不产生影响的第 190 条但书准用于股东大会决议取消等判决上（修改前的商 376 条，2 款、380 条）。其结果，与一般性取消、无效之效力溯及到法律行为成立时不同，取消等判决的效力只限于将来。这是为了防止因取消等判决的对世性效力，以决议的有效为前提所形成的所有法律行为的效力被溯及而丧失，从而关系人受出乎意料的损失。于是，判决以前，以决议的有效为前提在公司和股东及第三人之间所形成的一切行为没有受判决等的影响。

但是，如此限制取消等判决的溯及效力的结果，像董事责任的免除（商 400 条），董事、监事的报酬决定（商 308 条，415 条），盈余分派（商 447 条，3 号）等一次性、完结性的决议事项，即使得到取消判决也无益，成为对依违法决议而获得利益者认定其既得权的重大的盲点。因此，修改商法继续准用第 190 条规定中的有关判决的对世性效力的正文，但不再准用限制溯及效力的但书的规定，从而上述问题得到解决。因此只要有了取消等判决，过去以决议的有效为前提进行的所有行为，则溯及而失去效力。例如，若决定董事、监事报酬的决议被取消，那么根据此决议董事、监事所得到的报酬成为不当得利（民741条），董事、监事应将此返还给公司。

但是，一律对取消等判决认定溯及力的结果，带来以决议的有效为前提积累的过去的法律关系一时崩溃的严重的问题。商法通过对部分后续性法律关系限制溯及效力来解决此问题。关于新股发行无效判决，限制其溯及力（商431条，1款），因此，即使新股发行是依有瑕疵的股东大会决议进行的，其溯及力也被切断。关于合并无效判决也限制其溯及力（商530条，2款→240条→190条），即使合并承认决议中有瑕疵，现存的法律关系仍被尊重。修改商法对减员无效判决则承认了溯及效力，立法上的错误。关于这一点后述。

关于其他法律关系，因认定判决的溯及效力而被引起的问题也是非常多。尤为深刻的是，对选任董事的决议作出取消等判决时，由该董事们选任的代表董事同样溯及丧失代表董事资格，并且由该代表董事进行的所有对外交易全部成为无效。

上述的在对外交易中所产生的问题应通过援用限制不真实登记的对抗力的商法第39条和商法第395条之表见代表董事制度来解决。即以代表董事的对外交易视为表见代表董事的交易或切断公司关于代表董事无资格的主张来保护相对方。

（3）登记：决议事项已登记时，只要取消等判决被确定，就应在总公司和分公司所在地进行登记（商378条）。

3）原告败诉判决的效力：原告败诉时，其判决不同于取消等判决，没有对世性效力。于是，虽然可以由其他诉提起权人重新提起诉讼，但实际上提诉期间大部分已过，提起诉讼是不可能的。

在原告败诉的情形下，原告若有恶意或者重大过失时，应对公司承担连带的损害赔偿责任（商 376 条，2 款，380 条→191 条）。

（六）不当决议取消、变更之诉

1．意义。即因对股东大会决议有特别的利害关系而不能行使表决权的股东（商 368 条，4 款），以其决议不当为由请求取消或变更决议的诉讼（商 381 条，1 款）。限制有特别利害关系之股东的表决权的宗旨是为防止滥用多数决制度形成不公正的决议。但反过来少数者恶用有利害关系之股东不能行使表决权的机会专横时，有必要恢复决议的公正性。正是出于这个目的，设置了该制度。之所以连变更决议也包括进去，是因为即使作出了取消判决也有可能被股东们反复相同的决议。

此诉也是一种形成之诉。

2．提诉要件。

1）对决议有特别利害关系之股东未行使表决权。必须是因商法第 368 条第 4 款的限制而未行使表决权时。因自己的个人情况没有参加股东大会，未行使表决权时，由剩余的股东凑足适法的通常的定足数而进行决议，不得成为未诉讼的对象。

2）决议显著不当。即使决议内容没有违反法令或章程，但从社会通常的观念来看，显著侵害公司或利害关系人之利益时。例如，在转让营业的决议中，以不当廉价向第三人转让时。

3）若有特别利害关系之股东行使表决权，就能够阻止决议通过。关于这一点，首先将有利害关系之股东的所有股份数算入会议日出席股东的表决权数中（商 371 条，2 款），然后再判断赞成决议的表决权数是否相当于决议要件（过半数或者 2/3）。

3．提诉权人、被告。只有因有特别利害关系而不能行使表决权者才可以提诉，被告为公司。

4．诉讼程序、判决之效力等。管辖，提诉期间，诉的合并，原告胜诉判决的对世性效力，原告败诉时的赔偿责任，提诉股东的担保提供义务，决议取消之登记等均与决议取消之诉相同（商 381 条，2 款）。与决议取消判决一样，不当决议的判决也有溯及效力

（商381条，2款→190条1998年修改）。

（七）诉的种类和诉讼标的

提诉人误认请求的宗旨时，例如，存在取消事由，却请求确认无效或反对时，是作为不合法之诉来看待不予受理呢，还是在可能的范围内认定请求宗旨的同一性呢？

还有，像提诉人请求确认决议不存在的同时，附带地请求决议取消时那样，将其他种类的请求作为附带性请求提出时，应如何处理呢？

根据新诉讼标的理论，争执股东大会决议之效力的各诉都要对世性地解除依有瑕疵的决议发生的效力，从这一点上，可以视为其诉讼目的，乃至诉讼标的是相同的。从图谋诉讼的经济，满足当事人（提诉人）的权利救济的意义上，忽视各诉讼的形式上的差异，视为均具有"否定决议效力"这一共同的诉讼标的是比较妥当的。

判例认为，有不存在原因，却提起取消诉讼时，应将其视为不合法之诉，不予受理（大法院1978.9.26判决）。但是，取消原因和不存在原因只不过有瑕疵数量上的差异，对其界限的判断实际上比较困难的，而且不存在原因当然成为取消原因，因此在上述情形下，应作出取消判决。最近的判例认为，有不存在原因，却提起确认无效请求时，可以将确认无效请求按确认不存在请求来受理（大法院1983.3.22判决）。该判例提示可以将确认不存在请求和确认无效请求把握为同一诉讼标的。那么，相反，存在无效原因而请求确认不存在时，可以将此视为请求确认无效。对取消之诉也可以认定同样的关系。

但是，持取消原因，请求确认无效或确认不存在时，应具备取消诉讼的提诉期间和原告要件，否则按不合法之诉来驳回。关于这一点，将取消、变更不当决议之请求以其他诉的形态来提起时也是一样的。

根据如何看待诉讼标的，不同种类诉讼之间的合并可能性也是不同的（参见诉的程序和判决部分）。

（八）与其他诉讼的关系

关于基于股东大会决议而形成的后续行为，另行认定争执其效力的诉讼时（新股发行无效之诉，资本减少无效之诉，合并无效之诉），只能提起后者之诉。判例关于合并采取这种立场（大法院1993.5.27判决）。新股发行或资本减少时，应该以同样的方式来处理。详细理论在有关的章节中细说。

（九）反悔决议、追认决议

1．反悔决议。不能以新股东大会的决议来否定从前的决议。即使从前的决议有瑕疵，不能进行宣告无效或溯及否定效力的取消决议。因为如果承认它，等于是违背股东大会决议的瑕疵只能以诉讼来主张的法律原则。

但是，为将来取得其效果而撤回的决议是可以的。即使那样，在新的股东大会上撤回时，不得影响根据从前的决议形成的第三人的权利和义务。例如，如果反悔董事选任决议，就会成为董事解任的决议，因此不能允许。

撤回的决议应具备从前的决议要件以上的要件。例如，对于资本减少决议（特别决议），其后不能以普通决议撤回。

2．追认决议。尽管不可能追认无效决议或不存在决议，但如果是有取消原因之决议时，可以援用民法上的追认制度。通过追认决议，从前的决议溯及有效，终结对此的争执。追认决议本身应为有效。如果从前决议的取消诉讼正在继续中有了追认决议，并且在该追认决议中有瑕疵，那么提诉人同时可以争执追认决议之效力，这两个请求应合并审理。

德国股份法允许有取消原因之决议的追认·（Bestätigung anfecht-brer HV Besschlüsse）（§244 AkTG）。即依据新决议追认从前决议。只要不取消追认决议，从前的决议完全变成有效决议，不能争执其效力。

十、种类股东大会

(一) 宗旨

公司发行数种股份时，根据不同的事案，各种类股东所持的利害关系就会不同。这时，数量上占优势种类的股东会控制股东大会决议，数量上占劣势的股东因此而受损害。因此，商法就股东大会的特别决议事项中存在这种危险可能性的事案，除股东大会决议以外，还要求有可能受损害种类股东们的决议，为此决议而召开的会议称为种类股东大会。种类股东大会的决议只是为使股东大会决议发生效力而附加要求的要件，而其本身并非为股东大会，也不是公司的机关。

(二) 须有种类股东大会决议的情形

以下三种情形下须有种类股东大会决议。

1) 因章程变更给某一种类的股东带来损害时（商 435 条，1 款）。例如，降低优先股的分派率，将参加型优先股作为非参加型优先股或将累积优先股作为非累积优先股等。

2) 根据商法第 344 条第 3 款之规定，按股份的种类作出特殊规定，其结果给某一类股东带来损害时（商 436 条）。

公司发行数种股份时，即使章程另无规定，也可以根据股份种类，就因新股认购、股份的并合及注销、合并引起的股份的分配设置特殊规定（商 344 条，3 款）。据此，关于因新股认购、股份的并合及消灭、合并引起的新股的分配，对某一类股东不利地作出规定时，须有该不利股东的种类股东大会。例如，向普通股分配多于优先股的股份，或使优先股的并合比率比普通股不利等。

在这些事项中也有不需股东大会决议，只靠董事会决议就可以进行的（例如，新股发行时，关于该认购的规定，商 416 条，3 号）。因此，在种类股东大会的决议事项中不以股东大会决议为前提的也会存在。

3) 因公司合并给某一种类的股东带来损害时（商 436 条）。

例如，在消灭公司中，优先股的合并比率比普通股不利时。

（三）决议的要件

种类股东大会的决议应由出席的该种类股东表决权的 2/3 以上的多数作出，赞成的表决权应占发行股份总数的 1/3 以上（商 435条，2 款）。不得规定与此不同的决议方法。在种类股东大会上无表决权股份（商 370 条，1 款）也持有表决权（商 435 条，3 款）。

（四）召集和运营

关于种类股东大会的召集和运营等事项，除了关于无表决权股份的规定，准用有关股东大会的规定（商 435 条，3 款）。

（五）决议的瑕疵

由于股东大会的所有规定准用于种类股东大会，种类股东大会决议有瑕疵时，似乎可以按种类股东大会决议取消之诉等形式可以独立争讼，对此也有肯定的见解。但是，实际上种类股东大会决议之瑕疵不能以个别之诉来主张。因为该决议只不过是股东大会决议的效力发生要件，按股东大会决议的瑕疵来处理就可以。即使承认它，为了否定股东大会决议之效力，在争执种类股东大会决议瑕疵之诉中胜诉后，再将此作为原因提起争执股东大会决议之效力的诉讼，因此没有独立争讼的实际意义。

还有，未经股东大会决议作出的种类股东大会之决议有瑕疵时，同样以新股发行无效之诉等争执后续行为之效力的诉讼主张。

第四款　董事、董事会、代表董事

一、序言

现代股份公司制度根据所有和经营相分离的原则，将公司运营的权限集中于董事及董事会。在实际的公司运营中，由于股东大会的形骸化以及监视功能低下，董事及董事会的经营专断现象日趋严重。虽然在由少数股东垄断股份的小规模封闭式公司中没有这种现象，但是在股份广为分散的大规模公开公司中小股东群被排除在经营之外，服从于控股股东及其影响力的董事的专横是非常明显的。

因此，在现代公司的机关构造中强调董事的注意义务和责任，牵制董事并追究责任的制度性措施尤为重要。

同时，随着现代公司的经营越来越专门化，带有功能主义倾向，甚至连董事会的职能也在减弱。因为代表董事的业务执行权之领域事实上正在扩大的同时，公司的经营由以代表董事为中心的常勤的业务董事及其参谋机制来进行。于是，由董事会的决议来决定公司的业务只不过是法律上的形式而已，董事会实际上已再次被分化。因此，商法认识到董事相互间的监视及由董事会监督业务执行的重要性，明文规定董事会对董事的监督权，并赋予监事以广泛的监督职能。

二、董事

(一) 意义

董事（director；Vorstandsmitglied）是指处于公司的受任者的地位，并作为董事会的成员，持有执行公司业务等法定权限的股份公司的必要的常设机关。

1. 董事虽然在股东大会上被选任（商 382 条，1 款），但它不是股东大会或者股东的代理人或使用人而是"公司的受任人"。因此，董事并不直接对股东承担义务，只对公司承担义务和责任。关于公司和董事的关系，准用民法中有关委托的规定（民法 680 条，商 382 条，2 款）。

2. 董事的地位中最重要的是作为董事会的成员参与有关公司业务执行的决定（商 393 条，1 款），但此外还赋予单独可以行使的几种权限（商 373 条，2 款、376 条，1 款、390 条，1 款等）。值得注意的是，法律条文上是虽然以董事的权限或义务来表示的，但存在实际上是属于代表董事的代表权或业务执行权的东西。例如，股份或者公司债认购书的制作（商 420 条，474 条，2 款），章程的备置（商 396 条，1 款），财务报表的制作、备置、公告（商 447 条 ~ 449 条）等。

3. 董事是股份公司必要的常设机关。多数说认为董事不是公司机关。在德国，逻辑上采取董事会先在，为其组成而选任董事的结构。在这种情形下，当然不应将董事视为机关。但是，韩国的情况是不一样的。韩国旧商法并没有董事会，只有单独持有业务执行权的机关——董事。由于其沿革性的残余，到了今天董事的地位和董事会成员的地位具有同时性，并向董事赋予各种独立的权限，因此，理论上将董事视为公司机关是正确的。不过，商法将董事的地位（包括权利和义务）已明文化，因此不管称不称其为机关，并没有实质上的差异。

（二）董事的选任和退任

1. 董事的资格。

1）资格限制：关于董事的资格商法没有设特别的限制。只是为保障监事的中立性，规定监事不能兼任董事（商411条）。但是，章程上限制董事的资格，只要是其内容不违反社会秩序就有效。例如，限于股东、韩国人、国内居住者等或者具备一定经历者担任董事是有效的。常见的限制是董事必须是股东这一类的规定。章程规定董事应持有的股份（资格股）之数量时，只要没有其他规定，董事应向监事提存股票（商387条）。这是一方面为了维持董事的资格要件，另一方面为了断绝内幕人交易（证交188条）。

2）法人董事的允许与否：法人不能成为董事。因为董事应为实际参与公司业务执行者，并且应具备应为自然人的代表董事的被选资格（如果董事全部是法人，则不能选任代表董事）。对此，反对说认为，鉴于法人可以成为发起人或公司重整法上的管理人（公整95条），所以法人也可以担任董事。但应看到，发起人的事务仅限于技术性、程序性的业务，因此可以代理，而董事的职务要求有高度的经营判断，董事会上的决议是通过实际的意见集合来形成，董事应对其他董事进行监视活动。可以说，董事职务的大部分是要求有自然人的意思及能力，不允许他人代理，所以不能与发起人相提并论。公司重整法上的管理人也不是基于与公司的信任关系，在自己的责任下承担公司的经营者，是与董事并存，将公司财产的保存作为主要职能者，因此也不能视为董事〔并非所有法人可以成为重整公司的管理人，只有信托公司和银行才可担任管理人（公整95条，1款），并可以代理（公整98条，1款）〕。

不允许法人董事存在的更重要的理由是，如果允许，每次更换法人的代表机关，公司的实质性董事也要替换，将导致公司经营的不稳定。

3）行为能力的要求与否：董事进行要求有专门性判断的各种法律行为，对公司或第三人承担责任，因此无行为能力人不能成为董事（而实际登记实务中，只要有意思能力，未成年人的董事选任登记也受理）。还有，被宣告破产人也不能成为董事（民法690条）。

2．董事的选任。董事在公司设立时由发起人选任或在创立大会上选任（商296条，1款、312条），公司设立以后则在股东大会上选任（商382条，1款）。选任董事的决议，对每个董事存在一个。但以集中投票的方式选任董事时，对全体董事存在一个决议。

选任董事是股东大会固有的权限，不得以章程或股东大会决议委任给他人（例外：公司整理220条，1款、252条，2款）。像将董事候选人限制于特定股东指名的人那样，将董事选任与特定人的意思相联系的做法也是不能允许的。

董事应由股东大会的普通决议选任（商368条，1款）。1995年商法修改之前规定："即使章程上另有规定，也以持有相当于发行股份总数过半数的股东出席及其表决权的过半数来决议（修改前的商384条）。因此，选任董事决议必须依据普通决议来进行，即使以章程也不能减轻其决议要件，也不能加重。但1995年修改商法时缓解了普通决议要件，并删除了上述规定。在现行法律下可以解释为不能采取比普通决议更为放宽的决议方法。问题是能否将选任董事的决议要件比现行普通决议要件更加强化呢？修改之前之所以规定不能加重，是因为与人和公司不同，由没有横向纽带关系的众多股东组成的股份公司中，如强化决议要件，就很难选任董事，这会使公司的运营陷于困境。1995年修改前商法第384条规定的要旨是设置超出出席表决权的过半数的决议要件，以防止董事选任陷于困境的现象。这种宗旨在商法修改后也应继续贯彻。但是，修改之前的过半数的出席定足数可以说是团体意思决定的法理，因此，章程中可以规定过半数的出席定足数。总之，作为选任董事决议的要件，章程中规定过半数出席定足数是可以的，但出席表决权的过半数决议要件则不得以章程来加强。

选任董事，单凭股东大会单方面决议是不可以的，还须有将成为董事者的同意。默示性同意也是可以的（例：出席董事会）。董事就任，与一般契约一样，是否要求要约和承诺的程序？判例以选任董事应签订任用契约为前提认为，即使股东大会上通过了以选任特定人为董事的决议，只有代表董事对被选任为董事者发出任用的要约，被选任者承诺时，被选任者才可以成为董事（大法院1995.2.28判决）。根据该理论，即使股东大会将特定人选任为董事，只要代表董事不对被选任者发出就任董事的要约，被选任者就任董事是不可能的。

笔者认为，选任董事的决议是具有创设性效力的行为，应视为其本身具有要约的效力。于是，只要有选任决议和被选任者对此表示同意，就可以取得董事的地位。

选任董事应于两周之内进行登记（商317条，1、2款、8号）。但是，选任董事的效力依股东大会决议发生，与登记与否无关。

3. 集中投票制。

1）意义：集中投票（Cummulative Voting）是指选任董事时赋予每股相当于欲选任董事数的复数的表决权的方法。例如，欲选任三名董事，就赋予每股三个表决权，使股东可以将自己的表决权向特定的董事候选人集中行使，或向数名董事候选人分散行使。这种投票方法通常被称为"累积投票制"。

商法上选任董事的股东大会决议，对每一个董事就有一次，如按通常的方法，不管选任多少董事，可以控制过半数决议的大股东都可以使全部董事由自己推荐的候选人充任。集中投票制就是为牵制由大股东垄断全部董事选任的方法。例如，假设发行股份为100股，其中A股东持有26股，B股东持有74股的公司以集中投票的方式选任3名董事，那么，这种情形下，A的表决权为78个，B的表决权为222个。因此如果B将3名董事由自己人b1、b2、b3充任，则应分散表决权，对b1、b2、b3各行使74个。但如果A以将候选人a选任为董事的目的，将自己的78个表决权对a集中行使，那么a就可以选任为董事，其余两名董事则可以由B的人充任。总之，集中投票制可以防止选任董事完全由多数派股东控制的现象，少数派股东也可以将自己人选为董事，以牵制由多数派股东选任的董事。

集中投票制起源于美国，是援用国会议员选举中比例代表制的制度。因而，集中投票制有可能导致董事之间派系对立。于是，有人批判说，集中投票制作为营利团体的股份公司经营者的组成方法不太适合。在韩国，近年来，由控股股东垄断经营的弊端非常明显，为强化对经营的监视措施，1998年修改商法引进了该制度（商382条，之2）。

2）要件。（1）欲选董事的数：集中投票制只有选任两人以上的董事时才可以采用（商382条，之2、1款）。因为如果欲选任的董事是一人，通过集中投票的表决权的集中行使没有意义。（2）章程上另无规定：法律并没有强制采用集中投票制，留有公司排除集中投票制的余地。即不希望采用集中投票制的公司可在章程上设不允许集中投票制的规定，排除该制度的适用（商382条，之2、1款）。（3）股东的请求：相当于发行股份总数3%的股东请求集中投票（商382条，之2、1款）。该请求应于选任董事的股东大会召开7日前，以书面提出（商382条，之2、2款）。该书面请求股东大会终结时为止应备置于总公司，以供股东阅览（商382条，之2、6款）。还有，股东大会议长于股东大会上进行选任董事的决议之前，应告知已有集中投票的请求（商382条，之2、5款）。

只要有相当于发行股份总数 3% 股东的请求，就不能在股东大会上进行排除集中投票制的决议。因为集中投票制是保护多数决下的少数派股东的制度，如果可以以多数决将集中投票制排除，就不存在认定集中投票制的意义。

3）集中投票的方法：如具备上述要件，依集中投票选任董事时，股东对于每一股持有与欲选任的董事人数相同的表决权。这是对商法上一股一表决权原则的重大的例外。股东持所有股份数乘上欲选任董事数的表决权可以投同一董事候选人的票，也可以分散投数名董事候选人的票（商 382 条，之 2、3 款）。其结果，得最多数票者被选为董事（商 382 条，之 2、4 款）。

4. 董事的定员。董事必须是三人以上（商 383 条，1 款），但没有最多人数的限制。章程中当然可以设定董事人数的上限。之所以将最低人数规定为三人，是因为为了能够组成董事会，董事人数当然应为复数，并且为了董事会上避免赞反同数，董事人数应定为单数。

5. 董事的任期。董事的任期不得超过 3 年（商 383 条，2 款），如果将任期定为终身或长期，则股东对董事的监视功能和经营政策上的管制就会松懈。原则上虽然不能超过这一期间，但在章程中可作出规定，可以延长至有关任期中的最终结算期的定期股东大会的终结时为止（商 383 条，3 款）。例如，如果 12 月 31 日为结算日，定期股东大会于 2 月 28 日召开，某一董事的任期某年的 1 月 15 日终了，那么，可以设延长至 2 月 28 日的规定。这是为了让董事承担任期内结算的责任，并且为了减少定期股东大会召开之前，还要为选任董事召开临时股东大会的烦琐。

因董事缺员而补选时，虽然新的任期开始，但是通常将前任董事的剩余任期作为后任董事的任期，这当然是有效的。董事任期开始应对外明确，并在数名的董事之间应划一规定，因此在选任决议上规定任期开始日时，从那天起；没有规定时，则从作出选任决议之日起任期开始。对此，有人主张在本人没有承诺的状态下任期开始是不合理，应视为就任之日（同意之日）起开始。如按此说法，依同一决议被选任的数名董事因各自同意之日的不同，其任期也会不同，这是不合理的。因此，在决议中规定的任期开始后，如果同意就任，溯及将决议中的任期开始日作为任期开始日；在决议中未规定任期开始日，并在决议后同意时，应溯及将决议日作为任期开始日。

6. 董事的退任。董事退任的理由如下：

1）任期届满：这是最普遍的退任事由。如后所述董事的人数低于法定人数时，任期已届满的董事行使权利及承担义务至新任董事就任时止（商 386 条，1 款）。

2）辞任：董事与像委任中的受任人一样可以随时辞任（民 689 条，1 款）。董事的辞任是单方行为，依据对公司的单方面意思表示而发生效力，并不要求公司或者股东大会承诺，即使不作变更登记也丧失资格。辞任的意思表示应向代表董事作出，一经送达到代表董事就发生效力，辞任的意思表示不得撤回（大法院 1991.5.10 判决）。

3）解任：

（1）解任决议：以股东大会的特别决议可以随时解任董事（商 385 条，1 款）。只能以股东大会决议来解任，不能以章程中规定依董事会决议或代表董事决定的形式，另规定解任董事的方法。

之所以向股东大会赋予单方面的解任权，虽然也有依据民法上相互自由解除委托的原则（民 689 条，1 款）之意，但更重要的原因是，董事作为管理由股东出资而形成的公司财产者，其地位维持与否，应该是由股东从政策上决定的问题，而且，依所有和经营相分离，专门负责经营的董事进行不适当的经营时，股东通过解任迅速保护自己的财产。因此，除了争执解任决议瑕疵以外，不能争执解任的不当性。但是，与以无偿作为原则的一般委托不同，董事通常接受报酬，因此有必要予以补偿其损失。于是，没有"正当理由"，在任期届满之前解任有规定任期的董事时，该董事可以向公司请求赔偿因解任而受到的损害（商 385 条，1 款、但书）。损害赔偿的范围是在任期间内可得到的报酬为准（汉城最高法院 1978.7.6 判决）。但损害赔偿，只有依股东大会积极决议解任时才可以作出，在董事作出辞任的意思表示，并由公司受理而解任时，则不能请求损害赔偿（大法院 1993.8.24 判决）。

可以不赔偿损害的解任事由——"正当的理由"并不只限于少数股东的解任请求事由——"侵权行为、违反法令及章程的重大事实"，也包含职务的显著不适任（例：长期疾病，重大的经营失败）等。

（2）少数股东的解任请求：虽然存在董事就其职务有不正当行为或者违反章程的重大事实，但股东大会否决董事的解任时，持发行股份总数 5% 以上的股东自股东大会决议之日起一个月内可以请求法院解任该董事（商 385 条，2 款）。通常董事是按照大股东的意思而被选任的，因此即使董事有不正当行为，也有可能被大股东庇护而否决解任决议。少数股东的解任请求权为少数股东提供纠正这种弊端的机会。

上市法人的情形下，连续 6 个月持有发行股份总数 10‰，注册资本为 1 000 亿韩元的公司为 5‰ 的股东可进行上述解任请求（证交 191 条，之 1、31 款）。

单纯的任务懈怠不能成为解任请求事由，它是以违反法令、章程为其要件的。还有，法令、章程的违反在董事的任期内存在即可，无须在解任请求时存在（大法院 1990.11.2 判决）。

解任请求专属于公司总公司所在地的地方法院管辖（商 385 条，3 款→186 条）。此诉是形成之诉。解任判决前，法院根据当事人的申请，通过先予处分，[1] 可以停止董事的业务执行，并可以选任代理职务者（商 407 条，1 款前）。

4）其他退任事由：发生章程规定的资格丧失事由或因公司解

---

[1] 先予处分韩语称"假处分"，是民事诉讼法上的制度。

散而退任，而且发生委托的一般性终了事由，即董事死亡、破产或者被宣告为无行为能力人而退任（民 690 条）。

7．董事的缺员。法律或者章程规定的董事人数不足时，因任期届满或者辞任而退任的董事将董事的权利、义务行使至新选任的董事就任时为止（商 386 条，1 款）。通常称其为退任董事。董事的人数不足于商法规定的最低数（三人）时，因无法召开董事会，应适应这一规定。但是，不低于法律所规定的人数，而低于章程所规定的人数时，退任董事是否也具有董事的地位呢？退任董事制度的目的在于要改变因董事人数不足而公司不能进行正常活动的状况，因此即使低于章程规定的人数，但是如果公司运营没有障碍，就无须适用此规定（大法院 1988.3.22 判决）。

董事人数不足时，法院认为有必要时，可根据董事、监事以及其他利害关系人的请求，选任临时担任董事职务者（商 386 条，2 款）。此即所谓的假董事。在假董事的选任中，法院不受请求人推荐的约束，即使选任其他人也不成为不服事由。选任假董事时，应在总公司所在地进行登记（商 386 条，2 款）。

虽然法律条文作为法院选任假董事的事由只举任期届满或者因辞任而退任时，但是无须受此限制。应视为包括因董事的死亡、解任等所有缺少董事人数的情形（大法院 1964.4.28 判决）。董事因被解任或死亡或破产等丧失资格时，从其性质上看，他们不能维持董事的权利、义务，因此法院应选任假董事。

关于董事缺员的上述制度，是基于企业维持的理念，以防止业务执行中断为目的的。因此，因缺员持有董事的权利、义务者（退任董事）或者法院选任的临时执行董事职务者（假董事）与依先予处分而选任的代理职务者不同，其权限不局限于常务，而及于正常董事的所有权利、义务（大法院 1965.5.22 决定）。

（三）董事的报酬

1．宗旨。关于董事的报酬，章程中没有规定时，由股东大会决定（商 388 条）。公司和董事的关系是委任关系，因此以无偿为原则（民 686 条）。但在通过董事的业务执行实现营利的股份公司中，这种原则反而或为特殊现象，通常是向董事（尤其是常勤董事）支付报酬。所谓"报酬"是指作为履行公司职务的补偿支付的一切代价，不管其名称是工资、奖金，还是年薪，并且定期的、不定期的均包括在内。通常，在董事退职时，一次性支付退职慰劳金，这也是对任职期间职务履行的代价，因此也是董事的报酬，只能依章程或者股东大会决议方可支付（汉城高法 1968.10.16 判决）。

决定报酬，严格来说是业务执行的一部分，原则上由董事会或代表董事决定，但是董事的报酬带有对经营成果的评价和补偿的意思，因此从性质上可以视为属于股东应决定的事项，而且如董事自己决定报酬，有可能过高地规定。鉴于此，将报酬的决定作为股东们的政策性决定事项。

2. 决定方法。报酬，应以多长时间为单位决定？原则上讲，作出选任董事的决议的同时，决定任期内的报酬。可以每一结算期决定一次，但选任时应得到董事的同意。否则，因为股东有可能将报酬的决定作为对董事行使不合理的影响力的手段。

商法中关于报酬决定的规定注意到了公司财产之保护问题，因此没有必要具体规定每个董事的报酬。不过，章程或股东大会决议中规定报酬总额，而对每个董事支付的报酬额可以委托董事会决定（通说）。但是，将董事的报酬和监事的报酬合而规定，将其分配委任给董事会是违法的（后述）。

3. 强制规定性。关于董事报酬之决定的上述规定是强制性规定。因此，董事会或代表董事不能决定它，控股股东也不能决定它，因为控股股东并不具有公司财产的处分权。曾经有一判例将控股股东就报酬所作的约定视同股东大会的决议（大法院 1978.1.10 判决），这是不正确的。

曾有判例将商法第 388 条之宗旨之解释为"若章程中没有有关报酬的规定，应由股东大会就此决议"，如果存在董事会规定的有关报酬支付的公司规章，或董事就任后按惯例接受报酬时，视为该报酬支付标准得到股东大会默认，从而承认董事的报酬请求权（大法院 1964.3.31 判决）。但是，董事和公司的关系是委任关系，董事并非与劳动标准法上的劳动者一样，当然具有报酬请求权。因此，只要是没有章程规定或者股东大会决议，就不能行使报酬请求权（大法院 1992.12.22 判决）。

一旦依章程或股东大会决议决定了报酬，就应视其成为选任行为的内容，因此关于同一董事，不得依章程变更或股东大会决议剥夺或减少报酬。

4. 使用人兼任董事时的报酬。有些公司让董事兼任经理人或担任某些部门的负责人等使用人的职位。在这种情形下，董事作为使用人取得的报酬是否应包含依商法第 388 条规定由章程或股东大会上所决定的报酬？换句话说，董事能否超过章程或股东大会规定的报酬限度，另取得作为使用人的报酬？对此有三种说法：一是，如果允许另领取使用人份的工资，就等于是允许规避商法第 388 条的规定，因此应当包括在董事的报酬之中的说法（包括说）；二是，使用人工资是劳动合同的代价，与董事报酬的法律性质不同，不应包括在董事的报酬里（不包括说）；三是，虽然董事报酬不包括使用人工资，但是决定报酬时，关于使用人份的工资额应向股东大会报告的说法（折衷说）。

依章程或股东大会决定董事报酬的理由中，虽然也有董事与公司之间的关系同使用人和公司之间的关系的法律性质不同，但更重要的理由是为了牵制董事滥用公司经营者的地位来追求私益。使用人兼任董事时，无法分清两地位的职能及代价，如再另外承认使用人份的报酬，其结果会使董事脱离股东的管制而追求不当利益。因此，包括说是妥当的。

5. 报酬的适当性。董事的报酬是对其履行职务的代价，应与其职务保持合理的比例关系（reasonable relation to service）并应与公司的财务状况相称。比起公司的状况或经营业绩，董事的报酬过高时，虽然已经过章程规定或股东大会决议的适法程序，但从资本充实的原则上很难承认其效力。但在实际的企业经营中，有很多大股东自任董事或将自己的亲戚朋友等特殊关系人选任为董事，支付巨额董事报酬的例子。公司实现盈余向股东分派时，应面向全体股东，因此不仅在资金上有负担，而且在税收上也有负担。因此，大股东为了避免这些负担而回收盈余，选择支付巨额董事报酬的方法。于是，大股东作为董事获取过高的报酬，不仅从资本充实的观点上，而且在侵占其他股东的分派可能的盈余上，带来违背股份平等原则的显著的不公正。再说，在没有盈余的状态下获取过高的报酬等于优先于公司债权人回收出资，是没有道理的。因此，比起公司状况和董事职务的性质，过高地规定董事报酬的章程规定及股东大会决议很明显是多数决的滥用，应该是无效的。

三、董事会

（一）意义

董事会（board of directors，Vorstand），是指为了作出有关公司业务执行的意思决定，由全体董事组成的股份公司的必要的常设机关。

1. 公司的"有关业务执行"的意思决定：有关业务执行的事项与股东大会的权限事项之间的区别是不明显的。因此，向哪一机关分配何种程度的权限是立法政策上的问题。商法将所有和经营的分离作为理想，将一般性业务执行的决定权赋予董事会。

2. 意思决定机关：董事会是会议体机关，因此不适合履行具体的业务执行，只作有关业务执行的意思决定，其具体的实践由代表董事来进行。但为了正当的业务执行，董事会监督包括代表董事的所有董事的职务执行（商393条，2款）。

3. 由全体董事组成：董事无须经其他程序，当然成为董事会的组成人员。董事会不能由非董事者组成。

4. 必要的常设机关：这一点与股东大会相同。为了意思决定而召集董事会时，召开的现实性会议（meeting of board of directors）

通常称为董事会，但这只是董事会具体权限的实行方法。

（二）董事会的权限

1. 权限的类型。商法规定董事会权限的形式是多种多样，每一形式都具有特别的意义。

1）业务执行的决定权及对董事的监督权：商法第 393 条第 1 款将公司业务执行的决定规定为董事会的权限事项，同条第 2 款规定对董事执行职务的监督权。这两者是董事会的本质性的、中心性的权限。

2）经理人的选任、解任及分公司的设置、转移、废止：与公司的业务执行一样，商法第 393 条第 1 款将经理人的选任、解任及分公司的设置转移、废止规定为由董事会来决定。有关经理人或分公司的这些事项都是业务执行的一部分，因此上述规定并不具有追加董事会权限的意义。但是，对于经理人的选任、解任及分公司的设置、转移、废止等，有人会理解为包含在代表董事的日常性业务执行权里，因此设置了未经董事会的决议，代表董事不能单独决定的规定。

3）其他固有权限：限制股份转让时的承认（商 335 条，1 款、但书），股东大会的召集（商 362 条），对董事自己交易的承认（商 398 条），财务报表的承认（商 447 条），公司债的发行（商 469 条）等由董事会决定。为了处理好与股东大会的权限分配的关系，商法将这些明文规定为董事会专有的权限事项。于是，即使以章程规定也不能作为股东大会的决议事项。

4）可转换为股东大会权限的事项：代表董事的选定（商 389 条，1 款），新股发行（商 416 条），公积金的资本转入（商 461 条，1 款），可转换公司债的发行（商 513 条，2 款），附新股认购权公司债的发行（商 516 条，之 2、2 款）等原则上规定为董事会权限，但可以根据章程规定，转换成股东大会权限。

2. 业务执行的决定权。公司的业务执行，依董事会的决议进行（商 393 条，1 款）。"业务执行"是指有关公司运营的一切事务。其中，就其性质来说，有的须要体现股东之意思，有的由于事情重大应尊重股东之意思。于是，将公司的业务执行中的一部分作为股东大会的权限，董事会的权限不及于此。还有，由于监事的权限是以牵制董事会为目的的，因此董事会之权限也不及于此。

商法之所以设像第393条那样的一般性规定，其用意在于：由于立法技术上的局限性，无法列举董事会的全部权限，从而先向股东大会和董事会以及监事各分配最小限度的、本质性的、不可侵犯的权限，然后在"所有和经营分离"的大前提下，想把其他有关公司运营的事项授权给董事会。但是，股东是公司存在的根源，是公司权力之源泉的意识不能被抹杀，因此商法保留了以章程规定扩大股东大会权限的余地。董事会的权限在除了股东大会固有权限以外的权限（最大限度）和董事会的固有权限（最小限度）的范围内，以章程上的规定作为变数，与股东大会权限成反比而增减（参见〈图表：股东大会权限和董事会权限的相互关系〉）。

（图表：股东大会权限和董事会权限的相互关系）

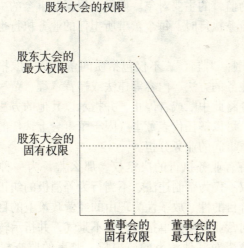

3．董事会的监督权。

1）意义：董事会监督董事的职务执行（商393条，2款）。董事会具有有关业务执行的一切决定权，将其执行交给代表董事或业务董事，因此董事会作为自己纠正的功能，当然应持有监督董事执行业务的权限，商法第393条第2款将此明文规定。

最近，随着经济发展，公司的业务执行越来复杂，需要灵活的决定或执行。由此，执行实际业务的董事的裁量幅度变大，同时独断的之危险也在增大。于是，牵制董事（尤其是业务董事）的必要性正在变大，从而董事会的监督权越来越重要。

2）性质：董事会和其监督对象——董事就同一事项具有上下级机关的关系。于是，董事会的监督权与董事之间在相互对等的地位上持有的监视权以及与董事、董事会站在平等的、第三人地位的监事对董事、董事会持有的监查权不同，对于董事，以上命下服的关系来行使。

3）监督的对象：日常的业务执行由代表董事来履行，因此代表董事的行为成为监督的主要对象。但是，根据董事会的决议，由董事们分担对内业务执行时，每个董事所担任的业务执行也会成为监督的对象。

4）监督的范围："监督"，不仅包括质问董事及听取报告，也包括当董事执行业务的方法、内容等违法或违背章程、董事会之决议或不当时，命令将此中断或者停止，并指示以其他的方法、内容替代。若有必要，可以解任代表董事（限于董事会上选任的代表董事）或另行规定董事间的业务分担。

既然董事会持有业务执行的决定权，那么监督为一种自己纠正。因此，监督权不仅为牵制违法、不当行为等消极的纠正目的而行使，而且出于合目的性、放率性为理由的经营政策上的目的也可以行使。例如，向营业担当董事指出营业不景气，并指示转换营业政策。这一点与董事对其他董事的监视权、监事的监查权明显不同。

但是，董事在董事会上行使表决权是为业务执行的权限行使方法，并非是业务执行本身，从其性质上看，董事会的监督权不及于此。

5）监督权的行使方法：监督权的行使只有在董事会的地位上可以进行，因此为行使实际监督权应召集董事会。但是，无须为此另召集董事会，为其他议案而被召集的董事会上也可以发动监督权。

听取董事的报告或向董事质问，在董事会上可以以个别董事的资格进行，但是指示中止或纠正一定行为等能动性的监督行为须依董事会的决议。

为提高监督制度的实效性，像日本商法那样，应明文规定董事定期向董事会报告业务状况（日本商法 260 条，3 款）。但是，根据现行商法的解释，董事会可以向董事请求定期报告，这一点是肯定的。

（三）董事会的独立性

由于董事会由股东大会选任的董事组成，股东大会又是公司的最高意思决定机关，因此很容易误认为董事会是股东大会的下属机关。但如前所述，董事会是具有固有权限的独立机关，关于属于其权限的事项不受股东大会的指示或监督，各个董事分别在自己责任下完成任务。因此，不得将董事会决定之事项以股东大会决议来推翻或将其作为无效。股东大会只能通过董事之选任、解任，间接地控制董事会。

（四）董事会的召集

1. 召集权人。董事会由董事召集（商 390 条，1 款）。但以董事会决议指定召集董事时，由该董事召集（商 390 条 1 款但书）。通常是由代表董事或董事会议长召集。对于董事会的召集权另有规定时，不能将其视同股东大会的召集权，只能视为董事会的召集事务由召集权人担任。因此，其他董事随时可以要求作为召集权人的董事召集董事会，作为召集权人的董事无正当理由拒绝召集董事会时，其他董事就可以召集董事会（大法院 1975.2.13 决定）。

2．召集程序。召集董事会时，应规定召开日，并于一周之前对各董事和监事发送通知（商 390 条，2 款）。该期间可以依章程缩小（商 390 条，2 款、但书）。监事也有出席董事会的权限，因此也应向监事发出召集通知（商 391 条，之 2、390 条，2 款）。

但是，只要全体董事及监事同意，董事会可以不经这些程序，随时可以召开会议（商 390 条，3 款）。这是因为商事公司的业务执行在很多场合下须有意思决定的灵活性。因此，全体董事及监事的同意，并非每次开会都需要，可以通过董事会规则上规定董事会召集时间或董事上依全体同意规定下届董事会日期等事先取得同意，届时不经通知召集而召开董事会。

未向一部分董事通知而召集的董事会决议为无效。假设没有收到通知的董事出席董事会反对决议，但决议并没有受影响，即便是这样，该决议无效（大法院 1992.7.24 判决）。但是，有判例认为，没有对从来不参与经营，始终委任其他董事决定，只在会议记录上签章的董事发出召集通知而召开的董事会有效（大法院 1992.4.14 判决）。

3．召集时期。只要不是紧急状态，董事会应尽可能在更多的董事能够参加时召集。例如，趁对议案持反对意见的董事们海外出差机会，召集董事会并作出决议，或者在代表董事出差期间作出代表董事的解任决议等，只要没有紧急情况，不能认为是正当的。这种现象在围绕经营权内部存在纷争的公司中经常发生的事情，如此形成的决议应为无效。

4．董事的出席义务。只要董事会被召集，董事应承担出席董事会并行使表决权的义务。

（五）董事会的决议

1．决议要件。董事会的决议应以董事的过半数出席及出席董事的过半数来通过（商 391 条，1 款）。董事会上的表决权每个董事各持一个。即使用章程也不得对此设例外。董事会不同于股东大会，要求过半数出席。例如，即使 6 名董事中 3 名出席并赞成，也因低于成立定足数，该决议无效（大法院 1995.4.11 判决）。因为在团体意思决定中决议参加者的代表性尤为重要。

可以依章程加强决议要件（商 391 条，1 款、但书），但不能放宽。根据事案的轻重，也可以规定不同的决议要件。

1）决议要件的加强：加强决议要件时，须考虑下列两种事项：

第一，如果使日常的业务执行的决定均依据强化的决议要件，那么公司运营很难避免停顿。日常的公司经营，应依据过半数意思来持续，这符合企业维持的理念。因此，关于日常的业务执行，即便加强决议要件，也不能超过在籍董事的过半数赞成（1984 年修改前的决议要件）。

第二，对特别重要的议案可以规定超过过半数的决议要件，但即使那样，也不能加强至向部分董事赋予否决权的程度。例如，"全体董事 5/6 之同意"或"过半数出席并全体同意"，这种规定是无效的。详细理由与股东大会决议要件的说明相同，在此省略。

2）紧急决议：曾经有过章程规定因天灾地变等迫不得已事由，出席董事数低于定足数时，关于紧急的事项，可以由出席董事来决议，然后在下届董事会上得到追认的例子。美国的示范商业公司法中也有类似的规定〔MBCA §3. 03（EMergency Power）〕。代表董事因紧急事由，未经董事会决议而执行业务时，它将成为追究代表董事责任时的参考事由，但不能将因低于定足数而未成立的决议拟制为成立的决议。

3）可否同数：董事会决议时，可决与否决人数相等时，特定人（例：议长）能否行使决定权？虽然有些人基于董事会不同于股东大会，无须强调表决权的平等为由，持肯定态度，但这等于无法律根据便向特定人赋予复数表决权或者放宽决议要件，而且违背多数决的一般原则，因此应否定。

规定董事会决议经特定人的同意方可生效，因违背公司的组织原理，也是无效的。

4）满足决议要件的时期：决议要件中的董事会的成立要件（过半数董事出席），不仅在开会时，而且在整个讨论及决议的过程中应始终维持。例如，在9名在籍的董事中5名出席，中途1名退出，那么不得以剩余人员作出决议。

2．表决权行使的独立性。董事关于表决权的行使也对公司负责（商399条，2款）。这意味着董事应在自己责任下独立行使表决权。因此，董事之间或者董事和股东以及其他第三人之间约束董事的表决权的契约是无效的。

另外，董事会是基于公司所期望的董事个人的能力和高度的信赖关系，决定具体业务执行的机关，董事应直接行使表决权，不允许代理行使（通说）。因为董事地位是一身专属性的，不仅不能转让，而且若代理行使，则等于是董事任意行使复委托权。在董事相互间委托表决权行使时亦同。

3．表决权的限制。对于董事会决议有特别利害关系之董事不得行使表决权（商391条，2款→368条，4款）。例如，欲进行自己交易之董事，在是否承认该自己交易的董事会中是有特别利害关系人。选任或者解任代表董事的决议是延长并反映有关公司控制的股东的比例性利益的问题，因此其决议对象的董事或者代表董事不应被包括在有特别利害关系人里。未能行使表决权的董事虽然被包括在董事会的成立定足数中（过半数出席），但是计算表决定足数之时，不算入出席董事人数中（商391条，2款→371条，2款）。有利害关系之董事与有利害关系之股东不同，决议之前应公开持有利害关系。

4．决议方法。董事会处理的是有关公司经营的实务性问题，因此应采取就存在多种变换可能性的议案相互交换意见，从而得出最佳结论的集团性意思决定（collective decision-making）方式。于是，要求董事们会合，不承认书面决议（通说）。

与此相关，值得参考的是，美国的公司法中打破董事会召集董事们集合在同一场所，面对面地讨论的传统方式，规定可以使用全体董事同时可以听取对方发言的电话（conference call），以及其他类似的通信设施进行会议的例子在增多（MBCA § 8.20）随着董事们的业务向地方迅速扩散，要求进行迅速的意思决定，并且画面通信的终端机广泛普及，画像会议（video conference）的现实化等条件已具备，因此以韩国商法的解释，也可以允许这种方式。

对于董事会的决议，董事要承担责任（商399条，2款），因此应表明各自的赞反意思，不能允许无记名投票。

但在实际投票中，有的董事会表明"弃权"或者"中立"的立场。而董事的表决权行使方法只允许有"积极"或"消极"两种方式，"弃权"或者"中立"为非"积极"，应分到"消极"一类。

5．延期及续行。像股东大会那样，董事会可以延期或续行（商392条→372条）。

6．会议记录（议事录）。董事会议事时，应制作会议记录（商391条，之3、1款）。会议记录中应记载议事经过的要点及其结果，并由董事及监事签章或者署名（商391条，之3、2款）。这是为了追求会议记录制作的真实性。董事会的会议记录应备置于总公司（商396条，1款）。关于会议记录，股东或者公司债权人可以请求阅览或者誊写（商396条，2款）。

董事会的会议记录在追究董事的责任中，会成为有力的证据（商399条，3款），各个董事的赞反记录具有非常重要的意义。

7．董事会决议的瑕疵。

1）决议之效力：董事会决议瑕疵的类型与股东大会瑕疵类型相同，即召集程序、决议方法违反法令或章程，或者显著不公正时；决议内容违反法令、章程、社会秩序或不公正时。

关于其主张的方法，法律上未作任何规定，因此应按一般无效原理来解决。于是，不限制其主张的方法，判决的效力也按照既判力的一般原则（民诉204条），因此没有对世性效力。当然也不限制溯及力。

2）后续行为之效力：为特定的业务执行，需要有董事会决议，但没有决议或决议中有瑕疵时，后续行为具有何种效力？

另认定争执后续行为之效力的诉讼时，董事会决议之瑕疵或者欠缺被吸收为该行为的瑕疵，争执其行为本身的效力。例如，依有瑕疵的董事会决议召集的股东大会作出的决议，依有瑕疵的董事会决议进行的新股发行，分别依股东大会决议之取消、确认不存在之诉（商 376 条，380 条）和新股发行无效之诉（商 429 条）争执其效力。

通说、判例认为，至于除此之外的后续行为，从交易安全的角度考虑，属于纯粹的内部问题的行为（例：经理人的选任、董事的业务分担）为无效；关于对外交易行为（例：与他人买卖、发行公司债），对方为善意时有效，对方为恶意、过失时无效。恶意、过失是指已知或能够知道该交易要求董事会决议的事实及没有董事会决议或无效之事实。这一点应由公司举证。

四、代表董事

（一）意义

代表董事是代表公司并持有业务执行权限的董事，是股份公司的必要的常设机关。本来，公司的业务执行决定权由董事会持有，但由于董事会是会议体机关，不适合担任实际的业务执行，需要董事会只作出业务执行的意思决定，由某一自然人来实行它。而且，公司虽然具有权利能力，为了实际取得权利并承担义务，同样也需要有具备自然意思的某个人作出实际行为，并将此拟制为公司的行为，从这种需要出发，商法规定从董事中选任代表董事，不分离对内的业务执行权和公司的代表权，均集中于代表董事。

（二）选定和退任

1. 选定。代表董事应从董事中选定（商 389 条，1 款）。此外没有其他的资格限制，但可以通过章程规定代表董事的资格。

代表董事由董事会选定（商 389 条，1 款）。但是可以依章程规定由股东大会选定（商 389 条，1 款、但书）。这时的决议是普通决议（商 368 条，1 款）。代表董事的地位只能依据董事会或股东大会决议，不得依其他方法选定。即使某一董事长期实际履行代表董事职务，也不能将其视为代表董事行为（大法院 1989.10.24 判决）；虽然通过有偿交易取得了公司的经营权，但只要未经选定代表董事之程序，就不能认为是代表董事（大法院 1994.12.2 判决）。

代表董事，一般选定一名，但不限制其人数。也可以将全体董事选为代表董事。近年来，有不少选定数名代表董事分掌业务或共同行使代表权的事例。

选定代表董事后，应登记其姓名、居民身份证号码及住所（商 317 条，2 款、9 号）。

一旦被选为代表董事，即使有选定决议的不存在等争议，但到判决时为止仍持有代表董事的地位（大法院 1985.12.10 判决）。

2．退任。代表董事因任期届满、解任或者辞任而退任。选定代表董事的董事会或者股东大会随时可以解任代表董事（通说）。在股东大会上解任代表董事时，如想一并解任董事资格，应依特别决议来为之（商 385 条，1 款），但是只剥夺代表权时，依普通决议即可。同时，代表董事也随时可以辞任。那么，代表董事的辞任的意思表示应向谁作出？从代表董事地位的特点上看，应迅速决定其后任，因此召集董事会，向董事会表示辞任意思，或者向全体董事通知辞任。虽然曾有过在有关非营利法人的事件中，只要向章程规定的代理权限者等表示辞任的意思就可以的判例（大法院 1991.5.10 判决），但对股份公司不能适用相同的逻辑。

如果代表董事没有不得已事由在对公司不利的时期辞任，应赔偿对公司产生的损害（商 382 条，2 款→民 689 条，2 款）。

代表董事以董事资格为前提，因此从董事职位中退任，则当然失去代表董事的地位。即使代表董事的任期未满亦同。

3．代表董事的缺员。由于代表董事的退任，代表董事不存在或章程规定的人数不足时，退任的代表董事在新的代表董事就任时为止，具有作为代表董事的权利和义务（商 389 条，3 款→386 条，

1款)。法院认为必要时，根据利害关系人的请求，可以选定临时代理代表董事职务者（商389条，3款→386条，2款）。有关的详细内容与对董事缺员的说明相同。

（三）代表董事的业务执行权

1．与董事会的关系。商法未明文规定代表董事具有公司的业务执行权，只是设有代表公司的规定（商389条，3款→209条）。但由于代表与对内的业务执行处于表里关系，对于代表董事具有业务执行权没有异议，但是与具有业务执行的决定权的董事会之间的关系的说明上存在不同的学说。

1）派生机关说：代表董事的权限来自董事会的权限，因此前者只不过是后者的派生机关。正因为如此，代表董事只限于执行由董事会决定的业务，董事会的法定决议事项以外的事项委任给代表董事，日常性业务执行的决定也应被推定为在选定代表董事时，当然已被委任。

2）独立机关说：代表董事具有独立于董事会之权限的机关。因此，在有代表权的范围内持有业务执行权，只要是法律、章程或者董事会决议未规定为董事会的决定事项，具有自己决定业务执行的权限。该说现为多数说。

不管采取哪一种说，代表董事具有执行股东大会和董事会上决议的事项的权限，并可以进行有关除此之外的日常事项的业务执行的意思决定，因此并没有实质性的差异。

非日常的重要业务，根据董事会的一般性业务执行决定权，须经董事会的决议，不得由代表董事独自决定或者执行（大法院1997．6．13判决）。"日常业务"是指为履行公司的目的事业而进行的管理业务，是可以基于惯例处理的业务。因此，处理高价固定资产的行为，向他人赠与巨额财产的行为等不能称做"日常业务"。虽然为营业行为，但以破无荒的交易条件对公司带来损失的行为为非日常业务。

2．明示的权限。代表董事执行股东大会或董事会决议的事项，具有执行日常的公司对内管理业务的权限。此外，商法将几个具体事项特别规定为代表董事的职务事项。首先，明文规定由代表理事在股票和债券上签章或者署名（商356条，478条，2款），对此没有异议。其次，虽然章程、会议记录、股东名册、公司债原簿的备置（商396条，1款），认股要约书和公司债要约书的制作（商420条，474条），现物出资时选任检查人之请求（商422条，1款），财务报表的制作、提出、备置、公示、公告（商447条→449条）等在法律条文中规定"由董事……进行"，但其意思是应由代表董事进行（没有异说）。

（四）代表权

1．内容。关于公司营业，代表董事具有进行裁判上、裁判外的一切行为的权限（商389条，3款→209条，1款）。于是，代表董事的代表权与公司的权利能力之范围是相一致的。

代表包括主动代表（作出意思表示）和被动代表（接受意思表示）。

商法有时使用"公司……应该作出"（例：股票发行，商335条，1款；对新股认购权人的通知，商419条，1款；股款的返还，商432条，1款等）或"应对公司……作出"（例：董事的损害赔偿责任，商399条，1款）的表现形式，有时不用这种表现形式，以公司当然成为主体为前提，规定应作出一定行为或接受意思表示及其履行。这些事项，很明显应依代表董事的代表行为来完成，因此依代表董事的行为或者履笔，对代表董事的行为或者履行来执行。

代表不同于代理，也及于事实行为或侵权行为。

2．代表行为的方法。像票据支票行为那样的书面要式行为，根据显名主义的要求，必须表示代表资格，并由代表董事签章或者署名。

此外的行为如何呢？代表董事为自己进行的交易属于公司的业务领域而使对方误认为公司的代表行为时，对相对方的保护成为问题。存在多数利害关系人的公司法律关系中，虽然不能划一排除显名主义，但是可以准用商法第48条，如果对方持与公司交易的意思，并且知道代表董事之事实而进行交易时，应认为对公司有效力。

3．代表权的限制。代表权，可以通过法律来限制，公司内部也可以限制。

1）法律上的限制：在董事和公司之间的诉讼中，代表董事不能代表公司，应由监事代表公司（商394条）。还有，法律规定将股东大会和董事会决议作为要件时（例如，营业转让、事后设立、公司债发行、新股发行等），代表董事应经股东大会或者董事会决议作出代表行为。

2）内部限制：虽然是法律规定由代表董事独自决定的行为，但可以依章程或董事会决议来加以限制。

作为限制方法，可以规定：作出一定的行为时，应得到董事会决议。例如，1亿韩元以上的债务负担行为应得到董事会决议等。还可以规定：在为公司的一切裁判上、裁判外的行为中，将其中的一部分作为代表行为。例如，将人事问题（例：雇佣职员）从代表权中排除，或者由数名代表董事分掌业务，只就各自的部门持有代表权等。

不得以内部限制对抗善意的第三人（商389条，3款→209条，2款）。即代表董事违反此限制而作出代表行为时，若对方不知道代表权的限制，公司就不得主张交易无效。这是为了交易安全而设置的规定。第三人过失的有无与此无关。但对方有恶意时，公司通过举证恶意将交易作为无效（大法院1993．6．25判决）。

4．未经董事会及股东大会决议之代表行为的效力。关于法律上将股东大会决议作为要件的行为，例如，营业转让、事后设立、低于票面价格发行股份等行为，代表董事未经股东大会决议而作出时，该行为无效。

除此之外，根据法律或章程的规定须经董事会决议或从其业务性质上属于非日常性的事项而须经董事会决议的行为，未经董事会决议而作出时，其代表行为的效力，与董事会决议中有瑕疵时的其后续行为之效力一样处理即可。即另外承认争执代表行为之效力的诉讼时，应按该行为本身的瑕疵来解决。例如，未经董事会决议召集股东大会时，应成为决议取消事由，未经董事会决议发行新股时，应成为新股发行无效之诉的原因。至于除此之外的代表行为，如属于内部问题，则为无效；如为对外交易，则从交易安全的角度出发，对方已知或者能够知晓须经董事会决议之事实或者未经董事会的事实时，应视为无效，但无过失而未知晓时，应视为有效。这时，对方的恶意或过失应由主张交易行为无效的人举证。在判断对方是否可以知晓需要董事会之事实时，交易的性质上"日常性"的有无成为重要的判断标准（大法院 1996．1．26，1998．3．24，1997．6．13 判决）。

5．代表权的滥用。代表董事的对外行为直接产生公司的责任，因此进行代表行为时，应倾注高度的注意，追求公司最佳利益，尤其不能追求私益。这种义务内容，即使法律上没有明文规定，也基于董事的善管义务和代表董事地位的法律性质，当然可以被认定。所以，代表董事为私益进行法律行为时，便可视为"代表权的滥用"，可以追究代表董事的对内责任（例：解任，请求损害赔偿），而且也可以否定代表行为的私法上的效力。

1）概念：代表权的滥用，是指外观上虽为代表董事权限内的适法行为，但主观上是为自己或者第三人的利益而进行的行为，给公司带来损失。

（1）外观上应为合法行为。因此，代表董事超出有关代表权的内部限制或未经法律规定的必要程序的行为是违法行为，均不属于代表权的滥用。

正因为如此，共同代表董事中的一人单独进行代表行为（商 389 条，2 款）或者代表董事未经董事会承认进行竞业（商 397 条）或者进行自己交易（商 398 条）等，即使为自己的利益而作出的行为，也不属于代表权的滥用，而是属于违法行为。

（2）应该是为自己或者第三人的利益而为的行为。例如，代表董事为清偿自己个人的债务，以公司名义发行票据，或者代表董事以公司名义保证自己的亲戚朋友发行的票据等。自己或者第三人的利益是代表董事进行滥用行为的动机因素，是代表权滥用的要件中的最重要的部分。这即主观性因素，交易时一般不表现在外，而且也要求表现出来。应依因其行为而给公司带来的经济性效果来判断。

（3）代表行为的结果应给公司带来损失，并给自己或者第三人带来利益。例如，代表董事向自己的亲戚朋友低价转让公司财产时，与市价的差价就等于公司受损的部分，也等于第三人得到的利益。依代表行为进行的交易中，即使支付了适当的代价，也可以成为滥用行为。例如，如处分公司不可缺少的工厂用地或机械，即使获取相当于市价的代价，该财产的遗失对公司来说是损害，对方即使支付代价，但取得该财产本身会成为利益。

2）对外性效力：代表权滥用行为，若对方知道是滥用行为则无效；若不知道则有效。这是通说与判例的一致见解。但关于如何构成其法理，有下列不同的学说。

（1）非真意表示说：将代表权的滥用行为视为一种非真意表示，主张适用民法第107条。即权限滥用行为基本上有效，但对方已知或者能够知道权利滥用时成为无效（民107条，1款），但不能对善意的第三人主张无效（民107条，2款）。

（2）权利滥用说：代表权滥用行为在客观上也是代表权范围之内的行为，因此即使对方是恶意的，其行为本身仍有效。但恶意的对方将据此而获得的权利对公司行使时，就会成为权利滥用或违反诚实信义原则，因此不能允许。

（3）相对无效说：代表权滥用行为是违反法律上的义务（善管注意义务）之行为，基本上为无效，但为了交易安全，对善意的对方不能主张无效。

（4）内部的权限限制说：将代表权滥用行为视为违反公司对代表权的内部限制（商 389 条，3 款→209 条，2 款）的行为，欲以相同的法理解决。即对方知道权限滥用时，公司可以主张无效，但善意时则不能主张无效。

（5）判例：关于代表权滥用的判例于 1987 年首次出现，该判例采取了权利滥用说（大法院 1987．10．13 判决），但此后的判例则采取了非真意表示说（大法院 1988．8．9 判决）。而最近的判例又混合非真意表示说和权利滥用说来说明，引起混乱（大法院 1990．3．13 判决）。碰巧，三个判例都是代表董事为清偿自己的债务，以公司名义发行票据，或者为担保第三人的债务，在票据上背书或保证的事例，具有通过票据行为实施滥用的共同点。

采取非真意表示说明，将有过失的善意的对方视同恶意的对方，这是该说的特色。除此之外，基本上在滥用行为对善意对方有效，对恶意的对方无效方面，各学说保持一致。问题是与代表权滥用的本质相关，哪一种学说能更充分地说明。

代表权的滥用行为虽然其动机上有缺陷，但很明显存在为代表行为的意思本身以及与其内容相应的效果意思，因此以意思和表示不一致为前提的民法第 107 条来说明滥用行为的效力，是与滥用行为的概念相矛盾的说明。而且，代表权的滥用，在其行为的客观内容或性质上完全没有越权的外观，只是行为的动机有问题，于是，与以行为的内容、性质能客观地测定出适法性与否的违反内部限制的行为一视同仁，并非是正确的说明。还有，将外观上无欠缺而进行的代表行为说明为本来就当然无效（相对无效说），也不符合滥用行为的本质。而权利滥用说却从滥用行为应为适法、有效的行为出发，欲借恶意的对方有法律上的非难可能性，切断恶意的对方享受交易上的利益，因此，笔者认为，权利滥用说是符合滥用行为本质的说明。

3）举证责任：以代表权滥用为由，主张代表行为之无效时，主张无效者（主要是公司）应举证代表权滥用之事实，对方为恶意之事实。

4）票据行为：代表董事为自己或者第三人的利益，以公司名义进行签发、背书、保证等票据行为时，与直接的对方之关系中，基本上照样适用上面说明的效力理论。但是，与此后的取得者之间的关系中，代表权的滥用不能对抗善意的持有人。

（五）代表董事的侵权行为

代表董事因业务执行给他人带来损害时，公司与代表董事连带承担赔偿责任（商389条，3款→210条）。这与非营利法人的董事以及其他代表人进行侵权行为时，认定法人的损害赔偿责任的民法第35条第1款，宗旨相同，是站在法人实在说的立场上，承认了公司的侵权行为能力，并且为保护被害者，承认了代表董事的连带责任。

非代表董事的董事的行为不可能引起公司的侵权行为，因此关于非代表董事的董事，没有这种制度，而且也不可能准用这一规定。

"因业务执行"，应解释为"因代表行为"。于是，代表行为在可能的范围内，与公司的业务执行有关，并该行为的外形客观上表现为属于代表董事的职务范围时，都有可能成立公司的侵权行为（大法院1990．11．13判决）。相反，不可能有代表行为时，就不能适用此规定。

（六）共同代表董事制度

1．意义。共同代表董事，是指只能以二人以上共同代表公司的代表董事。股份公司设有数名代表董事时，可以规定他们为共同代表董事（商389条，2款）。随着公司规模的扩大，为了扩大对外交易，有时设数名代表董事。为慎重作出内部意思决定，图谋对外业务执行的统一，可以运用共同代表董事制度。

不过，共同代表董事制度的真正的价值在于，可以事先预防违法或不适当的代表行为，并可以事后纠正。代表董事以公司名义作出的行为均由公司负责，因此从股东的立场上看，代表董事的确是一个危险负担非常大的制度。为防止代表董事的专横,可以内部限制其权限,但是不能以此对抗善意的第三人(商389条,3款、209条,2款),所以若代表董事不自觉遵守就没有实效性。鉴于此,如将代表董事选定为二人以上,并将他们规定为共同代表董事,那么他们之间就可以相互牵制,代表董事的单独的代表行为成为无效,从而可以切断因代表董事的专横而给公司带来的损失。因代表董事懈怠任务,给公司带来损失时,通过追究损害赔偿责任(商399条),可以得到事后的救济,但最近随着公司规模和交易的大型化,代表董事的任务懈怠引起的损失也非常巨大,靠追究代表董事个人的责任来填补公司损失是非现实的。于是,随着公司规模的增大,事先牵制代表权行使的必要性也越来越大。由此,在上市公司中采用共同代表董事制度的公司不断增多。尤其是,将控股股东和专业经理人员出身的代表董事合而作为共同代表董事,将日常业务委托给专门经理人员出身的代表董事,而对重要业务,控股股东行使共同代表权,从而牵制专业经理人员的例子在增多。

但是,共同代表董事制度,不管对方为善意,还是恶意,均对交易效果产生影响,因此运用该制度时,应考虑交易对方的保护。

2. 共同代表的本质。对共同代表的本质的理解上,存在如下不同的见解:(1)数名的共同代表董事根据单独代表的原则,各自组成代表机关,只是共同行使权限之说(行使方法共同说);(2)数名共同代表董事共同组成一个代表机关,他们之间共有一个代表权之说(代表权共有说)。

依据(1)说,各个共同代表董事的代表意思及代表行为的内容相一致并共同行使而成为有效的代表行为,而依据(2)说,数名共同代表董事的意思合致而构成一个代表行为。因此,在共同代表董事中的一人因退任等事由缺位时,如依据(1)说,其余代表董事的代表权不被消灭,只是不能共同行使而已,但如依据(2)说,全体共同代表董事的代表权就会消灭。选定数名代表董事时,以各自代表为原则是通说,从这一点上来看,(1)说是更具有逻辑性。

3．共同代表董事的选定。

1）数名代表董事与单独代表：只是选定数名代表董事时，原则上他们各自代表公司。于是，要成为共同代表董事，除了代表董事的选定以外，须有将他们作为"共同"代表董事的决议。

2）选定：选定共同代表董事，不要求有章程上的规定。还有，并非另选共同代表董事，而是对已选定的数名代表董事加以权限行使方法的约束，因此应履行先选定代表董事，然后再将其规定为共同代表的程序。选定代表董事的机关应行使选定共同代表董事的权限。由董事会选定代表董事时，以董事会决议共同决定（商389条，1款）；根据章程规定在股东大会中选任代表理事时，以股东大会决议共同决定（商389条，1款、但书）。

代表董事的选定和共同代表董事的规定，理论上是属于不同的问题，但可以以一个决议同时处理（例如，决议将A和B选定为代表董事，并将他们作为共同代表董事）。也可以一开始将数名代表董事各选定为代表董事，以后可以根据新的需要，决议将他们作为共同代表董事。相反，开始作为共同代表，而后转换为各自代表也是可以的。

3）共同代表的类型：规定共同代表董事的方法中最常见的是，让全体代表董事共同代表（真正共同代表）。但是，也有在3名以上的代表董事中让少于其人数的2名以上的代表董事共同代表的方法（例如，A、B、C 3名代表董事中2名以上共同代表）；在3名以上代表董事中一名作为单独代表，其余代表董事共同代表的方法也是可以的（例如，A为单独，B、C共同）（非真正代表）。

4）登记：决定共同代表董事时，应登记其内容（商317条，2款、10号）。未登记时，则不能对抗善意的第三人（商37条，1款），即使已登记，但第三人因正当理由不知晓时，同样也不得对抗（商37条，2款）。即一名代表董事单独代表公司进行了交易，公司也不得主张其无效。

4．共同代表董事的地位。

1）主动代表：（1）公司向第三人作出的意思表示，即主动代表，只有代表董事共同进行，才能代表公司（商 389 条，2 款）。一名代表董事独立代表公司时，会产生对内责任问题，但更重要的是交易的效果问题。仅凭一名代表董事的代表意思，不能形成组织法上的公司的代表行为，因此其交易为无效，不管对方是善意的，还是恶意的。（2）应"共同"进行，并不是指共同代表董事的代表行为必然同时表示。一名代表董事先作出意思表示，而后其他代表董事们补充意思也可以。这时，后面的意思表示作出时，该代表行为才算完成。（3）共同代表董事各自的意思应向交易对方表示。一名共同代表董事可向其他共同代表董事委任其意思表示，但这时受任人应将自己的意思和委任人的意思一并表示。（4）在票据签发等书面行为中，应由全体共同代表董事签章（或者署名）。若一名代表董事向其他代表董事委任其权限，则该代理关系应以书面表示。

2）被动代表：交易对方向公司所作的意思表示，只对共同代表董事中的一人作出也是有效的（商 389 条，3 款→208 条，2 款）。也就是说，每个共同代表董事都可以单独作被动代表。因为共同代表董事制度是以防止代表董事的权利滥用为目的的，而在意思表示的受领上不会存在权限滥用的可能性。

3）侵权行为：共同代表制度只适用于交易行为，不适用于侵权行为。即使是共同代表董事中的一人行为，如因公司的业务执行给他人带来损害时，公司应承担连带责任。共同代表董事制度是对欲控制代表权行使的公司的意思赋予了法律效力的制度，而公司的侵权行为责任则为对忽视公司的管制而进行的代表董事的行为认定公司责任的制度，因此不能将此两种制度相连结而运营。

4）对内的业务执行：共同代表董事原则上应共同进行对内的业务执行，但如果是纯粹的对内业务执行，即使违反原则而单独进行，也不会产生行为的效力问题。

5．共同代表权的委任。

1）全权委任的可否：一部分共同代表董事向其他共同代表董事全权委任代表权的行使，实质上使单独代表变为可能，因此鉴于共同代表的宗旨，不能允许全权委任。

2）个别委任的可否：按不同的代表行为，能否就特定交易进行个别委任？对此，有三种不同的学说。一种学说认为，共同代表董事之间只要有内部意思一致，就可以个别委任，全体共同代表董事无须向交易对方共同作出意思表示，类似票据的要式行为，只要有内部协议，一名共同代表董事也可以单独作出（积极说）。另一种学说认为，因共同代表董事制度的宗旨是对外确保代表董事之间业务执行的统一性，因此只靠共同代表董事之间内部意思的一致是不够的，对外应共同作出意思表示（消极说）。还有一种学说认为，不仅可以委任对外的意思表示，并且连交易内容也可以委任（空白委任说）。

如依据空白委任说，进行实际代表行为的董事的权能过分扩大，事实上与单独代表或者全权委任没有什么差异。如依据积极说，虽然内部可以相互牵制，从而达到共同代表制的目的，但代表行为的外观总是以单独代表来表现，会使交易的对外效果依存于交易对方难以知晓的"内部性"协议的有无上，因此交易很不安定。换言之，积极说实质上想把共同代表制按与代表权的内部限制（商389条，3款→290条，2款）相同的方式运营。尽管这样，还要赋予共同代表制的效果，是与规定代表权的限制不能对抗善意第三人的商法第389条，第3款（商209条，2款）不相协调的。如依据消极说，虽然可以贯彻共同代表董事制度的宗旨，但是共同代表董事就所有的代表行为，事实上应共同参与，因此不符合商事交易的迅速原则，并引起公司组织运营的非效率。因此，笔者认为，可以向一名共同代表董事委任个别行为，但是进行代表行为时，应将委任关系显示出来，这样可以对内外统一、明示共同代表制度的运营，同时可以提高交易的迅速性和组织运营的效率（表示委任行为说）。

6．单独代表行为的追认。共同代表董事中，虽然一人单独代表而为的行为是无效的，但可以将其追认。追认，应由剩余的共同代表董事进行。追认的意思表示可以向交易对方进行，也可以向作出代表行为的代表董事进行（大法院 1991．11．12 判决）。

7．共同代表董事制度与对第三人的保护。共同代表董事中一人单独进行代表行为时，不管对方是善意，还是恶意，均为无效，因此会给对方带来意想不到的损害。虽然共同代表董事是登记事项，但登记不是很理想的公示方法，不能成为充分保护第三人的手段。于是，有必要保护不知晓共同代表之事实，将共同代表董事中一人的单独代表行为信为是适法的代表行为而交易者。

共同代表董事中一人使用似乎单独有代表权的头衔来交易，对该头衔的使用公司负有责任时，满足表见代表董事的要件（商 395 条），可以对公司追究交易责任（详细的后述）。

还有，共同代表董事越权进行单独代表行为时，大体上满足侵权行为之要件（民 750 条），根据情况，有时还会满足商法第 401 条之要件。因此，即使共同代表董事中一人的代表行为不具备表见代表董事之要件，无法追究公司的交易责任，对方也可以追究代表董事个人的侵权行为责任，请求损害赔偿。但是，代表董事个人的赔偿能力有限，不能成为充分的救济方法。因此，将因共同代表董事一人的单独代表行为而引起的损害视为"因公司的业务执行而引起的损害"，解释为应与公司连带承担损害赔偿责任（侵权行为责任：商 389 条，3 款→210 条）。

（七）表见代表董事制度

1．宗旨。只有代表董事的对外行为才能成为公司行为，公司对此承担责任。因此，商法强制规定登记代表董事姓名，使交易对方可以选定适法的对象。但是，非代表董事者在公司的承认下，使用能够使他人误认为代表董事之名称进行代表行为时，追究相信它而进行交易之对方的没有核对登记簿的责任，给予不利益，在要求迅速的商事交易中是非现实的，也违背交易安全的。于是，商法第

395 条为保护第三人，规定："对于使用社长、副社长、专务、常务以及其他可以认定为有代表公司权限之名称的董事的行为，即使该董事没有代表公司之权限，公司也对善意的第三人承担责任。"以此来追究公司的交易责任。

2. 第 395 条之性质。

1）法理根据：关于表见代表董事的法理根据，有在英美法上的禁反言（estoppel by representation）之法理中寻找的见解；在德国法的外观理论（Rechtsschei ntheorie）中寻找的见解以及鉴于目前两种理论的接近倾向，在两种理论中都寻找的见解。两种理论都是以外部表现为基础，要赋予法律效果，并要求当事人对外观或表示（representation）承担责任，因此，不管将基础放在哪种理论，都没有大的差异。

2）与商业登记的关系：根据商法第 37 条，[1] 登记事项已被登记时（只要是无正当事由），就该事项，拟制第三人为恶意。于是，有人将第 395 条视为第 37 条的例外规定。但是，第 37 条和其他商业登记制度是企业关系向外部公示之后，欲通过牺牲对方和保障公示者的免责来调整当事人利害关系的制度，而表见代表董事制度是欲通过牺牲对作出非真正的外观有责任者和认定信赖该外观而产生的法律效果，图谋商事交易之迅速和安全的制度，因此他们的法益是不同的。从而，不能将第 395 条视为第 37 条的例外。

3. 第 395 条之适用要件。为使表见代表董事的行为成立，应具备下列要件。

1）表见性地位。（1）表见性名称的使用：由非代表董事的董事须使用"可以认定为有代表公司的权限之名称"（表见性名称）。关于表见名称，法律条文规定"社长、副社长、专务、常务以及

---

[1]　商法第 37 条〔登记的效力〕(1) 如不登记应登记的事项，就不能对抗善意的第三人；(2) 登记后，第三人因正当的事由不知晓登记的事实时，其结果与第 1 款一样——译者注。

……"，但这只是例示性的列举，各公司通常使用的会长、副会长等也属于此。例如，使用"财务担当常务"，运输公司的"事故处理担当董事"等，可以被认定为就公司业务中的一部分持有代表权的名称时，只要是与该部分业务有关的事项，就适用本条（汉城高法1972. 12. 30判决）。（2）董事资格的要否：如依照商法第395条的文义，行为者至少应具备真实的董事资格，才能适用该条规定。但是，考虑到该制度具有基于禁反言的原则或者外观理论，通过保护第三人的依赖保障交易安全的宗旨，并且董事资格的有无对表见性地位的形成没有任何现实性的差异，因此非董事者作出代表行为时也应类推适用商法第395条。判例将未经股东大会决议而被选任的董事和根本没有被选任为董事者的代表行为也视为表见代表董事的行为，类推适用商法第395条（大法院1992. 7. 28, 1985. 6. 11判决）。（3）名称使用的意义：在票据行为等要式行为中，表见者的表见性名称和其姓名应表示出来，但此外的非要式行为中只要给对方以自己为代表者的认识即可。还有，如平时给对方以表见性名称的认识，那么即使没有每次行为时都明示名称，也应视为使用了表见性名称。

2）公司的归责事由。

（1）允许使用名称：表见代表董事的行为要成立，公司应明示或者默示地允许表见性地位的形成，即表见性名称的使用。对于未经公司的允许，恣意使用有代表权的名称而进行的代表行为，公司不承担责任。

公司允许表见性名称的使用，不仅包括以人事任命、提拔等积极的意思表示赋予其地位，并且包括对使用表现性名称的承认。例如，无异议地履行表现代表董事所签订的契约，或者虽知道使用名称的事实（例如，携带印有职位的名片），却不制止而放任，或者合法的代表董事长期放置公司业务，董事一人作为实质性的代表董事进行对外交易等，应视为默示性的承认（大法院1988. 10. 11判决）。

即使未允许特别使用名称，如果控股股东兼代表董事向他人转让股份的同时委任经营，使该人行使了数个月之久的事实上的经营权，那么也应视为公司赋予了表见性地位（大法院1994．12．2判决）。

公司因过失放任表见性名称的使用时，判例否定本条的适用（大法院1975．5．27判决）。但应该指出，本条的宗旨是通过保护依赖外观者，保障交易安全，防止因复杂的有关公司代表的法律制度而产生被害者，从而在"因不知名称使用的事实而不能阻止的原因等于可与默认相比拟的过失时"，应认定公司的责任。

（2）允许使用名称的机关：为了视为公司允许，应在股东大会或董事会上作出决议，或者代表董事允许使用名义（大法院1992．9．22判决）。虽然对代表董事赋予表见性名称是否属于其权限范围之内存有疑问，但即使属于权限之外，鉴于侵权行为也可以代表（商389条，3款→210条），也应该由公司承担责任。

董事会决议所需的董事之人数或者至少董事定员的过半数明示或者默示地允许使用名称时，应视为公司允许。除此之外，例如，由少数董事承认名称使用时，控股股东允许名称使用时，都不能视为表见代表董事。

3）表见代表董事的代表行为：表见代表董事进行属于"代表董事"权限内的代表行为。（1）"代表"行为：适用商法第395条行为限于"代表"行为。因此，非代表行为的对内业务执行行为不应包括在内。虽然是代表行为，但像雇佣那样应尊重当事人意思的契约，从其性质上看，不能适用本条。这种情形下，表见代表董事签订雇佣契约应为侵权行为，被雇用人可以通过追究公司的使用人赔偿责任得到救济。（2）行为：本条不但适用于契约、单方行为、合同行为等法律行为，而且适用于准法律行为，还适用于意思表示的受领，即被动的代表行为。但关于侵权行为及诉讼行为不适用本条。侵权行为时，不可能有第三人信赖表见代表董事的代表而成为被害人的情况，因此没有必要特别考虑交易安全问题。与诉讼行为有关，有判例将专务董事所作的撤诉视为表见代表董事的行为（大法院 1970．6．30），但鉴于以保护信赖外观的第三人为宗旨的商法第 14 条（表见经理人），1 款、但书中将裁判上的行为作为例外，应解释为代表董事制度也不适于诉讼行为上。（3）权限内的行为：如要发生公司责任，表见代表董事的行为应是代表董事权限内的行为。于是，不适用于代表董事不能作出的行为（例如，董事的选任、检查人的选任等）上。而且，很明显要经股东大会决议、董事会决议等一定程序的行为（例如，公司合并契约、营业转让），只凭相当于表见代表董事的行为，对方不能得到保护。对于表现代表董事将公司的独一无二的财产（不动产）作为让与担保提供的事案，有一判例认为，即便是代表董事，如未经股东大会特别决议，也不能作出这种行为，从而排斥了本条的适用（大法院 1964．5．19 判决）。

公司即使内部限制代表董事的权限，也不得以此对抗善意的第三人（商 389 条，3 款→209 条，2 款），因此就被限制行为也能成立表见代表董事的行为。

4）第三人的信赖：正如商法第 395 条明文规定，公司只对善意的第三人承担责任。（1）第三人的范围；受本条之保护的第三人，不仅包括表见代表董事行为的直接的对方，还包括与此行为相关信赖表见性名称的所有的当事人。于是，相信表见代表董事所做的票据行为，取得该票据的第三人也受保护（大法院 1988．10．25 判决）。（2）举证责任：关于第三人善意与否的举证责任，应由公司承担，对此毫无异议。即应由公司举证第三人的恶意。（3）第三人无过失的要否：多数说基于商法第 395 条不以第三人的无过失为要件及下列之理由，即使有第三人的过失也认定本条之适用。①本条为了保护商事交易中的第三人而加强了民法第 125 条之民事责任；②代表董事的住所、姓名是登记事项，因此表见者是否为代表董事，只要查登记簿，就容易知道，尽管如此，即使第三人（交易对方）信赖表见名称而没有调查登记簿时，也让公司承担责任是本条之宗旨。因此，并不要求有第三人的无过失（通说）。但是，选择交易方时，经常伴随风险，连有重大过失之第三人也保护是不公平的风险分配。

4．适用范围。

1）共同代表和表见代表董事：公司可以规定数名代表董事共同代表公司（商389条，2款）。由于这是登记事项（商317条，2款、10号），如已登记，则可以对抗善意的第三人（商37条）。但是，共同代表董事中的一人得到公司许可，使用"社长"等似乎可以单独代表公司之权限的名称，单独代表公司作出行为时，通说，判例均认为，应视其为表见代表董事的行为，适用商法第395条。

不过，通说（肯定说）就适用范围又分为不同的见解。公司赋予"社长"或者"代表董事社长"等通常被认为伴有单独代表权的名称时，大体上都肯定适用商法第395条，但只是赋予"代表董事"的名称时，关于第395条之适用，分为肯定的见解和否定的见解。即存在由于代表公司以单独代表为原则，共同代表是例外现象，而"代表董事"之名称是最为典型的代表仅的表现形式，当然应适用商法第395条的见解（扩张说）和代表董事的名称是法律认定的，即便没有明示"共同"代表董事，也不能成为公司的归责事由，因此应否定适用商法第395条的见解（限定说）。判例采取扩张说（大法院1992．10．27判决）。

在设有共同代表董事的大部分公司中，将日常称谓叫做"共同代表董事"之例子是少见的，因此如扩张说，共同代表董事单独作出代表行为时，公司免责的情形几乎不会存在。于是，虽然一方面可以充分保护交易安全，但另一方面它违背在认可部分牺牲交易安全的情形下，预防因代表董事的权限滥用而带来的风险的共同代表制度的基本宗旨。笔者认为，限定说为协调好交易安全和公司利益的见解。

2）选任被无效、取消时的代表董事的行为：当选任代表董事的决议被作为无效时，自代表董事选定始起至无效判决时为止作出的代表董事的行为的效力如何？尤其是，股东大会的董事选任决议被取消、无效、不存在时，由该董事们组成的董事会所作的代表董事的选定也只能是无效，但关于该代表董事经常出现问题。

1995 年商法修改之前，即使股东大会的董事选任决议被无效或者取消，由于判决的效力没有溯及力，代表董事所进行的以往的行为不受影响，因此第三人的保护不成问题。但判例将由依有瑕疵的股东大会选任的董事组成的董事会上选定的代表董事视为表见代表董事，从而保护了第三人（大法院 1985．6．11 判决）。由于1995 年修正商法认可了股东大会决议取消等判决的溯及效力，如今将其视为表见代表董事的实际意义变大。

虽然选任，董事的股东大会决议中没有任何缺陷，但其后选定代表董事的董事会的决议中，有瑕疵时，也应适用同样的逻辑。

3）表见代表董事以真正的代表董事的名义作出的行为：已具备表见代表董事之要件者，其代表行为未以自己的名义进行，而是以真正代表董事的名义进行时，过去判例将此视为表见代理或者无权代理（大法院 1968．7．30 判决），但此后的判例认为，由于行为者本身是表见代表董事，即使使用其他代表董事的名义进行行为时也应适用商法第 395 条（大法院 1979．2．13，1998．3．29 判决）。但是，如果这样解释，等于是要保护第三人的两次误认（第一，误认有代理权；第二，误认有其他代表董事的代理权），这并非是本条之意图，况且判例所涉及的事案，都是可以以表见代理的法理充分救济第三人的情形，因此判例的观点是不妥当的。

（八）业务担当董事及常务会

1．董事会的经营疏远。最近，美国的部分学者在说明大企业的经营结构时认为，几乎所有的公司除了董事会以外，还设置为业务执行的小规模委员会（executive cmmittee），公司的经营以及重要的政策决定通过这种委员会形成或通过社长和承担他的非公式参谋（informal advisor）职能的少数的业务担当董事的协议来形成。还有，董事会每年召集 12 次左右，就法律要求的不可避免的事项进行形式上的决定。

　　美国的 executive committee 具有实定法上的根据，而在没有法律根据的韩国和日本，大公司除了董事会以外，还设有由业务担当董事组成的常务会，以常务会成员为中心决定公司的重要经营问题。于是，"董事会决定公司的业务执行"的法律命题只不过是形式而已。

　　就这样，除了法律上的董事会之外，出现小规模的经营组织是出于现代公司特征的自然要求。随着企业规模的膨胀，各公司的董事人数也不断增加，形成一种趋势。首先，随着企业规模的成长，事业自然带有专门性，这将需要作为各部门专家的董事，而且随着资本的大型化，出资者也多样化（尤其法人股东增加），为了能够代表他们的利益，并能够牵制代表董事，由各类出资者推荐的董事人数也在增加。后者的董事，从其选任动机来看，非常勤董事居多，兼其他公司的董事的情形也不少。

　　同时，现代法人企业，因其事业的技术性、专门性，只能由高水平的经营专家组成的 technostruture 来运营。但是，大型化的法律上的董事会不仅能力不足，并且没有灵活性，又难以维持企业秘密，公司经营自然而然地需要具有专门知识、能够敏捷地行动的少数的精英集团。这个集团就是业务担当董事和常务会。

　　2. 常勤董事和非常勤董事。依据董事们对公司业务的日常参与与否，可分为常勤（业务担当）董事和非常勤董事。虽然非常勤董事是董事会的组成人员，但是一般不参与公司的日常业务，并不取得报酬。相反，常勤董事在日常业务管理中被吸收到以代表董事为顶点的系统组织中，担当业务，关于该业务起中间意思决定的作用（参照〈图表：公司的业务机构〉）业务担当董事的业务分担，有很多是依据章程规定或董事会决议来形成，但也可以依据代表董事的授权形成。有时，根据特别法，分别选任常勤和非常勤的董事。政府投资机关（一部分为股份公司）只有社长为常勤董事，董事长等所有董事均为非常勤董事（政府投资机关管理基本法 11 条，2

款，同令11条，12条，1款）。

最近，上市公司的董事会趋于大型化的同时，大部分区别常勤董事和非常勤董事，而且小规模的封闭式公司中的相当部分也区别运营常勤董事和非常勤董事。

〈图表：公司的业务机构（例)〉

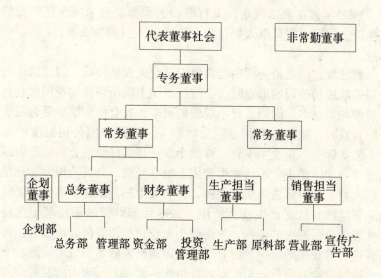

3. 常务会。大部分的公司设置并运营与董事会不同的任意组织，即以代表董事为中心的常务会。常务会的运营形式是多种多样的。首先，其名称多种多样，例如，常任董事会、运营委员会、执行委员会、干部会议、董事及监事恳谈会等；其次，有的根据章程或董事会决议正式组织化，有的则以为代表董事提供咨询的非正式组织的形式活动，最为常见的是根据章程规定设置并以董事会决议赋予业务的形式。

设有常务会的大部分公司平均每月一次召集董事会，只是决议商法规定要求董事会决议的事项，很少决议通常的经营政策或重要的经营政策。重要的经营政策，由常务会决定，甚至属于董事会的决议事项，也经常务会上的大体上的协议后才提交给董事会作出决议。

五、一人董事公司的管理结构

（一）意义

1998 年修正商法规定：发行股份的票面总额未满 5 亿韩元的小规模公司可以将董事人数作为一人或二人（商 383 条，1 款、但书）。

商法规定的股份公司的经营组织适合大规模公司，因此微小的公司采取股份公司的形态时，在维持组织上面所消耗的费用比起营业规模相对过多。因而，以小规模的资本或人合构成欲享受有限责任的利益时，应使其利用有限公司形态，这是韩国公司制度的政策。但实际上，企业主不管怎样微小，还是喜好股份公司形态的倾向非常强烈。结果，不仅发生费用上的非经济，并且公司为了充足董事人数、董事运营等法定要件，设名义上的董事和董事会等变向地运营组织，从而产生社会费用。1998 年修订商法正是基于这种喜好股份公司制度的倾向，为使微小企业也利用股份公司形态，并运营适合其规模的组织，设置了对法定董事人数的特例。但是，一人董事制度会对股份公司的对内外组织运营带来相当大的混乱，并不是理想的立法。韩国的非上市公司中，股本等于最低资本或最多也不过是一二亿韩元的公司占压倒多数，因此适用并实际利用该特例的公司会相当多。

依照该特例，将董事人数作为两人时，照旧维持复数的董事数，所以除了通常的法定人员减少为一人任以外，没有组织原理的其他变化。但设一人董事时，由于无法组成董事会，股份公司的组织原理产生相当大的变化。

（二）一人董事制度的采用程序

只要满足上述的资本金的要件，将董事作为一人不需要另外的程序。也不需要章程上的规定。只是股东大会上选任一人董事时，适用如下组织法的变化。但股东大会上重新选任两人以上董事时，还原于本来的组织规范的适用对象。

（三）代表权的归属

董事为一人时，由于没有另代表公司者，董事当然成为代表机关（商383条，6款）。

（四）董事会功能的替代

采用一人董事制后最重要的变化是没有董事会。因此，商法上的董事会功能应以其他机关来代替。修订商法作为代替董事会的意思决定方法，有的让董事单独作出决定，有的让股东大会作出决定，大体上将有可能出现董事的权限滥用的作为股东大会的权限。

1. 一人董事的单独决定事项：由于没有董事会，董事会持有的业务执行决定权由董事持有（商383条，6款→393条，1款）。还有，关于股东大会召集决定的权限（商383条，6款→362条、366条，412条，之3），股东提案的受理（商383条，6款→363条，之2）也是董事单独持有的权限。

2. 由股东大会代替的事项：对股份转让设限制时，承认机关代替董事会成为股东大会（商383条，4款→335条，1款、但书）。还有，竞业禁止、董事的自己交易的承认机关也代替为股东大会（商383条，4款→379条，1款、398条）。新股的发行决定，公司债的发行决定也是股东大会权限（商383条，4款→416条，1款、469条，513条，2款、516条，之2、2款），公积金的资本转入、中间分配也由股东大会决定（商383条，4款→416条，1款、426条，之3、1款）。

3. 不适用的制度：由于一人董事的公司没有董事会，合并中可以以董事会公告代替报告大会或者创立大会的制度，不适用于一人董事的公司（商383条，5款→526条，3款、527条，4款）。吸收合并时，可以以董事会决议代替股东大会的简易合并或小规模合并制度也不适用于一人董事的公司（商385条，5款→527条，之

2、527条，之3、527条，之5、2款）。

六、董事的义务

（一）善管义务

1. 根据。由于公司与董事的关系上准用有关委任的民法第681条，因此董事对公司负有以善良管理者的注意处理事务的义务（商382条，2款→民681条）。这是以高度的人和信赖（persönliches vertrauen）关系为基础的很高的注意义务，因为董事不同于使用人，是公司经营的主体，其地位非常重要。于是，董事不仅承担在自己职务的履行中遵守法令的义务（消极义务），而且还要承担追求公司的最佳利益的义务（积极义务）。

2. 范围。善管义务不仅及于法律上规定为董事义务的职务履行上，而且也及于表决权行使、诉讼提起权以及法律明文规定的权限行使上。因为董事的权限除了报酬请求权等债权性权利以外，都为了公司组织的运营而产生，同时带有义务的性质，具有双重性。因此，为了公司利益，必要时，不仅要承担权限行使的义务，而且要承担往对公司有利的方向行使的义务。关于代表董事或业务担当董事的日常业务执行，当然要求承担注意义务。而且，由于董事会的监视权（商393条，2款）包含各董事对其他董事的监视义务，董事承担监视其他董事的业务执行的注意义务（后述）。

善管义务不分常勤和非常勤，也与有无报酬无关，是所有董事应承担的义务，违反它时，应对公司承担损害赔偿责任（商399条）。

（二）出席董事会的义务

董事是否具有出席董事会之义务？在董事会上行使表决权是董事的最重要的职务，因此董事具有出席董事会，并行使表决权之义务。因为只有董事作为董事会的成员忠实地行使职权，才能通过形成健全的集团意思，进行正常的业务执行，并可使董事相互间的监视和牵制得以实现。

但是，不能一概将董事未出席董事会视为任务懈怠，只有在无正当理由未出席时，才能视为任务懈怠（例如，疾病、出差、紧急情况等成为不出席的正当事由）。如长期无正当理由不出席，便成为解任事由（商385条）。即使不是长期不出席，如因无正当事由不出席，使董事会难以成立，从而重要意思决定错过时机或未能阻止违法、不正当决议时，以任务懈怠来论处，应承担损害赔偿责任。尤其是，放任违法、不当决议时，应理解为懈怠于监视义务。

（三）监视义务

1. 意义。作为基于董事的善管义务的各种具体义务之一，董事们具有相互监视其他董事的业务执行的权利与义务。董事的"监视义务"并非制定法上的概念。制定法上作为类似的概念，只规定有董事会的监督权（商393条，2款）、"监事的监查权"（商412条，1款）。但是学说、判例将监视义务理解为董事的法律义务。

不能将董事的监视权或者监视义务与董事会的监督权或者监事的监查权相混淆。董事会的监督权是业务执行的最终决定机关—董事会的自身纠正之方法，连对各董事业务执行的指挥也包括在内的权限，而监事的监查权是从第三人的地位上对包括董事、董事会的全部的执行机构进行业务调查的权限。监督权、监查权是直接对其对象—董事或者董事会行使，他们承担接受、服从监督权、监查权的行使的法律上的义务。

但是，董事的监视权并没有这种意思。董事的监视权是董事相互之间发现对方有违法、不当的行为，并向监督、监查机关号召纠正该行为的一种手段。例如，为了解决该问题召集董事会（或要求召集）或向监事举报发动监查权或向股东大会报告等。因此，董事监事权的发动并不是向监视对象董事命令某种作为或不作为，或者施以制裁，因此他们相互间不产生直接的权利、义务关系。

2. 代表董事和业务担当董事的监视义务。代表董事承担监视并监督全体董事之业务执行的义务，共同代表董事各自承担相互监视其他代表董事的义务。

无代表权的业务担当董事的监视义务应与一般董事的监视义务

相区别，大体上与代表董事的监视义务相同。因为根据公司的职制分工担当业务的董事们，作为董事会的一员持有一般性的监视义务，但监视其他董事的机会比其一般董事更多一些，即使有业务分工，也不能轻视对担当其他部门业务之董事的监视义务。

3. 一般董事的能动性监视义务。从公司运营的实态来看，公司经营以代表董事及常勤的业务担当董事为中心进行，非常勤的一般董事只是出席董事会，就法律上规定的决议事项行使表决权，而不参与日常的业务执行。因此，会出现让一般董事承担与代表董事或业务担当董事相同的监视义务是否有实际妥当性的问题？

一般董事就交董事会表决的事项承担监视义务（被动性监视义务），对此没有异议。但对非董事会表决事项，即对整个公司业务是否承担一般性监视义务（能动性监视义务），如承担，应承担何种程度的义务，存在不同的学说。

1）监视义务的有无：一般董事只是通过董事会来参与公司的业务执行。商法第399条第2款又规定：董事的任务懈怠依据董事会的决议时，也应该让赞成该决议的董事承担责任。如将此规定反对解释，则可以得出关于未经董事会决议的任务懈怠一般董事不承担责任的结论。基于这一逻辑，否定一般董事之能动的监视义务的见解风行一时。

但是，如根据否定说，除了提请董事会表决的事项之外，即使一般董事明知代表董事有违反职务的事实，却未采取防止损害措施，也不承担责任。结果会产生关于责任问题优待未出席董事会之董事的矛盾。

另一方面，若否定一般董事的监视义务，董事会的监督权也变为没有用，等于取消商法关于业务区分意思决定机关和执行机关，由前者（董事会）来监督后者（代表董事）的宗旨。因此，最近的通说和判例以一般董事也是董事会的成员为根据，或者以董事的一般性善管义务为根据，肯定一般董事的一般性、能动性的监视义务（大法院1985、6、25判决）。

2) 监视义务的程度：在肯定说当中，对一般董事应进行何种程度的监视活动，也有不同的见解。即一般董事只有在知晓代表董事或业务担当董事的职务违反行为时，才承担监视义务呢？还是要进一步承担积极并正确地把握公司业务执行状况的义务呢？

（1）消极说：一般董事在明知代表董事和业务担当董事的职务违反行为时，不管是否提请董事会表决，应采取防止公司损害的适当的措施，但一般董事与业务相当董事不同，不负担就整个公司经营倾注积极的、不断的注意的任务。根据此见解，一般董事对于自己不知晓的代表董事或业务担当董事的职务违反行为，不承担责任，也不受"为什么不知道"的追究。

（2）积极说：一般董事不仅在知晓其他董事的违反职务行为时，而且在进一步把握公司的业务执行状况，发现公司的业务执行有违法或者不当进行之危险时，承担采取纠正措施的义务。

如根据此说，对于一般董事未能知晓的职务违反行为，"不知晓"这一事实本身被认定为一般董事的过失，也应承担损害赔偿责任。于是，一般董事要承担的监视义务与代表董事或业务担当董事要承担的监视义务几乎没有差异。

（3）折中说（判例）：判例认为，一般董事在存在可以怀疑为业务担当董事有不正当行为的事由时，并可以知晓该事由却放任时，违反了监视义务。这可以视为上述两种说的折中说。

像消极说那样，一般董事只对明知事项负有监视义务，便很难取得监视功能的实效性。况且，证明"知晓"的确不易。于是，应该说，像积极说那样，一般董事把握整个公司业务的义务。

但是，一般董事和业务担当董事对业务的接触有距离上的差异，不能要求在同一水平上把握业务。即不能要求一般董事连业务担当董事的掌管下进行的所有业务的微小方面都要把握，并发现违法，不当的危险。因为一般董事的"监视义务"归根到底还是监视义务，并不包括指挥、监督使用人的业务执行本身。因此，一般董事把握整个经营的概况即可，而且应该把握这一程度。关于除此之外的具体事项，判例所指出的"已知或者能够知晓"会成为恰当的标准。即对于超出整个经营概况的事项，一般董事只限于"已知或者能够知道的情形"下，才承担监视义务。

（四）企业秘密的遵守义务

1. 意义。企业秘密（trade secret），是指关于企业组织或者事业的未公开的信息，由该企业可以排他性地管理，并由该企业或者第三人可以持有经济价值加以利用。企业秘密不仅包括像专利权那样法律所保护的秘密，并且也包括有关生产、销售等事业活动、事业计划及企业内部组织的信息。有时，经营者的人身秘密与企业竞争力有关时也会成为企业秘密。在当今这种信息时代，可以认为企业秘密是构成企业竞争力的最重要的经济资源。于是，应将企业秘密视为公司排他性地享受的权利（exclusive right）之一。

董事们作为公司的最高经营者总是能够接近企业秘密，有时可以创出企业秘密。董事侵害企业秘密时，当然要适用反不正当竞争法的罚则及损害赔偿责任，而从公司法的角度上可以谈论与企业秘密有关的董事的义务。德国股份法将遵守企业秘密的义务（ver-schwiegenheitspflicht）（AktG §93 Abs．1 satz2，116）作为董事和监事的一种义务。韩国商法虽未明文规定，但是管理企业秘密的义务可以作为董事管理公司的一般财产时应遵守的善管义务的一种来予以认定。

与企业秘密相关，基于董事有可能给公司带来之损失的类型，可将董事的义务分为遵守企业秘密的义务（守密义务）和不为私益利用企业秘密之义务（禁止秘密利用的义务）加以说明。

2. 守密义务。董事不但不应该公开自己得知的公司的企业秘密，而且应注意不让其他人公开。在公司内部被宣告为秘密的很明显是企业秘密，但此外的企业秘密并不是持外观性标识而存在的，因此至于什么是不应公开的企业秘密，董事应基于经营者的诚实性，合理地作出判断。

1）企业秘密的范围：已经公开的事项当然不能成为企业秘密，

属于法律规定为公示义务的事项，例如，股东大会和董事会的会议记录，股东名册，财务报表等也不是企业秘密（商 396 条，1 款，448 条，1 款）。但会计账簿在极其有限的场合下，才可以让少数股东阅览（商 466 条，1 款），因此属于企业秘密。即便是应公示的信息，在履行公示义务之前也属于企业秘密。例如，财务报表的内容在依商法第 448 条第 1 款公示之前是属于企业秘密；在证券交易法第 186 条中列举的上市法人为保护投资者应公示的事项（例：合并、增资等），在公示之前属于企业秘密，董事应承担守密义务。

2）守密对象：通常，董事相互之间或者董事和监事之间不承担守密义务。但是，有时因企业秘密的性质，在一定期间内不能向其他董事或监事公开。例如，与国家机密有关的企业秘密（例：特殊兵器的开发），具有高度竞争性的企业秘密（例：决定公司命运的大型工程的承包交涉）等，即便在经营者内部，也应在有限人员之间保守密秘。

股东就其个人来讲，与公司外的第三人没有什么不同，也是董事应守密的对象。即使对方为控股股东也相同。由于在股东大会上股东持有对董事的质问权，可以质问公司业务和财产状况，董事承担就此说明的义务。不过，关于如这时公开，会害及公司利益或公共利益的事项，董事承担守密义务，应拒绝说明。

3）适用范围：守密义务只对公司已存在的合法的权利及事实关系发生，对犯罪行为成其他违法行为（例：逃税）的守密本身即为违法。不存在守密可能性时，例如，董事在刑事案件中应防御自己的利益时，或在诉讼中应证言企业秘密时，便不承担守密义务。

3. 禁止利用秘密。有些企业秘密，董事追求私益时有利用的价值。商法上之所以限制董事竞业（商 397 条）或自己交易（商 398 条），正是因为意识到存在董事利用企业秘密的可能性。除了竞业或自己交易以外，不管用何种方法，董事均不得为私益而利用企业秘密。即使不给公司带来金钱上的损害，也有可能损害公司的对外信赖或给股东、债权人等带来损失，因此同样被禁止。

董事利用企业秘密追求私益的最为典型的例子是证券交易法上的内幕交易。董事利用未公开的企业信息，买卖有价证券或让他人利用于证券的买卖时，适用罚则（证交 188 条，之 2、208 条，6 号）。因 6 个月内的短期买卖获得差价时，应将其返还给公司（证交 188 条，2 款）。与这种特别法上的制裁无关，内幕交易成为商法上的注意义务的违反（商 399 条，1 款）行为。

（五）义务和责任的独立性

董事履行职务，大部分是根据股东大会或董事会决议来进行。尤其是在代表董事或业务担当董事所执行的业务中，有很多是根据法令、章程的规定，执行股东大会或董事会决议的事项。虽然董事当然具有遵守股东大会或董事会决议的义务，但该决议内容违反法令、章程或特别不公正、不正当而害及公司债权人及股东的利益时，是否应该遵守该决议？还有，如果遵守该决议而履行职务时，董事能否免除责任？这主要是在代表董事或业务担当董事根据股东大会或董事会决议，执行违法、不当的业务时，与追究责任相关而成为问题。

董事各自同公司建立委任关系（商 382 条，2 款），具有法律所赋予的独立的权利和义务。这种权利和义务应为公司的利益而行使并履行。因此，董事只是在为公司利益的范围之内受股东大会和董事会之决议的约束。当然，关于哪些可以给公司带来利益，董事与股东大会及董事会的判断会相异。股东大会或董事会之决议在合法、公正时被拟制为比组织法上的董事的判断更为妥当，因此董事在这种时候应依照该决议行事。但是，股东大会或董事会决议客观上违法、不公正时这种拟制被破坏，不可能约束董事，董事应根据自己的判断追求公司利益。

这种董事的行动标准，不仅给董事提供更宽的选择余地，并且也构成董事的行动义务。因此，董事的行为违法、不公正时，即使是依照股东大会和董事会的决议进行也不能合理化，不能免除损害赔偿责任（商 399 条，401 条）以及对内、对外的责任。

（六）忠实义务

如已既述，韩国法对董事赋予作为公司的受任人的善良管理者的注意义务。1998 年修正商法又在"董事的忠实义务的标题"下，新设了"董事应依照法令和章程的规定，为公司忠实履行其职务"的规定（商 382 条，之 3）。这是将英美的普通法中认定的董事之信任义务（fiduciary duties"作为成文法来表现的，模仿了日本商法的第 254 条，之 3。

近年来，随着公司规模的成长，公司经营者的职能对股东和债权人及整个社会经济产生的影响也越来越大，因此强烈要求董事诚实地履行职务。但是，单凭韩国商法既有的注意义务制度很难保障董事适当履行义务，有必要对董事赋予像英美法上的信任义务那样的范围更宽的义务。这即上述新设规定的宗旨。

英美法上的信任义务为范围相当宽的规范，其中相当一部分与韩国法上的董事的注意义务相一致，但也包含韩国法上的注意义务所不能包容的内容。脱离注意义务之范围的内容为在韩国的法律体系下是无明文的成文规定则无法认定的规范，只靠上述的"董事应……忠实履行职务"的表现，不能视为引进了英美法上的信任义务。因此，日本的通说及判例也认为，该规定只不过是进一步说明了注意义务，并非对董事赋予了新的义务。韩国商法上也很难赋予更进一步的意思。只是在运营注意义务的规范时，可以将该规定为援用英美法上的信任义务原理的解释根据。

七、董事的责任

（一）经营结构与董事责任的意义

广义上的董事"责任"也包括资本充实责任（商 428 条）。但在这里只讲董事与履行职务相关而给公司和第三人的利益带来损害时的损害赔偿责任（商 399 条，401 条）。

作为有限责任制度下能够公正地保护股东和公司债权人的合理性经营结构的原理，商法将所有和经营的分离作为原则，向董事们赋予一般性的经营权。这种经营结构的运营应被具体的制度性措施来担保。董事未适当地履行任务时不再选任或解任，也可以认为间接担保董事适当地履行任务。

但是，仅靠这种制度不能有效地诱导董事适当地履行任务，而且也不能成为填补已发生之公司的损害的手段。为使董事适当地履行职责，并维持公司财产的有效手段，应该是向管理并经营公司财产的董事赋予与其相应的财产性责任。因此，商法在董事懈怠任务时，让董事赔偿公司所受的损害，有时也让董事赔偿第三人所受的损害。这一责任在填补因董事们的不适当的经营而产生的利害关系人的损失的同时，进一步唤起董事们注意，起着在所有和经营的分离下保护利害关系人对董事的信赖的作用。

（二）对公司的损害赔偿责任

1. 意义。董事作出违反法令或章程的行为，或者懈怠其任务时，对公司负连带赔偿损害的责任（商 399 条，1 款）。

董事给公司带来损害时，首先根据民法上的一般原则，承担因委任契约的不履行引起的损害赔偿责任或因侵权行为引起的损害赔偿责任。而商法却另行规定董事的责任，这可以视为鉴于董事地位的重要性，认定了与民法上的债务不履行责任或侵权行为责任不同的特殊的责任。相反，通说、判例则认为，商法第 399 条规定的董事的责任是因委任契约的不履行而引起的责任。但应注意的是，赞成董事的有责行为的董事们应承担连带责任（商 399 条，2 款）；董事会的会议记录中未记载异议之董事被推定为赞成，应承担连带责任（商 399 条，3 款）等，无法以委任契约来说明。主张通说的部分学者又认为，董事的违反法令的责任是无过失责任，但在委任契约中不可能产生无过失责任。

与委任契约的不履行责任相比，商法上的董事的责任是更为严格的规定。因此只要发生商法上的责任，无须另行追究委任契约的不履行责任。但是，侵权行为责任是不以董事的地位为前提的状态下也有可能发生，而且作为填补损失的方法，不仅可以认可金钱赔偿，也可以恢复原状（民 764 条）。从这一点上，有必要认定侵权行为责任与商法上责任的竞合。

2. 责任的原因。商法第 399 条第 1 款将责任的发生原因分为"违反法令、章程"和"任务懈怠"。

1) 违反法令或者章程：是指董事进行了违反法令或者章程规定的个别的具体的行为。虽然从广义上讲，违反法令、章程的行为也属于任务懈怠，但是因其违反注意义务的程度很显著，另行区别对待的。违反有关注意义务的一般规定（民 681 条）是属于下述的任务懈怠。

(1) 类型：根据董事以何种资格作出行为，分为三种类型。

第一，董事单独进行违反法令或者章程的行为时。例如，未经董事会承认进行竞业（商 397 条，1 款）或进行自己交易时等（商 398 条）。

第二，董事们在董事会上作出违反法令或者章程的决议时。例如，作出违法的新股发行决议时（例：超过预定股份总数的新股发行）或者超过法定限度的公司债发行决议时（商 470 条）等。

第三，代表董事违反法令或章程实施业务执行或代表行为时。例如，执行取得自有股份（商 341 条）或允许股东出资义务的抵消（商 334 条）等违法内容的业务时；违反章程上的限制进行业务执行时；未经必要的股东大会决议或董事会决议进行业务执行或共同代表董事单独代表公司等（商 389 条，2 款）等不经法律或者章程上的程序而进行业务执行时；滥用代表权时等。

不管董事以上述的哪一种资格作出行为，只要违反法令或者章程，均会发生损害赔偿责任。

(2) 过失的要否：多数说认为，董事违反法令或者章程而承担的损害赔偿责任属于无过失责任。其理由或许为违反个别的，具体的法令、章程规定本身就是一个过失。但是，也会有因法院的法令解释有变化，根据过去的解释作出的董事的行为，其结果违反法令等无过失而违反法令、章程的行为。而且，税法等行政法令的实施中，有不少行政机关出于政策上的理由，以与此相反的内容行政的例子，即使董事据此处理了公司业务也不能追究其责任。

商法明文规定发起人的认购、缴纳担保责任（商 321 条），董事的认购担保责任（商 428 条）等几种无过失责任。这些无过失责任，是因为企业维持及为此充实资本的资合公司的本质要求而产生的。但是，很难认定董事的损害赔偿责任中有这种法律政策性目的和责任发生原因上的特殊性。只要没有明文规定，就没有理由认定董事脱离损害赔偿的一般性原则即过失责任原则的不可避免性，因此这同样是过失责任（汉城高法 1980、8、18 判决）。

但是，违反"法令或章程"的行为，大部分都起因于故意、过失，作出违反法令、章程的行为的董事应承担无过失的举证责任。

2）任务懈怠：是指董事与履行职务相关，懈怠作为善良管理者的注意义务，从而给公司带来损害或未能防止损害的情形。于是，这很明显是过失责任（大法院 1996．12．23 判决）。

（1）原因：任务懈怠是广义上的注意义务之懈怠，即使不悖法令或章程上的个别规定，也会经常存在的。例如，董事未经董事会承认进行自己交易（商 398 条）时，当然成为违反"法令"之行为；如果得到承认进行交易，但由于交易不公正给公司带来损害时，这并非是违反法令或章程，而是属于任务懈怠。

任务懈怠是在公司业务的执行过程中产生的，因此在代表董事和业务担当董事的行为中尤其频繁出现。但是，董事的注意义务，不仅包括作为的业务执行义务，而且也包含不实施损害公司行为的不作为义务或者防止损害的义务，因此任务懈怠的范围是很广的。例如，一般董事对业务担当董事的违法行为不尽监视义务是属于任务懈怠的行为。

（2）注意的程度：董事应倾注的注意是作为营利团体的经营管理者的注意，因此比通常人的注意其程度要高一些。而且，董事的注意义务的程度应根据公司的经营范围、规模等各项条件来分别加以理解。因为董事所实施的注意直接或间接地诱发公司费用，该费用应与因董事的注意公司获得的补偿维持适当的比例。例如，出口

1万美元玩具的公司的董事和出口 1 000 万美元电子产品的公司的董事误认各自进口国的关税制度时，不能对他们进行同一程度的谴责。

(3) 注意的范围：股份公司是以营利为目的的团体，董事是为实现其营利而被任用者，因此他的注意不只限于业务的适法性，也涉及到合理性、效率性。因此，董事的注意义务也谴责董事的业务不熟悉及能力不足。例如，管理闲置资金时，如避开利率高的信托储蓄而选择了几乎没有利息的普通储蓄，那么即便不违法，也有可能成为任务懈怠。

(4) 经营判断：业务执行的适法性在作出行为时就可以判断出，但效率性在很多情况下，须经过相当长的时间之后才可以判断。例如，假设某炼油公司的代表董事在发生海湾战争后，担心油价上涨，不顾当时的时价为每桶 20 美元，付 25 美元确保了大量的原油买入权。但是，如因海湾战争意想不到过早地结束，油价在时价基础上稳定下来，那么，前面的原油购买很明显是非效率性的。但这种效率性是事后性的，是依由董事不可左右的变数来决定的，因此如果将它视为任务懈怠，那么产生向董事赋予无法管理的责任之问题。于是，为设定董事责任的界限，要求有所谓经营判断的法则。英美法上，关于属于经营判断的事项，在行为时只要董事的违法、不诚实、私益追求等未显示，则根据经营判断的法则不认为是违反注意义务。经营判断的法则（business judgement rule），是指董事或者高级职员（officer）诚实地并根据自己的独立、合理的判断，以对公司带来最佳的利益的方法履行了任务时，法院不能指责其判断错误的理论。总之，不指责正直的失误（bonest mistakes）的原理。解释商法上的任务懈怠时，也应适用同一原则。像上述的油价之例，或者未能预测到即将到来的经济不景气而进行了新的设施投资，或者错误估计消费者的流行开发了新商品等，只要事先的判断过程本身没有过失，就不能从事后判断的角度（hindsight）出发，视其为任务懈怠。但是，该判断本身应基于符合营利公司管理者的合理的逻辑，在慎重、熟知的状态下进行。相反，如在轻率、无知的状态下进行，则应该是不属于经营判断法则的适用之内。

(5) 举证责任：任务懈怠的事实，应由主张董事的责任者举证。

3. 责任的独立性。即使依照股东大会或董事会决议进行，也不能将董事的任务懈怠正当化或免除责任。这一点已讲过。

4. 共同行为者的责任形态。违反法令，章程的行为或任务懈怠由数名董事作出时，应承担连带责任（商 399 条，1 款），监事也应负责时，与董事连带承担责任（商 414 条，3 款）。此连带责任是非真正连带责任，因为从其性质上看，董事之间不可能有分担责任。

5. 责任的扩张。

1) 赞成董事的责任：如果违反法令、章程的行为或者任务懈怠是依据董事会决议进行的，那么赞成该决议的董事们也承担连带责任（商 399 条，2 款）。因为董事的表决权行使本身也是注意义务所涉及的职务履行。例如，以董事会决议进行违法的新股发行时，赞成该决议的董事均负连带责任。

赞成决议之董事所承担的责任，只限于决议事项本身违反法令、章程或可以视为任务懈怠时。决议事项本身没有那种缺陷，但董事在执行过程中违反法令、章程或懈怠任务时，不得追究参加决议之董事的责任。

如果参加决议之董事没有在会议记录上记载为有异议者，就被推定为赞成其决议（商 399 条，3 款）。这是为了将赞成事实的举证责任转嫁在给董事。董事通过证明没有参加决议的事实或反对的事实可以免除责任。

2) 寡占股东的责任：证券公司的董事、监事因任务懈怠而对第三人承担责任时，一定的大股东也承担连带责任（证交 58 条，1 款）。但是，可以证明董事或者监事的任务懈怠不是依大股东的要求或同意而进行的，大股东便不承担责任（证交 58 条，1 款、但书）。

6．责任的范围。由于公司是继续性的企业，虽然因董事的任务懈怠可以连续发生多个阶段的损害，但不能无限地延长法律责任。因此，根据损害赔偿的一般原则，只对于与违反法令、章程或者任务懈怠有相当因果关系的损害承担责任（民393条）（通论）。

7．责任的免除。董事的损害赔偿责任，如未经包含无表决权股份的全体股东的同意，则不能免除（商400条）。全体股东的同意并非指股东大会决议，因此也可以从股东那里个别得到同意。作为多数决的例外，要求全体股东同意是因为董事的损害赔偿请求权是全体股东持有自己份额的公司的已发生的财产权，因此从其性质上看，不能成为依多数决所能抛弃的利益。但是，即使已得到全体股东的同意，立法论上也有问题。以一人股份公司或家族公司为主的非公开公司，在这种情形下容易得到全体股东的同意，这等于是让事实上左右公司运营的控股股东免除自己的责任，结果使大量的公司财产流失，甚至要害及公司的债权人。

如上所述，董事的任务懈怠同时具备侵权行为要件时，两种责任相竞合。因此，即使以全体股东的同意免除责任，这是等于免除商法第399条之责任，若要免除侵权行为之责任，要经一般债务免除（民506条）之程序（大法院1989、1、31判决）。

作为例外情形，在定期股东大会上承认了财务报表时，除了有董事、监事的不正当行为的情形以外，如在2年内没有其他决议，便视为免除董事和监事的责任（民450条）。于是，这种情形下等于以普通决议免除董事、监事的责任。

8．责任的时效。将董事的责任视为法定责任或者委任契约的不履行责任时，适用债权的一般时效（民162条，1款），适用10年的消灭时效。

（三）对第三人的责任

1．概论。董事因恶意或重大过失懈怠其任务时，该董事对第三人承担连带赔偿损害的责任（商401条，1款）。

由于董事与第三人之间不产生直接的法律关系，因任务懈怠对第三人承担责任是一种例外。因此，围绕董事对第三人的责任产生下列问题。

1）与没有委任等基础性法律关系的第三人的关系中，让董事承担损害赔偿的立法宗旨是什么？

2）从商法第401条第1款规定的责任发生要件中可看出，与一般侵权行为不同，它要求有故意、重大过失（轻微过失除外），不要求有违法性。那么，与侵权行为的关系上，商法第401条之董事的责任是特别的法定责任呢，还是侵权行为责任或者特殊的侵权行为责任呢？

3）董事的恶意或者重大过失是就对公司的任务必要的呢，还是就第三人的损害必要的呢？

4）是否能认定董事对第三人的责任和侵权行为责任的相竞合？

5）董事的责任对与公司的损害无关而第三人所受的损害即所谓直接损害和随着公司所受的损害第三人也受的损害即所谓间接损害中的哪一个可以认可？或者对双方都可以认可？

6）第三人中也包括股东吗？

上述3）、4）、5）之问题来自责任的本质论。

2．立法宗旨。股份公司在经济生活中处于与多数人建立利害关系的重要的地位，而股份公司的活动依存于董事的职务履行。商法第401条考虑到董事的职务履行在很多情况下对第三人带来影响，为了保护第三人的同时，使董事慎重地履行职务，认定了如此的董事责任。股份公司通过股份、公司债、企业票据（CP）的发行，与多数人建立集团性关系，这时，若董事非真实地公示企业内容或错误地运营企业财产，会给他们带来损害，因此认定董事的直接责任的实际意义是很大的。

3．责任性质。多数说认为，董事的责任与侵权行为无关，是一种法定责任。即商法认定的另外的损害赔偿责任的发生原因。对此，少数说认为，董事的责任本质上虽然是侵权行为责任，但其要件中轻微过失被除外、违法性也被排除的一种特殊的侵权行为责任。

关于董事的责任，法定责任说和侵权行为责任说相对立的原因在于：与一般侵权行为不同，董事的恶意、重大过失在法律条文上只就公司的任务懈怠要求；对第三人的损害不要求违法性；轻微过失被排除。由于对待这种差异的角度不同，对前面所列举的问题的解释也是不同的。

但是，在关于个别问题的说明中，两种学说均下实质上相同的结论。因此，两说并没有实质上的差异，只是存在依据哪种说说明更能接近责任的本质及哪种说在其他有关问题的说明上更富有逻辑性的评价而已。

没有关于被害人—第三人损害的恶意、重大过失，不能视为侵权行为责任成立，且未具有违法性而侵权行为成立也是从侵权行为的性质上难以允许的事情。考虑到在公司法律关系中日益以多种类型形成利害关系，无须将损害赔偿责任划一地往债务不履行和侵权行为的框架上套。将董事的责任视为商法特别认可的责任（法定责任说）时，可以脱离侵权行为法理的束缚，圆满地说明董事和第三人之间的责任关系。

4. 恶意、重大过失的所在。法律条文规定"因恶意或重大过失懈怠任务时"。在此，董事的恶意、重大过失，是就公司的任务所要求的呢？还是就第三人的损害所要求的呢？关于这一点，有不同的见解。

法定责任说认为，应忠实于法律条文，恶意、重大过失是就公司的任务要求。并且，为说明因董事对公司的任务懈怠，要对第三人承担损害赔偿责任的例外现象，认为这不是侵权行为责任，而是商法特别认定的责任。

如果像特殊侵权行为责任所主张的那样，将董事对第三人责任的本质视为侵权行为责任，那么应认为，恶意、重大过失不是就公司的任务，而是就被害人—第三人的损害存在。这样说明是富有逻辑性的。但是，主张特殊侵权行为责任说的学者也与法定责任说那样，认为就公司的任务要求有恶意、重大过失。在此，会产生对 A（公司）的恶意、重大过失如何成为对 B（第三人）侵权行为的疑问，这一点是侵权行为责任说的最大的弱点。

前面根据法定责任说，当然解释为董事的恶意、重大过失是就对公司的任务懈怠要求的。可这里的任务懈怠与董事对公司的责任（商 399 条，1 款）中的任务懈怠不同，也包含违反法令、章程的概念。

判例认为，代表董事懈怠公司对第三人承担的债务履行，从而给第三人带来损害时，不能将其视为商法第 401 条要件的任务懈怠（大法院 1985、11、12 判决）。但是，该判例的逻辑性令人怀疑。笔者认为，既然是像判例那样的事件，反而应认定任务懈怠，搞清楚有无故意、重大过失。

对董事的恶意、重大过失的举证责任应由第三人承担。

5. 与侵权行为的竞合。根据法定责任说，由于董事的责任与侵权行为无关，只要董事具备侵权行为要件，就承认董事责任与侵权行为的竞合。虽然特殊侵权行为责任说的部分人认为，如果具备商法第 401 条之要件而发生责任，即使具备一般侵权行为之要件，也要排除侵权行为责任，但多数说却承认与侵权行为责任之间的竞合。虽然在法定责任说的立场上当然承认与一般侵权行为之间的竞合，但也有由于商法第 401 条第 1 款之责任将轻微过失除外，若解释为排除一般侵权行为责任，反而会减轻董事责任的理由。

6. 直接损害与间接损害。直接损害是因董事的任务懈怠而第三人直接受到的损害。例如，第三人相信董事制作的虚伪的认股要约书而认购股份，却受到了损害。间接损害是因董事的任务懈怠公司受到损害，第三人再由此而受到的损害。例如，因董事的任务懈怠公司财产减少，给公司债权人的债权回收带来困难。

如果将商法第 401 条之责任视为法定责任，便无须限制损害的类型。只要因董事的恶意、重大过失而引起的任务懈怠与第三人的损害之间有相当的因果关系即可。但是，侵权行为责任说也不管直接损害，还是间接损害，均对第三人所受的损害承认董事的责任。

7. 第三人的范围。通说认为，第三人不仅包括公司债权人或其他利害关系人，而且也包括股东或股份认购人。对此，一部分学说主张，若股东所受的损害中包括间接损害，就等于股东先于公司债权人受偿，因此应此排除在外。判例也将股东的间接损害排除在外（大法院 1993、1、26 判决）。

第三人，广义上是指公司以外的人，因此没有理由排除股东或股份认购人。除外说认为，就间接损害，公司依商法第 399 条可以向董事请求损害赔偿，股东可以提出代表诉讼（商 403 条），因此股东的损害可以被填补。但是，代表诉讼受提诉要件的限制并有可能被要求提供担保，因此有必要另行认定对股东的损害赔偿请求。

8. 责任的扩张。商法第 401 条第 2 款准用第 399 条第 2 款和第 3 款，因此董事的责任是依董事会决议进行的行为时，赞成该决议的董事也应承担连带责任，在会议记录上没有记载异议者，被推定为赞成该决议。

9. 责任的时效。董事对第三人的责任与对公司的责任相同，也适用 10 年的消灭失效（民 162 条，1 款）。

10. 对第三人责任的功能。近年来，很多学者强调董事对第三人的责任可以起替代法人格否认的功能。即主要是在控股股东兼任董事，并像控股股东的个人事业那样运营的小规模公司中，因公司财产的不足，债权人无法回收债权时，如果是属于适用第 401 条的情形，就可以将责任财产扩大至董事即控股股东的个人财产上。

（四）董事的责任保险

近年来，随着财产规模的增大，在不少情况下董事的损害赔偿责任额巨大，因此会出现因董事的无资力而责任追究变为没有意义的情形。可以考虑在美国广泛利用董事和高级职员的责任保险（Director's and officer's Liability Insurance；D & 0 Insurance）来对付上述问题。

（五）指示业务执行者的责任

1. 意义。以董事为中心的公司法上干预一定的业务执行者，以自己在业务履行上的任务懈怠为原因，对公司或者第三人承担损害赔偿责任。而该损害赔偿责任原则上作为董事等公司法上的业务负责人干预时才可以发生。但是，现实中，虽不是董事等机关，却行使对董事持有的事实上的影响力，使董事以不适当的方法执行业务，或者虽不为董事，却以在公司内部具有的事实上的力量为基础执行业务，从而给公司带来损害。在韩国，几乎所有的公司存在控股股东，控股股东以事实上的董事选任权为基础，将董事的业务执行对自己的私益有利的方向诱导的例子是很多的。1998 年修正商法为防止公司的运营被控股股东的影响力歪曲，新设了追究作为非董事者直接或间接地干预业务执行者责任的制度。新设的商法第401 条，之 2 规定：利用自己对公司的影响力，向董事指示业务执行或以董事的名义直接执行公司的业务者在关于其指示或执行的业务适用商法第 399 条（董事对公司的责任）、第 401 条（董事对第三人的责任）、第 403 条（股东的代表诉讼）时，被视为董事（商401 条，之 2、1 款）。即这类人与董事一样对公司或者第三人负损害赔偿责任，成为代表诉讼的对象。

商法第 401 条，之 2 将责任发生的原因分为三种类型，符合三种类型中的任何一种人负损害赔偿责任，成为代表诉讼的对象。

2. 指示业务执行者。利用自己对公司的影响力，向董事指示业务执行者就其指示的业务，被视为董事（商 401 条，之 2、1 款、1 号）。像董事那样，持有公司内的组织法性地位执行业务时，当然应对其行为负责。但是，像控股股东那样，利用对公司持有的影响力，干预董事的意思决定者虽然事实上形成该业务执行的动机，却并非体现为组织法上的行为主体，因此不承担法律上的责任。商法为了将虽为公司业务执行的实际主体，却在法律上的责任体系中潜伏着作为组织法上的责任主体，将其视为董事。

1）要件。

（1）对公司的影响力：应利用对公司的影响力指示业务执行。

那么，"影响力"指的是什么呢？本条文中的影响力是表现本条的责任主体的最重要的表现，但这是表现社会学现象的概念，因此很难从法律上下定义。影响力可以定义为：意指能够使他人按照自己的意图，与其本人的意思无关，作出意思决定的事实上的力量。若将此定义与公司相联系而说明，便意指将公司的意思决定以上述方式诱导的力量。如果是这种影响力，有可能存在多种类型的关系。当然本条文的立法目的所指的控股股东成为典型的影响力的保有者，但公司债权人或在持续的交易中持有优越地位者也可以持有影响力，还有公法上或政治上持有优越力量者也有可能成为本条文的适用对象。

法律条文规定以对"公司"的影响力为要件，因此基于与执行业务之董事的个人利害关系行使影响力，并不是本条文的适用对象（例如，董事个人的债权人要求董事执行一定义务）。

（2）影响力保有者的范围：保有影响力者一般为非公司机关的第三人，但董事与其他董事的关系中，也可以成为本条文的影响力保有者。

影响力的保有者可以是自然人，也可以是法人。例如，对某一公司债权银行可以持有影响力。

（3）业务执行的指示：对公司持有影响力者利用上述影响力，向公司的董事指示业务执行。法律条文虽然规定向董事"指示"业务，但是，只要不处于法律上的指挥、监督关系，就不可能存在"指示"。因此，"指示"即指行使影响力。

在德国以教唆（Anstiftung）的同义语解释影响力的行使。但是，影响力的行使是基于社会学力量的优劣关系进行，因此很难将其理解为与一般性教唆相同的概念。应解释为如果是一般人就很难拒绝的要求。即便是那样，并不是要求像暴力、胁迫等物理性力量的行使或者心理性的威胁。

不管影响力的行使是直接的，还是间接的。那么，是否要求持有影响力者行使影响力时追求私益？在德国的 1937 年股份法中，将影响力保有者"为了以公司获得特别利益或使第三人获得利益"行使影响力作为要件（该法 101 条），但后来以不当限制该条的适用为理由，删除了该要件。韩国商法第 401 条，之 2、1 款中，也不明文要求私益的追求，而且如将此作为要件，就有可能不当地放宽免责的可能性，因此视为不要求追求私益。

（4）董事的业务执行和责任发生：董事服从上述影响力执行业务。董事的业务执行包含对内、对外的业务。

还有，应具备董事履行的业务执行相当于任务懈怠，对公司产生损害等商法第 399 条的责任要件。因为如果董事的业务执行为正当的行为，没有必要追究影响力行使者的责任。

2）指示业务执行者的责任。

如满足上述要件，在适用商法第 399 条，第 401 条及第 403 条的适用中，将其视为董事。

（1）对公司的损害赔偿责任：商法第 399 条是追究懈怠任务的董事对公司的损害赔偿责任的规定。适用该规定中将指示业务者视为董事，意指对于因接受业务执行指示的董事之业务执行对公司产生的损害，也向指示业务执行者追究损害赔偿责任。适用该规定时应注意的是，对业务执行的指示者不要求第 399 条的要件即任务懈怠。业务执行的指示者由于不是公司的机关，不可能有对公司的"任务懈怠"。只要董事的业务执行成为对公司的任务懈怠，便满足指示业务执行者的责任要件。总之，指示业务执行者的责任以向董事指示任务懈怠为原因发生。

同时，因指示业务执行者的指示执行业务的董事也负担商法第 399 条之责任，该董事与指示业务者连带承担责任（商 401 条，之 2、2 款）。

为免除业务执行指示者的责任，要求全体董事的同意（商 403 条）。

（2）对第三人的责任：就接受指示的业务执行，该董事对第三人承担损害赔偿责任（商401条）时，业务执行者也承担连带责任。但不要求指示业务执行者的任务懈怠。

3．无权代行者。商法第401条，之2、1款、2号将"以董事的名义直接执行业务者"作为责任主体的一种。在这里，将其称做"无权代行者"。虽然法律条文并没有规定影响力的行使作为要件，但应将此理解为，具备本条第1号之指示业务执行者要件者不向董事指示业务执行，而是利用自己的影响力，直接以董事的名义执行业务。因为如果无公司组织上的权限，以董事的名义执行了业务，那么基于该地位追究其责任就足矣，并不过问是否有董事个人的委任。

商法虽然对"无权代行者"也与指示业务执行者一样，适用商法第399条，第401条及第403条时将其视为董事，但解释上出现问题。适用第399条时，与业务执行的指示者不同，无权代行者自身应充足第399条之要件，但因他不具有组织法上的地位，不可能存在第399条规定的对公司的"任务懈怠"。这是立法的错误。因此，不管法律条文的表现，应视为本规定表明了无权代行者对公司承担侵权行为责任。在公司中，不具有董事职位的人以董事的名义直接执行业务时，即使没有本条规定也构成侵权行为。于是，很难视为本条特别规定了新的责任。对第三人的责任中也相同。

4．表见董事。虽不为董事，但使用名誉会长、会长、社长、副社长、专务、常务、董事及其他可以被认定为有执行公司业务之权限的名称者执行公司业务时，关于其执行的业务，将其视为董事而追究责任（商401条，之2、1款、3号）。可将其称为表现董事。

追究表见代表董事的责任时，不另需要行使影响力之要件。因为表见名称本身成为影响力行使的根据。

关于表见董事适用第399条和第401条时，与无权代行者的情形一样，遇到难题。因此，同样应视为承担侵权行为责任。

八、董事和公司的利益冲突防止

（一）竞业禁止义务

1．意义。董事未经董事会承认，不得以自己或者第三人的计算进行属于公司营业范围的交易或不得成为以同种营业为目的的其他公司的无限责任社员或董事（商397条）。这就是董事的竞业禁止义务（wettbewerbsverbot）。此规定是为了限制董事利用其地位挪用以公司费用获得的营业机会，并规范董事要专心于公司业务的当为性，向董事赋予了特别的法律责任。前者的理由在竞业禁止上，后者的理由在兼职禁止上更强烈地反映出。

2．董事会的承认。若经董事会的承认，可以竞业、兼职。董事会的承认是指事先承认。因为事后的追认带来与责任免除一样的效果，这与商法第400条中关于董事的责任免除要求有全体股东同意的规定是不相协调的。

欲进行竞业之董事为股东时，他作为有特别利害利害关系人（商391条，2款→368条，4款），不能行使表决权。

3．禁止内容。

1）竞业：以自己或者第三人的计算进行属于公司营业范围的交易。

（1）以自己或第三人的计算：不问以谁的名义作交易当事人。虽然以第三人的名义交易，但以自己的计算进行时属于竞业。第三人的计算是指董事在第三人的计算下，以自己的名义或作为第三人的代理人进行交易的情形。

董事成立另外公司，让该公司进行竞业时，应视为本条的适用对象。

（2）属于公司营业范围的交易：属于"营业范围"的交易并不局限于公司章程中的事业目的，事实上成为公司营利活动对象的均应包括在这一范围之内。并且，被限制的范围无须局限于同种营业。对公司的营业带来替代性或市场分割效果的营业也会妨碍公司的利益实现，因此也应放在"属于公司营业范围的交易"的范畴。

例如，进行运输业的公司的董事进行运输代理业，或建筑装备销售公司的董事进行建筑装备租赁业，均应视为竞业。

并不问"交易"是一次性的，还是继续性的。

(3) 公司的机会：竞业限制范围不限于公司的事业目的，包含公司营利性可以涉及的一切交易。但同时，即便是公司的董事，也不是被禁止一切营利活动，因此董事进行某种营利活动时，判断其是否属于竞业的确不容易。例如，某贸易公司以剩余资金进行贷款业，这时董事也同样以剩余资金进行贷款业，那么是否应该视其为竞业？本制度的主要目的是防止董事挪用以公司费用获得的营业机会，因此应以是否是公司已承担费用的营业机会来判断。假设上述例中，董事的己与公司进行过交易的优良股东为对象进行贷款业，那么应视为竞业。但确保与公司完全没有交易过的借主进行贷款业，不应以竞业论处。

(4) 非营业性的交易：竞业不一定以营业来进行。即使非营业交易，也可以挪用公司的营业机会，给公司带来损失。例如，如果进行建筑业的公司之董事在物色公司要购入之地产时发现一个条件非常好的地皮，便由自己购入，那么即使不是以营业来进行的，也属于竞业。

2) 兼职：董事不能成为以同种营业为目的的其他公司的无限责任社员或董事。

以"同种营业"为目的是指竞业中的"公司之营业范围"。此起不限于同种营业，禁止成为所有公司的无限责任社员或董事以及禁止成为其他商人的商业使用人的商业使用人之兼职禁止义务（商17条，1款），其范围要小一些。

"以同种营业为目的其他公司"不一定必须是实际营业的公司。那使兼准备开业阶段的公司的董事，也算是违反禁止兼职规定。这一点与应进行实际交易才能具备其要件的竞业禁止是不同的。

4. 违反效果。一旦董事未经董事会承认，进行竞业或者兼职，就具备违反禁止竞业的要件，并不要求因此给公司带来损害。因为本制度不单以恢复公司所受的损害为目的，而且也包含通过切断竞争性利益的追求，使董事专心公司业务之意图。因此，如果公司不发生损害，公司只是不能请求损害赔偿而已，但可以主张其他效果。

1）损害赔偿责任：因违反禁止竞业规定，公司发生损害时，董事应当向公司赔偿损害（商 399 条）。商法虽然明文规定商业使用人的违反竞业禁止时的损害赔偿责任（商 19 条，3 款），但未规定董事违反竞业禁止时的损害赔偿，这是因为关于董事的损害赔偿责任商法第 399 条中已设了一般规定。

2）解任：竞业或者兼职是商法第 385 条第 2 款所指出的违反法令的重大事实，因此成为可以解任董事的事由（商 385 条，1 款），并成为少数股东可以请求法院解任的事由（商 385 条，2 款）。董事辞去兼职时亦同。

3）交易的效果：即使是违反竞业禁止所进行的交易，其本身是有效的。

4）介入权：

（1）意义：只有董事进行竞业时才被认定的公司的权利。如果竞业交易是以董事自己的计算进行，那么公司可视其为以公司的计算进行；以第三人的计算进行时，公司可以请求该董事转让因此而得到的利益（商 397 条，2 款）。这就是介入权（Eintrittsrecht）或者夺取权。

（2）内容：以董事的计算进行时，规定"可以视为以公司的计算进行的"，是指董事应向公司归入交易的经济效果，并不是指公司直接成为计算的主体。即将交易费用由公司负担，所得到的利益归属于公司。于是，公司的介入权行使对董事以自己计算所进行的交易相对方没有任何影响。对交易相对方的计算主体仍然是董事。

以第三人的计算进行时，董事应转让的"利益"只指董事从计算主体——第三人处获得的报酬，不指交易本身所产生的利益。若规定能够请求交易本身的利益，那么肯定对第三人的权利带来影响。

(3) 介入权的性质和行使：介入权是一种形成权（无异议）。一旦对董事进行意思表示，就发生效力。介入权的行使须经董事会的决议（商 397 条，2 款），但行使应由代表董事进行。若代表董事怠慢于此，股东便可提起代表诉讼（商 403 条）。

(4) 介入权的行使期间：介入权自交易之日起经过 1 年就消灭（商 397 条，3 款）。这是除斥期间。没有像商业使用人的情形那样，将"已知有交易之日"为起算点规定为二周以内的理由在于：这种主观标准不合适于公司，而且介入权的行使须经董事会决议，因此不能设短期的除斥期间。

(5) 介入权和损害赔偿请求：德国股份法规定公司应在介入权和损害赔偿请求权中择一行使（§88AbS2AktG）。这是出于本来介入权是针对公司难以证明因董事的竞业而带来损害时的对策来认可的想法。但是，韩国商法并没有这种规定，因此可以解释为两者可以同时行使（商 117 条，3 款之类推）。介入权成为恢复营业上的损失的，损害赔偿则成为恢复除此以外的损失的适当的手段。

5) 罚则：违反竞业禁止义务时，根据情节可以构成商法上的特别背任罪（商 622 条，1 款）。

(二) 董事的自己交易

1. 意义。董事的自己交易，是指董事以公司为对象，以自己或者第三人的计算进行的交易（商 398 条）。不管在何种交易，参加交易的双方当事人都持有相反的利害关系，因此若董事与公司进行交易，有可能进行为本人的利益不在乎公司损失的不公正交易。尤其是董事为控股股东或他的特殊关系人时，通常将自己交易作为吸收公司财产的导管来使用，从而有可能发生剥夺其他股东的分派机会和公司债权人的担保财产的非行。因此，为了健全地保护公司财产，并保护公司债权人和股东，应严格限制自己交易。为此，像初期的英美判例法那样，也有全面禁止董事之自己交易的方法，但是有时董事的自己交易会不可避免，并且从交易的性质上看，有的不可能产生不公正因素。因此，商法规定："董事只限于有董事会承认时，可以以自己或者第三人的计算与公司进行交易"（商398条），从而采取依董事会承认预防因自己交易而引起的弊端的方法。即由于自己交易会产生很大的不公正因素，通过事先得到董事会承认，公开自己交易，从而使董事会易于进行事前监视及事后的责任追究（商399条）。

2. 自己交易的概念。根据商法第398条受限制的自己交易，是指"董事以自己或第三人的计算与公司进行的交易"。

1）董事的范围：包括所有董事。于是，非常勤董事也包括在内。清算人也同样受自己交易的限制（商542条，2款→398条）。持有与董事同一权限的商法第386条第1款的退任董事，第386条第2款的假董事，以及依法院的假处分被选任的职务代行者（商409条，1款）也相当于商法第398条之董事。但是，已经从董事的地位上脱离的董事不包括在内，其接受在任时投资的返还也不受限制（大法院1989．9．13判决）。

2）自己或者第三人的计算：商法规定"以自己或第三人的计算"进行，因此不管以谁的名义成为公司的相对方进行交易。

应如何认识"自己或者第三人的计算"之范围？外国立法例常常采取与董事有一定家族关系、出资关系的利害关系人有限地罗列，将他们与进行公司的交易视为董事的自己交易之方法。韩国商法没有这种列举，因此在解释上成为问题。

董事作为第三人的代理人或受第三人的委托与公司进行交易，或者董事中介第三人与公司交易（法国公司法101条，2款），或者董事委托第三人与公司进行交易等都属于自己交易。

依两个公司的兼任董事进行交易时，例如，甲兼任A公司和B公司的董事，A和B进行交易是否属于自己交易？兼任A和B的代表董事的甲在签订A与B之间的契约时，对于双方来说均成为自己交易，对此没有异议。兼任A的代表董事和B的董事的甲代表A与B签订契约时，对B公司来说会成为自己交易。但是，这时应视为，对 A 来说也成为自己交易，并且，即使甲为 A、B 的非代表董事的董事，也应将 A、B 之间的交易视为自己交易。因为这时害及交易公正的可能性是充分存在的。

3）间接交易：不仅是董事或者与其处于委托、代理、代表等一定关系的第三人直接成为公司对方时（所谓直接交易），而且因公司交易结果的得利归属于董事时（所谓间接交易）都属于自己交易。例如，公司与董事的债权人就董事的债务签订保证或设定担保契约，或者认购其债务是间接交易。再进一步，兼 A、B 两公司的代表董事的甲代表 A 公司保证 B 公司的债务，甲和 A 公司之间成立自己交易（大法院 1984．12．11 判决）。

4）交易之意：商法第 398 条之"交易"意指一切财产上的行为。于是，不仅包含债权契约、物权契约，而且也包含债务免除等单方行为，还包括债权转让的承认，债务承认，无因管理等准法律行为。但是，由于不能说有关财产的所有行为均要求有董事会承认，因此就哪种行为要求有董事会承认、哪种行为不要求有董事会承认，存在解释上的问题。

3．自己交易的限制范围。

1）基于交易性质的范围：商法限制自己交易的宗旨在于：公司和董事的利益相冲突时，防止牺牲公司的利益。因此，有可能产生公司和董事的利益冲突之交易应得到董事会承认，但从交易性质上没有利益冲突可能性的交易不要求得到董事会承认（通说）。通说，判例认为不要求董事会承认之交易的例子有：对公司没有负担的赠与，抵消，债务的履行，根据一般格式条款签订的交易（例：运输、储蓄、保险契约）等。像日常生活用品的购入一样，不依通常的交易条件，而根据通常的交易要件形成的交易，也无须得到董事会承认。

但是，债务的履行、抵消等，有可能使公司财产显著恶化，也有可能就债务存否本身产生争执或公司方持有抗辩权，因此不能说一律不要求有承认，即使是根据一般格式条款签订的契约，如果像金融机关的巨额贷款那样，契约缔结本身意味着特惠，并由公司承担危险时，应视为同样要求有董事会承认。

2）对公司没有不利益的交易：对公司的无利息或无担保贷款，公司债务的保证等，从该行为的客观性质来看，是对公司没有不利益的交易，不应包括在受限制的自己交易之中。但是，从实质上、结果上，即使对公司没有不利益或不会有不利益，也不能脱离该限制，因为限制自己交易虽然也有防止公司的现实性损害的意思，但切断损害之危险的意思。

3）一人股东董事的交易：有见解指出，一人股东和公司的利害关系是相一致的，两者之间的交易不会产生利益冲突，因此不需要有董事会的承认。但是，由于公司财产成为对所有公司债权人的担保，即使是一人股东，也不能说与公司的利害关系相一致。于是，即使是一人股东董事也不能成为商法第398条之例外。

4）票据行为：关于自己交易为票据行为时，是否包含于商法第398条，存在不同的见解。有人认为，票据行为只不过是交易的手段，以其性质上看，并非是导致利害冲突的行为，因此不需要董事会的承认，只是公司与董事之间产生人的抗辩问题。但是，笔者认为，票据行为产生与原因关系不同的新的债务，因抗辩的切断、债务的独立性等，票据行为者伴随更为严格的责任，因此要求董事会之承认。

4. 董事会的承认。董事的自己交易除了上述的没有利害关系冲突之虑的交易以外，均要求有董事会的承认。

1）承认机关：董事会的承认依通常的决议方法（商391条，1款）来进行。由于交易当事人——董事为特别利害关系人，不能行使表决权（商391条，2款→368条，4款）（通说）。关于自己交易的委任，从其性质上看，不能委任给代表董事。

有些人认为，可以根据章程的规定，将自己交易归为股东大会的决议事项。但这是不正确的。因为商法第398条中没有像商法第416条但书的保留条款，而且对于不当形成的董事会的承认，虽然可以追究责任（商399条，2款），但对股东大会的承认无法追究其责任。

有人认为，即使没有董事会承认，经一人股东或全体股东之同意的自己交易应该有效，也有采取同样立场的判例（大法院1992.3.31判决）。但如此解释，就等于一人股东董事的自己交易不需要董事会承认。如上所述，限制自己交易制度不仅仅是为了保护股东，而且以健全地维持公司财产为其目的，因董事的自己交易公司受损时，若是依董事会之决议进行的，那么可以通过追究董事们的责任来填补损害，但是若依一人股东或全体股东的同意时，无法追究股东责任，也就是说损害填补是不可能的。正因为如此，即使全体股东的同意，也不能代替董事会的承认。

2）承认时期：董事会的承认应当事先作出（通说）。如果认可事后承认（追认），那么从公司的立场上可以选择违反商法第398条之交易的效力，采取有效或无效，可算比较便利，但是根据公司追认与否，第三人的地位可以浮动，因此是不可取的。

3）承认方法：商法第398条针对一次性交易，因此董事会的承认应对每个交易分别作出，不允许一般性的承认（通说）。但是，关于反复进行的同种、同型的交易，也可以以规定合理的期间、限度等范围，一般性地加以承认。

前面已介绍的外国的立法例，毫无例外地让进行自己交易的董事承担开示（disdose）该事实的义务。商法中虽然没有这种明文规定，但事实上也是让董事承担开示义务。因为由董事会承认"自己交易"，不知道该交易中的董事的利害关系是不可以的。因此，该交易内容及交易与董事的关系，即"为自己或者第三人"的事实得到承认之前，应向董事会开示。不开示该交易为自己交易，只是得到交易本身的承认时，应认为对该自己交易未经董事会的承认。

4）董事会的承认和董事的责任：即使有了董事会的承认，也不是消失进行自己交易的董事的责任。因为商法第398条之董事会承认只是解除自己交易的限制的要件而已，从商法第399条之宗旨看，一般来说董事会的承认不能成为对董事行为的免责事由。于是，得到董事会承认进行交易的结果，该交易董事对公司带来损害时，应依第399条第1款承担损害赔偿责任，董事会上赞成该承认决议的董事承担连带责任（商399条，2、3款）。

5．交易的公正性。在美国法中，关于自己交易要求除了有董事会等的承认之外，还将交易（对公司）公正、合理（fair, just and reasonable）为另外的有效要件。韩国商法关于自己交易要求董事会承认的目的是为了防止不公正的自己交易。因此，根据韩国商法的解释论，虽然有董事会承认，但其不公正程度显著时，该董事会承认决议应作为无效，从而自己交易也应当归于无效。

同时，即使交易公正或对公司没有损害，也不能排除商法第398条之适用。总之，自己交易是作为程序性要件要求有董事会承认，作为实质性要件要求有交易的公正性。

6．违反交易的效力。未经董事会承认进行交易时，当然引起董事承担损害赔偿责任、成为董事的解任事由等对内性责任问题。但是，未经董事会承认进行的自己交易的私法性效力如何呢？这对第三人来说是有重大利害关系的问题。对此，有三种学说。

1）有效说：认为商法第398条的规定不是效力规定，而是对业务执行的命令性规定，违反此规定而进行的交易是有效的，只是产生董事的对内责任问题。其提示的理论根据是：董事会的承认与否纯粹是属于公司内部的事情，因此而对外性行为的效力被左右，从交易安全的角度上看是不太妥当的。

如采取有效说，公司的不利益不易得到救济，因此对交易对方——恶意的第三人可根据权利滥用禁止原则，主张无效或进行恶意的抗辩，由此可以弥补缺点，实际上与下述的相对说没有什么差异。

2）无效说：将重点放在公司的利益保护上，未经董事会承认的自己交易为无效之说。还认为，善意的第三人依据善意取得规定可以得到保护，就此足矣。但是，不适用善意取得这一法理的交易

（例：关于不动产物权的交易，负担指名债权的交易）中是得不到保护，因此仍存在交易安全的问题。

3）相对性无效说：由于有效说和无效说均在逻辑的一贯性或交易安全上有问题，多数说和判例采取所谓的相对无效说。相对无效说认为，自己交易虽然在公司和董事之间无效，但是与自己交易有关的善意的第三人之间应该是有效的。还有，与第三人善意有关的举证责任让公司承担。即公司以自己交易为由主张无效时，应当由公司来证明未经董事会承认或对此相对方有恶意。同时，应当注意的是，关于交易无效公司可以主张，但董事或第三人（例：转得者）则不能主张。

7. 与民法第 124 条之关系。商法第 398 条但书规定，经董事会承认进行自己交易时，不适用民法第 124 条限制代理权规定。此规定只不过是提醒大家商法第 398 条但书是不同于限制代理权的民法第 124 条之规定的制度而已。

九、董事的牵制和责任追究

（一）概述

由于不能保障董事始终为了公司的利益最佳地履行职务，须有股东监视或者牵制董事的手段。从广义上看，股东大会具有董事的选任权，规定有些业务须经股东大会决议，由在抑制控股股东影响力的状态下被选任的常设的监事和临时选任的检查人进行总体性的监视、评价，为防止与公司的利益冲突，原则上禁止竞业、自己交易等，都是为牵制董事的手段。

同时，作为董事的积极的牵制及责任追究手段，有解任董事（商 385 条，1 款）、损害赔偿请求（商 399 条），股东的代表诉讼（商 403 条）等制度，但这些都是事后的救济手段，作为事前的预防手段认定留止请求权。其中，特别是少数股东的董事解任请求（商 385 条，2 款）和代表诉讼制度包含少数股东对抗由控股股东及受他们拥护的董事组成的经营上的内部人，可以以此维持整个公司组织的健康之意。

其他制度在各个有关章节中详述，在此只对留止请求权和代表诉讼加以说明。

(二) 留止请求权

1．意义。因董事的违反法令或者章程的行为，有可能给公司带来不能恢复的损害时，监事或者少数股东（持有相当于发行股份总数 1％以上之股东）可以为公司请求董事留止该行为（商 402条）。股东或者监事的这种权利称为留止请求权。股东的留止请求权是为公司行使的，因此是股东的共益权。

该制度仿效的是英美法在诉讼中认定的法院的留止命令制度（injuhction），韩国商法除了承认一般性的留止请求权以外，还承认新股发行的留止请求权（商 424 条）。

留止请求是一种保全行为，在这一点上与商法第 407 条之职务执行停止制度的目的是相同的，但前者不一定依靠诉来行使，而且又不像后者那样将董事的权限一般停止，而是阻止个别行为，这是两者的差异。

还有，留止请求是监事或少数股东为了公司，从公司的代表机构的地位上以董事为对象进行的，这一点与代表诉讼（商 403 条）相似，但是代表诉讼是为了恢复已发生的损害而事后采取的救济手段，而留止请求是损害发生之前的事先预防手段。这就是两者的差异。

商法在一方面划分股东大会和董事会权限，另一方面又考虑董事的权限滥用，设置了可以追究董事责任的制度性措施。因此，董事依自己的判断和责任，履行职务就足矣，股东或监事事先参与董事之行为是违背上述权限和责任同时被赋予的崇旨。但是，从董事的行为或者由此而发生的损害之性质上看，会有不可能恢复的损害，也会有法律上虽然可以恢复，但因董事的无资力事实上不可能恢复的损害。留止请求权正是作为防止上述难以恢复之损害的紧急手段被认定的制度。

2．留止请求之要件。

1）违反法令、章程之行为：要求董事进行违反法令或者章程的行为（商 402 条）。成为留止请求对象之行为，不管其属于事业目的范围之内，还是之外，也不管属于对内的，还是对外的，都可以。除了侵权行为之外，法律行为或准法律行为，还有事实行为都能成为留止请求之对象。

成为对象之行为在交易法上为有效的法律行为时，为阻止该法律行为之效力，有必要进行留止请求，但即使是无效行为也有必要进行留止请求。因为有些情形下一旦履行，就难以恢复。还有，原因行为和其履行行为相分离时（例如，先订立公司财产的买卖契约，其后移交或者登记移转时）不仅可以请求原因行为的留止，而且在原因行为形成之后，也可以请求该履行行为的留止。有人认为，属于有效行为时，不得以公司或股东利益为借口，害及与第三人已经适法发生的法律关系，因此一旦进行原因行为后，就不能留止其履行行为。但是，留止请求是在紧急状况下为了防止不能恢复之损害的非常手段，因此与第三人的关系中，也会存在宁肯承受债务不履行引起的损害赔偿，也要留止该履行行为的情形。

行为违反法令或者章程即可，无须过问董事有无故意、过失或者属于董事的权限之内，还是之外。但只要不违背法令或者章程，即使有任务懈怠，也不能成为留止请求之原因。

2）有发生不能恢复之损害之虑：为请求留止董事的行为，应存在因违反法令或章程的行为，对公司产生不能恢复之损害之虑（商 402 条）。是不是"不能恢复"之损害，应根据社会常识来判断。例如，代表董事未经章程所要求的董事会承认，欲处分公司财产时，若一旦进行处分，由于受对第三人的对抗力限制，就不能回收，并且如代表董事也无损害赔偿的资力，那么这种情形相当于不能恢复之损害。

并不是只意味着法律上不能恢复之损害。从为恢复所需的费用或程序等看，难以恢复或要求相当长的期间时，也应认定留止请求（通说）。

3. 留止请求的当事人。

1) 请求权人：可以进行留止请求者即于监事或者持有相当于发行股份总数 1% 以上股份的股东（少数股东）。上市法人中连续 6 个月以上持有发行股份总数的 50‰（注册资本为 1 000 亿韩元以上的公司是 5‰）者可以进行留止请求。因为留止请求是对董事的重大的经营干涉，若对所有股东认可时，留止请求会滥发，有可能成为业务履行之障碍。

计算少数股东之持股数时也应包括无表决权之股份（无异说）。并且留止请求当时，只要是少数股东就可以。股东是否进行留止请求，任由股东自己选择，但对监事来说，只要具备职务上的要件，必须进行留止请求，若怠慢就会成为任务懈怠。

2) 被请求人：留止请求的对方是欲进行违反法令、章程的行为之董事。这源于英美法上的 jhjunction 为对人诉讼（actio in per-sonam）。

4. 程序。留止请求，可以以对董事的意思表示进行，也可以以诉讼来进行。若提起诉讼，就成为履行之诉或者将的履行之诉（民诉 229 条）。同时可以以假处分中止董事之行为（民诉 714 条，2 款）。

留止请求之诉是为公司提起的，因此判决效果当然及于公司（通说）。留止请求之诉与代表诉讼一样，是股东站在公司的代表机关的地位上提出的，因此关于诉的管辖、参加、败诉股东责任等，类推适用有关代表诉讼之规定（通说）。

5. 依意思表示之留止表求的效果。依诉讼进行留止请求时，根据判决产生其效果，但不依诉讼而依对董事的意思表示来请求留止时将产生何种效果呢？

即使监事或股东进行留止请求，也不能断定董事必须依此而留止该行为。因为留止请求本身也许是不正当的。因此，提出留止请求时，董事承担先考虑自己的行为是否违反法令或章程后再决定留止与否的注意义务。

1）未留止时。

（1）董事的责任：董事被留止请求之后，仍不留止违反法令或章程之行为时，对因该行为而给公司带来的损害应根据商法第399条承担责任。这是因为该损害是因董事进行了违反法令或者章程行为而产生的，并不是因留止请求本身的效果产生的。

如果董事不接受留止请求，就应拟制为董事的重大过失。对此，有人主张，因商法第399条第1款之损害赔偿责任不要求有重大过失，这种拟制没有实际意义。但实际上，依据商法第399条第1款追究董事责任时，有不允许关于故意、过失的董事之反证的重大意义。

（2）行为的效果：无视留止请求作出的行为之私法上效果会如何？这个问题在违反法令、章程的董事的行为有效时产生，无效时与留止请求无关，不产生效力，因此不成为问题。

有见解认为，关于这个问题，应根据行为的不同性质分别进行解释。新股发行或公司债发行等团体法上的行为，不管对方是否知道有留止请求之事实，均有效；而买卖、借贷等个人法上的交易行为，对方知道留止请求事实时，公司可以主张无效。

但是，如此解释，对外来讲，等于是监事或股东的留止请求受适法性的推定，董事的行为受违法性的推定，这对仅持有1/20份额之股东的意思而产生的效果是过分的，而且也没有那样解释的实定法上的根据。留止请求的有无及对方善意与否不会给行为的效力产生影响。

2）已留止时：监事或股东的留止请求为正当时，当然应该留止该行为，但是留止请求为不当时，如董事还据此留止行为，那么根据不同情况，该留止反而相当于违反法令、章程或任务懈怠，有可能产生对公司的责任（商399条，1款）。

6. 与留止请求相关的罚则。与留止请求的行使相关，在股东和董事之间会形成不公正的交易，因此为制裁这种行为设了罚则（商631条，1款、3号）。

7. 留止请求权的实效性。如上所述，留止请求只要不利用假处分，就没有实效性。即使通过诉来请求亦同。因为判决之前，大部分留止请求对象——行为已经终了，诉的利益就会消失。这一缺点源于不顾英美法的留止请求制度原本具有保全处分之性格，但将此收容为实体法上的权利。因此，从立法的角度应重新考虑。

（三）代表诉讼

1. 意义。代表诉讼是指公司懈怠对董事的责任追究时，股东为了公司，并追究董事责任而提起的诉讼（商403条）。

股东的代表诉讼除了董事以外，还可以为追究发起人、监事、清算人等的责任而提起（商324条，415条，542条，2款），也可以为实现对以不公正的价额认购新股者（商424条，之2）及与股东权的行使相关被提供利益者（商467条，之2）的公司的权利而提起（证交188条，3款）。在此只说明为追究董事责任而提起的代表诉讼，其余在有关的部分中说明。

为追究董事责任的诉的提起本来是公司的权利，应是由代表公司的人来行使的事宜。但是，董事之间在责任追究问题上会"官官相护"，而且责任追究不当迟延时，有可能因时效经过或董事故意转移财产，公司的权利不能实现，因此韩国商法以美国法为蓝本，制定了股东的代表诉讼制度。

2. 性质。本来，股东对公司财产持有一般性、抽象性的利害关系，对公司的对外权利不持有直接或者代位提起诉讼的地位。但代表诉讼是个例外，是因为公司的债务人为董事的这一特殊关系，有可能忽视公司的权利救济而特别认定的制度。

提起代表诉讼的股东作为公司的代表机关主张公司的权利。因此，判决的效果直接归属于公司，作为其反射效果，其他股东也享受与提起代表诉讼相同的效果。代表诉讼，并非是为了股东的个别利益而提起的，而是为公司和全体股东的利益而提起的，因此该诉提起权是股东共益权的一种。

3. 功能。代表诉讼，就其直接作用来说，具有恢复处于遗失危机的公司权利之功能。但还有更重要的其他功能。从法律角度能够直接担保董事适当履行任务的是董事的损害赔偿责任制度（商399条）。为了使损害赔偿制度能够正常地发挥其功能，董事有任务懈怠时，公司应立即追究其责任。但现实当中，公司的权利行使此股东的代表诉讼代之确保追究董事责任的实效性。这样一来，所有和经营相分离的公司的运营结构，还有很多情形下由控股股东和其影响下的董事们垄断经营的公司的现实权力结构下，代表诉讼是确保公司健全运营的最终担保，同时起着预防董事们懈怠任务的功能，事实上这是一项更为重要的功能。这种预防性功能又起着促使董事们慎重对待业务执行，提高判断质量的功能。

在韩国，过去代表诉讼的提诉资格是非常严格的，因此几乎找不出代表诉讼的事例。但是，由于1996年底修改的证券交易法大大缓解了为上市法人代表诉讼的少数股东的要件，接着在1998年的修正商法中也缓解了少数股东的要件，以后代表诉讼会相当活跃。

4．提诉的要件。

1）董事的责任。（1）代表诉讼是为追究董事对公司的责任而制定的制度，因此不得为追究董事对第三人责任（商401条）及为恢复股东自己的损失而提起。（2）关于责任追究的范围，有两种对立的学说。一种学说认为，只能为追究商法第399条（违反法令、章程或者任务懈怠的责任）和第428条（新股发行时，董事的认购担保责任）的责任才能提起代表诉讼之说；另一种学说则认为可以将提起代表诉讼的范围扩大到公司和董事之间交易上的债务履行请求。代表诉讼，本来就是为防止因董事行为给公司带来的损失在同事董事、监事的庇护下被放任的制度，将代表诉讼的允许范围像前一说那样限制是违背此制度的宗旨的。于是，董事的任何责任都可以依代表诉讼来追究。（3）对处于董事之地位的期间内发生的所有责任，均可提起代表诉讼。对已经发生的责任，即使董事已退任，只要时效没有经过，也可以追究。还有，对董事就任之前所承担的债务，就任后公司可能懈怠对其行使权利，因此也成为代表诉讼之对象。

2）股东的提诉请求及公司的懈怠：少数股东提起代表诉讼之前，先可以以记载理由的书面，请求公司提起追究董事责任之诉（商403条，1、2款）。该请求为股东权利，同时又是提起代表诉讼的要件。追究董事的责任本来是属于公司的权利，因此只有在公司懈怠其行使时，才可认定代表诉讼。公司以董事为对象提起的诉讼应由监事来代表，因此请求向监事进行（商394条）。

监事自接受请求之日起30天内不提起诉讼时，少数股东为公司可以立即提起诉讼（商403条，3款）。但是，若有因此期间的经过给公司产生不能恢复之损害之虑时，可以不请求公司，即使请求也无须等待30天，立即提起诉讼（商403条，4款）。"可能产生不能恢复之损害"是指因时效的经过，或者董事逃避或要处分财产等法律上或者事实上对董事的责任追究变得不可能或者无益之情形。

5．诉的当事人。

1）诉提起权人：只有持有发行股份总数1％以上股份的股东，即少数股东可以提诉。过去要求持有5％以上的股份，但1998年修正法缓解为1％以上。1％以上的股份中也包含无表决权股份，这一点与留止请求的情形一样。关于提诉股东设如此限制的理由在于，为了防止滥诉。但是，对于上市法人，为使零散股东也提起代表诉讼，将提诉资格缓解为持有1‰以上的股东（证交191条，之13、1款）。作为商法上提诉要件的1％以上的股份，在提诉时保有即可，但上市法人时，应将1‰股份在提诉之前保有6个月（证交191条，之13、1款）。

只要提诉当时具备少数股东要件即可，提诉后持股数减为1％以下也无妨（商403条，5款）。但是，变得完全没有持有股份时，因为没有当事人资格，应驳回起诉。此时，应允许其他股东共同参与诉讼。

2）被告：代表诉讼的被告是对公司有责任的董事或者曾经为董事者。

6．诉讼程序。

1）管辖：代表诉讼专属于总公司所在地的地方法院的管辖（商 403 条，7 款→186 条）。不考虑原来公司直接提诉时的管辖。关于代表诉讼，虽然提诉权人有限制，并有专属管辖，但这只不过是由股东代替应由公司进行的诉讼而已，并非因此而该诉变为形成之诉，仍然是原来公司可向董事提起的履行之诉。

2）告知与参加：股东提起代表诉讼时，不得迟延地向公司进行诉讼告知（商 404 条，2 款）。一般来讲，诉讼告知是属于告知者的自由，但代表诉讼的告知是法律上的义务。这是为了让公司参加诉讼。股东未告知时，股东对公司承担损害赔偿责任。有人认为，未告知时，不影响判决效力之见解，但考虑到公司是实际当事人，应视为判决的效力不及于公司。

公司可以参加股东的代表诉讼。由于公司不提出与股东不同的请求，而且公司处于直接受判决之效力者的地位，因此有人将公司的参加形式视为共同诉讼的补助参加者。但本人认为，鉴于虽然代表诉讼采取第三人诉讼的形态，但公司受既判力之影响，并具有当事人资格，而且公司还可以请求再审，因此将其视为共同诉讼的参加（民诉 76 条）是妥当的（通说）。

公司只能为股东参加，不能为董事参加。

公司参加代表诉讼是以董事为对象进行的诉讼行为，因此也由监事代表公司（商 394 条）。公司能否以另行起诉来代替参加诉讼？若允许另行起诉，就等于允许重复提诉（民诉 234 条），因此不能提出另外之诉。

3）股东提供担保：公司疏明提起代表诉讼之股东的恶意而请求时，法院可命令股东提供相当的担保（商 403 条，5 款→176 条，3、4 款）。股东的恶意是指明知将加害被告董事而提诉。

4）诉的撤回、放弃请求及和解等：提诉股东就诉讼标的没有处分权，因此如没有法院许可就不能撤诉、放弃请求、和解等（商403条，6款）。虽然法律条文规定请求的认可也不能做，但由于认可请求是由董事来做的，因此没有理由禁止。这是立法的错误。

7. 再审。代表诉讼中，因原告和被告的共谋，以欲损害诉讼之标的——公司之权利为目的作出判决时，公司或者股东对已被确定的终局判决，可以提起再审之诉（商406条）。

代表诉讼是根据他人（股东和董事）之间的诉讼确定公司权利的制度（民诉204条，3款），因原被告之间的勾结，有可能使公司权利受损害。再审制度是在这种情况下，为恢复公司权利而设定的制度。

1）要件：因原、被告的共谋，以诈害公司的权利为目的作出判决为要件。例如，不当地减少请求之数额或故意使原告败诉等。由于以原告和被告的共谋为要件，单纯因原告的不诚实公司权利受侵害时，不能成为再审事由。单凭这一点，作为公司的权利救济手段是很不充分的。因此，一旦提起代表诉讼，监事代表公司参加（商394条），并应积极主张权利，若怠慢，应视为监事的任务懈怠。

2）提诉权人：公司或者股东是提诉权人。所有股东均可成为提诉人，即使非少数股东也可以，只要是提出再审请求当时为股东即可。

3）再审的允许范围：商法上的再审只对代表诉讼才被允许。因此，其他诉讼，例如，公司直接以董事为对象提起的诉讼中，即使因诈害手段，公司权利受侵害，也不能请求再审。日本商法规定：关于追究董事责任之诉，即使公司直接提起诉讼，股东也可以进行再审请求（日商268条，之3、1款）。因为即使公司直接追究董事责任，也会有实际诉讼履行者们的共谋可能性。从立法论角度上看，日本商法的规定是比较合理的。

有人认为，公司法上的诉讼，均有实际诉讼履行者的共谋可能性，有必要对所有公司法之诉类推适用有关代表诉讼的再审制度。

按现行法的解释来说，虽然有些过分，但是从立法论来说是值得参照的。

8．提诉股东的权利义务。

1）胜诉股东的费用请求权：代表诉讼或者再审之诉中股东胜诉时，除了诉讼费用以外，在因诉讼花费的实际费用的范围内，可以请求支付相当的金额（商405条，1款、406条，2款）。

关于实际费用的解释上有争议。一部分学说认为，民事诉讼法上律师费用不包含在诉讼费用之中，因此该实际费用为由公司承担的律师报酬。但是，律师费用在大法院规则（关于律师报酬算入诉讼费用的规则）规定的范围内，当然作为诉讼费用来处理（民99条，之1）、因此如此解释，商法第405条第1款就失去意义。在代表诉讼中，股东所支付的费用是为公司利益而支出的，因此不应局限于诉讼费用、律师费用上，应包括公司在直接提起诉讼时，可能支出的所有类型的费用。证券交易法上，关于代表诉讼设有上述宗旨的特则（证交191条，之13、5款）。

近年来，由于公司的事业及财产的规模扩大，如按通常的财产权之诉的方法计算诉价，那么代表诉讼的诉价只能变大。股东如想提起代表诉讼，就要先支付诉讼费用，因此有可能抑制代表诉讼。于是，在"民事诉讼等印花税法"中，为减轻提诉股东的负担，将代表诉讼视为无法知道诉价的诉讼，不考虑请求金额，一律将诉价作为1 000万100韩元，计算印纸税（诉价的5%）（同法2条，4款）。

2）败诉股东的责任：代表诉讼中即使股东败诉，原则对公司不承担损害赔偿责任（商405条，2款）。若对提起代表诉讼之股东赋予较重的危险负担，有可能抑制代表诉讼提起的动机。但是，股东为恶意时，应对公司承担损害赔偿责任（商405条，2款）。恶意是指明知可能害及公司而履行不恰当的诉讼。于是，明知不能胜诉而提起的诉讼时，当然要承担损害赔偿，并且不诚实地履行诉讼而败诉时，亦同。

9．罚则。关于代表诉讼，接受不正当的请求，收受、要求或者约定财产上的利益时，适用罚则（商 631 条，1 款、2 号、2 款）。

十、停止职务执行及职务代行者

（一）意义

停止职务执行假处分制度是关于董事、监事或者清算人的地位有争议时，一时剥夺他们的职务履行权限。这时，为了避免因职务履行者不在，公司难以正常运营的现象，选任代替履行职务者，此即为职务代行者。商法关于董事设置第 407 条和第 408 条之规定，对处于其他地位者准用该规定。

（二）停止职务执行的假处分

1．性质。民事诉讼法第 714 条第 2 款就有争议的权利关系，为规定"临时性地位"的假处分制度。通说、判例将商法第 407 条之董事的停止职务执行假处分也视为属于保全诉讼，是为规定民事诉讼法上通常的临时性地位的假处分之一种。于是，董事的职务执行假处分也与民事诉讼法上之假处分一样，应有保全之必要性，其程序依据民事诉讼法上的假处分的程序来进行。

2．假处分的要件。

1）本案诉讼的提起：为申请停止董事职务执行的假处分，应被提起争执董事地位的本案诉讼。商法所列举的本案诉讼有选任董事（股东大会）决议之无效之诉（商 380 条）及取消之诉，（商 376 条，1 款），解任董事之诉（商 385 条，2 款）（商 407 条，1 款）。也应将选任董事决议的不存在确认之诉视为假处分的本案诉讼（大法院 1989．5．23 判决）。

除此之外，当代表董事为停止职务执行假处分的对象时，争执选任该代表董事的股东大会决议或者董事会决议之效力之诉，也应视为假处分申请的前提——本案诉法。

本案诉讼的诉讼标的同以假处分来保全之争执标的应该一致，这是保全诉讼的一般原则，也适用于董事的职务执行停止处分上（商 407 条，1 款、但书）。有人主张公司设立无效之诉（商 328 条，

1 款）被提起时，为防止公司法律关系的进展，也应允许假处分，但因不能认定诉讼标的的同一性，很难赞成此主张。

2）本案诉讼之前的假处分：作为例外"有紧急情况时"，在本案诉讼提起之前也可以进行假处分（商407条，1款、但书）。"紧急情况"是指在本案诉讼提起之前应进行假处分的情形。即鉴于董事之职务履行的现状，根本无法等到提起本案诉讼时的情形。这种情形下，判例以慎重认定保全之必要性为由，只要无特别紧急的事情，待疏明已经经过能够提出解任董事之诉等本案诉讼的程序要件的痕迹之后，才可认定本案诉讼提起之前的假处分的必要性（大法院1997．1．10判决）。

即使有紧急情况在本案诉讼提起之前进行假处分，也应根据一般性保全诉讼之例，法院应命令申请人在一定期间内提起本案之诉（民诉715条→705条，1款），若在此期间内未提起诉讼，根据被申请人的申请取消假处分（民诉715条→705条，2款）。

3）董事的地位维持：假处分对象——董事应将其地位维持至假处分时止。若在假处分之前董事辞任或因其他事由退任，等于是不存在被保全的权利，因此应驳回假处分申请。如董事辞任，即使同一人在新的股东大会上被选任为董事，因不存在与本案诉讼有关的被保全权利，因此也应驳回。

4）保全的必要：一般来讲，假处分应有保全权利的必要。民事诉讼法上规定临时地位的假处分时，"保全的必要"是指"为避免继续之权利关系的显著损害或防止紧迫的强暴或者其他必要的理由"（民诉714条，2款、但书）。由于董事的职务执行停止假处分也视为规定通常的临时地位的假处分的一种，因此同样应有保全之必要。于是，因董事继续执行业务给公司带来特大的损害时（显著损害），或者从职务履行的内容来看，若放任，即使得到本案判决也将其失去意义（紧迫的强暴），以及其他准于这些事项的事由时（其他必要的理由），可以进行假处分。

只要没有上述保全的必要，即使董事的选任决议中有瑕疵也无须进行假处分。有一判例认为，虽然在董事选任决议中有瑕疵，但依持有 60% 以上股份的大股东的意思而被选任的董事无须进行假处分（大法院 1991．3．5 判决）。

保全的必要性，应由申请假处分者来疏明（民诉 715 条→699 条，2 款）。

3．当事人。本案诉讼中可以申请假处分者是本案诉讼的原告，关于这一点在法律已明文规定（商 407 条，1 款）。本案诉讼之前，将要成为本案诉讼原告者可以申请。

被申请人是依申请人的主张，其地位被争执者（例如，解任诉讼中，被主张解任之董事），公司不能成为被申请人（大法院 1972．1．31 判决）。于是，本案诉讼的被告不同于假处分申请的被申请人。

4．程序。

1）假处分程序：管辖属于本案诉讼的管辖法院（民诉 717 条，1 款），其他程序均依民事诉讼法上的假处分程序来进行。

2）假处分的取消：法院可以根据当事人之申请变更或者取消假处分（商 407 条，2 款）。这种变更或者取消也同样依民事诉讼法上的同一程序进行（民诉 720 条，721 条，2 款、715 条→704 条，706 条）。

3）登记：有假处分或假处分的变更、取消时，应在总公司和分公司的所在地进行登记（商 407 条，3 款）。因为假处分对第三人的利害关系也带来影响，因此有必要进行公示。

5．停止职务执行假处分的效力。有停止职务执行假处分时，董事或者代表董事只是从职务执行中除外，并非是失去董事或者代表董事之地位。当然，该董事或代表董事可以辞任，股东大会也可以将他解任。

被停止职务执行之董事不能进行一切职务执行。违反这一规定的职务执行为无效，即使以后假处分被取消也不能溯及而有效。

停止职务执行假处分定有期间时，因该期间届满而丧失其效力；未定期间时，在本案诉讼判决确定的同时，丧失其效力。

（三）职务代行者

1. 选任：法院在进行董事的职务执行停止假处分的同时，可以选任职务代行者（商407条，1款）。这也是假处分的内容。但是，职务执行代行者是为填补由于董事的职务执行被停止而产生的公司运营的空白，因此只要没有必要，并不是必须要选任。即使一部分董事的职务执行被停止，但依剩余董事也不碍于公司的业务执行时，没有必要必须选任。另一方面，不得未停止职务执行，而只选任职务代行者。

关于职务代行者的选任，以附理由的决定来裁判，应服从允许申请的裁判（非讼84条→81条，2款）。法院在职务代行者的选任中不受申请人推荐的约束（大法院1985.5.28判决）。

关于职务代行者资格没有限制，但依据停止职务执行假处分，被停止的董事或者监事不能被选任为职务代行者（大法院1970.10.31判决）。

2. 职务代行者选任的效力：一旦选任职务代行者，董事的职务执行被停止，即使被停止职务执行的董事退任，并选任后任董事，职务代行者的权限也应存续至取消假处分时止。为消灭职务代行者的权限，应取消假处分，取消之前后任者不能行使权限。因此，被停止职务执行的董事或者其后任者进行的对外行为应无效，即使对方善意也不得对抗它（大法院1991.12.24判决）。

同时，职务代行者被选任之后，若公司被解散，该代行者就成为清算人的职务代行者（商531条，1款），只要不取消该代行人的选任，不能重新选任清算人的职务代行者。

3. 权限：职务代行者是临时性地位，只要假处分命令中另无规定，就不能作不属于公司"常务"的行为（商408条，1款）。但是，得到法院许可时除外（商408条，1款、但书）。

何种义务属于常务？这虽然是"日常业务"的略语，但其意思仍不十分明确。

关于一点，应根据职务代行者的地位是临时管理被停止职务执行的董事之地位来规定为宜。首先，当然不能超出被停止职务执行的董事的权限。还有，从其地位的性质上看，应解释为在公司正常的运营中，只能进行最少的、不可避免的管理业务。判例将"常务"定义为"在继续公司的营业中，属于通常业务范围内的事务，即对公司经营不产生重要影响的普通的业务"（大法院 1970. 4. 14 判决）。应理解为主要是指为了履行公司目的事业的基本的管理业务。因此，不能进行新股发行、公司债发行、营业转让等带来组织法上的变更的行为，或者重要财产的处分、目的事业的变更等伴有非日常性危险的行为。

职务代行者向他人（例如，假处分申请人）委任职务代行者的权限是违背假处分命令宗旨的行为，因此是不得允许的（大法院 1984. 2. 14 判决）。

但是，职务代行者未经法院许可进行超出常务的行为时，公司应对善意的第三人负责（商 408 条，2 款）。这是为了交易安全所作出的规定。因此而公司发生损害，准用商法第 399 条，由职务代行者负损害赔偿责任。

（四）准用于其他地位

对监事、清算人及有限公司董事、监事、清算人，准用商法第 407 条，除监事外也准用第 408 条，（商 415 条，542 条，2 款、567 条，570 条，613 条，2 款）。

第五款　监查制度

一、概述

公司的监查可分为业务监查和会计监查两大类。业务监查是指对公司的业务执行、代表行为的适法性和合目的性进行监查；会计监查是指关于公司会计，确认是否有无不正当事实，监查会计账簿、记录是否准据普遍认可的公正、妥当的会计原则，真实、适当地表示公司的财政状态及经营业绩。商法规定监事为专司监查功能的必要的常设机关。但是，实际的监查功能是由多个机关重叠履行，其内容因各机关的性质而异。

1．业务监查机关。商法规定监事为名副其实的业务监查机关。同时，可以说董事会制度的母法的英美公司法中向董事会赋予业务监查权，而在韩国商法上，董事会也对各个董事的业务执行具有业务监查权。

股东们也具有业务监查功能。即股东大会通过对董事的任免（商382条，385条）、营业的转让（商374条）、事后设立（商375条）、对公司的业务及财产状态的检查（商467条，3款）等决议，进行业务监查。另外，少数股东也通过请求召集调查公司业务及财产状态的临时股东大会或者选任检查人（商366条，467条，1款）、代表诉讼（商403条）、留止请求（商402条）等，起着辨别公司经营是否有无违法性之业务监查功能。作为临时性业务监查机构，还有检查人。

2．会计监查机关。股份公司接受公司内部监查的同时，根据公司规模也接受外部的会计监查。内部监查分为依公司职工——监查职员的监查及依商法规定的监查机关——监事的监查；外部监查有下述的外部监查制度。

业务监查和会计监查，从其性质上没有明显的区别，会计监查经与成为其基础的交易的实态即业务执行相联系而研究，才可以达到预期的目的，而业务监查同样以会计数据为根据，才可以充分发挥自己的功能。基于这种理由，商法向监事同时赋予了业务监查权和会计监查权。

股东大会通过财务报表的承认（商449条，1款）或者为调查业务和财产状态召开临时股东大会（商366条，3款、467条，3款）等，至少在形式上具备作为会计监查的最高机关的功能，但因股东大会自身的形式化，实质性的监查功能是难以期待的。

检查人是担当业务监查的同时，也担当会计监查的临时机关。

单独股东及少数股东也通过请求召集调查会计状态的临时股东大会（商366条，1款）、会计账簿的阅览（商436条）、请求选任调查会计财产状态的检查人（商467条，1款），各种账簿的阅览（商396条，2款、448条，2款）等参与会计监查的功能。

二、监事

(一) 意义

监事（Aufsichtsratmitglied）是以对公司的业务监查为主要职务的股份公司必要的常设机关。按不同的立法例，也有不设必要的常设机关——监事，而作为董事会内部的内部监查机关来设置常勤检查人（auditor; auditor committee）（美国）；或由复数监事来组成监事会（Aufsichtsrat），让它来选任并监督董事（德国）。但是，韩国商法规定监事为专司监查业务之机关。这是韩国和日本所独有的制度。

随着企业大型化，利害关系人之数在增加，企业在国民经济中所占的比重也增大，更加强烈地要求有公正的监查制度。于是，除了商法上的监事制度以外，对于比较大规模的公司设置外部监查制度，使之成为公正会计的制度性措施，并且通过1984年修正商法大大提高监事的地位，接着在1995年修正商法中再次加强了监事功能。

同时，最近由于经常发生上市法人的经营不善和经营非法的事例，形成了应特别加强对上市法人的经营监视的舆论，在1996年底修改的证券交易法中新设了加强监视地位和业务独立性的规定。该规定的主要内容是设选任监事时排除控股股东的影响力的特则，将常勤监事义务化，限制常勤监事的资格。

(二) 选任及终任

1. 资格：对监事资格没有限制，但是监事不能兼任该公司及子公司的董事、经理人或者其他使用人（商411条）。董事为应接受监事的监查者，使用人为接受董事的指挥监督者，若监事兼任董事或使用人，则不能期待监查业务之客观性。还有，由于子公司受母公司控制，若子公司的董事当母公司监事等于监查控制自己者，同样不可能成为客观性的监查。因此，1995年修正商法中设了限制兼职的规定。监事的人员数，不同于董事，一人也可以。

关于上市法人的常勤监事，设有特别的资格限制。无行为能力人，被宣告破产尚未恢复者，被判刑者均不能当常勤监事；相当于所定要件的主要股东（持有有表决权之发行股份总数的10%以上者）中能够影响公司经营者不能成为常勤监事，若在任期间有这种事由，则成为退任事由（证交191条，之12、3款，同令84条，之19、3款）。证券交易法中，为了确保监查业务的专门性，将常勤监事的资格限制在注册会计师等具备专门职业及其他一定资格者。

2. 选任：监事由股东大会选任（商409条，1款）。持有表议决权股份之外的超过发行股份总数3%之股份的股东，就其超过的股份在监事选任中不能行使表决权（商409条，2款）。由于董事是以普通决议来选任的，大股东的影响力起决定性作用，因此为有效地牵制大股东，监事应保持中立性，为此在选任时有必要抑制大股东的影响力。可以以章程降低上述比率（商409条，3款）。

商法所规定的3%的要件应以一人持有的股份数为标准来判断，但是选任上市法人的监事时，应根据证券交易法将股东一人及一定的亲属等特殊关系人持有的股份加起来视为一人所有，以此来判断是否持有3%以上（商409条，3款）。

证券交易法要求选任监事时应以不同于董事选任的另一议案来提请并决议（证交191条，之11、1款），但商法也当然要求如此做，因此这只是注意性规定而已。

选任监事时，应登记其姓名和居民身份证号码（商317条，2款、8号）。

3. 任期：监事的任期是"自就任后至关于3年内的最后结算期的定期股东大会终结为止"（商410条）。应注意，3年内到来的决算期末日成为基准，并不是3年内到来的定期股东大会日为基准。结果，监事的任期可以超过 3 年，也可以少于 3 年。例如，在营业年度为一年，12 月底决算的公司中，假设 1997 年 1 月 15 日选任了监事，那么关于该监事就任 3 年后即 2000 年 1 月 15 日以前到来的结算期——1999 年结算期的定期股东大会终了之日就是该监事的任期届满日。若定期股东大会于 2000 年 2 月 25 日结束，任期将超过 3 年。而在同一个公司中，1997 年 4 月 1 日被选任的监事来说，2000 年 2 月 25 日是任期届满之日，任期不满 3 年。

4．终任：因任期届满和委任的终了事由（民 690 条）而退任。即使公司解散，与董事的情形不同，不丧失其资格（比较商 531 条和 534 条）。依照特别决议的解任，少数股东的解任请求之诉，停止职务执行及选任职务代行者的假处分，缺员处理等均依与董事相同的方法进行（商 415 条→385 条，386 条，407 条）。

（三）监事与公司的关系

监事和公司的关系依照有关委任规定来处理，其报酬也依章程或者股东大会决议来决定，这一点与董事相同（商 415 条）。监事由于不参与公司的业务执行，因此不承担竞业禁止义务，与公司之间的交易也不受限制。

监事为数人时，可以各自独立行使权限。因此，关于监事没有像董事会制度那样的以多数决为前提的会议体。于是，也没有意思决定和执行的机关划分。

（四）监事的职务和权限

1．业务监查权

1）内容：监事监查董事的职务执行（商 412 条）。避开监查董事的"业务执行"的语句，而以监查"职务执行"来表现，是为了明确地表明监查的范围并不局限于日常的业务执行上，而涉及属于董事职务的一切事项。于是，不仅是董事每个人的职务执行，连董事会的权限事项（商 393 条，1 款）也成为监查对象。会计监查权当然包含在业务监查权之内。

为了进行业务监查，监事随时向董事要求有关营业的报告或调查公司财产状况（商 412 条，2 款）。该报告要求及调查是监查的实施手段，因此只要该报告要求或调查不是任意的或权限滥用，董事不得以属于公司秘密等理由拒绝报告或调查。

为了进行定期的决算监查，接收董事提交的财务报表和营业报告书，实施监查（商 447 条，之 3），这时也可以要求有关必要事项的报告或进行调查。

对于监查结果的意见以董事会上的意见陈述及报告（商 391 条，之 2）、留止请求（商 402 条）、股东大会上的意见陈述（商 413 条）、监查记录（商 413 条，之 2）及监查报告书（商 447 条，之 4）的制作、提出来表现。

2）董事会的"监督"和监事的"监查"：监事的监查权所涉及的范围与董事会的监督权是有区别的。大体上董事会的董事监督属于一种自我纠正功能，不仅涉及到适法性问题，而且也及于董事的业务执行的合目的性、妥当性、效率性，而监事的监查只涉及到董事业务执行的适法性问题。对此，也有监查权一般涉及到妥当性盗查的见解，而折衷说认为，原则上只限于适法性监查，但对显著不当的业务执行，可以进行妥当性监查。

商法中有明文认可妥当性监查的条款。第 413 条规定，监事调查董事将要提交给股东大会的议案及文件是否有"……显著不当"事项，并在股东大会上陈述意见；第 447 条，之 4、2 款、5 号中，要求在监查报告书上记述"会计方针的变更妥当与否及其理由"；第 447 条，之 4、2 款、8 号中规定，盈余剩余金处分计算书或者亏损金处理计算书与公司财产状态以及其他事情相比"显著不当时"，应记载其意思。以上三种情况的监查中，监查权必然涉及到妥当性监查。但是，应视为监事关于属于经营政策的问题没有判断妥当性与否的能力，如果连这些问题也参与，那么监事的经营判断优先于董事会的经营判断，这将违背机关分化和权限划分的基本宗旨。因此，商法明文规定的妥当性监查事项意味着明示了妥当性检查的界限，除此之外，监查权一般局限于合法性监查上。

2．子公司的监查权：1995 年修正商法向监事赋予了在职务履行范围内可以就子公司之营业要求报告或进行调查的权利。母公司的监事为履行其职务，必要时可以要求子公司提出营业报告（商412 条，之 4、1 款）。虽然从法律上子公司是个独立的公司，但实际上关于日常业务服从于母公司的控制。母公司往往通过与子公司进行价格转移交易（transfer pricing）或粉饰决算而隐蔽母公司真实的现状。而且，董事将子公司作为不当流出母公司资产的道管来利用。因此，若不将母公司的现状与子公司的营业联系起来把握，不可能对母公司进行适当的监查。正是为了提高监查业务的实效性，才允许了对子公司的有限的调查。

1）子公司：母子公司的关系根据商法第 342 条，之 2 规定，依照持股此例来决定。

2）要件：对子公司的调查并非是为对子公司的监查，而是为对母公司的有效的监查才认定的。因此，为了对子公司进行调查，应疏明监事"对母公司的职务履行的必要性"。监事的职务履行主要是指对母公司的业务监查，但监事为了其他的职务履行，能否对子公司进行调查呢？一般是在欲行使留止请求权（商402 条）和以董事为对象提诉时，才被提起必要性。法律条文不以"监查所必要时"来表现，而是以监事的"职务履行所必要时"来表现，正是考虑到这时也有对子公司调查的必要性这一点。

3）报告要求权：监事原则上只可以要求子公司提出营业报告（商412 条，之 4、1 款）。报告的范围，必须是为母公司的职务履行所必要的事项。于是，不能要求提出与对母公司监查那样的一般性事项的报告，主要报告对象是与母公司的交易关系，并在评估子公司股份价值所必要的范围内可以询问子公司资产的现状。法律条文虽然规定可以要求提出有关子公司的"营业"报告，但营业以外的交易也会对母公司的损益或资产产生影响，因此报告对象不能只限于营业上，任何与母公司有关的事项均可成为报告对象。

4）调查权：子公司对母公司监事的报告要求不立即响应时，

或者有必要确认报告内容时，可以调查子公司的业务和财产状况（商412条，之4、2款）。这是针对报告要求不能取得实效而认定的监事的直接调查权。调查范围应与要求报告的范围相同，是母公司的职务履行所必要为限。法律条文上对监事调查权的表现（业务和财产状态的调查）与监事对自己公司的业务调查相一致（商412条，2款）。

5）子公司的接受义务：子公司若无正当理由，不能拒绝报告要求及调查（商412条，之4、3款）。无正当理由拒绝时适用罚则（商635条，1款、21之2）。可以拒绝的正当理由，是指侵害子公司营业秘密等侵害子公司独立利益的情形。

3．出席董事会并陈述意见权：监事可以出席董事会并陈述意见（商391条，之2、1款）。这种规定针对那些为履行监查业务，监事有必要知道董事会决议事项，而且有必要向董事会表示监查意见的情形作出的规定。于是，召集董事会时也应向监事发出召集通知（商390条，2款），要省略召集通知时应取得监事的同意（商390条，3款）。

监事可以出席董事会旁听讨论、表决过程，董事会不得以议案要求机密等为由拒绝监事出席。

"陈述意见"并不是指参加议案通过与否的讨论，表示赞反意思，而是指表示监查意见。即董事会开会之前，就平时所进行的监查结果表示意见或者关于董事会上要处理的议案适法与否发表意见。

总之，监事出席董事会是为了监查权的履行，而不是为了参加董事会的意思形成。因此，即使未向董事发出召集通知或监事接到召集通知后没有出席，也不是董事会决议有瑕疵。

有一些人认为，监事只有出席董事会的权限，而没有出席的义务；另一些人认为，出席董事会同时也是监事的义务，监事无正当理由连续缺席就成为任务懈怠，应要承担责任。但是，不管是一次还是数次，不能将监事缺席董事会的事实本身视为任务懈怠。只是监事无正当事由不出席董事会，懈怠于监查权行使时（例如，因不知道董事会进行不适法的决议而懈怠监查权的行使时）才成为任务懈怠。

4. 董事会会议记录上的签章权：出席董事会的监事也应在董事会的会议记录上签章（或者署名）（商391条，之3、2款）。为了保障监事出席董事会并董事会会议记录制作的公正、正确而设置了这一规定。

5. 董事报告的接收权：董事发现有可能给公司带来显著损害之事实时，应立即向监事报告（商412条，之2）。这是1995年商法修改时追加的事项。由于公司的业务执行权由董事会掌握，因此监事一般不具有有关日常公司现状的信息。如果缺乏有关业务的信息，就不可能有效地进行监查活动，因此为向监事提供关于特别紧急状况的信息而设了该制度。另外，发生更大事故时，往往隐蔽其事实，使监事难以适时查明责任所在或追究责任，因此这一制度也包括将监事视为中立性的监视机关，何监事开示事故发生，并诱导以正当的方法来收场的之意思。

1）报告事项：法律条文只规定"有可能给公司带来显著损害之事实"，因此适用法律时会出现到底何种事实成为报告的对象的问题。应根据公司规模或事案的日常性与否来判断。例如，若属于通常有可能出现的营业损失，则不成为报告对象，但给决算产生决定性影响的大规模营业损失应是报告的对象。像不能回收的巨额销售价金的债权或发生巨额损害赔偿的债务等有关营业的事项以及营业外的重大事实，例如，票据不兑现，巨额税金的追征，深刻的劳资纠纷等也是报告事项。应理解为，不仅包括已经发生的事实，而且也包括预见到的事实。

2）应报告的董事：哪些董事承担报告义务呢？与损害发生之原因有关的董事当然要承担报告义务，知道该事实的董事也同样承担报告义务。对于懈怠报告义务者，尚无罚则。但这是违反法令的事实，如因此而给公司带来损害时，董事应承担责任（商399条），并可视为董事的解任事由（商 385 条）。

3）监事的措施：接到报告的监事应调查该事实并了解真相，在董事会和股东大会上陈述意见，应及时行使股东大会的召集请求（商 412 条，之 3），留止请求权行使（商 402 条），对董事的责任追究等权限。

6. 股东大会的召集请求权：监事可向董事会提出记载会议的目的事项和召集理由的书面材料，请求召集临时股东大会（商 412 条，之 3、1 款）。有此请求之后，若董事会不及时履行股东大会召集程序时，监事经法院许可以召集股东大会（商 412 条，之 3、2 款）。旧商法（1963 年以前的商法）第 235 条第 2 款中对此有过规定，但新商法中删除了此规定，1995 年商法修改时又追加了此内容。它一方面虽然表示明显提高监事的法律地位之意，但另一方面，也可以理解为它将大大改变了传统公司权力构造。这根据如何理解向监事赋予召集权之立法宗旨而不同。

1）宗旨：该制度的宗旨可以往两个相异的方向来理解。第一，为提高监查权的实效性；第二，为牵制董事会垄断股东大会召集权，作为代替少数股东之股东大会召集权的手段来利用。

如按第一种方法来理解，则可以作出如下说明。监事的监查权只限于对业务的调查，并没有解任不适任的董事或修改会计以及其他监事将监查结果反映于公司业务或经营政策上的权利。监事的监查结果终究通过股东大会的意思决定才能确保其实效性。因此，监事在股东大会中陈述意见，可以说是将监查结果付诸于实践的最适合的方法，从而向监事赋予了股东大会的召集请求权。鉴于这种目的，监事的股东大会召集请求权只能在有必要紧急向股东大会陈述意见时，才被允许。召集理由是指这种陈述的必要性。

而按第二种方法来理解时，可以作出如下说明。董事会依垄断股东大会召集权而回避召集股东大会时，虽然作为纠正的对策设有少数股东的召集请求权（商 366 条），但因少数股东的要件非常严格，因此实际上很难利用此制度。因此，经修改的商法作为代替实效性不大的少数股东的召集请求制度之方法，向监事赋予了召集请求权，期目的是为了纠正因董事会垄断股东大会召集权引起的弊端。如此看来，监事可以请求召集股东大会的情形并不限于为陈述监查意见的情形，只要根据商法第366条存在少数股东可以请求召集的正当理由时，应视为随时可以召集。例如，董事任期已届满，但董事会懈怠于选任后任者的股东大会的召集时，还有因全部或者一部分董事不适任而有解任的必要时，均可以请求召集股东大会。

2）监事地位的局限性：由谁来持有股东大会召集权，对公司机关的运营具有非常重要的意义。因为股东大会随时都可以解任、选任董事，以根据股东大会的意思决定可以随时重组经营人员的结构，还有股东大会作出最高的意思决定。商法根据所有和经营的分离原则，为了将业务执行的权限集中于董事会，排除股东的无理的经营干涉，将股东大会的召集权归属于董事会。但是，为防止其权限滥用，也向少数股东赋予了召集请求权。少数股东之所以具有召集请求权，是因为少数股东为参加股东大会意思决定的主体。即股东大会的召集成为行使自己权利的机会。而监事即使关于与监事业务设有直接联系的事案召集股东大会，监事在股东大会上的表决权行使是不可能的，因此并没有实现自己权利的意义，只是具有诱导股东们的政策决定的意思。这意味着监事甚至可以干预与经营政策有关的事案，这与商法所赋予的监事的基本职务及机关构成的逻辑是不的。因此，不能对监事的召集请求权赋予代替少数股东召集请求的功能，只能理解为为了确保监事业务的实效性而持有的权利。那么，监事为了与监事业务有关的紧急的意见陈述，才可以请求召集股东大会。

3）立法的妥当性：即使解释为监事只是为了紧急的意见陈述才能请求召集股东大会，也是很勉强的。因为股东大会决议只对已通知的议案进行决议，所以依监事的请求而召集的股东大会只能听取监事的意见陈述，并不能进行后续的决定。这样看来，具有牵制董事会效果的股东大会召集应依赖于少数股东的请求是更为妥当的，如果在实际运用上有困难，以缓和少数股东要件等方法来加以运用便可以。

此规定借鉴了德国股份法中对监事会也赋于股东大会召集权（AKtG §111，AbS. 3）的规定，但德国的监事会可以选任董事并监督董事，与韩国监事相比较，其地位是不同的（AKtG §84 AbS. 1，§111 AbS. 14）。不考虑这种法律地位上的差异，轻意地向监事赋予股东大会召集请求权有必要重新考虑的立法。

7. 留止请求权：参照前述的留止请求部分〔本节 4 款九（二）〕。

8. 关于解任监事的意见陈述权：监事可以在股东大会上就监事解任陈述意见（商 409 条，之 2）。这是 1995 年商法修改时新设的制度。如要保障监事业务之客观性，其身份应稳定。监事也与董事一样，可以依股东大会特别决议解任，但监事的解任决议有可能被有更多机会接近股东的董事误导，因此授予监事追求决议公正的机会。

监事不仅对自己的解任，而且对其他监事的解任可以陈述意见。可以陈述意见的监事应是解任决议当时在任监事。还有，其宗旨是事先力图维持公正性，应允许决议之前监事陈述意见。

关于意见陈述的范围没有任何规定。在图谋决议之违法、不当等决议之公正性的范围内，任何意见都可以陈述。

即使监事陈述意见，也不约束股东大会。只是带有为决议公正而听证的性质，于是只能对股东的表决权行使给予实际影响而已。即使是那样，如果监事愿意陈述意见时，股东大会必须予以陈述意见的机会，如忽略便成为决议取消事由。

9. 公司和董事之间的诉代表权：公司对董事或者董事对公司提起诉讼时，监事就该诉讼代表公司（商 394 条）。这本来为代表董事所要代表的事情，但为诉讼的公正性，向客观性、中立性机关——监事赋予了诉讼代表权。

董事向公司提诉时，当然应由监事代表公司进行诉讼。相反，公司以董事为对象提起诉讼时，监事是根据自己的意思提起诉讼呢？还是先由董事会或代表董事决定提诉与否，然后由监事进行诉讼呢？若按后者来解释，提诉本身可能迟延或放弃，这将违背向监事赋予诉代表权的宗旨，监事可以单独作出诉提起的决定。

少数股东请求公司提起追究董事责任之诉时，是由监事代表公司（商394条，403条，1款）。于是，股东先向监事请求，再由监事提起诉讼。

有关监事的诉代表权的规定为效力性规定，违背此规定而由代表董事代表公司进行的诉讼行为为无效。但是，即便以公司为对象提起诉讼的董事，在其诉状上将代表董事记载为代表公司者时，也可以以监事来补正，一旦补正就与监事追认与否无关，它将成为适法之诉。此种补正在抗诉审中也是可以的（大法院1990.5.11判决）。

同时，公司以监事为对象提起诉讼时，应由代表董事代表公司进行诉讼。

10．各种诉提起权：商法规定，关于公司设立无效之诉（商328条），决议取消之诉（商376条1款），新股发行无效之诉（商429条），减资无效之诉（商445条），合并无效已诉（商529条），监事也有诉提起权。

监事提起决议取消之诉，新股发行无效之诉，减资无效诉时，与董事股东提起诉讼时一样，被免除提供担保义务（商377条，430条，446条）。

11．监事的报酬：监事的报酬也与董事的报酬一样，以章程规定或股东大会上决定（商415条→388条）。往往在股东大会上决定将董事和监事的报酬总额，每一董事、监事的报酬额委任给董事会来决定，但对监事的报酬来说，这是违法。因为若在董事会上决定监事的报酬额，将会影响监事的独立性。证券交易法强调监事的报酬应另行决定（证交191条，之11、3款）。

（五）监事的义务

1．对董事的报告义务：监事认定董事进行违反法令或章程之行为，或者有可能进行违反法令或章程之行为时，应向董事会报告（商 391 条，之 2、2 款）。

这可以说是附随业务监查权的义务，带有促使董事会发动监督权的意思。有可能进行违法行为时，也为了事先预防应报告之，不管公司发生损害与否，均应报告。这就是该制度的一大特征。

2．在股东大会上陈述意见：监事应调查董事将要向股东大会提出的议案及文件，就是否有违反法令或章程以及有显著不当事项，向股东大会陈述其意见（商 413 条）。

对董事的最终牵制在股东大会上形成，监事对董事的牵制也终究只能依靠股东大会决议之支持。从这种意义上讲，监事的意见陈述是监查功能中最有实效、最为结论性的部分。

3．监查记录的制作：监事应制作有关监查的监查记录（商 413 条，之 2、1 款）。监查记录上应记载监查的实施要点和其结果，并由实施监查的监事签章或者署名（商 413 条，之 2、2 款）。

4．监查报告书的制作及提出：在进行决算监查时，应制作监查报告书并向董事提出（商 447 条，之 4、1 款）。

（六）监事的责任

监事懈怠其任务时，监事对公司承担连带的赔偿损害责任（商 414 条，1 款）。"任务懈怠"不仅包含以故意，过失违反上述之义务的情形，也包含懈怠各种权限行使的情形。

监事因恶意或者重大过失懈怠其任务时，该监事对第三人也承担损害赔偿责任（商 414 条，2 款）。任务懈怠是指作为监事懈怠其义务履行和权限行使，例如，在公司财务状况恶化的状况下，如相当期间未进行会计监事，应视为有重大过失。

监事应对公司或第三人承担赔偿损害责任时，如果董事也对此有责任，那么监事和董事应承担连带赔偿责任（商 414 条，3 款）。关于监事的责任，少数股东可以以代表诉讼来追究（商 415 条→

403 条），但可以以全体股东的同意免除责任（商 415 条→400 条）。监事的任务懈怠同时构成侵权行为时，即使全体股东同意也不能免除侵权行为责任，这一点与对董事责任的说明相同（大法院 1996. 4. 9 判决）。

其他详细内容与董事责任的内容是相同的（参照有关董事的责任部分）。

三、外部监查制度

（一）宗旨

由于受规模与行业的影响，有的公司公益性突出并对国民经济产生巨大影响，要求高度正确的会计处理和公正、客观的监查，因此仅依公司自身的监查是不适当的。因此，根据"关于股份公司外部监查的法律"（1980. 12. 31 法律第 3297 号），强制要求对一定规模以上的公司进行非公司董事、监事或从业人员的会计专家的监查。

（二）适用对象法人

依照"关于股份公司外部监查的法律"应接受监查的法人为以前一营业年度末为标准，资产总额达 70 亿韩元以上的公司（外监 2 条，同令 2 条，1 款）。

（三）外部监查人的选任

可以成为外部监查人者限于会计法人和在注册会计师协会登记的监查班（外监 3 条，1 款）。公司应从每一营业年度开始之日起 4 个月之内选任外部监人（外监 4 条，1 款）。选任行为为公司的对外行为，因此应由代表董事执行，但由监事或监查人选任委员会提请并经过董事会决议之后，须得到定期股东会承认（外监 4 条，2 款）。存在公司在法定期间内不选任监查人等一定事由时，证券期货管理委员会可以要求选任自己指定的监查人或要求变更（外监 4 条，之 3）。

（四）外部监查人的权限

1. 财务报表的提出：公司应制作该事业年度的财务报表，连结财务报表或者结合财务报表向监查人提出（外监 7 条）。

2. 文件阅览及业务、财产状况调查权：监查人随时可以阅览或者誊写有关公司会计的账簿和文件，还可以要求提出会计资料（外监 6 条，1 款），为履行职务特别必要时，可以调查公司业务和财产状态（外监 6 条，1 款）。

3. 对关系公司等的会计报告要求：监查人的权限涉及到关系公司及系列公司。监查人为履行职务，也可以要求监查对象公司的关系公司及系列公司提出有关会计的报告（外监 6 条，2 款）。

关系公司是指处于所有或被所有发行股份总数或出资总额20％以上关系的公司，同一人所有两个以上公司的发行股份总数或者出资总额的 30％以上时的这些公司以及其他被认定为与监查对象公司有相当关系的公司（外监令 5 条）。系列公司指属于同一企业集团的公司（外监令 1 条，之 4）。

（五）外部监查人之义务

1. 实施监查和报告义务：监查人应根据公认的公正、妥当的监查标准来实施监查（外监 5 条，1 款）。监查标准，由金融监督委员会经证券期货委员会规定（外监 5 条，2 款）。监查人应制作监查报告书，在定期股东大会开会日一周之前向公司（包含监事）提出，并于股东大会结束之后两周内向证券期货委员会及注册会计师协会提出（外监 8 条，1 款、令 7 条，1 款）。

监查人监查过程中，就董事的职务履行发现不正当行为或者违反法令或章程的重大事实时，应向股东大会报告（外监 10 条）。

2. 出席股东大会和答辩义务：监查人或者所属注册会计师有股东大会要求时，应出席股东大会陈述意见或答辩股东的提问（外监 11 条）。

3. 守密义务：监查人和所属注册会计师或者与监查义务有关者不能泄露因职务关系知道的秘密（外监 9 条）。

（六）监查报告书的公示

监查对象即公司备置、公示财务报表时（商 448 条，1 款），应将监查报告书一并备置、公示（外监14条，1款）。公告资产负债表时（商449条，3款），应一并记录监查人的名称和监查意见（外监14条，2款）。

（七）对外部监查人的监督

为了保障监查业务的公正性，向证券期货委员会赋予了监查报告书的监理等对外部监查人之监督权（外监15条），设有惩戒制度（外监16条）。还有为处罚监查人的不正当行为，设有罚则（外监19条~21条）。

（八）外部监查人之损害赔偿责任

监查人鉴于其职务的重要性，负高度的注意义务，若懈怠此义务时，承担非契约上的责任即特别的法定责任——损害赔偿责任。根据其对象承担下列责任。

1. 对公司的责任：监查人懈怠其任务而使公司承受损害时，该监查人对公司承担连带损害赔偿责任（外监17条，1款）。这一责任可解释为过失责任，准于法律条文上董事对公司的损害赔偿责任（商399条，1款）来解释也可以。

2. 对第三人的责任：关于重要事项，监查人不记载于监查报告书或虚伪记载而给第三人带来损害时，该监查人对第三人承担损害赔偿责任（外监17条，2款）。第三人中包含上市法人的投资者（证交197条，1款），因此这项责任是非常沉重的责任。对投资者来说，外部监查人的报告书或监查意见成为很重要的投资判断材料，因此向监查人课以对投资者的信赖的责任。

3. 责任履行之保障：监查人的损害赔偿责任的对象非常广泛，因此也有监查人不具备充分的赔偿能力的情形。监查人为保障损害赔偿责任的履行，应采取储备损害赔偿共同基金或者加入保险等必要的措施（外监17条，6款）。

4. 所属注册会计师的责任：所属于监查人，并实施监查的注册会计师对公司或者第三人承担连带的损害赔偿责任（外监17条，4款）。但是，注册会计师证明自己未懈怠任务时，可以免责（外监 17 条，15 款）。

5. 董事、监事的连带责任：当外部监查人有责时，如监查对象公司的董事或者监事也对此有责任，那么该董事或监事与外部监查人连带承担责任（外监 17 条，4 款）。

6. 责任的时效：外部监查人或者董事、监事的责任因请求权人知道该事实之日起 1 年以内或者从提出监查报告书之日起 3 年内不行使请求权而消灭（外监 17 条，7 款）。只是此期间可以根据选任外部监查人的契约来延长（外监 17 条，7 款、但书）。

四、检查人

（一）意义

检查人（Prüfer）是为调查一定的法定事项而被选任的公司的临时机关。其任务因选任目的而不同，大体上是调查发起人、董事、清算人的职务履行之适法与否，计算的正确与否。于是，其地位与监事相似。但从为个别事项被临时选任这一点上看，又类似于外部临查人。

（二）资格与地位

股东大会上选任的检查人和公司的关系是委任关系。于是，检查人对公司承担善良管理人的注意义务。但由法院选任时，设有这种契约关系，其权限也依法律规定而决定。但是，法院选任的检查人的其职能也与在股东大会上选任的检查人类似，因此同样承担善良管理人的注意义务。

虽然检查人的资格没有限制，但从其职务的性质上看，应该为自然人，该公司的董事、监事、使用人不能成为检查人（通说）。但是，近年来，设立了很多会计法人，被选任为外部监查人，今后像德国那样，也会出现检查专门法人（Wirtschaftsprüfungsgesellschaft）（§163 AbS. 1AktG），因此没有必要一定要限制于自然人。

（三）选任和职务

关于检查人的选任，有法院选任的情形和股东大会选任的情形。

1．法院选任的情形。

1) 公司设立时：有变态设立事项时（商290条），为了对此进行调查，根据董事的请求选任之（商298条，4款）。此检查人调查变态设立事项及现物出资的履行与否（商299条，1款）。

2) 发行低于票面价格的新股时：法院变更认可最低发行价额时，为调查财产状态及其他必要事项而选任（商417条，3款）。

3) 新股发行时现物出资的情形：为调查物出资内容，依董事的请求选任（商422条，1款）。

4) 关于公司的业务执行，有可以怀疑为存在不正当行为或者违反法令、章程的重大事实之事由时：根据少数股东的请求，为调查公司业务和财产状态可以选任（商467条，1款）。

2．股东大会选任的情形。

1) 根据少数股东的请求而召集的股东大会上，为调查公司业务和财产状态，可以选任（商366条，3款）。

2) 为调查股东大会上董事提出的文件和监事的报告书，可以选任（商367条）。

3) 在清算公司之股东大会上，为调查董事提出的文件和监查报告书，可以选任（商542条，2款→367条）。

4．终任。检查人的地位是临时性的，因此没有任期，其地位一般因职务的终了而消灭。但是，即使在终了之前，如果是股东大会选任的，就可以以股东大会决议解任之，如果是法院选任的，就可以由法院解任之。

5．责任。商法规定，法院为调查设立经过而选任的检查人（商298条，4款、310条，1款）因恶意或者重大的过失懈怠其任务时，对公司或者第三人承担赔偿损害之责任（商325条）。因为公司设立时有多数之利害关系人，要求检查人公正地进行调查。

股东大会上选任的检查人懈怠任务时，对公司承担债务不履行责任。对于第三人，因不发生直接的法律关系，不发生债务不履行责任，但只要具备一般行为要件，就承担侵权行为责任。

第五节　资本的变动

第一款　序　　论

一、资本变动的法律意义

所谓资本的变动是指资本的增加或减少。资本为所发行股份的票面总额（商 451 条），因此，为了增加资本可采取（1）增加票面价额的方法和（2）增加发行股份数量的方法；为了减少资本可采用（3）减少票面价额的方法和（4）减少发生股份数量的方法。

但是，法律上不允许上述（1）的方法，因为若要增加票面价额，所有股东必须另交纳增加部分的股款，这与股东的有限责任的原则是相矛盾的。（2）的方法，只要愿意的股东认购增加的股份即可，因此不产生与有限责任原则相矛盾的问题。（3）、（4）的方法与有限责任毫无相关。总之，资本的减少，在票面价额与股份数量中，可任选其一加以调整，但资本的增加只能采取发行新股的方法。因此，在商法中虽然将资本的减少称为"资本减少"，但资本的增加以"新股发行"来代替。

$$P（票面价额）\times S（股份数量）= C（资本）$$

$$（1）（P+\triangle P）\times S = C+\triangle C\cdots\cdots不可$$

$$\left.\begin{array}{l}（2）P\times（S+\triangle S）= C+\triangle C\\（3）（P-\triangle P）\times S = C-\triangle C\\（4）P\times（S-\triangle S）= C-\triangle C\end{array}\right\}可以$$

二、资本变动的重要性

资本在根据一定的程序增加或减少之前较为固定，并不意味着公司所保有的净财产（总资产 – 债务）。净财产在公司设立之初，与资本相等或超过资本，但此后，随着公司的经营业债，随时增减。

公司的对外信用的基础是意味着实质性清偿能力的净财产。但是，在判断公司的信用程度时，资本起不次于净财产的重要的作用，资本对于股东、公司债权人等利害关系人来说，是重要的关注对象。其理由在于：资本，对内来说是公司应持有的财产的规范性数额，公司经营者应根据此标准保留或处分财产，因此资本额为资本充实的实践性标准；对外来说，净财产并非经常公示，因此资本额成为衡量公司信用及活动能力的尺度（决算之前，净财产不可能公示，因此只能以过去的决算资料中所记载的净财产与资本相比较而判断出公司的健全程度）。

三、资本变动与股份、财产的关系

股份公司的资本，原则上为所发行股份的票面总额（商451条）。因此，原则上资本的增减与发行的股份的数量或票面价额的增减成正比，公司的净资产也随之增减。但是，股份、资本及财产并不总是同时变动的。有时，股份数量的变动与资本毫无相关，有时，即使资本变动，对于净财产毫无影响。

（一）新股发行时

新股发行大体上可分为"通常的新股发行"和"特殊的新股发行"两大类。

1. 通常的新股发行。商法第416条以下规定的是通常的新股发行。通常的新股发行，是向股东或第三人有偿发行新股，所发行的新股数乘上票面价额为增加的资本，净财产也随之增加。但是，净财产的增加并不一定与资本额的增加相一致。低于票面发行时是低于票面额的缺额，超过票面发行时是超过票面额为资本和净财产的差额。但是，在任何情形下，净财产以新股数乘上认购价额的量递增，因此新股发行对于股份公司来说是筹集自己资本的主要手段。

2. 特殊的新股发行。除了通常的新股发行之外，还有其他发行新股的情形，统称为特殊的新股发行。其发行原因各不相同，但它们有共同的特点即发行新股而不增加净财产。特殊的新股发行的动机与筹集资本毫无相关，按其具体原因可分为如下几种：

1）转换股份的转换（商346条以下）：一旦转换股份被转换，转换股份消灭，发行新股。根据转换条件，转换股份可多于或少于新股。新股多于转换股份时资本将增加，少于转换股份时资本将减少。但不论在何种情形下，净财产均不增减。

2）公积金的资本转入（商461条）及股份分派（商462条，之2）：公积金转入资本时，资本将增加，转入额即为增加的资本，转入额除以票面价的数为新股发行数，但由于资本的增加的部分与公积金的减少部分相抵消，净资产不变动。为了股份分派而发行新股时，随着资本的增加，剩余金相应地减少，因此此时的净财产也不变动。

3）可转换公司债之转换（商513条以下）：将公司债转移成股份时，根据转换条件当然要发行新股，新股发行数乘上票面价额为新增资本。这种资本增加并非引进新的资金，但因公司债（负债）减少，会相应地增加净财产。于是，在资本结构方面，这类似于通常的新股发行。

4）因合并而发行新股（商523条，3号）：吸收合并时，存续法人根据合并条件向解散法人的股东发行新股。这时，新股发行数乘上票面价额为新增资本，但净财产不变动。存续法人全部承继解散法人的财产，因此表面上看来似乎增加了财产，但这是合并的效果，而不是新股发行的效果。

5）重整程序中的新股发行：作为公司重整程序的一个环节，向重整债权人、重整担保权人或股东发行新股时，资本会与之相应地增加，但是，公司的净财产有可能增加（公整法222条，2款），有可能不增加（公整法222条，1款）。

6）股份并合：减少资本时也可发行新股。如在股份并合时（后述）。

（二）资本减少时

资本，因减少股份数或者减少票面价额而减少。若减少发行股份数，则资本减少的数额为减少的发行股份数乘上票面价额的部分；若减少票面价额，则资本减少的数额为减少的票面价额乘上发行股份总数的部分。但是，公司财产可因资本减少的目的有可能减少（实质上的减资），有可能不减少（名目上的减资）。与资本减少联系起来后述。

（三）不影响资本的股份、财产的减少

一旦偿还了偿还股份，不仅要减少股份数，而且会使净财产也要相应地减少。但是偿还只能以利益来进行，因此不影响资本（商345条）。注销利益时，亦同（商343条，1款、但书）。

第二款　新股发行

一、意义

（一）概念

新股发行（new issuance；Erhöhung des Grundkapitals），广义上是指公司设立以后所进行的全部股份的发行；狭义上是指以筹集资金为目的进行的新股发行，即普通的新股发行。在此，要对普通的新股发行作出说明。

（二）筹集资本的方法——新股发行

1. 股份公司，本来就是以集中大众资本为目的而设的制度，因此，具有相应的筹集资本的手段，即新股发行与公司债发行。公司债属于他人资本，也就是说是公司的债务，因此经过一定期间后予以偿还，而新股发行为非偿还股份，属于自己资本，因此无须承担这种负担。

但是，若发行新股，盈余分派之负担也随之增加，还有，谁认购多少，会给公司的支配结构带来影响，这些对公司来说，的确是一项重大的组织法上的变化。

2．新股发行，只有与授权资本制相联系考虑，才能正确地把握它作为筹集资本手段的意义。

章程中，只记载发行预定股份数及公司设立时所发行的股份数，无须记载目前所发行的股份数（商 289 条，1 款、3、5 号）。因此，若在发行预定股份总数的范围内发行新股，则无须变更章程。除非章程中规定，新股发行为股东大会的权限事项，应属董事会的权限事项，因此，可依董事会意思决定增加资本（商 416 条）。它意味着从制度上保障在目前的章程范围内不受股东的约束，可以根据经营上的需要随时机动地筹集资本。由此可看出，商法的新股发行，只是一种根据经营上的必要而被利用的筹集资金的手段而已，并没有像德国股份法或旧商法（1962 年修改以前）上资本增加那样导致公司结构上的变化的意义。

（三）新股发行的重要问题

随着新股的发行，首先出现外观上的资本增加。财产也随之增加，但是在公司设立时那样，时有不增加的危险。所以，新股发行时，也应考虑公司设立时的资本充实问题。

即使是由第三人或者股东认购新股，也不按原来的持股比例认购时，股东将会失去过去所持有的比例性利益（proportionate interest），且难以保持股份的经济价值。因此，新股认购，在新股发行中是一项股东的利害关系集中的问题。

即使股东持有新股认购权，也等于是强行要求股东追加出资，因此如何保护无资力股东的问题也是非常重要的问题。

二、新股发行事项的决定

（一）决定机关

通常的新股发行，原则上由董事会决定（商 416 条）。董事会不得将新股发行之决定委任给代表董事或者其他人（通说）。

但是，新股发行，对股东来说是有重大利害关系的事项，因此也可以以章程规定为股东大会的决议事项（商 416 条，但书）。

（二）决定事项

董事会（或者股东大会）决定新股发行时，应同时决定下列事项。

1．新股的种类、数量（商 416 条，1 号）：应决定普通股、优先股等股份的种类和每种股份的发行数。其种类和数量，须为章程所规定的范围之内的（商 344 条，2 款）。发行偿还股份或者转换股份时，也应规定其发行条件。

2．新股的发行价额与缴纳日期（商 416 条，2 号）：股东认购的股份的发行价，对该新股来说应当均等。虽然没有明文规定，但是，鉴于股份平等的原则，当然应如此解释（日商 280 条，之 3）。第三人认购股份，可以另行规定。另外，不同种类的股份，因其价值不相同，其发行价额当然也可以不同。超过票面价额的发行，不受限制，但是低于票面价额的发行，考虑资本充实问题，应受限制（下述）。

3．新股的认购方法（商 416 条，3 号）：应规定股份的请约单位，失权股及端股的处理方法，第三人可以根据章程认购新股时，应规定予以认购权的方法。除此之外，将办理股金缴纳的金融机构，请约证据金的受领方法等，可以委任给代表董事。

4．关于现物出资的事项（商 416 条，4 号）：接受现物出资时，应决定出资者姓名和出资标的——财产种类、数量、价格和对此拟赋予的股份的种类和数量。

5．关于可以转让股东持有的新股认购权的事项（商 416 条，5 号）：商法以可以转让股东的（具体的）新股认购权为前提，规定为新股发行时的发行事项之一。通说认为这是公司的任意决定事项，不愿意转让新股认购权时，可以不作出规定。但是，不能视为股东不能转让新股认购权（后述）。

6．有股东请求时才可发行新股认购权证书，及请求期间（商 416 条，6 号）：转让新股认购权时，其转让应以交付新股认购证书的方法来进行（商 420 条，之 3、1 款），因此公司应发行新股认购权证书（商 420 条，之 2，1 款）。但是，并非所有股东均转让新股认购权，因此只能对请求发行的股东予以发行。于是，关于新股认购权的发行之事项，只有在决定了上述 5 之事项时，才有必要。

7. 分派基准日：为了确定新股认购权人而定的分派基准日（在商 418 条，2 款中规定的"一定日"），也是应由董事会将此作为发行事项之一来决定。因为新股发行日程上的分派基准日，具有约束分派基准日的公告、新股认购权证书的发行请求期间，对新股认购权人的催告日期等之意义。

三、发行价额

（一）低于票面价额发行

1. 意义。随着新股的发行，资本将增加相当于新股的票面总额的部分，因此从资本充实的要求上，应当增加票面价额以上的净财产。因此，发行价额应超过票面价额。

但是，因公司的业绩不佳等，投资者对新股的需要减少时，若坚持票面价额，则请约少于发行股份数，因此会给资金筹措带来问题。尤其是上市股份的情形下，若股价低于票面价额，投资者与其及票面价额认购新股，还不如在流通市场上收买已经发行的股份。因此，为圆满筹措资金，有时以低于票面价的发行价额来发行股份。于是，商法虽然允许低于票面价额的发行，但是，从资本充实的考虑上，定有严格的要件（商 417 条）。

实际上，几乎没有出现过以低于票面价额发行的例子。因此，实际上，在上市公司，即使其股价低于票面价额，也以票面价额来发行，因此而产生的失权股由大股东来认购。

2. 要件。

1）公司成立后经过 2 年：即使以低于票面价额来发行，如下所述，应将不足额按移延资产来计入，并在一定期间内折旧（商 455 条，2 款），能否折旧，也只有在公司的营业在某种程度上已进入正常轨道之后才可以预测到，因此将所需要的期间规定为 2 年（商 417 条，1 款）。

2）股东大会的特别决议：低于票面价额发行，须经股东大会的特别决议。若以低于票价额发行股份，则会与过去以超过票面价的价额来认购股份的股东之间产生衡平问题，新旧股的净资产价值也相混淆，从而旧股之价值被稀释（dilution; Verwci sserung）。

股东大会上不仅要决定是否以低于票面价额来发行，也要决定最低发行价额（商 417 条，3 款）。于是，董事会的发行价额决定权因此而受下线的限制。

3）法院的认可：低于票面价额发行，会妨害资本充实，它会给公司债债权人的利害关系产生影响，因此须经法院的认可。法院参照公司的现状与各项情况，可以变更最低发行价额并予以认可（商 417 条，3 款前）。在此情形下，为了调查公司的财产状态及其他必要的事项，法院可以选任检查人（商 417 条，3 款后段）。但是，当上市法人以低于票面价额发行时，无须经法院的认可（证交 191 条，之 5、1 款）。

3．发行时期。应自得到法院认可之日起 1 个月内发行（商 417 条，4 款）。法院可以延长此期间并予以认可（商 417 条，4 款后段）。低于票面价额发行，是参考某一时期的特殊情况而允许的，因此，若予以长时间的回旋的余地，则等于向董事会赋予以低于票面价额发行的自律性决定权。

4．折旧。低于票面价额的不足部分的总额，可以以移延资产来计入，发行后 3 年内应折旧均等额以上（商 455 条）的价额。为了今后发行新股时对请约者进行公示，应将未折旧额记载于股份请约书上（商 420 条，4 号）。

（二）市价发行

1．意义。市价发行，是指将新股发行价额准于已发行股份的现在市价来定价发行。因此是只对流通市场上已形成市价的股份，即只对上市股份上使用的概念。

要根据市价定发行价额，因此，其价额根据市价，可以低于票面价额，也可以超过票面价额。低于票面价额的发行，如上所述，是要受制约的，因此公司可以自律进行的市价发行应限于超过票面价额的发行。

市价发行，在公司财务结构健全、股价大大超过票面价额时才有可能，而且也强调其必要性。通过市价发行，超过票面价额的净财产会流入，因此可以图谋财务结构的健全，并且在第三人认购新股时，为了与原有股东所有的已发行股份之价值之间均衡也是必要的。

2．上市法人的市价发行。上市法人根据证券管理委员会规定的"上市法人财务管理规程"，可以进行市价发行（同规程16条，之3）。即使没有此规定，商法允许董事会自律地按市价决定其发行价额。但是，由于投资者们很难准确测算出企业价值，因此市价发行时，投资者们很难判断其价格是否合适，因此，应将该规定限于理论权利跌股价高于票面价的情形，允许其市价发行（同规程11条，1款），并提示算定与企业价值相符的发行价的标准（同规程11条，2款）。

（三）股价低于票面价额时，新股发行的问题

存在那些即使股价低于票面价，但是为了维持公司信用或者因程序上的麻烦，回避低于票面价额的发行，而固守票面价额来发行的倾向。在此情形下，可以以低于票面价格的市价来取得股份，因此存在股东们回避新股认购的倾向。有时，控股股东和公司经营者利用这一点，认购大量的失权股，从而确保其经营权的稳定。

如此利用股价低于票面价来引诱小股东群之失权，等于相对地、有计巧地追效（squeeze out）他们。因此为保护小股东群，应采取其限制措施，笔者认为这在解释上会成为新股发行留止请求的事由。

四、新股认购权

（一）意义

新股认购权（preemptive right；Bezugsrecht），是指公司发行新股时，可以优先于他人认购全部或一部分的权利。这只是优先认购的

权利，并非为在发行价额或其他认购条件上可得到优惠的权利。股东承担有限责任，因此，新股认购权只是股东的一项权利，而不是义务。于是，股东无须行使新股认购权。

而且，新股认购权并非是股份的结果。因此，质权的效力，不及于行使了新股认购权而认购的股份上。

新股认购权，在所有新股发行中都会被提到的问题，但是除了普通的新股发行（商 416 条）以外，认购权人都已被法定，因此新股认购权的归属不会成为问题。例如，在转换公司债的转换中，是转换公司债债权人（商 515 条）；在公积金的资本转入中是现在股东（商 416 条，2 款）持有新股认购权。

在通常的新股发行中，新股认购权分为股东持有的情形和第三人持有的情形。下面将分别说明。

（二）股东的新股认购权

1. 概念与性质。股东的新股认购权，是指公司发行新股时，股东可以按各自持有的股份数的比例认购的权利（商 418 条，1 款）。

股东的新股认购权，不是显示化的权利，而是在当股东的期间内潜在地持有的权利。即若公司发行新股，则可以认购的权利。这是股东权的一部分，不得与股份相分离而转让、放弃或提供担保，无时效问题。这种意义上的新股认购权，应与公司实际发行新股时，可以请约该股份并接受分派的权利加以区别。将前者称为抽象的新股认购权（Bezugsrecht od, Bezugsstammrecht），将后者称为具体的新股认购权（Konkreter Bezugsanspruch）。具体的新股认购权，发生于董事会上决定的新股分派基准日。正像随着由股东持有的利益分派请求权形成实际分派决议，由此而产生作为金钱债权的分派金支付请求权那样，具体的新股认购权产生的根据在于抽象的新股认购权，那是对公司的债权性权利。所以，对已经发生的具体的新股认购权，不得以董事会或股东大会决议或章程上规定来予以限制或变更。

2．新股认购权的重要性。股东的新股认购权，是为了保护股东而予以认定的，对股东来讲，有下面两方面的重要意义。

第一，因股份包含表决权，若他人认购新股，那么，相对地减弱股东根据其保有股份的比例持有的公司支配权（pro por tional centrol）

第二，新股是为了防止失权，一般是从政策上以低于现在的股价或纯资产价值的价格发行。因新股发行，新、旧股相混合所形成的股价或者每股的纯资产价值比以前的价额降低（股份的稀释化）。因此，第三人认购时，以前的股东所保有的价值的一部分会流出到第三方。

基于以上两个理由，股东的新股认购权是一项保全出资的比例性价值的重要权利。

3．新股认购权的赋予及限制。为了保护股东的新股认购权，商法规定："如章程中另无规定，股东有权按照其所有的股份数被分派新股。"（商418条，1款）。在其他国家大部分都承认股东的新股认购权。只有在英国法，过去传统上一直未承认股东的新股认购权，但是属于同一个法系的美国法则认为股东的新股认购权是股东固有的权利，又是公司法上的公理（axiom in corporation law）。在德国，也向股东按其所有的股份数之比例赋予新股认购权（§186AbS 1AktG）。

但是，股东的新股认购权并非是自然法上的权利。为了圆满地筹措资金，有必要寻找更有资力的出资者，有时也有必要在立法政策上或者公司的经营政策上限制股东的新股认购权。尤其是上述的市价发行，是在排除新股认购权的状态下，欲进行公募增资的发行方式。

商法用"章程中另无规定"来表现，是为了开辟能够以章程限制股东的新股认购权的道路。据此，最近有很多为了公募增资或者为了让外国合作投资方认购股份，限制股东的新股认购权的例子。通说认为，可以以章程剥夺股东的全部新股认购权。但是即使是依据章程作之，欲限制、剥夺新股认购权也应有合理的理由（后述）。

另外，近年来，美国公司法规定：当然可以以章程限制股东的新股认购权，甚至像若在章程中没有规定，股东就不能所有新股认购权的规定也逐步增多。在日本，若章程中没有规定，是否向股东赋予新股认购权，应以董事会的决议来决定（日商280条，之2、1款、5号）。但是，欧洲国家仍然坚持股东的新股认购权，传统上不承认股东的新股认购权的英国也接受欧洲共同体第二公司法指针（同指针29条），1980年修改法中（campanies Act 1980 s. 17（1））承认了股东的新股认购权（companies Act 1985 s. 89）。因此，不能说新股认购权是股东的公理性权利，但是仍然可以说是股东权的本质性内容。

4．新股认购权与股份平等的原则。无论是向股东赋予还是限制新股认购权，均应遵守股份平等的原则。即新股认购权，应依股东持有的股份数来分派或者限制。这里有一个例外，即公司持有的自己股份和子公司持有的母公司股份没有新股认购权（通说）。在公司发行数种股份的情形下，若章程中另无规定，也可以根据股份种类，就新股的认购作出特殊规定（商344条，3款）。在这一部分中，等于是排除了股份平等的原则。

若章程中违反股份平等的原则作出赋予或者限制新股认购权的规定，那么，该规定为无效，若根据该规定发行新股，则成为新股发行留止请求及新股发行无效之诉的原因。

5．现物出资与新股认购权。接受现物出资时，一般是接受整套财产，并对此进行评估、分派相应的股份，如果新股发行时接受现物出资，那么，在实务中很难正确地向各股东分配按其新股认购权计算出的股份数。而且，有时，公司为了从特定人处接受特定财产的出资而发行新股，因此，有时又不向其他股东分派新股。于是，给现物出资分派的股份的一部分或者全部不得不成为股东新股认购权的例外。那么，欲使对现物出资无视股东的新股认购权而进行的股份分派为正当化，须有何种法律上的根据呢？

公司设立时，若进行现物出资，则应以变态设立事项来在章程中规定。但是，新股发行时，关于现物出资，没有作出须根据章程的规定。只是在商法第 416 条第 4 号中，作为有关新股发行的董事会的决定事项之一来列举：“现物出资者的姓名、标的财产的种类、数量、价额以及拟对此赋予的股份的种类和数量”。从文义上，可以解释此规定为只能根据董事会决议（定有由股东大会作出新股发行之决议时，以股东大会决议）可接受现物出资，忽视股东的新股认购权也可以对此进行相应的新股发行。部分学说和判例持这种观点。

但是，如此解释，会产生使只能根据法律或者章程规定才能限制的原则（商 418 条，1 款），被董事会的决议成为无任何效力的例外现象。这等于董事会随时可以采取现物出资的形态来改变公司的支配结构，这是对股东利益的重大的侵害。包括现物出资，应将商法第 416 条第 4 号中所列举的法定事项，视为与股东的新股认购权有关的问题被上级部门的规范来解决以后，为其实践而规定的程序。给股东的新股认购权带来变化的现物出资须经章程的规定或者代替它的股东大会特别决议。

（三）第三人的新股认购权

1．意义。是指股东以外的第三人可以认购的权利。即使是股东，若除了按自己所有的股份数持有的新股认购权以外，又持有追加认购新股之权利，那么，这也是第三人的新股认购权。像股东的新股认购权那样，也可以分为抽象的新股认购权和具体的新股认购权。

2．赋予根据。

1）法律：有根据法律向第三人赋予新股认购权的情形。发行转换公司债或者附新股认购权公司债时，第三人持有新股认购权。又根据证券交易法，上市法人有偿发行股份时（意指 416 条之发行），加入该法人的内部职工股合伙的从业人员（内部职工股合伙人），在不超过新股 20％的范围内，有权得到新股分派（证交 191

条，之 7），若有从业人员的请约，在达此比率之前，应向从业员优先分派。此外，上市法人或者协会注册法人或者受中小合作创业支援法之适用的公司，可采纳股份买入选择权制度，据此被赋予股份买入选举权者排他地持有新股认购权。

2）章程：向第三人赋予新股认购权，意味着对股东的新股认购权的限制，除了根据法律以外，只能根据章程的规定，才可赋予（商 418 条，1 款）。笔者认为即使章程上没有规定，也可以根据与章程变更的要件相同的股东大会的特别决议赋予。在向第三人赋予的情形下，在股份请约书上，也须记载该事项（商 420 条，5 号）。

3．章程规定的具体性。章程中写进向第三人赋予新股认购权的根据规定时，应确定赋予的对象、股份种类和数量等，以此向股东们赋予预测可能性。例如，单纯地规定："可以以股东大会普通决议向第三人分派新股"或者"可以以董事会决议向第三人分派新股'等。这就是所谓的空白委任，它不可能保障预测可能性和向第三人分派之行为的具体合理性，因此是无效规定。

但是，无须特定第三人。例如，股东、发起人，从业人员，外国合作投资者、公募等，明确其范围即可。也无须特定股份数，只要以"新股之 10% 以下"等方式明示范围即可。

4．向第三人分派的合理性。向第三人赋予新股认购权，是根据公司需要进行，有时也被控股股东或者董事们利用在追求私益的目的上。因此，应在适当地保护股东们的条件下赋予，为此，其内容应以客观的合理性为基础。

在德国股份法中，排除股东的新股认购权向第三人分派时，要求有股东大会之特别决议，但是董事会应先于股东大会决议，书面报告限制或排除新股认购权的理由，并将决定发行价的根据记载于报告书上（§186 Ab．s，4AktG）。但是即使作出股东大会特别决议，也须有在决议之际通过资本增加所要达成的目的，根据通常的股东分派的方法是无法得逞等不得不认定向第三人分派的客观理由。笔者认为，限制股东之新股认购权的程度，应限于达成公司目的所需的最小范围之内。

在日本，也指出第三人分派作为支配权转让的手段而被利用等问题，其规制趋于要求有合理性。

韩国商法和证券关系法规中，虽无要求第三人分派的合理性理由或者予以公示的规定，但是从公司法的原理来看，关于排除股东的新股认购权并对第三人进行分派上，除了有像须有章程上的根据规定那样的程序性要件之外，还应有合理性理由。因为股东的比例性利益，并非是根据多数决随意制约的事项。将第三人分派的合理化理由，可以列为如下：外国资本的引进，外国技术的引进，前后方联系市场的确保，财务结构的改善等，为公司发展所需，且根据股东的分派不能达到预期目的的情形。而且，即使是为了达到公司的目的不得不要限制股东的新股认购权，也应考虑"目的和手段的比例性（Verhältnismä Bigkeit von Mittel und Zweck）"问题。因此，公司只有在有合理性理由时，在最小范围内向第三人赋予新股认购权，而且应公示其合理性理由。

5. 发行价的公正性。即使是依据章程的明确根据，且确有合理的必要性，向第三人赋予新股认购权，但是，该发行价显著低廉时，会侵害股东的利益。发行价为不公正时，会成为追究董事的责任，新股发行留止请求，新股发行无效之诉等原因，但也有向第三人直接追究责任的制度（商 424 条，之 2）。

6. 第三人的新股认购之性质和转让可能性。通说认为，即使章程规定了第三人的新股认购权，也不能视为章程之效力当然及于第三人。因此，第三人不能仅依据章程上规定取得新股认购权，应根据与公司之间签订的契约来取得。于是，第三人的新股认购权被称为是契约上的权利。因此，即使无视第三人的新股认购权而发行了新股，公司也只承担因债务的不履行而产生的损害赔偿责任。有些人重视第三人的抽象的新股认购权为契约上权利这一点，认为与股东的新股认购权不同，可以转让；也有些人认为第三人的新股认购权是在与公司之间的特别关系上被认定的，因此，不得转让。

通说的上述说明,是限于根据章程向第三人赋予新股认购权的情形作出的说明。附新股认购权公司债债权人的新股认购权或者依从业人员持股制度的新股认购权那样,根据法律授予时,当然不可能被适用的。

与通说不同,即使将第三人的新股认购权像股东的新股认购权那样,视为是团体法上的权利,也在被忽视的状态下仍发行新股时,该新股发行无效之诉,只能由股东、董事、监事才可以提出(商429条),而第三人不可能争执。即使那样,但是也无法同意将第三人的新股认购权视为是纯粹的契约上的权利,第三人为取得新股认购权应与公司另签契约,而且这只是契约上的权利,因此,可以转让的看法。

有与第三人签订赋予新股认购权的契约,并为了履行该契约在章程上作出新股认购权的规定的情形(例如:合作投资方);也有不签订这种契约,直接在章程上作出规定的情形。其中,有像为了给发起人作为应得到的特别利益赋予新股认购权,而以变态设立事项在章程中规定的情形(商290条,1号),或者作为公司应向董事支付的报酬赋予新股认购权(商388条)的情形那样,第三人也像发起人、董事被特定为公司组织法上的地位的情形。在后者的情形下,虽无有关赋予认购权的契约,也不能认为该第三人不具有新股认购权。在这种情形下,应视为该第三人根据章程上规定取得新股认购权。在前者的情形下,即基于契约在章程中规定赋予新股认购权的情形下,第三人可以优先认购新股,作为公司能够撇开股东的新股认购权,可以接受,这是明白的团体法上的效力,这种效力是章程规定的效力,而不是契约的效力。通说以章程不能约束第三人为理由主张契约上的权利,但是新股认购权是权利而不是义务,因此不能约束第三人,第三人进入团体法律关系时,也应受章程的约束,因此这一点也不可能成为妥当的理由。笔者认为,第三人的新股认购权也不能像股东的抽象的新股认购权那样可以转让。

（四）新股认购权的侵害

无视股东的新股认购权发行新股时，它将成为新股发行无效之诉的原因（商429条，后述）。新股认购权被侵害的股东，可以行使新股发行留止请求权（商424条），可以请求董事予以损害赔偿（商401条），或者可以请求公司予以损害赔偿（商389条→210条）。

第三人新股认购权被无视时，不能成为新股发行无效之诉的原因。新股发行之诉只能由股东、董事、监事提起。因此，第三人只能对董事或者公司请求损害赔偿。

（五）具体的新股认购权的转让

1.转让性。抽象的新股认购权，作为股东或者第三人地位的一部分不能转让。但是具体的新股认购权，作为独立的债权性权利，理论上讲是可以转让的。

新股认购权，其分派基准日和清约日的间隔，从现行法的规定上看，最少也得有两周的时差（商419条，3款），因此，首先从权利的存续期间上看，有允许转让的实际意义。而且，新股认购，事实上等于向认购权人强行要求出资，这对认购权人来说，的确是一种经济上的负担。当然，股东可以放弃它，但是若放弃它，则因不能维持旧股份的价值会蒙受经济上的损失。因此，为了使新股认购权人将此变卖并获得新股发行价与市价的差价，商法规定凭新股认购权证书可以转让新股认购权。

2.转让性的要件。商法规定，可以以章程的规定或者董事会的新股发行事项之一来规定"有关可以转让股东持有的新股认购权之事项"（商416条，5款）。根据章程规定由股东大会决定新股发行时，此事项也应由股东大会决定。

1）赋予转让性的任意性：可以任意规定转让新股认购权之意，也可以不定之。将新股认购权的转让以发行事项来规定时，也应发行新股认购权证书等，这些自然要增加公司的事务负担，因此转让与否任公司自律。尽管如此，在未定为发行事项时，也不能认为根本就不能转让新股认购权（后述）。

2)转让性的范围:只认定股东的新股认购权的转让性。向第三人赋予新股认购权时,对此赋予,肯定有经营政策上的特殊的理由,因此让公司不知的第三人取得并行使认购权是违背认购权赋予的宗旨。而且,转让新股认购权意味着变卖并取得发行价和实际资产价值的差益,是稀释股东们的股份而创出的价值,不可能成为第三人可取的利益。

但是,有一例外,附新股认购权公司债的债权人,可以依照董事会规定的发行条件,只能另行转让新股认购权(商516条,之2、2款、4号)。

3)转让方法:董事会决定可以转让新股认购权时,新股认购权的转让,只能凭公司发行的新股认购权证书的交付来进行(商420条,之3、1款)。这是为了将新股认购权之转让方法定型化而作出的规定。

附新股认购权公司债债权人的新股认购权,凭新股认购权证券之交付转让之(商516条,之6、1款)。

3.无董事会决定时的转让可能性。多数说认为,未在章程中规定,或者新股发行决议时未规定可以转让新股认购权时,不得转让。但是,之所以使之可以转让新股认购权,如上所述,是以保护股东的比例性利益为目的,因此,这从其性质上看,不是被董事会之决议来左右的事项。商法第416条中的可以以董事会之决议决定可以转让新股认购权之意(同条5号),不是指可以依董事会决议创设新股认购权的转让性,而应理解为可以根据公司之便,将新股认购权之转让可以依新股认购权证书之发行来定型地规律,也可以任意地为之。故,应解释为即使没有董事会决定,也可以转让新股认购权。最后,判例也持相同的意见。

在此情形下,因没有新股认购权证书,应依何种方法来转让呢?1984年修改以前,认定新股认购权之转让性的学说,是根据德国通说的解释,认为可以依债权转让之方法及效力转让新股认购权。笔者认为,如今也可以依此方法转让。

（六）新股认购权证书

1.意义。新股认购权证书（Stock Subscription Warrants），是表示股东新股认购权的有价证券。是在可以以董事会的决定转让新股认购权的情形下，是为了使其转移具备确实的公示方法、并为了加强其流通性而被发行的证券。

1)只能对股东的新股认构权发行新股认购权证书，而不得对第三人的新股认购权发行（商416条，5、6号）。因为第三人的新股认购权，其转让性本身是被否定的。

2)凭新股认购权证书，可以进行新股认购要约，转让新股认购权等，权利的行使和转移均需要有此证书，因此新股认购权证书是有价证券。但是并不是根据新股认购权证书的制作产生新股认购权（非设权证券性）。它只是表示已经发生的新股认购权而已。

3)在新股认购权证书上，无须表示认购权人，仅凭该证书的转移占有来转让新股认购权，因此新股认购权证书为无记名证券。

2.发行。

1)要求发行时：新股认购权证书，只在董事会以新股的发行事项来规定可以转让股东的新股认购权时，才可发行。商法同样以发行事项来定为"有股东之请求时发行新股认购权证书，及其请求期间"（商416条，6号）。未规定时，既然已定有可以转让新股认购权（商416条，5号），不管股东请求与否均应对所有股东发行新股认购权证书，为了减轻其负担，只向有请求的股东发行。

2)发行时期：新股认购权证书，从其性质上说应该是待确定新股认购权者以后才能发行，因此应在新股分派基准日（商418条，2款）以后发行。定有"只有在有股东请求时，才发行新股认购权证书，及其请求期间"时，在该请求期间内接受股东请求发行即可，但是未规定时，应在认股要约日的2周之前发行（商420条，之2、1款）。"应在认股要约日的两周之前发行"，是指应将股东转让新股认购权之机会至少要保障两周以上。即使是以董事会决议规定股东可以请求发行之期间，所定的期间，应自认股要约日起2周以前、能够请求并发行的期间。即请求期间的始期,应于认股要约日的 2 周以前。

　　3)记载事项:在新股认购权证书上,应记载:(1)表示新股认购权证书之意;(2)股份认股要约书所定事项;(3)新股认购权之标的即股份种类及数量;(4)若未在一定日期之前进行股份认股要约,则丧失该权利之意(商 420 条,之 2 款、1 号～4 号),并由董事签章(或者署名)(商 420 条,之 2、2 款)。新股认购权证书为要式证券,因此,未记载重要事项(例:股份的种类和数量)时,为无效。但是,不能连少记轻微事项的(例:(4)之事项)也均视为是无效。

　　4)发行单位:新股认购权证书,不能对每一股东分别发行,而是以新股认购权对象即股份为基准发行。于是,对每一股可以发行一枚新股认购权证书,也可以将数个股份并合起来在一枚新股认购权证书中表示。如何发行,应按照股东之请求办理。

　　3.新股认购权证书之效力。

　　1)权利推定力:将新股认购权证书的占有人推定为适法的持有人(商 420 条,之 3、2 款→336 条,2 款)。占有新股认购权证书者无须证明其实质性权利可以行使新股认购权。

　　根据这种权利推定力,也可以善意取得新股认购权证书(商 420 条,之 3、2 款→票据 21 条)。由此可看出,在新股认购权证书上,也被赋予像股票那样的流通性。

　　2)新股认购权的转让方法:定有可以转让新股认购权时,其转让,须依新股认购权证书的交付(商 420 条,之 3、1 款)来进行。如同转让股份时,须交付股票(商 336 条,1 款)。

　　在新股认购权证书上无须记载认购权人的姓名,但是即使是记载了,也不以指示证券来看待,因此,只有依交付,才可转让。

　　3)新股认购的要约方法:发行新股认购权证书时,新股认购的要约须凭新股认购权证书进行(商 420 条,之 4、1 款)。定有依股东的请求发行新股认购权证书时(商 416 条,6 号)时,未请求发行的股东,当然应凭认股要约书进行认股要约。

　　丧失新股认购权证书时,按理来说,应经过公示催告程序,得到除权判决之后才可进行新股认购要约。但是,将公示催告期间(3个月以上)与至新股认购要约日止的期间相比较看,是不能强求的,因此,规定了可以依认股要约书进行要约(商420条,之4、2款)。但是一旦他人持该被丧失的新股认购权证书进行新股认购要约,根据认股要约书进行的新股认购要约会失去效力(商420条,之4、2款、但书)的。于是,公司不能以已有依认股要约书的要约为由,拒绝新股认购权占有人的要约。既然认定了新股认购权的占有上权利推定力,那么这是一个当然的归宿。

但是,新股认购权的归宿问题并非因此而最终被决定的。实体性权利关系是另争的问题。

4)新股认购权的流通市场:证券交易法第2条,1款、6号将新股认购权证书,以受该法适用的有价证券之一来列举。商法明文规定新股认购权证书的发行,从而从制度上给新股认购权证书予以能够在证券市场上流通的可能性。但是,事实上新股认购权证书从来没有上过市,但是在股市外的市场上交易过。

4.发行中的责任和罚则。在应发行新股认购权证书时未发行或者虚假记载的情形下,董事应向因此而受损的股东或者第三个承担损害赔偿责任(商401条),而且对公司也承担损害赔偿责任(商399条)。

另外,董事违反商法第420条,之2未发行新股认购权证书时,或者不记载应记载的事项,或者进行虚伪记载时,应处以500万元以下的罚款(商635条,1款、16号)。

五、新股发行的程序

(一)分派基准日的公告

公司为确定新股认购权人,应定好新股的分派基准日,而且为了向股东或者其他投资者公示,应发出公告。即公司定好一定日期(新股分派基准日),在该日期的两周之前发出公告,当天在股东名册上记载的股东具有新股认购权之意,及可以转让新股认购权时(以章程加以规定或者由董事会决定为发行事项时),将其意(商418条,2

款)。如果分派日期正好是在股东名册封闭期间时,应在该封闭期间的第一天的两周之前进行公告(商418条,2款、但书,354条,1款)。如果封闭了股东名册,就不可能进行名义更改,因此,对新股认购权的归属来讲,封闭期间的第一天就是分派基准日。法条上是以"分派日"来表现,这就是分派基准日。

若决定并公告了分派基准日,则基准日期间内的股东名册上的股东持有新股认购权,此后取得股份者不具有新股认购权(因此,在证券市场上,分派基准日后股价下跌,相当于投资者赋予新股认购权的价值的倾向,这种现象称为"权利落")。

无记名股东在认股要约以前,不可能被确定为新股认购权人,因此,分派基准日是为了确定记名股东的新股认购权而定的日期。尽管其对象是记名股东,仍以公告代替通知,是为了使将来在分派基准日的前后欲取得股份的投资者能够判断股份的投资价值,也应知道分派基准日。

(二)对新股认购权人的催告

公司应定好一定的日期(认股要约日),并于该日期的两周之前向新股认购权人通知:(1)其所持有认购权的股份的种类和数量;(2)若未在认股要约日之前进行股份认购的要约,则会失去其权利之意思;(3)定有有关转让新股认购权的事项及根据股东的请求发行新股认购权的事项(商416条,5、6号)时,也通知该事项。由于无法对无记名股东发出通知,因此在两周之前公告上述事项(商419条,2、3款)。以上通知与公告,只有在已确定新股认购权人的状态下,才有可能,因此应在新股分派基准日(商418条,2款)以后进行。

根据章程规定,可以公募全部发行股份时无须经此程序。

在上述日期之前。若认购权人不进行认股要约,则丧失其认购权(商419条,4款),从而产生所谓的失权股(后述)。

(三)新股认购权证书的发行

(参照已述)

（四）认购

像公司设立时那样,股份认购,须经要约与分派两个程序将其法律性质视为是入社契约(通说)。

1.要约:与公司设立时的募集设立相同,董事应制作认股要约书,欲认购股份者应根据认股要约书要约(商 420 条,425 条→302 条,1 款)。如上述所述,只是在发行新股认购权证书时,应据此证书进行要约(商 420 条,4 款)。

在要约书上应记载:(1)商号,发行预定股份总数,每股金额;(2)定有利益注销时,该规定,代收缴纳股款的金融机构及缴纳地点;(3)新股的种类和数量,发行价额及缴纳日期,认购方法,有关现物出资的事项;(4)低于票面价额发行时的发行条件与未折旧额;(5)限制股东的新股认购权时,其内容,向特定的第三人赋予新股认购权时,其事项;(6)股份发行决议的年月日(商 420 条)等。法律条文上虽然有遗漏,但是若有股份转让限制之规定(商 335 条,1 款、但书),也应将此记载于要约书上。

如同募集设立时,排除民法第 107 条第 1 款但书(相对方知道的非真意表示的无效)的适用(商 425 条→302 条,3 款)。

〈图表:新股发行日程〉

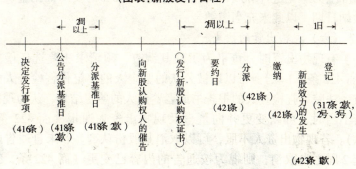

2．分派：由董事进行分派（商 421 条），但是无论是对股东，还是对第三人，对所有持有新股认购权人，董事不能以其裁量进行分派。但是对公募部分，可以以董事的裁量分派。如同募集设立时，因分派而结束新股认购，即使所分派的股份数少于已要约的股份数，认购人也不得提出异议（无新股认购权者的情形）。

（五）缴纳

认购人承担缴纳认购价额的义务（商 425 条→303 条）。董事应让新股认购人按其所被分派的股份数，在缴纳日期全额缴纳其所认购的每股的认购价额（商 421 条）。缴纳地点，缴纳金保管人的证明与责任，现物出资的履行方法，与募集设立时相同（商 425 条→306 条，305 条，2、3 款→295 条，2 款）。只是在凭新股认购权证书要约时，应在记载于新股认购权证书的缴纳场所进行缴纳（商 425 条，2 款→305 条，2 款）。

认购人未在缴纳入日期缴纳时，失去认购人的权利（商 423 条，2 款）。这与公司设立时（商 307 条）不同，无须经过失权程序，依缴纳日期的经过当然失权，对此部分，可以再次募集认购人，也可能放弃发行，留作发行预定股份总数的未发行部分来今后发行。可以向失权的股份认购人请求损害赔偿（商 423 条，3 款）。实际上为避免这种麻烦，要约时预缴纳 100% 的要约证据金，到了缴纳日期，以此来充当缴纳金。

（六）现物出资的检查

有现物出资时，董事为了使其调查，须请求法院选任检查人（商 422 条，1 款）。可以以被公认的鉴定人的鉴定代替检查人的调查。法院审查检查人的报告书或者鉴定人的鉴定结果，认为现物出资不当时，可以变更并向董事及现物出资人通报（商 422 条，2 款）。若现物出资人不服，可以取消其股份认购。若未自通告之日起 2 周之内取消，则视为按通告的内容已变更（商 422 条，3、4 款）。

判例认为，关于现物出资，虽未经这种检查程序，也不能视为因新股发行或者由此带来的变更登记为无效。

（七）失权股与端股的处理

失权股，因新股认购权人不进行要约而产生（商 419 条，4款），也因新股认购人在缴纳日期未进行缴纳而产生（商 423 条，2款）。发行新股时无须确定资本全额，所以失权股与端股可以以未发行部分来保留，也可以以董事会的决议来处理，实践中也如此处理。但是，如上所述，曾经出现过诱导一般股东的失权，并以董事会的决议将此集中分派给控股股东的事例，因此有必要修改过去的解释。端股，是指不足一股的股份，它是在新股发行时一般是按新股认购权人的持股数来进行分派的过程中产生。例如，若持有 10股的股东持有每股 15% 的新股认购权，那么，该股东持有的新股成为 1.5 股，也就是说产生 0.5 股的端股。根据股份不可分的原则，不能如数分派端股。

关于端股，虽无像资本减少时那样的规定（商 443 条），但应该按市价处分，将与发行之间的差额返还给端股的股东是公平的。实务上也照此方法处理。

（八）登记

因新股发行，增加属于登记事项的资本的总额和发行股份的总数，因此，要进行变更登记（商 317 条，2 款、2、3 号、同条 3 款→183 条）。

（九）上市法人的特例

上市法人发行新股时，为了保护投资者，要求经证券交易法上的特别程序。

1. 外部监查：发行新股的上市法人，首先应接受外部监查人的会计监查，并将该监查证明附在有价证券申报书上（证交 194条，之 3、1、同令 84 条，之 2、5 号）。

2. 有价证券申报与效力发生：公司将有价证券申报书向证券管理委员会提出之后，若未经一定期间（现行 10 天），则不发生申报书的效力，所以不能进行新股发行（证交 8 条，1 款、9 条，1

款、同规则 3 条，1 款）。即使在此之前已有认购的要约，发行人也不得予以承诺（证交 10 条，1 款）。

3．企业内容的公示：为了给投资者以投资判断的机会，须经特定的公示程序。

首先，在有价证券申报书上记载公司概况等特定事项，此文件由证券管理委员会供公众阅览而备置、公示（证交 18 条，有关有价证券申报等规程 23 条，2 款）。另外，采取事业说明书主义，发行人应先于募集认购人，制作记载特定事项的事业说明书，并在一定的场所备置，供一般人阅览（证交 12 条，1 款，关于有价证券申报等规程 7 条），若未将此事业说明书交付欲要约者，则不得接受要约（证券 13 条，1 款）。

新股发行之后，应制作发行成绩报告书，并向证券管理委员会提出，也应公示（证交 17 条，18 条）。

4．因虚伪公示而产生的责任：因在有价证券申报书、事业说明书上作了虚伪的记载或者表示，或者不记载或不表示重要事项而给认购人带来损害时，申报人，董事，事业说明书的制作、交付者承担损害赔偿责任（证交 14 条）。但是，这些人能够证明其无过失，或者认购人有恶意时，不承担责任（证交 14 条，但书）。此损害赔偿请求权，若请求者自知道该事实之日起一年内，从有价证券申报书效力发生之日起 3 年内不行使，则消灭（证交 16 条）。

六、新股发行的效力发生

（一）未认购一部分的影响

公司设立时，适用认购并缴纳发行股份总数的资本确定的原则。相反，在新股发行时，即使少于董事会上决议的发行股份数，也可以按期只发行已认购并缴纳的股份，放弃未认购、未缴纳部分的发行的所谓的"结束发行"。于是，新股的一部分即使未被认购或无效、取消，不影响新股发行本身的效力。即对剩余部分，发生新股发行的效力。新股发行是资金筹措的手段，因此即使只认购、缴纳了其中一部分，也对该部分算是已达到了新股发行的目的。

（二）效力发生时期

认购人缴纳或履行现物发资时，自缴纳日期的次日起具有股东的权利与义务（商423条，1款）。即自这一天起成为新股的股东。随之，丧失新股认购人的地位，即结束权利股状态（商425条，1款→319条），可以转让股份，但是在发行股票之前，仍受商法第335条第2款已转让的限制。公司应毫不迟延地发行股票（商355条，1款）。

自缴纳日期的次日起发生新股之效力，结果，新股也应参与该日期所属的营业年度的盈余分派。这时，关于此分派，会产生日计的是非，因此，可以根据章程规定视为是在前一营业年度未发行了新股从而可以使其得到同等的分派（商423条，1款后段→350条，3款）。详细的内容与盈余分派联系起来，后述。

七、董事的资本充实责任

1．发行新股时，如同公司成立时，若在资本组成上出现缺陷，发起人应承担担保责任，应由董事承担担保责任。但是，发起人对未认购或者认购被取消的股份，应承担认购担保责任；对未缴纳完毕的股份，也承担缴纳担保责任。与此相反，（商321条，1、2款），董事只承担认购担保责任，而不产生缴纳担保责任的问题。因为新股发行时，若在缴纳日期内不缴纳，则其认购本身失效，因此这一部分也被认为是未认购。

2．董事的认购担保责任，是指在因新股发行而进行变更登记（商317条，2、3款）之后，尚有未被认购的股份或者股份认购的认股要约被取消时，视为董事共同认购之（商428条，1款）。

按理说，在新股发行中，与严格适用资本确定原则的公司设立时不同。部分认购被失效时，对其余部分仍产生新股发行的效力，因此董事不应承担认购担保责任。但是，既然进行了似乎已经认购完毕，那样，登记了，就为了使其符合公示的资本充实，应让董事承担担保责任。

由于认购被拟制了，无须有董事的认购的意思表示而直接产生其缴纳义务，这一点与发起人的认购担保责任是相同的。同样，这是无过失责任，即使是全体股东同意了，也不得免除。除此之外，又给公司带来损害，除了认购担保责任之外，可以另行请求董事的损害赔偿（商 428 条，2 款）。此损害赔偿责任，是第 399 条中规定的责任。

八、新股发行留止请求权

（一）意义

公司违反法令或者章程，或者以显著不公正的方法发行股份，因此有给股东带来不利益之虑时，该股东可以请求公司留止发行（商 424 条）。

如上所述，新股发行对现有股东的比例性利益产生重大影响，因此，针对公司的违法、不公正的新股发行，为了保护个别股东的利益而设置的制度。

（二）与留止请求权的比较

新股发行留止请求权，是为了事先阻止一定的行为而给股东予以认定的权利，这一点与商法第 402 条规定的普通留止请求权相同。但是，在其行使要件上有很大的差异。（1）留止请求权只对少数股东认定，而新股发行留止请求权是对所有股东认定；（2）留止请求，是以董事的违反法令、章程的行为为对象，而新股发行留止请求，只以公司的新股发行为为对象，同时不仅包含违反法令、章程的情形，还包含显著不公正的情形；（3）两者的最大的差异是，留止请求权在对公司有产生恢复不能之损害之虑时可以行使，而新股发行留止请求权是在股东自身有蒙受不利益之虑时可以行使。因此，留止请求权是股东的共益权，但是新股发行留止请求权是自益权，因此，并不是以互相代替行使来取得同样效果的权利。

（三）留止请求的要件

1. 新股发行之违法、不公正：公司须以违反法令、章程或者显著不公正的方法，已经发行了股份（商 424 条）。

违反法令的例子有：无视股东的新股认购权向第三人分派，或者在股东之间不公平地分派股份时（商 418 条，12 款）；未经对新股认购权人的催告程序，以未认股要约为由使其失权时（商 419 条，4 款）等。

违反章程的例子有：对数种股份，不按章程规定进行分派新股时；虽在章程中规定新股发行须经股东大会决议，而仅以董事会决议发行新股时；以不同于章程规定的方法及其他方法处理端股时；未按章程规定赋予新股认购权权时。

显著不公正的例子有：在新股认股要约证据金的缴纳上，区别对待要约人时（例如，让少额股东缴纳 100%，让大股东免缴）；过高评估现物出资时；新股的分派基准日定得过长，使股东难以作出投资判断等。还有，如上所述，股价低于票面价额时，以票面价来发行新股，或者以显著高于市价的发行价来超过票面价发行，以此诱导产生大量的失权股时，也属于显著不公正的方法。

2. 股东的不利益：新股发行，除了有违法、不公正以外，还须有特定股东的蒙受不利益之虑（商 424 条）。即使相当于上述违法、不公正之例，也不一定成为所有股东的留止请求之对象。例如，不公正地赋予新股认购权时。会出现因此而受不利益的股东，但是应以股东大会决议发行而以董事会决议发行时，不一定给特定股东带来不利益。

若因违法的新股发行给整个公司带来损害，股东因此而间接受到损失，那么，这虽然不成为个别股东留止请求的事项，但是应被商法第 402 条留止之请求或者新股发行无效之诉（商 429 条），或者董事的责任追究（商 399 条）得到救济。

（四）留止请求的程序

1. 请求权人与对方：是由蒙受不利益之虑的股东对公司的请求（商 424 条）。于是，单独股东也可以请求，有无新股认购权，有无表决权，均与此无关。还有，与第 402 条的一般留止请求不同，不应以董事为对象，而是以公司为对象进行请求。

2. 请求内容：法律条文规定：可以请求"留止其发行"（商

424条）。若如此解释，则得出一旦接受留止请求，等于全部新股发行变为无为的事情。新股发行留止请求，连持有一股的股东也可以进行，这的确是有些过分。因此，应将此解释为可以请求纠正违反法令、章程的事项，或者不公正的方法或者内容，只要公司纠正这一点，就可以继续发行新股。如此解释是合理的。

3．请求方法：关于请求方法，无特别的规定，因此像第402条之留止请求那样，可以以意思表示来进行，也可以提起诉，可以请求假处分，以此求得其实效性。

4．请求时期：留止请求，应在发生新股发行之效力之前，即缴纳日期之前进行。关于新股发行，有些学者认为有无效原因时，新股效力发生之后也可以进行股票的发行等留止请求，但是，这等于是可以以诉之外的方法来主张成为形成之诉——新股发行无效之诉的原因的瑕疵，因此是不妥当的。

（五）留止请求的效果

股东即使进行留止请求，也不会给发行程序带来直接影响。只是公司接受留止请求时，承担审查新股发行的违法、不公正与否的注意义务。留止与否，应由董事会决定。

因此，在违法、不公正的状态下仍发行完毕新股时，应认为代表董事等有重大过失，股东可以以此为理由、以公司为对象请求损害赔偿或者追究董事对第三人的责任（商401条），请求损害赔偿。若因此而对公司产生损害，那么，代表董事等当然应该对公司承认损害赔偿责任（商399条）。另外，在新股发行上有无效原因时，可以提起新股发行无效之诉，但这是因为新股发行的违法而提的，并不是因为不理留止请求才提起的。因此即使不理留止请求，新股发行不可能成为当然的无效，也不能仅以其为理由提起无效之诉。

无违法、不公正之情形而留止新股发行时，也应该视为代表董事等有过失，若因此而给公司带来损害，应由代表董事等对公司承担损害赔偿责任（商399条）。

九、以不公正价额认购者的责任

(一) 宗旨

与董事共谋以显著不公正的发行价额认购股份者，有义务向公司支付相当于与公正的发行价额的差额部分的金额（商424条，之2、1款）。

若董事让特定股东或者第三人以不公正的发行价认购股份，则有害于公司的资本充实，稀释其他股东们的净资产价值，因此不管是以何种形式，应填补公司和股东的损失。当然，董事应对公司或者其他股东承担损害赔偿责任（商399条，401条），若新股认购人具备了其要件，也应承担因侵权行为的损害赔偿责任（民750条），但这只不过是间接填补已经发生的损失的方法而已。于是，商法为公司捕设了能够直接追究认购人的、基于出资义务的支付责任之路。

(二) 责任发生的要件

1. 与董事共谋。以认购人与董事共谋为要件。只要未共谋，即使以显著不公正的价额认购，也不会产生认购人的责任。只有已知有显著不公正的价额的之事实是不够的。

2. 显著不公正的发行价额。

1) 这里的"发行价额"，不是指董事会上作为发行事项规定的发行价额（商416条，2号），而是指认购人实际缴纳的"认购价额"（商421条）。董事会上规定的发行价额与认购人缴纳的认购价额有可能不同，对公司的资本充实具有实际意义的是认购人所缴纳的金额。于是，董事会上决定的发行价额与认购价额均不公正时，当然要发生认购人责任，但是即使发行价额不公正，只要其认购价额公正，就不会发生认购人的责任。董事会规定的发行价公正而若以显著低的价额使其认购时，它将正面违背资本充实，因此成为新股发行无效之原因。

2) "显著不公正"的价额，系有市价的股份时，是指显著低于以旧股的市价为基准计算的公正的价额时；系无市价的股份时，应参照公司的资产状态，收益能力等计算的价额作为基准来决定。

过高评估现物出资时，让特定人以特低的价格认购端股或者失权股时，也相当于显著不公平时。

（三）适用范围

此制度，适用于第三人认购新股，或者特定的股东不基于新股认购权而从第三人地位上认购时，不适用于股东将全部发行股份基于新股认购权认购时。例如，过去，在市价发行制度化以前，上市公司发行新股时，通常是与市价无关，均按票面价发行，在此情形下即使市价显著超过票面价额，只要股东持有新股认购权，就不能视为是不公正的认购。因为票面价额与市价之间的差额，可以与因旧股份的稀释化而产生的损失相抵消。这时，虽然有些人以资本充实为由主张适用本条，但是本条是以防止特定的股份认购人以不公正的、对其有利的价格认购而稀释其他股份价值为目的的。股东认购全部发行股份时不会有这种忧虑，因此不成为适用对象。而且，在这种情形下，根本就不存在资本充实的问题。资本充实是以保护股东与公司债权人为目的的，但这种情形根本不会损害股东利益，只要认购价超过票面价，就不会有损害债权人利益之虑。

（四）认购人的责任

认购人应向公司支付相当于与公正价额之间的差额。

1．责任的性质。认购人的责任带有为了公司的资本充实而承担追加性出资义务的性质，因此成为股东有限责任原则的例外（通说）。于是，认购人的这种支付义务不能与其持有的公司债权相抵消（商334条）。与之不同，有些人认为认购人的责任，是为资本充实和保护其他股东而认定的特殊的损害赔偿责任。

2．"差额"的发生时期。认购人的责任额即公正的价额和认购价额之间的差额，应以认购时的公正价额为基准计算。自认购人处接受支付的"差额"，从其性质上看应以资本公积金来储备（商459条，1号）（通说）。

3．股份的转让与责任的归属。商法第424条，之2之责任，是对"与董事串通，以显著不公正的价额认购者"的责任，因此即使股份被转让，也不转移责任。

4．责任之追究。认购人的责任是对公司承担的责任，因此应由公司追究其责任。但是公司懈怠时，股东们可以提出代表诉讼（商424条，之2、2款→403条～406条）。认购人的责任是以与董事的串通为前提的，因此让董事们追究责任，事实上很难做到的，因此股东可以追究其责任。

5．与董事责任的关系。认购人的责任，对董事的因其任务懈怠而向公司承担的损害赔偿责任（商399条）及对股东的责任（商401条），不产生影响（商424条，之2、3款）。即即使被履行或者追究认购人的责任，也可以另追究董事责任。

通说说明，董事的损害赔偿责任与认购人的支付责任的关系是不真正连带责任关系。但是，这两种责任并不互相给予影响（商424条，之2、3款），因此，不因其中一方履行而消灭他方的责任；因为两种责任的性质是不同的，所以不得向董事追究认购人的支付责任，或者相反地向认购人追究董事的损害赔偿责任。故，两者的关系不带有不真正连带责任的性质。两者是互相独立的责任。

十、新股发行无效之诉

（一）总述

通过新股发行，出现新的营业资金流入公司、该资金被追加到对公司债权人的责任财产上，因被发行的股份的流通产生新的股东等诸多新的利害关系。所以，即使在新股发行的内容上或者程序上有瑕疵，也应集体、统一地解决，以此来图谋与新股有关的法律关系的稳定。于是，商法规定：对新股发行之瑕疵，只能以新股发行无效之诉来主张（商429条）；在认定无效判决的对世性效力的同时，予以限制其溯及效力等特殊效果。

新股发行无效之诉是形成之诉，它是商法中惟一的争执新股发行效力的方法。新股发行无效，应与后述的新股发行不存在及个别认购人的无效、取消主张加以区别。

（二）无效原因

商法没有规定新股发行之无效事由。即使新股发行违背法令、章程，也不能均视为无效。应比较衡量公司、旧股东、新股东、新股的交易当事人等许多关系者的利益，并考虑归无效时的法律关系的混乱，尽可能严格认定无效原因。

在新股发行中应考虑到的基本的法益是授权资本制与资本充实，以及股东的新股认购权。关于资本充实及股东的新股认购权的重要性，已在前面作了说明。授权资本制，之所以具有重要意义，是因为商法在向董事会赋予资本增加的权限的同时，要求慎重处理发行预定股份总数这一授权资本的局限及董事会决议这一程序。这一点是公司组织构成的基本前提。即授权资本制的内在局限，在发行新股时必须遵守。

应该在与这三个法益的关系上决定新股发行的无效原因，即有害于这三个法益的本质性部分时成为无效原因，否则应视为有效。

1. 超出授权资本制的局限。超过发行预定股份总数时，发行了章程中未认可的股份（例如，优先股份、偿还股份、转换股份）时，均成为无效原因。超过发行预定股份时，有些人认为只有该超出部分的新股发行为无效，但是因不能特定超出部分的股份，所以应该说全部为无效。只是事后以变更章程来增加发行预定股份总数，或者规定已发行股份的种类时，视为瑕疵已被治愈。

同时，代表董事在未经董事会决议发行新股时，部分学说将此新股发行视为准业务执行，认为这对新股发行效力没有影响。但是，新股发行是带来重要的组织法性变化的事情，因此不能与日常的业务执行同等看待。若无董事会决议，应视为公司无新股发行意思，因此应该说是无效。

2. 违反资本充实。未经必要的程序，以低于票面价额的金额发行时，通说认为无效。但是因不足金额甚小，可以以董事的损害赔偿责任填补时，应视为有效。

在现物出资被过大评估的情形下，除了要具备第424条，之2、

1款之要件之外，商法上没有请求股份认购人（现物出资者）进行追加出资，以此来填补的途径。所以，这是无效的。但是，其不足额甚小，又可以以董事的损害赔偿责任填补时，应该说是有效。

现物出资时未经检查程序，但是只要它不害及资本充实，就不能成为无效原因。

3. 侵害新股认购权时。一般认为，无视股东的新股认购权发行新股时为无效。而有些人认为，无视新股认购权的全部或者大部分时为无效，无视一部分时应为有效。

但是，笔者认为这里应有更具体的、适当的基准。如前所述，新股认购权的必要性在于维持股东对公司支配所持有的比例性参加的利益，及股份的经济性价值上。其中，对后者的侵害，可以以对公司或者董事的损害赔偿请求来填补，但对前者的侵害，从其性质上很难计算出其经济价值，从而也难以用损害赔偿来填补。因此，区别对待具体情形，在对公司支配产生影响力的变化时，为无效，否则应该是有效。下面，举一具体例子，持有发行股份的0.1%的股东是与公司支配几乎无关的投资者，因此即使是无视该股东的新股认购权也不能视为无效，还有，无视从前持有60%股东的新股认购权，使其持份降到55%也不能视为无效。

但是，因无视相当多数股东群的新股认购权而由特定股东成为控股股东，或者给从前的大股东的顺序带来变化时，即使每一被无视的新股认购权数量极少，也应视为是无效事由（例如，在A股东所有51%股份，B股东所有49%股份的公司里，无视新股认购权发行的结果，使A成为所有49%的股东，使B成为所有51%的股东时）。

未公告分派基准日（商418条，2款）或者未向新股认购权人催告或公告（商419条），以未在要约日期内认股要约为由使其失权时，与无视新股认购权没有什么不同，因此应根据其结果来判断上述效力。

以显著不公正的方法发行新股时会如何？例如，如同公募新股时，董事向特定人集中分派之情形。有些认为为了交易的稳定应视为有效，但应考虑对公司支配的影响决定。发行的结果，会给公司支配关系带来变化时，应视为无效。

即使新股认购权的侵害局限于特定股东，也不允许该股东为保护自己的认购权而以公司为对象提起个别的履行之诉。该股东应以提起新股发行无效之诉来争执全部新股发行之效力。

（三）与其他诉讼的关系

有关新股发行的董事会决议为无效时，或者定为应在股东大会上决议的公司的股东大会决议中有瑕疵时，成为争执决议瑕疵之诉的原因，但该瑕疵同时又成为新股发行无效之诉的原因。关于两诉之间的关系，有以下不同的学说。（1）新股发行发生效力之前，可以提起决议取消之诉（或者无效、不存在，下同），但新股发行发生效力后，决议瑕疵被吸收到新股发行的无效原因中，因此只能提出新股发行无效之诉（吸收说）；（2）当事人可以任意选择并提起两诉，但因决议取消判决，新股发行当然失去效力，无须提起新股发行无效之诉（两诉并存说）；（3）以决议瑕疵为由主张新股发行无效时，必须提起决议取消之诉，新股发行因该判决成为无效之说（取消诉讼说）；（4）先提起决议取消之诉，待胜诉后再提起新股发行无效之诉说（两诉必要说）。上述几种学说中（2）、（3）说违背了商法特别认定新股发行无效之诉的宗旨，而据（4）说，为取得新股发行无效的这一结果，强求经两步形成之诉，因此当然也不合乎诉讼经济性，而且，如果决议取消之诉长期化，就有可能失去提起新股发行无效之诉的机会（新股发行无效之诉的提诉期间为6个月，这不是消灭时效，因此应注意不因决议取消之诉被中断）。既然新股发行决议是新股发行程序的一部分，另行认定新股发行无效之诉，就有必要统一解决法律关系；返还股款等新股发行无效判决的特殊效果，只对新股发行无效之诉（商429条）予以认定的。如此解释才符合法律条文，因此笔者认为（1）说（吸收说）是妥当的。有一判例在关于合并决议瑕疵之诉与合并无效之诉关系的处理中认为，依合并登记发行合并效力之后，只能提起合并无效之诉，而不能提起合并决议无效之诉，也持（1）说（吸收说）的立场。

不是在新股发行决议本身上有瑕疵，而是在有关新股发行的前提要件即预定发行股份总数或者数种股份等的变更章程规定的股东大会决议中有瑕疵，而仍据此发行新股时，应以何种方法来主张瑕疵呢？如果这时也可以仅以新股发行无效之诉来争执，就等于可以以诉以外的方法来争股东大会决议之瑕疵，这将不符合定之为形成之诉的宗旨。若须待提起有关决议瑕疵之诉、被判决之后再提起新股发行无效之诉，那么，大部分的情形下，均过第429条之提诉期间。因此在这种情形下，解释为可以同时提起两诉，应合并审理。

（四）当事人

只有股东或者董事、监事，才可以提起诉讼（商429条），并应将公司为被告。

股东，无论是新股的股东，还是旧股的股东均可提起；新股发行的效力发生之后受让股份者也可以提起诉讼。董事、监事，只要是提诉当时在任的董事、监事即可。从提诉后至辩论终结时止应维持股东等的资格，如果丧失了其资格，其他股东或董事、监事就可以继受（民诉212条，1款）。

（五）提诉期间

诉，应自发行新股之日起6个月内提起（商429条）。"新股发行之日"是指新股发行的效力发行之日，即缴纳日期的次日。还有，应于6个月内提诉，不仅意味着限制提诉期间，也包含在6个月内提起的诉讼中，不能将6个月以后的无效原因作为请求原因而加以追加之意。

（六）诉讼程序

关于管辖，诉提起的公告，合并审理，瑕疵弥补时请求的驳回，无效判决之登记等，准用第186条至第192条（商430条），其内容，已在有关该规定的说明中讲述过，另外，令使提诉股东提供担保，与股东大会决议取消之诉时，亦同（商430条→377条）。

（七）无效判决的效果

1．对世性效力。新股发行无效判决之效力，也及于第三人（商 430 条→190 条）。这是为了统一确定以新股发行为基础的法律关系而设的规定。

2．股份失效。新股发行无效判决已被确定时，该新股对将来失去效力（商 431 条，1 款）。

1）溯及力的限制：判决的效力，只对将来发生效力，因此以新股发行有效为前提自发行之后至判决时止所作出的一切行为，均有效。新股认购人的股款缴纳，现物出资，对该期间内的新股进行的盈余分派，由新股的股东行使过表决权的股东大会决议，新股转让等，均有效。持该新股在此后发行新股时行使的新股认购权，也是有效的。

2）判决确定后的效力：由于无效判决的确定，新股就失去效力，随之，新股的股东丧失股东权。从而，不能转让此股份，股票为无效，不能成为善意取得的对象。因此，无须对其股票进行公示催告。

无效判决一旦被确定，公司应毫不迟延地公告该判决之意，及在一定期间内向公司提出新股股票，并对在股东名册中记载的股东及质权人分别通知（商 431 条，2 款）。该期间，应定为 3 个月以上（商 431 条，2 款、但书）。

回收股票是为防止因无效股票流通产生善意的被害人，即使未履行回收程序，并不能使股票为有效或者可以善意取得。但是，如果懈怠于此时，对因此而产生的第三人的损害，公司或者董事应承担赔偿责任。

3．股金的返还。股份因无效判决的确定而失效，因此股东缴纳的股金可以认为是不当得利。因此，公司应向新股股东返还其缴纳金额（商 432 条，1 款）。

1）返还请求权人："新股的股东"是指无效判决当时的股东。一旦新股被转让，并不是返还给最初的认购人，而是应向受让人返还。因为股金的返还是对股份失效的补偿。

2）股款：金钱出资时，应返还最初的认购价额；还有，现物出资时，应返还出资当时的评估额（终究为现物出资者的认购价额）。但是，股东也许已得到此期间的盈余分派，或者再次认购新股等，可能回收了一定程度的投资，公司也许基于所增加的资本积蓄相当的利润。若在这种情形下，仍返还原来的认购价额，是有失衡平的。因此，若股金的返还与判决确定当时的公司财产状态相比显著不当时，法院则根据公司或者股东的请求，可以命令增减其金额（商 432 条，2 款）。

3）质权的物上代位：可以说被返还股款是失效股份的变形物，因此，对被失效股份持有质权者对该被返还的股款行使质权，注册质权人可以以其金额充当优先清偿（商 432 条，3 款→339 条，340 条，1、2 款）。

4）无效判决与资本的关系。随着股份失效，因新股发行所增加的发行股份数及资本回到发行之前的状态。于是，复活了预定发行股份总数中的未发行部分，对该部分可以再发行新股。

还有，似乎因股款的返还减少了资本，但这是依法律规定的当然的义务履行，无须经过债权人保护程序（商 439 条，2、3 款）。

5）变更登记的更正。因无效判决，股份数、资本金等与因新股发行的变更登记的内容相违，因此应更正该变更登记（商 317 条，2 款、2、3 号）。

（八）原告败诉判决的效果

像其他的与公司有关的诉讼那样，原告败诉判决之效果，只及于当事人之间，原告可以承担损害赔偿责任（商 430 条→191 条）。

十一、新股发行之不存在

学说、判例认定新股发行之"不存在"的概念。不存在新股发行的社会学上的实体，而存在新股发行的变更登记等新股发行之外观时，称之为新股发行的不存在。

（一）原因

须只存在无新股发行的实体，而存在似乎已发行新股的外观。例如，根本就未经新股发行的程序，或者即使有新股发行之决议，也未具备股份的认购、缴纳等实体性要件的状态下进行了增资的变更登记的情形。即使有了新股发行的决议，并据此进行了认购、缴纳等，但是，它不是由公司的适法机构（董事会、代表董事）作的，就不能视为有了具有组织法上的意义的资本结构的变化时，同样也应视为是新股发行的不存在。例如，由非股东者们选任董事，组成董事会与代表董事，而这些人办理新股发行程序，是不存在的新股发行。

认定新股发行不存在的实际意义，在于排除那些能够使之，提出新股发行存在的主张的法律外观。因此，为了争执"新股发行不存在"，须存在足以误以为新股发行的外观。例如，存在以新股发行为前提的变更登记，或者股票已发行或者股东名册上记载认购人等权利纷争的因素。

（二）主张

新股发行的不存在，不受商法第 429 条之主张人、主张方法、主张时期的限制。于是，任何人、任何时候、以何种方法，都可以主张不存在。若以诉主张时，可以以一般确认之诉来提起不存在确认之诉，其判决之效力与新股发行无效判决不同，没有对世性效力，其溯及力也不受限制。

十二、认购行为的瑕疵和主张

（一）瑕疵的效果

新股认购是股东与公司之间的法律行为，因此，可以因认购人或者公司的意思表示上的瑕疵，无权代理等，成为无效或者被取消。新股发行不采取金额确定主义，因此即使个别的新股认购无效、被取消，其余有效认购的部分仍具有新股发行的效果，并且董事承担认购担保责任，因此，全部新股发行不能成为无效。

（二）瑕疵主张的限制

认购新股者，自因新股发行进行变更登记之日起经过 1 年，或者在此以前已行使股东权时，不得以认股要约书或者新股认购权证书之要件的缺陷为由主张认购无效，或者以诈欺，强迫或者错误为由取消认购（商 424 条）。

上述对瑕疵主张的限制，与公司设立时相同，但是，公司设立时是将限制时间规定为"公司成立后或者创立大会上行使权利之时"，这是两者不同的部分（商 320 条）。

（三）主张方法

若认购人取消新股认购或者在其认购已归无效时也持有相反的争执时，应以诉来主张。还有，该诉是否定个别的认购行为的效力的诉，因此，或者采取一般确认诉讼之形态，或者在请求返还已缴纳的股金的履行之诉来主张。

与此不同，有一下级审的判例认为不能允许以与无效之诉（商 429 条）不同的普通民事诉讼程序来主张特定人的股份认购无效。笔者此有疑问。如果按此判例，就得出认购人只能以新股发行无效之诉来主张自己的认购行为之无效的结论。但是，新股发行无效之诉是以将全部新股发行无效化为目的的，因此特定认购行为的无效主张不能成为新股发行无效之诉的诉讼标的。另外，又据此判例，认购人的无效主张受自新股发行之日起 6 个月之内提起的限制（商 429 条），这与商法第 427 条规定的自变更登记起 1 年内允许认购人主张无效、取消相冲突。

第三款　资本的减少

一、意义

资本减少（reduction of capital；kapitalherab setzung）是指减少资本的金额。

一般是根据净财产是否因资本额减少而减少为标准，分实质性资本减少与名目上的资本减少。实质性资本减少，是指减少资本的同时，将一定金额返还给股东，从而也减少净财产；名目上的资本减少是指只减少资本额，不将净财产向社外流出。

实质性资本减少，是根据公司情况变化，从事业规模上看，因现在的资本是过剩的，因此将此返还给股东，或者针对公司解散，为了简便其清算程序为目的而进行。面临合并，考虑因消灭公司的财产巨大，使其股东们的在存续预定公司中持有的持份过多时，为减少该股东们的持份而减少消灭预定公司的资本等，其目的是多样的。名目上的资本减少，虽然有资本的缺损，但在一定时间内没有恢复可能性的公司，若放任，不仅很难进行盈余分派而且公司信用度也会降低，为了使资本接近于净财产而进行的。

二、资本减少的问题

资本减少，有时能给公司财务管理赋予弹性，有时是在迫不得已时才进行。在此均应考虑公司债权人与股东的保护问题。

（一）债权人的保护问题

如进行实质性资本减少，公司的责任财产就会减少。资本减少，事实上是对股东的出资退还（Einlagenrückgewähr），而且着眼于这种效果，也有支配股东为回收其出资而进行资本减少的情形。在此情形下，等于股东优先于债权人回收所投入的资本。因此，资本减少时，债权人保护是一个最重要的课题。

如进行名目上的资本减少，其净财产并不减少，因此似乎债权人保护不成问题。但是，即使是名目上的资本减少，也会缩小将来公司根据资本充实的原则应储备的净财产的规模，因此从消极的意义上说，同样也导致责任财产的减少。商法不分实质性的和名目性的减少，要求所有进行资本减少时，均应经过债权人保护程序。

（二）股东的保护问题

无论是在实质性的资本减少，还是在名目上的资本减少中，资本减少是偏重于控股股东之利益而作出时，少额股东之利益会受到侵害。首先，股份数的减少或者股金的返还在股东之间不平等地形成时，当然要伴随少额股东的经济损失，有时可以被逐出少额股东的方法来恶用。这一点，尤其是在以股份并合的方法减少时，更为明显。关于其理由，后述。

三、资本减少的方法

资本就是发行股份的票面总额（商451条），因此资本的减少，可以以减少发行股份数或者减少票面价额或者两者并行的方法来进行。

（一）票面价额的减少

这是不减少发行股份数，只降低股份之票面价额的方法。例如，票面价额为1万元，若要减少资本的20%，就可以将票面价减少至8 000元。由于票面价最低应为5 000元以上（1998年修改以前的329条，3款），不允许减额至5 000元以下。韩国的公司一般将票面价定为5 000元，实际上根据此方法进行资本减少的例子的很少见的。但是，在1998年的修改法中，将股份的票面价额降至100元以上（商329条，4款），估计，今后降低股份的票面价的票面分割会增多。

票面价应均一，因此以减少票面价之方法减少资本时，应平等适用于所有的股东。

被减少的金额的处理方法，根据资本减少的目的而不同。进行实质性减资时应退还给股东，进行名目上的减资时按股东的损失来处理（放弃）。

（二）股份数的减少

有股份的并合（Zusammenlegung Von Aktien）及股份的注销（EinZiehung Von Aktien）两种方法。

1. 股份的并合：股份的并合，是将多个股份合起来发行少于该股份数之方法。例如，将5股减成3股。这也应对所有股东均等地实施。但是，根据股东的持有股份数的不同，实际上也出现不平等减少的情形。例如，若将10股并合成7股，那么，持100股的股东的股份应减至70股，在此，不发生持份率的减少问题，但在持 19 股的股东的情形下，旧股中 10 股并合 7 股，但剩下 9 股无法并合，因此出现接近于从前的持分率之一半的减少。

在德国，如不并合股份，就无法维持法定的最低票面价时，才允许股份并合（§222 AbS、4Nr、2AktG）。商法中没有这种限制、反而在实际的资本减少中，更偏向于利用股份并合。

为保护小股东群，在股份的并合中，其并合方法应为，按比率计算，直至出现整数为止进行并合。如此解释，前面的举例中的持 19 股的股东，持 $19 \times 7/10 = 13 \cdots\cdots 0.3$，并合 13 股，产生 0.3 股的端股。

2. 股份的注销：是注销部分发行股份的方法。可以只对同意注销的股东的股份进行注销（任意注销），也可以与同意与否无关，公司单方面进行（强制注销）。根据股份的注销可以向股东支付股金（有偿注销）、也可以不支付（无偿注销）。虽然任意、强制与有偿、无偿可以相组合，但从常识上看不可能有任意、无偿，只能有任意、有偿，强制、有偿，强制、无偿三种组合。不管是哪一种情形，均应遵守股份平等的原则。在强行注销的情形下，当然应按照股东所有的股份的比例注销。在任意注销的情形下，应注销的股份少于希望注销的股份时，应按照愿意注销的股份数的比例注销。虽然作为强制注销的方法通常是举抽签，但是靠侥幸的方法来解决导致股东地位变化的重大的法律关系，是有背于利害关系人的信赖，而且这种方法也许能给股东带来机会平等，但并不能带来实质性的平等，因此它是违背股份平等的原则的注销方法。

四、资本减少的程序

（一）股东大会的决议

资本减少，会给公司的资本结构带来变化，因此只有经股东大会的特别决议才可以进行（商 438 条，1 款）。召集股东大会时，应通知并公告议案之要点（商 438 条，2 款）。

（二）变更章程的要否

进行资本减少决议同时应规定减少的方法。票面价是章程的记载事项，因此采取减少票面价的方法时，要求变更章程，但依其他方法进行时，无须变更章程。因股份数的减少，即使发行股份总数少于预定发行股份总数1/4，也无须章程变更（通说）。

资本减少与章程变更均为特别决议事项，因此即使因票面价的减额需要章程变更时，也无须另行决议，可以以资本减少决议来代替。

（三）债权人保护程序

资本减少，导致对债权人的责任财产的减少，因此，须经债权人保护程序。

1．公告及催告：公司自资本减少之决议之日起两周以内，向公司债债权人公告如对资本减少有异议，在一定期间（定为1个月以上）内提出，并向已知的债权人应分别进行催告（商439条，2款→232条，1款）。

2．无异议时：在异议提出期间内无异议者视为已承认资本减少（商439条，2款→232条，2款），就续行减少程序。

3．有异议时：债权人的异议，通知给公司即可，无须有特别的方式。异议，不仅可以针对资本减少本身，而且也可以针对减少方法提出。

公司债债权人提出异议，应有公司债债权人集会的决议，在此情形下，法院根据利害关系人之请求，可以延长该异议期间（商439条，3款）。

对提出异议的债权人，公司应清偿债务或者提供相当的担保，或者以此为目的将相当的财产信托给信托公司（商439条，2款→232条，3款）。

（四）股份的并合、注销等程序

1．股份并合程序。在减少方法中，股份并合这一方法在技术处理上有很多问题，并有害及股东之利益之虑，因此商法对此规定了具体程序。

1）提交股票的公告、通知：公司应规定一个月以上的期间，公告在此期间内向公司提交股票，并应对被记载于股东名册上的股东和质权人，分别通知（商440条）。

2）并合的效力发生时期：股票提出期间届满时发生股份并合的效力（商441条）。但是，债权人异议期间及对此异议的偿还等后续程序未终结时，在该期间或者程序终结时发生效力（商441条，但书）。随之，旧股份归消灭，旧股票也失效。股份并合之效力的发生，与股东的股票提出与否无关。

3）新股票的交付：向提出股票的股东交付新股票。在股东中（例如因股票的遗失等）若有不能提出旧股票者时，公司应根据其请求规定3个月以上的期间，向利害关系人公告若对该股票有异议，应在此期间内提出之意；该期间经过后若无异议，可向请求者交付新股票（商442条，1款）。这时的公告费用由请求人承担（商442条，2款）。

分派端股金额时，若有不能提出股票者时，也依上述程序进行（商443条，2款→442条）。

只要根据这一程序交付股票，即使请求者是非正当的权利者，也应视为公司免责。光从这一点上看，此公告制度与依据公示催告程序进行的除权判决相似，但不能赋予代替除权判决的效力。尤其是不能视为请求者与有无实体法上权利无关取得股东权（除权判决中也无这种效力）。实体法上的权利关系是另谈的问题。

4）端股的处理：若有不适于并合的股份时，应拍卖对该不适于并合的部分所发行的新股，将此价款依照各个股份数向从前的股东支付（商443条，1款）。但是，有交易所行价的股份，须通过交易所卖出，无交易所行价的股份，经法院许可，可以以拍卖以外的其他方法卖出（商443条，1款、但书）。

"不适于合并的股份"，即端股，如前所述，应解释为，在股东的所有股份数乘以并合比率所得到的股份数中不足一般的股份。如此解释，在任何情况下，股东均不受一般以上的持份减少的损失。

5）不提交股票的效果：即使记名股东不提交股票，也可以根据股东名册进行并合，可计算出新股与端股的金额，今后可以与股票相换。

但是，在无记名股东不提交股票的情形下，无法知道各股东的股份数，因此，每一股东的股份并合是不可能的。故，在此情形下，应将未提交股票的全部股份，根据并合比率进行并合之后，全部按端股来换价，今后与股票交换并支付其价款（商444条→443条）。

2．注销股份的程序：关于股份注销的程序，另无规定，因此，准用有关股份并合程序的规定（商343条，2款→440条，441条）。

强制注销时，如同并合程序，由公司规定1个月以上的期间，公告注销之意和要求股东提出股票；对股东名册上的股东与质权人分别进行通知（商343条，2款→440条）。此公告期间届满时发生注销之效力，但是在债权人保护程序未终结的情形下，待债权人保护程序终结时，才发生注销的效力（商343条，2款→441条）。有偿注销时，待发生效力后才可以支付注销价款。注销股份时也会出现端股，其处理方法与并合时相同。

任意注销，虽然公司采取根据与股东的契约取得股份的方式，但是应向全部股东予以机会，也同样向股东发出通知、公告。任意注销时，也须经债权人保护程序，因此，在此之前不可能发生注销之效力。

3．票面价的减额：减少票面价额时，使股东提出股票，并与新股票交换，其程序与效力的发生等，与并合时相同（商440条，441条，442条）。减少票面价额时不产生端股。

（五）减资差益的储备

退还金额少于资本的减少额时，发生相当于其差额的减资差益。所发生减资差益，应以资本公积金未储备（商459条，2号）。

（六）登记

因资本减少，给登记事项带来变化（商317条，2款），因此应进行变更登记（商317条，3款→183条）。资本减少的效力应在上述时期内发生，并非因登记而发生。

五、资本减少的附带效果

（一）质权的效力

即使票面价被减额，也不会给股份的同一性带来变化，因此对质权并没有影响，只是以新股票交换即可。

质权，也及于因注销、并合所得的股份或者金额上，注册质权人可以持该金钱优先充当于清偿（商 339 条，340 条）。

（二）与授权资本的关系

因注销或并合，发行股份数会减少，这部分是由董事会基于一次性授权所发行过的股份，因此不允许再发行。

六、减资无效之诉

资本减少的程序或者内容上有瑕疵时，如同其他公司法中的诉，为了统一确定法律关系，只能以诉来主张无效。

（一）无效原因

在股东大会的资本减少决议中有瑕疵时，未经债权人保护程序时，资本减少的方法或者其他程序违反股份平等的原则时，违反其他法令、章程或显著不公正时，成为无效原因。

（二）与其他诉讼的关系

资本减少决议中有瑕疵时，如同新股发行无效之诉，也会出现争执股东大会决议之瑕疵之诉和减资无效之诉之间的关系问题。笔者认为只能依据在新股发行无效之诉中提到的理由提起减资无效之诉。

（三）当事人

诉提起权人的范围，比新股发行无效之诉的范围更广。股东、董事、监事、清算人、破产财产管理人或者不承认资本减少的债权人，均可以提起（商 445 条）。但是，债权人从公司得到清偿时，由于没有诉的利益，所以不能提起。

（四）程序

提诉期间为自因资本减少而进行变更登记之日起 6 个月（商

445 条）。除此之外，管辖，诉提起的公告，合并审理，瑕疵的弥补和请求的驳回，败诉原告之责任，提诉人的提供担保义务，与新股发行无效之诉相同（商 446 条）。

（五）判决的效果

如同新股发行无效之诉，判决效力也及于第三人（商 446 条→190 条）。因此，对未提起诉讼人来讲，资本减少同样也是无效的。

随着资本减少的无效，资本恢复到资本减少以前的状态，减少票面价时恢复到减少以前的票面价。注销的股份将复活，并合的股份被分割为并合以前股份。

无偿进行资本减少时，这种效果由判决确定之时的股东享有即可，不存在任何问题。

但是，有偿进行资本减少时，还有，即使无偿减少资本也已支付了端股的价款时，产生较难的问题。为了恢复减少以前的状态，应当回收向股东支付的金额，那么，应向谁回收？若从现在的股东处回收，这等于是要求追加出资，这违背股东有限责任原则，因此，当然应从减少当时的股东处回收。故，应视为因无效判决的确定，减少当时的股东对公司承担返还以减少代价所得的金额之义务。

另外，因被注销股份的复活，并合的股份之分割而增加的股份数，也对减少当时的股东产生。还有，减少票面价时，在恢复票面价的同时，对现在的股东进行股份之并合，对减少当时的股东应当发行按照当时的减少率计算的股份。

资本减少的无效判决后，因从股东处无法回收减少代价而公司蒙受损害时，产生董事责任问题（商 399 条）；对股东或者公司债债权人产生损害时，可向公司或者董事请求损害赔偿（商 389 条，3 款→210 条，401 条）。

（六）溯及力问题

1995 年修改以前第 446 条准用第 190 条来限制了减资无效判决时的溯及力。但是修改法第 446 条中删掉了限制溯及力的第 190 条但书，只准用了正文，在减资无效判决上赋予了溯及力。但是若对减资无效判决予以溯及力，则会产生更大的混乱。例如，在资本减少过程中对债权人进行的债务清偿及已并合的股份的转让均成为无效，甚至在资本减少以后召开的股东大会的决议全部被取消或者具有不存在事由。笔者认为第446条之修改，是在为了给股东大会决议之取消等判决赋予溯及力，将准用条文改为"190条正文"（商76条，2款，380条之修改内容）的过程中出现的失误。故，应解释为和从前一样，减资无效判决应当受溯及力的限制。

第六节　章程变更

一、总述
（一）宗旨

章程中包含有关事业目的及资本的事项，因此，具有向公司设立当时的股东们提示公司的存在方式，同时向股东们就营利实现的基本方法赋予预测可能性的意义。设立当初的章程依全体组成员的合意而成立。但是，因它含有设立当时的全体成员的合意，而要求恒久的不变性是僵化的想法。由于社团法人具有支配自己的独立的意思，因此可以根据自己的意思变更自己的存在规范，这才是忠实于社团法人本质的说明；而且，公司作为营利团体，只有能够伸缩地适应企业环境的不断变迁，才能提高营利性。因此，商法明文允许可以变更章程。

股份公司与人合公司不同，并不要求有全体社员的同意，而是可以以绝大多数的特别决议来变更章程。人合公司带有合伙性质，社员人数也不多，因此较容易得到全体社员同意，但在股份公司由于存在多数社员，全体股东同意，实际上是不可能的，而且因具有纯粹的资本团体的性质，对个别股东来讲，章程变更很少具有社团结合的基础的变化的意义，保障了因股份的转让性而反对变更章程的股东能够对付的机会。

（二）章程变更的概念

章程变更（amendment of article；Satzung sänderung），是指追加或删掉或者修改章程的记载事项。于是，简单的字句上的修改、加减也是对章程的变更，不管绝对记载事项，还是任意记载事项，凡是变更记载于章程上事项的，均为章程的变更。有些学说认为，将章程变更分为带来实质性内容变化的实质变更（Sach Liche Änderung）与无内容变化的字句整理的形式变更（Fassung sänderung），认为只有前者才是须经商法所定程序的章程变更，后者不是商法上的章程变更。但是，因其界限不明确，可能会出现因形式上变更导致实质性变更的现象，因此，笔者不能赞成。

章程分为意指其规范本身的实质意义的章程与意指书写的形式意义上的章程。章程变更是指实质意义上的章程变更（通说）。变更形式意义上的章程，只不过是根据已变更内容改写文书的事实行为而已。

章程，基于任何事实关系或者法令时，如果其基础关系变更，章程也随之自动变更，但它并非是商法上的章程变更。例如，总公司的地名、地区番号的变更或者由于法令的改废章程的一部分规定失效时等。

（三）章程变更的范围与公司的同一性

章程变更的范围，无任何限制。因此，均可以变更目的、商号等任何事项，也可以变更全部内容。即便在原始章程上规定不允许变更章程或者有些不可变更特定规定的规定，该规定也是无效，进行变更时可以不考虑。

但是，不得以违反社会秩序或者强行法规之内容来变更，该被变更之内容也不得侵害股份公司本质与股东的固有权。而且应遵循股份平等的原则，又不能失去作为一般规范的性质。因此不允许只为了对特定人的适用或者对特定人的适用除外而进行变更。

章程变更不会给公司的同一性带来变化。公司的同一性是，只要存续法人格，就始终维持，这与章程的内容变化无关。

二、章程变更的程序

（一）股东大会的决议

变更章程，要依据股东大会的特别决议（商 433 条，1 款、434 条）。为变更章程召集股东大会时，将变更章程的议案的要点也应记载于召集通知及公告上（商 433 条，2 款）。

（二）种类股东大会

公司发行数种股份时，因变更章程对某一种类的股东带来损害时，除了有股东大会决议以外，还应有该种类的股东大会的决议（商 435 条）。

（三）登记

变更章程本身无须登记，但是因章程变更登记事项也变化时，要求进行变更登记（商 317 条，3 款→183 条）。登记，不是章程变更的效力发生要件。

三、变更章程的局限性

（一）预定发行股份总数的变更

1995 年修改之前规定：增加章程中的发行预定股份总数时，不得超过发行股份总数之 4 倍（商 437 条）。

如此限制预定发行股份总数的变更，是欲与公司设立时预定发行股份总数不得超过发行股份总数 4 倍（商 289 条，2 款）之规定相持均衡。其宗旨与设立时一样，是为了抑制过分广泛的授权，防止以标榜与缴纳资本有差距的过大的数据来迷惑一般人的行为。

但是，1995 年修改法中废除了这一限制（删掉商 437 条）。结果，公司设立时，虽然有发行股份数须为预定发行股份数之 1/4 以上的限制，反过来说，公司设立时，有不得以超过实际可以发行之股份数的 4 倍数来规定预定发行股份数的限制。但是一旦设立后，可以通过章程变更无限地增加发行预定股份数。例如，发行股份为 1 万股的公司，通过设立后的章程变更，能够将预定发行股份数增加到 1 亿股。第 437 条之删掉，从授权资本制的精神看，除了有失去均衡的缺陷之外，在股东的保护方面又有下列问题。

预定发行股份数具有控制董事会的新股发行范围之意。新股发行虽然以公司的资本筹集为目的的，但是，对股东来说，有保持比例性持份的负担，因此，新股发行并非总是可取的。在这一点上，控股股东和其他股东之间利害不一定是一致的。控股股东事实上支配董事会的意思决定，因此，除了发行预定股份数之外，对新股发行也有控制力，但是，其他的股东只能依据预定发行股份数来牵制董事会的新股发行。不过，由于修改法删掉了第437条，设立之后一旦以多数股东的合意将预定发行股份数扩大到巨大数值，那么，在此以后，股东就无法控制董事会的新股发行。董事会不考虑股东们的新股认购能力，而大量发行新股，以此来改变公司的支配结构的事情也是可以发生的。关于这一问题，立法上应更加慎重起见为宜。

(二) 股金额的变更

1. 股金额的降低：降低章程的记载事项中的"一股金额"，即票面价时，若因此而减少了资本，则应经资本减少程序。无资本减少而降低时，可以只依章程变更决议来进行，但是不能降至票面价的法定最低额（100元）以下（商329条，4款）。

股份，因股金额的降低而被分割，实务上称之为票面分割。1998年修改以前解释为：为了不出现端股，票面分割应以定数倍的逆数来进行。即分割以前的票面价，应为分割以后的票面价的2倍、3倍……等，应处于定数倍的关系。但是，修改法将票面价规定为100元以上，因此，也可以进行发生端股的票面分割。例如，可以将5 000元票面价，以3 000元来分割。而上市公司之情形是不同的，对上市公司，为了方便操作证券交易所已定好股份票面价，其票面价为5 000元的公司，只能以100元，200元、500元，1 000元、2 500元来分割（有价证券上市规程细则16条）。

2. 股金额的上调：如果将股金额上调，应让股东追加缴纳上调部分的股金或者将股份并合。例如，如果将票面价5 000元调到

1万元，那么，应使股东追加缴纳每股 5 000 元或者将两股并合成一股。使股东追加缴纳、违反股东的有限责任原则，股份的并合又可能产生端股。但是，不管根据哪一种方法，如果全体股东不同意，就不能将股金额上调（通说）。

但是，若采纳将公积金转入资本来发行新股的同时，按新股比率并合新、旧股的方法，则不产生端股，因此，应允许这一做法（通说）。例如，因公积金的资本转入，对从前的每一股分派 0.5 股新股，并将票面价上调 1.5 倍的同时，并合新、旧股。

（三）历史性事实

设立当时记载于章程上的设立时发行的股份的总数（商 289 条，1 款，5 号），发起人的姓名、居民身份证号及其住所（商 289 条，1 款，8 号），变态设立事项（商 290 条），均属于历史性事实。因此，将此变更毫无意义，而且也不可能变更。因此，这些事项应从变更的对象中排除，恒久地保留在章程上。

四、章程变更的效力发生

（一）效力发生时期

章程变更，因作出股东大会决议而发生效力，并非在将变更内容文书化或者登记时发生效力。

（二）溯及力

可否使章程变更具有溯及力？一般来说，股东在有召集通知之前，还有，公司债权人在变更登记之前，不可能预测章程变更，因此，溯及力会害及关系人的利益，导致公司法律关系的不稳定。例如，如果溯及限制代表董事的权限，或者将新股发行溯及作为股东大会权限，则会产生大的混乱。于是，即使在股东大会上决议章程变更的溯及适用，也应当否定该溯及力。

如上所述，在超过预定发行股份总数的新股发行中，若其超过系轻微，该瑕疵被根据章程变更好发行预定股份总数的增多可以治愈，但这并非指认定章程变更的溯及力。这是因为为了保护因新股发行而已经形成法律关系的当事人，根据利益之比较较量摸索到的最佳解决方法，与章程的溯及力无关。

（三）附期限、附条件变更

将被变更的章程规定的效力发生，定为附始期或附终期时，并不会给公司法关系带来不稳定，因此应予以允许。但是，将不确实事实的发生以停止条件或者解除条件来变更章程时，不仅导致相关法律关系的不稳定，而且只要将章程视为自治法规，将法律规范之效力发生作为附条件是违背立法原则的。因此附条件变更是不能允许的。

第七节 公司的计算

第一款 公司计算的逻辑

一、计算的意义

公司的计算，是指以公司为主体，将一定的决算期为单位，认识并评估公司的财产状态与损益，为处理利益或者损失而作出意思决定的一系列行为。

1. 公司制作资产负债表及损益计算书，前者是为了认识、评估现状态下的公司的财产状态而制作，后者是为认识、评估一定期间的损益而制作。财产状态及损益之认识、评估本身，作为重要的会计情报具有独立的意义，但同时会成为处理损益之意思决定的基础资料。

2. 资产负债表和损益计算书，只不过是对公司的财产状态和损益的客观性记述而已，怎样处理它所反映的利益和损失，应另作意思决定。例如，将公积金是要储备，还是要分派，或者要填补亏损，或者是否应挪用等。这种意思决定，如下所述，先由代表董事制作利益剩余金处分计算书（或者亏损金处理计算书），再经董事会的承认，监事的监查，最终经股东大会决议，通过这种方式进行。

公司的计算，是一种认识财产状态和损益的作业。这一点与企业会计是相同的。但是这种计算又包括上述的意思决定，这一点，与会计是不同的。

3. 股东、公司债债权人或者有关证券机构等，也根据各自的目的，单独评估或者认识公司财产状态和损益。于是，像资产负债表及损益计算书等内容的会计，第三人也可以作出。但是，资产负债表和损益计算书，伴随多种法律约束与效果，因此，只有由公司自己制作的称为资产负债表、损益计算书，而且，有关损益处理的意思决定，只有公司才可以作出。因此，公司的计算，只有公司才可以进行。

4. 公司的计算，以决算期这一均等期间为单位定期进行。如此定期计算的理由为，通过周期性地提供会计情报，公司本身和利害关系人可以持续利用会计情报，并可以以有效的方法比较、判断财产的变化状态，特别是股东们可以定期回收其报资收益。

二、计算的目的及功能

公司的计算，对公司和利害关系人具有多种意义。

1. 对经营者来说，通过计算，可以分析、评价过去的经营成果，从而可以以此为基础，有效地设定继续企业（going concern）的目标和方向。

2. 对股东来说，计算是可以得到盈余分派的法律程序。股东向公司投资的最终目的在于得到盈余分派。但是为保护公司债债权人等其他利害关系人，应警戒股东的利己心，因此，商法上严格规律分派盈余的计算，分派时期及标准，分派的意思决定方法等。这种规律，是通过计算这一程序进行，因此对股东来说，计算具有将盈余的回收现实化的意义。同时，股东通过计算，分析、评价自己的投资成果，并根据其结果，给自己一个决定持续投资与否的契机。

另外，股东具有可以任免董事的法律功能，通过计算，可以评价董事们的能力，给自己一个对该人事进行政策性判断的契机。

3. 公司的财产构成为公司债债权人的责任财产，因此，债权人们不得不特别关注公司的财产、损益状态。公司的计算就是满足债权人们的这种关心，债权人们又以通过计算知晓的公司之财产状态为基础，决定回收与否债权，是否要采取保存措施等。

三、商法上计算规定的体系

如果是说计算的内容是财产、损益的把握和损益的处理，那么，有必要对其具体的方法论即关于会计方法加以规律。在这种意义上讲，"资本为发行股份的票面总额"的商法第451条是了解公司的财产状态和损益的最基础的重要的规定。但是，除此之外的关于会计方法的规定，只有部分关于资产的评估（商452条）和移延资产（商453条~457条，之2）的规定，商法因技术性理由，视为在大部分会计方法上收容一般会计原理的规律，比收容商法性规律更值得可取。而商法将其主要焦点放在计算所需要的组织法上程序和为充实资本而保全公司财产上。因此，法定了成为公司财产、损益之认识基础的文件（财务报表）的种类（商447条），从制作到确定，使各个机构参与，以此来确保其真实性（商447条~449条）。

强制公积金的储备（商458条，459条），限制其使用（商460条），规定分派之要件（商462条~463条）等，这是立足于资本充实的理论，抑制公司财产的社外流出，以便维持作为继续企业的财产性基础，健全地维护为债权人的担保财产为目的作出的规定。

虽然公司的计算规定以此两大功能为大线索，但是实际上，在商法有关计算的章节中是以计算为契机欲追求多种附带的目的。首先，设了财务报表的备置、公示制度（商448条，449条，3款），以便适时地向利害关系人提供会计情报；以财务报表的承认为契机，了结董事、监事的责任问题（商450条）；为了预防分派中股东们的利己性对立，为企求公平，提示分派的基准（商464条）；

为适时实现股东的分派债权，将分派金支付时期明文化（商 464条，之 2）；为牵制董事们恣意地运用财产，在承认股东们的会计账簿阅览权（商 466 条）及业务、财产状态的检查权（商 467 条）的同时，为防止滥用又法定了其要件。还有，与股东权的行使联系起来禁止公司的利益提供（商 467 条，之 2）和使用人的雇佣关系债权的优先偿还权之规定（商 468 条），这些虽然与公司计算无关，但为方便起见在有关计算的章节中规定。

四、计算结构（损益计算主义）

围绕应从什么角度进行企业会计的原则论的设定，有两种理论：即一种是将重点放在把握财产状况上的财产计算主义（财产法），另一种是将比重放在测定收益力上的损益计算主义（损益法）。由于股份公司的规模小，因此有产生清偿不能、财产隐匿等弊害之虑，公司债债权人又主要持有少额、短期的债权时，认为财产计算主义是妥当的。但是，股份公司的规模巨大时周期性地在一定时期内评估众多财产，实际上是不可能的，资本的筹措也广泛依赖于社会资本，在此特别强调一般损资者的利益保护问题，因此很难坚持财产计算主义。

投资者的关心，与其说是在于公司财产的担保价值上，还不如说是在于带来企业损益交易之成果的收益性，及能够客观测定这种收益性的会计情报上。而且，企业规模的大型化，固定资产比率的增大，必然要求利用长期信用，因此长期债权人将收益力的维持、向上视为是不亚于公司财产的担保价值的债权稳定性的标准。于是，股份公司的会计原则已经从财产计算主义转移到明确公司之经营成绩，以其收益力的算定为目的的损益计算主义（损益法）上来，所以商法反映它，并将被会计账簿引用的资产负债表和损益计算书，还有以此为基础被决定的利益剩余金处分计算书（亏损时，亏损金处理计算书）为计算的工具（财务报表）来规定（商 447条）。

五、计算标准与企业会计的协调

公司的计算，始于评估财产和了解损益的作业，这些均应凭数据来认识，因此，使用会计学的方法论。根据会计学的方法认识财产状态和损益时，要求有系统性的标准。例如，对公司2年前付1 000万元购买的汽车进行估价时，按取得价1 000万元估价呢，还是按现在的旧车价600万元来认识，这不能由公司擅自决定，而应根据客观的、有说服力的标准来决定。这种会计标准之内容，因财产种类或损益交易的类型不同而不同，又根据时间的流逝会出现新的标准，因此在商法中规律它是非效率性的做法。于是，商法在具体的会计方法、标准上援用实务中所利用的企业会计的惯例，以便向企业会计赋予实用性、伸缩性。首先，关于商业账薄的制作，除了商法上规定的以外，还规定要依据一般的公正、妥当的会计惯行制作，设定了商法上有关商业账薄的基本方向（商29条，2款）；股份公司财务报表的种类（商447条），资产评估原则（商452条），资本公积金的种类（商459条）等具体的计算方法的规定上也应与企业会计惯行相一致。

根据这种方针，被援用于公司计算的企业会计惯行是"一般的公正、妥当的惯行"，其内容为在制作人与第三人之间要正当（公正），从企业的规模、业种看要适合（妥当），在会计的利用主体之间普遍地被接受（一般的）的，经过相当长的时间已被固定在会计实务上的会计方法。

根据"有关股份公司外部监查的法律"（外监13条），由证券管理委员会制定的"企业会计基准"（1981.12.13制定，最近修改1998.4.1)，是收集了被认定为是一般的公正、妥当的会计惯行而成文化的基准。该基准，对适用"有关股份公司的外部监查的法律"（以下简称"外监法"）的股份公司，优先于其他法令强行被适用（外监18条）。另外，虽然在企业会计基准第96条中规定：此基准仍适用于其他非外监法的适用对象公司的企业的会计处理上。但将根据外监法而制定的该基准，强行适用于不受外监法适用的所有企业，从法律体系上讲 是不可能有的。企业会计基准，对其他企业来说，可被理解为是商法第9条第2款所规定的"一般的公正、妥当的会计惯行"的一部分。即非外监法适用的企业，可能已有适合于该企业的性质、规模等的会计惯行，限于未形成上述会计惯行的事项，企业会计基准作为"一般的公正、妥当的会计惯行"来被适用。

六、会计原则

一般认为，企业会计的基本原则有真实性的原则，明确性的原则，继续性的原则。商法上为计算而运用的会计中，也应该遵循这一原则。

这一原则是企业会计的基本原则，商法将一般公正、妥当的会计惯行收容为商法上的会计方法，因此将上述原则适用于会计的计算时无须有其他根据，但商法明文规定：监事制作监查报告时，须立足于上述原则。

1. 真实性原则：是依据公司的计算被制作的财务报表，原则上应真实、正确地反映财产和损益状态的原则。企业会计，向多数利害关系人提供会计情报，而他们又基于此情报进行重要的判断和意思决定。这种会计的真实，与会计情报的正确性，直至与判断和意思决定的正确性相联系，因此真实性的原则，可以说是企业会计中最重要的原则。

即使是真实性原则，并非要求自然科学性的、绝对性的真实（实际上也是不可能的）。是指鉴于计算的目的，根据合理选择的会计方法，带有逻辑性、数据性的正当性的意义的相对真实。商法第447条，之4、2款中，将监查报告书上应记载的事项列举为：（1）会计账簿上漏记或者虚伪记载之事实，及会计账簿与财务报表的记载不符之事实（同2号）；（2）资产负债表及损益计算书是否根据法律及章程正确表示公司的财产及损益计算状态（同3号、4号）；（3）营业报告书是否根据法令及章程正确表示公司状况（同6号）；（4）附属明细表中有漏记、虚伪记载的事实或者与财务报表不相一致的事实（同 9 号）等。如此列举，是将计算的真实性为监查对象，最终还是要求董事应立足于真实性制作计算文件。

2．明确性原则：是公司财产和损益状况的记载，应该让利害关系人适当，容易理解的原则。

具体要求：财务报表等计算文件，应根据一般性会计方法的格式，合理地区分记载事项，逐项赋予适合的名称，有体系地排列，并表示每一项目的记载内容和数据根据何种会计原理记载的。商法上虽然没有特别要求明了性原则的明文规定，但是可以理解为上述真实性的原则包含了明了性原则。

3．继续性原则：继续性的原则是指每一决算期均依据同一的原理、原则进行会计处理。如上所述，真实性的原则是指相对真实性，在继续企业中，相对真实性只有在维持会计处理的继续性时才能被确保。例如，将公司所有的土地，1998 年根据市价记载为 10 亿元，然后 1999 年又根据取得价记载 3 亿元，那么，凭空发生了 7 亿元的损失。因此，为了能够作出财务报表的期间比较，应遵守继续性原则，而且为防止经营者的恣意性会计处理，也应遵守继续性原则。

商法第 447 条，之 2 中规定：作为监查报告书的一项记载事项，应记载"有关制作资产负债表或者损益计算书的'会计方针的变更'是否妥当及其理由"（同 5 号），这一规定表明只要是没有变更会计方针的妥当理由，就应遵守继续性原则。

第二款 财务报表及营业报告书

一、财务报表的意义

商法的财务报表（financial statements），是指为股份公司决算而制作，经股东大会承认而被确定的会计文件，包括资产负债表，损益计算书，利益剩余金处分计算书或者亏损金处理计算书等（商 447 条）。营业报告书是应向股东大会报告的文件（商 447 条，之

2)。企业会计基准中的财务报表，虽然包括现金流动表（会基5条，1号），但是，在商法中被除外。

财务报表和商业账簿（商29条以下），在以表示财产和损益状况为目的这一点上是相同，但两者的范围并不一致。资产负债表，即是财务报表又是商业账簿。但是，会计账簿（日记账）是商业账簿，不是财务报表；损益计算书和利益剩余金处分计算书（或者亏损金处理计算书）是财务报表，不是商业账簿。

（一）资产负债表

资产负债表（Balance Sheet；Bilanz），是指在一定的时期、将企业资产和负债及资本、按照一定的区分、排列、分类记载，以此明示企业财务状态的财务报表。

资产负债表，不仅表示公司的财产，而且与损益计算书有机地联系而被制作，成为计算期间损益的手段。因此对经营者来说，它将成为反省过去的业绩，决定将来方针的资料；对股东来说，成为经营评估的资料。还有，对股份或者公司债的投资者来讲，它将成为投资选择的判断标准；对债权人来讲，又成为公司信用的调查资料。由于它具有这种重要性，与其他财务报表不同，资产负债表须予以公告（商449条，3款）。

（二）损益计算书

损益计算书（Profit or Loss Statement；Gewinnund Verlustrech-nung），是指为明确企业的一个营业年度的经营成绩及其发生原因，以记载该事业年度发生的收益及相应的费用来表示该期间的净损益的财务报表。资产负债表，主要表示期终经营状态（静态性），而损益计算书，可以说是，为了表示事业年度这——定期间的企业成果的决算表（动态性）。

损益计算书中被计入的期间损益，等于是期间收益减去期间费用。因此产生如何进行费用及收益的认识、测算、划分的问题，对此适用：发生基准（accural basis）（会基40条，1号）实现基准（realization basis）（会基40条，1号、但书），原价划分（cost allocation)，费用收益对应原则（principle of matching costs with revenue）（会基40条，2号），区分计算的原则（会基40条，4号），总额主义（会基40条，3号）等各种原则。

这里有一问题，即在损益计算书上，是否记载一个营业年度内发生的所有损益（包括主义，all-inclusive concept），或者只记载每一营业年度继续发生的带有经常性性质的损益（当期业绩主义，current operating parformance form），而企业会计基准采取包括主义（会基39条以下）。

（三）利益剩余金处分计算书或者亏损金处理计算书

商法，关于公积金的储备和盈余的分派，其他的利益处分或者亏损的处理计算，按照现行企业会计惯例规定，将此作为财务报表的一种来制作利益剩余金处分计算书，或者亏损金处理计算书，并应得到股东大会承认（商447条，3号、449条，1款）。

（四）财务报表附属明细书

代表董事，也应制作财务报表的附属明细书，经董事会承认后（商447条），须备置于总公司、分公司（商448条，1款）。

附属明细书是记载有关财务报表中的重要项目的细节事项，是根据企业会计的明了性原则，完全公开的原则充分公示计算之内容，同时以增进财务报表的比较可能性为其目的。

二、营业报告书

营业报告书（Geschäftsbericht），是指以记载该营业年度内的营业概要，营业所名称、位置及数量的增减，有关股东大会的事项，资本金，公积金（资本剩余金及利益剩余金）及其他重要事项来体现公司概要的报告书。其记载事项，以总统会来规定（商447条，之2、2款）。

营业报告书，应由代表董事制作并经董事会承认（商447条，之2、1款）后，向股东大会报告（商449条，2款）。无须经股东大会的承认。

三、资产评估

（一）意义

如上所述，商法将一般性会计处理方法作为会计惯例，但是关于资产评估，在第452条中设有特则（商452条，1号～6号）。公司的财产状态，因如何评估现存资产而对其内容的认识也不同，其损益的结果也不同，因此资产评估在公司的计算中，可以说是最基础的、重要的作业。

企业会计，应立足于真实性原则，因此，资产的评估也同样应反映出真实的价值。但是，如上所述，这种真实指的是相对的真实，因所评估观点不同，其结果也是不同的。

（二）评估原则

关于资产评估，大致有财产主义和成果主义两种思考方式。财产主义，将企业资产从为保护债权人的资本充实及为保护股东的分派计算这一观点上把握。因此，将资本的本质视为是财产权，将其价值也把握为交换价值（即市价）。而成果主义，将资产的评估从向企业的利害关系人即投资者提供信息的观点上把握。从这一角度看，资产具有企业费用的移延的意义，其价值也等于使用价值（即原价）。

财产主义的思路是在立即解散企业，将资产处分、变卖的假设下进行资产评估，因此这对继续企业来说是不现实的。因此，如上所述，1984年修改后的商法，就公司的一般计算，舍弃财产主义性思路，移行到损益计算主义上来。关于资产的评估，一般是根据取得价（原价）来评估，从这一点上看，视为立足于成果主义。但是，市价低于取得价额或者制作价额时，应根据市价（商452条，1、5号），或者强行偶发损失的减价（商31条，2号），强行折旧营业权，这些是依据财产主义的折衷方法。

以成果主义为基本思路的商法第452条之评估原则是以继续企业为前提的，因此被采用于通常决算的原则上，而清算或者破产时应得出清算价值，因此，应根据财产主义以交换价值来评估。而且资产再评估法被适用时，应依该法的评估原则进行。

（三）各类资产的评估

1. 流动资产。流动资产，应依取得价额或者制作价额来计算。但是市价显著低于取得价额或者制作价额时，应依市价来计算（商452条，1号）。这就是所谓的低价主义（cosr or market, whichever is less）。商法第31条，1号制约了认定原价和市价的并用，其目的在于当市价低于取得价额时以选择市价来防止流动资产的过大计算，另一方面，即使市价超过取得价额，也以防止评估额的创出来企图资本充实。

2. 固定资产。固定资产的评估，每一结算期均应在取得价额或者制作价额中折旧（通常减价）。但是，关于固定资产，如产生无法预料到的减损时，应进行与此相应的减价（偶发减价）（商31条，2号）。

3. 金钱债权。金钱债权依据债权金额计算。但是，以低于债权金额的价额取得或者准取得债权时，可以进行相当的减额。有追偿不能之虑的债权时，应将其估计额减掉（贷损处理）（商452条，3号）。

4. 公司债。交易所有市价的公司债（已在证券交易所上市的公司债），应依决算期的1个月之前的平均价格计算；无市价的公司债，应依取得价额计算。若其取得价额与公司债金额不一致，可以增 减相当部分。若有追偿不能之虑的公司债，应减额其估计额。准于公司债的，亦同（商452条，4号）。

5. 股份。交易所有市价的股份，依取得价额计算。但是，结算期前1个月的平均价格低于取得价额时，应依该市价计算。根据交易及其他需要以长期保有为目的而取得的股份，无论是在交易所里有无市价，均应依取得价额计算。但是，发行公司的财产状态已显著恶化时，应进行相当的减额（商452条，5号）。

6. 营业权。营业权，只有在有偿承继取得时，可以记载其取得价额。在此情形下，自取得营业权之后至5年内的每一决算期，均应折旧均等额以上（商452条，6号）。

营业权不是法律上的权利，但它是指经济上有价值的事实关系，是一种无形固定资产（会基36条，1号）。其价值不仅是变化大、不确实，而且有过大评估的危险，因此，只对有偿取得的营业权，才认定资产能力，并可被折旧。

四、移延资产

（一）意义

根据费用的性质，其效用不仅仅及于该年度，有可能及于此后的几年。如果将这种费用只按该期的费用来处理，在期间损益的把握上有些不合理，因此，以后年度的费用来分担是妥当的。另外，这还可以缓和给财产结构带来的冲击。基于上述理由，为了将在某一营业年度所支出的费用中一部分移到后年度的费用来折旧，以该年度的资产来记载时，该费用称为移延资产（deferred assets）。

严格地讲，大部分的费用的效用都及于将来，但若对此予以无限的认定，那么，账簿上的财产状态和实际财产状态的脱轨现像会越来越严重。因此，商法，选择几种规模比较大，效用延长较明显的费用规定为移延资产，同时为资本充实，也明示其折旧期间、方法。

移延资产，可以记载在资产负债表中的资产部分，在法定期间内，必须折旧（商453条~457条，之2）。

（二）移延资产的种类

1. 创业费。按照章程规定的公司应承担的设立费用及发起人应得到的报酬额所支出的金额，及设立登记时支出的税额，作为移延资产可以计入至资产负债表的资产部分中（商453条，1款、290条，4号）。

这一金额，在公司成立后至5年内的每一决算期须折旧均等额以上金额。定有在开业之前分派建设利息时，在分派之后至5年内的每一决算期，须折旧均等额以上金额（商453条，2款）。

2. 开业费。为开业准备而支出的金额，可以计入至资产负债表的资产部分中（商 453 条，之 2、1 款）。这在企业会计基准中已经被认定为是移延资产，但在 1995 年修改法中将此作为商法上的移延资产来收容。据企业会计基准，为开业准备而支出的金额，是指从公司设立后至营业开始止为开业准备而支出的各项费用（会基 38 条，2 号）。例如，土地、建筑物等的租赁、广告费、通讯费等。限于公司设立后支出的费用，因此在设立前以同样的目的支出的费用，不能算是在此所说的开业费。

此金额，须在开业后至 3 年内的每一决算期，折旧均等额以上的金额（商 458 条，之 2、2 款）。

3. 新股发行费用。发行新股时，其发行所需的费用，可以计入至资产负债表的资产部分中（商 454 条，1 款）。新股发行费用，是指认股要约书，股票等的印刷费，向代收股款银行支付的手续费，募集股东所需的广告费，变更登记的注册税等。这些费用，均为为资金筹措而支出的费用，因此应认定为是移延资产。

新股发行后至 3 年内的每一决算期，须折旧均等额以上的金额（商 454 条，2 款）。

4. 公司债发行费用。在发行公司债的情形下，该发行费用也与新股发行费用一样具有资金筹措费用的性质，因此，可以计入至资产负债表的资产部分中。

公司债发行后至 3 年内的每一决算期，须折旧均等额以上的金额（商 456 条，3 款→454 条）。

5. 低于票面价额的部分。所发行新股价额低于票面价额时，将低于票面价额的不足金额的总额，可以计入至资产负债表的资产部分中（商 455 条，1 款）。其理由与新股发行费用相同。

此金额，在新股发行后至 3 年内的每一决算期内，须折旧均等额以上的金额（商 455 条，2 款）。

6. 公司债差额。发行公司债，若该应偿还的总额超过根据募集所收的实收额时，将该差额，可以计至资产负债表的资产部分中（商 456 条，1 款）此金额，在公司债偿还期内的每一决算，须折旧均等额以上（商 456 条，2 款）。

7．分派建设利息。分派建设利息（商 463 条）时，该分派金，可以计入至资产负债表的资产的部分中（商 457 条，1 款）。

该金额，在开业后进行年 6 厘以上的盈余分派时，应折旧其超过年 6 厘的金额及同额以上（商 457 条，2 款）。于是，不能进行 6 厘以上的盈余分派的期间内，可以不折旧。之所以将 6 厘为标准，是因为如果是 6 厘以下的分派，从金额上与继续建设利息分派没有差异（商 463 条，1 款）。

8．研究开发费。研究开发费，是指与新产品或者新技术的研究或者开发有关特别发生的费用，可以计入至资产负债表的资产部分中（商 457 条，之 2、1 款）。从其性质上看，这明显是属于移延资产，因此将原来依据企业会计基准被认定为移延资产的（会基 38 条 5 号）费用，在 1995 年修改法中定为是商法上的移延资产（商 457 条，之 2、2 款）。

此金额，在支出至后至 5 年内的每一决算期，须折旧均等额以上（商 457 条，之 2、2 款）。

五、财务报表的承认程序

（一）财务报表等的制作

董事，应于每一决算期制作财务报表及其附属明细书及营业报告书，并应得到董事会承认（商 447 条，447 条，之 2、1 款）。虽然法条中规定，由董事制作并提出，但这属于代表董事的业务执行事项，因此应由代表董事作出（通说）。董事会的承认，是确定向监事及定期大会提出的财务报表、营业报告书之议案内容之程序。

关于财务报表制作及董事会承认的时限，虽无明文规定，但至少应于定期大会 6 周之前向监事提出，因此，在此以前须经制作及承认程序。

（二）监查

1．监事的监查。董事应于定期大会的 6 周以前向监事提出财务报表及其附属明细书及营业报告书（商 447 条，之 3）。监事，应自接受财务报表等文件之日起 4 周之内，向董事提出监查报告书（商 447 条，之 4、1 款）。监事报告书上应记载下列 11 项，这同时意味着须监查下列各有关事项：

1）监查方法概要：监查是伴随是非判断的作业，因此，可以理解为须述清为作出判断而设定的基准的大纲。其余监查报告事项的说服力与信赖性，均靠监查报告书上记载的监查方法的概要的支持。

2）应记载于会计账簿上的事项，未记载或者被虚伪记载时，或者与资产负债表或损益计算书之记载不一致时，其意：由于财务报表是根据所谓的诱导法，并基于会计账簿制作，因此对会计账簿的真实性及其内容的正确反映，将保证财务报表的真实性。于是，首先将会计账簿的真实性与否，向财务报表诱导过程的正确性与否，作为监查对象来规定的。

3）资产负债表及损益计算书依照法令及章程正确表示公司财产及损益状态时，其意：即使资产负债表及损益计算书正确反映会计账簿，但是其内容是否正确反映公司之财产、损益是应另行处理的问题。应监查资产负债表及损益计算书是否根据商法以及其他法令和一般的公正、妥当的会计原则来调查、评估了资产，如正确表示时，应表示根据本号认为适法的意见，否则，应表示根据下列各号认为不适法的意见。

4）资产负债表或者损益计算书违反法令或者章程，没有正确表示公司财产及损益状态时，其意思及事由：参照前号。

5）有关资产负债表或者损益计算书制作的会计方针的变更是否妥当，及其理由：如前所述，为了确保财务报表的相对真实性，为了进行对每一决算期的妥当的比较，应遵循会计的继续性原则。但是，有特别的情况，又有合理的理由时，会计方针的变更也是不可避免的。因此，财务报表依照与从前不同的会计方针制作时（例如，将库存资产评估从先入先出法换成后入先出法，或者将折旧法从定额法换成定率法等），监事须调查并判断其妥当性。

　　6）营业报告书是否按照法令及章程正确表示公司状况：营业报告书仅仅是股东大会的报告事项而已，但它含有无法从财务报表中得知的情报，因此，它给股东、债权人提供非常重要的企业情报。为保障该情报的正确性，监查前述的法定记载事项的充足与否及该记载之正确性。

　　7）利益剩余金处分计算书或者亏损金处理计算书是否合乎法令及章程：是监查公积金的储备，盈余分派，亏损的填补，或者移越等损益处理是否按法令、章程的标准来进行。

　　8）利益剩余金处分计算书或者亏损金处理计算书，与公司财产状态及其他事情相比，显著不当时，其意：可以根据上述7号判断损益处理的适法性，但是即使其内容适法，从公司的各项情况来看是否合理，这是另当别论的问题。例如，在公司保有的现金等流动资产极少的状态下，即使账面上有分派可能盈余，也以借入金钱来进行高额分派，当然是不合理的。在保障适法性的前提下，如何进行损益处理，是属于董事的经营判断的问题，但如果其裁量过分时，容易导致公司经营的困境，因此显著不当时，对监事的监查权的例外的认定。

　　9）在商法第447条的附属明细书上未记载须记载之事项或者虚伪记载时，或者有与会计账簿、资产负债表、损益计算书或营业报告书的记载不一致的记载时，其意：对附属明细书也要求有真实性，将此也作为监查对象。

　　10）关于董事的职务履行，有不正行为或者违反法令或章程的规定的重大事实时，其事实：不限于财务报表上反映的内容，发动监事的一般性的业务监查权来监查董事的职务履行的违法性与否，并使监事报告不适法事实。

　　11）未能进行监查所必要的调查时，其意及理由：监事进行有效的监查，得不到董事的协助是不可能的。因此，因董事的不协助，受监不应等事由不可能进行实效性监查时，说清其事由是这一条的主要宗旨，但这里的未能进行必要调查的理由并不限于此，还包括事故、灾难，监事的疾病等调查不能的所有事由。

2. 外部监查。上市法人以及其他应受外部监查的公司，就其财务报表，应接受外部监查人的监查，因此，在股东大会的 6 周之前，应向外部监查人提出（证交 182 条，1 款、外监 7 条，令 6 条）。向外部监查人提出的财务报表，除了商法第 447 条之财务报表以外，还包括连结财务报表或者结合财务报表（外监 7 条）。外部监查人应在定期大会 1 周之前向公司提出监查报告书（外监 8 条，令 7 条）。在监查报告书上，监查意见应以适当、限定，不适当意见及意见拒绝等（金融监督委员会会计监查基准 23 条～27 条）来表示。

（三）财务报表的备置、公示

财务报表等及监查报告书，应自定期大会的 1 周之前起，在总公司、分公司备置并公示（商 448 条）。这一点，后述。

（四）财务报表的承认

1. 程序：代表董事，应经过董事会承认及监事的监查之后，向定期大会提出财务报表，要求予以承认（商 449 条，1 款），并提出营业报告书，报告其内容（商 449 条，2 款）。财务报表的承认是应在定期大会上处理的事项。但即使因定期大会召集的迟延而带有临时大会的性质，也不影响在该大会上决议的承认之效力。决议要件为普通决议。

2. 承认方法：即使"承认"，并不是股东大会单纯具有对董事提出的财务报表承认或否认的权限，也可以修改以后再决议。例如，如同将所提出的票面价之 10% 的分派率，修改并决议为 15%。资产负债表、损益计算书、利益剩余金处分计算书等财务报表，均有其独立性，因此可以分别予以承认，也可以承认其中一部分。但是，分派等剩余金的处分是以资产负债表和损益计算书之确定为前提的，因此，在未承认资产负债表和损益计算书的状态下，不能单独承认利益剩余金处分计算书。

3. 承认的效力。

1）在定期大会上承认财务报表时，关于该决算期的公司的计算，对内外已被确定，董事应据此储备公积金，实施分派盈余等承认内容。财务报表未经承认当然不能实施。

2）由于利益剩余金处分计算书的承认，根据其内容股东持有被确定的盈余分派请求权。

3）如下所述，财务报表的承认附带地有解除董事和监事责任的效果。

4）股东大会上承认财务报表时，董事应毫不迟延地公告资产负债表（商449条，3款）。

（五）承认及责任解除

承认财务报表后2年内，若无其他决议，则视为公司解除了董事及监事的责任（商450条）。但是对其不正行为，除外（同条但书）。

1. 意义：此制度是，对规定董事和监事的责任只能依全体股东的同意才可以免除的第400条和第415条的重大的例外。其立法理由为：根据第400条与第415条，董事及监事承担严重的责任，因此为了不让有关责任存废的不稳定状态。过分长期化，迅速决定责任消灭原因，是符合衡平性的，只有这样，公司经营的适任者才不因过重责任而犹豫就任于董事。在此所说的2年，应视为是除斥期间（通说）。

2. 解除的范围：对何种事项，可以解除责任？通说作出狭义解释，认为只及于从财务报表上可知的事项上，判例也持同样的宗旨。实际上，股东大会的功能趋于形式化，因此为防止董事和监事恶用它来被广泛免除责任，我认为通说与判例的解释是妥当的。于是，即使财务报表上已明示了收入、支出金额，并非连成为其原因的行为都被解除责任。

3. 举证责任：董事和监事承担责任解除的举证责任。即董事、监事应当举证成为问题的事项已被记载于财务报表，并被提出，已经过股东大会的承认决议等事实。

4. 适用除外：对于董事、监事的不正行为不能解除其责任（商 450 条，但书）。应将"不正行为"理解为像贪污、背任、伪造文书等犯罪行为及破坏利害关系人的信赖的高度非伦理性行为，也意味着"即使是恶意的加害行为及董事权限内的行为，在该状况下不能使其正当化的所有行为。"又视为董事或者监事的损害赔偿责任，不仅包括以不正行为为原因发生时，而且也包括董事或者监事在征求财务报表的承认中进行不正行为时。这是因为如果董事或者监事以不正当的手段得到承认，就不能视为在其承认决议中有责任解除的意思。

而且，如果在承认决议后 2 年内有其他决议，责任就不能被解除（商 450 条）。"其他决议"里，不仅包括否定责任解除的决议或者撤回承认的决议，而且也包括为追究董事和监事的责任的决议等，是指以董事、监事的责任存续为前提的广义上的决议。

第三款　公积金

一、概述

（一）意义

公司将净财产额中超过资本的部分，不向股东分派而储备在公司内部的金额，称为公积金（reserve；Rücklage）。

公积金与"资本"一样，被表示在资产负债表的"负债及资本部分"（贷边），在利益计算中成为扣除项目，因此它将起抑制财产的社外流出的作用。即决定公积金时，只要公司的争财产不超过资本和公积金之和，就不产生可分派的盈余。随着公积金的增加，公司所保有的净财产也要增加，有备于将来的经济不景气，营业不佳或者突发的灾难等，并可企图公司长远的发展计划。可以说，这是向物之公司要求的资本维持原则的一种表现。

（二）性质

如上所述，公积金实质上不仅具有类似于资本的功能，而且根据需要也可转入到资本（商 461 条），因此也称为补充资本或者附加资本。在会计学上将资本和公积金之和称为自己资本。由于它像资本那样只不过是单纯计算上的数额而已，因此（1）作为公积金被留在公司的财产，是不特定的；（2）也不是被另行预置或保管的；（3）废止公积金或使用时（例：商 460 条）也仅仅是减少作为扣除项目的公积金的金额的计算上的处理而已，并非必须意味着金钱的现实使用。

（三）种类

公积金分为依据商法或者特别法的规定义务性储备的法定公积金、及依据章程或者大会决议而储备的任意公积金。此外，还有实际上是公积金而形式上并非按公积金来计算的秘密公积金、及形式上是公积金而实质是贷损充当金、折旧充当金等的拟制公积金非（真正公积金）。

二、法定公积金

法定公积金，可分为以损益交易（营业交易）中发生的利益为财源而储备的盈余公积金（earned surplus）及以资本交易（对资本的主交易）中发生的利益为财源而储备的资本公积金（cupital surplus）。

（一）盈余公积金

主要以填补资本亏损为目的并应商法要求而储备的公积金。公司在每一个决算期，将金钱盈余分派额的 1/10 以上的金额作为盈余公积金来储备（商 458 条），直至达到资本的 1/2。超过资本之 1/2 进行储备时，其超额部分带有任意公积金的性质。

公积金带有控制剩余金的处分之意，因此，与分派金相联系起来决定应储备的金额。还有，并不是以分派金总额为标准，而是以金钱分派额为标准来决定储备额，商法允许盈余分派额的 1/2 以下（含 1/2）的股份分派。公积金是为控制金钱的社外流出而储备的，因此没有必要强行要求无金钱流出的关于股份分派部分进行公积金的储备。

储备"金钱分派额的 1/10"是指规定金钱分派时的公积金的最低限度；并不意味着不分派时不能储备盈余公积金之意。与分派与否无关，可以将盈余公积金储备至资本的 1/2。即使不进行分派，这也不能成为任意公积金（财政经济部有权解释；证券22325—57，1986．2．4）。

上市法人依据上市法人财务管理规程，应在每一决算期将一定利益储备至自己资本比率达到 30％止（同规程 10 条，1 款）。称之为财务结构改善储备金，为了健全上市法人的财务结构，而应强制储备，其用途又限制在移越亏损金的填补及资本转入（该规程 10 条，2 款）上，可以视为依据特别法而储备的盈余公积金。

（二）资本公积金

是以每个决算期的营业利益之外的"利益"为财源储备的法定公积金。成为其财源的利益产生于所谓的资本交易，带有准资本的性质。资本交易上发生的利益与损益交易上发生的利益中的利益是不同的，本质上是缴纳资本的一部分，是不能向股东分派的利益，因此，须当然地无限制地储备。于是，法人税法上，将资本交易中产生的利益不视为益金（收益）（法人税 15 条，1 款）。商法将资本公积金的财源规定如下：

1．以超过票面价的价额发行股份时，其票面超过额（商 459 条，1 款、1 号）。例如，将票面价 5 000 元的股份以 8 000 元发行，那么，超过额 3 000 元为应储备的金额。以不公正的价额认购股份者将与公正价额之间的差额支付给公司时，该部分金额也相当于此，因此应以资本公积金来储备（商 424 条，之 2）。票面超过额，应全额储备，不能从中扣除股份发行费用（股份发行费用按移延资产计入，商 451 条）。

2．减资差益（商 459 条，1 款、2 号）。依资本减少而被减少的资本额超过股份的注销或者股金的返还所需要的金额时，一般称为减资差益，但此减资差益中充当资本亏损的填补后仍有剩余的金额时，它将成为应以资本公积金来储备的减资差益。

3. 合并差益（商 459 条，1 款、3 号）。进行合并时，存续公司或者新设公司从消灭公司承继的资产价额超过｛从消灭公司承继的债务额 + 向消灭公司的股东支付的合并交付金 + 存续公司的资本增加额或者新设公司的资本额｝时，其超过额就是合并差益。这也是在资本交易中产生的，因此应以资本公积金来储备。

但是，在合并差益中消灭公司的盈余公积金以及其他法定公积金可由存续公司或者新设公司来承继（商 459 条，2 款）。这是 1995 年修改法中新设的制度。修改以前，应将全部合并差益以资本公积金来储备，因此有存续公司将消灭公司已储备的盈余公积金或者依其他法律储备的公积金重新储备的不便。在 1995 年修改法规定：存续公司可以以同一形式承继消灭公司的法定公积金。承继时，应将消灭公司的公积金以同一名目的公积金来承继，资本公积金应以资本公积金，盈余公积金应以盈余公积金来承继，依其他法律储备的法定公积金（例如：再评估公积金）也应以同一性质的公积金来承继。商法规定：限于法定公积金，可以承继，实际上，对企业来说，承继任意公积金的实际意义更大。请参考，这一款是参照日商 288 条，之 2、3 款而制定的，在日本商法中允许承继任意公积金。无须限制法定公积金，应将此款中的"其他法定公积金"视为：不仅包括特别法强制储备的公积金，也包括特别法所允许的储备的广义上的公积金（例如；税法上的各项充当金），这将符合立法宗旨。

4. 公司分立差益（商 450 条，之 2、1 款、3 号）。因分立或者分立合并，被新设的公司或者存续公司（吸收分立合并的对方公司），自分立公司处得到的出资的财产价额超过｛从分立公司承继的债务额 + 向公立公司股东支付的交付金 + 新设公司的资本额或者存续公司的资本增加额｝时，若此超过额成为新设公司或者存续公司的分立差益，则应以资本公积金来储备（随着 1998 年修改法中新设公司分立制度，被新设的公积金）。

此分立差益中的分立公司的盈余公积金及其他法定公积金，可以由新设公司或者存续公司承继（商 450 条，2 款），其承继的含义，如在合并差益中所述。

5. 在其他资本交易中发生的剩余金（商 459 条，4 号）。在企业会计中将其他资本剩余金列举为：国库补助金、工事负担金、保险差益、资产受赠利益、债务免除利益，自己股份取得利益，以及其他资本剩余金（会基 57 条，4 号），这些也从其性质上不能成为应向股东分派的利益，因此，商法中以"其他资本交易发生的剩余金"来看待，定为资本公积金的财源。

（三）法定公积金的使用

法定公积金，除了充当资本亏损的填补（商 460 条，1 款）或转入资本（商 461 条）以外，不能另行处分。

1. 亏损的填补。资本的亏损，是指决算期末的公司的净财产额低于资本和法定公积金（资本公积金＋盈余公积金）的状态。即使营业年度中临时发生上述状态，但是由于期末的损失未定，因此不能视为亏损，而且不能认为是可以以任意公积金来填补的亏损。填补亏损，首先以盈余公积金来充当，尚有不足时，可以以资本公积金来充当（商 460 条，2 款）。

法定公积金的使用与否，属于公司的任意决定事项，因此也可以不填补资本亏损，以移越亏损金来处理。资本亏损的填补与否，是依股东大会上的财务报表的承认而被确定（商 449 条，1 款）。

2. 资本转入。

1）意义：资本转入，是指从公积金的计定金额中减去一定金额，后将此金额加算至资本金计定中。可以将盈余公积金储备至资本的 1/2，而资本公积金可以无限制地储备，因此有时会出现公积金过多于资本的局面。在短期内，估计无亏损的状态下，固定巨额的公积金，在财务管理上的确是很不方便的，因此为了纠正两者不均衡，同时作为改善财务结构的手段，公司可以将公积金的全部或者一部分转入资本（商 461 条，1 款）。

因资本转入而增加资本，随之发行将转入额以票面价整除的新股。证券市场上称之为无偿增资，由此而发行的新股称为无偿股。虽然发行股份数是增加了，但是，并没有给公司的净财产带来变化。这只不过是计数上的操作而已，但因资本的增加，资本充实的规范性标准会往上调整，因此，起到控制净财产的社外流出的作用。这将有助于公司的规模成长和资本充实。

2）程序：转入的意思决定只能依董事会的决议进行（商461条，1款）。通常的新股发行是董事会的决议事项，与此相适应，将资本转入也定为董事会的决议事项（商461条，1款）。但公积金的资本转入，成为减少股东之分派可能盈余之要因，因此股东们自己欲持有转入之意思决定权时，可以以章程规定为是股东大会的决议事项（商461条，1款、但书）。

3）转入可能性：不管是资本公积金，还是盈余公积金，都成为转入的对象。与填补资本亏损时不同，关于转入的先后没有制约。公积金，依据前一决算期的资产负债表计算。还有，根据资产再评估法储备的再评估公积金（同法28条，2款），依上市法人财务管理规程而储备的财务结构改善储备金（同规程10条），也成为资本转入的对象。

资本转入只限于法定公积金，任意公积金则不得转入。任意公积金是应向股东分派的盈余，若将它转入资本，以不能分派的资本来固定化，那么，有可能害及股东的盈余分派请求权。

4）转入的效果。

（1）新股发行：因公积金的资本转入，资本要增加，因此应该发行以票面价整除的余数的新股。由于转入，资本会增加，但是净财产是没有变化的。即使发行股份数是增加了，也应在预定发行股份总数的范围内有余时才能发行。

此新股，应按股东所持有的股份数来发行（商461条，2款前）。股东无须另作新股认购程序而自动成为新股的股东，因此第三人不得持新股认购权（只是公共性法人将公积金转入资本时，可以将应向政府分派的股份的全部或者一部分向长期保有股份者分派

（证交 191 条，之 6、2 款）。产生端股时，将卖出的金额向端股的股东分配（商 461 条，2 款后）即可。

新股，应以票面价发行，对普通股东或者优先股东均以普通股份来发行。原来，优先股是在特定时期为资本筹措，依照特殊的发行价和优先分派率等特定的条件来发行的，而公积金的资本转入是将内部保留的资金折算成票面价并无偿发行的新股，因此，没有要发行优先股的动机。新股发行后，资本与发行股份总数增加，因此应进行变更登记（商 317 条，3 款→183 条）。

（2）新股的效力发生时期：新股的效力发生时期，在董事会上和股东会上进行资本转入决议时是不同的。

（a）在董事会上决议时：公司规定一定日（分派基准日）并于该分派基准日的 2 周以前公告：当日在股东名册上记载的股东成为新股的股东之意（商 461 条，3 款）。成为新股股东的时期不是董事会决议日，而是分派基准日。分派基准日恰在股东名册封闭期间时，应在封闭期间开始日的 2 周以前进行公告（商 461 条、3 款、但书）。董事会决议时，之所以如此另行规定分派基准日，是因为因资本转入而发生的新股发行对股东有重大利害关系，而无法立即知晓董事会的决议，因此通过预告资本转入使股东们能够持有名义更改的机会，并使其留意股份的转让问题。

（b）在股东大会上决议时：通过股东大会的召集通知，向股东预告资本转入事实，因此没有必要另定分派基准日。自决议之日起直接成为新股的股东（商 461 条，4 款）。但对于欲新取得股份者有必要告知资本转入事实，因此从立法论上应设有公告制度。

关于盈余或者利息的分派，可以在章程中规定可视为是前一营业年度的最后一日发行了新股（商 461 条，6 款→350 条，3 款后）。这些已在 1995 年修改法中反映进去，关于其意义与盈余分派联系起来。

（3）通知、公告：一旦新股发生效力，董事应毫不迟延地向记名股东及注册质权人通知股东所得到的股份的种类和数量，而且为无记名股东应公告其决议内容（商 461 条，5 款）。

（4）质权的效力：以从前的股份为标的的质权，不管其是注册质，还是略式质，均对于新股或者端股的卖得金，被认定其物上代位（商 461 条，7 款→399 条）。

（5）旧股和新股的关系：因资本转入而发行的股份，不是旧股的结果，也不是从属物。从而，不适用有关结果或者从属物归属的一般原则。例如，买卖旧股份时，在其履行之前所发行的新股，不被包括在买卖标的物中。

5）资本转入的违法：违法进行公积金的资本转入之情形，可以举如下几种：未经董事会决议（或者股东大会决议）而进行资本转入时；即使有决议，但依照有瑕疵的决议时；无公积金而进行资本转入决议时；超过预定股份发行总数而转入资本时等。

在正常的新股发行的情形下，因有对新股的缴纳，因此会增加公司的资本，即使有了无效原因，也要求对公司和所有股东统一确定其权利关系，从而只能以形成之诉即新股发行无效之诉来争其效力。但是在公积金的资本转入上，没有这种资本的实体性变化，只要有公积金的存在及有权限机构的意思决定，就构成资本转入的实体性要件，因此缺少这种要件时，只能视为是当然无效。即使对已发行的新股发行了股票，亦同。这种股票流通时，会产生对受让人的保护问题，但受让人只能以转让人为对象请求返还转让价金（返还不当得利），或者公司有侵权行为或者董事有任务懈怠时，以公司或者董事为对象请求损害赔偿。

三、任意公积金

是指根据章程规定或者股东大会决议，通过盈余处分的方法储备的公积金。商法不强制其储备，因此，称之为任意公积金。有像减债公积金，分派平均公积金，事业扩大公积金等使用目的已特定的，也有像可使用于任何目的的特别储备金，前期移越盈余金等。任意公积金被使用于储备标的上，也被使用于亏损的填补上或者分派的财源上。如上所述，虽然不能转移至资本上，但可以被使用于股份分派的财源上。

四、秘密公积金

公司所保留的净财产多于资产负债表上显示出的净财产时，将这种超过额称为秘密公积金（Stille Reserven）。于是，秘密公积金并未以资产负债表上的公积金来计算，实质上带有公积金的性质。

其储备方法有：以过多折旧等过小评估资产，或者与此相反，债务项目的过大评估等。

秘密公积金与所谓的"空头分派"相反，使公司留保更多的资产，以便加强公司的资本基础，给经营赋予伸缩性，或者通过利用秘密公积金，可以实现分派的平均化。但是，这将破坏资产负债表的真实性原则，使损益计算不明确，含有经营者操作股价等被利用于不正的利益追求的因素。

因此，对秘密公积金的适法性有不同的见解。有些人以侵犯股东的盈余分派请求权，违背企业会计的真实性原则或者公开（明了）性原则等为由，认为是违法的；另一些人以商法关于资产评估采取低价主义原则（商31条）为前提，认为过小评估不是错误的，又有上述的有利一面为根据，认为是适法的。企业会计原则也是在认定真实性、公开性的同时，也认定安全性的原则（保守主义），因此鉴于一般的惯行，在认定为是合理的范围内，视为秘密公积金也是适法的。

第四款　盈余分派

一、概述

盈余的分派（dividend；gewinnverteilung）是营利法人存在的目的。从经济角度上看，享受资本利润是出资者们的终究性目的，因此股东的盈余分派请求权在股东的权利中是最为本质性的、固有的权利。从而，不仅根本不分派盈余是违法的，长期不当地中止盈余分派也是违法的。在同一公司中存在的所有股东应平等地参加利润分派，在资本团体即股份公司里，是按照他们对资本的贡献大小即按所有的股份数来分派，从而实现比例性平等。

另外，虽然强调盈余分派请求权的重要性，但是股东享受的是有限责任，因此不能优先于公司债债权人的权利。故，只有在确保为债权人的责任财产的状态下，才有可能进行盈余分派。

1998年修改以前，确定了决算以后才有可能进行分派。例如，某公司的一个营业年度为1月1日起12月31日止，损益计算至12月31日，在次年召集的股东大会上确定盈余分派方案后进行分派。1998年修改商法时，参照外国的经常进行的中间分派（interim dividend），新设了中间分派制度。中间分派，是指决算之前估计当决算期的分派可能盈余，并以前一决算期的未处分盈余为财源实行的盈余分派。目的在于：通过中间分派，使公司的盈余分派负担平准化，搞活往证券市场的资本流入。与中间分派相对应，与从前一样，年一回以确定盈余进行的分派，称为定期分派。

二、定期分派的要件

盈余分派虽然是股东的本质性权利，但是有可能被股东的利己心强行无理地进行分派，从而害及公司的资本充实，侵害公司债债权人的利益。因此，商法根据资本充实的原则，严格规定盈余分派的要件。

欲分派盈余，首先应有盈余，"没有盈余就不能分派"是一个硬性原则。优先股也不例外。这里所说的盈余是指"分派可能的盈余"。分派可能的盈余，是指从资产负债表上的净财产额扣除（1）资本额；（2）到该决算期为止已储备的法定公积金；（3）该决算期应储备的盈余公积金之和的剩余金额，以此为限，可以进行盈余分派（商462条，1款）。商法上虽然没有规定，但也应扣除对当期利益所课的法人税。盈余公积金应相当于金钱分派额1/10以上的金额，因此盈余公积金和盈余分派额相关地被规定。欲使用被特定其用途的任意公积金进行分派时，先变更其用途后才可以进行。例如，依章程的规定储备时，先变更章程；依股东大会决议储备时，应依股东大会决议变更其用途。

　　净财产额是指从总财产中扣除债务的余额，将此净财产额为分派可能盈余的基础，这将意味着待确保对债权人的责任财产后才能分派。然后再扣除资本和公积金，这又意味着公司作为继续企业确保可以存续的财产性基础后，应以其剩余财产进行分派。因此，上述要件，为公司债债权人的保护和公司之存续所必须遵守的标准。股东大会违反上述要件进行盈余分派时，该决议为无效。

（图表：分派可能盈余的计算）

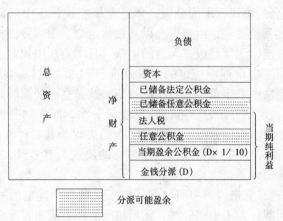

　　分派可能盈余

三、中间分派

　　如上所述，中间分派是指以决算之前估计的分派可能盈余为财源实行的分派。中间分派，在确定盈余之前，将公司财产向公司外流出，且仅依董事会的决议来进行，所以害及资本充实的危险很大。中间分派，应具备下列严格的要件，并关于中间分派，使董事承担重大的责任。

　　（一）中间分派的要件

　　1. 公司要件：限于定有 1 年一回决算期的公司，可以进行分派（商 462 条，之 3、1 款）。定有 1 年二回以上决算期的公司，不得进行中间分派。其立法意图为使每 6 个月为 1 周期的分派得以实现。

2. 章程规定：限于章程中有规定时，才可进行中间分派。

3. 时期：中间分派，在营业年度中，只能进行一回（同条，同款）。其时期，须在章程中规定（同条，同款）。从法文上看，有可能误解为董事会可以决定分派时期，但是，从问题的重要性来看，这不是以董事会决议来决定的事项。章程中规定的日期为中间分派的基准日。

4. 董事会的决议：中间分派，须经董事会决议。中间分派与否，只要充足其他要件，由董事会以其裁量定之。中间分派，依董事会决议来确定，无须经股东大会的追认。日本商法中规定：欲进行中间分派，应自章程中规定的分派基准日起 3 个月以内决定分派，而韩国商法中未定董事会的决议时期，这是立法的漏洞。

5. 方法：定期分派时，可以进行股份分派，而中间分派，只能进行金钱分派。股份分派，以股东大会的决议为其要件（商 462 条，之 2、1 款），期中间分派，以董事会的决议为其要件，因此，不适合进行股份分派。

6. 对象：有资格得到中间分派的股东是章程中规定的一定日期的股东。因此，为了中间分派，无须封闭股东名册或者设定基准日。但是，商法仍准用有关基准日设定的第 354 条第 1 款，笔者对此有疑问。

7. 分派的财源：商法第 462 条，之 3、2 款规定了中间分派可能的金额的范围。中间分派的范围为：前一决算期的资产负债表中的财产额扣除 ｛前一决算期的资本额 + 前一决算期为止已被储备的法定公积金 + 前一决算期的定期股东大会上决定的拟分派的盈余或者拟支付的金额 + 根据中间分派应储备的盈余公积金｝的余额为限。也就是说，以在有关前一决算期的定期股东大会上处分利益剩余金之余额为限，可进行中间分派。金钱分派时，应将该金额之

1/10 以盈余公积金来储备，因此，中间分派，应以扣除此金额之余额为限，才可进行。

从上述中间分派的财源上看，中间分派，实质上是盈余分派的后付。盈余分派，应基于决算后的盈余，并依股东大会的盈余处分决议进行，所以，中间分派不是法律意义上的盈余分派。但是，商法中仍使用盈余分派一词，并准用除了股东大会决议以外的所有有关盈余分派的规定。

（二）分派的限制

如上所述，中间分派是以前一决算期的资产负债表为准，并以定期股东大会上未处分的盈余为财源实行的。若将来该决算期的损益计算结果发生损失，则导致违反第 462 条第 1 款所定的分派要件的无盈余而分派的结果。因此，考虑因中间分派而妨害资本充实，商法规定：若该决算期的资产负债表上的净财产额有未及第 462 条第 1 款各号金额之和之虞时（即当期决算期中有损失发生之虞时），不得进行中间分派（商 462 条，之 3、3 款）。

1. 董事的责任。为了确保上述有关中间分派之限制的实效，在该决算期的资产负债表上的净财产额少于第 462 条，1 款各号金额之和的情形下，仍进行中间分派时，商法规定：董事，向公司承担连带赔偿其差额的责任，若分派额少于其差额时，承担赔偿分派额的责任（商 462 条，之 3、4 款）。因此，中间分派，只能是在董事确信该决算期内发生盈余或者至少是不发生损失时，才可实行。关于为确信而作出的判断，让董事承担风险。那么，让董事承担如此无过错责任，的确是有些苛刻。因此，让董事承担过错责任，同时让董事承担对无过错的举证责任。即董事证明其在判断该决算期内无发生损失之虞时，未怠于注意之事时，免除其赔偿责任（同条但书）。关于追究董事的损害赔偿责任，原则上是由追究董事责任者承担有关董事的任务懈怠的举证责任（商 399 条，1 款），而在中间分派时要求董事举证其无过错，这将成为有关董事责任的一般原则的例外。

赞成董事会的中间分派决议的董事也承担连带责任（商法339条，6款→商339条，2款），为了免除董事责任，须经全体股东同意（同条，同款）。

2．其他法律关系。商法，在几处作出有关盈余分派的规定，商法第462条第3款规定：在下列情形下，将中间分派视为盈余分派，具体为如下：

1）注册质的效果：注册质权人，可以以对被设质的股份的盈余分派来充当自己债权的清偿（商340条，1款），对中间分派，也可行使同样的权利（商462条，之3、5款→340条，1款）。

2）数种股份的特例：关于盈余或者建设利息的分派，公司可以发行内容不同的股份，这时的盈余分派包括中间分派（商462条，之3、5款→344条，1款）。同时，在适用有关盈余分派的优先股的表决权的限制及不进行优先分派时的表决权的复活的第370条1款时，也将中间分派视为盈余分派（商462条，之3、5款→370条，1款）。折旧建设利息时的折旧额的基准—盈余分派也包括中间分派（商462条，之3、5款→457条，2款）。

3）以营业年度中发行的股份的中间分派：原则上对营业年度中发行的股份不进行中间分派，但是以章程规定，视为前一事业年度的营业年度末已被发行时，可以与其他股份一样均等地分派。这一点，在发行新股时（商416条），公积金的资本转入，股份分派时，营业年度中将转换公司债转换成股份时，基于附新股认购权公司债被发行股份时，亦同（商462条，之3、5款→350条，3款）。

4）股东名册的封闭问题：商法第462条，之3、5款，在中间分派上准用了有关股东名册的封闭的规定，它使人产生为了中间分派，好像可以封闭股东名册似的误解。如上所述，中间分派的基准日，应定在章程中，因此，无须封闭股东名册。

5）盈余公积金：进行中间分派时，也应将其1/10的金额以盈余公积金来储备（商462条，之3、5款→458条）。

四、盈余分派请求权

1. 一旦在定期股东大会上承认利益剩余金处分计算书（商447条，3号），就对股东产生特定额的分派金支付请求权。这是独立的金钱债权（具体的盈余分派请求权），与股份不同，可以成为转让、扣押、转付命令等的标的，也有消灭时效问题。

2. 股东持有作为股东权之一部分的盈余分派请求权（抽象的盈余分派请求权），据此在特定决算期行使上述的具体的分派请求权。关于优先股，以发行条件中确定的分派率来保障（商344条，2款），因此只要盈余存在，应在每一决算期均对优先股的分派进行决议。于是，优先股东所持有的抽象的盈余分派请求权，通过每一决算期的具体的盈余分派请求权来得以现实化。

但是，普通股东不具有这种确定性分派请求权，只是通过为决算而召集的股东大会上进行的分派决议，才能使其分派请求权得以现实化。是否要进行分派，分派多少，是应在股东大会上根据多数决来决定的经营政策性问题，不受任何法律上的约束。因此，即使有盈余，并非必须进行分派决议，股东也不能请求进行分派决议。

但是，像通常的股东大会决议或者董事会决议那样，分派决议，实际上也同样由大股东来左右。因此，分派决议实际上是由大股东及受其控制的经营者们的经营政策的产物。那么，可否容忍按照大股东的经营政策，无限制地不进行分派？大股东自己就任董事并得到报酬，或者以与公司进行自己交易等各种方法，有机会从公司取得盈余。而少额股东只有通过盈余分派才可获得投资收益，这是惟一的途径。从这一角度上看，长期无分派决议是极不公平的，可以说是对多数决的滥用。尤其是，对没有股份的流通市场的非上市公司来说，若不进行分派，即使持有49％之股份（如有51％的大股东），也几乎无价值。在现行法下，没有直接解决如此不分派的不公平之制度。

前面已讲过，股东大会的不公正决议为无效，但即使不分派之决议为不公正而无效时，也不能强求进行应分派多少的决议，因此这也不能成为终究性救济方法。从立法论上讲，在有充分的盈余而长期仍不分派的情形下，应给股东开辟通过司法救济可请求分派之途径，或者使股东们通过请求解散，对剩余财产进行分派来回收投资利益。现行法未考虑到这一点是立法上的一大漏洞。

五、盈余分派的标准

（一）股份平等的原则

在有限责任制下，股东承担的风险与其出资额（即股份所有数）成正比，因此，作为对股东的最终补偿即盈余分派也同样与其出资额成正比。于是，盈余分派应按各股东的股份数平等地进行（商464条）。这是属于股份公司基本理论的强制性规定，不得依章程或股东大会决议另行规定。只是发行优先股、劣后股时（商344条，1款）按照章程规定可以进行差别分派（商464条，但书）。这时，在同种股份之间也应遵守股份平等的原则。作为法律上例外，公共性法人（指经营国民经济所需要的重要产业的法人，证交法200条，1款）可向内部职工股合伙人和零碎股东支付本应向政府支付的分派金的全部或者一部分（证交法191条，之6、1款）。

与股份平等的原则有关，有在其营业年度中发行新股时，关于新、旧股能否适用不同的分派率的问题，及按大小股东决议分等分派，是否适法之问题。

（二）日割分派

1. 实务惯例：上市法人在营业年度中发行新股的情形下，在第二年进行盈余分派之决议时，对于该新股，应在对旧股的分派金上乘以"新股效力发生日以后至营业年度末日止的日数"在"该营业年度全部日数"中所占据的比率来决定分派额，这是一个惯例，称之为日割分派。例如，在从1月1日起至12月31日为止为决算期的公司中，于10月1日发行了新股，那么，对于其新股只支付相当于旧股之92/365的分派金。只是对于有偿新股（依据商第416条发行的新股），几乎无例外地进行日割分派，但对于无偿新股（公积金的资本转入等不缴纳股金的新股），实务上尚未统一。下面，要对有偿新股和无偿新股分别探讨日割分派的适法性与否。

2. 对有偿新股的日割分派：对新股的日割分派，有适法说及违法说的两种主张。适法说又分为：主张必须进行日割分派，而均等分派是违法的观点（日割分派义务说），及在日割分派和均等分派中公司可以任意选择的观点（日割分派任意说）。义务说主张，新股的股东在新股发行之前未对公司做出资金上的贡献，也没有承担企业风险，因此比例于其所投入的资本的运用期间，分等决定分派额是实际上的平等处理，应将关于分派规定了股份平等原则的商法第464条视为，它所要求的是实质性平等。因此，对新股的日割分派主张，不仅是适法的，而且也只有日割分派才是符合股份平等的原则。

对此任意说认为，虽然比例于所投入的资本的运用期间进行日割分派是符合实质性平等，但是即便公司进行均等分派，也是实现了形式上的平等，因此，等于充足商法第464条之要求。根据此说，可以以股东大会决算决议选择均等分派或者日割分派。

而违法说认为，一个营业年度的盈余、损失与股东的出资之间没有对价关系，即使出资额不同也应基于股东的团体法上的地位平等对待，而且公司清算时关于剩余财产的分配不区别新、旧股而均等分配，那么，盈余分派也是将盈余分派给现阶段的股东这一点上看，没有必要与剩余财产的分配加以区别，既然断绝资本和股份之间的直接性联系，那么各股份的出资额（即缴纳额）也可以不同。因此按照不同的资本投入期间规定不同的分派额是不合理的。据此认为日割分派是违法的。

关于其妥当性另当别论，义务说和任意说，首先向公司提示了统一的处理方向，对股东们赋予预测可能性。但是，根据任意说，对新股的分派额依照新股发行后的决算大会的决议来确定均等或者日割与否，因此使股东的地位很不稳定。即新股的认购人在不知道自己将得到与旧股东均等的分派，还是得到日割分派的状态下认购股份，新取得所发行的新股者，亦同。

出资与盈余分派是来自股东的地位的义务又是权利，两者之间不存在直接的补偿关系或者对价关系。似乎出资与股东的各项权利处于对价关系，但实际上处于对价关系的是出资与股东的地位，而不是盈余分派和出资处于对价关系。一旦出资，就构成法人的财产并丧失其个性，在特定时期的法人的盈余基于股东权向该时期的股东进行分派。在此无须测定出资的个别的贡献大小，以对此的补偿来差别对待。故，日割分派是违法的。

3. 对无偿新股的日割分派：对将公积金转入资本或者将再评估公积金转入资本而发行的无偿新股，与有偿新股不同，通常是与旧股均等地进行分派。无偿新股是对既存股份的分割，即使在营业年度中发行，也在对公司的资金贡献的大小方面，应与旧股同等对待，这才是正确的，这即法务部作的有权解释，它将在后来的企业实务中成为均等分派的根据。但是，此有权解释又认为：(1) 对无偿股的盈余分派可以溯及到营业年度初日，与旧股同等地进行分派，也可以自资本转入决议日起进行日割分派；(2) 不管是进行均等分派，还是日割分派，在董事会或者股东大会上进行资本转入决议时可以一并决议并实行。

但是，有关分派的股东权利是从制度上要决定的问题，并非在股东大会或者董事会上决议的事项。还有，正像对有偿新股的分派中所述，盈余分派是对决算期"现在的股东按比例"进行的，在此不应考虑对资金的贡献大小度，因此对无偿新股的分派也应与旧股均等进行。

4. 1995 年修改法中对新股的处理：早就以前开始，有些学者批判日割分派违背股份平等原则。1995 年修改商法似乎意识到这一点已摸索出解决方法，但只是提示了消极的解决方法。修改前商法规定：关于转换股份，原则上是在请求转换时发生效力（商 350 条），但关于盈余或者利息的分派，视为其请求日期所属的营业年度末已被转换（商 350 条，但书）。修改法将此但书的规定独立地写成第 3 款，又追加了后一段，法律条文全文内容为："关于行使第 1 款之转换权的股份的盈余或利息的分派，视为该请求日期所属的营业年度末已被转换。<u>在此情形下，关于对新股的盈余或利息的分派，可以依照章程规定视为该请求日期所属的营业年度的前一营业年度末已被转换。</u>"（划底线的内容是 1995 年追加的内容）。例如，1996 年 10 月 1 日，将 10 股优先股转换为 12 股普通股时，在第二年年初的定期股东大会上决定 1996 年度决算期的分派时，原则上以 10 股优先股为标准决定分派额，但可以在章程中规定视为 1995 年末已转换为 12 股普通股，并将 1996 年度份的分派金基于 12 股普通股决定。还有，修改法对于转换公司债和附新股认购权公司债准用上述第 3 款之全部（商 516 条，516 条，之 9→350 条，3 款）；而对于因通常的新股发行（商 416 条之新股发行）和因公积金的资本转入而进行的新股发行（商 416 条）及股份分派（商 464 条，之 2），只准用上述第 3 款的后一段（商 423 条，1 款后，461 条，464 条，之 2、4 款→商 350 条，3 款后）。

因此，营业年度中间以转换股，转换公司债，附新股认购权公司债为根据所发行的新股，在该营业年度只支付公司债的利息，但在章程中有规定时，对于新股发行的全部营业年度可以进行盈余分派。对于因转换股份或转换公司债或者附新股认购权公司债而发行的新股，没有必须按现行第 350 条但书之内容进行的理由，因此即使由公司任意选择第 3 款正文或者但书也不成任何问题。

问题在于对为有偿增资而发行的新股，为公积金的资本转入而发行的新股，以及因股份分派而发行的新股，只准用第 3 款后一段上。

依照商法第 416 条之新股发行程序（有偿增资）而发行的新股之效力，自新股缴纳日期之次日起发生（商 423 条，1 款）；将公积金转入资本而发行新股时，其效力根据决议主体是股东大会，还是董事会，在决议日或者公告中的基准日发生（商 461 条，3、4 款）；因股份分派而发行之新股自进行分派决议之股东大会终了之日起发生效力（商 462 条，之 2、4 款）。但是修改法准用了第 350

条第 3 款后段，从而公司可以以章程规定，新股在新股效力发生之日所属的营业年度的前一营业年度末，已被发行。换句话说，可以向新股股东分派新股发行之日所属的营业年度的全额分派金。

若各公司依照上述修改法之规定以修改章程来规定对新股的分派起算日为年初，则可以解决分等分派的问题。但如果不同意变更章程，那么，对新股的分派又如何进行呢？这些问题仍继续存在，也就是说，从前的分等分派的错误惯行仍继续存在。因有了这一规定，反而产生了使分等分派合理化的反作用。换句话来说，既然章程中可以规定进行均等分派，也可以不规定。于是，有可能提出商法第 350 条第 3 款后段之准用是以分等分派的适法性为前提的主张。

(三) 大小股东的分等分派

通常，上市法人根据大股东们的好意，规定大股东的分配率低于小额股东的分派率，或者只向少额股东分派，而不向大股东分派。股东的分等分派率不属于在股东大会上应"决议"之性质的事项，因此，对大股东的分等分派只有在可解释为大股东主动放弃其分派时，才有效。于是，董事提出分等分派之议案，并在股东大会上对此进行承认时，应将此分派率视为是对少额股东之分派率来可决的。还有，大股东可以事先对公司表示全额或者部分放弃的意思，未表示此意思而在股东大会上赞成分等分派案时，可以将其表决权行使视为是放弃的意思表示。但是，如有反对的大股东或者无事先放弃之意思表示而未参加股东大会的大股东时，对其应以与少额股东同样的分派率来分派，不能以多数决来强求分等分派率。大股东当然可以在分派决议之后放弃自己的分派金的全部或者一部分。

大股东为自然人时，无任何问题，但是为公司时应由代表董事进行放弃分派的意思表示，而这就是不当处分公司财产的行为，因此对股东们承担因任务懈怠而引起的损害赔偿责任 (商 399 条，401 条)。即使以董事会决议放弃，亦同，赞成的董事们也承担同样的责任。

六、分派金的支付时期及时效

公司，应自有股东大会的财务报表承认决议之日起 1 个月内支付分派金；应自有董事会的决议之日起 1 个月内支付中间分派金（商 464 条，之 2、1 款）。这是为防止分派金的迟延支付而设的规定。但是，进行承认决议时，可以另行规定分派金的支付时期（商 464 条，之 2、1 款、但书）。如果迟延支付分派金，公司应承担债务不履行责任（民 397 条），并产生董事的损害赔偿责任（商 401 条）。

关于分派金支付请求权的消灭时效，过去有过不同的观点，因此商法明文规定为 5 年（商 464 条，之 2、2 款）。消灭时效并非自分派之决议时起计算，而是自经过上述 1 个月或者分派决议时另行规定的期限经过时起计算。

七、股份分派

（一）股份分派的概念及性质

1. 概念。股份分派（stock dividends），可以定义为以新发行的股份来代替金钱而进行的盈余分派。

1）是"以股份代替金钱"进行的盈余分派。于是先以金钱确定应分派的利益，然后将它换算成股份后进行分派。即先决定原有的每股的分派金为 x 元，然后将该分派金以股份的价额来换算之后再发行新股。

2）以发行"新"股来替金钱，并以该股份来进行盈余分派。于是，韩国商法中不允许像美国那样，公司以已经保有的自己股份（treasury stock）来分派。

3）股份分派是"盈余分派"。于是，按照股份平等的原则，向股东按照其持股比率无偿分派新股。但是该应分派的盈余转入为资本，再因此而发行新股后进行分派，严格地说，很难认为是"无偿"的。单从股东不支付新的代价而取得股份之意义上，可以用"无偿"来表现。

2．与类似制度的区别。

1）股份分割：股份分派，只是将应分派的利益转入到资本，而股东不支付新的取得股份的对价，这一点上类似于股份分割。因为股份分割（stock spvits）时，也增加股份的发行数，股东按照持股比率无偿取得股份。尤其是在认可无票面股份的美国和日本，无票面股份的分割是容易与股份分派相混淆的存在。但是韩国商法不承认无票面股；因此，这里的股份分割是指票面分割，即指将一股的金额变更为更小的单位，其结果无资本的变化而增加发行股份数。

2）公积金的资本转入：股份分派与因公积金的资本转入而发行的新股非常相似。公积金的资本转入导致名目上资本增加，与其持股比率成正比，股东无偿取得新股，这一点与股份分派相同。但是，公积金的资本转入，以资本公积金或盈余公积金等法定公积金为财源，与以分派可能盈余为财源的股份分派是不同的。

2．股份分派的性质。关于股份分派的性质，有视为盈余分派的观点及视为股份分割的观点。

1）盈余分派说：通说将股份分派的性质视为盈余分派。不同的学者对此作出不同的说明，在此只列举几个重要的根据。

（1）股份分派不带来公司财产的现实性的变化，无股东的新的出资而发行新股，在这一点上与无偿增资或股份分割相同，但股份分派本来是应以分派金来支付的，在公司的立场上看，因分派金的支付应被减少的财产未被减少，从这种意义上说，因股份分派给公司财产带来变化。

（2）金钱分派的契机，不仅只是在观念上存在，而且现实上也存在，因此将股份分派称为盈余分派。即股东依据盈余分派决议，取得分派金支付请求权，接下来依据股份分派之决议承认股份的代物清偿。

（3）股份分派以盈余之存在为前提，因此将期初和期末相比较看，每一股的公司财产会增加，将表示该增加部分的新股被分配，称之为股份分派。于是，股份分派不能与不以股东持份的增加为前提的股份分割等同起来看待。

(4) 股份分派是现物分派的一种，因此称为盈余分派。即股份分派将有客观价值的新股分给股东，这与公司将自己的公司债或子公司的股份向股东分派的情形没有什么不同。

2) 股份分割说：股份分割说批判盈余分派说，它认为股份分派不是盈余分派，是一种伴随分派可能剩余金的资本转入的股份分割。

针对盈余分派说中的 (1) 部分则认为，未减少公司财产，并非是因为有了股份分派之决议，而是因为没有金钱分派之决议而引起的，于是在上述 (1) 中主张的股份分派之效果，实际上只不过是不进行金钱分派的效果而已。

关于上述 (2) 部分，股份分派之决议是依将分派可能剩余金转入到资本中，并发行新股的一次性决议进行，并不是进行金钱分派决议之后，再形成新股发行之决议。因此，反驳 (2) 之大前提是错误的。

关于上述 (3) 部分，资本的增加或股东持份之增加是基于公司盈余增加而带来的效果，不是分派之效果。如果是说分派能够带来这种效果，那么一旦公司取得盈余，该盈余本身就成为分派，它将导致破坏分派概念本身之结果。

最后，关于上述 (4) 部分，无偿交付有客观市场价值的新股票，并不局限于股份分派，无偿增资或股份分割时亦同，如根据 (4)，则会产生这些也应视为是盈余分派之一的矛盾。

股份分割之说，一方面如上所述，批评盈余分派说，另一方面将股份分派的本质说明为如下。即使进行股份分派，公司资产不会变化，只是从盈余或者任意公积金变更到资本的项目上来而已。按持股数来分派新股，从这一点上看股份分派是股份分割，两者的区别在于股份分派时，同时进行利益或者任意公积金的资本转入。另外，股份分派与无偿增资的区别在于，前者为可以被利用于金钱分派的剩余金转入到资本，而后者为不能被利用于金钱分派的剩余金转入到资本。

3）批判：根据将股份分派的性质视为盈余分派还是股份分割，两者有何实际差距呢？

商法对股份分派的要件与程序、效果等方面作出详细的规定，故如何看待股份分派的性质不具有实际意义。但是关于如下未以法律的明文规定来解决的问题上，并作为立法论的方向提示上，性质论具有的实际意义。

（1）在公司发行数种股份的情形下，若将股份分派的性质视为股份分割，则对优先股应发行优先股，对普通股应发行普通股（即分派）；但若视为是盈余分派，在现金分派的情形下，如同金钱不分优先、普通那样，只能是在股份的数量上有差别，应给发行全部相同种类的股份。

（2）将股份略式质押的情形下，关于质权的效力是否及于盈余分派，学说上在相互对立的见解。若视为略式质押的效力及于盈余分派上，将股份分派视为盈余分派还是股份分割，均无差异。但是，若视为略式质押的效力不及于盈余分派请求权上，那么将股份分派视为盈余分派时，质权的效力不及于被分派的股份上；将股份分派视为股份分割，质权的效力及于被分派的股份上。

（3）关于日割分派问题，若将股份分派视为股份分割，则在新、旧股之间不可能分等对待；若将股份分派视为盈余分派，则在金钱分派上认为日割分派为正当时，股份分派也应当以日割分派为之。但是，如上所述，日割分派本身是违法的，在进行股份分派时也无须与股份分派的性质相联系起来考虑，应均等分派。

（4）公司的自己股份也成问题，依股份分割说看，随着其他股份的分割，自己股份也应被分割，因此对自己股份也应进行股份分派，那么，依盈余分派说看，自己股份是否也可以得到盈余分派（对此有不同见解，参照"自己股份的规制部分"）。

从此制度的目的上看，股份分割的目的在于纯粹是通过股份单位的细分化而增加发行股份的数量；无偿增资的目的在于实现过剩法定公积金的资本化。股份分派，从结果上看，其效果有相同的部分，但是，归根结蒂要达到将应分派的盈余保留在公司内的根本目的，而资本转入就是其手段。因此，将股份分派的性质视为盈余分派是妥当的。

在美国，学者们认为，股份分派导致营业盈余的资本化，而股份分割，在票面股份的情形下，使票面价额与股份数的增加成反比，从而票面价减少，发行股份的票面总额（the aggregate par value of all outstanding shares）不变，以此来区别两者。又不将以无资本增加而细分股份来增加股份数的股份分割解释为是盈余分派。据此，在立法上区别股份分派与股份分割（Calf. corp code § 188；N. Y，Bus，corp，Law §§ 55，57）。

（二）股份分派的要件

1. 股份分派的限制。股份分派，不得超过相当于盈余分派总额的 1/2 的金额（商 462 条，之 2、1 款、但书）。这是为了保护股东的盈余分派请求权所作出的规定。只要是不超过此限度，在每一决算期内可继续分派股份。另外，上市法人，既然其股份的市价超过票面价额，就可以将盈余分派的全额按股份分派（证交 191 条，之 3）来处理。因为上市股份随时都可以换价成金钱。商法之所以限制股份分派之总额，是为了保护股东，因此，在非上市法人，若有全体股东的同意，则可以进行全额股份分派。

2. 分派可能盈余的存在。股份的分派，是以股份进行的盈余分派，因此像金钱分派时那样，应当有分派可能的盈余。应将"每一决算期的'金钱'盈余分派额的 1/10 以上的金额"为盈余公积金来储备（商 458 条）。因此对将要分派的那一部分的股份无须储备盈余公积金。但是股份分派额不得超过盈余分派总额的 1/2，也就是说应是金钱分派额的同额以下，所以盈余公积金具有限制股份的分派可能盈余的意义。

3. 未发行授权股份的存在。股份分派之后，发行股数也相应地增加（商 462 条，之 2、1 款）。此增加的部分，应在发行预定股份总数的范围内。若发行预定股份总数中的未发行部分少于股份分派数量时，应先进行章程的变更来增加发行预定股份总数。

（三）股份分派的程序

1. 制作利益剩余金处分计算书。股份分派也是利益剩余金的处分，应在利益剩余金处分书上记载金钱分派、盈余公积金及其内容，并经董事会的承认（会基 80 条，3 款（3）项）。

2. 股东大会的决议。股份的分派，须经股东大会的决议（商 462 条，之 2、1 款）。决议要件为普通决议。

股份的分派，在其形式上须经不同于财务报表的承认决议的另一个决议，但是，盈余公积金的储备额被金钱分派的金额所决定，而股份分派的限度又被金钱分派额决定，因此，将三者一并决定为合理，两个决议的决议要件又相同（普通决议），所以可以同时决议。同时进行的时候，会产生强求对金钱分派的议案与股份分派的议案一并表态的问题，但是关于承认财务报表的决议，不仅可以表态甚至都可以作出修改，因此，不成问题。从而股份分派不依其他决议，而可以被财务报表承认决议（商 449 条，1 款）来决定。

3. 股份平等的原则。在进行股份分派时，值得注意的是应遵守股份平等的原则。例如，将股东分等，向有些股东分派金钱，向有些股东分派股份是违法的（即使是依股东的需要而作出，也是违法的）；又按股份的不同种类，作出如上所述的分等对待也是违法的。

4. 发行价。关于因股份分派而发行的新股的发行价额，已定有"依股份的票面价额发行"（商 462 条，之 2、2 款），因此，股东大会上不得决定发行价。这应理解为：以资本充实为由不允许发行低于票面价的股份，同时为了保护股东的盈余，不允许以票面价以上的价格来发行之。

5. 端股的处理。股份分派的结果可能产生端股。过去规定，产生端股时，对该部分应以金钱来分派（修改前的商 462 条，之 2、

3款），但股价超过票面价时，对端股部分进行金钱分派，对股东来说是损失，在1995年的修改法中规定，交易所有市价的股份，应通过交易所卖出，之后分派该金钱（商462条，之2、3款→443条，1款）。

6．数种股份与股份分派。发行数种股份的公司进行股份分派时，是否对不同种类的股份之间分派不同种类的股份？依盈余分派说，理所当然对不同种类的股份也应分派同一种类的股份（即普通股），而在1995年的修改法中规定为可以以不同种类的股份来分派（商462条，之2、2款）。修改法中有如下两个问题。

1）各种类之间衡平的问题：目前普遍认为股份分派的本质是盈余分派，而修改法除了具有违背此本质论的缺陷之外，又导致如下衡平问题。正像修改法规定，如果给数种股份之间分别分派与各自的种类相同的股份，那么，优先股可以取得双重利益。即优先股，第一步，可以得到以金额计算的优先分派；第二步，可以将此再根据票面价格折算成优先股来取得股份，因此这种双重利益显然是违背股份平等的原则的。因此，我们认为在不同种类的股份之间，也应以相同的普通股份进行分派。

2）决定种类的任意性：在法条商法462条，之2、2款中规定"……可以以与其相同的种类的股份来分派之"，这将意味着可以以相同种类的股份来分派，也可以以不同种类的股份来分派，这是一项股东权的本质相违背的规定。以何种股份来得到分派是一个与股东平等有关的问题，这是一个属于统一决定的事项，而不能让公司任意选择。这样，如果任公司决定，那么股东对自己的权利内容根本无法预测，这一点也是一个不妥当的。

7．对自己股份的股份分派。在公司保有自己股份的情形下，可否对此进行股份分派？这也是与股份分派的本质有关的问题。如果持盈余分派说，可否持自己股份参加盈余分派？但是因视为自己股份不得参加盈余分派，因此也不能得到股份分派。

8．日割分派的可否。如上所述，在营业年度中发行新股的情形下，对该新股分派盈余时，实务中有日割计算的惯例。那么，股份的分派是否也依惯例对新、旧股进行分等分派呢？因日割分派本身是违法的，因此应该是否定为佳。

9．分派通知、公告。有股份分派的决议时，董事应毫不迟延地向应得到分派的股东与股东名册上记载的质权人通知该股东拟得到的股份的种类与数量；发行无记名股票时，应公告决议的内容（商 462 条，之 2、5 款）。

10．登记。发行股份与资本金，随着股份分派而增加，因此自股东大会的决议之日起 2 周之内，在总公司所在地；3 周之内在分公司所在地进行变更登记（商 317 条，3 款→183 条，317 条，2 款、2、3 号）。

11．股票的发行。公司，应对股份分派而取得的股东的新股发行股票。关于该期间虽无明文规定，但应类推适用商 355 条，1 款，视为不得迟延发行。

（四）股份分派的效果

1．股份数与资本的增加。一旦进行股份的分派，随着分派可能盈余的资本化，发行股份数也相应地增加。但是，对端股，应变卖后进行分派，另外在发行数种股份的情形下，如同种类不同其分派金也不同，所分派的股份数也不同，因此并非所有股东的持份均以同一比例增加。

2．新股的效力发生时期。得到股份分派的股东，自作出股份分派决议的股东大会结束之日起或为新股的股东（商 462 条，之 2、4 款）。如果是在决议时发生新股发行的效力，因在股东大会开会期间内，出席的股东的持股数上发生变化，这不仅在程序上不方便，而且有持此股再次参加当期的分派的矛盾。

但是，关于盈余或者利息的分派，可以按章程的规定，视为在前一营业年度末已被发行（商 462 条，之 2、4 款）。这一问题已在盈余分派部分中讲述过。

3．质权的效力。注册质权人的权利及于股东被分派的股份

（商462条，之2、6款）上。股份分派的本质是盈余分派，略式质押效力不及于盈余分派上，因此视为略式质的效力也不及于股份分派上。

八、违法分派的效果

（一）总述

违法分派，是指违反法令、章程所进行的盈余分派。没有或者超过分派可能盈余而进行分派。属于典型的违法分派。另外，在分派程序、标准、时期、方法等方面有瑕疵或者违背股份平等的原则等均成为违法分派的事由。

若进行违法分派，发生董事、监事的损害赔偿责任，并对此适用罚则。但更重要的是分派本身的私法性效果问题。下面分别说明金钱分派时和股份分派时的效果问题。

（二）金钱分派的违法

金争分派的违法，可再分为无分派可能盈余而分派的情形（狭义的违法分派）和其他违法情形（广义的违法分派）。对不同的情形适用不同的法理来解决。

1. 无分派可能盈余的分派。在无商法第462条所规定的分派可能盈余的状况下进行分派，或者在无商法第462条，之3、2款规定的无盈余的状态下进行的中间分派，是违背分派时必须遵守的最重要的强行法的原则，因此是无效。从而，公司理所当然可以请求返还，公司债债权人也持有返还请求权。

有在资产负债表上没有分派可能盈余而进行分派决议的情形，也有通过资产的过大评估、负债的过小计算等制造架空盈余而分派的情形（所谓的"架空分派"）。不论是哪一种，均属于无分派可能盈余而进行的违法分派，故其效力上并无差异。

1）公司的返还请求：即使是违法分派，也是依股东大会的分派决议进行。因此，公司请求返还的情形下，有是否先提起股东大会决议的无效确认之诉，待得到无效判决之后再请求返还，还是无须得到无效判决而直接请求返还的问题。有些学者认为，若将此问题与股东大会决议无效确认之诉的性质论结合起来，将无效确认之诉视为形成之诉，那么，应先提起无效确认之诉；若视为是确认之诉，那么，可以不经同诉之提起，直接请求返还。前面已采纳过形成之诉说。但是违法分派问题，不能与决议无效确认之诉的性质论相结合的来考虑。

无分派可能盈余而进行的盈余分派的适法与否，不是根据分派决议的效力来判断的问题，因为它本已包含违法因素。换句话来讲，无盈余而支付盈余分派的行为本身是违背资本充实及强行规定（商 462 条，1 款）的行为，因此与分派决议无关，应独立地作出违法性判断。故与决议无效确认之诉的性质论无关，根据不当盈余返还的法理（民 741 条）公司可以直接请求返还。请求返还时无须考虑股东的善意、恶意（通说）。

2）债权人的返还请求：无分派可能的盈余的违法分派，减少对债权人的责任财产，因此公司债债权人也可以直接请求股东返还分派金（商 462 条，2 款，462 条，之 3、5 款）。但这种返还，不是请求返还给自己，而是请求返还给公司。不仅是分派当时的债权人，而且是分派以后的债权人，均可以请求返还（通说）。

债权人的返还请求权，并非代位公司的权利，而是商法为了保护债权人而特别认可的权利。因此，不管其具备与否债权人代位要件（民 404 条），均可请求返还。例如，即使是未到期债权的债权人，也可以不经法院的许可，请求返还（民 404 条，2 款）。

与公司的请求与否无关，债权人可以请求返还。并且，可以请求返还违法分派的全额，可请求的范围不以自己的债权额为限。

债权人的返还请求权也可以不提起分派决议的无效确认之诉而行使（关于其理由，在公司返还请求的部分已说明过）。可以以任何方法来请求，但是以诉讼方式请求时，须向管辖公司的总公司所在地的地方法院提起（商 462 条，3 款→186 条）。如同公司请求时，不考虑得到违法分派的股东的善意、恶意。

2. 其他的违法。虽然是在分派可能盈余的范围之内进行了分派，但是决议本身含取消事由（例：违反召集程序），或者其他时期、程序、方法中有瑕疵，或者违背股份平等的原则（例：无章程中的根据进行中间分派时，未经董事会的承认或者监事的监查进行分派决议时，现物分派时，决议分等分派时等）的情形，均属违法分派，应否定其效力。但是在这种情形下，公司债债权人不具有返还请求权。这是因为只要是在分派可能盈余的范围内，进行分派的情形下，不影响对公司的责任财产的保全，从而公司债债权人不具有法律上争执分派效力的任何利益。

在公司请求返还的情形下，应依何种方法、程序进行呢？如同现物分派或者股东之间的违法分等分派，其本身内含违法因素的情形，及无章程上的根据实行的中间分派，如同无分派可能盈余而分派，可以不争分派决议的效力而请求返还。但是在其余情形下，均应提起争执分派决议效力之诉并得到判决。

（三）股份分派的违法

在股份分派为违法的情形下，须同时判断因此而被发行的新股的效力，所以应依新股发行无效之诉来解决（通说）。股东未缴纳过股金，所以不存在股金退还的问题，但是，在其盈余分派本身是有效，而将此转换成股份时的折算及发行程序为无效时（例：超过发行预定股份总数来发行），应以分派金的支付代替股份的无效。在任何情形下，新股的无效均无溯及力（商431条，1款），因此以判决之前所分派的新股的有效为前提所进行的一切行为均有效。

在股份分派的情形下，公司财产未实际转移给股东，并因新股发行无效判决，股东的分派新股归消灭，所以即使在无分派可能盈余的前提下进行了股份分派，也不认定债权人的返还请求（商462条，2款）。

（四）董事等的责任与罚则

制作并执行违法内容的分派案的董事，应对公司、股东、债权人等承担损害赔偿责任（商399条，401条）；在董事会上承认违法的分派案的董事，懈怠于监查的监事也承担损害赔偿责任（商399

条，414条）。对有关的董事、监事适用罚则（危及公司财产罪，商625条，3号、462条，之3、5款）的同时，成为解任事由（商385条）。关于违法分派的监查，若外部监查人有过失，则该外部监查人也应对公司及第三人承担责任（外监17条）。

九、分派与税制

（一）所得税

1. 分派的范围：所得税法上的分派这一概念的含义是非常广的。其中，与股份公司的计算有关的有：商法第462条之盈余分派，建设利息（商463条）也视为分派所得（所税17条，1号）；因股份的注销、资本减少等股东所得到的代价超过其出资额时，其超过额；将盈余公积金或者任意公积金转入资本而股东所得到的新股价格；超过股东出资额的剩余财产分配额；合并时，消灭法人的股东所得的股份、交付金中，超过其出资额的金额等，也视为分派而课税（拟制分派，所税17条，2款、1号～5号）。

2. 课税：对个人股东的分派所得，原则上合算成综合所得来课税（所税4条，1款、1号），但是对上市法人的少额股东及非上市法人的内部职工股份合伙人的分派中4 000万元以下者分离课税，其税率为15%（所税14条，3款、4号、129条，1款、2号）。

综合课税时，相当于"资产所得"，应与其同居家属的所得合算后适用累进税率（所税61条）。

（二）法人税

关于法人的所得，在法人阶段上课以法人税，对从已被课税的法人所得中支付出的分派额，再次向股东课税。因此，关于分派所得，实际上是课双重税。

各国已对双重课税结构进行了全部或者部分修改，但在韩国只有分派税额扣除制度，（所税56条）及将部分机构投资者从上市法人所得到的分派所得金额不算入盈余金的制度，而一般性双重课税的防止措施尚不健全。

第五款　建设利息分派

一、概述

如果坚持无分派可能盈余就不能分派的原则，那么，像铁路、电力、港口那样，以需要长期建设的事业为目的的公司，有可能在相当长的期间内不能进行盈余分派，因此公司设立时很难募集股东。因而，即使没有分派可能之盈余，也承认了依照所定要件，并在一定限度内进行的分派，以便使这种公司的设立为容易。为此而设置的制度就是建设利息的分派。

虽然是称为利息，但股金不等于是贷款，因此这不是真正意义上的利息，与盈余的有无也无关，因此也不能称为盈余分派。实质上是资本的部分退还，但是如考虑到将已支付的建设利息算入至移延资产部分并以将来的盈余来折旧（商457条）这一功能，就可以认为是盈余分派的先付。

二、要件

建设利息的分派是对资本维持原则的重大的例外，因此其要件是非常严格的。即只有在依公司之目的——事业的性质，被认定为自公司成立后2年以上难以开始其全部营业的情形下，并应以原始章程规定对一定的股份在开业前一定期间内向该股东分派时，才可分派（商463条，1款）。利息不能超过年5厘（商463条，1款、但书）。规定或者变更章程，应得到法院许可（商463条，2款）。变更章程侵害已发行的附建设利息股份之股东权利时（例：分派期间的缩短，利息率的下调），要求有全体股东同意。

三、建设利息分派请求权

建设利息的分派请求权不能与股份分开另行处分，但是因支付期的到来而具体化时，与通常的债权一样，可以转让、扣押、转付，这一点与盈余分派请求权相同。

有关建设利息分派的议案不是财务报表之内容（商447条），

关于其支付，无须经股东大会的承认。于是，在营业年度末，当然被成为确定债权。

四、建设利息分派的会计处理

分派建设利息时，可以将其分派额算入在移延资产中（商457条，1款）。若按移延资产计算，在开业后分派年6厘以上的盈余时，应折旧超过6厘以上的金额之同额以上（商457条，2款）。

第六款　财务报表等的公示与股东、债权人的权利

一、序论

企业内容的公示（disclosure），对以公司为中心的全部利害关系人具有重大的意义。对股东来说，将成为在判断投资的收益性和投资回收与否上不可缺少的契机，并成为决定董事、监事的交替与否的契机。对公司债债权人来说，在其判断确保清偿的可能性上，回收债权的意思决定中成为决定性的资料。只有通过公示，股东、债权人的监视才有可能，因此它将成为诱导董事正直行使职权的手段。尤其是，为维持上市法人发行的有价证券的公正的交易秩序，企业公示同样是必需的。

如果光考虑上述作用，公司的信息应全部予以公示，但完全公示会使企业秘密不能维持，甚至意味着放弃竞争，因此这是很难要求的事情。因此，企业的公示自然是有限的，商法正是基于这种理由向少数股东、一般股东、公司债债权人分别划出公示范围。

二、公示制度

虽然在股份或者公司债的发行阶段，也要求予以公示，但是对此，已在与新股发行有关的部分中说明过，因此在这里只对作为继续企业（going concern）的公司应公示的事项加以说明。

（一）财务报表等的公示

董事应将财务报表及其附属明细书、营业报告书以及监事报告书，从定期股东大会1周之前起，在总公司备置5年，并将其誊本

在分公司备置 3 年（商 448 条，1 款）；上市法人等受外部监查人监查的公司还要备置、公示外部监查人的监查报告书（外监 14 条，1款）；章程股东名册，公司债原簿、股东大会和董事会的会议记录等也是公示事项（商 396 条，1 款）。

上市法人，自经过事业年度之后起 90 日之内，应将事业报告书向证券管理委员会及证券交易所或者协会提出；其事业年度为一年的上市法人，应将 6 个月内的事业报告书（半期报告书）自该期间经过日起 45 日以内，向金融监督委员会及证券交易所（证交 186条，之 2、1 款，186 条，之 3）提出。这种文件向一般公众公示。

（二）资产负债表的公告

经股东大会承认财务报表后，董事应毫不迟延地公告资产负债表（商 449 条，3 款），这时受外部监查的公司应并记监查人的名称及监查意见（外监 14 条，2 款）。

（三）适时公示

以上公示是定期进行的，因此不能迅速公示公司的随时发生的状况变化。尤其是，在股份或者公司债的流通市场上反复进行买卖的投资者，总是需要最新的企业信息。因此，证券交易法限于上市法人规定，公司应适时公示尤其对股价形成产生重大影响的重要事项（证交法 186 条，1 款）。

（四）有关公示的责任

有怠于公示时，由此受损失的股东、债权人等利害关系人，可以追究董事损害赔偿责任（商 401 条）。除此之外，关于受外部监查的公司及因上市法人的不真实公示而产生的损害赔偿有上述特则（外监 17 条，证券 14 条 ~ 16 条），对于上市法人的公示义务不履行，有各种制裁措施（证交 193 条，211 条、2 号等）。

三、股东和债权人的权利

（一）财务报表等的阅览权

股东和公司债债权人在营业时间内，随时可以阅览财务报表及其附属明细书，营业报告书，监查报告书，并支付公司所定的费用，可以请求交付文件的誊本或者抄本（商448条、2款）。章程，股东名册、公司债原簿、股东大会或者董事会的会议记录也同样可以请求阅览、誊写（商396条，2款）。

（二）股东的会计账簿阅览权

财务报表等公示文件是公司针对公示而制作的，它不仅有修饰的可能性，而且仅仅是属于间接情报而已，因此规定让持有发行股份总数的5%以上的少数股东可以直接阅览"会计账簿和文件"（商466条，1款）。如此只对少数股东允许，排除单独股东，是因为会计账簿的机密度要比公示文件高。公司如不能证明股东的阅览请求之不当，就不能拒绝（商466条，2款）。但是，在上市法人的情形下，应由股东证明其请求之正当性（证交191条，之13、3款）。

（三）选任检查人的请求权

关于业务执行，有怀疑不正行为或者违反法令或章程之重大事实之事由时，少数股东可以为了调查公司的业务及财产状态，向法院请求选任检查人，以便进行积极的调查（商467条）。检查人选任请求是侵犯董事会业务执行的特殊行为，因此单纯的任务懈怠不能成为其事由，应具体疏明其请求事由。

法院选任检查人时，检查人应调查业务和财产状态，并向法院报告其结果（商467条，2款）。法院根据检查人的报告认为有必要时，命令代表董事召集股东大会（商467条，3款）。检查人应向股东大会提出报告书（同条）。在根据法院的命令被召集的股东大会上，不受召集目的之限制，可以进行董事的解任和选任等必要的决议。

第七款　与股东权行使相关的利益供与禁止

一、立法宗旨

与股东的权利行使有关，公司不得向任何人提供财产上利益

（商 467 条，21 款），如果违反此规定而得到利益者，应向公司返还该利益（商 467 条，3 款）。

本条是为杜绝股东大会"专业户"和公司之间的不健全的交易而设的规定。从过去上市法人的股东大会的运营状态看，存在股东大会"专业户"取得少量的股份后在股东大会上行使长时间发言或者捣乱等手段，以停止其行为的代价得到公司提供的利益，或者相反，与董事、监事相勾结从公司得到代价封锁其他股东的发言等方法来协助该董事、监事继续连任等，为董后、监事的私益而不公正地引导议事进行的弊端。

股东大会"专业户"的这种专横，导致公司财产或者利益的不当的损失，妨碍其他股东的正当的权利行使，促使股东大会形骸化，因此当然要加以法律制裁。有以罚则制裁的规定（例：商 631 条），但是需要有一种能够使向他们提供的利益回复到公司的私法上手段，特设了这一规定。

二、禁止内容

与股东的权利行使相关，公司不得向任何人提供财产上的利益（商 467 条，之 2、1 款）。

1. 与股东权行使的联关性：应与股东权行使相关而提供财产上利益。这一点，在本条的适用上是最重要的要件。因为在以公司为主体进行的交易中，能够区别受本条之适用的交易和正常性经济交易的根据在于是否与股东权行使有关这一问题上。

1）与股东权的行使有关提供利益，是指协议股东权的行使、不行使、行使方法等，并对此提供利益。例如，以出席股东大会协助议事进行为条件，或者不行使股东权为条件，或者发言一定事项为条件，提供利益等，均与股东权行使有关被提供利益。

本条并非仅适用于股东大会上的股东权的行使上。例如，如不提出决议取消之诉，或者不进行留止请求等，也禁止与表决权以外的股东权行使有关提供利益。

2）股东权的行使或者不行使，不以违法为要件。本条，将与股东权行使相结合的经济交易视为违法而要加以规律，因此与股东权行使本身的适法性与否无关。

2．利益提供的相对方：通常，股东与自己的股东权行使相关才被提供利益，但是代理行使股东权者也可以被提供利益，还有非股东者以将来不取得公司股份为条件被提供利益。

法律条文以"对任何人"表现是已经意识到了像这些股东以外的人与股东权行使有关可以被提供利益这一点。

3．由"公司"提供利益：只禁止以公司的计算被提供利益，因此公司以外的人提供利益的，与本条无关。例如，董事为自己的连任私自向股东提供利益，或者股东一人以其他股东按照自己的意思行动为条件提供利益，不受本条的适用。

4．利益的提供：财产上的利益的提供，广义上包括金钱、物品、信用、服务的提供，或者债务的免除，债权的放弃、新股认购权的赋予，赋予伴随财产上利益的地位。无偿或者公司得到的反对给付少于被提供的利益时，即使代价相当，而其交易本身会带来利益（例：融资，商品的供货）时，均被禁止。但是，向出席股东大会的股东们分给简单的纪念品或者提供餐饮，从社会通念上看不能说是利益提供。

三、违反的效果

违反本条提供利益时，当然发生董事的责任（商399条），但商法特别规定须将被提供的利益予以返还。

1．返还利益义务：与股东的权利行使有关，公司提供财产上的利益时，被提供利益者应向公司返还之（商467条·之2、3款）。

1）义务的性质：违反本条的利益提供为无效，被提供的利益为不当得利（民741条）。但如适用不当得利的一般法理，公司的利益提供就成为侵权原因给付（民746条）或者非债清偿（民742条），因此不能请求返还。对此，商法设了不当得利的特则，允许返还利益。

2）股东的代表诉讼：虽然应由公司进行利益返还之请求，但这是公司私自提供的利益，因而有可能懈怠于请求。于是，商法关于利益返还请求，允许股东的代表诉讼（商467条，之2、4款），其程序与一般性代表诉讼相同（商403条～406条）。

2．公司的对价返还：若公司提供利益而得到其代价，那么，应返还其代价（商467条，之2、3款后）。代价的返还和利益之返还，应同时履行。

3．股东权行使之效力：即使与利益提供有关行使股东权，但是对股东权行使本身的效力并没有影响。本条的目的在于，防止与股东权行使有关的不公正的交易上，而且股东权行使本身不以违法、不公正为其要件。

4．与不公正的新股认购之间的关系：公司提供的利益以"使他人以显著不公正的发行价额认购新股"为内容，使其充足商法第424条，之2、1款的要件时，是否适用该规定使其支付与公正的发行价额之差额？是否要适用商法第467条，之2，使其返还利益（即股份）？或者视为两者相竞合呢？商法第467条，之2将利益提供本身认为无效。若利益提供以此新股认购为其内容，则不能适用以不公正的新股认购的有效为前提的第424条，之2规定。

5．罚则：违反本条提供利益时，适用罚则（商634条，之2）。

四、举证责任的转换

以违反商法第467条，之2、1款为由请求利益返还者（公司本身或者提起代表诉讼之股东），应举证公司和特定人之间"与股东权行使有关""提供利益"之事实。但是，很难举证"与股东权行使有关"的事实。商法在一定的情形下转嫁对此的举证责任。（1）利益提供的对方为股东；（2）即使公司对其股东无偿提供利益，或者有偿提供，而公司获得的利益显著少于其所提供之利益时，推定为与股东的权利行使相关提供了利益（商467条，之2、2款）。于是，在这种情形下，被提供利益者应举证"与股东权行使无关"。

这是依据由于通常的对股东大会"专业户"之利益提供是以无偿或客观上没有价值的印刷物、广告等为代价进行，这种交易在股东与公司之间形成时，与股东权行使有关的可能性很大的经验而作出的规定。

第八款　使用人的优先清偿权

关于使用人因雇佣关系对公司持有的债权，从保护劳动者的社会政策上出发，认定其优先清偿权。

有被返还身份保证金之债权以及有其他的公司和使用人之间因雇佣关系引起的债权者，对于公司的总财产持有接受优先清偿权利（商468条）。因雇佣关系而产生的债权中包含周、月报酬和期末奖金等定期支付的报酬及非定期的特别奖金、退休金等。

此优先清偿权是一种法定担保权，虽然没有明文规定，但也应允许公司财产的拍卖请求权（通说）。但是，不管债权发生的先后如何，不得优先于质权或者抵押权（商468条，但书）。

第八节　公司债

一、意义

（一）公司债的意义

公司债（bond；obligation），是指股份公司为了自不特定多数人筹集资金，集团性、定型性地承担，并按票面价格单位化了的债务。

1. 是股份公司承担的债务。在此，会有人提出股份公司以外的公司是否可以发行公司债的问题，因为商法对其他公司没有明文规定。一般来讲，关于有限公司，不仅受其本身的封闭性的制约，并且商法第600条第2款及第604条第1款是以有限公司不能发行公司债为前提的，因此有限公司不能发行公司债，而无限公司或两合公司中无此类禁止规定，故可以说是允许发行公司债，但是，据本人所知，在无限公司、两合公司中还从未有过发行公司债的例子。

2．以不特定多数人为对象，集团性、定型性地承担。一般来讲，公司债是以筹集大数目的资金为目的，就如同发行股份，自多数人处集中资本。与一般的消费借贷不同，对不特定的多数人作出集团性的债务承担行为，其发行条件或方法等带有定型性的性质（附合契约）。

3．是公司的债务。公司债，指的是以上述的方式承担的"公司的债务"本身。应与作为表彰公司债权的有价证券——公司债券相区别。公司债券是公司在发行公司债之后，为了赋予它流通性，由公司发行给公司债权人。

4．以票面价额单位化了的债务。公司债如同股份、由票面价额来细分，是为了便于认购公司债，促进公司债的流通性，最终目的是要易于募集公司债。

（二）经济上的意义

股份公司的资金筹集方法大体上可分为两大类：第一种方法，属于消极的方法，不分配公司的盈余，通过储备公积金或者分派股份来积累内部保留（盈余的再投资）；第二种方法，属于积极的方法，通过消费借贷、发行新股、发行公司债等引进新的资金（外部资金的筹集）。其中只有消费借贷受个人法上的法理的规律，内部保留及新股发行与公司债的发行则受社团法上的法理的支配。

内部保留的积累，只有有盈余才有可能，由于它的局限性较明显，因此不能成为随时筹集资金的方法。与此相反，新股发行与公司债发行只要投资者响应，就可以无限地吸收资金而增加总资产，因此可以说是真正意义上的筹集资金方法，也就是说，这是只有股份公司才能享受的资本集中方法。

单从筹集资金及在其规模上达到巨额这一角度上看，新股发行与公司债发行具有相同的功能，是处于相互可以代替的关系。但是公司债是他人资本，所以不论是有无盈余，均应支付利息，并且具有经过一定的期间之后予以偿还的负担。与此相反，通过新股发行筹集到的资金为自己资本，因此，虽然没有这种负担，但是公司因此而受分派压力，从而成为新的资金需要的原因，如原有股东没有认购新股的能力时，新的股东不可避免要登场，因此经营权的稳定也受威胁。所以，不能断定哪一种方法更优越，应根据当时的条件及资金的目的而决定。

既便如此，公司的单方面选择并非随时都有可能性的。新股发行或者公司债的发行的成功与否，在于将要认购之投资者的响应与否，而投资者的关心，随着对公司的前途或者利息的变化作出敏感的反应。故，股份公司如果将新股发行与公司债发行作为相互可代替的手段来适应资本市场的条件变化，从而灵活地加以运用，就可以最大限度地吸引资金。

目前，股份与公司债成为有价证券市场上的两大拳头商品。如同股份，关于公司债，从制度方面，不仅要强调公司的资金筹集及债权人的保护，并且同时也要考虑公司债的流通市场问题。

（三）股份与公司债的比较

1. 差异：公司债的性质与股份的法律性质是根本不同的。公司债，从公司债权人的立场上看是一种金钱债权，与此相反，股份是表示社团组成人员地位的股东权。因此，公司债债权人是外部的第三人，从其性质上看，不能参与公司的运营。与此相反，股东通过表决权及其他共益权，享有控制、经营、监督公司的权利。另一方面，公司债权人不顾公司盈余的有无，可以请求确定比率的利息，股东得到不确定的盈余分派。关于资本的回收，公司债到期可回收，在公司解散的情形下，优先于股份得到偿还，而股东先清偿全部债务之后得到剩余财产的分配（商538条）。

2. 类似点：公司债与股份，都是由股份公司在经济上从大众处大量筹集长期资金的手段。从这一角度上看，虽然二者在法律本质上有差异，但是在其法律关系上非常相似。即二者的法律关系，必然带有继续性、集团性、公众性，与此相应，在其法律规律上也需要迅速、确实的发行程序（董事会的发行权，公司债认购要约书、认股要约书、有价证券发行申报），为赋予高度的流通性而有价证券化（公司债券、股票），对权利人的团体性处理（公司债债权人集会、股东大会）等，在各方面，均需要进行类似的处理。

3．两者相互接近：随着股份公司的巨大化，所有与经营逐渐分离，一般股东对公司的运营逐步失去关心；同时依分派公积金等分派率趋于固定化；由于股份的自由转让，易于回收投资。于是，社会、经济、角度上看，已表现出股东的公司债债权人化的现象；从法律角度上看，已有像无表决权股份、偿还股份、累积性优先股份那样股份的公司债化的制度；另一方面，也有像可转换公司债、附新股认购权公司债、附参与盈余公司债那样公司债的股份化现像。

二、公司债契约[1]的性质

由于发行公司债，公司与将要认购公司债的人之间成立契约。关于此公司债契约的性质有：消费借贷说，类似于消费者借贷的无名契约说，债券买卖说，在出售发行的情形下为债券买卖、其他情形下为类似于消费借贷的无名契约说。

债券买卖说虽然是多数说，但公司债于公司债认购之际成立，而债券的发行只能在缴纳公司债款项之后成立（商478条），因此从时机上看是不相符合的，并且认购人的目的在于取得公司的债权而不在于取得债券，从这一点看，不是一个恰当的说明。关于公司债的发行与认购、当事人的目的，不论是从经济上还是从法律上，均为以发生金钱债权、债务为目的，因而应视为消费借贷。有一种批判此说的意见认为，公司债是可以分批缴纳的，故不能认为是消费借贷，这种批判在以消费借贷为要物契约的日本民法下（日民

---

[1]　公司债契约即为公司债合同——译者

578条）是有可能性的，而在将消费借贷为诺成合同的韩国民法（民598条）下，分期缴纳并不违背消费借贷的性质。另外，公司债的发行价格与偿还价格有可能不一致，因此批判这又不符合以同种、同量、同质的返还为要求的消费借贷的性质，但是消费借贷中也有像代物借贷（民606条）及代物清偿（民466条）那样的例外，因此同种、同量、同质的偿还不能说是铁的原则。不能以此为由否定公司债的消费借贷性。

三、公司债发行的限制

考虑公司债的大量性、公众性问题，法律上关于公司债发行作出如下限制。

（一）发行限度

发行公司债，其总额不得超过依资产负债表算出的公司现存净财产的4倍（商470条，1款）。设立司债的发行限度，主要是考虑了公司债的偿还能力。在此值得注意的是，公司债总额不是指在某一时期发行的公司债的总额，而是指包括已发行的公司债金额的公司债余额。

在为了偿还旧公司债而再次发行公司债的情形（一般称为"借换发行"）下，旧公司债的金额不算入在公司债的总额之中（商470条，3款），即在该范围之内放宽发行限度。在这种情形下，应于6个月之内偿还旧公司债（商470条，3款）。另外，上市法人发行可转换公司债或者附新股认购权公司债的情形下，可转换公司债金额或者可以行使新股认购权的金额不受上述发行限度的限制（证交191条，之5）。因为基于这种公司债金额将要自己资本化，因此不必担心其偿还能力。

（二）再募集的限制

若前期募集的公司债总额未缴纳完毕，公司不得再募集公司债（商471条）。这主要是为了要控制滥发公司债之行为，这条适用于分期缴纳情形（即假如发行了10亿韩元的公司债，其中3亿韩元因未缴纳而失权，但这并非意味着不得再次发行公司债）。但是，实际上从未有过以分期缴纳方式发行公司债的例子，所以，几乎没有适用本条的情形。

（三）公司债的金额

每一公司债的金额应为1万韩元以上（商472条）。并且，在同一种类的公司债中每一公司债的金额应为均一，若不同，则应可以以其中的最低额来整除（商472条，2款）。

在公司债债权人集会上，每一最低额有一个表决权，为了防止出现端数的表决权而作出了此规定。

（四）溢价偿还的限制

定有以超过券面价格来向公司债权人偿还时，该超过金额，应对每一公司债适用同一比（商473条）。例如，将1万韩元券面额的公司债，以1.1万韩元偿还，则10万韩元券面额的公司债，应以11万韩元来偿还。这是，在集团性法律关系的公司债交易中，为了遵守公平原则、均一发行条件原则，排除投机性而作出的限制。

四、公司债发行的方法

（一）总额认购

是指特定人根据与公司之间的契约认购公司债总额的方法，它无须制作公司债认购要约书（商475条）、认购人（主要是以证券、金融为业的公司）以将其出售给一般公众而获得认购价格与卖出价格之间的差额为目的进行认购。

（二）公开募集

是指从一般公众处募集公司债的方法，原则上须使用公司债认购要约书（商474条）。公开募集有如下几种方法：

1. 直接公开募集：是发行公司（起债公司）直接从公众处募集的方法。在这种情形下，发行公司可以主动募集，也可以由金融机构或证券公司代理募集。

2. 委托募集：是一种将募集程序委托给他人的方法，须制作公司债认购要约书，受托公司为公司债的发行公司可以以自己的名义接受他人的要约，并对其分派，接受缴纳金（商476条，2款）。

3. 认购募集（承包募集，委托承包募集）：是指关于委托募集，公司债应募额低于总额时，受托公司约定认购其余额的方法（商474条，2款、14号）。虽须制作公司债认购要约书，但关于受托公司认购部分，无须制作公司债认购要约书（商474条）。

（三）出售债券

是指定一定的期间出卖事先制作的债券的方法，无须有像一般公开募集情形那样公司债认购要约书、分派、缴纳、交付债券等的程序。只允许特殊公司依特别法进行（例：依韩国产业银行法25条以下的产业金融债券）。

（四）交易的实际状况

出售债券，对于一般公司来说是不可能采取的方法；非认购募集的委托募集或者直接募集，如发行公司不太熟悉资本市场或者投资人不响应，则有失败之虞，因此，发行公司回避之；关于认购总额，其公司债的金额一般都是巨额，认购人的资金也成问题，并且其危险负担也大，所以认购人回避之。

通常发行公司债时，采取以证券公司为受托公司的同时，使其认购余额的认购募集形式，为了确保认购全额，利用与投资信托公司等金融机构共同组成认购团来分配认购责任量的方法。从而，达到总额认购的效果。

五、公司债发行的程序

（一）董事会的决议

发行公司债，只能依董事会的决议（商469条）而为之，这与将新股发行作为董事会的权限的规定相平衡（商416条）。可转换公司债，附新股认购权公司债的发行，原则上也依董事会的决议（后述）进行。在此决议中应决定公司债的种类、总额、各公司债的金额、利率、偿还方法、发行方法等。

（二）有价证券的申报与公示

证券交易法上，公司债的募集、出售如同前述上市法人的新股发行，应提出有价证券申报书并待该申报书发生效力之后才能募集、出售（证交 2 条，1 款，4 号，2 条，3、4 款、8 条以下），并且，应进行事业说明书的制作，供览等公示（证交 12 条以下）接受外部监查（证交 194 条，之 3、1 款、令 84 条，之 25、1 款）。只有办完上述程序后，才可接受要约（证交 10 条），详细的程序，已在有关新股发行的部分说明过（参照"新股发行"部分）。

（三）认购

公司债的认购，除了总额认购（在部分认购的情形下，该认购部分与总额认购相同）及出售债券的情形之外，依公司债认购要约书进行。欲认购公司债者，将在二份公司债认购要约书上记载拟认购的公司债的数量与住址，并签章（或者署名）（商 474 条，1 款）。公司债认购要约书应由董事制作，也可以由受托公司制作，并应记载法定事项（商 474 条，2 款、476 条，2 款）。只要对要约作出分派，则认购确定，公司债契约成立。

有些人认为，在公司债的发行中没有像新股发行时那样的"终止发行"（商 423 条）的规定，且应该强调公司债契约的统一性、整体性，所以，如果对募集总额无应募，公司债就不成立。但是，本人认为公司债就其本质来讲也是一种借入款，因此可以暂且终止应募，就该应募部分使公司债成立。只有在因应募额的显著不足，以至不能履行原计划靠公司债款要进行的事业，并且有害及认购人的期望利益的特别情况时，公司债契约不能成立。

（四）缴纳

已募集完毕公司债时，代表董事应毫不迟延让认购人缴纳各公司债的全额或者第一期的缴纳金（分期缴纳时）（商 476 条，1 款）。在委托募集的情形下，可以由受托公司代替进行之（商 476 条，2 款）。与股金缴纳不同，不限以现金缴纳进行，可以以抵消、更改（例：以被偿还的旧公司债来充当新股的缴纳）、代物清偿等来进行。

（五）登记

关于公司债的发行，无须进行登记。公司债是经过一定期间后应偿还的债务，因此没有公示之意义。但是，可转换公司债及附新股认购权公司债须经登记。

六、受托公司的法律关系

（一）受托公司的地位

1. 性质：受托公司是受公司债的发行公司之委托募集公司债的公司。与发行公司之间的关系是委任（民680条）关系，受托公司处于受任人的地位。

受托公司与公司债权人之间不存在委任关系，因此原则上一旦公司债募集完毕，与公司债债权人之间不再存在直接的法律关系，与发行公司之间也终结法律关系。但是公司债债权人常常因相信受托公司才认购公司债，因此在公司债募集中受托公司处于重要的地位。于是，受托公司的地位不因公司债募集而终结，为了公司债权人继续承担法律上的一定的权利义务。

2. 受托公司的资格：如非银行、信托公司或者证券公司不得成为受托公司。业务承继人，亦同。

3. 辞任与解任：受托公司不能自由辞任。经发行公司及公司债债权人集会的同意方可辞任。只是在有不得已的事由时，经法院的许可才可辞任（商481条）。当受托公司有不适任业务处理或者其他正当事由时，法院根据发行公司或者公司债债权人集会的请求解任之（商482条）。

4. 业务承继人：当受托公司辞任或者被解任时，依发行公司及公司债债权人集会的一致同意可以选任业务承继人，若有不得已事由时法院根据利害关系人之请求可以选任之（商483条）。

（二）受托公司的权利与义务

1. 公司债募集的权限：受托公司可以以其名义为委托公司募集公司债（商476条，2款）。包括以自己的名义制作公司债认购要约书，接受要约，分派公司债，接受缴纳的行为。这些权限是在与发行公司之间的关系中具有的最重要的功能。

2．为偿还的权限：受托公司为了公司债债权人有权进行偿还公司债所需的一切裁判内外的行为（商484条，1款）。据此，受托公司可以不经公司债债权人的授权请求发行公司偿还公司债，也可以以公司债债权人的名义进行诉讼。这是一种法定代理权。发行公司一旦向受托公司偿还公司债，发行公司的偿还义务即行消灭。对受托公司赋予如此代理权，是因为在公司债的偿还问题上图谋发行公司与公司债债权人之便利，并要保护公司债权人，因此，即使受托公司持有代理权，也并不意味着公司债债权人的个别的偿还请求权被消灭。

3．公司债偿还义务：受托公司得到公司债的偿还时，应不得迟延地进行公告，并对已知的公司债权人分别通知（商484条，2款）。因受托公司受偿公司债而发行公司的债务即行消灭，因此，公司债债权人可以请求受托公司以债券交换公司债的支付（商484条，3款）。

4．公司债债权人集会召集权等：受托公司具有公司债债权人集会的召集，出席及陈述意见，决议执行等权限（商491条，1款、493条，1款、501条）。

5．报酬的优先权：作为对受托公司的权限与义务之重大的补偿，受托公司的报酬优先于公司债债权人受偿（商507条，2款）。

6．共同受托公司：受托公司为两个以上时，应共同行使权限，由发行公司受偿公司债时，对公司债债权人应承担连带赔偿责任（商485条，1、2款）。

七、公司债的流通

公司债的偿还期，一般是长期的，因此应给公司债债权人开辟偿还期届满之前可回收资金之途径。为了能使公司债流通，应采取像股份那样有价证券化，备置公司债原簿等措施。

（一）公司债券

是表彰公司债债权人之权利的要式有价证券（商478条，2

款）。公司债券待缴纳完毕公司债总额之后才可发行（商478条，1款）。分为记名式和无记名式。既然未要求以其中一个方式来发行，就可以请求公司将记名式转换成无记名式，或者将无记名式转换成记名式（商480条）。

（二）公司债原簿

发行无记名公司债时，为了明确有关公司债及公司债券的事项；发行记名公司债时，同时为了明确有关公司债债权人的事项，公司应制作、备置公司债原簿（商488条，396条）。公司债原簿在记名公司债转移的对抗要件（商479条），通知及催告（商489条，1款→353条），信托之公示（信托法3条，2款）方面具有法律上的意义，但是至今尚未出现过记名公司债发行之例，所以其实际意义是不大的。

（三）转让、质押

关于无记名公司债的流通，商法中没有规定；所以应根据民法的有关规定进行。即转让，因向受让人交付债券（民523条）而发生效力；设质，因向质权人交付债券（民351条）而发生效力，因继续占有可对抗第三人。

记名公司债不同于股份，并非为当然的指示债权，既然该债权为非指示式，其转让因当事人的意思表示及公司债券的交付而发生效力，但是为了对抗公司及其他第三人应将取得人的姓名及住所记载于公司债原簿，并将其姓名记载于债券上（商479条，1款）。设有名义更改代理人时，可通过名义更改代理人办理上述程序（商479条，2款→337条，2款）。

记名公司债的设质也依上述转让方法进行（民346条）。有些人主张，为了对抗公司及其他第三人，应根据民法第349条通知公司设定质权的事实或者须经公司的承诺。但是，不应将设质的对抗要件与转让的对抗要件区别规定，民法的规定又不适于集团性、公众性债权，所以不管是记名式还是指示式，均应类推适用商法第479条。关于记名公司债的设质方法及对抗要件，有不同的学说，但是如上所述，几乎未发行过记名公司债。与股份的情形不同，不限制发行公司取得或者以质权取得自己公司债。

八、公司债的本金、利息的偿还

（一）利息与息票

1. 附利方法：公司债上不一定必须附利息。发行不附利息之公司债（zero coupon）时，以票面价减去相当于利息的价格来发行。附利息公司债的情形下，利息可以是先付，也可以是后付。利息也无须确定下来。例如，像"发行后的1年以确定利率来付，1年以后至偿还时止以定期储蓄利率的1.3倍来付"的随着国家利率的变动而变动的连动利率方式"也无妨。在韩国发行的公司债，大部分是3个月先付的附确定利息的公司债，利率（保证公司债时）稍高于1年定期存款利率。

2. 息票。在韩国，毫无例外地发行无记名公司债，若要支付无记名公司债的利息，有每次支付时应提示债券；为了防止重复支付，在债券上记载已支付等许多繁杂的事项。因此，在债券上附息票（coupon）后发行。每次支付利息时，与该息票相换而支付利息。这种息票为表彰一定期间（一般为3个月）利息请求权的独立的无记名有价证券。这种息票与公司债不同，可以独立流通，息票所有人可以不提示债券就得到利息的支付。公司一旦向该持票人支付，则被免责。

3. 欠缺息票时的偿还：关于偿还附息票无记名公司债，欠缺息票时，应偿还扣除相当于该息票金额的余额（商486条，1款）。因为息票可以独立地流通，所以，这种事情是会产生的。这是为了保护息票所有人而作出的规定。息票持有人可以随时、独立地兑换息票，请求支付扣除额（商486条，2款）。

（二）公司债的偿还

1. 偿还金额：偿还金额可以超过票面价额，但对各个公司债的超额，适用同一比率（商473条）。

2. 偿还方法：偿还方法依公司债契约定之，有一定期间经过之后一次偿还的方法和一定期间经过后分期偿还的方法。在委托募集的情形下，由受托公司担任偿还业务（商484条）。

3. 买入注销：公司债不受类似自己股份的取得、作为质权取得或者注销股份的限制，也可以自由地买入自己公司债并注销。当公司债的行情下跌时，例如，当收益高于银行利率时，对公司来说买入注销比期满偿还更有利。

4. 期满之前偿还：在降价公司债的情形下，只有公司享有期限利益，因此发行公司放弃该利益，即使是期满以前也可以偿还公司债。从实际情况来看，不可能有发行公司损失利息而期满前偿还的事情。

一般来讲，推定期限是为了债务人的利益而定的（民153条，1款），因此，应认为附利息的公司债也可以在期满之前偿还。但是，放弃期间利益也不得损害对方的利益（民153条，2款），所以，如果要在期满之前偿还，就须支付剩余期间内的利息。但是，期满之前的偿还是以不承担利息为其目的的，因此若要不支付利息而又要在期满之前偿还，应在发行公司债时，事先以偿还条件来规定可以不支付利息而期满之前偿还。这不属于与公司债债权人协商决定的事情，在发行时将其作为发行条件之一，由董事会决定并记载于公司债认购要约书及债券上即可（商474条，2款、8号、商478条，2款、2号）。

5. 期限利益的丧失：发行公司有懈怠于支付公司债的利息或者定有定期偿还一部分公司债的情形下，懈怠于其偿还时，可依公司债债权人集会的决议就公司债总额剥夺期限利益（商505条，506条）。

6. 不公正清偿取消之诉：发行公司对某一公司债权人的清偿、和解及其他行为显著不公正时，受托公司可以请求该行为的取消（商511条，1款）。但这种取消，只以诉讼为主。这是为了防止那些不具备向全体公司债债权人的充分的清偿资力的发行公司优待某一特定的公司债债权人，优先予以清偿或者以其他方法给予优惠，从而降低对其他公司债债权人的清偿能力的现象。诉讼，应从受托公司知道有取消原因之事实之日起6个月之内；从作出该行为之日起1年之内提起（商511条，2款），但是因该行为而得到利益的公司债债权人或者转得人，不知道该行为或者在转得时会加害于公司债债权人时，不得请求取消（商511条，3款、民406条，1款、但书）。

7．公司债偿还的保证：金融机构等保证偿还的公司债，称为保证公司债。在韩国所发行的公司债，相当多数为保证公司债。在这种情形下，作保证的金融机构，对公司债债权人承担保证债务。

（三）时效

公司债系商行为债务，原则上宜适用5年商行为消灭时效（商64条），但出于公司债的公众性，法律将其规定为10年，只对利息与息票持有人的息票扣除额支付请求权，适用5年的时效（商487条，3款）。

九、公司债债权人集会

（一）意义

公司债债权人集会，由公司债债权人组成，为决定与公司债权人的利益有重大关系的事项有关的同一种类公司债债权人（商509条）的总意而召集的公司债债权人团体的临时议决机构。

各公司债债权人，原则上是在长期、大量的公司债中所有极少数部分的一般公众，他们持有持续的、共同的利害关系，因此有必要使同一种类公司债债权人组成可以团体性、共同性地拥护其利益的组织，同时减少发行公司与分散的公司债债权人进行个别协商的不便。公司债债权人集会正是出于这种目的而设置的制度。

（二）召集

应由发行公司或者受托公司召集（商491条）。但是，持有公司债总额10%以上的公司债债权人也可以以记载会议的目的事项与召集理由的书面材料，请求召集公司债债权人集会（商491条，2款）。如果发行公司对此召集请求无反应，请求过召集的公司债债权人，可以经法院的许可召集公司债债权人集会（商 491 条，3 款→366 条，3 款）。

（三）表决权

各公司债权人就每一最低公司债持有一个表决权（商 492 条，1 款）。无记名式的公司债债权人自会议之日的一周之前提存债券。才可以行使表决权（商 492 条，2 款）。

（四）权限

决议事项，依法律规定。即资本减少的异议（商 439 条，3 款），合并的异议（商 530 条→439 条，3 款），公司债债权人集会的代表人及决议执行人的选任及解任（商 500 条，1 款、501 条，504 条），发行公司期限利益的剥夺（商 505 条），取消发行公司不公正行为之诉的提起（商 512 条），同意受托公司的辞任（商 481 条），解任请求（商 482 条）。决定业务承继人（商 483 条）等。此外，经法院的许可，对公司债债权人的有重大利害关系的事项，可以作出决议（商 490 条）。

以上属于公司债债权人集会的权限的事项，公司债权人不得单独为之。

（五）决议方法

应该以持有表决权的过半数人员出席并以其 2/3 以上的赞成来作出决议，但是关于不太重要的几个事项，可以以表决权的过半数赞成来通过（商 495 条，1、2 款）。

（六）决议的效力发生

公司债债权人集会的决议，自决议之日起一周之内请求法院予以认可（商 496 条），经认可才发生效力（商 498 条，1 款）。在一定的情形下，不得认可决议。即：（1）公司债债权人集会的召集程序或者决议方法违反法令或者募集公司债计划书的记载时；（2）依不正当的方法决议成立时；（3）决议显著不公正时；（4）决议违背一般公司债债权人利益时（商 497 条，1 款）。其中关于（1）与（2）的情形下，法院参照决议内容及其他各项情况，可以认可决议

（商 497 条，2 款）。一旦认可，该决议就约束全体公司债债权人（商 498 条，2 款）。

（七）决议的委任

公司债债权人集会可以在持有公司债总额的 1/500 以上的公司债债权人中选任一名或者数名代表人，委任其决定要决议事项（商 500 条，1 款）。

（八）决议的执行

公司债债权人集会的决议由受托公司执行，无受托公司时由代表人执行（商 501 条）。但可以以公司债债权人集会的决议另选执行人（商 501 条，但书）。公司债债权人集会随时都可以解任代表人或者执行人，也可变更委任的事项（商 504 条），此外，关于运营公司债债权人集会，准用股东大会的各项规定（商 501 条）。

十、特殊的公司债

（一）附担保公司债

有物的担保的公司债，称为附担保公司债。无担保公司债的情形下，即使是公司债债权人也不得优先于一般债权人，因此为了圆满、确实地进行公司债的认购、偿还等，利用附担保公司债的方式。商法中有关公司债规定是针对无担保公司债而制定的，故关于附担保公司债，另设有附担保公司债信托法（1962．1．20 法律991 号公布）。

根据此法，附担保公司债是由发行公司根据与信托公司之间的信托合同，将后者为受托公司来发行（同法 3 条）的，可附于公司债的担保限于：动产质，有证书的债权质，股份质，不动产抵押及其他法律认定的各种抵押（同法 4 条）。保证公司债不是附担保公司债。

附担保公司债可分为一次发行式公司债与分期发行式公司债（同法 14 条，15 条，26 条）。后者是指对于同一担保持有同一顺序的附担保公司债分数次发行，是引进美国的 open - end mortgage（开放性担保）制度的产物，类似于授权资本制度下的新股发行。

(二) 可转换公司债

1. 意义。被认定可以转换成发行公司股份之权利的公司债,称为可转换合同债 (convertible debenture wande lschu ld verschrei-bung)。可转换公司债有以下优点:作为投资者,可以比较衡量公司债的确实性与股份的投机性而作出选择;作为公司,一方面可以依转换而得到公司偿还的效果,另一方面因筹集资金的费用较低廉,可以圆满地募集公司债 (可转移公司债的利率比一般公司债的年利低 6% ~ 7%)。正因为如此,在外国广泛利用可转换公司债制度。而在韩国,过去,可转换公司债之发行处于低潮,但从 80 年代后半期开始,随着股价的上升,可转换公司债非常有吸引力,许多公司正在发行可转换公司债。另外,最近为了从国外筹集资金,国内公司针对海外金融市场发行可转换公司债的活动也非常活跃,海外的反响也非常不错。

有关可转换公司债的发行,最重要的课题是保护公司债债权人的权利问题。一方面,可转换公司债虽具有公司债的性质,但转换为股份时会侵犯股东的新股认购权,因此发行可转换公司债时应考虑保护股东的问题。商法原则上规定发行可转换公司债与一般公司债相同,均由董事会决定,同时给股东赋予公司债的认购权,并规定向非股东发行可转换公司债的情形下,必须有股东大会的特别决议,以便协调有关发行公司债的董事会的决定权 (商 469 条) 及股东的新股认购权 (商 418 条,1 款)。另外,转换成股份的时候,无须另缴纳股金,可以以公司债的消灭来代替新股发行的对价,从而也考虑到了资本充实的问题。

2. 可转换公司债的发行。

1) 发行的决定:可转换公司债的发行及下列发行事项,除了由章程规定之外,均由董事会决定 (商 513 条)。但是可以以章程规定为股东大会的决议事项 (商 513 条)。

(1) 可转换公司债的总额:可转换公司债也受发行额度的限制 (商 470 条),但是,在上市公司的情形下,如前所述,不受此额度

的限制（证交 191 条，之 5）。(2) 转换的条件：是指可转换公司债
与因转换而要发行的股份之比例。例如，"将 1 万韩元公司债可转
换为 1 股普通股"等。通常也称之为转换价格，它构成可转换公司
债的实质性对价的部分。(3) 因转换而将发行的股份的内容：例
如，须决定优先股，普通股、记名式、无记名式，有无表决权等。
(4) 可请求转换的期间：须决定公司债债权人可以行使转换请求权
的始期与终期。例如，"自发行之后 1 年起 2 年之内"等。(5) 赋
予股东可转换公司债的认购权之意与认购权的标的——转换公司债
的金额；并非一定向股东赋予认购权。只是为了剥夺股东认购权的
一部分或者全部，须有如下所述的特别程序。(6) 向股东以外的人
发行可转换公司债与对其要发行的可转换公司债的金额：向非股东
赋予认购权时所必需的事项。

　　2) 第三人认购的要件（股东的保护）：可转换公司债，虽然也
是公司债的一种，但它将来可以转换成股份，因此向非股东者发行
可转换公司债，等于是向非股东者赋予新股认购权。转换的比例如
按市价转换（将发行可转换公司债之际股份公司的市价作为因转换
而发行的股份的发行价格时）时不成任何问题，而以等价转换（例
如，转换时，以 1 万韩元公司债票面价格换成 2 股 5 000 韩元票面
股）时，如果公司股份的市价超过票面价格，就等于以特别有利的
价格向股东以外的人发行，从而按超过的比例会损害既存股东的利
益。

　　正因为如此，原则上由董事会决定可转换公司债的发行，但是
股东持有可转换公司债的认购权，如向非股东者发行可转换公司债
时（商 513 条，2 款、6 号），须依章程的规定，或者经股东大会之
特别决议。即以章程或者股东大会的特别决议决定能够给第三人发
行的可转换公司债的金额、转换的条件、因转换而发行的股份的内
容及可请求转换的期间（商 513 条，3 款）。为决议上述内容而召
集股东大会时，应在召集通知及公告上记载有关可转换公司债发行
的议案的要点（商 513 条，4 款）。

另外，第513条第2款又规定，可以以章程规定由股东大会决定可转换公司债的发行，但在这种情形下，股东大会的决议依普通决议来为之。根据此规定，以股东大会的决议发行可转换公司债时，如向第三人赋予公司债的认购权，须再次依据章程上的规定或经股东大会的特别决议。

以章程或者股东大会的决议来决定第三人的认购权时，其内容应具体、确定。例如"在公司债总额1/2的范围内，可以向非股东赋予认购权"或者"董事会决定转换价格（转换条件）为股份的票面价格以上"等，不容许有概括型的委任。

3）分派日的公告：随着股东将认购的可转换公司债的价额（商513条，2款、5号）的确定，股东具有按其持有的股份的数量得到可转换公司债分派的权利（商513条，之2、1款）。于是，如同新股发行时，为了确定行使认购权的股东，应定好分派基准日，并于其准日的2周之前公告：在该分派基准日，记载于股东名册上的股东具有认购权之意（商513条，之2、2款→418条，2款）。

因分派基准日的经过，持有可转换公司债认购权的股东及各股东持有认购权的公司债总额均被确定下来，此时，认购权不及于低于可转换公司债最低额的端数上，（商513条，之2、1款、但书）。考虑到公司债的最低单位往往为高额（现在，一般为100万韩元），因此，这是一个非常不利于股东的规定。

4）对股东的催告及失权：应于要约日的2周以前，向根据分派基准日其认购权被确定的股东通知：其持有认购权的可转换公司债的金额，发行价格，转换的条件，因转换而将要发行的股份的内容，可请求转换的期间及若未在一定的日期（要约日）之前进行可转换公司债的要约则失去权利之意（商513条，之3、1、2款→419条，3款）。同时为了无记名式股东应进行上述内容的公告（商513条，之3、2款→419条，2款）。若未在公司所定的要约日期内进行要约，则失去其权利（商513条，之3、2款→419条，4款）。

5）认购、缴纳：依与一般公司债相同的程序进行。

6）公司债认购要约书等的记载事项：在可转换公司债认购要约书、公司债券、公司债原簿上应记载：（1）可以将公司债转换为股份之意；（2）转换的条件；（3）因转换而要发行的股份的内容；（4）可请求转换的期间；（5）关于转让股份规定须经董事会承认时，其规定（商 514 条）。

7）与授权股份之间的关系：由于预定发行股份总数中有未发行部分时，才可以转换，只有在此情形下才可发行可转换公司债，并且在转换请求期间内应保留此部分的发行（商 516 条，1 款→346 条，2 款）。不能预计将来依变更章程来增加发行预定股份总数而可发行转换公司债。

8）发行价格的限制：可转换公司债的总发行价与因转换而要发行股份的总发行价应为同额（商 516 条，2 款→348 条）。其理由如同在有关转换股份部分中所述。

9）留止请求：因公司违反法令或者章程，或者以显著不公正的方法发行可转换公司债，使股东有遭受不利益之虞的情形下，如同新股发行之情形，股东可以请示留止发行（商 516 条，1 款→424 条）。详细内容如同在有关新股发行留止请求权中所述。

10）以不公正的价格认购可转换公司债者的责任：与董事串通，以不公正的发行价格认购可转换公司债者，有义务支付与公正的发行价格的差额。关于其支付请求认可代表诉讼，如同发生董事的损害赔偿责任等不公正地认购新股的情形（商 516 条，1 款→424 条，之 2）。

3．转换价格的调整（公司债债权人的保护）。可转换公司债的收益价值，可以说是根据复合反映公司债的发行当时的股份的资产价值与收益价值的股价来决定之，因此发行公司债之后股价下跌，则会给公司债权人带来意想不到的损失。若股价下跌的原因在于依证券市场的供需原理引起的价格变动，那应由公司债债权人承担其损失，即使其原因在于企业业绩的恶化，不管董事对此有无责任，这并不是与可转换公司债制度结合起来考虑其救济方法的事项。但是，如果是公司通过资本交易使股价下跌，那么，应从制度上采取对公司债债权人的保护方法。例如，如果公司在发行可转换公司债之后，以廉价发行新股或者将公积金转入资本或者进行股份分派来稀释股份的价值，那么，公司债债权人按照当初的转换条件转换股份将要失去意义。因为只有股价至少能够维持在转换价额以上的情形下，才具有转换股份的实际意义。立法上有在发行可转换公司债之后，通过禁止新股发行等的资本交易来防止股份稀释化的例子，也有虽然不禁止资本交易，但因此而股价下跌的情形下，以下调转换价格来保护公司债债权人的例子。韩国商法虽不提示任何方法，但是在从"关于有价证券认购业务规程"中取后一种方法来保护公司债债权人。即发行可转换公司债当时，根据认购主管公司（证券公司）与发行公司的特约协议来进行价格调整（同规程38条，2款、2号）。

价格调整，依认购业者之间的协议，按如下方法进行（公司债发行认购实务协议会：关于公司债发行条件的基准）。公司发行公司债之后，以低于转换价格的发行价格有偿增资或者股份分派，或者公积金转入资本时，以按下列公式调整（降低）的价格作为转换价格。

$$调整后转换价格 = \frac{调整前转换价格 \times 已发行股份数 + 1 股发行价格 \times 新发行股份数}{已发行股份数 + 新发行股份数}$$

从计算过程中可看出，上述算式是为了将因新股发行而稀释化了的股份的价值作为新的转换价格而规定的。[1]

4．转换的程序。可转换公司债的转换，在"可请求转换的期间"内的任何时候，都可以在请求书上附债券向公司提出而请求转换（商515条）。1995年商法修改以前规定，封闭股东名册期间不

---

[1] 上述算式，有偿增资时是妥当的，但股份分派或公积金转入资本时并不能反映实际股价价值的变动。因为股份分派或公积金转入资本时不会流入相当于新发行股份的资金（每股发行价格应作为"零"，于是应将1股发行价格×新发行股份数算为"零"）。

得请求转换（修改以前的 516 条，2 款→349 条，3 款），而修改后的法律中规定，在封闭期间也可以请求转换。于是，估计因此而给公司的股份业务造成相当大的混乱。如下所述，关于盈余分派，视为在营业年度末转换；在股东名册的封闭期间中请求转换时，不能持该股份行使表决权，故此两种问题得以解决。但是，因在股东名册的封闭期间中发行新股或者进行合并时，公司债债权人请求转换之后可以立即持该股份行使权利。

5. 转换的效力。转换因公司债债权人向公司提出请求书而发生效力（商 516 条，2 款→350 条），无须经公司的承诺（形成权）。即请求转换的同时，公司债债权人成为股东。但是关于公司债利息的支付，股份的建设利息或者盈余的分派，视为该请求日所属的营业年度末被转换（商 516 条，2 款→350 条，3 款后段）。与此相反，假如转换时立即发生效力，那么，在其营业年度中转换的情形下，公司债债权人一方面得到转换日为止的公司债的利息，后再参加该年度的盈余分派，从而得到双重利益。但是可以以章程规定视为"前一营业年度末已被转换。（商 516 条，2 款→350 条，3 款后段）。在设有此种规定的情形下，关于请求转换日所属的营业年度，只能得到股份的盈余分派，不能得到公司债利息的支付。若有已支付的利息，则应返还给公司。

另外，在股东名册的封闭期间内请求转换的情形下，不得持该股份行使表决权（商 516 条，2 款→350 条，2 款）。因为若赋予表决权，则会在股东名册的封闭时产生未能预测到的控制结构的变化。

可转换公司债的质权人，可对转换后的股份行使质权（商 516 条，2 款→339 条）。

6. 登记。与一般的公司债不同，发行可转换公司债时，缴纳完毕之后，应在总公司所在地于 2 周之内，进行所定事项的登记（商 514 条，之 2、1、2、3 款）。可转换公司债之转换，也带来发行公司债的减少与资本的增加，因此须进行变更登记（商 514 条，之2、3款→183条)。

(三) 附新股认购权公司债

1. 意义。附新股认购权公司债，是指作为公司债的发行条件，向公司债债权人赋予新股认购权的债权。公司债，到偿还期被偿还，这一点与一般的公司债相同，只是赋予新股认购权这一点不同于一般公司债。这一点又不同于公司债本身被消灭而转换为股份的可转换公司债。附新股认购权公司债的公司债债权人，可以享受既能维持公司债的稳定性，又能享受在股价上升时，以行使新股认购权来得到转让差益的优点。而公司方面，可以降低利率来减少筹集资金的成本（附新股认购权公司债的利率比普通公司债低4%～5%）。

附新股认购权公司债分为分离型与结合型两种。结合型将公司债权与新股认购权一并在一份公司债券上表彰，不得将其两者分开转让；而分离型，在公司债券上只表彰公司债债权，新股认购权被表彰在另外的证券（新股认购权证券）上，两者可以分开转让。韩国商法允许任何形式的发行，但是尚无以分离型发行的例子。

表彰分离型附新股认购权公司债之新股认购权的新股认购权证券与新股认购权证书，二者均表示新股认购权，作为无记名有价证券行使或转让新股认购权只能凭证券为之，对所持有的证券有权利推定力，并认可其善意取得，是非常相似的。但是，新股认购权证书一般是被新股发行程序而已经具体化了的新股认购权，而新股认购权证券，严格来讲是表彰新股发行请求权的证券。因此，若公司债债权人或者新股认购权证券的持有人不行使新股认购权（发行请求权），连新股发行的程序都无法开始的。另外，二者的经济上的意义或者制度上的宗旨是截然不同的。新股认购权证书为的是能够让新股发行时无缴纳股金的能力的股东可以取得市价与发行价之间的差额，从而可以享受从前特有股份的比例性利益（proportionate interest）；而新股认购权证券是鉴于依附新股认购权公司债而结合的公司债与股份是根据不同的价值测定标准而其价格发生变化的不同性质的财产，为了将它们分开流通，并赋予独立的市场价值而发行的。

附新股认购权公司债中，也像可转换公司债那样，存在保护股东的新股认购权的问题。如下所述，采取与可转换公司债相同的方法来保护股东的权利。

2．发行。

1）发行的决定：附新股认购权公司债的发行由董事会决定，但是章程中可以规定由股东大会决定之（商516条，之2、2款）。在下列事项中，章程中没有规定的，在决定发行时一并决定。（1）附新股认购权公司债的总额；（2）赋予各附新股认购权公司债的新股认购权的内容；（3）行使新股认购权的期间；（4）有关只转让新股认购权的事项；（5）如有要行使新股认购权人之请求时，视为以其发行价额缴纳而偿还附新股认购权公司债；（6）赋予股东附新股认购权公司债的认购权之意及认购权的标的——附新股认购权公司之金额；（7）向股东以外的人发行附新股认购权公司债及对其所发行的附新股认购权公司债之额。

2）附新股认购权公司债的认购权：发行附新股认购权公司债，实质上与向非股东赋予新股认购权是一样的，因此像一般的新股发行或者可转换公司债的发行那样，对股东来说具有重大利害关系的问题。因此，附新股认购权公司债的认购权，原则上是由股东持有；在向非股东发行附新股认购权公司债的情形下，由章程规定或者股东大会的特别决议来决定附新股认购权公司债之额，新股认购权之内容及行使新股认购权的期间（商516条，之2、4款）。为了决议上述事项而召集股东大会时，在召集通知与公告中也应记载有关附新股认购权公司债议案的要点（商516条，之2、5款、513条，4款）。以章程或股东大会的决议要决定的具体事项，如同在可转换公司债中所述。

3）分派日的公告：根据股东将要认购的附新股认购权公司债之额（商516条，之2、2款、7号）的决定，股东有权按其持有的股份数的比例得到附新股认购权公司债之分派（商516条，之10→513条，之2、1款正文）。如同新股发行及可转换公司债的发行，为了确定行使公司债认购权的股东，应定分派基准日，并于2周之前进行记载于股东名册上的股东持有公司债认购权之意的公告（商516条，之10→513条，之2→418条，2款），因分派基准日的经过，确定持有附新股认购权公司债之认购权的股东及各股东将认购的公司债之额，但是认购权不及于低于公司债最低额的端数上（商516条，之10→513条，之2、1款、但书）。

4) 对股东的催告、失权：股东持有附新股认购权公司债之认购的情形下，应于要约的2周以前，向各股东通知：其持有认购权的附新股认购权公司债之额，发行价格，新股认购权的内容，可以行使新股认购权的期间及若未在一定的日期（要约日）以前进行附新股认购权公司债的要约，则丧失其权利之意。发行无记名股份时，也应进行上述内容的公告（商516条，之3、1款前2款→419条，2、3款）。如定有只能转让新股认购权之意及根据新股认购权人的请求，以其发行价格充当新股的缴纳而代替公司债偿还之意时，也应通知其内容（商516条，之3、1款后段）。已有了这种通知、公告，却未在要约期间内进行要约时，则丧失其权利（商516条，之3、2款→419条，4款）。

5) 认购、缴纳：依与普通公司债相同的程序为之。

6) 公司债认购要约书等的记载事项：附新股认购权公司债的认购要约书、债券、公司债原簿上应记载下列事项：（1）标明附新股认购权公司债之意；（2）发行决定事项中的一部分（商516条，之2、2款、2号～5号）；（3）行使新股认购权时，承办缴纳业务的银行及其他金融机构、缴纳地点；（4）定有转让新股须经董事会承认时，其规定（商516条，之4、1号～3号）。但是，发行新股认购权证券时，在债券中不记载上述事项（商516条，之4、但书）。

7) 与授权股份的关系：在发行预定股份总数中，有未发行部分时，公司债债权人才有可能行使新股认购权，因此只有在该种类的股份中有未发行部分时，才以发行附新股认购权公司债，对于此部分，应在行使新股认购权期间内保留其发行（商516条，之10→516条，1款→346条，2款）。

8）留止请求、以下公正的价格认购公司债者的责任：如同在有关一般的新股发行及可转换公司债的发行中所述（商516条，之10、516条，1款→424条，424条，之2）。

3．新股认购权证券。

1）发行：在决定附新股认购权公司债的发行同时规定只能转让新股认购权时（商516条，之2、2款4号），应发行新股认购权证券（商516条，之5、1款）。

新股认购权证券中应记载下列事项及编号，并由董事签章或署名（商516条，之5、2款）应记载的事项有：（1）标明新股认购权证券之意；（2）公司的商号；（3）附各公司债的新股认购权的内容，行使新股认购权的期间，替代偿还公司债的缴纳充当（商516条，之2、2款、2、3、5号）；（4）承担股金缴纳的银行及其他金融机构及缴纳场所（516条，之4、3号）；（5）定有关于转让股份须经董事会的承认时，其规定等（商516条，之5、2、1号～4号）。

2）性质：新股认购权证券是表示新股认购权的有价证券。因此，行使或者转让新股认购权，须凭此证券进行。这一点，如同通常的新股发行当时所发行的新股认购权证书（商420条，之2），但是，新股认购权证书只能在发行之后至要约日期的2周多的短期内流通，因此一旦丧失，则无利用公示催告或者除权判决（商360条）之实际意义。与此相反，新股认购权证券在行使新股认购权的期间内长期流通，因此丧失时，可以依公示催告作出无效处理，并经除权判决，可以请求再发行（商516条，之6、2款→360条）。

新股认购权证券上不记载认购本人的姓名，因此是无记名证券（商516条，之5、2款）（这一点，与新股认购权证书相同）。由于新股认购权证券属于有价证券，故除了商法中规定的事项之外，也适用有关有价证券的一般法理。

3）新股认购权证券发行的效力：（1）一旦发行新股认购权证券，附新股认购权公司债成为所谓的分离型，所以新股认购权可以与公司债分开转让。但是，该转让只能依新股认购权券的交付才能进行（商516条，之6、1款）。不发行新股认购权证券时，认购权只能依公司债的转让而转移。（2）新股认购权证券的占有人被推定为适法的持有人（商516条，之6、2款→336条，2款），并认定其善意取得（商516条，之6、2款→票21条）。这一点与股票或新股认购权证书相同，省略其详细说明。（3）新股认购权的行使，也应依新股认购权证券进行（下述）。

4. 新股认购权的行使。新股认购权人根据附新股认购权公司债上所赋予的内容（商516条，之2、2款、2号）在新股认购权的行使期间（商516条，之2、2款、3号）内的任何时候，均可以行使新股认购权。1995年商法修改之前规定在股东名册封闭期间内不得行使新股认购权，但修改法中废止了此规定。关于因此而发生的问题，如同在可转换公司债部分中所述。

1）行使方法：要行使新股认购权者，应向公司提出2份请求书并缴纳新股发行价额的全额（商516条，之8、1款）。在此，值得注意的是，它不同于通常的新股发行，股金的缴纳成为行使新股认购权的要素。

（1）请求：认购权人应在2份请求书上记载欲认购股份的种类及数量、住址，并签章之后几公司提出（商516条，之8、4款→302条，1款），新股认购权证券已被发行时，即分离型时，应附上新股认购权证券；未发行时，（即结合型）应提示债券（商516条，之8、2款）。属于结合型的，公司应在债券上记载已行使新股认购权的事实，并返还给公司债债权人，此公司债作为普通的公司债券来流通。

新股认购权，从理论上讲行使其中一部分也是可以的，但由于行使一部分之后的权利关系不分明，因此有危害交易的安全之虑。从而应认为行使完一部分之后的其余部分即行消灭。

（2）缴纳：①应缴纳新股发行价额的全额。缴纳只能以金钱进行，不允许现物出资。但是在发行公司债时，可以规定"有要行使新股认购权者的请求时，视为以其发行价额来缴纳而代替附新股认购权公司债的偿还之意（商516条，之2、2款、5号）。根据此规定，新股认购权人可以以公司债的发行价格来代替其缴纳。即使公司债的偿还期限未届满也无妨。这是缴纳股金允许抵消的一个重大的例外。在这种情形下，公司债被消灭，应向公司提交债券。这一点产生与可转换公司债的转换相似的效果，但是，代替缴纳与否应由公司债债权人选择，这一点又不同于可转换公司债。②缴纳应在债券或者附新股认购权证券中所记载的银行及其他金融机构的缴纳场所进行（商516条，之8、3款）。变更缴纳金保管人及缴纳场所，缴纳金保管人的证明与责任，如同募集设立的情形（商516条，之8、4款、306条，318条）。

2）发行价的限制：因行使对各附新股认购权公司债的新股认购权而将要发行的股份的发行价额之和不得超过各附新股认购权公司债的金额（商516条，之2、3款）。即只能对公司债金额除以新股发行价的数量的股份持有新股认购权。附新股认购权公司债本来是一个为了使公司将新股认购权作为投资的引诱动机来易于利用低利的公司债资金而制定的制度，如果对小额公司债赋予大量的新股认购权，实质上等于是只赋予了新股认购权，因此如上所述的限制是为了防止上述现象而作出的。这种限制应解释为适用于公司债的发行时（发行时说）。从而，即使是发行之后公司债部分被偿还、注销，也不影响将要认购的股份的数量。

3）效力发生时期：行使新股认购权者一旦缴纳股金即可成为股东（商516条，之9前），无须经公司的承诺。因此，新股认购权为形成权。只是关于盈余或利息的分派，视为行使新股认购权的时间所属的营业年度末发行了新股（商516条，之9→350条，3款前）。这是为了预防在营业年度中行使新股认购权的情形下发生该年度应给新股多少分派金的争执而设的规定。不过，可以根据章程的规定，视为"前一"营业年度来所发行（商 516 条，之 9→350 条，3 款）。

在股东名册的封闭期间内行使新股认购权的情形下，在该期间内不得行使表决权（商 516 条，之 9→350 条，2 款）。关于其理由，在可转换公司债部分中已说明过。

4）质权的效力：设在附新股认购权公司债上的质权，不及于因行使认购权而发行的新股上。这是因为即使行使了认购权，公司债仍然存续。但是代替偿还公司债而缴纳的情形（商 516 条，之 2、2 款、5 号）下，公司债归消灭，因此应视为对新股可以行使质权。

5. 新股发行价的调整（公司债债权人的保护）。发行附新股认购权公司债之后，因公司以低价发行有偿新股，或者公积金的资本转入，分派股分等，如同转换公司债中所述，存在附新股认购权公司债的新股认购权的价值被稀释化的问题。因此，在"关于有价证券认购业务规程"中，利用与可转换公司债转换价格的调整方法相同的方法，降低新股发行价，以此保护公司债债权人（同规程 38 条，2 款、2 号）。

6. 登记。发行附新股认购权公司债时，自缴纳完毕公司债金额之日起 2 周内，在总公司所在地进行所定事项的登记（商 516 条，之 7→514 条，之 2、1 款），行使新股认购权时，须进行变更登记（商 516 条，之 10→351 条）。

（四）其他特殊公司债

商法中所认定的特殊公司债，只有前面所讲的可转换公司债与附新股认购权公司债，但是，根据"关于资本市场培育的法律"，上市法人可以发行附参与盈余公司债与交换公司债，下面，简单介绍这两种公司债。

1. 附参与盈余公司债。

1）意义：附参与盈余公司债，是指公司债债权人除了根据公司债的利率而得到利息之外，也可以参与盈余分派的公司债（证交令84条，之12、1款）。

在韩国，最近刚刚引进了这种制度，1997年4月，在修改证券交易法时，在第191条，之4、1款中规定，作为商法中未作规定的公司债，可以发行附参与盈余公司债、交换公司债及其他可以以总统会决定的公司债；在同施行令第84条，之12中设置发行附参与盈余公司债所必要的规定；在同施行令第84条，之13中设置发行交换公司债所必要的规定。

或许是因为附参与盈余公司债制度化的时间较短的关系，附参与盈余的公司债尚未发行过。附参与盈余公司债在吸引投资者的关心这一方面虽然是不确定的，但应该可以期待大大超过一般公司债利息率的分派。而韩国的上市企业，不管盈余的多少，每年的盈余分派为平准化，因此，可以估计到即使附参与盈余，从收益的角度上看，实际上与一般的公司债毫无两样，故很难使人对这种公司债感到新鲜，但是，将来，如果形成一种分派额反映每年的营业业绩而支付的风气，也许能大大吸引人们。

2）发行的决定：与可转换公司债，附新股认购权公司债相同的方式作出意思决定。可以按章程中的规定来发行，也可以在章程中规定以股东大会的决议来发行，若章程中无类似规定，则依董事会的决议来发行（证交令84条，之12、2款）。

3）发行事项：发行事项根据如何作出意思决定，或者在章程中作出规定，或者由股东大会决定，或者由董事会决定。首先，应决定公司债的基本的发行事项，即利率、偿还期间等，另外，作为附盈余公司债所特有的事项应决定的事项如下：（1）附参与盈余公司债的总额；（2）参与盈余分派的条件及内容：在这里，最重要的决定事项是分派率，它可以与普通股的分派率相同，或者以对此加减的方式来确定，也可以以与优先股相同的方法确定为优先分派或者规定其他多种条件。同时，股份分派的包括与否也是应决定的事项；（3）赋予股东附参与盈余公司债的认购权之意以及认购权的标的——附参与盈余公司债之额；（4）向非股东发行附参与盈余公司债及对此拟发行的附参与盈余公司债之额。

（3）、（4）可以选择其一发行，或者向股东和第三人分别发行各一部分。如果是向第三人发行全部或者一部分，则如下所述，须经股东大会的特别决议。

4）发行程序：基本上与一般公司债相同。但是，向股东发行的情形下，须经向股东分派的程序、催告、失权程序，这与可转换公司债相同（证交令84条，之12、5款）。

5）股东的保护：附参与盈余公司债会减少应向股东分派的盈余，对股东来说是具有重大利害关系的问题。因此，如同可转换公司债，以股东持有这种公司债的认购权为原则，但是向第三人发行时，关于第三人应要认购的公司债之额及参与盈余分派的内容，须在章程中规定之或者经股东大会的特别决议（证交令84条，之12、3款）。股东大会的召集程序也与可转换公司债相同（证交令84条，之12、5款）。

6）留止请求等：在以侵犯股东的盈余的内容来不公正地发行的情形下，股东可提出留止请求，若第三人以不公正的价格认购时，应返还给公司等，也与可转换公司债相同（证交令84条，之12）。

7）登记：发行附参与盈余公司债时，自缴纳完毕之日起2周之内，应在总公司所在地，3周之内在分公司所在地登记所定事项（附参与盈余公司债之总额，各附参与盈余公司债之金额与缴纳金额，可参加盈余分派之意及条件、内容）（证交令84条，之13）。

2．交换公司债。

1）意义：交换公司债，是指有可以请求与公司债发行公司所有的上市有价证券相交换的权利的公司债（证交令84条，之13）。

交换公司债，原本是模仿法国公司法中允许发行的可以与发行公司的股份相互交换的公司债而采纳的制度，与附参与盈余公司债一起在1987年修改"关于资本市场培育的法律"时，第一次被采纳。

2) 发行的决定：交换公司债，无须有章程上的根据或者经股东大会的决议，可以只依董事会的决议发行。因为根据交换公司债的发行，不会发生将来被发行新股或者侵犯其他股东的利益的事情。

3) 发行事项：董事会上应决定下列事项，同时也应将此事项记载于公司债认购要约书、债券、公司债原簿上。(1) 已赋予可能请求与上市有价证券相交换的权利之意。(2) 要交换的有价证券的内容：成为韩国交换公司债的范本的法国公司法中规定，发行原公司债的同时发行自公司的新股并保存到第三者处后，应公司债债权人的交换请求，后来发展为可以与发行公司已保有的自公司股份相交换。但是，关于发行交换公司债的同时发行新股，韩国的制度上尚无法律根据，再加上原则上禁止公司保有自己股份，也不认可为交换公司债的例外情形。因此，成为交换的对象的发行公司所有的上市有价证券，是指除了自己股份外的由发行公司所有的全部上市有价证券。但是，与像国家公债或者公司债那样，依利率而得收益的有价证券相交换，意味着与只换名称的同种商品相交换，是毫无意义的。因此，终究成为实际上的交换对象的是发行公司所有的他公司的股份（主要是子公司的发行股份）或者可转换公司债，附新股认购权公司债等。(3) 交换条件：应规定赋予交换公司债的有价证券的数量。换言之，决定交换时所应适用的交换对象有价证券的价格。例如，将发行公司 A 所有的 B 公司的普通股评估为 5 万韩元，给交换公司债 100 万韩元配给 20 股。可以说，交换公司债的期望收益成为最重要的可变因素。(4) 可以请求交换的期间：应在公司债的偿还期间内定起止日期。

4) 成为交换对象有价证券的寄托：发行公司为了保障公司债债权人所请求的交换，将交换所必要的有价证券向信托公司或者在经营信托业务的金融机构中由证券管理委员会指定的机构寄托至交换请求日或者公司债偿还之日为止。从发行公司的立场上看，等于发行经济上担保有价证券的附担保公司债。

5）交换价格的调整：将要给交换公司债予以交换的有价证券为其他公司的股份的情形下，该股份的发行公司进行股份分派，公积金转入资本或者低于发行交换公司债当时预先定好的交换价格而发行有偿新股之情形下，如同可转换公司债，须调整其交换价格。其算法与可转换公司债转换价格的调整方法相同。

6）交换程序：公司债权人请求交换时，应在二份请求书上附债券并向公司提出（证交令84条，之13、4款→商法349条，1款）。

7）交换请求的效力发生时期：在"关于资本市场育成的法律"施行令第10条3款中，关于交换请求的效力发生时期，准用商法第350条第1款（修改以前350条）有关转换股份的转换请求的规定。据此，解释为"公司债的交换，在作出该请求时发生效力"。

关于交换公司债准用商法第350条第1款是一项错误的立法。商法第350条第1款意味着一旦持转换股份进行转换请求，则无须另行新股发行程序可立即发行新股。但是成为交换对象的有价证券已被发行并由他人占有（交换公司债的发行公司），因此所谓的立即产生交换效果的说法，无论是从理论上还是从现实上均为不可能的。因此，应解释为：对交换请求，无须得到公司的承诺，而有义务立即将成为交换对象的有价证券交付给公司债债权人。

第九节　解　散

有关公司解散，通用于各类公司的事项，已在前面叙述过，（通则部分），在此只讲股份公司特有的事项。

一、解散事由

股份公司的解散事由有：公司存在期间届满或者章程中规定的其他事由的发生，公司合并，公司分立，破产，法院的解散命令或者解散判决，股东大会的解散决议等（商 517 条）。与其他种类的公司不同的一点为，股东仅剩一人时为非解散事由，因此等于是认定一人公司。并且商法中将长期休眠的公司，经一定的程序拟制为解散的公司（商 520 条，之 2）。另一方面，股份公司的最低资本（5 000 万韩元，商 329 条，1 款）是公司成立的要件，同时又成为存续的要件，因此通过减少资本等低于最低资本时，也成为解散事由。

公司因发生上述解散事由而当然解散，其他解散登记或程序等并非为其要件。

二、休眠公司的解散拟制

（一）宗旨

股份公司中存在不少已停止营业活动，但也未经解散及清算程序而闲置商业登记簿的公司。此类公司限制其他公司的商号选定（商 22 条）；因事实与登记的不一致而妨害登记簿管理；时有，成为依欺诈手段买卖公司的对象，从而加害于多数人等，其弊端非常严重。本制度的制定目的在于用法律手段排除此类休眠公司，以此保护交易安全，恢复一般公众对股份公司的信任。

（二）对象

法院行政处长以官报公告，自最后登记之日起经过 5 年的公司应在总公司所在地的管辖法院进行尚未废止其营业之意的申报的情形下，自最后登记之日起已逾 5 年的公司成为其对象（商 520 条，之 2、1 款）。其根据为：商法规定的董事、监事的任期为 3 年，因此如果是正常营业的公司，应自最后登记之日起 5 年之内，至少应进行一次以上登记，如在该期间内未进行一次以上登记，则应视为休眠公司。有此公告时，法院应向该公司发送已进行该公告之意的通知（商 520 条，之 2、2 款）。

（三）拟制解散

自公告之日起，未依照总统会进行申报或者登记的公司，视为其申报期间终止时已被解散（商 520 条，之 2、1 款、商施行规程 6

条）。解散登记由登记所依职权进行（非讼 237 条）。

（四）公司继续

拟制解散的公司，在 3 年之内，可依股东大会的特别决议继续该公司。（商 520 条，之 2、3 款）。在这种情形下，应该进行继续登记（商 521 条，之 2→229 条，3 款）。

（五）拟制清算

拟制解散的公司，在 3 年之内未继续该公司时，3 年之后视为已终结清算（商 520 条，之 2、4 款）。但是，公司里仍存在某些权利关系，事实上有必要进行整理时，在该范围内不消灭其法人格。在此情形下，除了章程中另有规定，或者股东大会另选清算人之外，由拟制解散当时的董事成为清算人，成为执行清算事务的代表机关，若解散当时的董事无法执行清算事务，利害关系人应向法院请求选任清算人。

三、解散的公示

除了破产之外，董事应不得迟延地对股东进行解散通知，在发行无记名股票时，应进行公告（商 521 条）。并且，自发生解散事由之日起，在总公司所在地应于 2 周之内；在分公司所在地应于 3 周之内进行解散登记（商 521 条，之 2→228 条）。

四、解散的效果

根据解散，公司的权利能力将缩小到清算的标的范围之内（商 524 条，1 款→245 条）。在股份公司中，公司的财产就是对公司债债权人的惟一的担保，所以因合并及破产以外的事由而解散时，进行解散登记的同时，为了保护债权人也应经法定的清算程序。然后由清算人代替董事执行公司的清算事务，并成为代表公司的机关。

五、公司的继续

依解散事由中的存立期间的届满，章程中所定事由的发生，股东大会的决议而解散的情形下，可以以股东大会的特别决议继续公司（商 519 条）。另外，拟制解散的休眠公司，亦同（商 520 条，之 2、3 款）。公司已进行解散登记时，应进行继续登记（商 521

条，之 2、229 条，3 款）。依宣告破产而解散的公司，如有强制和解的认可决定（破 283 条，284 条）或者破产废止决定（破 320 条，283 条）的情形下，也可以继续公司。

有时，在公司成立当时，事实上无经过一定期间之后解散之意思，而在形式上定有存立期间，并经该期间之后毫无在意地继续营业。但是，若无解散之意思，则应于存立期间届满时须进行继续公司的决议，如无该决议则当然解散并成为清算中的公司（大法院 1986．4．22 判决）。

第十节　公司的改组（合并和分立）

第一款　总　　述

一、公司改组的意义

80 年代以后，以美国为中心的西方经常使用意指企业组织大规模改革的用语 "restructuring"，日本和韩国一般将此翻译为 "组织改编" 或者 "结构调整"。如果将 "组织改编" 按语义来理解，那么，通则里论述的组织变更成为其代表性的例子，也包含对公司组织带来巨大变化的行为，例如，章程变更、新股发行、资本减少等。但是，resructuring 是首先在企业界开始使用的话，意指通过改变企业的组织来提高企业经营效率的行动，通常作为表示企业的合并、企业分立以及控股公司或子公司的设立或内部业务分配体系合理改编的用语来使用。因此，在本书里按企业用语的意思理解组织改编，但由于公司内部业务体系的改编与公司法无关，关于控股公司前面已论述过，在此只说明公司合并和 1998 年修改商法时新设的公司分立。

二、合并和分立的功能相关性

从功能上看，合并是两个以上公司的营业和财产合到一个公司，分立是一个公司的营业和财产分到两个以上的公司，两者的目的和作用正相反。合并是为了实现规模经济（economies of scale）分立是为了解消非经济的规模（diseconomies of scale）。

过去，在大量生产、大量消费的产业结构下，规模经济起作用，大部分的企业追求规模的成长。于是，在70年代和80年代流行所谓企业并购这一为扩大事业规模而进行的组织改编。但是，随着消费者需要的多样化以及企业环境频繁变化，出现规模经济不起作用的状况，有必要通过企业规模的缩小或事业的分立确保企业活动的灵活性。特别是最近电子通信产业的飞速必发展给投资规模和劳动生产率的基本认识带来了变化。公司的分立正是为了有效地适应这些环境的变化，追求适当的企业规模和各个营业部门的效率化而采取的组织改编方法。

公司分立的方法中，除了单纯将从前的营业分为两个以上的方法以外，还有叫做"分立合并"的方法。分立合并是将事业部门分为两个以上，使其中一部分吸收合并到别的公司或与其他公司合起来进行新设合并的方法。例如，经营建筑业和造船业的公司分立两种营业时，将造船部门与别的造船公司合并。这种分立合并，一方面通过事业的分立图谋企业规模的适当化和事业活动的灵活性，另一方面关于被分立的一部分事业通过企业合并追求规模的经济。

企业应适当地选择合并和分立及其组合的组织改编方法，适应不断变化的企业环境。

第二款 合 并

一经合并，新设合并时，全部当事公司解散；吸收合并时，除存续公司之外的其余公司解散。即使解散，消灭公司的财产由新设公司或存续公司承继，无须经清算程序，这是不同于其他解散事由的特色。

关于合并，各个公司形态中共同存在的问题已在第二章第五节中说明过，在此只说明股份公司合并特有的问题。

一、程序

（一）合并契约书的制作

股份公司合并时，应制作记载法定事项的合并契约书（商 522 条，1 款）。合并契约书的主要内容有合并条件、为实施合并而采取的必要措施以及合并程序等。

1. 吸收合并时（商 523 条）。

1）存续公司的授权股份数：由于吸收合并时，应对消灭公司的股东发行存续公司的新股，若存续公司的预定发行股份总数数量不足，应将其数量增加。因此，存续公司因合并增加预定发行股份总数时，应记载股份的总数、种类及数量。

2）存续公司要增加的资本和公积金总额：存续公司要增加的资本金为"存续公司在合并当时发行的新股总数"乘上票面价额。（1）无增资合并的可能性：存续公司无增资的合并是否可能？如将债务超过公司作为消灭公司时，有必要予以肯定。这个问题与合并的本质论相关，如果根据人格合一说，自然可以认定。实践中也有无增资合并的事例。[1]（2）合并差益的处理：存续公司的合并差益应储备为资本公积金（商 459 条，1 款、3 号）。于是，存续公司的公积金相应地增加。但是因为有可能向消灭公司的股东支付合并交付金，应事先决定合并后存续公司的资本金、盈余公积金及任意公积金各为多少，并记载于合并契约书上。

3）新股的分派比率：存续公司于合并当时发行的新股的总数、种类和数量以及对消灭公司股东的新股分派也是合并契约书的记载事项。合并时发行的新股是以存续公司承继的消灭公司的财产为根

---

〔1〕 过去，韩国文化放送股份公司吸收合并京乡新闻社和文化放送广告公司时没有增资。

据发行，因此新股的票面总额不能超过承继的财产额。于是，在承继的财产价额范围内决定新股的分派比率（合并比率）。合并比率应基于对合并当事公司的公正的企业评估决定，不公正时即成为合并无效的原因。新股分派中有可能产生自己股份的问题。(1) 消灭公司持有自己股份时：消灭公司的自己股份因合并而当然被消灭，对此不能分派新股，因为没有归属主体。(2) 存续公司持有消灭公司的股份时：对于存续公司持有的消灭公司的股份可以分派新股，但这时等于存续公司取得自己股份，因此须在相当的时期内处分（商 342 条）。(3) 消灭公司持有存续公司的股份时：消灭公司持有的存续公司的股份，由存续公司依合并而取得成为自己股份（商 341 条，之 2）。于是，相当时期内应处分该股份或合并时应将该股份注销。决定注销时，应将该事实记载于合并契约书上。

4）合并交付金：存续公司规定向消灭公司的股东支付的金额时，应将该规定记载于合并契约书上。支付合并交付金的动机是为了调整股份的分派比率或替代端股、替代消灭公司的盈余分派、实质性减资等。

5）承认合并决议的股东大会日期：在合并当事公司里要承认合并的社会大会或股东大会的日期也是合并契约书的记载事项。

6）拟合并日期：由于合并的效力发生在合并登记之日，"合并日期"并不是指合并的效力发生之日。合并登记应于股东大会决议之日起一定的日期进行（商 528 条），因此不是规定了合并登记日。于是，"合并日期"应视为预定结束将消灭公司的财产转移给存续公司，并向消灭公司的股东发行股票等实际公司合并程序之日。1998 年商法修改之前，合并日期是任意记载事项，但修改后将此作为必要的记载事项。

7）存续公司的章程变更：存续公司因合并而决定变更章程时，将此规定记载于合并契约书上。例如，随着承继消灭公司的事业，有必要变更事业目的或变更商号时，或者为将消灭公司的董事们接收为存续公司的董事，有必要增加董事的人数时，均应变更章程。

即使在合并契约书上记载也不是发生存续公司章程变更的效力，在存续公司中应履行章程变更的程序。但是若存续公司承认合并契约，应视为已代替了章程变更决议。

8) 任意记载事项：除了以上的法定事项以外，可以将当事公司的善管义务、合并条件的变更、合并契约的解除、财产的移交、董事和监事的退职金、职工的接收等记载于契约书上，这也是通常的做法。

消灭公司职工们的雇佣契约书上的地位全部由存续公司承继，只要存续公司与消灭公司的职工之间没有新的协议，消灭公司中的劳动条件合并后也维持其效力。

2. 新设合并时（商 524 条）。应记载新设公司的设立目的、商号、授权资本、每股金额，发行数种股份时，还要记载其种类及数量、总公司所在地。除此之外的记载事项与吸收合并一样。

（二）合并资产负债表的公示

股东或债权人为了就合并承认决议或者提出异议与否作出意思决定，有必要事先了解合并的具体事项，因此商法规定事先将所定事项予以公示。

董事自为合并承认决议的股东大会的两周前开始，合并之日后 6 个月为止，将合并契约书、记载向消灭公司的股东发行的股份的分派事项及其理由的文件、合并当事公司的资产负债表备置于总公司（商 522 条，之 2、1 款），股东及公司债权人在营业时间内随时可以请求阅览这些文件或向公司支付一定的费用，可以请求其誊本的交付（商 522 条，之 2、2 款）。

（三）合并承认决议

各公司的合并承认决议采取依据特别决议的方法承认合并契约书的形式（商 522 条，1、3 款）合并契约的要旨应记载于股东大会的召集通知和公告中（商 522 条，2 款）。

公司发行数种股份时，也需要将会接受不利益的种类股东大会的决议（商 436 条）。还有，合并后，存续公司或新股公司是股份公司，合并当事公司的一方或者双方为无限公司或者两合公司时，以全体社员的同意制定合并契约书（商525条）。

（四）股份收买请求

反对合并的股东可以请求公司收买股份（商522条，之3、1款）。

（五）债权人保护程序（商527条，之5）

参见第二章第七节五。

（六）股份的并合和股票的提交

吸收合并时，虽然向消灭公司的股东分派存续公司的股份，但是并非必须对一旧股分派一新股，而是根据合并比率分派，因此有时股份数会减少。在此情形下，作为分派股份的准备程序，准用资本减少时的股份并合的程序（商530条，3款→440条～444条）。

（七）股东大会的召开

1.报告大会。吸收合并时，存续公司的董事应于债权人保护程序终了后；如需要股份并合时，应于其效力发生后；如有不适于并合的股份时，应于依商法第443条处理端股后，不得迟延地召开股东大会（报告大会），报告有关合并的事项（商526条，1款）。关于该报告，多数说认为不需要承认决议。

成为新股认购人的消灭公司的股东，虽然还不是存续公司的股东，但在该大会中享有与股东相同的权利（商526条，2款）。

以董事会的公告可以代替报告大会（商526条，3款）。

2.创立大会。新设合并时，设立委员（商175条）履行与吸收合并一样的程序后，不得迟延地召集创立大会（商527条，1款）。创立大会中应听取设立委员的报告，应选任董事、监事（商527条，3款→311条，312条）。即使在召集通知书上没有有关记载，在创立大会上也可以变更章程（商527条，3款→316条，2款）。但是不能进行违反合并契约宗旨的决议（商527条，2款）。例如，像设立废止等决议违反合并契约的宗旨，因此不能进行。

关于创立大会，准用关于股份公司设立时的创立大会的规定。

关于召集通知（商 361 条，1、2 款）、召集地（商 364 条）、表决权的代理行使（商 368 条，3 款）、特别利害关系人的表决权限制（商 368 条，4 款）、表决权的数（商 369 条，1 款）、延期和续行（商 372 条）、议事录（商 373 条）、关于决议瑕疵的诉（商 376 条→381 条）、章程变更的种类股东大会（商 435 条）等，准用于公司设立时的创立大会的股东大会的有关规定再次被准用于合并时的创立大会（商 527 条，3 款、308 条，2 款）；关于决议方法、设立委员的报告事项、董事和监事的选任准用有关公司设立时创立大会的规定（商 527 条，3 款→309 条，311 条，312 条）。

1998 年修正商法规定，创立大会也与前述的报告大会一样，可以以董事会的公告来代替（商 527 条，4 款）。但笔者认为，在创立大会上应选任董事和监事，因此不能省略创立大会。只是如果合并契约中预先选任董事和监事，就可以省略创立大会。

（八）法院的批准

有限公司与股份公司合并时，如存续或者新设公司是股份公司，未经法院的批准，合并就没有效力（商 600 条，1 款）。因为有可能产生利用合并规避关于股份公司增资的各种规定。

（九）登记

合并依登记产生效力（商 530 条，2 款→234 条）。存续公司应进行变更登记，消灭公司应进行解散登记，新设公司应进行设立登记（商 528 条，1 款）。存续或者新设公司承继可转换公司债或者附新股认购权公司债时，合并登记的同时，应进行公司债的登记（商 528 条，2 款）。

（十）董事、监事的任期

吸收合并时，合并前就任的存续公司的董事或监事除了合并契约中另有规定以外，于合并后最初决算期的定期股东大会终了时退任（商 527 条，之 4、1 款）。

这是指存续公司的董事或者监事的任期于最初的定期股东大会日之前终了时，应延长至最初的股东大会终了时，并不是指到了定期股东大会日，任期未满的董事、监事退任。其目的是为了解除为选任任期届满的董事、监事的继任者而要召开临时股东大会的不便。本来，像这样为了将董事或监事的任期延长至定期股东大会日，须有章程上的规定（商383条，3款），但合并时，即使无章程规定，也可以延长任期。

商法第527条，之4、2款规定：新设合并时，合并前就任的合并公司的董事及监事与吸收合并时一样，其任期延长至合并后最初的股东大会终了时。但是，新设合并时，因合并当事公司消灭，因此不可能有消灭公司的董事、监事任期延长的事情。这是立法的错误。

（十一）事后公示

合并后，存续公司或者新设公司自合并之日起6个月间将记载债权人保护程序的经过、合并之日、因合并以消灭公司承继的财产和债务额以及其他关于合并的事项的文件备置于总公司（商527条，之6、1款）。

二、特殊程序（简易合并和小规模合并）

如前所述，合并须有股东大会的承认决议，这是为保护股东的最重要的程序。但对于公司来讲，为承认合并决议而召开股东大会是从时间上、业务上都是有负担的事情。于是，商法设有无须有股东大会承认决议，只依董事会决议就可合并的两种例外。

（一）简易合并

1. 适用范围。是1995年商法修改中新设的制度，在吸收合并时，在消灭公司中可以省略合并承认决议。商法规定：（1）消灭公司的全体股东同意时，或者（2）存续公司所有消灭公司发行股份总数90％以上时，在消灭公司中可以以董事会的决议代替股东大会的承认决议（商527条，之2、1款）。关于（2），1995年修改时要求存续公司所有消灭公司的全部发行股份，但1998年修改法中缓解为所有90％以上。

这是引进了美国法中一般承认的 short formmerger 制度，上述

（1）可以成为吸引合并非上市封闭公司时简化合并程序的方法，上述（2）则可以在已预定合并的情形下，存续公司可以事先通过取得消灭公司的股份来充分利用。

简易合并程序只适用于吸收合并时的消灭公司，新设合并时不能进行简易合并，即使是吸收合并，也不能适用于存续公司中。

2. 股份收买请求。消灭公司的全体股东同意时，由于没有反对股东就不产生股份收买请求的问题（商527条，之2、2款、但书）。但是以存续公司所有消灭公司的股份（90%以上）为事由进行简易合并时，由于有可能存在反对股东，所以反对股东的股份收买请求就不能省略（商522条，之3、2款）。因此，消灭股东自制作合并契约书之日起2周之内，应公告或向股东通知不经股东大会承认而合并之意（同条，同款）。虽无明文规定，存续公司所有消灭公司的全部发行股份时当然不需要这种程序。股东自此公告或通知之日起2周以内，可以向公司通知反对合并的意思，发出反对通知的股东自上述2周经过之日起20天内，以记载其股份种类和数量的书面请求公司收买自己所有的股份（商522条，之3、2款）。

虽然商法没有明文规定，公司通知或公告不经股东大会承认而合并时，应以该日为基准日事先进行基准日公告或封闭股东名册。因为有可能存在不知合并事实而取得股份者。

（二）小规模合并

1. 意义。之所以合并时要求股东大会的决议，是因为合并对股东来说是出资当时没有预想到的结构性的变动，有必要向承担这种风险的出资者提供直接作出意思决定的机会。但是，大规模公司吸收合并极其小规模的公司时，从大规模公司的立场上看，其取得的资产只不过是很小的规模而已，要经过股东大会决议和股份收买程序是不经济的。1998年修正商法正是基于这种判断，效仿1997年日本的修正商法中新设的简易合并制度（日商413条，之3），规定吸收合并小规模公司时，可以省略股东大会的承认决议，以董事会的决议代替（商527条，之3）。在小规模合并中，不承认反对股东的股份收买请求（商 527 条，之 3、5 款）。对于公司来讲，比起省略股东大会，不允许反对股东的股份收买请求，更具有经济性。

笔者认为，由于以合并为契机消灭公司的全部义务由存续公司承继，存续公司不能仅凭消灭公司的规模来判断事案的轻重。尤其是，受让其他公司的营业时，商法规定不管其受让规模如何均要经股东大会的特别决议（商 374 条，1 款、3 号），而进行比起营业受让更重要的合并时，却可以以董事会的决议进行，这是一项有些有失衡平的立法。

2. 要件。是在"吸收合并"时，只对"存续公司"予以认定的特例。只有在存续公司向消灭公司的股东发行的新股不超过存续公司发行股份总数的 5% 时，才适用本条，（商 527 条，之 3、1 款）。向消灭公司的股东发行新股时，一般是将从消灭公司接收的纯财产的价值按存续公司股份的价值来评估后发行。因此，"存续公司向消灭公司的股东发行的新股不得超过存续公司发行股份总数的 5%"是指，吸收合并纯财产不超过存续公司的 1/20 的公司时才可以省略正常的合并程序，如上所述，这并不是合理的立法。

3. 程序。合并契约书上应记载不经股东大会承认之意（商 527 条，之 3、2 款）。还有，作为对股东的公示程序，存续公司自制定合并契约书之日起 2 周内，公告或向股东通知"消灭公司的商号、总公司所在地、拟合并日期、不经股东大会承认决议进行合并之意"（商 527 条，之 3、3 款）。但应该注意的是，由于不经股东大会，股东得不到关于合并的具体事实的信息，在这种状态下，隐瞒一切合并条件，只将消灭公司的商号或总公司所在地告诉股东，不具有公示的意义。这是非常安逸的立法态度。

4. 小规模合并的限制。商法作为不适用小规模合并程序的例外，规定两种情形。

1）向消灭公司的股东支付交付金时，如交付金超过存续公司纯财产额的 2%，那么即使满足上述的发行股份的要件，也不能省略股东大会（商 527 条，之 3、1 款、但书）。

2) 所有存续公司发行股份总数的 20% 以上股份的股东，自上述的对股东通知或公告之日起 2 周内，书面通知公司反对合并之意思时，不能省略股东大会决议（商 527 条，之 3、4 款）。

　　成为可以阻止小规模合并的反对股东的标准的发行股份总数的 20% 以上这一数据，并不是基于逻辑上的根据，而是为方便而定的数值。如果一定要找出其根据，可以这样说明：如果发行股份总数的 20% 以上的股东反对，有可能在股东大会上合并案被否决，因此应经股东大会承认决议。[1] 笔者认为，如果要做到更加合理，由于小规模合并的要件是存续公司向消灭公司的股东发行 5% 以下的新股，与此相联系，就应规定为持有发行股份总数 5% 以上的股东反对时。

　　5. 股份收买请求的问题。小规模合并时不承认反对股东的股份收买请求权（商 527 条，之 3、5 款）。如上所述，这是利用小规模合并的最大的实际意义所在。但是，从保护股东的观点上，即使小规模合并也没有理由不予以认定股份收买请求。在简易合并中，即使是存续公司持有消灭公司的 99% 的股份，也对持有 1% 股份的股东认定股份收买请求权；在营业受让时，不管其受让资产比重是多少，都认定股份收买请求，却对小规模合并不予以认定股份收买请求权是有些失去衡平的立法。作为参考，日本商法小规模合并时也认定反对股东的股份收买请求权。

　　三、合并的无效

　　合并的无效，限于股东、董事、监事、清算人、破产管理人或者不承认合并的债权人，只能以诉讼主张（商 529 条，1 款）。合并违反公平交易法时，公平交易委员会可以提起合并无效之诉（同法 16 条，2 款）。诉的提起应于合并登记之日起 6 个月内进行（商 529 条，2 款）（关于无效原因、诉讼程序、判决的效力等参见通则

----

[1] 日本商法规定，如果发行股份总数的 1/6 以上股东反对，就可以省略承认决议（日商 413 条，之 3、8 款）。很多日本学者对该数值这样说明。

部分）。

四、合并的不公正和股东的保护

（一）合并不公正的概念和类型

通常，合并的不公正是指合并的条件或程序在当事公司之间或者当事公司的股东之间不公平地履行。关于合并比率，合并不公正的问题最为突出。合并比率是指吸收合并时，存续公司向消灭公司的股东发行新股时，作为其分配标准的消灭公司的股份和存续公司股份的交换比率（新设合并时，意指新设公司的股份和消灭公司股份间的交换比率）。合并比率对存续公司和消灭公司来说，实质上意味着合并的代价，可以说是合并的最重要的要素。因此，合并的不公正大体上源于合并比率的不公正。

决定合并比率时，先对当事公司的资产、收益能力等进行评估，据此再评估每股的价格，以此为基础决定合并比率。为此，双方公司制作合并资产负债表，据此算定股份的价格。于是，根据被算定的股份价值的比率决定交换比率，通常以消灭公司的每股可交换的存续公司的股份数表现。

但是，在韩国，大部分合并将合并比率定为1:1。合并比率为1:1是指双方公司的每股价值完全均等，这是现实中不可能存在的。当然也有为调整未满1的端数，通过支付交付金而将合并比率作为1:1的例子，但大部分是不支付交付金而选择1:1的合并比率。这说明相当多数的合并当事公司不符实际地评估股份价值，结果当事公司中的某一方公司的股东正在受害。。

因合并比率的不公正而产生的问题，在上市公司和非上市公司合并时更为突出，上市、非上市公司间的合并大体上是受同一大股东支配的系列公司之间的合并，几乎无例外地将非上市公司作为消灭公司，规定对非上市公司的股东有利的合并比率。其理由为：由于大股东持有较少的上市公司股份，较多的非上市公司股份，如合并比率对非上市公司有利，那么其作为上市公司的大股东所受的损失比作为非上市公司的大股东所得的利益少得多。但是，因此而上市公司的小股东会受相当于大股东利益的损失，因此因不公正的合并而得的大股东的利益实际上就等于剥夺了小股东们的财产。

(二) 合并时的股东保护制度

合并对股东来说是有重大利害关系的问题，商法从多方面准备保护股东的方案，这归根到底是为了确保合并的公正性。由于大部分问题已说明过，在此只介绍其概要。

1. 决议要件。将合并的承认决议要件定为特别决议，是为了减弱大股东的影响力，保护小股东的利益。但是，小股东们的出席率明显趋于下降。这还不能成为防止不公正合并的决定性的装置。

2. 公示制度。关于合并的主要情报的公示，在股东的保护中是非常重要的关键问题。商法规定：召集为合并承认的股东大会时，应通知或公告关于合并契约的摘要（商522条，2款），应备置并公示合并资产负债表（商522条，之2）。关于上市法人的合并，在证券法规中设有更加有效、迅速的公示制度。如签订合并契约，应向金融监督委员会申报（"关于上市法人的合并申报的规程"第3条），董事会如作出合并决议，该公司依证券交易所的股市实况广播直接被公示（证交186条，1款、7号，证券交易所"关于上市法人的直接公示等的规程"第4条，6号）等。

3. 合并案检查制度。为了确保合并的公正性，最重要的是合并比率的公正。为此，应选任保持中立的检查人，检查合并比率公正与否。不少国家有这种立法例。[1]但韩国没有此种制度，被指责为立法的不完备。

4. 上市公司与非上市公司间的合并限制。上市法人和非上市法人的合并中，股东大会的承认决议自非上市法人以有价证券发行人来在金融监督委员会注册时起经过2个月后才可以发生效力（证交190条）。这是为了使上市法人的股东在合并决议以前熟知非上

---

[1] EC公司法第3指令第10条规定会员国应法院或行政机关选任检查人或者承认选任。

市法人的企业内容。还有，为防止上市法人因与亏损企业合并而产生的损失（上市法人股东的损失），证券交易法规定：上市法人与其他公司合并时，将合并条件等所定的有关合并的事项向金融监督委员会和证券交易所申报，关于该内容的不真实，规定申报人的损害赔偿责任（证交 190 条，之 2）。

5．股份收买请求制度。

参见第四节第 3 款八。

（三）合并比率的不公正和合并无效

虽然为确保合并的公正性，设有上述的多种制度，但是保障合并的公正性，最终还是要靠司法性救济。作为合并的司法性争讼方法，设有既述的合并无效之诉。

有学说认为，合并比率是属于意思自治的问题，不能成为合并无效的原因。如上所述，合并比率对股东来说，从经济意义上决定合并的代价，因此是合并的最重要的要素。但是，股东大会中的意思决定是多数决原则下的团体法性行为，为阻止不公正的合并，尚不充分的。因此，合并比率的决定，并不是纯粹适用意思自治论的问题。合并包含人的结合关系，以维持当事公司企业内容的继续性为其本质。那么，股东的持有股份的价值，在合并前后也应无变动，这是很自然的。基于这一点，合并比率的公正（即股东的持有股份价值的同一性）形成合并的本质，其不公正是违反合并的本质，当然成为合并的无效原因。

第三款　公司分立[1]

一、公司分立的意义

公司分立，是指将一个公司的营业分成两个以上，并以被分离的营业财产为资本新设公司或者与其他公司合并的组织法性行为。

---

[1] 韩国商法中将"公司分立"叫做"公司分割"——译者。

从而原公司（分立公司），或者消灭，或者以被缩小的状态存续，它的股东取得承继分立公司的权利与义务的公司的股份。

公司分立方法有两种：一种是分立公司解散，并以此基础出现两个以上公司的方法；另一种是分立公司依然存续，而由新设公司承继其部分权利义务的方法（单纯分立）。另外，被分立的部分可以被吸收合并至已有的其他公司，或者与已有的公司进行新设合并，这就是分立合并。

公司分立制度，是一项于1966年法国第一次在公司法中采纳，后来由其他法国法系的国家继受下来的制度。因此，包括韩国商法在内，对德国法系国家以及英美法系国家来说，是一项陌生的制度。但是，自欧洲共同体（EC）于1982年制定第六次指令，劝告其会员国将公司分立制度立法化以来，大多数EU会员国已采纳了公司分立制度；在德国，最近制定特别法（事业再编法：Umwand-lungsgesetz1995：UmwG），新设了公司分立制度。在韩国，随着上述立法的趋势，并考虑其实际必要性，在1998年修改商法中新设了公司分立制度。

二、公司分立的经济效果

公司分立制度，有如下几方面的效果。

1. 经营数个事业，或者多层次并其功能错综复杂的大企业，可以以分离其一部分来，企图经营的专门化、效率化。

2. 可以从母企业分离出风险大的事业部门来限定风险负担的范围。

3. 有时是因为其事业规模或者内容与禁止垄断法相抵触，可以被行政命令分立；有时是为了事先预防与禁止垄断法相抵触，公司可以自觉地进行分立。

4. 能使被制定法受规制的事业部门，分离后变为不受规制的事业部门。

5. 当某一公司的股东之间的矛盾非常尖锐时，它成为消极地解决的手段。

6. 成为可以在保持其法人格的状态下转移其营业之一部分的手段。

7. 可以成为在同一公司中，区别对待现有员工工资及人事管理的方法。

近来，随着企业环境的急剧变化，在企业组织问题上，尤为强调与之相适应的组织改编的重要性。企业的合并与分立，是企业改组的代表性方法。在韩国，最近能见到不少大企业为了整顿其事业组织，并使企业经营具有伸缩性，进行分立企业的很多例子。但是，因为过去没有企业分立制度，所以只能依靠设立子公司、转让营业的方式来享受企业分立的效果。然而，这种迂回的方式，自然要支出过多费用，因此，在实务中，从几年前开始要求企业分立的制度化。根据这些要求，为使企业能够直接享受企业分立的好处，1998 年进行商法修改时，新设了公司分立制度。

三、分立的方法

1998 年修改商法时，在其规定的体系上，将因公司分立的组织改编方法，分为如下三大类：

1) 单纯分立：商法第 530 条，之 2、1 款规定："公司，可以因分立设立一个或者数个公司"。也就是说，将公司的营业分立成数个，并将该被分立的营业中的一个或者数个分别出资新设公司。（以下简称"单纯分立"）。

2) 分立合并：商法第 530 条，之 2、2 款规定："公司，可以因分立而与一个或者数个正在存立的公司进行合并（以下简称"分立合并"）。也就是说，先将公司的营业分立成数个，然后将分立的部分营业被吸收合并至正在存立的其他公司，或者以分立的一部分与其他正在存立的公司共同设立公司。按法条中的用语，称之为"分立合并"。

3) 新设及分立合并：并用上述两种方法，可以以分立的一部分营业新设公司，以另一部分与其他正在存立的公司进行合并。正如商法第 530 条，之 2、3 款所规定："公司，可以因分立而设立一个或者数个公司，与此同时，也可以进行分立合并。

下面，要作详细说明。

（一）单纯分立

在采纳单纯分立的方法时，根据分立公司的命运将如何来再细分。即分为分立公司消灭的情形（消灭分立）及不消灭的情形（存续分立）。

1.消灭分立：是将分立公司的营业分立出来，并以此为出资新设两个以上的公司，同时解散分立公司的方法。即甲公司将其营业分为两部分，并分别出资新设 A 公司及 B 公司，而甲公司即行消灭。例如，有一家叫三星电子的公司，经营家电产品的产销与半导体的产销，分别使家电产品的产销部门与半导体的产销部分独立，并设立两个公司（图表：消灭分立①）。在消灭分立的情形下，必须新设两个以上公司。若分立公司只新设一个公司，同时将其全部财产出资以后即行消灭，则无须利用公司分立制度。

〈图表：消灭分立①〉

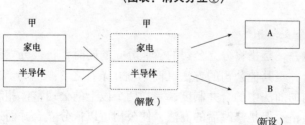

因消灭分立而被新设的公司的资本，可以只由消灭公司出资的财产构成，也可以由同时接收第三者出资的财产来构成（图表：消灭分立②）因其方式不同，如下所述，新设公司的设立程序也不同。

2.存续分立：是指将分立公司的营业中的一部分出资至新设公司，而分立公司以剩余的营业继续存在的方法。例如，甲公司以其营业的一部分新设 A 公司，同时其本人继续存在的方式（图表：存续分立）。如同上述，三星电子将家电部门分离出来，让新的公司来经营，而其本身只经营半导体部门。商法第 530 条，之 2、1 款规定的"公司，可以因分立而设立一个或者数个公司"中的"可以设立一个公司"是指存续分立，但是，在存续分立时，也可以有两个以上新设公司。例如，以半导体、家电产品，移动通信为业的公司，其本身只经营半导体，让两个新设公司分别经营家电产品及移动通信业。

〈图表：消灭分立②〉

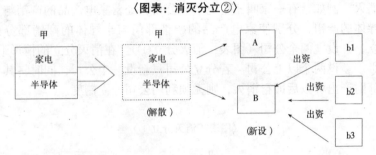

（二）分立合并

分立合并，是指将分立公司的营业分立的同时，将被分立的一部分营业合并至其他公司的方法（商第 530 条，之 2、2 款）。1998 年修改以前的商法中的合并制度，是指两个以上的公司整体相结合成的单一人格，但是修改后的商法，使公司可以依分立合并而进行部分合并。

1. 消灭分立合并·存续分立合并。分立合并中也有分立公司消灭的情形及存续的情形。

1）消灭分立合并：是指分立公司将其营业出资至两个以上公司的同时，消灭自己的方式。其他公司须发行新股（第 416 条）。例如，经营半导体及家电产品的某甲公司，将其家电产品部门出资至 A 公司，将半导体部门出资至 B 公司，而自己即行消灭（图表：

消灭分立合并）正如在新设分立中所述，将其全部财产出资至其他某一公司，而自己即行消灭的，不是分立，而是吸收合并。

（图表：存续分立）

（图表：消灭分立合并）

（图表：存续分立合并）

(图表：新设分立合并①)

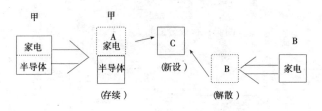

(图表：新设分立合并②)

单纯分立及分立合并

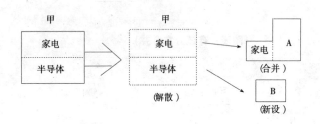

2）存续分立合并：是指分立公司将其营业的一部分出资至其他公司，而自己持剩余营业存续的方式。例如，经营半导体业及家电电业的甲公司，将家电产品部门分离并出资至 A 公司，而自己只经营半导体部门（图表：存续分立合并）在存续分立合并的情形下，当然也可以向两个以上公司出资。

商法中，虽未直接规定可以进行存续分立合并，但是，商法第530条，之2、2款中的"公司，因分立……可以与一个……公司合并"意味着可以进行存续分立合并；第530条，之9、2款后段中的"在此情形下，若被分立的公司……存续时"的表现，明文意味着可以进行存续分立。

2．吸收分立合并·新设分立合并。

1）吸收分立合并：是指将分立公司的营业的一部分出资至已存在的其他公司，使其成为该其他公司的一部分的方法来分立自己事业的方式。商法第530条，之6、1款中的"分立公司的一部分与其他公司，或者与其他公司的一部分进行分立合并，使该其他公司存续的情形下……"的表现，意味着吸收分立合并。

2）新设分立合并：是指将分立公司的营业的一部分和其他已有的公司的营业的全部或者一部分相结合，设立新公司的方法。第530条，之6、2款中规定的"分立的公司的一部分，与其他公司或者其他公司的一部分进行分立合并而设立公司时……"，意味着要进行新设分立合并之情形。

例如，甲公司经营半导体和家电产品，它先分离家电产品部门（简称A），然后将A与已有的其他B公司结合，以新设合并的方式设立C公司。这里，可以考虑将B公司的全部与A相结合设立C公司（图表：新设分立合并①）的新设合并；也可以考虑仅仅与B公司的一部分相结合设立C公司（图表：新设分立合并②）的新设合并。例如，若B是专门经营家电产品的公司，甲分离家电产品部门，与B相结合即可；若不同意被吸收给B，则可将A与B的全部相结合进行新设合并即可。另外，若B是一个经营通信事业与家电产品事业的公司，可以从甲公司分离出家电产品部门（A），又从B公司分离出家电产品部门，然后将两者相结合进行新设合并。

若在上例中，将A与B的全部相结合进行新设合并，那么，只有对甲公司来说是公司的分立；而若只将A与B的家电产品部门相结合进行新设合并，则对甲与 B 来说，均是公司分立。

3）分立合并方法的组合。将上述消灭分立合并、存续分立合并两种方式及吸收分立合并、新设分立合并两种方式，可以组合成如下四种，即消灭吸收分立合并，消灭新设分立合并，存续吸收分立合并，存续新设分立合并。

（三）单纯分立与分立合并的并行

是一种将单纯分立与分立合并同时进行的方式。例如，甲公司经营半导体事业及家电事业，它将其家电部门与 A 这一已有的公司相结合，而将其半导体部门，在新设 B 公司的同时进行出资（图表：单纯分立及分立合并）若甲将其全部财产分离，进行新设或者分立合并，而甲本身即行消灭；也可以留一部分财产来不消灭。

（四）物之分立

公司分立，是一项分立公司的营业的同时，将因分立而新设的公司或者合并对方公司的新股归于股东的制度。根据分立计划，也可以将分立公司的股东，按比例平均分立至新设的数个公司。

但是，商法允许将新设公司或者合并对方公司的股份，不归于分立公司的股东，而让分立公司继续所有。商法上称之为物之分立，并在第 530 条，之 12 中作出规定。物之分立的结果，分立公司的原股东们不所有新设公司或者合并对方公司的股份，而分立公司通过所有新设公司或者合并公司的股份，享受与过去相同的持份价值。

（五）解散公司的分立限制

解散后的公司，只有在以存立的公司为存续公司进行合并，或者新设公司的情形下，才可分立（商第 530 条，之 2、4 款）。即解散的公司，不得以其存续的方式进行分立，也不得进行新设分立合并。也就是说，在前面介绍的几种方式中，只能进行消灭分立及吸收分立合并。这一规定的宗旨是要限制解散公司存续的分立，因为解散的公司已经预定了消灭，但是，为何要限制其新设分立合并？

此规定，并非适用于所有解散公司。因解散事由中的合并、破产、解散命令、解散判决而解散时，须按各自的有关程序进行解散。因此无须进行分立。从而，解散的公司只有在其存立期间已届满及其他章程中所定事由而解散的情形（商第 517 条，1 号、第 227 条，1 号）及因股东大会决议而解散的情形下，方可分立。在此两种情形下，可以以股东大会的特别决议继续运营公司（商第 519 条）。既然可以继续运营公司，那么，无须限制分立公司的存续分立。因为依股东大会的特别决议可以分立，即使是主张限制，但是若解散的公司在进行继续运营公司的决议的同时决议分立，那么，也可以回避此限制。于是，应将商法第 530 条，之 2、3 款解释为，若不同时决议继续公司，则不得进行存续分立。

四、分立的性质

（一）在分立公司中的分立的性质

公司分立与合并是相反的现象。若根据有关合并的本质论——人格合一论来推理，则可将公司分立的性质定义为是人格的分立，但是，这并非是正确的定义。在合并的情形下，因两个法人格是概括地合一，所以过去各个公司的全部对外性法律关系，均由合并后的公司承继；而在分立的情形下，不得以人格的分立来说明分立之前的公司的法律关系如何分立，并归于分立后的公司这一事实。从而，应说明为，公司的分立是分离公司的营业，并将其主体——法人格相区别的同时，与营业相对应分离公司的股份所有关系的公司法上的法律事实，这种说明将符合法律现象。

（二）在分立合并对方公司中的分立的性质

进行分立合并时，从分立公司的角度上看，是公司分立，但是，在分立公司与对方公司之间的关系上，不能用分立这一用语来说明。在分立公司与对方公司之间，或者是以营业的一部分来出资（吸收分立合并），或者分立公司以其部分营业、对方以其全部人格来参与新设公司（新设分立合并）。那么，将此现象，应看待何种性质的法律事实呢？商法侧重于公司的分立来作出规定，因此，对此未作出明确的回答。商法使用分立"合并"这一用语，并实际上，在双方的关系上，也产生与吸收合并或者新设合并相同的效果。与一般的合并不同的是，合并的对象并非是分立公司的全部，而只是其一部分这一点。由此看来，应适用有关合并的规定，但是，在有关合并的规定中，商法只"准用"股份买入请求权（商522条，之3）、债权人保护程序（商527条，之5）、向股东大会报告（商526条）、创立大会（商527条）、合并登记（商528条）、合并无效（商529条）的规定。这些规定，间接地阐明了分立合并不是合并的概念。从而，我们应将分立合并理解为独立于合并的、团体法的法律事实，但是如下所述，关于分立合并，除了准用商法所准用的规定之外，在其解释上，也应准用有关合并的规定。

五、分立的对象

（一）财产分立的意义

在分立的规定上，商法第530条，之3、1款等只用了"分立"公司这一表现，但未明确了应分立"什么"的问题。修改法的意见征求稿中使用了公司因分立"出资其财产"这一表现，以此明确了分立的对象为公司的"财产"，但是，在公布的修改法中未使用财产这一用语，只是以分立来表现。由此可推测，"财产"这一用语的确是有不妥之处。但是，商法第530条，之5、1款、7号规定：在分立计划书上，应记载转移至被设立的公司的"财产"及其价值（商530条，之6、1款、6号亦同）；商法第530条，之9、2、3款规定：以新设公司或者合并的对方公司被出资的"财产"为限，承担责任，从这些规定上看，未能完全消除分立的对象为公司的"财产"的念头。

公司分立是一种分离公司的营利机能并使其运行的手段，因此，不能单纯地将公司的特定财产出资给其他公司的行为，称为是公司的分立。

法国公司法表现为，因公司分立，可以转移 Partimoine（同法第371条，2款）。Partimoine 是在法国民法中使用的概念，是指特定人的包括全部积极、消极财产的总体资产。这相当于韩国商法中的为公司的营业目的而起到组织化、有机化的整体功能的财产的全部或者一部分，即商法第 41 条所规定的营业（财产）的概念。在解释韩国的分立制度时，也应将作为分立对象而转移的财产理解为是营业，而不是每一个财产。

（二）存续分立、营业的现物出资、物之分立

从转移营业的角度上看，公司分立与因营业转让而进行的现物出资很相似。但是，即使转让营业，也不消灭公司；相反，若以消灭分立方式转移营业，公司即行消灭，因此，消灭分立与营业的转让，其功能显然是不同的。然而，在存续分立的情形下，是在公司存续的状态下转移其部分营业，因此依部分营业的转让也可以取得与公司分立相同的分立营业的效果。即经营家电与半导体的甲公司，欲自己经营半导体部门，而要分离家电部门时，可以依公司分立方式，在设立新设公司的同时转移家电部门，或者与其他公司合并，但是，也可以设立子公司并转让家电营业（现物出资），或者将家电营业转让（现物出资）给其他公司的方式。若采取这种转让部分营业的程序，当然不发生因公司分立而产生连带债务，或者向股东归属股份的效果。

另一方面，若进行物之分立，分立公司可直接所有对方公司的股份，因此，更相似于营业的部分转让。但是，在物之分立的情形下，因对方公司对分立公司的债务承担连带责任，所以，其效果仍不同于营业的部分转让时。

总之，若公司欲以其存续为前提分立部分营业时，可以自由选择三种分立功能相同，而其效果不同的存续分立，物之分立，营业转让的方式。

六、分立程序

分立公司，须经分立公司内部的分立意思决定程序，分立合并时，同时也应经对方公司内部的意思决定程序。另一方面，在进行单纯分立或者新设分立合并时，须经新设公司的程序。

（一）分立的意思决定（共同程序）

1．董事会的决议：虽无明文规定，但是，进行公司分立，须经董事会决议，在董事会的决议上，应决定下述的分立计划书或者分立合并合同书的内容。

2．分立公司的股东大会的决议：公司进行分立，应制作分立计划书（新设分立时）或者分立合并合同书（分立合并时），并须经股东大会的特别决议的承认（商530条，之3、1、2款）。为此，召集股东大会时，应在召集通知或者召集公告上记载分立计划或者分立合并合同的要点（商530条，之3、4款）。

新设数个公司；或者与数个公司进行分立合并时，或者将单纯分立与分立合并并行时，应同时制作数份分立计划书或者分立合并合同或者分立计划书与分立合并合同书。那么，在股东大会作出的决议时，是否应同时就全部分立计划书或者分立合并合同书作出决议，还是也可以逐件作出决议呢？若选择后者，也无不利之处，反而可以使意思决定赋予弹性，值得可取的。结果；可以决议通过有些公司的新设，也可以否决有些公司的新设；可以决议通过部分分立合并，也可以否决部分分立合并。

3．表决权：商法规定，在分立承认决议的股东大会上，持有无表决权的优先股的股东（商370条，1款）也享有表决权（商530条，之3、3款）。合并时，无表决权的优先股不得行使表决权，那么，在公司分立时，为什么要认定其无表决权的股份的表决权呢？合并与分立，在其功能及程序上，处于相对的关系不能认为哪一方面对股东们来说是更重要的结构性变化，因此，只对分立认定无表决权之股份的表决权，是一项不符衡平的立法。

4．种类股东大会：分立公司发行数种股份时，因分立而给某一种类股东带来损害时，须经该种类股东大会的决议。

5．加重股东负担时的特别程序：商法第530条，之3、6款规定："因公司的分立或者分立合并而加重与分立有关的各方公司的股东的负担时，除了经第2款（股东大会的承认决议）及第5款的决议（种类股东大会）之外，须经全体股东的同意。"在此，"加重（股东）负担"是指什么呢？笔者认为，"负担"一词，是在翻译法国公司法第 373 条时出现的误译。法国公司法第 373 条规定：在合并或者分立时，若需由股东们进行新的出资（Lesengagement），则须经全体股东的同意。从股东有限责任这一原则来讲，不得强要股东们追加出资。在解释商法第 530 条，之 3、6 款时，应将股东的"负担的加重"，理解成追加出资之意。

（二）单纯分立程序

单纯分立，由分立公司中的公司的分立及以此为根据新设公司的两个程序构成。因此，新设分立的程序，须经公司分立的程序及公司设立的程序。分立程序是指制作分立计划书并经如上所述的股东大会的承认。

1. 分立计划书。

1）分立计划书的内容：进行分立，须经董事会及股东大会决议的分立计划书中，应记载下列事项。

（1）消灭分立的分立计划书（商 530 条，之 5、1 款）：分立公司消灭的同时，新设两个以上公司时，在分立计划书上，应记载下列事项。

①被设立的公司的商号，目的，总公司所在地及公告方法（同条同款 1 号）；

②被设立的公司拟发行的股份的总数及每股金额（同条同款 2 号）；

③被设立的公司在设立之际所发行的股份的总数、种类及每一种股份的数量（同条同款 3 号）。

此三项与公司设立之际须记载于章程的事项相同。因依消灭分立而新设公司，所以，理应规定足以说明新设公司的实体的事项，而作为其规定的方法，应在分立计划书上记载相当于新设公司的章程中应记载的绝对记载事项（商 289 条）。②之"被设立的公司拟发行的股份的总数"是指新设公司的发行预定股份总数（商 289

条，2 款、3 号）。③之"被设立的公司，在分立之际所发行的股份总数"是指构成新设公司的设立资本的股份数（商 289 条，2 款、5 号）。

④有关设立公司对被分立公司的股东的分派股份的事项及因分派而并合股份或者分立股份时，有关事项（同条同款 4 号）。因分立而设立新设公司时，应向分立公司的股东发行该新设公司的股份。因此，应决定按什么标准向分立公司的股东分派新设公司的股份。一般是"对分立公司的普通股—股分派给新设公司的子股"这种形式来规定的。本四号之法文规定的应记载"因分派而并合股份或者分立股份时，有关事项"，是指为了便于分派，在分立之前并合或者分立股份之意，并非是指并合或者分立新设公司的股份之意。

⑤已定应向分立公司的股东支付的金额时，其规定（同条同款 5 号）。向分立公司的股东交付新设公司的股份时，对股东所有的部分股份，代替新设公司的股份，可以以金钱支付，这类似于合并交付金（以下简称"分立交付金"）。定有要支付分立支付金时，应将此事项也规定为分立计划的一项内容，可以参考法国公司法中的规定，它规定交付金的金额不得超过股东取得的新设公司的股份的票面价额的总额的 10%（同法 371 条，4 款），但是，韩国法律中无此限制。若交付金的数额过大，股东可以以先于债权人退还出资的手段来利用公司分立，因此，从立法论的角度上，应限制交付金。

⑥有关被设立公司的资本及公积金的事项（同条同款 6 号）。商法，将从分立公司转移至新设公司的财产，可以不将其全部财产转移至新设公司的资本，而将其一部分以新设公司的公积金来储备为前提，在储备公积金时，规定也应将该事项也反映至分立计划书中。此时的公积金与合并差益（商 459 条，1 款、3 号）是相对称的，所以，从其性质上看，是属于资本公积金。关于分立，虽无明文规定，但是应准用商法第 459 条第 2 款的在合并时由存续公司承

继消灭公司的法定公积金的规定。

⑦拟向被设立的公司转移的财产及其价额（同条同款 7 号）。(i) 财产的特定：在合并的情形下，由存续公司或者新设公司整体承继消灭公司的全部财产。但是，在公司分立的情形下，是人为地向新设公司分配分立公司的财产，所以，须定向哪个新设公司转移何种财产。(ii) 营业：如上所述，公司分立的目的在于分离营业，而不在于分离特定财产。公司分立时，应特定拟分立的营业。因此，本号中所称的拟转移的"财产"，是指特定的营业及与进行该营业所必须的财产，并非是指特定财产。

⑧若已定好商法第 530 条，之 9、2 款时，其内容（同条同款 8 号）。对此，将在第 530 条，之 9 的解释部分中细述。

⑨若已定好被设立的公司的董事及监事时，其姓名及居民身份证号（同条同款 9 号）。新设公司的董事及监事，原则上要根据商法所定的公司设立程序来决定（商 296 条，312 条）。但是，以可以依分立计划事先选任为前提，商法中规定：欲事先选任时，应将此反映至分立计划书中。若新设公司只以分立公司的财产来设立，则依分立计划选任董事及监事也无妨；若新设公司经募集程序召集第三人（股东），则依分立计划选任董事及监事，是对股东权的侵害。因此，将此规定应解释为是适用于仅以分立公司的财产来设立新设公司之情形。

⑩其他须记载于被设立公司的章程的事项（同条同款 10 号）。除了上述事项以外，若还有应记载于新设公司的章程的任意事项，也应反映至分立计划书中。

⑪设立方式的记载。商法中虽无明文规定，但是，设立方式也是分立计划书的不可缺少的重要事项。如下所述，新设公司的资本，可以仅以由分立公司承继下来的财产组成，也可以另行募集股东。因此，在分立计划书中，应明记用何种方式设立。

（2）存续分立的分立计划书（商 530 条，之 5、2 款）：分立公司在其存续的状态下，以其营业的一部分新设一个或者数个公司时，在分立计划书上，除了记载上述消灭分立时须记载的事项以外，关于存续的分立公司还应记载下列事项。

①拟减少的资本及公积金的数额（同条同款1号）。

②资本减少方法（同条同款2号）。

营业财产，因分立而转移至新设公司，因此，存续的分立公司将要减少其财产，分立公司欲减少资本时，如同①和②，将有关资本减少的具体事项反映至分立计划书上。

因分立而减少财产，并非必须要减少分立公司的资本。

③因分立而拟转移的财产及其价额（同条同款3号）。

这是一项依第530条，之6、第1款、第7号规定，须以有关新设公司的计划性事项来反映的事项，因此是一项毫无意义的规定。

④分立以后的发行股份的总数（同条同款4号）。

应记载因上述①的资本减少而被减少的股份。

⑤减少公司拟发行的股份总数时，该拟减少的股份的总数、种类及每一种股份的数量（同条同款5号）。

应记载分立公司与其资本减少相持平衡，欲减少发行预定股份总数时的有关事项。但是，1995年修改法中删掉了发行预定股份总数不得超发行股份总数4倍的规定（参照1995年修改之前437条），所以，减少资本时，未必要减少发行预定股份总数。

⑥其他足以引起章程变更的事项（同条同款6号）。

分立，会引起事业目的的变更。例如，在家电产品部门和半导体部门中，将家电部门分离出来设立新设公司，而分立公司欲将其章程上的事业目的限于半导体时，或者追加其他事业时，随这种变动要变更其商号等时，也应将此反映至分立计划书中。

2）分立计划书的效力：分立计划书，经股东大会的承认成为实行分立的规范。因此，一切分立程序均应按照分立计划书所记载的内容进行，若以与分立计划书相违背的内容进行分立，则成为下述的分立的无效原因。

2．公司的设立。

1）设立方式：在单纯分立时，应新设承继营业的公司，因此，须经新设公司的公司设立程序。原则上，因分立而设立公司的程序，也应依一般公司设立程序进行。（商530条，之4、1款）但是，在设立新设公司时，不募集其他股东，而仅以从分立公司分离的财产构成新设公司的资本时，不适用一般公司设立程序（商530条，之4、2款前文）。在商法第530条，之4、2款中，似乎将此表现为例外的情形，但是，在分立的实践中，这反倒是成为一般形态（以下简称"单纯分立设立"）。下面，要说明因分立而设立公司时的几点注意事项。

2）认购股份：按理说，出资与取得股份的关系是对价关系，因此，原则上，应让出资者认购股份，将股份分派给出资者。但是，公司分立时，出现一种例外现象，即出资方是分立公司，而取得股份者为分立公司的股东。

一般来讲，公司设立时，或者发行新股时所进行的股份的认购，视为入社合同。公司分立时，以募集设立方式设立新设公司时，募集股东的股份认购也是入社合同。但是，分立公司的股东们是以分立公司的财产为代价取得股份，这里，不存在合同的因素。只有在分立公司内存在依分立计划及法律规定进行的分派。因此，对分立公司的股东来说，在取得股份上，既无股份认购行为，又无依发起人的意思决定进行的分派行为。只有因分立计划的实行而进行的股份的分派。

3）现物出资的调查：新设公司，是承继分立公司的营业而设立的，因此，必然伴随着现物出资。设立公司时进行的现物出资，须经法院的调查程序（商299条，1款），但是关于公司分立时的此种调查，商法中设了特例，商法中规定：在单纯分立设立时，按每一股东所持的股份数的比例，向该股东发行新设公司的股份时，不经法院的调查程序（商530条，之14、2款）。

对现物出资的调查制度的宗旨，是要阻止发生因高估现物出资而有害于资本充实的现象。那么，分立公司的股东按其所有的股份数的比例来取得新设公司的股份，与是否有必要对现物出资进行调查毫无相关，因此省略调查程序是不妥当的。因有了此制度，可能会产生以公司分立为契机，高估新设公司资本的弊端。

商法虽未言明，但是，调查程序的省略是针对现物出资作出的规定。另外，若有其他变态设立事项，则不得省略调查程序。

4）董事、监事的选任：如上所述，单纯分立设立时，依分立计划选任董事、监事，而依普通设立程序设立时，须在发起人或者创立大会上选任。

5）创立大会：单纯分立设立时，无须召集创立大会。在募集设立时，也可以以董事会的公告来代替创立大会（商530条，之11、1款→527条，4款）。

（三）分立合并程序

分立合并，以分立公司的分立及以此为根据的公司的合并这两个程序组成。但是，为公司分立进行的程序及为公司合并而进行的程序，以分立公司与拟合并对方公司的代表机关之间制作分立合并合同书，并得到上述董事会及股东大会承认来一并进行。

1. 分立合并合同书。分立合并合同书，根据是吸收分立合并或者是新设分立合并而其内容也是不同。

1）吸收分立合并的合同书（商530条，之6、1款）：由其他公司吸收合并分立公司的部分营业时，在分立合并合同书中，须记载下列事项。消灭分立合并与存续分立合并时，亦同。（1）分立合并的对方公司，因分立合并而增加拟发行的股份的总数时，拟增加的股份的总数，种类及每一种股份的数量（同条同款1号）。（2）分立合并的对方公司，因分立合并而发行的新股的总数，种类及每种股份的数量（同条同款2号）。（3）分立合并的对方公司，对被分立公司的股东的有关股份分派的事项及并合或者分立股份时，有关事项（同条同款3号）。（4）已定分立合并的对方公司应向被分立的公司的股东支付的金额时，该规定（同条同款4号）。（5）有关分立合并的对方公司应增加的资本总额及公积金的事项（同条同款5号）。（6）被分立的公司，应转移至分立合并的对方公司的财产及其价额（同条同款6号）。（7）已定第530条，之9、第3款事项时，其内容（同条同款7号）。（8）各公司进行第530条，之3、2款之决议的股东大会的日期（同条同款8号）。（9）分立合并之日（同条同款9号）。（10）已定分立合并的对方公司的董事及监事时，其姓名及居民身份证号（同条同款10号）。（11）引起分立合并的对方公司的章程变更的其他事项（同条同款11号）。

在上述事项中，（1）～（5）与吸收合并时应记载于合并合同书的事项（商523条）相同，（6）、（7）与应记载于单纯分立的分立计划书的事项相同。下面要说明其余事项。（8）各公司进行商法第530条，之3、第2款之决议的股东大会的日期。如下所述，分立合同书不仅要经分立公司股东大会的决议，也要经对方公司股东大会的决议。因此，双方公司应协议何时召集股东大会，并将此记载在合同书上。（9）分立合并日期。如下所述，分立合并自进行登记之日起发生效力，因此，应将记载分立合并之日理解为是须记载财产转移的时期。（10）对方公司的董事及监事。吸收分立合并并非给对方公司带来组织上的变动，这一点与吸收合并相同。但是，我们可以考虑分立公司为了参与对方公司的经营，希望让自司方的人士当上方公司的董事或者监事的情形。在这一方面达成协议时，为了使其受约束，要求将此记载于分立合并合同书中。记载此事项时的效力，将在下面叙述。（11）对方公司变更章程。吸收分立合并，有时使对方公司变更章程。例如，未在章程中记载对方公司承继的营业时，应在章程中追加其事业目的；若欲将所承继的营业反映到商号时，也应变更其商号。

2）新设分立合并的分立合并合同书（商530条，之6、2款）：分立公司的一部分与其他公司或者其他公司的一部分进行合并而新设公司时，在分立合并合同书中应记载下列事项。（1）第530条，之5、1款、1号、2、6、8号至第10号所列事项（商530条，之

6、2 款、1 号）。新设分立合并时须新设公司，因此应记载一些与单纯分立时有关新设公司须记载的事项共同的事项（商 530 条，之 5、1 款、1、2、6、8、9、10 号）。这一点已在前面解释过，在此不再重复。（2）被设立的公司在分立合并时所发行的股份的总数、种类及每种股份的数量（商 530 条，之 6、2 款、2 号）。这是有关在设立之际所发行的股份的事项，与有关单纯分立的第 530 条，之 5、1 款、3 号及吸收分立合并的上述（2）相对称的事项。（3）有关向各公司股东的股份分派的事项，及因分派而并合或者分立股份时的规定（同条同款 3 号）。这是有关向新设分立合并的当事公司的股东们分派新设公司股份的内容的事项，是与有关单纯分立的商法第 530 条，之 5、1 款、4 号，及上述（3）即有关吸收分立合并相对称的事项。（4）各公司，拟向被设立公司转移的财产及其价额（同条同款 4 号）。请参照上述有关吸收分立合并的（6）。（5）定有向各公司股东支付的金额时，该规定（同条同款 5 号）。请参照上述有关吸收分立合并的（4）。（6）各公司的作出第 530 条，之 3、2 款决议的股东大会的日期（同条同款 6 号）。请参照上述有关吸收分立合并的（8）。（7）分立合并的日期（同条同款 7 号）。请参照上述有关吸收分立合并的（9）。

　　3）分立公司的计划书：商法第 530 条，之 6、3 款规定："第 530 条，之 5 的规定，准用于在第 1 款及第 2 款的情形下未进行分立合并的那一部分的记载"。对分立公司来讲，成为合并对象的是营业的一部分，因此，分立公司里还有非合并对象财产。分立公司，可以持这些财产存续，也可以设立新的公司后解散。设立新设公司时，应制作商法第 530 条，之 5、1 款规定的分立计划书；存续时，应制作同条第 2 款规定的分立计划书。另外，分立公司可以将其营业分别被吸收合并至其他公司后解散，在此情形下，无须制作分立计划书，只是按吸收合并的件数制作分立合并合同书即可。

　　4）分立合并合同书的效力：分立合并合同书，经股东大会的承认后成为实行分立及合并的规范。因此，分立及合并的所有程序应按分立合并合同书的规定进行，若以不同于该合同书的内容进行分立合并，则成为下述分立及合并的无效原因。如在有关新设分立的分立计划书中所述。

2．分立合并对方公司的意思决定。在单纯分立的情形下，只依股东大会的决议也可以进行分立程序。那么，对对方公司来讲，又如何呢？从商法第530条，之3、1款的规定上看，似乎只有在分立公司的情形下才需要作出股东大会决议，未对对方公司的程序作出规定。

在分立合并中的新设分立合并的情形下，消灭对方公司的同时新设新的公司，因此，当然也要经过对方公司的股东大会决议。商法中虽无明文规定，但是从其本质上看，与新设合并没有什么不同，因此，应解释为和新设合并一样，也须经股东大会的特别决议。那么，在吸收分立合并的情形下，又如何呢？在吸收分立合并的情形下，有可能解释为：单从对方公司的资本结构的变化来看，与接受现物出资没有什么不同，因此，只经现物出资的程序，即发行新股的程序即可。但是，吸收分立合并的结果，对方公司不仅认购分立公司的财产，也对分立公司的债务承担连带责任，因此，这与一般的吸收合并没有差异。虽然商法中没有明文规定，但是应解释为像吸收合并时那样，须经股东大会的特别决议。商法中未规定有关分立合并的对方公司的程序问题，这是商法规定的一大缺陷，但是，商法第530条，1款、8号的规定：应将"各公司进行商法第530条，之3、2款决议的股东大会的日期"记载于分立合并合同书上。这是以吸收合并分立时也须经对方公司的股东大会的特别决议为前提的。

3．简易合并、小规模合并。

1）准用简易合并程序：商法第527条，之2规定，在吸收合并的情形下，若消灭公司的全体股东同意，或者存续公司所有消灭公司的发行股份的90％以上时，可以以董事会的决议来代替消灭公司股东大会的承认决议（"简易合并"）。如果吸收分立合并的对方公司已所有了分立公司的股份的 90% 以上时，可否准用此规定来省略股东大会呢？在吸收分立合并时，因为其他公司非全部吸收分立公司，也有公司被分立的效果，所以，它不同于一般的吸收合并。但是，与一般的吸收合并相比，吸收分立合并未必给股东带来更大的风险。因此，认为有关简易合并的商法第 527 条，之 2，仍准用于吸收分立合并。

2）小规模合并程序的准用问题：商法第 527 条，之 3 规定，在吸收合并的情形下若存续公司发行的新股总数不超过发行股份总数的 5%，则可以以存续公司的董事会的决议来代替存续公司的股东大会的承认决议（"小规模合并"）。可否将此规定准用于吸收分立合并上？即吸收分立合并的对方公司吸收分立公司的一部分的结果，所发行的新股不超过对方公司发行股份总数的 5% 时，是否可以以董事会的决议代替对方公司的股东大会的决议？

吸收合并时存续公司发行的"少量股份"与吸收分立合并时对方公司发行的"少量股份"的意义是不同的。不论对方公司因吸收分立合并认购多少财产，均对分立公司的债务"总额"承担连带责任，因此，所发行的股份的数量为少量不等于因分立合并带来的风险也是少量的。故，认为商法第 527 条，之 3 不得准用于分立合并上。

4．创立大会。在新设分立合并的情形下，终结债权人保护程序后并合股份时，待发生其效力之后，应毫不迟延地召集创立大会。但是，董事会可以以公告来代替股东大会（商 530 条，之 11、2 款、527 条）。

（四）债权人保护程序

1．单纯分立中的债权人保护：在单纯分立的情形下，分立公司的财产的一部分留在分立公司，另一部分转移至新设公司（存续分立）；分立公司的财产，分为二个以上并全部转移至新设公司（消灭分立）。因此，从表面上看，似乎不存在或者减少分立公司为债权人的责任财产，但是，因为新设公司对分立公司的债权人承担连带责任，所以其责任财产不变，事实上，其责任主体也是不变的。故，可以视为单纯分立时无须进行保护债权人的程序。

但是，在单纯分立时，并非始终无须进行债权人保护程序。在下面两种情况下，应考虑债权人保护问题。进行单纯分立时，新设公司的责任被限制时（商530条，之9、2款），其责任主体有变化，因此须保护债权人；向分立公司的股东支付交付金时（商530条，之5、1款、5号），因减少为了公司债权人的担保财产，所以须保护债权人。限制新设公司责任时，商法规定准用合并时的债权人保护程序（商530条，之9、4款），但是，未对其他的单纯分立时的债权人保护作出规定，即未考虑到支付交付金的情形。然而，不能放任债权人明明白白地遭到不利益。以单纯分立为契机支付交付金的情形，视为是准资本减少，因此应准用商法第439条，之债权人保护程序。

2. 分立合并中的债权人保护：分立合并时，分立合并的双方当事公司债权人共有责任财产，因此对债权人来讲，其担保财产及责任主体发生了重大的变化。例如，财务状况非常良好的甲公司的财产的一部分与财务状况不良的乙公司进行新设分立合并时，对乙公司的债权人来讲，其担保财产更坚实；相反，对甲公司的债权人来讲，其担保财产变为不坚实。若甲、乙公司的财务状况相反，则甲，乙的债权人也持相反的利害关系。吸收分立合并时，亦同。因此分立合并时，须保护双方当事公司的债务人。故，商法将有关合并的债权人保护程序（商527条，之5）准用于分立合并（商530条，之11、1款）。

将依第530条，之11、1款被准用的商法第527条，之5，有可能解释为只准用于分立公司，但是，如上所述，因不能忽视分立合并的对方公司的债权人保护问题，因此，应将此规定视为适用于两个公司。

（五）股份收买请求权

单纯分立时，只是机械地根据其功能来划分原有的公司财产及营业，而股东的权利仍及于新设公司，因此，不能给股东的权利带来结构性的变化。但是，分立合并时，在股东的立场看，因公司的财产及营业与其他公司并合，因此，给股东带来与合并同质的结构性变化。故，与合并相同，应认定反对分立合并的股东的股份收买请求权。商法虽不认定单纯分立时的反对股东的股份收买请求，但是认定分立合并时的反对股东的股份收买请求权（商530条，之11、2款→522条，之3）。反对程序及收买程序，如在合并中所述。

（六）*物之分立程序*

物之分立，是指将新设公司或者分立合并的对方公司因分立而所有的股份，不归于分立公司的股东，而仍由分立公司所有的方式。所谓的物之分立，并非指上述分立方式以外的特殊的分立方式。分立本身应在上述单纯分立或者分立合并中选择一种，只是将因分立而取得的股份以由分立公司所有的方式处理而已。商法第530条，之12规定，将有关分立的第十一节的规定准用于物之分立。

1. 物之分立的许可范围：在单纯分立中的消灭分立之情形下，因分立公司本身要解散，因此，不存在分立公司所有股份一事。因此，应将物之分立之许可范围限于存续分立之情形。又规定，商法第530条，之12准用于取得因分立或分立合并被"设立"的公司的股份总数时。若照文意解释此规定，则应视为在吸收合并分立时，由于不存在被设立的公司，因此不得许可物之分立。但是，在吸收分立合并时，没有特别要排除物之分立的理由。这是一项立法中的失误，应解释为吸收分立合并时，也应许可物之分立。请参考一下，德国事业再编法中已明文认定吸收分立合并时的物之分立。

2. 程序：须照上述物之物分立之基础的分立方式即单纯分立或者分立合并之程序进行。也就是说，须进行制作分立计划书或者分立合同书，分立公司或者对方公司的意思决定等各项程序。但是，在分立计划书或者分立合同书上，须记载以分立公司取得股份代替向分立公司的股东分派股份之意。

七、分立的登记 (生效时期)

1. 登记程序：商法第 530 条，之 11 准用有关合并的登记时期的商法第 528 条。因分立方式的不同，其登记时期也不同。单纯分立及新设分立时，自新设公司的创立大会终结之日起，二周之内在总公司所在地进行登记；三周之内在分公司所在地进行登记。吸收分立合并时，应自关于分立合并合同的股东大会决议终结之日起计算，于同一期间内进行登记。

应登记事项为：新设公司的公司设立登记（商 317 条）；分立公司，存续分立时的变更登记，消灭分立时的解散登记。吸收分立合并时，对方公司应进行变更登记。

2. 分立的生效时期：公司分立，因进行上述登记而发生效力（商 530 条，之 11、1 款→234 条）。于是，下述因分立而发生的一切法律关系，也因进行登记而发生其效力。

八、分立的公示

分立公司的董事，自进行分立计划书或者分立合并合同书的承认的股东大会会议日期之 2 周之前起，进行分立登记之日或者分立合并登记之日后的 6 个月止，将分立计划书或者分立合并合同书，分立部分的资产负债表，分立合并时的对方公司的资产负债表，记载有关向分立公司股东发行的股份分派的理由的书面文件，备置于总公司（同条，2 款）。

股东及公司债债权人，在营业时间内，随时都可以阅览上述文件，并可支付费用要求交付誊本、抄本（同条，3 款→522 条，之 2、2 款）。

九、分立的效果

(一) 对法人格的效果

合并时，法人格要合一，合并之前的公司的法人格在合并后的公司仍维持其同一性。但是，分立时，不存在这种人格的承继现象。

存续分立时，因分立公司的存续，而分立以前的公司的法人格在分立后的公司里仍维持其同一性。但是，因分立而设立的新设公司或者吸收分立合并的对方公司，不承继分立公司的法人格。即使分立公司消灭时，亦同。

（二）权利和义务的转移

1. 营业财产的转移时期：因分立而在分立计划书或者分立合并合同书中特定的分立公司的权利与义务，转移至新设公司或者吸收分立合并的对方公司（商530条，之10），是否需要特别的转移行为？另外，转移时，须经公示程序的财产（例如：动产、不动产）的转移时期又是什么时候？商法规定：进行登记时发生分立的效力，所以，应将因分立而进行的财产的转移视为依法律规定进行的转移（民187条）。故，应视为分立公司的财产，无须有特别的转移行为或者公示方式，因分立而登记时转移。

2. 竞业禁止义务：关于因公司分立而转移营业，如上所述，那么，存续分立时，分立公司可以再经营已转移至新设公司的营业吗？这一问题，也发生在以同一分立公司为母体的数个新设公司之间，由同一分立公司被新设的公司与吸收合并分立的对方公司之间。例如，从经营家电部门和半导体部门的甲分离出来的半导体部门的新设公司，是否能经营家电业？为了保护分立当事公司，应将分立视为是准营业转让，解释为准用商法第41条承担相互竞业禁止义务。

这是有关分立不同行业时的说明，数量上分立同一营业时，不发生竞业禁止义务问题。

3. 营业权的处理：商法第530条，之8规定：新设公司或者吸收分立合并的对方公司，从分立公司处取得营业权时，可以将该取得价额计算到资产负债表中的资产的部分，在此情形下，应自进行设立登记或者分立合并的登记时起5年内的每一决算期折旧等额以上。但是，关于有偿取得的营业权的处理，已在商法第452条第6号中作出规定，因此这是不必要的规定。

（三）股份的归属

公司分立后，分立公司的股东取得新设公司的股份或者吸收分立合并的对方公司的股份。其内容根据分立计划书或者分立合并合同书定。如上所述，物之分立时，由分立公司取得股份。

因消灭分立而解散分立公司时，股东丧失分立公司的股东权；若存续分立时减少资本，则根据减少方式给股东权带来变动。

（四）董事、监事的选任及章程变更的效果

如前所述，单纯分立时或者新设分立合并时，可以在分立计划书或者分立合并合同书中定好新设公司的董事及监事（商530条，之5、1款、10号、530条，之6、2款、2号），这些董事及监事，无须经其他的选任程序，进行设立登记的同时，成为新设公司的董事及监事。

吸收分立合并时，在分立合并合同书上，可以指定对方公司的董事及监事（商530条，之6、1款、10号）。分立合并合同书，不仅是在分立公司，而且是在对方公司，须经股东大会的承认决议，应视为此承认决议中包括董事、监事的选任决议。故，分立合同书上的董事及监事，不经其他的选任程序，依对方公司的因合并而进行的变更登记，成为董事及监事。

如上所述，在吸收分立合并合同书上，可以记载对方公司的章程变更事项（商530条，之6、1款、11号）。应视为对方公司的分立合同的承认决议中包括章程变更决议，因此，无须另行变更章程决议，径行变更章程。但是，变更章程的效力，在对方公司因分立而进行变更登记时起发生。

（五）分立公司的债务承继与责任

1. 债务的承继。合并时，因其法人格的合一，由新设公司或者存续公司全部承继被合并公司的一切债务，但是，公司分立时，不存在这种全部承继。新设公司或者吸收分立合并的对方公司，只是接收分立计划或者分立合并合同中被特定的债务而已（商530条，之10）。在此情形下，是否须经债权人的承诺（民454条，1

款)? 在分立合并时，因要经过债权人异议程序，因此，可将未提出异议的债权人视为已承诺债务人的变更。问题是如何对待不经债权人保护程序的单纯分立之情形? 如下所述，商法规定，关于公司债务，应由新设公司、吸收分立合并的对方公司承担连带责任 (商530条，之9、1款)，因此，债务的承继不会给债权人带来任何损失。消灭分立时，债权人不承诺债务的承继是毫无意义的。故，应认为因分立而进行的债务之承继无须经债权人的承诺。这一点是第454条第1款的例外。

2. 连带责任。商法第530条，之9、1款规定: 因分立或者分立合并而被设立的公司或者存续公司，关于分立或者分立合并之前的公司债务承担连带清偿责任。这一规定的宗旨是不论分立当事公司如何承继债务，均不得使分立之前的债权人遭到因减少分立之前的责任财产而带来的损失。

1) 债务的范围: 法条中用了关于分立或者分立合并之前的"公司债务"承担连带责任的用语。这里的"公司债务"，是指分立之前已经发生的分立公司的债务。发生在分立后存续的分立公司的债务，或者是分立后由新设公司要新负担的债务，不属于"连带责任"的对象。吸收分立合并时，对方公司在合并后负担的债务及合并之前起负担的债务，均不得成为本条的适用对象。

2) 连带责任的当事人: 分立后，由分立公司根据分立计划书或者合同书的规定继续负担的债务，应由新设公司或者吸收分立合并的对方公司承担连带责任; 关于新设公司或者吸收分立合并的对方公司，从分立公司处承继的债务，应由存续的分立公司及其他新设公司承担责任。两个公司分别分立其财产的一部分来进行新设合并时，各分立公司不对对方分立公司的分立以前的债务承担连带责任。

3. 限制责任。商法第530条，之9、2款规定: "不受第1款规定的限制，被分立的公司依第530条，之3、2款之规定的决议，因分立或者分立合并而设立公司时，可以使被设立的公司只承担公司债务中的相当于所出资的财产部分的债务。在此情形下，若被分立的公司存续，只承担因分立或者分立合并而被设立的公司不承担的债务"。同条第 3 款中又规定，吸收分立合并时，也同样可以依分立公司的决议，限制对方公司所承担的债务为有关转移至对方公司的财产部分的债务。将此两项规定，可以理解为：放宽因分立而被新设的公司或者吸收分立合并的对方公司，根据同条第 1 款的适用所承担的责任大大超过从分立公司承继下来的财产的负担为目的而设的规定。企业即使有分立的欲求，也因相互责任过重而有可能犹豫利用分立制度，因此，这项规定可以使企业自行分摊其责任问题。但是，此规定，在解释上有如下两个问题：

1）债务的特定性问题：条文中规定：可以使其只承担分立公司债务中的"相当于出资财产的债务"。例如，甲公司以存续分立的方式，出资其财产的一部分即 × 不动产新设 A 公司时，可以将 A 公司的债务限制在有关所出资的不动产的部分。那么，有关出资财产即此例中有关 × 不动产的债务指什么？对此，可以作出不同的解释，如在 × 不动产被提供担保的情形下，可视为是指该被担保债务，也可视为是指为取得 × 不动产所承担的债务。但是，这些都不是合理的解释。如上所述，本条所指的"出资的财产"是指营业财产。有关所出资的财产的债务就是指有关所承继的营业的债务，但是将分立公司的债务按被分立的营业分别特定，确实是很难做到的。

2）债务与责任的混同：笔者认为第 2 款的"不受第 1 款之规定的限制……"的规定是为了对第 1 款设定例外而写的条文。第 1 款是让当事公司对分立以前的债务承担连带责任的规定。而第 2 款所讲的是主债务的归属问题。即可以将新设公司因分立而承继的债务限制在与其出资财产有关的债务上的规定。这是一项很难与第 1 款联系起来赋予意义的内容。第 1 款表示，不论是如何承继债务，分立当事公司们均应对其清偿承担连带责任的意思；而第 2 款的宗旨是"不受限制，可以使其只承继有关出资财产部分的债务"，因此，难以赋予作为第1款之例外的意义。

　　3）解释方向：法国公司法第385条及第386条为此规定的范本。因此，解释时可以参考该规定。同法第385条规定"分立的承继公司均对分立公司的债务承担连带债务。"这一规定，与商法第530条，之9、1款的宗旨是相同的。同法第386条第1款规定："不拘于前条的规定，可以规定承继公司只对分立公司的部分债务，共分并承担债务。"即原则上由分立当事公司们承担连带责任，但是，也可以规定对各自应承继的债务承担分立债务之责任的内容。

　　商法第530条，之9、2款及3款，也不能像法条那样理解成有关债务之分配的规定，而应与法国公司法相同的宗旨来解释。即原则上分立当事公司不受所承继的债务的内容的限制。对分立公司的分立以前的一切债务承担连带责任（同条，第1款），但是，又可以规定分立当事公司只对各自所承继的债务承担分立责任。如此解释，既能解除第2款及第3款法条所含的疑问，也能完善针对活用分立制度的立法宗旨。另外，在立法角度上值得参考的是英国公司法中的规定，即新设公司以其由分立公司承继下来的净资产的价额为限，对分立公司的债务承担连带责任（Schedule 15 A Para: 15）的规定。

　　（六）质权人的权利

　　商法虽未明文规定，但是，应视为对分立公司的股份持有质权者，对由该股份的股东因分立而取得的新设公司的股份或者吸收分立合并的对方公司的股份，享受物之代位的效力（商339条）。

　　十、分立的无效

　　公司分立，若有无效原因，则可以以下列分立无效之诉来争。关于分立无效之诉，准用有关合并无效之诉的规定（商530条，之11、1款→529条）。

　　（一）无效原因

　　分立计划或者分立合并合同书的内容违背强行法规或者显著不当时，成为无效原因。分立计划或者分立合并合同书的承认决议中有瑕疵时，也成为分立的无效原因。

（二）诉的性质

分立无效之诉，只能以诉来主张，因此，分立无效之诉是形成之诉。

（三）提诉权人

股东、董事、监事、破产财产管理人或者不承认分立的债权人，可以提起分立无效（商 530 条，之 11、1 款→529 条，1 款）。这里的股东、董事是指新设公司或者分立合并时的对方公司的股东、董事。

（四）被告

无效判决的效力会导致公司组织的变动，因此，公司成为当然的被告。但是，因分立而出现数个新设公司或者存续公司，那么，究竟应以哪个公司为被告呢？与分立有关的所有公司均受判决的效力，并且其效力也应划一确定，因此这一诉讼应成为以所有因分立而被新设的公司、存续的公司为共同被告的必要的共同诉讼。

（五）其他程序

如在无限公司的设立无效之诉中所述，若有诉的提起，则应予以公告；若提起数个诉，则应合并审理；法院可以裁量驳回；原告败诉时，承担损害赔偿责任等（商 530 条，之 11、1 款→240 条→186 条～191 条）。法院可以依公司的请求，命令诉提起人提供相当的担保（商 530 条，之 11、1 款→237 条→176 条、3、4 款）。

（六）无效判决的效力

无效判决具有对世性效力，因此，对未提诉股东等也有效力（商 530 条，之 11、1 款→240 条→190 条正文）。这是形成之诉，这一点与其他公司法上的诉相同。另外，关于分立无效判决的实体性效力，商法准用有关无限公司合并无效之判决的效力的第 239 条规定。但是，这一规定不能提示所有有关分立无效之效力问题的直接的解决方法。因此，只能援用有关合并无效判决之效力的原理，从解释论的角度来解明分立无效的效力问题。

1. 单纯分立的无效。单纯分立时的无效判决，是指新设公司的设立之无效。因此，新设公司变无效；若分立公司已消灭，则应复活。同时，新设公司的财产也复归于分立公司。分立以后发生的债务，当然成为分立公司的债务。

2. 分立合并的无效。分立合并变无效时，应援用普通合并无效时的解决原理。

新设分立合并为无效时，新设公司的设立也是无效的，这与单纯分立时是相同的。同时，新设公司自分立公司及对方公司处承继下来的财产及债务，分别复归于分立以前的状态。分立以后，新设公司取得的财产归分立公司及其对方公司的共有（商 530 条，之 11、1 款→239 条，2 款）；分立以后所负担的债务，归双方公司的连带债务（商 530 条，之 11、1 款→239 条，1 款）。对此共有财产的持分或者连带债务的负担部分，双方可以协商决定；达不成协议时，法院参照公司的各项情况决定之（商 530 条，之 11、1 款→239 条，3 款）。吸收分立合并时，对方公司承继下来的财产及债务复归于分立公司；关于分立以后所取得的财产及债务，根据与新设合并时相同的原理来处理（同条）。

3. 溯及力的限制。分立无效之判决，不具有溯及力（商 530 条，之 11，1 款→240 条→190 条，但书）。因此，因分立而被新设的公司的一切对内、对外行为，分立以后的股份的转让等以分立之有效为前提而做出的行为，均有效。

第十一节　公司的清算

一、总述

股份公司解散时，除了合并及破产的情形之外，须进行清算（商 531 条，1 款）。

关于股份公司的清算的意义及清算中的公司的性质如同无限公

司中所述，关于其程序，大致也准用有关无限公司的清算的规定（商542条，1款），但是，与人合公司不同的是，不承认任意清算。因股东承担有限责任，为了保护公司债权人，特须履行公正的清算程序。

二、清算公司的权利能力

如前所述，清算公司的权利能力应限于清算的目的范围。因此，清算目的之外的行为，视为是无权利能力人的行为，当然无效。即使是清算中公司，也具有从解散之前起继续下来的民事诉讼及新的民事诉讼中的当事人能力，也具有刑事诉讼中的当事人能力的（能成为被告的能力）。

三、清算人

股份公司一旦进入清算程序，与执行业务无关的股东大会及监事依然存续，并且也可以选任检查人，但是董事、董事会、代表董事丧失其地位，分别被清算人、清算人会、代表清算人来代替，处理清算业务。

1. 就任。原则上，董事当然成为清算人（商531条，1款）。在此所说的董事中包括依据商法第386条第2款由法院选任的行使临时董事职务的人（假董事）。依第410条第1款的职务代行者就是清算人的职务代行者。章程中另定清算人或者由股东大会选任清算人时，据此决定清算人（商531条，1款、但书）。若清算法人的股东大会上作出选任董事的决议时，不得视其为无效，而应视为选任了清算人。在公司内部未定清算人时，根据利害关系人的请求，由法院选任清算人（商531条，2款）。在依解散命令或者解散判决而解散的情形下，董事不能担任清算人，而是由法院根据股东等利害关系人或者检事的请求，或者依职权选任清算人（商542条，1款→252条）。在股东大会上选任清算人或者董事成为清算人的情形下，可以争执选任决议的瑕疵。在这种情形下，即使尚未确定清算人选任决议的无效、取消之判决，也可以申请停止其执行职务或者选任职务代行者的假处分（商542条，2款→407条，408

条)。

监事不得兼任清算人（商542条，2款→411条）。

2．人数及任期。清算人不同于董事，关于其定员法律上另无规定，因此一人也可以成为清算人，在这种情形下，该一人清算人当然成为代表清算人。这是判例的立场（大法院1989．9．12判决）。

缺员时的退任清算人的权利义务及选任将要行使清算人的职务者，与董事的情形相同（商542条，2款→386条）。

清算人不同于董事，无任期。

3．．终任。清算人因（1）死亡、破产、无行为能力等的委任关系的终止事由（民690条）；（2）丧失资格（非讼181条）；（3）辞任（民689条）等退任；（4）除了法院选任清算人的情形之外，依股东大会的普通决议随时都可以解任（商539条，1款）；（5）关于执行业务，清算人显著不适任或有重大违反任务的行为时，少数股东（5%以上）可以请求法院解任该清算人（商539条，2款）。

4．就任、终任的登记。清算人就任时须进行有关事项的登记（商542条，1款→253条，1款），终任时须进行变更登记（商542条，1款→253条，2款→183条）。

5．清算人与公司之间的关系。如同董事与公司之间的关系，是准委托关系（商542条，2款→382条）。关于清算人的报酬，清算人与公司之间的诉讼中的代表，清算人的自己交易，对公司或第三人的责任，留止请求，代表诉讼等均准用有关董事的规定（商542条，2款→388条~394条，398条~408条）。法院选任的清算人的报酬，由法院决定并由公司支付（非讼123条→77条）。

四、清算人会议、代表清算人

清算人会议作出执行清算事务的意思决定（商542条，2款→393条），代表清算人根据清算人会议的意思决定担任有关清算事务的诉讼内外的一切执行（商542条，2款→389条，3款→209条）。解散之前的公司董事当清算人时，以前的代表董事成为代表清算人；法院选任清算人时，由法院决定代表清算人（商 542 条，1 款→255 条）。除此之外，以清算人会议的决议来决定（商 542 条，2 款→389 条，1 款）。关于清算人会议及代表清算人，准用董事会的召集，决议方法，公司代表等有关董事会及代表董事的规定（商 542 条，2 款→389 条~393 条）。

五、清算人的职务

将清算人的职务分为基本的和附带的两种，其内容如下：

（一）基本的职务

清算人应作的清算事务为终结现存事务，追偿债权及清偿债务，财产的变卖处分，剩余财产的分配等，这些与无限公司相同（商 542 条，1 款→254 条，1 款），只是为了迅速进行对多数债权人公平清偿及清算，关于债务的清偿及剩余财产的分配作出如下几个特殊规定。

1. 催告债权人：清算人自就任之日起 2 个月内，以二次以上的公告来催告公司债权人应在一定的期间内申报债权，如未在此期间内申报，则从清算中排除之意（商 535 条，1 款、正文）。申报期间应为 2 个月以上（商 535 条，1 款、但书）。解散之前已取得的类似所有权转移登记请求权等不包括在应申报的债权之内，即使未申报也不得从清算中排除。

对公司已知的债权人应分别催告进行债权申报，即使该债权人未申报也不得从清算中排除（商 535 条，2 款）。已被提起诉讼的债务的债权人，是当然的已知的债权人，因此虽未申报，也不得从清算中排除。

2. 申报期间内禁止清偿：在债权申报期间内，公司不得对债权人进行清偿（商 536 条）。公司财产有可能不足以偿还全部债务，因此，这是为了使债权人得到公平的受偿而设的规定。这里有一例外，即其数量少并且已被提供担保的债权及其他即使予以清偿也无损害其他债权人之虞的债权，经法院的许可可以予以清偿（商 536 条，2 款）。禁止清偿，并不因此而免除对债权人的不履行债务之责任。对因此而发生的损害，应当予以赔偿（商 536 条，1 款、但书）。

3．清偿：经债权申报期间之后，应向已申报的债权人及虽未申报但已知的债权人进行清偿。除不能全部清偿时之外，均可对任何债权人先予清偿。

对未到期的债务也可以清偿，在这种情形下应扣除中间利息，对不确定的债权应根据法院选任的鉴定人的评估进行清偿等，与无限公司亦同（商 542 条，1 款→259 条）。

公司财产，不足以清偿债务时，清算人应即时申请破产宣告（商 542 条，1 款→254 条，4 款→民 93 条）。

4．剩余财产分配：清偿完毕债务之后所剩的财产应分配给股东（商 542 条，1 款→260 条），在这种情形下，应根据股份平等原则，按持有股份数的此例来分配之（商 538 条）。但是，关于剩余财产分配，在发行内容不同的股份（例：有关剩余财产分配的优先股）的情形下，照其股份内容处理（商 538 条，但书、344 条，1 款）。

5．被排除的债权人的权利：因未在债权申报期间内申报而从清算中被排除的债权人，只能在未分配给股东的财产范围内请求予以清偿（商 537 条，1 款）。一旦分配完毕剩余财产，则丧失权利。在只对部分股东已分配，对其他股东尚未分配的情形下，应从上述"尚未分配的财产"中扣除其他股东与已得到分配的股东相同的比例应得到分配的部分（商 537 条，2 款）。一旦开始分配，股东优先于从清算中被排除的债权人。故，未在债权申报期间内申报时，有很大的丧失权利的风险。

（二）附带的职务

1．清算人的申报：清算人应自就任之日起 2 周之内，向法院申报解散事由及年、月、日，清算人的姓名、居民身份号及住址（商 532 条）。

2．报告清算财产的义务：清算人就任之后，应当不得迟延地调查公司的财产状态并制作财产清单及资产负债表，向股东大会提出并得到其承认，经承认之后应不得迟延地向法院提出（商 533 条）。

（三）清算资产负债表等的提出

1．清算人，应自定期股东大会之日的 4 周之前起，制作资产负债表及其附属明细书、业务报告书，向监事提出（商 534 条，1 款）。

2．定期股东大会的 1 周之前，监事应向清算人提出有关上述文件的监查报告书（商 534 条，2 款）。

3．清算人，自定期股东大会会议日期的 1 周之前起，将资产负债表，附属明细书，业务报告书，监查报告书备置于总公司（商 534 条，3 款）。股东及公司债债权人，可以阅览上述文件，并可请求交付誊本及抄本（商 534 条，4 款）。

4．清算人应向定期股东大会提出资产负债表及业务报告书，并要求予以承认（商 534 条，5 款）。

（四）其他

关于清算人，清算人会议，代表清算人的其他职务或权限，大多准用无限公司对清算人的规定及解散之前的董事、董事会、代表董事的规定（商 542 条，2 款）。

六、清算的终结

（一）决算报告书的提出

清算事务已终结时，清算人应当不得迟延地制作决算报告书，向股东大会提出并经其承认（商 540 条，1 款）。经大会承认者，视为除了与不正当行为有关的部分之外，公司解除清算人的责任（商 540 条，2 款）。

（二）清算终结的登记

清算人经决算报告书的承认之后，应当进行清算终结的登记（商 542 条，1 款→264 条）。

（三）文件的保存

公司的账簿及其他与营业、清算有关的文件，应依清算人及其他利害关系人的请求，按法院规定的保存人及保存方法，应自清算终结登记之日起保存10年（商541条）。但是，收据及类似的文件保存5年即可（商541条，1款、但书）。

（四）清算的终结时期

清算，清算事务终了之时终结。清算事务即追偿债权、清偿债务、剩余财产分配等事务中，如尚遗留部分事务，虽已进行过清算终结登记，但不得终结清算。因此，在遗留的事务范围之内，公司具有法人资格，同时具有诉讼上的当事者的能力，也存续清算人的义务。

（五）剩余财产分配的错误及与股东之间的关系

在尚未向部分股东进行剩余财产分配而进行清算终结登记的情形下，如上所述，理所当然不能产生清算终结的效果。在分配过程中错误地未给原股东分配而分配给他人的金钱，视为是不当得利，可以请求返还（民741条，法务部解释：法务法810—2038、1965、12、30）。

第十二节　公司的重整

一、宗旨

在以公司的财产不能清算偿完毕债务的情形下，应进入破产程序，虽其纯财产多于债务，但因流动资产的比重小，不能适时清偿时，应处分、变卖公司财产，所以也是不能继续企业的。但是，从公司的状况来看，不能清偿完毕也许是暂时的现象，而仍然强求破产或解散，则丧失作为继续企业的价值，甚至对公司关系人及全体社会带来损失。若公司债权人欲立即得到清偿，则不得不放弃债权额中的相当部分时，因此也可以待公司更生之后试图得到全部清偿。

因此，从企业的维持的理念上讲，有必要重整、重建财政上处于困境的公司，为此，公司重整法（1962．12．12 法律第 1214 号，最近修改 1998．2．24 法律第 5517 号）上设有公司重整制度。

二、重整制度的基本原则

（一）公司的企业维持

重整制度，是以维持企业的实体而保全作为继续企业的经济上及社会上的价值为目的的制度。重整程序，防止企业解体，试图维持，重建企业及企业组织。因为要维持的是企业的"实体"，所以无须维持法人格的同一性。也可以以企业的实体为基础设立新公司（公整 259 条，260 条）。

（二）利害关系人的损失分担及共同参与

为了维持企业的实体，股东与债权人应当承担并认可自己的权利一般或者个别地被停止或者失效的不当利益。就这样，重整程序是以股东与债权人的让步为基础进行的，因此股东与债权人作为利害关系人共同参与重整计划。

（三）公正的管理

重整程序是以多数人的损失分担为前进行的，因此在重整期间要求有公正的财产管理。正因为如此，在重整期间继续受法院监督、调解，公司财产的管理及经营，执行重整计划等，均由法院选任的管理人为之。

（四）适用范围

无限或者两合公司的股东承担无限责任，无须进行重整程序等。有限公司大体上是属于小规模的，也无须以进行如此特殊的程序而牺牲多数人的利益来更生企业。故，公司重整制度只适用于股份公司（公整 1 条）。

三、重整的开始

（一）开始原因

有下列两种原因时，可申请重整程序的开始（公整 30 条，1

款)。

1. 未给事业的继续带来显著障碍,就无法清偿到期债务时:是指因流动资产极不充分,为了清偿只能考虑中断事业时,虽然纯财产多于负债,但是有上述事由时,可以开始重整程序。例如,如不处分工厂的基本设备或大量裁减生产及营业所必需的人员则无法清偿时。

2. 公司有发生破产原因之虞时:为了事先预防公司陷入破产时。即如放任,则客观上可预计破产的情形。例如因高利的恶性债务,使债务累增的情形。

(二) 开始申请

原则上,公司可以申请(公整 30 条,1 款)。在开始原因系有破产之虞时的情形下,持有资本的 10% 以上债权的债权人或者持有发行股份总数的 10% 以上股份的股东也可申请(公整 30 条,2 款)。开始申请,由清算中的公司或被宣告破产的公司也可以为之,在此情形下,须经股东大会的特别决议(公整 31 条)。

申请,须以书面进行(公整 32 条),须讲清原因事实(公整 33 条),并预交费用(公整 34 条)。

(三) 管辖

重整案件,受管辖公司总部所在地的地方法院合议部的专属管辖(公整 6 条,1 款)。

(四) 决定之前的程序

1. 审问代表人:债权人或股东申请时,应审问公司的代表人(公整 36 条)。

2. 通知其他机构:如有申请,则应当通知政府监督机关,税务署长及总公司所在地的地方自治团体的首长等(公整 35 条,1 款)。

3. 中止其他程序:法院认为有必要时,可以命令中止正在进行中的破产程序,和解程序,强制执行,拍卖,有关公司财产的诉讼程序或行政程序及依国税征收法的滞纳处分或者其他的滞纳处分，直至决定开始重整时止（公整 37 条）。这是为了防止公司财产的流失而设的规定。

4．保全处分：法院可以根据利害关系人的申请或者依职权，关于公司的业务及财产进行假扣押、假处分及其他必要的保全处分（公整 39 条，1 款），命令保全管理人管理（公整 39 条，2 款）。保全处分之后，未经法院的许可，不得收回重整程序的开始申请或者保全处分申请（公整 39 条，之 2）。

5．调查：法院认为有必要时，可以选任调查委员使其调查决定开始所必要的事项，提出开始合适与否的意见书（公整 40 条）。实务中一般都经此程序，并在决定开始的公告中添附其意见（主要是有更生的希望之意）。

（五）诉讼

法院认为无重整可能性等一定情形下，必须驳回申请（公整 38 条）。与此相反，决定开始重整程序时，应选任管理人并决定重整债权、重整担保权及股份的申报期间，关系人集会的第一次日期，重整债权及重整担保权的调查日期（公整 46 条）。并且应公告上述事项及开始决定的正文及管理人的姓名及住址，公司债务人及公司财产持有人不得向公司清偿或交付财产的意旨及应在一定期间内进行申报的意旨，并通知政府监督机关及法务部长官及金融监督委员长（公整 48 条）。

关于有关开始申请的裁判，可以即时抗告（公整 50 条）。

（六）开始决定的效力

因开始决定，公司经营业务和管理处分财产的权限专属于管理人（公整 53 条）。不得开始破产等与重整目的不符的其他程序，正在进行中的程序或者被中止或者失去效力（公整 67 条）。

因开始之前的原因，对公司产生的财产上的请求权，作为重整债权具有特别的效力（公整 102 条以下）。

四、重整公司的机关

因重整程序的开始，管理人成为公司的执行机关，关系人集会成为表决机关。

（一）管理人

由法院选任，它具有经营公司业务，管理及处分财产，为履行重整计划的权限及其附带的权限。公司的正常的机关组织不能发挥其功能，董事等不得侵犯管理人的权限，不得不正当地参与其职权的行使（公整 53 条，2 款）。但并非因此而从前的选任董事、监事的效力丧失或董事、监事被解任。

（二）关系人集会

关系人集会由重整债权人，重整担保权人及股东组成，审理并决议管理人制作的重整计划方案（公整 192 条、200 条）。重整债权人根据其债权额，重额担保权人根据被担保债权额，股东根据股份数，持有表决权（公整法 113 条，2 款、124 条，3 款、129 条，2 款）。决议方法为按各重整债权人，重整担保权人，股东的小组，以一定数以上的赞成来表决（公整 205 条）。

五、重整计划

（一）重整计划案的制作

重整计划案应由管理人制作，但公司及申报的重整债权人，重整担保权人，股东也可以制作，须在一定期间内向法院提出（公整 189 条，190 条）。

应在此计划案中决定变更重整债权人、重整担保权人，股东权利的条款及清偿共益债权的条，款（公整 211 条，1 款）。

（二）原则

重整计划的条件，应遵循持有同一性质的权利者之间应当平等（公整 229 条），与法律规定相一致，公正、衡平、切实可行、以诚实、公正的方法进行决议等诸原则（公整 233 条，1 款）。

（三）批准

经法院的批准决定，发生效力（公整 236 条）。

（四）效力

被认可的重整计划的效力及于公司与全体利害关系人，因重整计划而新设新公司时的该新公司（公整 240 条）。根据此计划，重整债权人，重整担保权人，股东的权利发生实体法上的变更。

（五）履行

由管理人来履行（公整 247 条）。法院继续监督，法院可以作出履行重整计划的必要的命令（公整 248 条，1 款）。

六、重整程序的终了

（一）重整程序的终结

重整计划已完成或者足以认定确定能够完成时，以法院的决定终结重整程序（公整 271 条）。重整程序一旦终结，公司的组织将回复原状。

（二）重整程序的废止

当（1）重整计划案未在规定期间内提出或虽然已提出，但无法提交给关系人集会的时候；（2）计划案被否决或者在一定期内未决议时；（3）无重整可能性时，法院可以依申请或者职权决定废止（公整 272 条）；（4）能够清偿公司申报的全部债务时，依申请废止之（公整 273 条）；（5）即使已认可重整计划，但是完成计划已不可能时，根据申请或者依职权，可以废止（公整 276 条）。

第六章　有限公司

第一节　序　　论

有限公司，是1892年在德国综合、选择各公司的特殊性质尤其是吸取股份公司制度的优点而创立，并根据《有限公司法》制度化并普及到各国。因此它的形成过程不同于其他公司形态的在资本集中的发展阶段自然发生直至法制化的过程。

有限公司，股东对外仅承担有限责任，对企业的支配是根据与有限责任制相对应的出资额来分割，通过客观性机构——社员大会来实现。在有限公司和股份公司一样解除在人合公司中所能看到的资本贡献与人之间的支配等矛盾，也被排除制约资本集中的问题。

但是，商法将有限公司的股东总数原则上限制在50名以下（商545条，1款），因此，除非每一社员的出资额相当大，有限公司大致是小规模型（商555条，556条），也不易回收投入资本。在这种法律制约下结合成的资本，必然是小规模型的，其公司的经营也只能是封锁性的。考虑上述实质上的问题，关于有限公司的监督及公示，与股份公司相比，各国法制上都显著缓和，但也有诱发不健全的公司的设立或者经营的忧虑。

在德国，少数大型公司为股份公司的形态，而大部分中小企业采纳有限公司的组织，可是在韩国，有限公司是极少数（占全体公司的5%左右）。它表示一般人对股份公司非常感兴趣。

第二节　公司的设立

一、设立程序

(一) 总述

因有限公司的封闭性, 与股份公司不同, 不认定募集设立, 关于设立, 欲成为社员者应自觉地参加设立程序。这一点又类似于股份公司的发起设立, 但社员及出资额、将来设置公司机构等依章程来被确定, 这一点 (商 543 条, 2 款、547 条) 类似于人合公司的设立。因此, 各社员的设立行为上的瑕疵, 成为公司的设立无效或者取消之诉的原因 (商 552 条→184 条, 2 款)。出资的履行, 如同股份公司, 须在设立过程中履行完毕 (商 548 条)。

(二) 章程

1. 章程的制作。设立有限公司, 须有二人以上社员共同制作章程, 并由全体社员签章 (或者署名), 由公证人进行认证 (商 543 条, 1、2、3 款→292 条)。

2. 章程的记载事项。绝对记载事项为如下 (商 543 条, 2 款)。(1) 目的。(2) 商号。(3) 资本总额: 资本, 最低额为 1 000 万元 (商 546 条)。关于最高额, 没有限制。由于有限公司的资本属于非授权性资本制, 与股份公司相比, 资本确定的原则显得更突出。(4) 每份出资的金额: 每份出资的金额均等。应为 5 000 元以上 (商 546 条, 2 款)。共有持份也无妨 (商 558 条→33 条)。(5) 社员的姓名、居民身份证号、住所。(6) 各社员的出资座数: 资本总额, 各社员的姓名及出资额是章程的绝对记载事项。这是明显不同于股份公司的地方。因为每个社员的出资座数如此被章程确定, 因此无须另行认购行为。(7) 总公司的所在地: 有限公司章程的相对记载事项非常多 (例: 商 544 条的现物出资, 认购财产, 设立费用之外商 568 条, 1 款、575 条, 580 条, 581 条, 2 款、547 条, 1

款、564条，1款、574条），可以说在此限度内，有关有限公司的规定的强行性有些缓和。变态设立事项为相对记载事项，这一点与股份公司相同（商544条，只是在有限公司无相当于第290条之发起人的特别利益与报酬的事项）。即使有限公司规定变态设立事项，法院也不干预调查等。

关于任意记载事项，如同其他种类的公司。

（三）董事、监事的选任

可以以章程选定初代董事是这一制度的一大特色（商547条，1款）。未以章程选任时，应在公司成立之前召集社员大会选任之（商547条，1款）。这时的社员大会相当于股份公司的创立大会，因此应类推适用公司成立之后的社员大会的规定（商308条，4款）。此大会，每一社员均可召集（与商547条，2款、308条，2款相比较）。

（四）出资的履行

为了使物之公司的资本基础打得坚实，董事应在公司成立之前促使社员履行出资金额（商548条）。关于出资，只认定财产出资，不允许劳务或者信用出资。

（五）设立登记

出资履行之后，应进行设立登记（商549条），从此公司成立（商172条）。

二、关于设立的责任

在封闭性的普通的小规模型有限公司里，没有有关因设立参与人的任务懈怠而发生的损害或者公司不成立时的责任的规定，只是在公司成立以后，由一定的社员及董事承担资本充实的责任而已。

1．关于现物出资案的社员的责任：作为现物出资或者财产认购的标的的财产的公司成立之际的实际价格显著低于章程中所定的价格时，公司成立之际的社员应向公司承担连带支付其差额的责任（商550条，1款）。

2．对未缴纳完毕出资额的社员、董事、监事的责任：公司成立后，发现未缴纳完毕出资金额或者未履行完毕现物出资时，公司成立之际的社员、董事及监事承担连带支付其出资未完毕额的责任（商 551 条，1 款）。

不得免除社员的上述两项责任（商 550 条，2 款、551 条，2款），董事及监事的其余责任可以以全体社员同意免除（商 551 条，3 款之相反解释）。

三、设立的无效及取消

公司设立的无效，只能由社员、董事、监事；设立的取消，只能由有取消权人，自公司成立之日起 2 年之内，只能以诉讼来主张（商 552 条，1 款）。在有限公司，社员人数少，每个人之间的关系一般是信赖关系，并且全体社员都在章程中签章或者署名，因此其中一人对公司设立的取消的意思表示也给全部设立行为产生影响。在有限公司，可以取消设立这一点与股份公司不同，而类似于人合公司。

有限公司的设立无效，取消之诉，准用有关无限公司的同一诉讼的规定（商 552 条，2 款）。

第三节　社员与持份

一、社员

（一）社员的资格及人数

关于社员资格，无其他限制。社员人数，原则上是 50 人以下（商 545 条，1 款），但是也有例外，即因有"特殊情况"，法院许可时；社员人数因继承及遗赠有变化时（商 545 条，1 款、但书）。地方的同种营业人为了共同利益成立公司时，社员为使用人时，合并或者变更组织（由股份公司变为有限公司时）的情形，相当于上述"特殊情况"。

（二）社员的权利

如同股份公司，可以将社员的个别权利分为自益权与共益权，又将共益权分为单独社员权与少数社员权来考察。

自益权有：盈余分派请求权（商 580 条），剩余财产分配请求权（商 612 条），增资时的出资认购权（商 588 条），共益权中的单独社员权有：表决权（商 575 条）及社员大会决议的无效、取消或者变更的提诉权（商 578 条→376 条～381 条），公司设立无效、取消（商 552 条），增资无效（商 595 条），减资无效（商 597 条，445 条），合并无效（商 236 条）等各诉的提诉权等，少数社员权有：对董事、监事、清算人的代表诉讼提起权（商 565 条，570 条，613 条），董事的违法行为留止请求权（商 576 条→402 条；有关准用清算人的商 613 条），社员大会召集请求权（商 572 条），请求解任董事、清算人的提诉权（商 567 条→385 条，2 款、613 条，2 款→539 条），会计账簿阅览权（商 581 条），业务、财务状态监督权（商 582 条），解散请求权（商 613 条，2 款→520 条）等。少数社员权，由持有资本的 5％以上出资座数人可以行使。但是，像大会召集权那样，以章程来规定缓和该要件（商 572 条，2 款）或者像会计账簿阅览权那样，章程中规定为单独社员权（商 581 条，2 款），这是它的一个特色。

（三）社员的义务

社员的义务，是以财产出资义务为原则，这种义务是以出资金额为限对公司承担的义务，并非是对公司债权人承担的直接的责任（商 553 条）。但是，在公司成立或者组织变更之际的社员或者同意增加资本的社员所承担的资本填补责任（商 550 条，551 条、593 条、607 条，4 款）是有限责任的例外，而不是追加出资。不得以章程或者大会的决议，超出上述责任范围加重社员的责任。

二、持份

（一）意义

每一社员，将资本总额分割成均一的单位（商 546 条，2 款），并按其出资的座数来具有持份。即采用持份复数主义，这一点不同于人合公司的持份，而其性质又类似于股份。有限公司的社员只不过是承担有限责任而已，因此无须认定如同人合公司的以分担损失义务为基础的消极持份的概念。

关于持份的注销方法，准用股份的注销方法（商 560 条→343 条）。

（二）持份的转让

转让持份，依意思表示来进行，但是转让给他人时，受须经大会的特别决议之限制（商 556 条，1 款）。此限制，可以根据章程加重（商 556 条，1 款、但书），而不得缓和。但是，社员之间相互转让时，可以在章程中另行规定，即可作出缓和的规定（商 556 条，3 款），因转让社员人数超过 50 人时，除了遗赠的情形之外，其转让无效（商 556 条，2 款）。

如上所述，由于有限公司的非公开性、封闭性，对社员的持份不得发行指示式或无记名式证券（商 555 条）。

（三）持份的质押

持份可以成为质权的标的（商 559 条，1 款），但准用（商 559 条，2 款）有关转让持份的限制规定及其对抗要件的规定（商 557 条）。与股份的设质不同，不认定不具备对公司的对抗要件的略式质。具备对公司的对抗要件的质权人，如同股份的注册质权人，有权从公司得到直接盈余的分派、剩余财产的分配，因持份注销而支付的金额，以此优先于其他债权人充当自己债权的清偿（商 560 条→339 条，340 条，1、2 款）。

（四）自己持份取得的限制

有限公司与股份公司相同，原则上禁止取得自己持份或质取。详细的内容，如在自己股份取得部分中所述（商 560 条→341 条，341 条之 2、342 条）。

第四节　公司的管理

有限公司不同于股份公司，不另使用"公司机构"的概念，只在第六章第三节的"公司的管理"（商 561 条～583 条）中简单规定董事、监事、社员大会，最后有公司计算部分的规定。下面，大致依其顺序来说明一下。

第一款　公司的机关

一、董事

在有限公司里，董事即为公司的业务执行及代表机构，没有董事会制度。

（一）选任、退任

有限公司设一名或数名董事（商 561 条）。初代董事可以被章程规定（商 547 条，1 款），但其后的董事选任应在社员大会上进行（商 567 条→382 条，1 款）。董事不一定是社员，但是可以在章程中规定董事的被选任资格限于社员。

关于任期，无限制。董事的退任，如同股份公司董事的情形。有限公司也可以以社员大会的特别决议解任董事（商 567 条→385 条，1 款）。虽有不正当行为或有违反法令、章程的重大事实，而在社员大会上否决解任时，少数社员权人（总出资座数的 5%）可以请求法院解任之（商 567 条→385 条、2 款），这一点与股份公司情形相同。

（二）业务执行

董事，具有业务执行权。董事有数人时，如章程中另无规定，业务执行及经理人的选任或解任，分公司的设置，转移，废止应依董事的过半数的决议来进行（商 564 条，1 款）。但是不拘于此规定，社员大会上可以决议选任或解任经理人（商564条，2款）。

（三）公司的代表

董事为一人时，该董事当然应代表公司，但董事为数人时，如章程中另无规定，须在社员大会上选定应代表公司的董事（商562条，2款）。也可以将数名董事为共同代表董事（商562条、3、4款）。关于公司与董事之间的诉讼，在社员大会上应另选在其诉讼中代表公司者（商563条）。

（四）义务

有限公司的董事与股份公司的董事一样，除了对公司承担善管义务之外（商570条→380条，2款），也被适用文书备置义务（商566条），竞业禁止义务（商567条→397条），与公司间的自己交易限制（商564条，3款）的规定。

（五）责任

1. 损害赔偿责任。对董事因违反法令，章程或者任务懈怠而向公司及第三人承担的责任，准用有关股份公司董事的责任的规定（商567条→399条～401条）。

2. 资本充实责任。公司成立之后，被发现未缴纳完毕出资或者未履行完毕现物出资时，公司成立之际的董事当然与当时的其他社员及监事一起，承担连带支付未缴纳的金额或未履行的现物的价额的责任（商551条）。与此相同，增资之后仍有尚未认购的出资时，视为董事及监事共同认购之（商594条，1款），虽然已认购但尚未履行完毕出资时，董事及监事承担连带支付缴纳金或者未交付完毕财产的价额的责任（商594条，2款）。

（六）准用规定

关于有限公司董事，除了适用上述规定之外，关于代表董事的权限（商209条）及其损害赔偿责任（商210条）及董事缺员的处理（商386条），董事的报酬（商388条），公司对表见代表董事的行为的责任（商395条），对董事违法行为的留止请求权（商402条），职务执行停止及在其此情形下的职务代行人的选任（商407

条）及其权限（商408条）等，分别准用有关无限公司及股份公司的规定（商567条）。

有限公司的董事不同于股份公司的董事，原则上有业务执行权及代表权，因此其常勤性被认定，但是董事的报酬，若无章程规定或者经社员大会的决议，则不得支付。

二、监事及监视制度

（一）监事

有限公司的监事，不同于股份公司的监事，是任意机构，但是章程中规定设置一名或数名监事时（商568条，1款），其职务权限，和股份公司的监事相同。即监事随时都可以调查公司的业务及财产状态并要求董事提出营业报告（商569条）。

监事的选任（商382条，1款，及关于公司成立之前的监事选任的商562条，2款），与公司之间的关系（商382条，2款），解任（商385条，1款），缺员的处理（商386条），报酬（商388条），责任（商414条），对公司的免责（商400条），停止职务执行及职务代行人选任（商407条），禁止兼任（商411条），对社员大会的议案及文件的调查、报告，陈述意见义务（商413条），社员的代表诉讼（商565条）等，准用有关股份公司的诸规定（商570条）。

有限公司的监事的任期，与董事的任期相同，不受法律上的限制。

另外，有限公司中的监事的特点为：有召集临时大会权（商571条，1款，关于根据法院的决定召集大会时的商582条，3款），承担设立及增资时的资本慎补责任（商551条，594条）等。与股份公司相同，享有设立无效之诉（商552条，1款）及增资无效之诉（商595条，1款）的提诉权。

（二）检查人

有限公司的检查人是为了调查公司的业务及财产状况而选任的临时性的任意性机构。与股份公司不同，关于公司设立的调查，无须选任检查人。

1．依社员大会的选任。为了调查董事提出的文件及监事的报告，社员大会上可以选任检查人（商 578 条→367 条，572 条，3 款→366 条，3 款）。

2．依法院的选任。关于执行公司的业务，有不正当行为或违反法令或章程的重大事由时，持有相当于 5％以上的出资座数的社员，为了调查业务及财产状况，可以请求法院选任检查人（商 582 条，1 款）。检查人应当向法院报告其调查结果（商 582 条，2 款）。法院根据报告书认为有必要时，可以命令监事，无监事时，命令董事召集社员大会，并向此社员大会提出检查人的报告书（商 582 条，3 款）。

（三）其他监视制度

有限公司的董事会、监事均为任意机构，从这一点上看，有限公司的监事制度从法律的角度来说是一个很不完整的制度。只是通过董事的竞业行为（商 567 条→397 条）或对自己交易的限制（商 564 条，3 款），董事的解任决议（商 567 条→385 条，1 款），财务报表的承认（商 583 条→449 条，1 款），选任检查人（商 572 条，3 款→366 条，3 款，578 条→367 条）等，有限公司的社员大会也具有若干的监视功能；通过董事解任之诉（商 567 条→385 条，2 款），代表诉讼（商 565 条），留止请求权（商 567 条→402 条），社员大会召集权（商 572 条，1 款），会计账簿阅览权（商 581 条，1 款、583 条→466 条），选任检查人请求权（商 582 条，1 款），少数社员也具有一定程度的监视功能。各社员也通过财务报表的阅览（商 579 条，之 3、2 款→448 条，2 款），社员大会决议的取消及无效确认之诉（商 578 条→376 条～381 条），增资无效之诉（商 595 条，1 款），及减资无效之诉（商 597 条→445 条）的提起等，起到监视效果。

三、社员大会

（一）总述

社员大会，是决定有限公司意思的法定的最高机构，这一点相同于股份公司的股东大会。但是，关于决议事项，无限制（请留意商578条不准用361条），召集程序（商571条与362条及363条相比较）及决议方法（商575条，577条及369条，368条相比较）上有其弹性，这是有限公司的特点。

（二）权限

社员大会是有限公司的法定的意思决定机构。这一点不同于无限公司或者两合公司的社员大会，而类似于股东大会，除法定专权事项（例：576条，584条，598，609条，1款、2号、610条，1款）之外，可以决定其他全部事项（万能性），这一点不同于股东大会。董事理所当然受大会决议的约束，并依通常决议选任（商567条→留意不准用382条，1款、384条），并依特别决议解任（商567条→385条）。因此，社员大会自然而然处于有限公司的最高机构的地位。

（三）召集

1. 召集权人。召集权人，原则上是董事（商571条），但是监事可召集临时社员大会（商571条，1款、但书），并且持有相当于资本总额的5%以上出资座数的少数社员也可以向董事提出记载会议的目的事项及召集理由的书面文件请求召集社员大会（商572条，1款）。提出召集请求之后，如未即时办理召集程序，请求的社员经法院的许可，可以召集社员大会（商572条，3款→366条，1款）。关于少数社员的召集社员大会的请求权，可以在章程中另行规定（商572条，2款）。

2. 召集程序。关于召集程序，考虑有限公司的封闭性及小规模性，设了方便主义性规定。

召集通知，应在会议日期起一周之前，记载会议的目的事项（商571条，3款→363条，2款）后书面通知每一社员，但是此期间可以根据章程规定缩短（商571条，2款）。另外，如全体社员同意，可省略召集程序（商573条）。召集地，如章程中另无规定，则应为总公司所在地或其邻近地点（商571条，3款→商364条）。

（四）表决权

每一社员，就其每座出资持有一个表决权，但是可以在章程中另行规定（商575条）。这一点也不同于股份公司。但是不允许像对部分社员不赋予任何表决权等的规定。

（五）决议方法

决议方法，有通常决议，特别决议及全体社员一致通过的决议等三种。

通常决议，应以持有全体社员表决权的过半数的社员出席，并以该表决权的过半数来通过（商574条）。特别决议，以全体社员的过半数并且占有表决权的3/4以上人的同意来通过（商585条，1款），不能行使表决权的社员不算入全体社员人数之内；不能行使的表决权，不算入表决权数之内（商585条，2款）。从社员人数也成为决议要件的这一点上看出，有限公司带有人合公司的因素。其须经特别决议之事项，大体上与股份公司的特别决议事项相同（商556条，1款、576条，1、款、585条，587条，588条，但书、596条，598条，599条，609条，2款、610条，1款等）。

欲将其组织变更为股份公司时，须经全体社员的一致决议（商607条，1款）。

（六）书面决议

所谓决议，是指召集会议，经过讨论，决定团体意思的行为。严格来讲，书面决议不属于决议。但是，考虑有限公司的小规模性、简易性的方便主义的立场上看，法律认定书面决议与社员大会的决议具有同等的效力（商577条，3款）。书面决议仅在下列两种情形下，才被认定。

1. 关于一定的事项，事先全体社员同意书面决议的情形（商577条，1款）：在这种情形下，也根据不同的决议事项，分别采用普通决议，特别决议、全体社员的一致决议（商 577 条，4 款）。并且，这种方法限于决议一定的具体事项，一般来讲，不允许所谓的依照这种决议方法的同意。

2. 事先虽无依书面决议的同意，但关于决议的目的事项，全体社员书面同意的情形（商 577 条，2 款）：在这种情形下，只不过就是由全体社员同意决议事项的内容而已，并非事先合意采用这种决议方法的情形，尽管如此，法律上仍视为这种情形下也有过决议。

(七) 准用规定

关于社员大会，准用有关股东大会的大部分规定（商 578 条）。除了上述说明的部分以外，照用在第 578 条中所准用的有关股东大会相关规定及其说明。

第二款　公司的计算

一、总述

有限公司具有物之公司的性质，因此，关于公司的计算，受立足于资本维持的原则及资本不变的原则的各种法律上的规制，这与股份公司情形相同。正因为如此，有限公司的计算上准用很多有关股份公司的计算的规定。但是，股份公司的计算规定中有不少是考虑有限公司的小规模性、封闭性而不能准用于有限公司的部分。

二、有限公司的财务报表

与股份公司相同，财务报表的种类有资产负债表、损益计算书，利益剩余金处分计算书或者缺损金处理计算书（商 579 条，1 款、1 号～3 号）。董事应制作财务报表及其附属明细书及营业报告书，如有监事，则应自定期大会日期之日的 4 周之前起向监事提出（商 579 条，2 款、579 条，之 2）。

监事，应自收到财务报表之日起 3 周之内向董事提出监查报告书（商 579 条，3 款）。

董事，应自定期大会会议日期的 1 周之前起 5 年，将财务报表及营业报告书备置于总公司（商 579 条，之 3、1 款），社员及公司债债权人可以阅览，并可请求交付誊本、抄本（商 579 条，之 3、2 款→448 条，2 款）。

三、股份公司计算规定中被准用的部分

定期股东大会上的财务报表的承认（商 449 条，1 款），因财务报表承认解除董事、监事的责任（商 450 条），财产的评估方法（商 452 条），将创业费计入至移延资产部分（商 453 条），法定公积金（商 458 条~460 条），分派可能盈余及违法分派的返还（商 462 条，使用人的优先清偿权（商 468 条）的有关规定准用于有限公司（商 583 条，1、2 款）。另外，也准用（商 583 条，1 款）少数股东的会计账簿阅览权（商 466 条），但是关于少数社员的会计账簿阅览权另有规定（商 581 条），因此应解释为不准用此规定。这似乎是立法上的一个错误。

四、股份公司计算规定中不被准用的部分

有限公司不得发行公司债，因此不存在公司债差额的移延计算（商 456 条）问题，又不存在建设利息制度，因此，不准用有关建设利息的移延计算的规定（商 457 条）。虽有法定公积金制度，但是不准用公积金的资本转入的规定（商 461 条）。并且根据有限公司的封闭性、非公开性无须公告资产负债表（商 449 条，3 款）。以章程向单独社员赋予会计账簿阅览权时，决算之后免作附属明细书（商 581 条，2 款）。

五、关于有限公司计算的特则

会计账簿阅览权，原则上是属于少数社员权（商 581 条，1 款、583 条→466 条），但是可以以章程规定为单独社员权，在这种情形下，无须制作、备置财务报表附属明细书（商 581 条，2 款）。

盈余分派，原则上是和每一社员大会的决议来限制社员的出资座数成正比，但是章程中可以另行规定（商 580 条）。根据章程的这一盈余分派的自治可能性，反而表现出它的人合公司的一面。可以解释为这种章程限于原始章程或是依全体社员同意要变更的章程。

有限公司虽然是封闭性的,但是有盈余才可分派,并且未经社员大会的分派决议,就不能进行分派。

第五节 章程的变更

一、总述

有限公司的章程,可以以社员大会的特别决议来变更(商 585 条,586 条)。由于在有限公司,资本总额为章程的绝对记载事项(商 543 条,2 款、2 号),因此不论是资本的减少,还是资本的增加,均须经变更章程的程序。不同于股份公司,在召集通知中无须记载有关变更章程的议案的要点(与商 433 条,2 款相比较)。变更章程,也可以依书面决议进行(商 577 条)。变更的内容属于应登记的事项时,应进行变更登记(商 549 条,3 款→182 条)。

二、资本的增加

资本的增加,有如下三种方法:每一座出资金额的增加,出资座数的增加或者两者的并用。但是,要以增加每座出资金额的方法增资,则须有以每一社员的同意为必要条件的增资决议。因为每一社员的责任不仅是有限责任(商 553 条),而且每座出资的金额应要均一(商 546 条,2 款)。也就是说,不得违背每一社员的意思扩大其责任限度,也不能限于同意的社员的出资增加每座金额。故,法律上主要是对按出资座数的增加的方法增加资本作出规定。

(一)资本增加的决议

资本增加是变更章程的一种类型,因此须经社员大会的特别决议(商 584 条,585 条)。在此决议中应当决定增资方法,虽然章程中无规定,但也可以决定现物出资、财产认购或者对应增加的资本的出资认购权人(商 586 条)。事后增资,也应依特别决议进行

（商 596 条→576 条，2 款）。所谓"事后增资"，是指有限公司自增资之后 2 年内，为了其营业，以增资后资本的 1/20 的代价取得增资之前起存在的财产，继续使用的合同（商 596 条→576 条，2 款之解释）。

（二）出资认购权

如上所述，在增资决议中可以决定出资认购权人（商 586 条，2 款），并且可以在特别决议中事先约定关于将来出资时向特定人赋予出资认购权（商 587 条）。未依上述两个决议定有出资认购权人时，对应增加的资本，每一社员均持有按其持份认购出资的权利（商 588 条）。

综上所述，可以以社员的决议来限制社员大会的决议来限制社员的出资认购权，这一点与股东的新股认购权不同。

（三）出资的认购、履行

当出资认购权人放弃其权利不认购出资时，除非在增资决议中事先另有规定，应再次以社员大会的特别决议来决定认购人。在有限公司，如是设立的情形，在增资的情形下，也要遵守资本确定的原则，不认定限于一定日期之前的认购部分所进行的最终增资（与商 590 条，591 条，428 条相比较）。有限公司，不得以广告及其他方法公开募集认购人（商 589 条，2 款）。认购出资，并非须依像股份认股书那样的要式文书，但是须依证明其认购的书面，应记载拟认购的出资的座数及住所、并签章（或者署名）（商 589 条，1 款）。

对增资金额已有出资认购时，董事应让认购人缴纳出资金额的全部金额或者交付现物出资标的——财产，在此情形下，认购人不得关于缴纳主张抵消（商 596 条→548 条，334 条）。

（四）资本增加的登记

出资全额的缴纳或者现物出资的履行完毕之后，在总公司所在地应于 2 周之内，同时在分公司所在地于 3 周之内进行因资本增加的变更登记（商 591 条）。增资，不同于新股发行，因只在总公司的所在地进行变更登记而发生其效力（与592条，423条、1款相比较）。只是关于出资认购人的盈余分派另有特则。自出资的缴纳日期或现物出资标的——财产的交付之日起，关于盈余分派，出资认购人持有与社员相同的权利（商590条）。

（五）资本填补责任

根据资本充实的原则产生的填补资本责任，像设立时那样非常严重。

1．社员对现物出资等的责任。现物出资或者财产认购标的——财产的实际价格显著低于增资决议所定的价格时，同意该决议的社员应向公司承担连带支付其不足金额的责任（商593条，1款）。这些社员的责任，如同设立时的资本填补义务，不得予以免除（商593条，2款→550条，2款、551条，2款）。

2．董事对未认购的出资或未出资完毕部分的责任：增资后，尚有未认购的出资时，视为董事与监事共同认购之（商594条，1款）。即使因这种拟制认购而导致社员总数超过50人的后果，也应解释成不得适用第545条，第1款。

增资后，尚有未缴纳出资金额或者现物出资的标的——财产的交付的出资时，董事与监事应连带承担缴纳或支付未交付财产的价额的责任（商594条，2款）。这些董事及监事的责任，未经全体社员的同意，不得被免除（商594条，3款→551条，3款）。

三、资本的减少

与增资相反，资本减少的方法有：减少每座出资金额，减少出资座数或两者并用，选择减少出资座数的方法时，会依持份的注销或并合的形式进行的，而关于并合时的端数持份的处理准用股份并合的规定（商597条→443条）。

像增加时那样，减少时也须变更章程，并依特别决议进行（商584条，585条）。在此决议中决定减少的方法（商597条→439条，1款）。同时，减资可能给公司债债权人带来损失，因此须经保护债权人的程序（商597条→439条，2款）。

减资时，须进行变更登记（商549条，3款→183条），但是，与增资登记不同，并非因进行变更登记而产生效力（与592条相比较）。

四、增资、减资的无效

资本增加的无效，只有社员、董事或者监事自增资登记之日起6个月内以诉讼来主张之（商595条，1款）。另外，还准用有关新股发行无效之诉的规定（商595条，2款→430条～432条）。

关于减资无效之诉，也准用股份公司的有关减资无效之诉的规定（商597条→445条、446条）。

第六节　合并与组织变更

一、合并

（一）要件

有限公司和非股份公司合并时，存续公司或者新设公司须为有限公司（商174条，2款）。有限公司和股份公司合并时，存续公司或者新设公司可以为股份公司与有限公司中的任何一种公司，但是在股份公司的情形下，法院的认可为其发生效力的要件（商600条）。目的是为了防止回避有关股份公司的设立及新股发行的严格规定。和未偿还公司债的股份公司合并时，存续公司或新设公司不得为有限公司（商600条，2款）。因为有限公司不能发行公司债。

有限公司和其他公司合并时，须经社员大会的特别决议（商598条）。新设合并时，应在此特别决议中，同时作出要参与章程的制定及其他设立的设立委员的选任决定（商599条）。报告大会或者创立大会结束后，应进行合并登记（商602条）。

（二）质权的效力

在有限公司和股份公司合并的情形下，其存续公司或者新设公司为有限公司时，将从前的股份为标的的质权，及于代替该股份、股东所取得的有限公司的持份及金钱上（商601条，1款）。在这种情形下，关于成为质权标的的持份，若未在社员名册上记载出资座数及质权人的姓名及住所，则不得以其质权对抗公司及其他第三人（商601条，2款）。

　　（三）准用规定

　　除了上述规定之外，关于有限公司的合并程序及效力，准用被准用于股份公司合并的有关无限公司合并的各项规定及有关股份公司合并的各项规定（商603条）。

二、组织变更

（一）有限公司变更为股份公司

1. 要件及程序。有限公司，依全体社员的一致同意的大会的决议，可以将其组织变更为股份公司（商607条，1款）。不认可变更为人合公司。

　　将其组织变更为股份公司时，仍应遵循资本维持的原则，在组织变更之际所发行的股份发行价额的总额，不得超过公司现存的净财产（商607条，2款）。即使违反此规定，也不影响组织变更的效力，但是，产生后述的填补责任问题。

　　组织变更，须经法院的认可（商607条，3款）。目的是为了防止利用组织变更这种的逃法手段回避股份公司的严格的设立程序的行为。进行组织变更决议时，应同时决定章程及其他变更组织所需的事项（商607条，5款→604条，3款），决议之后须经保护债权人程序（商608条→232条）。

　　最后，应进行组织变更的登记。组织变更登记，是指有限公司的解散登记及股份公司的设立登记（商607条，5款→606条，非讼227条）。自登记时起，发生组织变更的效力。

2. 质权的效力。发生组织变更时，在从前的持份上设定的质权的效力，及于代替该持份所发行的股份上（商607条，5款→601条，1款）。同时，质权人可以请求公司交付该股份的股票（商607条，5款→340条，3款）。

3．净财产额的填补责任。在组织变更的情形下，公司现存的净财产额少于组织变更当时所发行的股份的发行价额的总额时，组织变更决议当时的董事，监事及社员对公司承担连带支付其不足额的责任（商607条，4款）。关于此项特别责任，对社员是不能予以免除的，而对董事及监事，只能以全体社员的同意可以免除（商607条，4款→550条，2款、551条，2、3款）。

（二）股份公司变更为有限公司

1．要件及程序。股份公司，以股东大会上的全体股东的一致决议，可以将其组织变更为有限公司（商604条，1款）。在此决议中应当决定章程及其他组织变更所需事项（商604条，3款）。有限公司不能发行公司债，因此发行公司债时，若未偿还完毕，则不得进行组织变更（商604条，1款、但书）。同时，资本总额不得多于公司现存的净财产额（商604条，2款）。即使违反此规定，也不影响组织变更的效力，只是产生填补责任的问题而已。

另外，须经保护债权人的程序（商608条→232条）。最后，还在进行股份公司的解散登记及有限公司的设立登记（商606条，非讼218条），自登记时起，发生组织变更的效力。

2．质权的效力。因组织变更，以从前的股份为标的的质权及于有限公司的新的持份或金钱上（商604条，4款）。

3．净财产额的填补责任。发生组织变更时，公司现存净财产额少于资本总额时，组织变更决议当时的董事及股东应向公司承担连带支付其不足额的责任（商605条，1款）。不得免除股东的填补责任（商605条，2款→550条，2款、551条，2款），董事的填补责任，只能以全体股东同意，才可免除（商605条，2款→551条，3款）。

第七节 解散与清算

一、解散

有限公司的解散原因有：（1）存在期间的届满及其他章程中规定的事由的发生；（2）社员仅剩为一人时；（3）合并；（4）破产；（5）法院的解散命令或者解散判决；（6）社员大会的特别决议（解散决议）（商 609 条）。

在因上述（1）或（6）的事由而解散时，可以依社员大会的特别决议继续公司（商 601 条，2 款）。因上述（2）的事由而解散时，可以加入新的社员继续公司（商 610 条，2 款）。在这种情形下，已进行解散登记时，须进行公司继续的登记（商 611 条→229条，3 款）。

二、清算

如同股份公司，只认定法定清算。在清算程序中，清算人对法院的申报，社员大会、监事的存续，清算人的职务、债权的申报、催告等，均准于股份公司清算的情形（商 613 条，1 款），只有清算人会议制度，如同董事会制度理所当然不被认定。关于清算人，大部分准用有关有限公司及股份公司董事的规定（商 613 条，2款）。

剩余财产，按每一社员的出资座数来分配，但章程中另有规定时按其规定分配（商 612 条）。这一点，如同关于盈余分派，原则上是按社员的出资座数来进行分派，但是可以在章程中另定标准，这正是反映了有限公司的封闭性。章程中另定其他标准时，并非须同一定盈余分派及剩余财产分配的标准。

第七章 外国公司

一、外国公司的意义和本质

关于外国公司，在商法第六章中有 8 个条文，但对它的概念未下定义。因此，关于什么是外国公司这一问题上，有不同的学说，如根据国际私法的理论，分住所地法主义、设立准据法主义、设立地主义、社员的国籍主义等的解决方法，通说主张设立准据法主义。据此，商法上指的外国公司是依外国的法律而设立的公司。

但是，针对实践中会存在国内公司为了回避国内法而依据外国法律设立公司的情形，认为即使是在外国设立的公司，若在大韩民国设置其总公司或以在大韩民国的营业为其主要目的设立时，应适用与在大韩民国设立的公司同一的规定（商 617 条）。

二、外国公司的法律关系

外国公司的组织或内部法律关系，依其准据法来解决；对外法律关系，一般适用涉外私法；按法律关系的性质适用相关法律（例：民诉 4 条，2 款）。商法关于下列事项作出规定：

（一）外国公司的地位

关于其他法律的适用上，如法律上另无规定，则将外国公司视为在大韩民国成立的同种或者最类似的公司（商 621 条）。

（二）国内营业的要件

外国公司，为了在国内进行营业，应选定代表、设置营业所进行登记。

1. 选定代表。应选定在国内的代表（商 614 条，1 款）。代表的权限，与国内公司的代表机构相同，有不法行为时，公司与代表承担连带责任，这一点与国内公司相同（商614条，4款→209条、210条）。

2．营业所的设置（商614条，1款）。

3．登记。

1）登记事项：外国公司设置其营业所，应按有关大韩民国的同种公司或最为相似的公司的分公司之法律所要求的内容进行登记（商614条，2款）。同时登记在国内的代表的姓名及住所（商614条，3款）。

此登记事项发生在国外时，其登记义务期间自该通知到达之日起计算（商615条）。

2）不履行登记的效果：进行第614条的登记之前，不得继续交易，不顾此规定交易者，关于其交易，应与公司承担连带责任（商616条，1款、2款）。

（三）有价证券的法律关系

外国公司在国内发行股票或债券，在国内进行股份的转移或设质或公司债的移转时，准用商法第335条到第338条，第340条1款、第355条至第357条，第478条第1款，第479条，第480条。

（四）营业所的关闭

1．关闭命令。有一定的事由时，法院可根据利害关系人或检事的请求，命令关闭外国公司的国内营业所。关闭事由为：（1）营业所的设置目的为非法时；（2）营业所进行设置登记之后，无正当理由未在一年以内开业，一年以上歇业，无正当理由停止支付时，（3）代表或业务执行人作出违反法令或社会秩序的行为时（商619条，1款）。

下关闭命令之前，法院也可以作出保全营业所财产所必要的处分（商619条，2款→176条，2款），当外国公司疏明利害关系人的关闭命令请求为恶意而请求时，可以命令利害关系人提供担保（商619条，2款→176条，3、4款）。

2．清算。根据法院的命令或者外国公司自觉地关闭公司的情形下，法院可根据利害关系人的申请或者依职权，命令对该外国公司在国内的全部财产开始进行清算，在此情形下，法院应选任清算人（商 620 条，16、3 款）。

关于外国公司的清算，除非是从其性质上不允许的情形之外，准用有关股份公司清算的规定（商 535 条→537 条，542 条）、（商 620 条，2 款）。

第八章 罚 则

一、总述

围绕公司的法律关系是非常复杂的，因此公司可以成为财产犯罪的对象或者手段，其本身也可以成为主体。关于犯罪与处罚，有一般法——刑法，与公司有关的相当一部分犯罪，可以依据刑法来处罚。

但是，刑法本身是针对自然人的犯罪而制定的，所以难以包括以法人为中心的犯罪，并且公司关系的犯罪大部分是属于所谓的"白领"型犯罪，所以一方面他的受谴责可能性很高，但是另一方面非常巧妙，因此，很难只以刑法分则来加以规律。基于上述原因，商法第七章，关于公司关系的犯罪及其处罚作出规定。

二、一般原则

（一）刑事犯罪与行政犯罪的区别

商法上的罚则规定，可分为对刑事犯罪的规定和对行政犯罪规定两大类。

第622条至第634条，之2的罪为刑事犯罪，适用徒刑、罚金、没收等刑罚；第635条及第636条之罪为行政犯罪，适用罚款。

（二）身份犯

商法上的各种犯罪，大部分属于身份犯。例外：只有第628条第2款，第630条第2款，第631条第2款罪，不属于身份犯。除了这些犯罪以外，对不具备每一规定所要求的身份的人，犯罪是不能成立的。

（三）刑法总则的适用

关于刑事犯，一般适用刑法总则。第 622 条至第 634 条中未规定惩罚过失犯罪，因此关于过失犯罪，不适用罚则（刑法 14 条）。

（四）对法人的处罚

刑事犯罪的主体为法人的情形下，对作出实际行为的董事、监事及其他执行业务的社员或者经理人适用罚则（商 637 条）。

（五）徒刑与罚金的并处

关于刑事犯，可以并处徒刑与罚金（商 632 条）。

（六）没收、追缴

关于一定的犯罪，即第 630 条第 1 款或者第 631 条第 1 款的犯罪，应没收犯人收取的利益；关于无法没收的部分，追缴其价额（商 633 条）。

（七）处罚程序

刑事犯的处罚依刑事诉讼程序，而行政犯的处罚依非讼事件程序法的所定程序进行（非讼 247 条以下）。

三、刑事犯

（一）特别背任罪

1. 行为主体：（1）发起人，业务执行社员，董事、监事及第386 条第 2 款、第 407 条第 1 款、第 415 条、第 567 条之职务代行人及经理人及其他关于公司的营业的某一类或特定事项被委托的使用人、清算人，第 542 条第 2 款的职务代行人、第 175 条之设立委员（商 622 条，1、2 款）。（2）公司债债权人集会的代表或者执行其决议的人（商 623 条）。

2. 行为：本条中的背任行为，是指根据事务的内容、性质等具体情况，从法律规定合同的内容或者诚实信用的原则上认为因其该作而不作、不该作而又作出破坏与本人之间的信任关系的行为。具体地讲，上述（1）者因其违背任务的行为取得财产上的利益或者使第三人取得，从而给公司带来损害（商 622 条，1 款）；上述（2）者以同一行为加害于公司债权人（商 623 条）。要成立本罪，须有任务违背，利益的取得及对公司的损害发生的犯罪意图。本罪中的"加害于公司时"，包括给公司带来实际损失的情形，也包括发生可以视为是减少公司财产价值的财产生损害的危险的情形。一旦给公司发生财产上损害的危险，即使事后回复损害，也不影响特别背任罪的成立。

3．处罚：将（1）者处 10 年以下徒刑或者 3 000 万元以下的罚金（商 622 条，1 款）；将（2）者处 7 年以下徒刑或者 2 000 万元以下罚金。未遂犯也处罚（商 624 条）。

（二）危及公司财产罪（商 625 条）

1．行为主体：第 622 条第 1 款规定的人，检查人，第 298 条，第 3 款、第 299 条，之 2、310 条，第 3 款或者第 313 条第 2 款之公证人（含法务法人及公证认可合同法律事务所的有关业务执行律师）或者第 299 条，之 2 或第 310 条第 3 款的鉴证人。

2．行为：作出下列各项行为之一时，给予处罚。

1）出资的不真实报告：关于认购或缴纳股份或出资，现物出资的履行，第 290 条或者第 544 条所列的事项，向法院、大会或者发起人作不真实的报告或者隐瞒事实时。

2）自己股份的取得：不论是以谁的名义，凡是以公司的计算，不正当地取得其股份或者持份，以质权的标的来接收时，即使公司取得自己股份的经过原因，是在股东大会上决议不向非股东转让股份者，或者其他股东同意公司取得自己股份，也不影响本罪之成立。

处罚自己股的取得行为的最重要的理由为：有偿取得自社股，实质上是对股东退还出资，这违反资本充实的原则并且危及公司财产；私法上的违法与刑法上的违法不一定必须一致，即使外形上属于私法所禁止的自己股取得的情形，也认为不对公司财产存在抽象的危险时，例如：估计自己股份取得的违法状态立即消除而取得时，从刑法角度看没有本质上的违法性，因此不属于"不正当"取得股份的情形，故不得以违反禁止取得自己股罪来处罚。

3）违法分派：违反法令或者章程的规定，分派盈余或者利息时。

4）非营业用途上的财产处分：为了在公司的营业范围外进行投机行为，处分公司财产时。

3．处罚：处5年以下徒刑或1 500万元以下的罚金。

（三）违反股份取得限制之罪（商625条，之2）

1．行为主体：第635条第1款所列的人。

2．行为：违背第342条，之2，使子公司取得母公司的股份，未在6个月内处分例外取得的股份的行为。

3．处罚：处2 000万元以下的罚金。

（四）不真实报告罪（商626条）

1．行为主体：董事、监事及第386条第2款、第407条第1款、第415条，第567条之职务代行人。

2．行为：关于股份公司或者有限公司变更组织时的公司现存的净财产额（商604条，2款、607条，2款），向法院或者大会作出不真实的报告或隐瞒事实的行为。

3．处罚：处5年以下徒刑或者1 500万元以下的罚金。

（五）行使不真实文书罪（商627条）

1．行为主体：（1）第622条第1款所列的人及外国公司的代表，被委托募集股份或者公司债者，及（2）卖出股份或者公司债的人。

2．行为：上述（1）者在募集股份或者公司债时，关于重要的事项行使有不真实记载的认股要约书，公司债认购要约书、事业计划书、有关募集股份或者公司债的广告及其他文书的行为，及上述（2）者行使关于重要事项有不真实记载的、与卖出有关的文书的行为。

3．处罚：处5年以下徒刑或1 500万元以下的罚金。

（六）假装缴纳罪（商628条）

1．行为主体：（1）第622条第1款所列的人；（2）参与或中介此类罪的行为的人。

2．行为：上述（1）者假装缴纳或者假装履行现物出资的行为，及（2）者参与或者中介的行为。

假装缴纳罪，其目的是为了制止破坏公司的资本充实的行为，一开始就没有以缴纳的股金确保公司资金的意思，形式上或者临时缴纳股金，并将该资金存入银行，以此具备缴纳的外形，持被交付的股金缴纳证明书办理完毕设立登记或者增资登记的程序之后，再抽回该缴纳的资金的情形下，除非有为公司而使用的特殊事情之外，未实际增加了公司的资本，因而成立假装缴纳罪。私法上，在发起人或代表董事与公司之间的关系上，发生相当于该部分金额之债权债务关系，但不影响本罪的成立。

3．处罚：处5年以下徒刑或1 500万元以下的罚金。

（七）超过发行罪（商629条）

1．行为主体：发起人，董事及第386条第2款、第407条第1款之职务代行人。

2．行为：超过发行预定股份总数发行股份的行为。

3．处罚：处5年以下徒刑或者1 500万元以下的罚金。

（八）渎职罪（商630条）

1．行为主体：（1）第622条，第623条所规定者，检查人，第298条第3款、第299条，之2、第310条第3款或者第313条第2款的公证人或第299条，之2或者第310条第3款之鉴定人。（2）向上述人承诺，提供利益或者作出提供的意思表示人。

2．行为：（1）者与其职务有关受不正当的请托、收受、要求或者承诺财产上的利益，及（2）者承诺、提供（1）的利益或者作出提供的意思表示的行为。

3．处罚：处5年以下徒刑或者1 500万元以下的罚金。

（九）关于妨害行使权利等的收受贿赂罪（商631条）

1．行为主体：（1）按不同的行为，分别为股份认购人、社员、股东、公司债债权人或者公司法上的各种提诉权人、少数股东、少数社员，一定金额以上的公司债债权人；（2）向（1）者承诺、提供利益或者作出提供的意思表示者。

2．行为：（1）者关于下列事项接受不正当请托，收受、要求或者承诺财产上的利益的行为，及（2）者承诺、提供利益或者作出提供的意思表示的行为。

1）在创立大会、社员大会、股东大会或者公司债债权人集会上发言或者行使表决权。

2）公司法上的诉的提起，持有发行股份总数的5%以上股份的股东，持有公司债总额的10%以上的公司债债权人或者资本的5%以上的出资座数的社员的权利行使。

3）留止请求权或者新股发行留止请求权的行使。

3．处罚：处1年以下徒刑或者300万元以下的罚金。

（十）缴纳责任逃避罪（商634条）

1．行为主体：股份认购人或者出资认购人。

2．行为：为了免除缴纳责任，以他人或者假设人的名义认购股份或者出资的行为。这属于目的犯。

3．处罚：处1年以下徒刑或者300万元以下的罚金。

（十一）有关股东行使权利的利益提供罪（商634条，之2）

1．行为主体：（1）股份公司的董事、监事或者第386条第2款、第407条第1款或者第415条之职务代行人，经理人及其他使用人；（2）由他们收受利益或者让第三人提供者。

2．行为：（1）者与股东的权利行使有关，以公司的计算提供财产上的利益者，及（2）者收受或者让第三者提供者。

3．处罚：处1年以下徒刑或者300万元以下的罚金。

四、行政犯

商法第635条，第636条规定违反公司法的各项规定时处以罚款的行为。但是关于该行为，处刑时，不得处以罚款（商635条，1款、但书）。

（一）商法第 635 条第 1 款之行为

1．行为主体：公司的发起人，设立委员，业务执行社员、董事、监事、外国公司的代表、检查人、第 298 条第 3 款、第 299 条，之 2，第 310 条第 3 款或者第 313 条第 2 款的公证人，第 299 条，之 2 或者第 310 条第 3 款的鉴定人、经理人、清算人、名义更改代理人，被委托募集公司债的公司及其事务承继人或者第 386 条第 2 款、第 407 条第 1 款、第 415 条、第 542 条第 2 款或者第 567 条之职务代行人。

2．行为。（1）怠于进行公司法上的登记时；（2）怠于进行公司法上的公告或者通知，或者进行不正当的公告或者通知时；（3）妨害公司法上的检查或者调查时；（4）违反公司法上的规定，无正当理由拒绝阅览或者誊写文书，交付誊本或者抄本时；（5）向官厅、大会、公司债债权人集会或者发起人进行不真实报告或者隐瞒事实时；（6）不记载或不真实记载应在股票、债券或者新股认购权证书上记载的事项时；（7）无正当事由，不进行股票的名义更改时；（8）法律或章程中所定的董事或者监事缺员时，有怠于其选任程序时；（9）不记载或者不真实地记载应在章程、股东名册或其复本、社员名册、公司债原本或其复本、会议记录、监查记录、财产目录、资产负债表、营业报告书、事务报告书、损益计算书、利益剩余金处分计算书或者缺损金处理计算、决算报告书，会计账簿，第 447 条，第 534 条，第 579 条第 1 款或者第 613 条第 1 款之附属明细书或者监查报告书上记载的事项时；（10）怠慢或者拒绝向法院选任的清算人交接业务时；（11）以拖延清算的终结为目的，不当地将第 247 条第 3 款，第 535 条第 1 款或者第 613 条第 1 款的期间定为长期时；（12）违反第 254 条第 4 款，第 542 条第 1 款或者第 613 条第 1 款的规定，有怠于请求破产宣告时；（13）违反第 589 条第 2 款的规定，公开募集出资的认购人时；（14）违反第 232 条，第 247 条第 3 款，第 439 条第 2 款，第 530 条第 2 款，第 597 条，第 603 条或者第 608 条的规定，进行公司的合并或者组织变更，处分公司财产或者减少资产时；（15）违反第 260 条，第 542 条第 1 款或者第 613 条第 1 款的规定，分配公司财产时；（16）违反第 302 条第 2 款、第 347 条、第 420 条、第 420 条，之 2、第 474 条第 2 款或第 514 条的规定，未制作股份认购书，新股认购权证书或者公司债认购书，或者未记载应记载之事项或作出不真实记载时；（17）违反第 342 条或者第 560 条第 1 款之规定，有怠于进行股份或者持份的失效程序，处分股份或者持份的质权时；（18）违反第 343 条第 1 款或者第 560 条第 1 款的规定，注销股份或者出资时；（19）违反第 355 条第 1 款、第 2 款或者第 618 条之规定，发行股票时；（19）之二：违反第 358 条，之 2、第 2 款的规定，未在股东名册上记载时；（20）违反依第 365 条第 1 款、第 2 款，第 578 条之规定或者第 467 条第 3 款，第 582 条第 3 款的规定的法院的命令，未召集大会或在章程中所定的地点以外的其他地点召集大会时，或者违反第 363 条，第 364 条，第 571 条第 2 款、第 3 款的规定召集大会时；（20）之二：违反第 374 条第 2 款或者第 530 条第 2 款的规定，未进行通知或者公告股份收买请求权的内容及行使方法或者进行不真实的通知或者公告时；（21）违反第 396 条第 1 款，第 448 条第 1 款，第 510 条第 2 款，第 522 条，之 2、第 1 款，第 534 条第 3 款，第 542 条第 2 款，第 566 条第 1 款，第 579 条，之 3、第 603 条或者第 613 条之规定，未备置账簿或者文书时；（21）之二：违反第 412 条，之 4 第 3 款的规定，无正当理由拒绝监事的调查时；（22）违反第 458 条至第 460 条或者第 583 条之规定，未储备或者使用公积金时；（22）之二：未在第 464 条，之 2、第 1 款的期间内支付分派金时；（23）违反第 470 条之规定募集公司债或未偿还旧公司债时；（24）违反第 478 条 1 款或者第 618 条之规定，发行债券时；（25）违反第 536 条或者第 613 条第 1 款的规定，清偿债务时；（26）违反依第 619 条第 1 款之规定的法院的命令时；（27）违反第 555 条之规定，发行有关持份的指示式或者无记名式的证券时。

3. 处罚：处 200 万元以下的罚款。

（二）第 635 条第 2 款之行为

发起人或者董事转让因认购股份而发生的权利时，也处 500 万元以下的罚款。

（三）第 636 条之行为

在公司成立之前，以公司的名义进行营业的人，处相当于公司设立的注册税的 1 倍的罚款，外国公司违反第 616 条第 1 款之规定时，也处相同的罚款。

译　后　记

　　韩国和中国自 1992 年 8 月建交以来，两国间的经贸关系发展迅速，但法制及法学交流相对滞后。以往韩国的法律很少介绍到中国来，即使介绍也多是"二手货"（从日文或英文翻译而来），并没有反映最新动态。这一方面受语言障碍所致，另一方面也有韩国的法律制度与日本的法律制度相似的原因。的确，由于历史的原因韩国的法制受日本的影响很深（1911 年至 1945 年以及此后的过渡阶段曾实行过第二次世界大战前日本的法律），但通过近半个世纪的发展，形成了具有韩国特色的法律制度，为向工业化国家过渡提供了制度保障。因此，加强中韩两国之间的法制及法学交流，与不断发展的两国间交流关系相适应，了解韩国的现行法律制度，特别是商事法律制度十分必要，韩国移植外国先进法律的正反两方面的经验，尤其是商事立法的经验，对中国当今的市场经济立法具有借鉴意义。这是译者翻译此书的重要的动机。

　　在韩国，公司法被称为"会社法"，包括在商法典中。韩国商法典制定于 1962 年 1 月 20 日，自 1963 年 1 月 1 日起施行。韩国公司法在基本框架上继受了日本的公司法，但并不完全照搬，从韩国的实际和编入美国影响圈的现实出发，进行了很大的调整。例如，将有限公司制度引入商法典的公司编中，废止股份两合公司制度及股份公司特别清算制度，引进授权资本制，缩小股东大会权限的同时，扩大董事会权限等。随着韩国经济的发展，韩国公司法分别于 1984 年，1995 年，1998 年，先后 3 次进行过大的修改（主要修改内容请参照本译著的序论部分）。其中，陷入金融危机以后进行的

1998 年底的修改特别引人注目。通过修改，韩国公司法不但地适应韩国经济发展的需要，并试图逐渐脱离日本商法的影响，更多地吸收美国的公司法制度，演变为具有韩国特色的公司法制度 。与韩国公司法的发展相适应，公司法学也发展起来。商法学者们通过不断地研究本国公司法和介绍发达国家的立法例·学说及判例，解决实际法律解释中的难题，提供立法意见，推动公司法学的发展。于是，有关公司法学的佳作频出，李哲松教授的"会社法讲义"正是可谓代表韩国公司法学成就的论著。此书有以下的几个特点：（1）内容丰富，对几乎所有的公司法上的制度进行了系统的论述。不仅包括韩国的学说和判例，也包括美国·德国·日本等发达国家的立法例·学说和判例，以及它们之间的渊源关系。（2）富有深度，在论述某一问题时，将国内外主要观点都一一列出，并进行分析，最后提出自己独到的见解，引人深入，富有逻辑性。（3）立体研究。在论述中，不只介绍公司法上的规定，而是结合证券法，反垄断法，税法，民法，民事诉讼法等相关法律进行研究，试图立体地解决实际问题，对从事实务者帮助很大。（4）具有批判精神。就韩国公司法引进的新的制度和所存在的问题，从立法论的角度进行分析，对现行立法存在的问题进行尖锐的批评，并提出建设性的立法意见。（5）具有前沿性。对当今公司法学的尖端课题，如，对公司法上的诉讼，公司治理结构，公司合并和分立，公司的社会责任论等，进行了着重论述。（6）注意考察实态。不仅研究法律上的规定，还注意考察法的实态，以便找出存在的问题，为今后公司法修改做准备。由于本书具有以上特点，以致本书成为韩国法学院学生几乎人手一册的公司法教科书，而且又是韩国公司法实务中必备的书籍。译者在汉阳大学研习公司法时就使用过此书，被本书的理论价值所折服，并深深感觉到公司法不仅是技术性的法，并且也是具有理论深度的法。这是驱使译者翻译此书的又一个重要的动机。

　　在翻译此书的过程中，译者力图反映原著的本来面貌，有的用语尽量使用能够反映著者原义的用语，与以往翻译日本法学论著者使用的用语不尽相同。另外，由于篇辐所限，将原著中用小文字处理的韩国公司法判例和一些外国法上制度及引用韩国书籍和外国书籍的脚注删去。还有，书后所附的主要参考文献和用语索引也没有翻译过来。这一点着实有些遗憾。此书主要是解释韩国公司法的。虽然各国公司法理论都相通，但有的制度与中国的很不相同，应基于韩国公司法的规定加以理解，译者另翻译的韩国商法典，会为本书的阅览提供帮助。本译著如能为中韩公司法学的交流及经济界，法律实务界人士了解韩国的公司法制做出一点贡献，便感到宽慰。

本书的出版，承蒙得到中国政法大学副校长赵相林教授的推荐和政法大学出版社李传敢社长的支持，在此向两位表示诚挚的谢意。清华大学法学院院长著名商法学者王保树教授欣然为本译著作序，自待感激不尽，在此一并表示感谢。

由于本书内容庞大，且本书的翻译是利用业余时间匆忙完成的，加上译者水平有限，译文中生硬，不妥，甚至错误之处在所难勉，还望学界前辈批评指正。

译 者
1999 年 8 月

图书在版编目（CIP）数据

韩国公司法 / 吴日焕译.－北京:中国政法大学出版社,1999.12
ISBN 7-5620-1956-8

Ⅰ.韩.. Ⅱ.吴... Ⅲ.公司法-韩国　Ⅳ.D931.262.29

中国版本图书馆CIP数据核字(1999)第72904号

书　　名	韩国公司法
责任编辑	张玲
出版发行	中国政法大学出版社(北京市海淀区西土城路 25 号)
	北京 100088 信箱 8034 分箱　　邮政编码 100088
	zf5620@263.net
	http://www.cuplpress.com　（网络实名：中国政法大学出版社）
	(010)58908325（发行部）　58908285(总编室)　58908334(邮购部)
承　　印	固安华明印刷厂
规　　格	850×1168　　32 开本　26.125 印张　724 千字
版　　本	2000 年 1 月第 1 版　2009 年 1 月第 2 次印刷
书　　号	ISBN 7-5620-1956-8/D·1875
印　　数	2001-3000
定　　价	48.00 元